經學研究叢書・臺灣高等經學研討論集叢刊

中日韓經學國際學術研討會論文集

林慶彰、盧鳴東　主編
蔣秋華　編輯

序

二〇〇八年一月二十一至三十日香港浸會大學中文系傳統文化中心邀請我去擔任經學名師講座，演講二次，題目分別是：「香港近五十年詩經研究述要」、「中國經學詮釋的重要概念」。各校研究經學的學者與學生都來聽講，我在演講時強調，香港有很長的經學傳統，只是大家不太注意。我建議香港研究經學的學者該去做幾件事：第一，編輯香港經學研究文獻目錄，讓各地的學者知道香港研究經學的成果，以便作為研究時選題的參考。第二，召開經學國際研討會，以促進學術交流，更可以發揚校譽。第三，參加海內外各地的經學會議，讓各國的學者知道香港有哪些經學研究者，以及他們的研究方向。第四，申請研究計畫時，應多關注經學方面的問題，用集體的力量，提升經學研究的品質。

二〇〇八年七月二十一至三十日，香港城市大學中文、翻譯及語言學系郭鵬飛教授也邀請我去訪問，演講題目是「中國經學史上簡繁更替的詮釋形式」。當時我去拜訪該系的講座教授吳宏一先生，他告訴我要有心理準備，不會有太多人來聽講。但是演講開始時，演講廳卻意外地坐滿了人，還有人站著聽，我心裡甚感安慰。在二〇〇九年五月二十九至三十日香港嶺南大學中文系與中央研究院中國文哲研究所合力召開「香港嶺南大學經學國際學術研討會」，參加者有一百多人，發表四十多篇論文。這是香港近幾十年來第一次舉辦經學國際研討會，意義重大，這次研討會打開了舉行經學國際研討會的大門。此次研討會的論文集，於二〇一四年月由臺灣萬卷樓圖書公司出版。從四十多篇論文，可知參加者有香港、臺灣、中國大陸、日本、新加坡等地的學者，是確確實實的國際學術研討會。

香港浸會大學也於二〇一〇年五月二十七至二十八日舉辦「中日韓經學

國際學術研討會」，參加的學者有一百餘人，發表論文三十九篇，主題演講三篇。其內容分別是：經學總論七篇、周易五篇、尚書五篇、詩經二篇、三禮五篇、春秋三傳七篇、四書五篇、孝經一篇、爾雅一篇、讖緯一篇。參加的香港學者有何廣棪、盧鳴東、單周堯、何志華、鄧國光、吳家怡、宗靜航、李雄溪、許子濱、黃梓勇、許振興、郭鵬飛、孔炳奭十三位；臺灣的學者有林慶彰、張壽安、張曉生、蔡根祥、車行健、金培懿、蔡長林、賴貴三、范麗梅、丁亞傑、馮曉庭、黃冠雲、蔣秋華十三位；中國大陸學者有趙生群、劉寧、呂宗力、郜積意、牟堅、舒大剛、方向東、汪學群八位；日本有末永高康一位；韓國有孔炳奭、金時晃二位。美國學者有夏含夷、田浩二位；德國學者有蘇費翔一位；英國學者有傅熊一位。海外的漢學家總計有七位參加並發表論文。香港嶺南大學的研討會，韓國與歐美都沒有學者發表論文，這是比香港嶺南大學的研討會更國際化的地方。這本論文集的論文，經過學者修改後，仍由臺灣萬卷樓圖書公司出版，收入有三十九篇。論文集的編輯工作由香港浸會大學中文系主任盧鳴東教授與我擔任主編，中央研究院中國文哲研究所蔣秋華教授負責編輯實務，經過一年多的時間，統一了體例，並修補附註不完備的地方。二〇一四年全書定稿。

我在二〇〇八年一月到香港浸會大學中文系傳統文化中心演講時，曾提出四件香港學者應該去執行的事。第一，編輯目錄，已由香港浸會大學中文系主任盧鳴東教授編輯完成。將於二〇一五年八月，由臺灣萬卷樓圖書公司出版。第二，召開研討會，香港嶺南大學已經召開經學國際學術研討會，論文集已於去年月出版；香港浸會大學此次的研討會論文集也即將出版。第三，參加海內外的經學會議，香港學者到臺灣、大陸參加研討會的學者也逐年增加。第四，申請研究計畫，我手邊沒有實際的統計數字，但知道他們都有向香港政府申請研究計畫補助。由此可知，香港學者劍及履及，即知即行的積極作為和態度。我曾說過香港研究經學未來遠景看好，這個預言在這一年即將實現，內心有無限的喜悅。

最後要感謝四十多位與會學者提供文稿。也感謝中央研究院中國文哲研究所蔣秋華教授，負責全書的編輯事務。相信在大家同心協力的情況下，香港的經學研究將會有出人意表的成果出現。

二〇一五年一月林慶彰誌於

中央研究院中國文哲研究所五〇一研究室

目次

尚書研究

詩經研究

三禮研究

春秋三傳研究

論語研究

大學研究

中庸研究

孝經研究

爾雅研究

讖緯研究

從《兼明書》看唐宋五代說經方向的轉折

馮曉庭*

一　唐代中晚期學風的異動暨丘光庭與《兼明書》

唐高宗（李治，628～683）永徽四年（653）三月一日，李唐中央政府頒布《五經正義》，自此之後，「每年『明經』，依此考試」[1]，經學發展由此步入所謂「統一時代」。儘管《五經正義》在解經形式上並無任何創新之處，同時孔穎達（574～648）等人在進行編撰工作之際，也不一定懷抱著「統一經學思想」或「為後學樹立典型」等觀念，但是，深具官方色彩的《五經正義》，不但在孔穎達等人南北兼融的觀點下，將以往南北經學對立的現象逐漸調和[2]，同時也可能抹煞了相當數量的創作誘因，使「注疏之學」在東漢與魏晉南北朝時期給經學研究帶來的繁榮面貌為之黯淡。

從經學研究發展的進程來看，經書詮釋的方式若是發展到極致、形成典範，其後的相關探討與發展，必然會有一段時間是延續著該方式所規範的理路施行，漢代官方樹立的「今學」章句經說，左右漢代經學發展，便是一個顯著的例子。在這個規律之下，「義疏（注疏）之學」的《五經正義》，在成書後便成為學者研究經學的唯一指標，是可以預想得到的。因此，若說當時學者對儒家經典詮釋的腳步隨著「典範」的確立而逐漸緩慢並且固定

---

* 嘉義大學中國文學系。

1 〔宋〕王溥（922～982）撰：《唐會要》（上海市：上海古籍出版社《歷代會要叢書》本，1991年）卷77〈貢舉下‧論經義〉，頁1662。

2 南北兼融與調和的經典詮釋行為，事實上，自隋代劉焯（544～610）、劉炫（546？～613？）等人已開其風氣。

下來，應該是可以成立的。隨後，私人學者對於《儀禮》、《周禮》、《公羊傳》、《穀梁傳》等事實的訓解，也都以相同於《五經正義》的形式或概念呈現出來。

當然，這些學科本身的傳遞與解說系統，或許原本就包含著如是的因子，而當時通行的解經模式，也或許就是如此，固然是不能排除的原因，但是孔穎達等人造成的影響，則是必須考慮的因素。筆者以為，就孔穎達等人給唐代經學帶來的示範作用來看，無論在精神上與形式上，《五經正義》都可以稱為總結「注疏之學」的作品。於是，在《五經正義》的指引之下，史籍文獻中關於唐代前期經學發展的若干描述，也就呈現出單一化與缺乏創新性格的面貌[3]。

以《五經正義》為探究經書唯一依據的狀況，到了唐代宗（李豫，726～779）大曆年間（766～779）始生變化，宋人宋祁（996～1061）與歐陽脩（1007～1072）主編的《新唐書》如是說道：

> 大曆時，助、匡、質以《春秋》，施士匄以《詩》，仲子陵、袁彝、韋彤、韋茝以《禮》，蔡廣成以《易》，強蒙以《論語》，皆自名其學。……（〈儒學傳下〉，卷200，頁5707）
>
> ……啖助在唐，名治《春秋》，摭詘三家，不本所承，自用名學，憑私臆決……（〈儒學傳下〉，卷200，頁5708）[4]

在以上的敘述文字裏，「自名其學」一辭是最為關鍵的部分，所謂「自名其學」，根據〈儒學傳〉隨後的說明，就是「不本所承，自用名學，憑私臆決」。也就是說，這些學者採取的方式與態度，是不再拘泥於承襲沿用已久的固有說法，而是以自身獨有的認識充任詮釋經書的標準。在如是的狀況之下，《五經正義》及其所代表的「注疏之學」，當然都可能會遭受到挑戰。

---

[3] 今人趙伯雄、戴維分別撰著《春秋學史》，於談論隋唐五代的《春秋》學的章節中，亦抱持類似觀點。趙書出版於2004年4月（濟南市：山東教育出版社），戴書出版於2004年5月（長沙市：湖南教育出版社）。

[4]〔宋〕歐陽脩、宋祁：《新唐書》（臺北市：洪氏出版社，1977年）。

然而，《五經正義》或「注疏之學」被懷疑摒棄只是一個開端，在「不本所承，自用名學，憑私臆決」的態度下，篩選以及推翻舊說只是過程，新觀念的推出才是目的，學者師心自用，經學研究於是發生了重大變革，而且，轉變不再侷限於單一學者或者少數經書上，就《新唐書》的記載看來，本次變動搖撼的層面是相當寬廣的。

變動發生的誘因相當多，而討論這個問題的學者也不少，總歸各家說法，經學發展的路線到此時產生丕變，主要有以下三個原因：

其一，安史亂後戰亂頻仍，政治秩序失調，皇綱不振，藩鎮割據，人倫規範淪喪，經濟民生衰敗，學者針對社會上的種種問題提出反思，進而對學術研究（主要是經學）產生新的態度與觀點。

其二，佛教的勢力龐大，教義深沉，在心性論、本體論、宇宙論等哲學義理的討論上，本來就較只重文字訓話、名物制度考索的儒家經學高明，禪宗坐大後，更威脅正統儒學的地位，學者為了擺脫佛教的糾纏，於是從事舊有經學體制的改革。

其三，以《五經正義》為代表的「注疏之學」，雖然通過科舉考試仍然掌握著經學發展的多數資源，但是歷經千年的流傳後，逐漸無法配合人文演進的腳步，學者開始發現其中不合理的部分，對舊傳學術的懷疑也就因而產生。

從大曆時期展開的轉變，對中唐以後的經學研究著實產生明確的影響，其中較為顯著者，當屬下述兩項：

其一，以啖助（724～770）、趙匡（～770～）、陸淳（？～806）為中心的「啖趙學派」，針對《春秋》與《三傳》（包括相關注家）進行探討檢核。認定「《春秋》之作在尊王」，並且施行考較評比，打破家法限制，擇取《三傳》當中有益於《春秋》義理者為訓，有違孔門意旨者則刪削摒除；至於《三傳》所釋，全然不與《春秋》契合者，即伸張己意，妄為說解。「啖趙學派」的表現突破了千百年來《三傳》各自家法、不相溝通，甚而互為攻訐的《春秋》學成規，並且提出可能較為符合新時代文化之認知詮釋與說解，縱使不能就此認定新學術體系已然建立、新經書詮釋文化已然形成，但是至少在表象上兼容並蓄與客觀公正的態度暨方法確然存在，證實了相關學者已經具備檢討能力，《春秋》學或許將要因而發展出新面貌。另一方面，「尊王」概念的再發揚，雖然與議題的創新並無牽涉，然而就融合新環境元素醞釀生成的主張意識、對於經書義涵的發揮或者經文詮釋的方向、通常會產生積極性的衝擊與影響這項幾乎是經典詮釋發展史的定律看來，《春秋》學的發展將因為議題的再申明與重新詮釋而充滿時代性格且呈現新貌，則是可以預期的。

其二，以韓愈（768～824）及柳宗元（773～819）為中心的「古文家集團」（或稱為「道統說知識分子集團」），對於「舊傳經學」多有更革，正如梁啟超（1873～1929）在《儒家哲學》一書中所說的，韓愈研究經學的高超處，就是「離開舊時的訓詁方法，想於諸經之中，另得義理」[5]。所謂「想於諸經之中，另得義理」、「離開舊時的訓詁方法」，代表著基本思維與為學態度的改變，更暗示著經說的外在形式與內在模式產生更動的可能性。考核今日留存的文獻，可以知道，韓愈曾與李翱（772～841）同撰《論語筆解》，書中除了大膽提出異於前人的解釋之外，並且勇敢地改動自認存在疑義的經書文字。同時，韓、柳更曾撰寫大量專文，如〈改葬服議〉、〈讀儀禮〉、〈與李祕書論小功不稅書〉、〈詩之序議〉、〈晉文公守原議〉、〈論語辯〉、〈與劉禹錫論周易九六書〉、〈答元饒州論春秋書〉等篇，針對各項經學議題進行討論，確立了「議論解經」的模式與「離經言道」的自由討論風氣。如是諸相，都說明了中晚唐經學無論是內涵或者形式，確實已生改變，新的學術風潮可能就此繁衍肇生。

啖、趙、韓、柳等人的表現，的確為隨後的宋代「新經學」開展新聲，已是不爭的事實，然而，唐末五代戰亂頻仍所導致的文獻喪失與載錄偏佚狀況，總是令學者在深入探研該論題及其後效之際備受間阻。唐代中晚期的學術新風氣在五代甚至宋初是否仍見傳承？新舊之間，學者取捨若何？諸多議題，又以何者最受重視？凡此種種，在史料闕如的情形之下，幾乎都難以援

---

5 梁啟超：《儒家哲學》（臺北市：臺灣中華書局，1959年），第四章，頁91。

引經部專著明確論定。於是，史部諸書的相關篇章，政書、類書的藝文條目，詩賦文集的陳述議論，就成了探討唐末五代經學發展梗概的重要依據；除此之外，內容牽涉最為廣博的諸家「筆記」，當然也不能忽略捐棄。綜觀現今依然存世的唐末五代諸家「筆記」，與經學關係最深者，莫過於丘光庭（～920～）的《兼明書》[6]。該書所載與經學相關者甚眾，不但論述廣及諸經，命題層次亦頗寬泛，倘能深入探討、善加分析，對於唐末五代學者說經的樣貌，或許能收釐清之效。

根據吳越時人范坰、林禹所撰《吳越備史》的記載，丘光庭曾於吳越王錢鏐（852～932）時期與當時的湖州刺史高澧（～920～）有所往來，可見丘光庭的確曾活動於五代十國時期[7]。而檢閱《丘光庭文集》前「作者小傳」的載錄，則可以知道丘光庭曾為吳越的「國子博士」[8]。此外，《兼明書》當中，「世」字皆作「代」字，如〈孝經〉「仲尼」條，「世人不能分別」作「代人不能分別」（卷3，頁31），顯然是避唐太宗李世民（599～649）諱，因此，陳振孫（1183～1262）《直齋書錄解題》屬之唐人[9]，就此而言，似乎也頗有根據。總括地說，丘光庭應該是活動於唐末五代十國吳越地區的知識分子[10]。

6　本書徵引的《兼明書》原文，全數依「新校標點」本《兼明書》（〔五代〕丘光庭撰，劉大軍點校，瀋陽市：遼寧教育出版社，1998年）為準，以下僅標卷、頁，不再重複紀錄版本。該本以《文淵閣四庫全書》本為底本，援明天一閣藏舊鈔本（底本為宋本）對校，於今見諸本中最為完備。

7　題〔吳越〕范坰、林禹：《吳越備史》（臺北市：臺灣商務印書館《四部叢刊廣編》影印上海涵芬樓影印吳枚菴手鈔本，1981年）卷1，頁46下。據《宋史．藝文志三．史類．霸史類》所載，該書為吳越宗室錢儼【937～1003】所撰，偽託二人姓名行世。〔元〕脫脫【1238～1298】等撰：《宋史》（臺北市：洪氏出版社，1975年）卷204，頁5166。

8　〔清〕董誥（1704～1818）等編，孫映逵等點校：《全唐文》（太原市：山西教育出版社，2002年）卷898，頁5530上。

9　〔宋〕陳振孫：《直齋書錄解題》（合肥市：安徽教育出版社《中華漢語工具書書庫》本影印清光緒九年【1883】江蘇書局刊本，2002年）卷10，頁12上。

10　丘光庭在載述自身意見之前，都會冠上「明曰」二字，似乎其字號當中應有「明」

《兼明書》全書五卷，探研經學議題的卷帙大多在「卷二」及「卷三」，討論的經書則涵蓋了《周易》（經說五則）、《尚書》（經說四則）、《毛詩》（經說十四則）、《春秋》（經說十則）、《禮記》（經說六則）、《論語》（經說十二則）、《孝經》（經說二則）、《爾雅》（經說三則）八部經書，雖然數量不甚可觀，但是牽涉的經典已然不少，顯示丘光庭可能並非專守一家之言者，探賾索微，引而伸之，或許真能就中尋得有益於探索經學發展歷史的轍跡。基於上述認識，以下便就書中所述，略加彙整、稍行論析，一則以展示丘光庭說經的內涵，一則以呈現唐末五代學者說經方向轉折的面貌。

二 《兼明書》論古今經說

漢代以來，經學成為主流學科，不但說解詮釋者多，引以為據，藉以構築歷史體系、建立文化價值者，更是不計其數，日積月累，到了唐末五代，成說自是汗牛充棟，學者身處其間，無論是意欲賡續舊解、有所伸張，抑或是試圖創新、有所取捨，總會針對前賢意見進行相關論述，而如是的論述，除了能夠表現出論述者對於某家之言或某個特定經說的單純態度之外，倘若透過仔細觀察，或許也能夠探得詮釋者最為基本的學術態度。丘光庭身處唐末五代，正值新舊之學交織作用的時期，面對兩個體系，取捨意見如何？詳加檢視，除了可能就此探知其新舊屬性之外，更可能因此窺得丘光庭的為學基本立場。

（一）放勳重華文命非名（卷1，頁2～3）

司馬遷（前145～前86）《史記．五帝本紀》：「帝堯者，放勳。……虞

字，「光」與「明」二字意義相涉，在字號與本名通常有意義關係的原則之下，或許可以就此推斷「兼明」是丘光庭的字或者號。

舜者，名曰重華。」（卷1，頁21～22、44）[11]〈夏本紀〉：「夏禹，名曰文命。」（卷2，頁2）顯然，司馬遷認為，「放勳」為堯之名，「重華」為舜之名，「文命」為禹之名。《尚書．堯典》：「曰若稽古帝堯，曰放勳，欽明文思，安安。……曰若稽古帝舜，曰重華，協于帝。」（卷2，頁6上～6下；卷3，頁1）[12]〈大禹謨〉：「曰若稽古大禹，曰文命，敷於四海，祗承于帝。」（卷4，頁1下～2上）司馬遷援引改寫經典，建構古史系統，於是《史記》有如斯敘述，而這樣的文字鋪陳，除了負擔呈現歷史事實的任務之外，同時也代表司馬遷個人對於經典的認識以及詮釋。

《史記》成書傳世以來，學者對於「放勳」、「重華」、「文命」為古聖王名一說，贊否均存。贊同者如裴駰，以「堯、舜、禹」為謚，而以「放勳、重華、文命」為名；否定者如司馬貞，以「堯、舜、禹」為名，以司馬遷之說「未必為得」[13]。也許是因為時代較晚，接受的訊息較為多元，對於「放勳、重華、文命」等文辭指涉究竟為何一事，丘光庭考辨指陳道：

其一，孔安國（《偽孔傳》）解〈堯典〉「曰放勳，欽明文思，安安」云「勳，功也；欽，敬也。言堯放上世之功化，而以欽明文思之四德，安天下之當安也」，解〈舜典〉「帝舜，曰重華，協於帝」云「華謂文德，言其光文德，重合於堯，俱聖明（《兼明書》作『華謂文德，言其文德光華，重合於堯，俱聖明也』）」，解〈大禹謨〉「大禹，文命敷於四海，祗承於帝」云「言其外布文德教命，內則敬承堯、舜（《兼明書》作『言其外布文德教命，

---

[11] 本書徵引的《史記》暨相關說解原文，全數依《史記會注考證》（〔漢〕司馬遷撰，〔宋〕裴駰【～451～】集解，〔唐〕司馬貞【～720～】索隱，〔唐〕張守節【～736～】正義，〔日〕瀧川龜太郎【1865～1946】考證，臺北市：洪氏出版社，1984年）為準，以下僅標卷、頁，不再重複記錄版本。

[12] 本書徵引的《尚書》暨相關說解原文，全數依清仁宗嘉慶二十年（1815）江西南昌府學刊《十三經注疏》本（舊題〔漢〕孔安國【～前100～】傳，〔唐〕孔穎達正義，臺北市：藝文印書館，1985年影印）為準，以下僅標卷、頁，不再重複記錄版本。

[13] 司馬貞之說亦自相矛盾：於〈五帝本紀〉則注為「堯、舜」為「謚」注「放勳、重華」為「名」；於〈夏本紀〉則認為「堯、舜、禹」當是名，而以「放勳、重華、文命」為名之說「未必為得」。

內則敬承堯、舜也』)」。從訓詁鋪陳的基調與內容來看，孔安國顯然認定「放勳、重華、文命」是對堯、舜、禹「功業德化」的敘述與稱美，從未明確地說三者為聖王之名，《史記》所言，容或有誤。

其二，「曰放勳」、「曰重華」、「曰文命」所以不當解為述三聖之名，「以《尚書》經文知之也」——考審《尚書》文本便可得其道理。經文共見兩「曰」，上「曰」見於「曰若稽古帝堯」、「曰若稽古帝舜」、「曰若稽古大禹」，下「曰」見於「曰放勳」、「曰重華」、「曰文命」。上「曰」所續，「是帝堯之位號」；下「曰」所續，「是帝堯之功德」；兩者連綴的敘述，指涉方向迥異。既然兩「曰」之下所指涉的方向各自歧異，那麼倘使「放勳是堯之名」，《經》文便理應作「曰若稽古帝堯放勳」，如此，「則放勳當其名處」——「放勳」二字訓解為唐堯之名，「堪稱順理成章。然而，「今『放勳』乃在『曰』之下，連於『欽明文思』」——「放勳」二字廁於下「曰」之下，與「欽明文思」相屬，紬繹文理，二字所言自是有關乎功德，目之為名，便會造成「名不屬於位號，而乃冠於功德」的不合理現象。同時，〈舜典〉文字作「曰重華，協于帝」，「若『重華』為名，將何以『協于帝』」——設若以「重華」為名，則舜之所得以「協于帝」者，意義指涉便見模糊；〈大禹謨〉文字作「曰文命，敷於四海」，「若以『文命』為名，將何以『敷于四海』」——設若以「文命」為名，則禹之所得以「敷于四海」者，意義指涉便見模糊。此外，〈皋陶謨〉文字作「曰若稽古皋陶，曰允迪厥德」，倘若依循《史記》所述，則「允迪」便應「為皋陶之名」，由此更顯《史記》載錄的誤謬。

其三，所謂「子生三月，而父為之名」[14]，「放勳」、「重華」、「文命」既是堯、舜、禹之名，那麼依照法制常俗，理應受命於嬰娩襁褓之際。然而，三者所要表述的，顯然俱是稱帝踐位之後的「聖明功業」，按覈禮情及人事

[14]《儀禮．喪服》：「子生三月，則父名之。」(卷31，頁370) 本文徵引的《儀禮》暨相關說解原文，全數依清仁宗嘉慶二十年江西南昌府學刊《十三經注疏》本(〔漢〕鄭玄【127～200】注、〔唐〕賈公彥【～653～】疏，臺北市：藝文印書館，1985年影印)為準，以下僅標卷、頁，不再重複紀錄版本。

道理，若三者果真以之為名，則難免「豈此三帝即位之後，始為名乎」之疑。另一方面，就舜而言，父母「頑嚚」，性格乖張、識見鄙陋，根本不可能預知「舜之德可繼為堯」，而命以「重華」之名；相對地，「重華」之名既非父母所能與，則應為舜所自命，自命其名，於事理顯然更為無稽。

綜合上述諸多「枝節」，《兼明書》於是堅信「放勳」、「重華」、「文命」絕非堯、舜、禹之名，並以此確定「馬遷之非，安國之是」。

據孔安國說質疑《史記》所載，丘光庭並非首啟端緒者，司馬貞在《史記索隱》一書當中，已頗見發揮，《兼明書》立論鋪陳的基調與方向，與司馬貞幾乎一致，然而意見更形全面。就經說成立的表面時間來說，孔安國當然早於司馬遷，然而，就實際情狀而言，《偽孔傳》出自魏、晉之際，其間容或有承襲舊說的部分，但是所載大多較《史記》諸說晚出，理應是不爭的事實；同時，司馬遷曾經受業於孔安國，所述未必沒有淵源、不可根據。當然，對於司馬貞與丘光庭來說，《偽孔傳》可信與否這項議題並不存在，於是，時代處前的孔安國經說，於古史載籍既較為貼近，又具備詮釋的權威性格，炳然可信，自是無庸置疑。

丘光庭取孔安國而捨司馬遷，從文獻形成以及學術傳承等角度來看，自是不難理解，箇中因果，似乎也沒有深入探研的必要，然而，仔細推敲《兼明書》的議論，卻可以發現若干饒有趣味的學術現象：

其一，針對司馬遷的說法，丘光庭依循了司馬貞的思考路向、引據了孔安國解說加以駁斥，儘管推得的結論不見得最能符合事實，而企盼追求真相的理想，卻於此表露無遺。所謂「多聞闕疑」，《偽孔傳》與《史記》的說法，在無論考覈確認是非的情況下，理性地兼容並包，或許是最為適宜的方式，《兼明書》的選擇則是區分黑白、務必認定孰是孰非。從歷史文化留存的角度來說，經說的兼容並包，代表著詮釋的多元性與時代認識轉動的痕跡；而從文明發展的指導作用來說，單一說解的確認與鞏固，則代表了經書神聖性格的架構與完備。對於一般史料來說，解釋系統的多元存在，或許可以簡單地視為百家爭鳴的表現；對於具備文化發展指導作用的經書而言，諸多說解的相互歧異，除了可能導致典籍內蘊詮釋的撩亂以及文化價值的含混之外，或許也同時凸顯出經書內容自我模稜與矛盾的可能性。典籍內蘊詮釋的撩亂或者文化價值的含混，容或能夠透過學風整合或官方政策予以調整，至於出現在經書內部的自我模稜與矛盾，不僅影響經典的正確性，更可能進一步破壞經典的神聖性、權威性與完整性，正確、神聖、權威與完整性諸項倘若遭受質疑，經典所具備的指導性自然也就隨著降低。丘光庭堅持在諸說當中擇一認定，從表象上看儘管存在著思考的盲點，而維護經典完善性的理想意識，卻由斯顯現。二千多年以來，學者治經，擇善從一者多、兼包容異者少，探索箇中緣由，學風所驅，自是固然，而維護經典完善性的理想意識，則是最為緊要的基本因素，在如是的心態之下，經必分古今、學務區漢宋，於是成為經學發展的重要表徵。

其二，針對《史記》說法的誖誤，《兼明書》先是徵引《偽孔傳》申說其中錯失，待到論述初成，隨即便援本經相證，據自身對於經文的認識強化立說依據。丘光庭尋求「本證」充實己說、以自身的認知論斷是非一節，事例自古有之，誠非經學發展史中的特例，視為個案而不加探討，似乎並無不可。然而，設若從唐中葉以後的治經風氣著眼，則刻錄於《兼明書》當中的詮釋行為，就顯得富含特別意義。循孔安國說斷定經解然否，就表相而言，固是前有所承，而《史記》所述，也是可承之前者，擇彼去此，不能不說與丘光庭的自我心證絕不相關，《新唐書》所謂「不本所承，自用名學，憑私臆決」，指畫的應該就是如是現象。另一方面，說經者純就自身對經文的認識倫理，擺脫舊解糾纏，即使之後仍然有所沿襲，也已經與務從師說、盲目接受的狀態大異其趣，換言之，舊說解自此業已轉化為經過覈驗的新解釋，經說如是轉化的歷程，應該可以視為「不本所承，自用名學，憑私臆決」的另一種表現模式。

（二）劉子玄誤說周之諸侯用夏正（卷3，頁21）

劉知幾（661～721）《史通．摸擬篇》在討論春秋諸國所採曆法何屬一題之際，如是說道：

春秋諸國，皆用夏正，魯以行天下禮儀，故獨用周家正朔。至如書「元年春王正月」者，年則（《兼明書》引作「即」）魯君之年，月則周王之月。（考《竹書紀年》始達此義，而自古說《春秋》者，妄為解釋也。）[15]（卷8，頁220）[16]

顯然，劉知幾認定：

其一，《春秋》於每年初始所書經文「〇（元）年春王〇（正）月」，「年」指的是「魯君之年」、「月」指的是「周王之月」，換言之，「年」為在位魯君紀年而設、「月」為周王室所行周正而設。另一方面，魯國以外的諸侯國，「皆用夏正」——奉行的是夏朝曆法。

其二，魯國之所以會「獨用周家正朔」，與各國禮制歧異，是因為魯公身分特殊，國內所行為「天子禮儀」，而既是「天子禮儀」，制度自然與他國有別。

其三，歷來說《春秋》者，所解於此節多不可通，所以貽誤緜遠，魯用周正而諸國用夏正一事，檢閱《竹書紀年》所載，便可豁然明達。

《春秋》所循曆法究竟何屬，古來學者多有詮說，魯隱公元年經文「元年春王正月」之下，各家說解分別為：

《左傳》：元年春王周正月。

杜預（222～284）《集解》：隱公之始年，周王之正月也。

孔穎達《正義》：正是時王所建，故以王字冠之，言是今王之正月也。……既有正朔之異，故每月稱王以別之。（卷2，頁5上～5下）[17]

---

15 本段文字為劉知幾「原注（自注）」，《兼明書》引作「考所紀書年始達此義，而自古說《春秋》者，妄為解釋」，其中文字頗有錯倒，舛誤出自丘光庭親手抑或流傳過程，今已無從考察。

16〔唐〕劉知幾撰，〔清〕浦起龍（1679～1762）釋：《史通通釋》（臺北市：里仁書局，1980年）。

17 本文徵引的《左傳》暨相關說解原文，全數依清仁宗嘉慶二十年江西南昌府學刊《十三經注疏》本（舊題〔周〕左丘明【～前500～？】撰，〔晉〕杜預集解，〔唐〕孔穎達正義，臺北市：藝文印書館，1985年影印）為準，以下僅標卷、頁，不再重複紀

《公羊傳》：王者孰謂？謂文王也。

何休（129～182）《解詁》：以上繫王於春，知謂文王也。文王，周始受命之王，天之所命。

徐彥《疏》：春者，端始；文王者，周之始受命制法之王；理宜相繫；故見其繫春，知是文王，非周之餘王也。（卷1，頁5上～7上）[18]

《穀梁傳》：無傳。

范寧（339～401）《集解》：周王之正月也。

楊士勛（～630～）《疏》：所用之歷即周正，……所改正朔，雖是文王頒於諸侯，非復文王之歷，用今之歷，言文王之正，非也。（卷1，頁1上～1下）[19]

綜合以《三傳》為主體的相關意見，可以發現，孔子（前551～前479）修《春秋》，所據曆法為「周王之正」，應該是主流意見。儘管其中存在著「頒朔之王」為文王或今王的歧見，王為周王，卻是毫無爭議的共同認知。關於此節，劉知幾的認知與前修並無二致，而《史通》所立異者，全在魯以外諸侯「皆用夏正」一事。

對於劉知幾有關春秋諸侯用曆的新見解，丘光庭非常不以為然，大發議論斥道：

其一，「孟春之月，天子頒朔於諸侯，諸侯奉而行之」[20]，是古來便見施

錄版本。

18 本文徵引的《公羊傳》暨相關說解原文，全數依清仁宗嘉慶二十年江西南昌府學刊《十三經注疏》本（舊題〔周〕公羊高撰、一說〔漢〕公羊壽書於竹帛，〔漢〕何休解詁，〔北朝〕徐彥疏，臺北市：藝文印書館，1985年影印）為準，以下僅標卷、頁，不再重複紀錄版本。

19 本文徵引的《穀梁傳》暨相關說解原文，全數依清仁宗嘉慶二十年江西南昌府學刊《十三經注疏》本（舊題〔漢〕穀梁赤撰，〔晉〕范甯集解，〔唐〕楊士勛疏，臺北市：藝文印書館，1985年影印）為準，以下僅標卷、頁，不再重複紀錄版本。

20《周禮．春官．大史》：「頒告朔於邦國。」鄭玄《注》：「天子頒朔於諸侯，諸侯藏之祖廟，至朔，朝於廟，告而受行之。」（卷26，頁13上～13下）（〔漢〕鄭玄注，〔唐〕賈公彥疏：《周禮》〔臺北市：藝文印書館影印清仁宗嘉慶二十年江西南昌府學刊

行的制度，既然天子每歲孟春必頒正朔、諸侯藏而奉行，那麼諸侯之國所行曆法，定是時王之曆，情順理當，此事絕無可疑，「安有周代諸侯而用夏家正朔」——絕不可能出現周代諸侯奉行夏代曆法的狀況。因此，孔子述《春秋》，所據必為周正，而各諸侯國既與魯國同奉周室正朔，施行周曆，亦屬當然。《左傳．文公十七年》所載鄭國大夫子家致晉國大夫趙宣子的書函，便是魯與諸侯皆用周正的最明確例證，子家曾於信中言及「文公二六月壬申，朝於齊」一事，杜預《集解》以為，「鄭文二年六月壬申」，便是「魯莊二十三年六月二十四日」（卷20，頁9下）。鄭文公二年六月壬申能與魯莊公六月二十四日準確對應，那麼周正、夏正的差池，於兩者之間顯然並不存在。《春秋》執周曆既屬不爭，那麼月日書載與之準確相符者，必然也屬周正無疑，由此觀之，「此即諸侯奉行周正之明文也」。

其二，劉知幾所以認定魯用周正而諸侯用夏正，並且「斥先儒說經典之玷」，癥結在於「不精魯史」，並且誤用《竹書紀年》所載詮釋春秋史事。晉代杜預撰寫〈春秋（經傳集解）後序〉，稱《竹書紀年》一書，「特記晉國」，相關文字「起自殤叔，次文侯、昭侯，以至曲沃莊伯」，而「莊伯之十一年十一月」，便是「魯隱公之元年正月」。全書載錄，「皆用夏正建寅之月為歲首，編年相次」。晉國覆滅之後，「獨記魏事」，敘事最晚至「魏哀王之二十年」，可知該書當為「魏國之史記」（附於卷60．〈校勘記〉後，頁15下～16下）。《竹書紀年》「皆用夏正建寅之月為歲首」，載錄若是，則「『春秋諸國，皆用夏正』，獨魯用周正」的見解，徵諸文獻，似乎又是正確無誤，劉知幾的論點，或許也有存在空間。然而，「魏國之興，在周之末，時稱戰國」，魏國政權建立，已晚在戰國時期，周王室於此時益發零落，即便是王室元輔、公侯班首的魯國，也已「不臣周」，諸侯「自造史書，追書前代稱王，改朔用夏正」，全然不尊周天子者，更是舉目可見，與春秋諸侯

《十三經注疏》本，1985年〕）。《公羊傳．文公六年．何休解詁》：「禮，諸侯受十二月朔政於天子，藏於大祖廟，每月朔朝廟，使大夫南面奉天子命，君北面而受之。」（卷13，頁11下～12上）丘光庭對於天子頒正朔的認知，或許是根植於這些舊說。

高倡「尊王」，簡直相去千里。劉知幾「執戰國之史，而論春秋之制」，根本就是「以末正本」，其中悖亂偏執，不言可喻。

針對春秋正朔諸節，杜預曾撰《春秋長曆》一書，其學或有耑於斯，如是則所謂「莊伯之十一年十一月、魯隱公之元年正月」、「用夏正建寅之月為歲首」等事，理應的然有據。然而，一如《兼明書》所言，春秋、戰國，世道不同，《春秋》、《竹書》，方異代殊，在文獻史料大多散佚無可徵考的狀況下，隨意混同，僅據單篇孤證即驟下論斷、牽動長久以來的文化認知，不免失之輕忽。無怪乎劉知幾所說不見容於丘光庭，《史通》所作議者之受指謫於《兼明書》。

平心而論，春秋諸國所奉正朔究竟何屬，對於《春秋》學者而言，當然是極為緊要的研究主題，只要證據充分、方法得當，所得的結論應該都足供參酌；同時，在文獻不足徵考的狀態之下，如《史通》般僅僅援引少數事證便推得的觀點，儘管疑義尚存，也應該能夠充作研究的可能思考方向。當然，因為如是觀點引發的論爭，更是研究經典詮釋或者學術發展歷史的重要資取，丘光庭評劉知幾說經誤失、錯解歷史的學術行為，就提供了若干可以進一步觀察的命題：

其一，丘光庭斷定劉知幾所解為誤的論述方向有二，一是據《左傳》鄭子家書函為說，一是認定春秋與戰國兩世社會與文化環境差池、不可等同。文獻可徵，則就事論事，可加申述者少，至於有關文化社會價值認知的歧異，則幾乎全視個人解讀，可加探討者便多。丘光庭認定春秋與戰國截然歧異，忽略了《竹書紀年》所載可能是事實的基本態度，傳統詮釋的影響必然存在，而個人理想的認知，則是論述方向的最終判準。一如前文所述，對於劉知幾與丘光庭而言，《三傳》舊說與《竹書紀年》俱是確實的存在、無可抹煞，兩者孰信孰否，相關的應用與解讀權，則全然歸屬於詮釋者，詮釋者懷抱的視角如是，文獻的價值便如是呈現。嚴格地說，這樣的說解轉化與建構過程，無論能否推衍架設出有別前修的新說，都可以視為學者能據自身意識推考一切史料的明證，於是，所謂「不本所承，自用名學，憑私臆決」的精神，也就展現無遺。

其二，依循出土「新」文獻擬肇創制解說的不同思維、方向以及內容，在經典詮釋發展史當中可以說是隨常現象，由於能夠真實反映時代、學派以及個人對於出土材料的態度與觀點，所以無論攢聚的成果若何、可信度若何、影響層面若何，有關出土文獻的評論與載錄，總是能充作討論時代學風轉移遞嬗的根據。劉知幾據《竹書紀年》創設解說，相對於以《三傳》為中心的諸家說解，可以說是發軔創新；丘光庭堅持漢、魏、晉諸說而駁斥劉說，歸之為緣昔守舊，則無不可。一般而言，劉知幾所說既有出土文獻為證、於時又近，採之以成一家之言、投合潮流，應該是合理的表現；然而，《兼明書》於此全數不予採信，甚至認定《史通》所述根本是「不精魯史」的表現，排貶之心頗見深重。很明顯地，學說的新或者舊，並非丘光庭著眼之處，孰為「真實」，似乎方是受納與否的原因；新說雖然時代迫近，但是真實度損蝕，舊說雖然時代較遠，但是真實度飽足。詮釋行為的最終目的既然是極其「真實」地呈現經典的內蘊與義涵，那麼創造新是求真實、堅持舊亦是求真實，通解此理，則後世學者一直著重的新舊之別、漢宋之爭，在意義上就顯得無關緊要，放眼於追求經說「真實」與否，似乎方有助於經學發展脈絡的釐清。另一方面，《兼明書》捨新取舊的表現，似乎說明了當時的經學研究固然變動風氣已生，但是對於舊詮釋的先決否定心態，仍未形成全面性的思維指標，學者在取用經說、建構解釋之際，舊學說體系仍然具備著相當程度的參考價值，因此，宋儒鄭樵（1104～1162）所謂「諸儒窮經而經絕」[21]的激烈論調，在丘光庭或者唐末五代學者的相關認知中，理當尚未萌生。

（三）兩觀（卷3，頁24）

魯定公二年，魯國「雉門及兩觀」因天火（雷殛）而焚燬，十月，魯國

---

[21]〔宋〕鄭樵撰、王樹民（1911～2004）點校：《通志・校讎略・秦不絕儒學論二之二》（北京市：中華書局《通志二十略》點校本，1995年），頁1803。

施工重建。《春秋》以「夏五月，壬辰，雉門及兩觀災。……冬十月，新作雉門及兩觀」（《左傳》，卷54，頁7上～7下）為書。對於這段經文，《三傳》系統各有解釋，《兼明書》所議論的，並非《三傳》諸說，而是「啖趙學派」的說解。趙匡在評議本段《春秋》經文書寫筆法之際，如是說道：

> 復作兩觀，譏仍舊也。其意言諸侯無兩觀，有者，僭天子也。今因天災，宜廢之。[22]

在趙匡的認知當中，「兩觀」是天子之制，諸侯不應築建，魯國設有兩觀，是「僭天子」，踰越了自身的分際，所以，在與雉門同遭天火燎燬之後，便應趁機廢棄，然而，魯定公卻於同年十月再次發工興築，孔子於是筆削在策，借以譏諷。

孔子是否真於《春秋》經文中設「兩觀」之事以見譏諷，丘光庭自有理會，於是自設問答，從經典載錄以及趙說矛盾兩項分別鋪陳道：

其一，「天子有靈臺，諸侯有觀臺」，經典之中早有明文[23]，至於其中體制，天子「靈臺」則「別地為之」，諸侯「觀臺」則「因門為之」。據《左傳》稱述，「觀臺」（又稱「臺門」）的作用，在於「望雲物」，由此而預知

---

[22] 啖趙學派現今傳世的主要著作有三，分別是《春秋集傳辯疑》、《春秋集傳纂例》、《春秋集傳微旨》，然而三者均未見「兩觀」相關文字，疑《兼明書》所引原屬《春秋集傳纂例．災異例第二十五．火災》下「定二年」條（卷6），因流傳久遠，已然亡失。

[23] 1.《詩經．大雅．靈臺》：「經始靈臺，經之營之；庶民攻之，不日成之。」（卷16之5，頁4下）。本文徵引的《詩經》暨相關說解原文，全數依清仁宗嘉慶二十年江西南昌府學刊《十三經注疏》本（舊題〔漢〕毛公傳，〔漢〕鄭玄箋，〔唐〕孔穎達正義，臺北市：藝文印書館，1985年影印）為準，以下僅標卷、頁，不再重複紀錄版本。

2.《左傳．僖公五年傳》曰：「公既視朔，遂登觀臺以望，而書，禮也。凡分、至、啟閉，必書雲物，為備故也。」（卷12，頁18上）。

3.《禮記．禮器》：「家……不臺門，……天子、諸侯臺門，此以高為貴也。」（卷23，頁5上、13上）。本文徵引的《禮記》暨相關說解原文，全數依清仁宗嘉慶二十年江西南昌府學刊《十三經注疏》本（〔漢〕戴聖【～前51～】編次，〔漢〕鄭玄注，〔唐〕孔穎達正義，臺北市：藝文印書館，1985年影印）為準，以下僅標卷、頁，不再重複紀錄版本。

「災祥、水旱」，防範災禍於未然。所以，「兩觀」之制，「不可無也」——是諸侯國內不可或缺的建制，「由此言之，諸侯之有兩觀」，是合乎體制而且於史有據的。

其二，魯國之所以能夠建制「兩觀」，若干學者認為完全肇因於周公的福蔭，既然如此，那麼「其餘諸侯」於理便不當有「兩觀」之制。換言之，魯國設「兩觀」，基本上仍是特例，不符禮制常態，因此《春秋》於斯有所書記，以見譏諷。然而，魯國沿周公之制以設「兩觀」，即便係屬特例，是乃上有所承，仍舊合乎體制，如此，則魯定公修砌「兩觀」，只是「後者復作」，有所承襲，《春秋》於此「又何譏乎」？

其三，「兩觀」之書既然非為譏諷，然則所書云何？丘光庭認為《春秋》的筆削義例，「有褒而書者，有貶而書者，有譏而書者」，至於非關「褒貶譏而書者」，則屬於「國之大事，法合書者」。魯定公二年「新作雉門及兩觀」與魯僖公十年「新作南門」類同，是「國之大事」，屬於「法合書者」，是以《春秋》書之，與褒貶無涉。最後，如果《春秋》書「作兩觀」是為譏貶，那麼與合禮合法的「作雉門」並書，豈不容易造成混淆？由此更可見「兩觀」之書確不為譏諷，趙匡所說未得其實。

《兼明書》從典籍文獻與趙說矛盾兩個方向，舉證立論皆合事理，趙匡的說法在幾重辯說之下，顯得沒有根據並且漏洞百出。事實上，從肇建以來，由於標舉著契合時代需要的「尊王」理念，又能突破《三傳》藩籬、創制新觀念與新詮釋，「啖趙學派」的《春秋》經說逐漸成為學術主流意見，強烈地牽動左右著《春秋》學發展的脈絡與方向，《兼明書》依附潮流誓沿用其說，絕對是合理正常的表現。因此，即使是僅有一則，卻以足夠證明丘光庭治經不執著於新舊、但遵循於真實的基本學術性格。由於懷抱著如是態度，諸般討論方能理性進行，經說優劣臧否的真相也才能確實呈現，所得結論當然也就較為可信。從這個角度來看，當時學界所以尚未建制完整的自我學術體系，新、舊區隔尚未分明、學術氛圍即便稍顯轉折、仍然無法蔚為全面性風潮，固是主要因素，而學者所據意見溫和平易、尚能不受制約、得以自由地檢得正確真實的經說，應該也是重要的原因之一。

三 《兼明書》論經書作者

一直以來，讀經者是為堅持的信念，莫過於經文當中蘊藏著古先聖王垂訓後人的法式，而意欲確認經文當中著實蘊含古先聖王的教訓，最有效的方式莫過於證成經書的撰作編次與「聖人集團」有密切關係。相對地，倘若能證明經書的撰作編次確實出自「聖人集團」，那麼經書的內容就完善真淳、無可質疑。正因如此，歷代學者對於經書作者何屬這個命題，總是討論熱切，風氣所及，由於攸關詮釋的可信程度，相關經說的作者為誰，也逐漸成為學者關注的項目。《兼明書》論述各類經學問題，對於經書及經說的作者一項，也進行了若干討論。

（一）雲從龍（卷2，頁10）

《周易．乾．文言》:「雲從龍，風從虎。」孔穎達《正義》解釋道：「龍是水畜，雲是水氣，故龍吟則景雲出。……虎是威猛之獸，風是震動之氣，虎嘯則谷風生。」（卷1，頁15上）[24]很明顯地，初唐的官方學者認定，雲氣、風颳的肇生，完全仰賴龍、虎二獸的鼓動。從說解的內容與方向來看，可以發現《周易正義》僅簡單地就〈文言〉的字辭進行基本的疏釋，至於其中是否有高深義旨、文本所述合理與否，則未嘗涉及。於是，《兼明書》抵瑕蹈隙，反駁指摘道：

> 夫風雲者，天地陰陽之氣交感而生。安有蟲獸聲息而能興動之哉？蓋雲將起而龍吟，風欲生而虎嘯。

---

[24] 本文徵引的《周易》暨相關說解原文，全數依清仁宗嘉慶二十年江西南昌府學刊《十三經注疏》本（〔魏〕王弼【226～249】、〔晉〕韓康伯【～546～】注，〔唐〕孔穎達正義，臺北市：藝文印書館，1985年影印）為準，以下僅標卷、頁，不再重複紀錄版本。

《周易正義》以風雲之起歸之於虎嘯龍吟，丘光庭則反其道而行，認為龍虎不過是「蟲獸」之屬，而龍吟虎嘯亦僅只是「蟲獸聲息」，絕對不可能引發風雲。風雲之生，起因於「天地陰陽之氣交感」，絕不是「蟲獸聲息」能興發啟動的，所謂「雲從龍，風從虎」，指的是「雲將起而龍吟，風欲生而虎嘯」，換言之，文字的正確表現方式應該是「龍從雲，虎從風」，如此，則文章順當，道理曉暢。

〈文言〉是《十翼》之一，而《十翼》為孔子所撰，既然出於孔子之手，則文辭事理，本應通貫，何以表現若斯，徒增後世混淆？面對如是的質疑，丘光庭以孔子撰述至此，文意鋪陳「但取其同聲相應、同氣相求，先天不違者也」為說，試圖圓融〈文言〉可能引發的眩惑。

平心而論，《兼明書》針對〈文言〉「雲從龍，風從虎」六字所鋪陳的訓解，儘管所據可能僅是自身的理想認知，缺乏淵源與實證，但是所述確實能符合道理、成從一家之言，與《正義》並存，亦無不可。另一方面，在達成申說的主要目的之後，丘光庭又自設問答，試圖緩解孔子與〈文言〉矛盾，如此，原本已得善解的疑問，於斯再鼓風波：

其一，對於經解本身來說，《兼明書》的文字安排可以說是狗尾續貂；對經典的完美性格來說，丘光庭的行為可以解釋成維護聖經不遺餘力。一直以來，由於認定經書與「聖人集團」有必然關係、具備神聖及權威性格，所以，一旦經典內部可能產生矛盾衝突，學者幾乎都會極力營造、為之彌縫，丘光庭自設問答解說疑問，雖然不見得能夠就此終止疑慮、穩固〈文言〉的可信度，但是認定〈文言〉為孔子所作、其中必然毫無扞格的態度，卻是極其明顯。

其二，從詮釋學的角度來看，丘光庭的表現，證明了當時學者確實具備檢討舊說、提出新解的能力；而從維護經典神聖性的角度來說，則《兼明書》的論述如此，表面上是要為「雲從龍，風從虎」設定合理的解說方向，實際上還蘊藏著另一目的——維護〈文言〉與孔子的關係，進而確保其可信度。如是的目的設定與表現，或許可以說明當時學者對於經書內容與作者的關聯一題，已然有所體認，相關的論述與思維即將隨之展開。

（二）《詩序》（卷2，頁13～14）

關於《詩序》的作者，歷來說法不一，最為學者所徵引的，一是〈大序〉、〈小序〉皆是子夏（卜商，前507～420？）所作，一是〈大序〉為子夏作、〈小序〉為毛公（主要是毛萇）作。直至孔穎達等人奉敕編修《五經正義》，仍然謹守如是觀點。到了唐代中期，韓愈針對此題首啟討論，認為：

其一，子夏的學養知識不足，沒有能力撰作《詩序》。

其二，宣姜淫亂，衛國宮廷紛亂，孔子述《春秋》時諱而不書，子夏深得孔門真義，不可能違背師訓，在《詩序》中論說此事。

其三，當時諸侯公室尚存，《詩序》若真是子夏所作，其中必定不敢有所譏刺。（〈詩之序議〉）[25]

與韓愈論《詩序》非子夏作不同，丘光庭論述的焦點，集中於舊說〈小序〉為毛萇作一事，針對此節，《兼明書》論析道：

其一，〈鄭風・出其東門〉一詩的〈小序〉，指該詩的意涵是「民人思保其室家」，這個說解與《毛傳》解經文「縞衣綦巾，聊樂我員」為「願其室家得相樂也」的說法顯然有所衝突，由此可知，《毛傳》「自是又一取義」，說解「與〈序〉不同」。〈小序〉與《毛傳》解同一首詩，出現不一樣的觀點，可見〈小序〉與《毛傳》的作者並非一人，至為明顯；如此，《毛傳》的作者既是毛萇，那麼〈小序〉的作者，依理就應該不會是毛萇。

其二，〈小序〉與《毛傳》的矛盾，主要是因為《毛傳》將詩句「縞衣綦巾，聊樂我員」解釋為「他人之女」，並將其意義導向「願其室家得相樂也」──詩人企盼與他人之女共結連理，成家立室，居處相樂。然而，依照〈小序〉的說法，「縞衣綦巾，聊樂我員」應該解釋為「作詩者之妻」，因為

---

[25]〔唐〕韓愈撰，屈守元、常思春主編：《韓愈全集校注》（成都市：四川大學出版社，1996年），《附錄一・存疑詩文》，頁3037～3038。

當時「男女相棄」，詩人「不能保其妻」，於是日夜思念，期盼妻室「聊且與我為樂」，如此方可符合「民人思保其室家」所涵蓋的意象。由是觀之，則〈小序〉與《毛傳》之間，確實存在矛盾。事實上，〈小序〉與《毛傳》之間，與此例相類的矛盾之處，不可勝舉，更可以證明〈小序〉絕非毛萇所作。

其三，《詩序》既然並非毛萇所作，那麼毛萇在解析《詩》句之際，何以不一併申說〈小序〉文字？箇中理由，說來甚易，因為「〈序〉文明白，無煩解也」——〈小序〉的文字明白易懂，不煩多加說解。

《詩序》作者何屬這項命題，一直是《詩經》學研究史中的重大公案，丘光庭僅僅列舉一例，便欲證成此事，說服力顯得有些薄弱。然而，儘管事證薄弱，《兼明書》的敘述卻凸顯了研讀《詩經》必定要關注的問題：

其一，《詩序》的作者雖然說法不一，但是自漢以來針對這些說法檢討非難的狀況卻並不多見。到了中唐，韓愈首先發難，作〈詩之序議〉，反對《詩序》作者為子夏的成說。到了五代，《兼明書》當中又出現「《詩序》不作於毛公辨」一則，認定舊說〈小序〉為毛萇所作是錯誤的。兩者論述的焦點雖然不盡相同，但是著重的命題卻是一致，如是的一致性，除了說明丘光庭抑或五代學者在方法形式與議題選取上，前後相承、頗有淵源之外，也說明《詩序》作者為誰，的確是當時學者亟欲釐清的問題之一。

其二，《詩序》的作者問題於此時屢受關注，其實蘊藏著一個《詩經》學中的重大議題——《詩序》作者的身分，與《詩序》可信與否，存在著直接關係。設若真是子夏所作，由於子夏為孔子的及門弟子，是「聖人集團」的一份子，那麼《詩序》當然全可據信；倘使〈小序〉真是毛萇所作，那麼是不是必須奉為解析《詩》旨的圭臬，就值得商議了。因為毛萇等人非但不是「聖人集團」的一份子，同時又與孔子時代相去甚遠，其說法是否可信，疑義便多。在治經著重義理探尋、認同「回歸原典」的時代風氣之下，這個問題的釐清，顯得非常具有意義。

（三）曾子侍（卷3，頁31）

《漢書．藝文志．六藝略．孝經類．小序》如是說道：「《孝經》者，孔子為曾子（前505～435）陳孝道也。」（卷30，頁1917）[26]後世學者因襲其說，至唐代仍然少有質疑，宋初邢昺（932～1010）奉敕編纂《孝經正義》，仍然依此為說（〈孝經序疏〉），頁1上）[27]。對於班固的說法，丘光庭並無意見，之所以設定此題，肇因於孔子「陳孝道」，而德行如顏回（前521～491）、孝友如閔子騫（前536～487），皆「無問答」，「獨與曾參論者」，「諸儒之說，頗有不同」——為了釐清論斷其中真相，《兼明書》於是抒發議論、有所申說道：

其一，所謂「六親不和有孝慈」，顏回與閔子騫的父親性格慈和，所以二人「孝不顯」——孝行不甚顯著；至於曾參，因為父親曾點（前542～475）性情嚴峻，所以「孝道著」——孝行明確顯著。由於曾子孝行顯著，是以孔子「與之論孝」，此其一；另一方面，孔子憂恤曾子父嚴，恐慮其行孝之心「不固」，是以為之「陳孝道」，「因以勖之」，此其二。

其二，曾子之父性格嚴峻，緣何得知？曾參「嘗鋤瓜」，而「誤斬其根」，曾點怒而以大杖以毆擊其背，致令曾子「仆地而不知人」，其父嚴峻，由斯可見[28]。

〈曾子侍〉一則，問題意識簡單，主要在重申孔子獨為曾子「陳孝道」

---

[26] 本文徵引的《漢書》暨相關說解原文，全數依「標點校勘」本（〔漢〕班固〔32～92〕撰、〔唐〕顏師古〔581～645〕注，臺北市：洪氏出版社，1975年）為準，以下僅標卷、頁，不再重複紀錄版本。

[27]〔唐〕唐玄宗（李隆基，685～762）注，〔宋〕邢昺正義：《孝經》（臺北市：藝文印書館影印清仁宗嘉慶二十年江西南昌府學刊《十三經注疏》本，1985年）。

[28] 曾參鋤瓜一事，見《孔子家語．六本》卷4，而《兼明書》原文作：「孟子云：『曾參之事父也，訓之以小杖則受，諭之以大杖則走者，恐虧其體，非孝之道。』嘗鋤瓜，誤傷蔓，乃以大杖毆之，是其嚴也。」謂其事出於《孟子》，不知所據為何。同時，此段文字意義似乎無法貫串，不知原文本即如是，抑或流傳梓刊之失。

的因由。然而，對於丘光庭而言，體系的自我圓滿，代表詮釋者理想的展現與完備；對於閱讀者而言，說解的新創成立，代表詮釋思維的多元與解放；對於經典文本而言，作者的穩固確認，代表註釋對象的可信與權威。「孔子為曾子陳孝道」，《孝經》於焉問世，本是學者堅信不疑的定論，丘光庭再行詮說，似乎顯得無關宏旨，然而，與經書旨趣息息相關的著述動機、創作心態，在《兼明書》援據故實加以析論之後，的確益發明顯，「孔子為曾子陳孝道」的神聖形象，也益發具體。多元理解與堅持信仰，致令「孔子為曾子陳孝道」一事由「自然」轉為「必然」，如此，則不僅弘揚了《孝經》的神聖性，其權威性與指導作用，也因而有所增長，重要性更形凸顯。相對地，丘光庭以及當時學者試圖藉著討論與經書、經說作者有關議題，重新設定理想性經典、經說架構的學術目的，也在此有所展現。

四 《兼明書》修補經書亡篇

從漢代以來，學者便開始為經書修補闕佚。漢儒為《周官》補入《考工記》，鄭僖補《白華詩》、荀勗（？～289）著《詩擬》、束晳（？～300）與潘岳（217～300）撰《補亡詩》，都是經學史中著名的事蹟。唐代中葉以後，為經書補闕拾遺的風氣越發興盛，其中較顯著的，有以下幾項：

其一，白居易（722～846）：補「逸《書》」〈湯征篇〉。（《白氏長慶集》，卷28，頁147）[29]

其二，陳黯（～850～）：補〈禹誥〉。（《陳黯文集》，《全唐文》，卷767，頁4706上）

其三，皮日休（834／840～880）：補〈九夏歌〉（《皮子文藪》，卷3，頁21～23）[30]、補《大戴禮．祭法》文。（《皮子文藪》，卷4，頁30～31）

---

[29]〔唐〕白居易：《白氏長慶集》（臺北市：臺灣商務印書館《四部叢刊初編》縮影日本活字本，1967年）。

[30]〔唐〕皮日休：《皮子文藪》（臺北市：臺灣商務印書館《四部叢刊初編》縮影明刊本，1967年）。

或許是承繼了唐代學者苴補經書亡篇的風氣，丘光庭於此也有所表現，修補了〈新宮〉、〈茅鴟〉兩首逸詩及其〈序〉，〈新宮〉、〈茅鴟〉兩詩，篇目都見於《左傳》。《兼明書》所載，不僅限於「詩」及「序」，關於二詩的相關歷史背景、屬性，也都進行了翔實的考證。因此，二詩的修補，不僅呈現丘光庭對於《詩經》表現形式的熟稔程度，也同時展現著丘光庭對於相關史實的認識程度。

(一) 補〈新宮〉並序(卷2，頁18～20)

〈新宮〉之名，見於《左傳．昭公二十五年》:「宋公享昭子，賦〈新宮〉。」杜預《集解》云:「逸詩。」(卷51，頁6上)又見於《儀禮．燕禮》:「升歌〈鹿鳴〉，下管〈新宮〉。」鄭玄《注》云:「〈小雅〉逸篇也。」(卷15，頁22上)《兼明書》補逸詩，依例會先行論述，一則以說明詩篇散佚原因，一則以解析詩篇性質，作為補敘詩句的先導，是以，關於〈新宮〉的相關議題，丘光庭如是講說道:

其一，《詩序》所以不收〈新宮〉，是因為「孔子返魯之後」，該詩業已散逸，無由採錄其詩。孔子刪定詩篇之後，子夏因為撰作《詩序》，《詩序》原本「別為編簡」，單獨流傳，「不冠諸篇」。因此，即便此後詩篇有所亡失，而詩篇義旨尚存，如〈南陔〉、〈白華〉等篇便是，所以束皙能據《詩序》而補亡篇。然而，〈新宮〉一篇，在孔子編定《詩經》之前便已亡失，如果不是經過詳盡考覈，實在難以究其根源。

其二，〈新宮〉之「新」，乃「有舊之辭」，其意義與舊相對；《左傳》「新作南門」(卷4，頁26下)、「新作延廄」(卷10，頁16上)，所用「新」字，正是其義。〈新宮〉之「宮」，是「居處、燕遊、宗廟」的總稱，亦即宮室建築之義；《左傳》「士蔿城絳，以深其宮」(卷10，頁9上)、「梁伯溝其公宮」(卷50，頁26下)，即為「居處之宮」；《左傳》「楚子成章華之臺」(卷44，頁5上)、「晉侯方築虒祁之宮」(卷44，頁22上)，即為「燕遊之宮」；《春秋》「成三年，新宮災」(《左傳》，卷26，頁1上)，即為「禰廟之宮」。所謂「新宮」，便是「居處之宮」，文王營造豐邑，「新建宮室」，至「宮室初成」，禮行祭典，隨而燕饗賓客。凡此程序，或名之曰「考」，「考，成也」，其義與〈小雅・斯干〉「宣王考室」相同；或名之曰「落」，「落者，以酒澆落之也」（亦即落成），其義如「楚子成章華之臺，願與諸侯落」之類。當此同時，詩人歌詠宮室之美，綴成篇章，〈新宮〉詩成，爾後周公採集收錄，歸屬為燕享賓客的樂歌。

其三，〈新宮〉所以畫定為文王之詩，考諸《儀禮・燕禮》下管〈新宮〉」一語，便得通曉。所謂「下管」，義即「堂下以笙奏詩」，《儀禮・鄉飲酒禮》云：「工入，升自西階，北面坐，……歌〈鹿鳴〉、〈四牡〉、〈皇皇者華〉，卒歌，……笙入堂下，……樂〈南陔〉、〈白華〉、〈華黍〉。」（卷9，頁9上～11上）[31]則「堂下以笙」所奏之詩，「例皆《小雅》」，並且「皆是文王之詩」[32]，〈新宮〉既然是「下管所奏」，性質與〈南陔〉等篇類同，又與〈鹿鳴〉等篇先後歌樂，可知其性質為〈雅〉、為文王之詩，應無疑義。另一方面：天子之詩，「非宋公所賦、下管所奏」，故而〈新宮〉不歸於天子之詩：「諸侯之詩，不得入〈雅〉，當在〈國風〉」，故而〈新宮〉不歸於諸侯之詩；「禰廟之詩，不可享賓」，故而〈新宮〉不歸於禰廟之詩者；「燕遊之宮，多不如禮，其詩必當規刺」，而「規刺之作，是為變〈雅〉」，燕饗賓客，不用變〈雅〉，故而〈新宮〉不歸於「燕遊之宮詩」。總此觀之，則〈新宮〉類歸「文王之詩」，於理應屬得當必然。

其四，「文王之詩」，既不專歸於天子，亦不專屬於諸侯，然則其間實情云何？誠因西岐周室「本為諸侯」，「文王身有聖德」，縱使三分天下已有其二，而「猶服事紂」；「武王克殷之後」，「謚之曰『文』，追尊為王」——文王在世之日，「其國為諸侯」，而能「身行王道」，薨後又得「追尊」，名分數易，是以相關詩篇，依循經歷而有數類：〈周南〉、〈召南〉，其詩為

31《兼明書》於此改寫作「工升而歌〈鹿鳴〉、〈四牡〉、〈皇皇者華〉，歌訖，笙入，立於堂下，奏〈南陔〉、〈白華〉、〈華黍〉」。

32 孔穎達《毛詩正義》：「〈采薇〉等篇，皆文王之詩；〈天保〉以上，自然是文王詩也。」（卷9之1，頁2下）

〈風〉；〈鹿鳴〉、〈南陔〉，其詩為〈小雅〉；〈大明〉、〈棫樸〉，其詩為〈大雅〉；〈清廟〉、〈我將〉，其詩為〈頌〉；《詩經》「四始」之中，「皆有詩者」，所以不可以單一目之，不得專歸於天子，亦不得專屬於諸侯。

〈新宮〉一篇，業經論定，性質則歸屬〈小雅〉，內容則有關宮室新成，於是丘光庭援據體式，撰定小序及其詩篇如下：

> 〈小序〉：〈新宮〉，成室也。宮室畢，乃祭而落之；又與朝臣賓客燕飲，謂之成也。
>
> 奐奐新宮，禮樂其融，爾德維賢，〇〇〇忠。為忠以公，斯筵是同，人之醉我，與我延賓。
>
> 奐奐新宮，既奐而輪，其固如山，其儼如雲。其寢斯安，〇〇〇分，我既考落，以燕群臣。
>
> 奐奐新宮，既祭既延，我〇〇鏞，於以醉賢。有禮無愆，我有斯宮，斯宮以安，康後萬年。（〈新宮〉三章八句[33]）

（二）補〈茅鴟〉並序（卷2，頁20）

〈茅鴟〉之名，見於《左傳．襄公二十八年》：「齊慶封奔魯，叔孫穆子食慶封。慶封氾祭，穆子不說，使工為之諷〈茅鴟〉。」杜預《集解》云：「〈茅鴟〉，逸詩，刺不敬也。」（卷38，頁28下）《兼明書》於此詩，援「補〈新宮〉」之例先行相關論說如下：

其一，典籍稱引詩篇，凡是先儒未克得睹者，無論是先行自生湮滅抑或遭受孔子刪刈，「皆謂之逸」。杜預所云逸詩〈茅鴟〉，並非亡佚於孔子刪定之前，而是「孔子刪去耳」。所以能如此肯定，誠因魯襄公二十八年（前545），「孔子時年八歲」。《禮記．內則》云：「（子生）十年，出就外傅居；十有三年，學樂、誦詩。」（卷8，頁20上～20下）《論語．為政》：「吾

33 詩篇原文闕遺，以「〇」代之。

十有五而志於學。」(卷2,頁2上)[34]依此二者,則齊國慶封奔魯,下距孔子「誦詩」、「志學」,僅得數載,「其詩未至流散」。何況「周禮盡在魯國」,孔子之才賢於叔孫,「豈叔孫尚得見之,而孔子反不得見也」?由此而論,則〈茅鴟〉一篇,內容「不合禮文」[35],孔子因而「刪去」,其事極為分明。

其二,〈茅鴟〉既是孔子刪去,則〈新宮〉一詩,安知「不為刪去耶」?〈新宮〉類同〈南陔〉、〈白華〉、〈華黍〉等篇,「為周公所收,燕禮所用」[36],與〈茅鴟〉形質歧異,既是「周公所收」,孔子自然不可能刪刈捨棄。此外,〈茅鴟〉一篇,見於「叔孫所賦」,叔孫為魯大夫,「大夫所賦」,「多是〈國風〉」,是以歸之於〈風〉,當屬合理。

〈茅鴟〉一篇,業經論定,性質歸屬於〈國風〉,內容則為刺人無禮,於是丘光庭援據體式,撰定小序及其詩篇如下:

> 〈小序〉:〈茅鴟〉,刺食祿而無禮也。在位之人,有重祿而無禮度,君子以為茅鴟之不若,作詩以刺之。
>
> 茅鴟茅鴟,無集我罔,汝食汝飽,莫我為祥。願彈去汝,來彼鳳凰,來彼鳳凰,其儀有章。
>
> 茅鴟茅鴟,無啄我雀,汝食汝飽,莫我肯略。願彈去汝,來彼瑞鵲,來彼瑞鵲,其音可樂。
>
> 茅鴟茅鴟,無搏鶺鴒,汝食汝飽,莫我為休。願彈去汝,來彼鳲鳩,來彼鳲鳩,食子其周。
>
> 茅鴟茅鴟,無嚧我陵,汝食汝飽,莫我好聲。願彈去汝,來彼倉鷹,來彼倉鷹,祭鳥是徵。(〈茅鴟〉四章八句。)

---

[34] 本文徵引的《論語》暨相關說解原文,全數依清仁宗嘉慶二十年江西南昌府學刊《十三經注疏》本(〔魏〕何晏【?~249】集解,〔宋〕邢昺正義,臺北市:藝文印書館,1985年影印)為準,以下僅標卷、頁,不再重複紀錄版本。

[35]《兼明書》原文作「〈茅鴟〉之作,不合禮文(「文」又有作「又」者)為依,孔子刪去,亦已明矣。」讀之頗不順當,疑其中文字有脫漏或衍增之處。

[36]〔唐〕陸德明【556~627】撰:《經典釋文》:「此三篇蓋武王之時,周公制禮,用為樂章,吹笙以播其曲。」(《詩經》卷9之4,頁11上)

〈新宮〉與〈茅鴟〉兩篇逸詩，由於相關文獻載錄極稀，所以在纂寫的過程當中，無論是作用類別、文字內容或者是意義指向，基本上都必須依賴丘光庭的自我認知以及《詩經》學修養，在如是的狀態之下，新補詩篇在正確性與可信度方面固然無從論述，即便是有關篇章設定、句式營造、用字遣詞、情意表露等技巧層面議題的探究，也顯得意義索然。因此，與其分析詩篇內容，未若考覈丘光庭修補逸詩在《詩經》學詮釋史以及經學發展史上的意義：

其一，從詩篇文字的鋪陳與章句的架構來看，〈新宮〉應該是由〈小雅．鹿鳴〉、〈斯干〉諸篇綜合轉化而成的詩作；至於〈茅鴟〉，則體例句式、用字遣詞，全數奪胎於〈魏風．碩鼠〉。誠如前文所述，新補的〈新宮〉與〈茅鴟〉，不但不見得能夠重現原詩面貌，同時，二篇新補詩原就不在現行《詩經》三百零五篇之列，丘光庭竭慮殫精，勞作於斯，對於學者理解古代詩篇流傳或者「古本《詩經》」面貌，容或有所助益，而對於研讀理解今本《詩經》，嚴格地說根本毫無助益。由此看來，《兼明書》於此大書其事、詳具首尾，事實上可謂不關鴻旨、幾無意義，於此大費周章，著實難以理解，試圖維持經書完整性的堅定理想，或許是丘光庭修補亡詩的最大動力。

其二，丘光庭先根據歷史文獻的簡短記載，設定〈新宮〉與〈茅鴟〉的意義與作用指向；又根據自我推斷，擬定二篇的形式與性格；再依循相關類形的詩篇，鋪陳章句與文字。整體經過，對於試圖修補古詩逸篇的丘光庭來說，毫無疑問地是合理順當的；然而，對於詩篇形成以及施用的真實過程來說，《兼明書》所載錄的一切過程，是否能夠援以參酌，就必須審慎評估。在《詩經》學發展史上，詩篇與詩旨之間的關係，一直是最為學者期盼釐清的命題，設若在詩篇撰寫之前，便已設定詩旨，則齊、魯、韓、毛四家，人言言殊，豈不異哉？設若詩篇成之於前，而詩旨論定於後，則各家說解，但憑自身所好，豈不漫無準的？漢、唐數世，讀《詩》者囿於成說，於此節毫不領會，但只執己非彼，互爭有無，甚為可嘆。丘光庭修補亡詩，所施行者雖然不成式範，但是卻為《詩經》學研究者標誌了一個可能的思考方向——

詩旨成之於前，則詩旨詩篇，相合相輔，機率便高，甚或全然密合，亦屬尋常。《詩序》（主要為《毛詩》）所述，於唐、宋之後，屢受質疑，其中關鍵，由此處詳加探尋，未嘗不為可循門徑。

其三，《兼明書》以為「〈南陔〉、〈白華〉」之類，因見錄《詩序》，所以儘管其辭雖逸，而「厥義猶存」，「故束皙得以補之」；至於〈新宮〉，「則辭義俱失，苟非精考，難究根源」。顯然，丘光庭自認己身所行，遠較束皙等人艱難，言下之意，似乎也認定修補〈新宮〉、〈茅鴟〉，相對地意義也較為重大。這樣的陳述，由操作者的角度來說，曹丘自代，誠然易於理會；從經學風氣嬗遞的角度來說，如是的自信，卻展現出丘光庭將深切自我認知轉化為實際解經行為的真實狀態。在《兼明書》之前，修補經書，早有其事，而前此所補苴者，大抵是《詩序》、《書序》已有，章旨顯明、背景俱實，相較於此，丘光庭僅據篇章之名、寥寥文獻，「精考」、「究源」，終而成篇，自我意識的呈顯，不可謂之不深。另一方面，《兼明書》先考本事、次立「小序」、再述詩篇，程序格式，與漢、唐《詩經》學可謂無甚歧異，類同如斯，可見丘光庭說《詩》解《詩》，固然能有新解，而終究不脫漢、唐顏色，此事與《兼明書》仍主《詩序》為子夏所作、可以據信並觀，尤可見其真相。

除了有關修補〈新宮〉、〈茅鴟〉二篇逸詩的載錄之外，《兼明書》還書記了唐宣宗（李忱，801～859）大中年間（847～859）《毛詩》博士沈朗（～850～）「新添《毛詩》四篇」一事（《兼明書》，卷2，頁14～15）。

根據〈進新添《毛詩》四篇表〉一文，可以知道，沈朗因為〈關雎〉所述是「后妃之德」，列之為「《三百篇》之首」，是「先儒編次不當」，是以「別撰二篇，為〈堯、舜詩〉，「取〈虞人之箴〉為〈禹詩〉」，「取〈大雅．文王〉」為〈文王詩〉，置於〈關雎〉之前，用以彰顯「先帝王而後后妃」、明「尊卑之義」。

對於沈朗補《詩》，並且數動《詩經》篇序一事，丘光庭全面否定，嚴辭批判道：

其一，《詩經》的篇次，「今古或殊」，而以〈關雎〉為三百篇之首，是為定制，「不可易也」。古之人「為文語事，莫不從微至著，自家形國」，〈關雎〉言「后妃之德」，編為〈風〉之始，用意在於「風天下而正夫婦」，夫婦為人倫之始，由此「用之鄉人」，進而「用之邦國」，則家齊國治天下平，〈大雅．思齊〉云：「刑於寡妻，至於兄弟，以禦於家邦。」（卷16之3，頁12下）由此而論，「則〈關雎〉居《三百篇》之首」，適宜順當。

其二，《論語．泰伯》云：「師摯之始，〈關雎〉之亂，洋洋乎，盈耳哉！」（卷8，頁5下）則孔子以〈關雎〉為《詩經》之首，並無疑義。又《論語．陽貨》，孔子訓伯魚（孔鯉，前532～前481）云：「人而不為〈周南〉、〈召南〉，其猶正牆面而立也與？」（卷8，頁5上～5下）求學務必為〈周南〉、〈召南〉，而〈關雎〉又為其首，可見〈關雎〉的地位篇次，絕不可易。同時，《詩經》含有「四始」，「一曰〈風〉，二曰〈小雅〉，三曰〈大雅〉，四曰〈頌〉」，〈關雎〉屬〈周南〉、〈召南〉為〈國風〉，而沈朗「以帝王之事冠之」，則混亂「四始之倫」，殊為不經。

其三，沈朗「新添四篇」，不知「為〈風〉乎」？「為〈雅〉乎」？設若為〈風〉，「則不宜歌帝王之道」；倘使為〈雅〉，「則不宜置〈關雎〉之前」。據此而言，則沈朗所添，不僅「首尾乖張」，實在是「自相矛盾」，「其為妄作，無乃甚乎」？

顯然，丘光庭即便自身有修補逸詩之舉，但是對於沈朗新添詩篇、異動《詩經》篇序，是全然否定的，如是的全面否定，說明了至少丘光庭自認所行與沈朗的作為截然怫異。二者之間最大的差異，在於丘光庭並未討論〈新宮〉、〈茅鴟〉應入今本《詩經》何處，而沈朗則於詩篇順序有所調整。從維持經書完整性或可信度的層面來看，沈朗的作為固然值得檢覈，但是隱含在其中的精神與理想卻可予以公評甚至嘉賞，丘光庭於此一概不取，認為沈朗「妄作」之甚，嚴峻如斯，不但說明了《兼明書》修補亡詩，或許只是單純的文獻整理行為，與經書體系的變動修正更革並無關聯，也說明了丘光庭以及當時學者或許依據相當程度地尊重並遵循傳統經書與經學體系，所謂全面性的異動與駁正，仍然有待於後世。

五 《兼明書》寔改經書文字

經部典籍的形成，一般而言依循著兩大方向：一是整編固有舊集，轉化而為經典，如《周易》、《春秋》；一是逐漸集結原本獨立傳世的上古史料，在若干年歲之後，彙綴而成經典，如《詩經》、《尚書》、《禮記》。然而，無論淵源如何，經典歷經多年流遞，由於方域各歧、師說互異，不但經說有所差池，即便是原本應該統一的「文本」，也出現各自扞格的情況。姑不論「古」、「今」之別，西漢「今文」之中，《書》分歐陽、夏侯，《詩》分齊、魯、韓，《春秋》分公羊、穀梁，其中區分，不僅只於家法，經典文件，亦見辨別，即便中央政府開鑿「熹平石經」，仍不敢獨刊諸家文本。兩漢之後，「古學」與「古文經」日見昌盛，至南北朝獨建一尊，則經書文本，理應一統。然則，陸德明撰作《經典釋文》，於經書字樣，時稱「一本作某」、「南本作某」、「北本作某」、「某人作某」，可見當時經書文字彼非我是、難見畫一，實屬誠然。唐文宗（李昂，809～840）大和七年（833），中央政府再次開雕「石經」，歷時七年，於開成二年（837）竣工，是為「開平石經」，由於當時經說大多已定於一家，經書文本也從而較為確定，經部典籍文字至此逐漸畫一，彼非我是、各執一本的狀況，越見弛緩。

除了在流傳過程產生歧異之外，經典文字在研究者閱讀解析的過程當中，還必須面對若干考驗與質疑。諸多考驗與質疑當中，最為學者所知曉者，便是研讀者在閱讀與解析的過程當中，因為懷疑典籍文字有誤而導致詮釋方向與內容失準，進而改動經書文字，意欲借此尋求最正確解說，後世統稱之為「疑經改經」的行為。關於「疑經改經」，今日能見時代最早、最為有徵者，為唐玄宗天寶四年（745）的「改《尚書．洪範》『無頗』字為『陂』字」一事（孫逖？～761）：《孫逖文集．改尚書洪範無頗字為陂字敕》，《全唐文》，卷310，頁1876上）：

其一，唐玄宗讀《尚書．洪範》，至「無偏無頗，遵王之義」等句，「常有所疑」，認為全文「無偏無陂，遵王之義；無有作好，遵王之道；無有作惡，遵王之路；無偏無黨，王道蕩蕩；無反無側，王道正直」（卷12，頁14上）當中，文句兩兩諧韻，「好」與「道」諧、「惡」與「路」諧、「黨」與「蕩」諧、「側」與「直」諧，唯有「陂」、「義」兩字，「實則不倫」。又《周易・泰卦・九三》：「无平不陂。」（卷2，頁22上）陸德明《經典釋文》認為「陂字亦有頗音」[37]（《周易》後附《周易音義》，卷1，頁5下），是則「陂之與頗，訓詁無別」，「為陂則文亦會意，為頗則聲不成文」，「頗」字實為「陂」字之誤。

其二，錯誤如斯，肇因於秦火之後，「編簡墜缺」，「傳受之際，差舛相沿」，舛誤既然業已產生，則「原始要終，須有刊革」。是以唐玄宗「兼訪諸儒」，學者「僉以為然」，於是敕令「《尚書・洪範》『無偏無頗』字，宜改為『陂』」。致令「先儒之義」能「去彼膏肓」，而「後學之徒」能「正其魚魯」。

唐玄宗因為「頗」、「義」二字不能諧韻，有違整體文章句法，因而援證他經，論其是非，終而改「頗」為「陂」，以符全經體例。事實上，「頗」、「陂」二字，聲符同是「皮」字，上古同音，絕無可疑，而〈洪範〉書「頗」不書「陂」，或許是文字假借，《經典釋文》「陂字亦有頗音」，便是明證，唐玄宗不解於斯，大費周章，商之諸儒、公諸國子，所為實屬無稽，然則縱屬無稽，而於「疑經改經」一節，則表現甚為明確。

中唐以後，懷疑經書文字不正確而加以修正者，仍有所為，韓愈撰《論語筆解》，數次改動經文以就自身意見，如改「宰予晝寢」為「宰予畫寢」（卷上，頁10上）、改「子絕四：毋意、毋必、毋固、毋我」為「子絕二：毋意、毋必、毋固、毋我」（卷上，頁17上～17下）[38]。雖然實例不甚多見，但是「疑經改經」之風，的確有所存續，則是不爭事實。

《兼明書》所載有關竄改經書文字而較為確切者，共計五則，其中《尚

---

37 原文作「叉破何反」，音讀確實與「頗」同。

38〔唐〕韓愈、李翱（774～836）：《論語筆解》（臺北市：中國子學名著集成編印基金會影印明世宗嘉靖年間【1522～1566】四明范氏《二十種奇書》本，1968年）。

書》一則、《左傳》二則、《論語》二則。

(一)血流漂杵(卷2,頁13)

《尚書．武成》:「前徒倒戈攻於後,以北,血流漂杵。」《偽孔傳》云:「血流漂杵,甚言之也。」(卷11,頁24上)〈武成〉的作者以「血流漂杵」形容戰況的慘烈,《偽孔傳》隨文闡釋,並無他說。

對於〈武成〉以「漂杵」形容戰況慘烈,《兼明書》認為文字之中必有誤失,所以如是說道:

> 血流舂杵,不近人情,今以「杵」當為「杆」之誤也。

在丘光庭的認知當中,經文「杵」是錯字,應該修正為「杆」。之所以會有這樣的論斷,丘光庭解說道:

其一,〈周南．兔罝〉詩句:「糾糾武夫,公侯干城。」(卷1之3,40頁)《左傳．成公十二年》舉此詩,云:「公僕之所以扞城其民也,故《詩》曰:『赳赳武夫,公僕干城。』」(卷27,459頁)由此可知「古人讀干為汗」──「干」、「汗」二字,古音同讀。

其二,「干」、「汗」二字既可同讀,則「干」、「汗」、「扞」三字,更可同讀。是以「干城」即「扞城」、「杆城」,「『杆』一名『楯』、一名『櫓』」,「俗呼為傍牌」,即木製柵欄,《漢書》云:「血流漂櫓。」[39]「『櫓』即『杆』」,「此物體輕,或可飄也」。

在此,丘光庭先以「杵重,無法漂流」為〈武成〉文本必須修正預設基調,認定「杵」、「杆」形近,「杵」字必為「杆」字之誤。其次藉「同音通假」概念聯繫「杆」與「扞」二字的關係,認為「血流漂杵」依理應當書作「血流漂杆」、「血流漂扞」。「杆」又稱「櫓」,俗乎「傍牌」,「傍牌」即木

---

[39]《史記．秦始皇本紀》作「流血漂鹵」(卷6,頁95),〈陳涉世家〉作「流血漂櫓」(卷48,頁22);《漢書．陳勝項籍列傳》作「流血漂鹵」(卷31,頁1822)。

質柵欄，質輕，容易漂浮，是以「血流漂杵」應寔改為「血流漂杆」，其意義與《漢書》所載「血流漂櫓」類同。

（二）衛桓公名（卷3，頁22）

《春秋．隱公四年》:「衛州吁弒其君完。」(《左傳》，卷3，頁13上；《公羊傳》，卷2，頁12下；《穀梁傳》，卷2，頁1下)「衛君州吁」即「衛桓公」，各家說解於《經》文書錄並無異議，《經典釋文》於《三傳》之下，均注「完音丸」，顯見衛桓公州吁名完，《經》文自古如是，而諸儒「讀皆如字」，向來未有質疑者。

面對這則自古未變的《春秋》經文，《兼明書》有所懷疑，而如是鋪陳道：

其一，州吁之名「當作『皃』」，「完」字乃書錄之誤。依禮法道理而論，「名以昭實，終將諱之」——其人亡故，則不稱其名，所以「既葬而為諡」——葬禮結束，便得以「諡」稱其人。倘若衛侯真名為「完」，「豈得諡之『桓』乎」——衛桓公名「完」，必定不以「桓」為諡，以「桓」為諡，則與諡法成規有所牴觸。

其二，既然州吁諡「桓」確信無誤，那麼「完」字便有誤差，《春秋》所書，應予修正。字書所錄「容皃之『皃』，從白下八」，「完」字俗書常作「皃」，與容皃之「皃」字形近似，轉寫相譌，極其可能，是以衛桓公應「本名『皃』」，後世「傳寫誤為『完』也」，如此，則《春秋》所書，應當有所寔改。

丘光庭於「完」、「桓」兩字關係，僅以「衛侯名『完』，豈得諡之『桓』」為說，至於因何「名『完』」便不得「諡『桓』」，則毫無論述。在論述不足的狀態之下，所得結論當然無足服人，而難以採信。事實上，「完」、「桓」二字，古音同在「元叩」（依董同龢【1911～1963】分部），音讀相近，《兼明書》所持道理，或即在此。

（三）姞吉人（卷3，頁23～24）

《左傳・宣公三年》（《兼明書》誤為「五年」）：「鄭文公有賤妾曰燕姞，而生穆公。……石癸曰：『吾聞姬姞耦，其子孫必藩。姞，吉人也，后稷之元妃也。』」（卷21，頁17下～18上）

對於《傳》文所書「姞」字，丘光庭深覺不妥，而不妥的根源，則在於《傳》文本身的相關敘述。《傳》文「石癸曰：『姞，吉人也。』」諸字，是論「姞」字之義，《兼明書》詳加檢析，據此以為：「當時『姞』從人作佶」——魯宣公時期，「姞」字字形應當「從人從吉」，而書為「佶」；倘使「姞」字真如《傳》文所書「從女從吉」，則石癸不當出「吉人之語」，因此，《傳》文書「從女者」，「失其義也」，理當有所寔改。

（四）而有宋朝之美（卷3，頁28）

《論語・雍也》：「孔子曰：『不有祝鮀之佞，而有宋朝之美，難乎免於今之世矣！』」何晏《集解》云：「言當如祝鮀之佞，而反如宋朝之美，難乎免於今之世害也。」（卷6，頁6下）可見何晏之時，《論語》文字便已如是鋪陳。

針對《論語》「而有宋朝之美」一句，丘光庭抱持異議，認為「不有祝鮀之佞」一章，是「孔子嘆末世浮薄，所尚者口才與貌耳」，有感而發，形諸文字者。既是感嘆末世所尚僅「口才與貌」，便不得書為「而有宋朝之美」，應改「而」為「不」，書作「不有宋朝之美」，如此方能完整體現孔子的感嘆，文章句式也方得前後相應。今本《論語》所書，是「傳寫誤也」，宜加寔改。

（五）其父攘羊而子證之（卷3，頁30～31）

《論語．子路》：「葉公語孔子曰：『吾黨有直躬者，其父攘羊而子證之。』」（卷13，頁7上）針對《論語》「其父攘羊而子證之」一句，《兼明書》不予認同，以為：

其一，從文章前後句法文勢來看，所謂「其父攘羊而子證之」，「子」字原本當無，今本所見，乃是「後人加之耳」。

其二，「葉公章」上文云「吾黨有直躬者」，所稱「直躬者」，「即攘羊者之子也」，文字翩然明白，所以下文「但云『其父攘羊而證之』」，「於文自足」——文章句義，於斯已然圓滿。而今本《論語》「更加『子』字」，反而致令文義突兀「不安」，章法如此悖亂，「必非游、夏之文」，理應寔改。

經書文字經過千年流傳，由於諸多因素而產生若干疑義以及歧異，誠屬在所難免；然而，承擔了傳遞刻錄主流文化責任的經部典籍，由於不容有所疏誤，是以諸多學者於此日日辨正、處處考校，也是眾所皆知的事實。單就此點論之，則「疑經改經」、修改寔正經書文字的行為，絕對不能單純地以學者意欲藉此尋求經書正確詮釋視之，還必須從「疑經改經」乃針對舊傳經學體系而發的激烈反動學風諸層面詳加探討。《兼明書》中牽涉到「疑經改經」的條文雖然僅有五則，但是就諸多角度予以審視，卻可以發現許多關乎經典意識以及學風嬗遞的重要訊息：

其一，《兼明書》與韓愈《論語筆解》，於「疑經改經」一事皆有著錄，而從動機展現、形式設定、疏釋鋪陳、結論建立等層面來看，二者所為，幾乎完全類同。經書文字之所以需要修改，全然肇因於詮釋者認定現有經文不合道理；不合理的經書文字該當如何修改，全然依據詮釋者的自我認定；經書文字必須修改的因由或者相關旁證的鋪陳，全然倚賴詮釋者的篩檢與認知；經書文字修改的結果與影響，全然端視詮釋者的理想與採擇。儘管丘光庭並未陳述自身「疑經改經」的思想淵源或者是行為模範，但是如此程度的雷同，說明了建立於中唐而後的「疑經改經」思維或作為，的確產生了相當程度的啟發與影響作用，直至五代時期，仍有學者響應。

其二，所謂「疑經改經」，從行為表面上看來，絕對是學風自由、學者脫離體系束縛的最強烈表現；而從內部思維以及學術理想等深邃層面看來，「疑經改經」可能代表著經學研究或詮釋者最為保守固執的基本心態。對於研究詮釋者而言，經書是學術展現以及文化詮釋的根本基礎，也是施用於文化發展、社會建構、政治興革的明確指導，既然承擔如此重大的責任，那麼經書就必須具備神聖性、權威性與完備性。神聖性與權威性的建立，可以從經書作者皆屬「聖人集團」一節論說，而完備性的穩定，則有賴於經書內容充實完整正確諸項的證成。設若經書文字經常出現令人質疑的部分，經書內容的完整與正確，當然就會備受懷疑，為了避免諸多懷疑造成經書地位降低，進而導致經學的本根與價值遭受全面性否定，研讀詮釋者除弊保臧、革非存是，改易其中的錯誤與不合理，似乎是必要的行為，即使這樣的操作看起來手段激烈，並且容易流為主觀，間接地鼓勵了恣意說經的風氣。

其三，客觀地說，《兼明書》所列「疑經改經」五例之所以呈現，基本上都根源於丘光庭的自我認知，除了〈武成〉「血流漂杵」改「血流漂杆」一則，能於《史記》、《漢書》覓得間接證據之外，其餘四則並無相關文獻可以證成其說。同時，《兼明書》所舉五例，並非文字不能更動則經義便無可訓解，援舊依故，大義仍足，例如〈武成〉經文「血流漂杵」，正是因為「杵重，無法漂流」，援以誇飾，方纔益發展現伐紂之役戰況的慘烈，若真改為「血流漂杆」，文句缺少誇飾功能，文義便不見得能生動感人。由此可見，至少在唐末五代，「疑經改經」行為的運作，絕大部分應該屬於學者的個人意識與舉措，缺乏公共議題，缺乏操持標準，更不存在集體意識。另一方面，經書文字遭到更動之際，原先因應經文而產生的相關解釋，基本上便已然遭受否認，如果說放棄舊傳說解可以稱為「不本所承，自用名學」，則「疑經改經」，即使是經文都可以更動的表現，便可以稱得上是「不本所承，自用名學」風氣的激烈展現。或許丘光庭的「疑經改經」行為從思維、方法、舉證、立論、區別等層面來看都屬於初階，不能稱之為完整，但是如此行為的存在，卻可以證實中唐以來學者讀經求新求變的學術氛圍，在五代時期仍然存在，假以時日，終將鼓勵風潮，帶動經學研究的全面性變革。

六 《兼明書》正舊說出新解

丘光庭身處唐末五代，在此之前，「啖趙學派」、韓愈、柳宗元等人力行學術革新，除了創制新說之外，也不免針對舊有學說提出批判，啖、趙、韓、柳等人所批判的舊說，廣義地說，可以稱之為「漢、唐經學」，狹義地說，則可以稱之為「注疏之學」，也就是以《五經正義》為中心的相關經解體系。

（一）密雲不雨（卷2，頁11）

> 《周易．小過．六五》：密雲不雨，自我西郊。
>
> 王弼《注》：夫雨者，陰在於上而陽薄之，而不得通，則烝而為雨。今〈艮〉止於下而不交焉，故不雨也。（卷6，頁20上）

〈小過．六五〉爻辭「密雲不雨」，王弼申說其義，認為經文之所以書「不雨」，是因為〈小過〉一卦，「下艮上震」（䷽），雖有陰氣在上，而陽氣為下卦〈艮〉所阻止（〈艮〉之義為「止」），是以雨水不生。換言之，倘若「陰在於上而陽薄之，而不得通」——陰氣在上而陽氣迫近，陽氣復為陰氣所阻而無法上進，「則烝而為雨」——那麼陰陽二氣相互烝焄，終將導致天降雨水。

對於王弼解經文「密雲不雨」，丘光庭沒有議論，倒是王弼所謂「陰陽相烝為雨說」，受到《兼明書》批判為「未窮其理」，認為：

其一，所謂「陰陽二氣」，乃滋生於「黃泉」，二者「氤氳交結」，「出地」則上行為雲，陰陽二氣勢力均等，「則能為雨」。

其二，設若「陰氣少而陽氣多」，或者「陰氣多而陽氣少」，皆無法醞釀成雨。〈小畜．卦辭〉「密雲不雨」（卷2，頁14上），肇因於「陰氣少」

（☱，五陽一陰）；〈小過・六五〉「密雲不雨」，則肇因於「陽氣少」（☳，二陽四陰）。

那麼，陰陽二氣交結成雨，其確實過程為何？《兼明書》繼續說道：

其一，《禮記・孔子閒居》：「天降（《兼明書》作『作』）時雨，山川出雲。」（卷51，頁6下）天將降雨，則雲氣先出。雲「非一氣能生」，其中道理，「譬之於炊」，則通曉易解，炊事之際，倘使「有水而無火」，抑或「有火而無水」，「皆不能生氣」——則蒸氣無由生成。必須水、火二物兼備，「而蒸氣生」——陰陽二氣必須兼具，雲氣方得肇生。

其二，由炊事之譬可知，「氣生本於釜中，非結成於甑上」——水火相結而生的蒸氣，必定形成於釜鑊（鍋）當中，而非成形於瓦甑（蒸籠）之內。依循此理，則「雲必結於地中」，陰陽相偕而出，終而佈雨降水。設若「陰先而陽後」，則「尚不能為雲」——陰陽二氣不能等同和諧，尚且無法氤氳成雲，更何況飄降雨水、普施甘露。

（二）周康王名（卷2，頁13）

《尚書・周書・顧命》：用敬保元子釗。

《偽孔傳》：釗，康王名也。

《經典釋文》：釗，姜遼反；又音昭；徐之肴反。（卷18，頁16上）

周康王名「釗」，「釗」字音「昭」，自古以來學者未生異見，陸德明《經典釋文》縱然著錄讀音三式，而實則為一。對於這個看似微小的問題，丘光庭依據自身對於謚法禮制的瞭解，嚴肅地議論道：

其一，「釗」字自古皆讀「昭」，諸儒誤失之甚，此字當讀為「梟」。字書所述「六體」，「諧聲」為其一，「釗」即為「諧聲字」。「口邊著斗，是『叫』字（音古由反）」，而「金邊著斗」為「鈄」字，其音則為「梟」。周康王之名當是「鈄」，音「梟」，〈顧命〉作「釗」，乃二字形近傳寫之譌。

其二，周康王名「鈄」不名「釗」，緣何知之？周昭王為周康王之子，既是父子，「豈有子謚父諱而音同乎」——嗣子之謚，不可能與親父同音。因此，康王之名，「周人本讀為『梟』，讀為『昭』者，乃後世之誤」。

其三，《禮記．曲禮》云：「禮，不諱嫌名。」（卷3，頁12下）然則「釗」、「昭」二字，「音同而字異」，正是「嫌名」之例，而因何周康王名必不得讀為「昭」。面對如是的質疑，《兼明書》解釋道：「言語之間，《詩》、《書》之內，有音同字異者，即不為之諱。」——一般性的偶語對話以及經書典籍當中，若有嫌名之處，不為之諱，合於禮法制度；然而，父子之親，天地唯一，而仍持「不諱嫌名」之見，則於親親之義，有所斲傷，是以，「父諱子謚，可用嫌名乎」？

（三）美目揚兮、美目清兮（卷2，頁15）

> 《詩經．齊風．猗嗟》：美目揚兮。……美目清兮。
>
> 《毛傳》：美目揚眉也。……目上為名，目下為清。
>
> 《毛詩正義》：眉毛揚起，故明眉曰揚。（卷5之3，頁13下～14上）

〈齊風．猗嗟〉：「美目揚兮，……美目清兮。」對於形容「美目」的「揚」、「清」二字，《毛傳》認為「揚」指的是「揚眉」，而「清」指的則是「目下」清明。《正義》於「揚」云「眉毛揚起」，顯然是遵依《毛傳》為說，於「清」則無甚闡釋。

對於舊有的說解，丘光庭表示反對，認為：

其一，〈猗嗟〉一詩，「經無眉文」，《毛傳》依據何事認定「揚」所稱必是「揚眉」，而孔穎達又依據何事指稱經文「揚」形容的必是「眉毛揚起」。諸般解說都是「不顧經文，妄為臆說」，事實上，「揚」字應該解為「目之開大之貌」，《禮記．檀弓》文句「揚其目而視之」（卷10，頁22），正是其類。

其二，所謂「清」者，「黑白分明」之謂也，「美目清兮」，指「目中黑白分明，如水之清也」——是對於眼球眼珠黑白分明的稱述，《毛傳》「目上為名《兼明書》引作「明」)，目下為清」之說，實為無稽，倘若「清」字真如《毛傳》所釋，則〈衛風．碩人〉詩句「美目盼兮」(卷3之2，頁17上)，則「盼當復在何所」？由此觀之，《毛傳》於此，亦是妄說。

(四)荊敗蔡師於莘(卷3，頁22～23)

《春秋．莊公十年》：秋，九月。荊敗蔡師于莘。

《左傳》：無傳。

杜預《集解》：荊，楚本號，後改為楚。(卷8，頁21下)

《公羊傳》：荊者何？州名也。州不若國，國不若氏……(卷7，頁9下～10上)

《穀梁傳》：荊，楚也。何為謂之荊？狄之也。何為狄之？聖人立，必後至；天子弱，必先叛。(卷5，頁16上)

魯莊公十年，楚師於莘擊潰蔡師，《春秋》以「荊敗蔡師於莘」為書。針對經文所書，《左傳》無所敘述，而杜預則認為「荊」乃楚國「本號」，楚國原稱「荊」，其後方更名為「楚」。《公羊傳》認為，「荊」是「州名」，在「州不若國」的《春秋》書法之下，書州名「荊」而不書國名「楚」，是為了表示對於楚國的貶刺。《穀梁傳》認為，《春秋》之所以稱「楚」為「荊」，是「狄之也」——楚國不尊王守禮，所以稱「荊」，目之為夷狄。

顯然，《公羊》與《穀梁》立場接近，都認定《春秋》書「荊」，在於貶刺「楚國」，杜預則認定「荊」為「楚本號」，兩者等同，差別在於時間先後，其中無所謂貶刺。面對《三傳》體系的兩種意見，丘光庭贊可杜預之說，並且為之申論道：

其一，考諸經典文獻，「一國兩號」，例證有三，第一是三代中的「殷商」，第二是周代的「唐晉」，第三則是周代的「楚荊」。「殷商」、「唐晉」，一是地名，一是國號，其中並無褒貶，「楚荊」與之同例，當然也無褒貶。《禮記．檀弓》：「夫子失魯司寇，將之荊。」(卷8，頁7下)〈魯頌．

閟宮〉:「戎狄是膺,荊舒是懲。」(卷20之2,頁10下)二者皆稱「楚」為「荊」,而其中無所貶抑,由此觀之,「荊為楚之本號」,益發顯明。

其二,《左傳・莊公四年》「楚武王荊尸」(卷8,頁9上)、〈宣公十二年〉「荊尸而舉」(卷23,頁5上),所謂「荊尸」,所指乃是楚武王創設的「陳兵之法」,設若「荊」為貶稱,則楚國何必以「荊尸」為名。設若《春秋》因為楚國「侵伐中國」而「貶曰『荊』」,那麼〈閔公十一年〉「狄入衛」(卷11,頁6下)、〈成公七年〉「吳入州來」(卷26,頁15下),《春秋》又「何故不舉州名以貶之乎」?可見稱州名以貶刺(州不若國)之說,並非孔子筆削大義。事實上,夏禹曾於「四海之內都署九州」,而當時「執玉帛萬國」,如此「則是州大而國小」,既是州大國小,孔子豈能「加大於小」,而以稱州名為貶。此外,〈莊公二十三年〉「荊人來聘」(卷10,頁1下),此時楚人何罪之有,而《春秋》必書「荊」以為貶?〈僖公十五年〉「楚敗徐於婁林」(卷14,頁12下),此時楚國又何功之有,而《春秋》必書「楚」以為褒?可見「楚」、「荊」二者之間,並無褒、貶之異,而《春秋》之所以二名互見,肇因於「當時史官,承告而書」——魯國史官依赴告忠實書錄,其後孔子因之,於是乃有「荊」、「楚」之別。

其三,既然《春秋》不以書「荊」為貶刺,那麼緣何而見「《經》書『荊』而《傳》稱『楚』」[40]之別?事實上,此題倘就史料詳加推敲,便可知其梗概,《春秋》與《左傳》書錄的差池,肇因於魯史書錄之時,「楚國實名『荊』」,而孔子因之,無有改易,待到「左氏為《傳》之時」,楚國之名,業已通行,所以《左傳》「近書之為『楚』」。學者於此倘能推而知之,則於孔子「記事之義」,便可「得其實矣」。

---

[40] 如《春秋・莊公十年》書「秋,九月。荊敗蔡師於莘」,而《左傳・莊公十年》書「秋,九月。楚敗蔡師於莘」(卷8,頁24上)之例。

（五）文馬（卷3，頁23）

《左傳．宣公二年》：宋人以兵車百乘、文馬百駟，以贖華元於鄭。

杜預《集解》：「畫馬為文四百匹。」（卷21，頁7下）

魯宣公二年，宋、鄭二國戰於大棘，鄭國俘虜了宋國元帥華元，其後宋國以「兵車百乘、文馬百駟」「贖華元」，《左傳》詳記其事，以「宋人以兵車百乘、文馬百駟，以贖華元於鄭」為書。關於出現於文句當中的「文馬」，杜預解釋為「畫馬為文」，亦即繪文彩於馬身。

對於杜預的說解，丘光庭不予贊同，認為「畫為文，乃是常馬」——如果「文馬」解為繪文彩於馬身，那麼賄鄭之馬，便是一般的馬匹，無足可貴。宋國亟欲贖回華元，必定不以普通馬匹為賄，因此，所謂「文馬」，應該解為「馬之毛色自有文彩」——馬匹自身有天然文彩，如此方可顯其可貴難得，足以充當贖還華元的珍品。

（六）而好犯上（卷3，頁20～28）

《論語．學而》：有子曰：「其為人也孝悌，而好犯上者，鮮矣！」

皇侃（488～545）《論語義疏》：犯謂諫爭也；上謂君親也；鮮，少也。言孝悌之人，必以無違為心，以恭從為性，若有欲犯其君親之顏諫爭者，有此人，少也。（卷1，頁3下～4上）[41]

有子（有若，前581～？）所謂「犯上」，皇侃認為是「犯顏諫爭」。對於皇

[41] 本書徵引的《論語義疏》原文，全數依清高宗乾隆至清宣宗道光年間（1736～1850）長塘鮑氏刊本（知不足齋本）（〔魏〕何晏集解，〔南朝梁〕皇侃義疏，臺北市：廣文書局，1991年影印）為準，以下僅標卷、頁，不再重複紀錄版本。

侃所釋，丘光庭不表同意，反駁道：

其一，有子所謂「犯上」，指的是「干犯君上之法令」，並非皇侃所指陳的「犯顏諫爭」。

其二，設若欺「事父母能孝，事長兄能悌」，則事君上也必能「遵法令」、「不干犯於君上」。其人既然能「不犯上」——不干犯君上所敕法令，則「必無作亂之心」，是以下文乃云「而好作亂者，未之有也」。如此，則文義前後連貫，設若依循皇侃所釋，則下文「而好作亂者」，便顯得突兀無依，於文義無所比附。

（七）飯蔬食（卷3，頁28）

> 《論語．述而》：子曰：「飯蔬食。」
>
> 何晏《集解》：孔安國曰：「蔬食，菜食也。」
>
> 皇侃《論語義疏》：飯猶食也；蔬食，菜食也。言孔子食於菜食，而飲水，無重肴方丈也。（卷4，頁10上）

《論語．述而》「飯蔬食」，何晏《集解》引孔安國說解為「菜食」，皇侃遵從其義，也訓解為「菜食」，而所謂「菜食」，亦即「食菜」，所以皇侃於下又申說云「言孔子食於菜食，而飲水，無重肴方丈也」。

針對前修解說，《兼明書》提出異議道：經典當中所謂「疏食」者，所指均是「粗飯」，其義為糲食粗餐，並非佛教精進之「菜食」。「飯」「音扶晚反」（音反），「食」「音『嗣』」，「飯蔬食」者，「謂飯粗飯」，亦即「吃粗飯也」，絕非佛教精進之「食菜食」[42]。

---

[42]「飯蔬食」，今本通行《論語》作「飯疏食」，而「知不足齋」《論語義疏》則作「飯蔬食」，疑三字原應作「飯疏食」，皇侃以後「菜食」之說出，而傳鈔者更其字為「飯蔬食」。

（八）顏路請子之車以為槨（卷3，頁30）

> 《論語・先進》：顏淵死，顏路請子之車以為之槨。
>
> 何晏《集解》：孔安國曰：「顏路，顏淵之父也。家貧，故欲請孔子之車，賣以作槨。」
>
> 皇侃《論語義疏》：顏路，顏淵父也。淵家貧，死無槨，故其父就孔子請車，賣以營槨也。（卷6，頁4上～4下）

顏淵死，家中貧困，其父顏路請於孔子，欲得其車以為槨，《論語》於斯有所書錄。關於顏路所請，何晏《集解》以及皇侃《論語義疏》，均以為是「請車」「賣以作（營）槨」，亦即顏路欲售孔子之車，而為其子顏淵購置外槨。對此，丘光庭糾正道：《論語》「止言為槨」，而依其字義，顏路「是欲毀其車作槨」，「非將賣之」。設若顏路意欲「賣車買其為槨之木」，「可以請於他財」——可以要求孔子施予其他財物，「何故特請其車」——不必特別要求指定孔子贈車。同時，「《經》無『賣』之文」——經文當中不見「賣」字，可見顏路所請，並非賣車為槨，由此益見前修所訓皆為「妄說」。

上述八例，雖然不能完整體現丘光庭檢覈前修經說的全數作為，卻已能清晰表現《兼明書》論說的特色與重心，而探討如是的特色與重心，對於釐清經解體系的沿用與瓦解、經學風氣的轉嬗與更興，必將有所助益：

其一，《兼明書》批駁舊說、創制新解，設若不論其中是非，而純以創新文化意識視之，則當中確實存有若干頗富趣味的說法。例如將「降雨」之事比諸「炊事」，雲生於地，一如蒸氣生於釜；又如謂繪文馬身無足珍貴，文彩自然乃顯珍奇；都可以證明丘光庭說經態度自由，不陷前修藩籬，能彰顯個人思維的特性。相對地，《兼明書》所批駁創新者，亦有不甚合理者，譬如說周康王必不名「釗」一事，丘光庭說解所秉持的基本立場，全然在於自身對於古代諡法禮制的堅定理想，由於文化理想業已勾勒於胸，所以據今度古，務求今古貫通，忽略了今古禮制可能有別，「父諱子謚」不得行於後世，不見得不能行於周代。唐末五代為學術變動時期，舊典範崩解，而新典範未成，在極度自由的環境之下，丘光庭儘管在某些層面能夠不受制約地表現自我意識，卻無法從歷史角度來觀察經學的諸多面向，造成解經意缺乏變動歷史觀，僅僅具備永遠理想性，限制了自身經學研究發展的多元性，殊為可惜。

其二，從上引提舊說的數則載錄來看，舊說之所以需要檢討，在《兼明書》當中並無絕對固定客觀標準，通常也缺少相關論述與證據，唯一可以依循的，便是丘光庭的自我意識。自我意識的展開，促使丘光庭認定王弼說「降雨」不確、周康王名「釗」不確、《毛傳》說「揚」字不確、《公》《穀》說「荊」「楚」不確、皇侃說「犯上」不確……，儘管大多缺乏有力論證，但是新觀念與新思維的確已經呈現。簡單地說，《新唐書》所謂「不本所承」，呈現於丘光庭批駁舊說方面；所謂「自用名學」，則呈現於丘光庭創立新說方面；《兼明書》於中唐以來經學發展新風氣的確有所承繼，由斯得以窺見。另一方面，《兼明書》批判舊說與創制新解，雖說是根源於自我認知的開展，然而，如是自我認知的生成，最基本的誘因應該是透過對於經書的分析與解讀。藉由對於經書的理解，樹立自身的論述，可以說是治經「回歸原典」精神的展現，即使「回歸原典」行為不見得代表對於舊說的全面捨棄，但是這樣的精神與行為，卻使新經學得以發展，致令唐末五代學術風氣展現與漢、唐舊學全然不同面貌的重要原因。

其三，從檢討的比例與數量來看，可以發現傳統的「漢、唐經學」或者是「漢、唐注疏之學」，對於丘光庭而言，的確仍有參考價值。如是的現象，說明了即使已經能夠「不本所承，自用名學」，丘光庭以及當時的經書詮釋者，仍須借助傳承已久的經解體系分析經書，承認沿用其中正確無誤者。另一方面，倘若舊傳經解體系毫不可言，那麼詮釋者於申說經典之際，盡可全盤廢棄、徹底建構新解，不需大費周章，一一檢視。由此可知，丘光庭之所以針對舊說之誤提出批判，從表面上看是舊解釋出現問題、需得寔正，從內部實質狀態來看，則是舊經解體系仍然可信、僅需要若干修正的表徵。換言之，學者如果將批判舊說的行為全然視為舊有經解體系的整體崩壞，便極可能會造成相當程度的誤解。

其四，面對諸般舊說，《兼明書》有所批駁，也有所採信；詮釋經典，丘光庭或擷取舊說，或鋪陳己論。判定的原則，大致就是丘光庭對於經典的理解，而如是的理解，又絕大多數根源自學者的新文化意識與新時代認知。在如是的態度之下，舊說可能已經不具備任何典範功能，僅是學者研究之際可以參酌的文獻之一，不但無法充當政治運作、道德行為、社會發展的最高指導，即便是能否正確地解說經文本，也都遭受質疑。對於丘光庭而言，批駁舊說，只是個人詮釋經書之際的選擇與行為；對於經學發展來說，卻是「漢、唐注疏之學」權威縮減，新風氣與新視角即將建構的關鍵。

七　從《兼明書》看唐末五代說經風氣

今本《兼明書》全書五卷，而搜羅多面，與經學相關者，僅第一卷部分，第二、三卷全數，顯然，該書並非為說經而設，因此，如果未經詳細論證，便簡單地認定《兼明書》所載涵蓋了唐末五代經學研究的全貌、丘光庭的作為代表著當時學術風潮的主流，很可能會引發以偏概全、以管窺豹的質疑以及錯誤。此外，丘光庭活躍於吳越地區，籍屬十國，與一般印象中的文化傳統重心地區長安、洛陽相去甚遠，儘管吳越、南唐的社會環境與文化建設不見得遜於五代政府掌制的地域，但是在政治正朔與歷史發展已然有所偏倚的情況之下，《兼明書》的書錄與丘光庭的作為是否能與主要學術集團關聯接軌，也是值得思考檢視的鈐鍵。

《兼明書》與丘光庭的非全面性與非核心性，對於藉以探論經學發展歷史的研究行為與進程來說，固是無可掩飾與迴避的先決障礙，然而，正是因為地處偏遠、專門性低，《兼明書》與丘光庭，也許適洽能夠被視為所謂「新經學」、「新學風」業已全面拓展，知識分子大多受其薰染，並且能夠相當程度地展現有關特色的實際例證。另一方面，丘光庭據傳曾經身為吳越「國子博士」，而《兼明書》「補〈茅鴟〉詩」一則當中，有「臣以〈茅鴟〉非舊亡，蓋孔子刪去耳」等語，可見丘光庭具備官方身分，應屬實情。

身為官方學者而能於經學有新見解，則新風氣於斯已生影響，誠屬吾能；職供「國子博士」而能於經書有新解讀，則新意識爾後必有拓展，幾得預知。由此觀之，則丘光庭所為與《兼明書》所述，對於學者理解唐末五代經學研究風氣轉折歷程一節，依舊存具若干意識，仍然足供資取：

其一，唐代大曆年間的經學研究，從以《五經正義》為中心的「漢、唐注疏之學」脫出，逐漸形成新興學術體系，雖然架構之初，仍然不免以攻訐舊系統為表現重心，諸多訓解甚而依循沿續故有經說，但是當時學者於新義理命題（如「尊王」、「道統說」）、新解說方法（如「議論解經」、「融會《三傳》」）、新問題意識（如「回歸原典」、「考辨經書作者」）、新經典觀念（如「補經」、「疑經改經」）、新詮釋成果（如《論語筆解》」、「《春秋集傳纂例》」等環節，的確有所展現，無怪乎《新唐書》於此時學術乃有「自名其學」、「不本所承，自用名學，憑私臆決」等稱述。整體而言，肇興唐代中葉的新興經學，較為特出的學術表徵計有：「判析古今經說」、「論辨經書作者」、「苴補經書亡篇」、「訂正經書文字」、「駁舊說出新解」、「標舉合時義理」、「撰文議論解經」等項目。丘光庭撰作《兼明書》，於說經諸條文中「論古今經說」、「論經書作者」、「修補經書亡篇」、「寔改經書文字」、「正舊說出新解」，除了於新義理的闡發、新議題的標舉兩項表現略有不足之外，諸般作為，與唐代前賢啖、趙、韓、柳所行幾無二致。在類同之處如是之多的情況下，說丘光庭的確直接承繼了形成於中唐時期的學風，可能有點失之武斷，但是說丘光庭與當時學術界訓解闡釋經書，確實能表現出與舊經學體系有所區隔的特色，則應該是合理的推斷。

其二，舊有的經書與經說體系，在中唐以後學者依據自由思維以及時代新文化觀進行雙重檢驗的考釋之下，逐漸開始呈現結構性的缺失與不足。錯誤與不足的經說導致經書詮釋的偏隘，舛謬的經書文字則引導出不可據信的詮釋結果；如是的普遍認知，致令原本具備權威性的神聖典範，轉化而為可受自由批判與糾正的普通文獻或者史料；舊有經說既然無法完全正確地解釋經書，那麼隨而闡釋發揚的義理或者文化價值觀，當然再也不可能被無條件地全盤接受。長此而往，諸多的質疑與否定，儘管不能造成舊有經學體系的全面崩解，卻也足以鼓動後繼學者脫離束縛、展現自我意識、重新檢覈經典。固有藩籬與束縛的破除，代表著「舊典範」的瓦解與消逝；自我意識的充分展現，表現出學術氛圍的自由性格；不受束縛自由地檢覈經典，則凸顯了「回歸原典」的治學態度以及追求真實的崇高理想。《兼明書》反駁《史記》、批判《三傳》、檢討注疏，說明了在丘光庭的意識當中，「舊典範」已經不具備絕對指導性，即將瓦解消逝；《兼明書》不採《竹書》、不信《史通》、不納「啖、趙」，說明了丘光庭不惑於新舊或者潮流所尚，唯真理是從的學術自由立場；《兼明書》改正經文、考訂作者、補修亡篇，說明了丘光庭對於經書完善與齊備性的追尋與企盼，這樣的追尋與企盼，恰可與經書說解者試圖引據最正確經文、創制最完善詮釋的「回歸原典」心態互為表裏。綜合地說，即使不能視為全面狀態，然而丘光庭的所作所為，的確證實了唐末五代若干學者說經，已然擺脫「漢、唐注疏之學」的限制，能夠直接面對經典文本，自由地抒發己見，對於新興經學的創設有所貢獻。

其三，從中唐至五代，由啖、趙、韓、柳至丘光庭，雖然屢見駁舊、迭出新說，詮釋者對於漢、唐解經舊說，均不能絕對捨棄；「啖趙學派」雖能辨析《三傳》、定其優劣，而說《春秋》則大致據以為本；《論語筆解》儘管多創新說、率意改經，而申論考覈者不及何、皇十一；《兼明書》即便己意中心、唯實是求，而所論不過數十。凡此種種，都說明了當時學者可能普遍認定，所謂「漢唐經學」容或有所缺失，但是其中正確可採者必亦有之。若非如此，則各家逕自創寫新書，不必於立說之際，於前修舊識先行批判。可見所謂「不本所承，自用名學，憑私臆決」，縱然是新思維與新詮釋體系有所發展的蹟證，卻不代表全新的學術體系就此建構完整、學風業已全面改易。唐末五代的學術風氣尚在古今交匯、各自擅揚、規矩未成時期，「統一」已然消逝，「變古」未竟全功，是此學者的詮釋意識或今或古、經解的內涵有新有舊，或許可以算是針對此時經學發展狀況的合理解釋；然則依據經解的實質面貌與當時學者行為表現，說新經學體系原本並非完全建構於創新的理想，仍須仰賴正確舊說解的輔助，應該更能展現唐末五代經學風氣建構與轉變的實際狀態。

其四，截至宋代初期，官方「明經科」考試，仍以「帖經（背誦經文）」、「墨義（默寫各經《正義》或《疏》）」為主，而中央政府最為重大的文化工作，一則是承襲開啟於五代時期的經書、經疏（各經《正義》、《疏》）、《經典釋文》雕版印刷，一則是編成《論語》、《孝經》、《爾雅》「三經《正義》」。如是諸項，說明了至少在宋代中葉以前，官方的學術政策仍然保守，國子監所施行的，依舊是「漢、唐注疏之學」體系；官方側重「漢、唐注疏之學」體系，或許可以說是某個階段現象，國子諸生因之養成基本讀經能力，學成之後，便可有所發揮，醞釀新解；然而，中央政府舉才，「明經」一科，仍以「帖經」、「墨義」為主，如此，則經生學子，所見所習，必定以朝廷頒示為根本，即使內容不合於時、當中頗有紕謬，在利祿的引誘與驅使下，「漢、唐注疏之學」仍然得以左右經生對於經書經學的最終認識，長此而往，則新經學的發展與擴張，當然會受到限縮。無怪乎自中唐以降，於經學有創新申論者，大多出身於「進士科」，而王安石變法，於朝廷開科取材一事，首廢「帖經」、「墨義」，並撰《三經新義》。丘光庭身為吳越「國子博士」，依理而言，為學教授，自是以「漢、唐注疏之學」為宗，而其著書論述，卻每以創新駁舊顯露顏色。如此的差距，是否可以視為中唐至五代時期，官方經學政策與學者個人認知已然逐漸分隔、終將分道揚鑣的例證，由於相關史料闕如，於今已不得而知。但是丘光庭身處新舊之交，於公既須奉行學校典制，於私則欲發揚新興風氣，兩般心態，如何調適？一如唐末五代學風新舊交織，學者如何擇取？都是極富趣味的現象與議題。此外，丘光庭是否能如啖助、韓愈等人，於教學之際，勠力推廣新風新知，鼓動潮流，則又是充滿想像的歷史疑問。

郝經對《五經》、《中庸》和道統的反思*

田 浩（Hoyt Tillman）*

張瑋玲初譯**；張曉宇重譯***；田浩修改

郝經（1223～1275）在〈經史〉一文中提出了「古無經史之分」的最早宣言之一。這比章學誠（1738～1801）提出他著名的「六經皆史」之說法更早[1]。一些現代學者其實已經質疑過章學誠首創「六經皆史」之說。本人從二十世紀七〇年代的博士論文開始提出陳亮（1143～1194）關於經史不分這點有些特別的看法[2]。陳登原即以為王陽明首創此說。陳氏並指出早期已有不少學者提過「經即史」或「經史不分」的說法[3]。然而葉長青批評了這種以王陽明為「六經皆史」說創始者的看法，他認為王通（584～617）早已認為《尚書》、《詩經》、《春秋》源自史學[4]。許多學者關於這個問題的普遍看法也像王通一樣，留意到了儒家經典和歷史的關係。這些包括陳登原在內的研究者都忽略了元代的情況。當代學者像周少川討論了一些郝經有關經史

---

* 美國亞利桑那州立大學歷史、哲學與宗教學學院教授；北京大學中國古代史研究中心兼職研究員；中國人民大學講座教授；華中科技大學歷史系客座教授。

** 作翻譯的初譯者是張瑋玲，居臺北市，最高學歷：Monash University, Master of Interpreting and Translation Studies.

*** 重譯者是美國亞利桑那州立大學博士生張曉宇。

1 章學誠著、葉瑛校注：《文史通義校註》（北京市：中華書局，1994年）。

2 參後來修改論文為成書：Hoyt Cleveland Tillman, *Utilitarian Confucianism*: *Ch'en Liang's Challenge to Chu Hsi*（Cambridge, MA：Harvard University Press, 1982）；也有中文版本，田浩：《功利主義儒家——陳亮對朱熹的挑戰》（南京市：江蘇人民出版社，1997年）。

3 陳登原：《國史舊聞》（臺北市：明文書局，1984年）。

4 葉長青：《文史通義注》（臺北市：廣文書局，1970年）。

的文章[5]，王明蓀寫過一篇重要文章介紹郝經的史學觀和他的經學研究[6]。在我看來，郝經的經史觀理應得到更多重視。他的經史合一觀不但影響到了他對《五經》次序排列的看法，也表現在他在一個「道術為天下裂」的環境下，再次強調恢復經學整體性的傾向。此外，本文關於郝經的討論也會涉及到他對《中庸》和「道統」的看法。希望利用這些題目探討郝經的思想演變，更具體地瞭解他對朱熹（1130～1200）思維方式的開發過程。

郝經〈經史〉一文簡略介紹了經學和歷史研究的傳統。他始述曰：

> 古無經史之分。孔子定《六經》，而經之名始立，未始有史之分也，《六經》自有史耳。故《易》，即史之理也；《書》，史之辭也；《詩》，史之政也；《春秋》，史之斷也；《禮》、《樂》，經緯於其間矣，何有於異哉。[7]

據此，郝經解釋每一部經書是如何闡述歷史的各個層面。令人感到驚訝的是，他把《詩經》歸類為「史之政」也，而把《書經》歸類為「史之辭」也。然而孔子有云，除非官員能把《詩經》記熟，否則他將無法在其他國家朝廷上有效地表明他的外交任務。按照這種看法，人們很容易聯想到郝經會把《詩經》與「辭」聯繫在一起，而非「史之政」也——即使許多儒家學者閱讀《詩經》並把它視為對政治事務含糊的評論這一細節，並沒有減弱這一事實，即郝經在很早的時候，已經抱有經史一體觀並發展了此一論點，儘管這一點一直以來被那些只宣揚章學誠「六經皆史也」的學者所忽略。

就郝經對歷史的觀點而言，他解釋了如何審視經史，以及為什麼兩者會被視為截然不同的學術領域。自司馬遷和他的父親共同撰寫《史記》這部敘

---

[5] 周少川：《中國史學思想通史》（合肥市：黃山書社，2002年），頁70～74；也可參看其《元代史學思想研究》（北京市：社會科學文獻出版社，2001年）。

[6] 王明蓀：〈郝經之史學〉，收入其《遼金元史學與思想論稿》（北京市：社會科學文獻出版社，2001年），頁141～169。

[7] 郝經：〈經史〉，《陵川文集》（《四庫全書》本）卷19，頁11下，或《全元文》（南京市：江蘇古籍出版社，1999年）卷128，第4冊，頁256。

述中國大歷史的史書之後，學者就開始視史學為不同於經學的學術研究而早有所區別。持有這樣看法的學者，把經書視為由受人尊敬的聖人所撰寫的，並由後賢一代代傳承的為人處事之聖典。而歷史在他們看來，只是關心統治者言行的政治史。

對郝經而言，只要人們留意到經史二者的關係和統一性這個前提，區分經史是可以接受的。具體而言，人們可以使用過去的經書來規量或判斷現在的歷史。此外，根據古代的經書來撰寫現在的歷史是合宜的。然而，他警告說：

> 若乃治經而不治史，則知理而不知跡；治史而不治經，則知跡而不知理。苟能一之，則無害於分也。[8]

這段話隱括了這樣一種觀點：經書中的原則是抽象的，除非人們留意到這些原則在歷史中的印跡。

為了能夠瞭解這些經書的原則及其在歷史中的印跡，人們需要「確切」地學習經史以避免困擾大多數學者的一些問題。具體而言，郝經有云：

> 故學經者不溺於訓詁，不流於穿鑿，不惑於議論，不泥於高遠，而知聖人之常道，則善學者也。[9]

漢代學者開始著手研究「訓詁之學」；唐代學者把這種古典語文學帶進完全成熟的地步，並且加入哲學論述或稱之為「議論」的法則。而這種法則在宋代達到了最高峰。「訓詁」和「議論」這兩種法則內裏都具有極端傾向：前者過於傾向對文本的深入閱讀，而後者則常溺於玄想。那些很傑出的歷史學家則有這樣的特徵：清楚瞭解善惡與真假的不同，瞭解朝代興衰的原因，能夠辨別偽裝虛假之人事，能意識到記誦和爭論並非史學家主要職責。

郝經的論文進一步建議，要確切的研究經史幾乎是不可能的，因為自古

---

8 郝經：〈經史〉，《陵川文集》卷19，頁12上，或《全元文》卷128，第4冊，頁256。

9 同前註。

以來，研究經史的方法不斷在演變。古代幾乎沒有一本完整的史書；再者，自古以來，歷史研究已經歷三次重大的轉變。為了要嘗試釐清《春秋》中的原則，《左傳》將不同邦國的歷史聯繫在一起。司馬遷的《史記》則把連貫的歷史時期區分開來；相對地，司馬光的《資治通鑑》則再一次追求把不同的歷史時期整合起來。同樣地，遠古時期針對經書並沒有評論性質的註疏。而經學研究也經歷三大轉變：漢代的訓詁，唐代具體而片段式的疏釋，宋代哲理及辯析性質的議論。經史領域的這三大轉變幾乎窮盡了方法論之可能性；因此，後代學者也只能盡力去保留和推動這些方法，嘗試不要改變它們。近世學者為了學術名聲和高中科舉考試，又進一步割裂經書整體性，並扭曲了歷史研究的方法。古代自《春秋》三傳出後，《春秋》本文反而給割裂了，後世學者遂無法看到《春秋》的統整性或連貫性。如果古人追求個人意見而導致這樣負面的結果，今之學者更應警惕他們的辯論及好新逐名之心是如何損害經史之道的[10]。

「經即史」的說法，在郝經看來不是一個短暫的理解，而是一個長久的概念。例如，郝經在他一二六三年的一篇序文裏，從儒家「王道」理想的角度再次重複闡釋了這個主題：

> 《六經》具述王道，而《詩》、《書》、《春秋》皆本乎史。王者之迹備乎《詩》，而廢興之端明；王者之事備乎《書》，而善惡之理著；王者之政脩乎《春秋》，而褒貶之義見。聖人皆因其國史之舊而加修之，為之刪定筆削，創法立制，而王道盡矣。孟子曰：「王者之迹熄而《詩》亡，《詩》亡然後《春秋》作。」嗚呼！[11]

雖然這裏提到的「經書」特質在某種程度上有別於郝經早期〈經史論〉中的觀點，但是他持續的宣稱經書是歷史著作，而且這些「經書」整體上保留了

[10] 郝經：〈經史〉，《陵川文集》卷19，頁12上～13下，或《全元文》卷128，第4冊，頁256～257。

[11] 郝經：〈一王雅序〉，《陵川文集》卷28，頁1上下，或《全元文》卷125，第4冊，頁191。

上古聖王治理國家和文化的相關史料。

兩年之後（1265），在郝經的〈春秋三傳折衷序〉中，郝經提出通過整合《春秋》各傳以回復《春秋》本貌的論點。他對《春秋》早期三種傳註《公羊傳》、《穀梁傳》和《左傳》的看法和朱熹的看法不謀而合。朱熹和郝經挑戰那些把研究《春秋》的重心放在《左傳》上的看法，如孔穎達和呂祖謙。朱熹和郝經都承認左丘明在魯國編修歷史的地位，即《左傳》比起其他兩種評論，在歷史內容方面更加可靠。然而，他們不同意左丘明直接從孔子接收到他對《春秋》一書的理解這一傳統觀點。雖然《公羊》和《穀梁》在歷史細節上有更多錯誤，但它們把握住了孔子的倫理原則和道德判斷。這也加強了另外一種傳統說法的正確性，即這兩部傳文的精要大義直接傳自孔子得意門生曾子。因此，儘管《左傳》在改正其他傳文中的歷史細節時，有所幫助，但只有《公羊》和《穀梁》的道德判斷才能用來作為《春秋》正確的解釋[12]。郝經在這篇序文中，提出通過重新編輯《春秋》三傳來解決它們各自的缺點及相互矛盾，從而使三傳通統符合《春秋》本旨，並恢復對《春秋》完整訊息的正確瞭解。

在這樣的背景之下，郝經〈經史〉及《五經論》的一系列論文也可以視為他對恢復經書整體性或連貫性的一種嘗試。經書的整體性是郝經評論經書的主題。他一再地指出經書之間相輔相成，互為其根。因為文本的編輯者沒有註明日期，所以要將郝經的《五經論》編註日期是很困難的。再者，現代關於郝經的年譜也沒有指出這《五經論》是什麼時候寫成的。我覺得這些論文有可能是在郝經二十幾歲的時候寫的，也就是十二世紀四〇年代後期，他集中研究儒家經典之後，並開始教書的時候。郝經在六〇年代的前半期，也就是他被南宋拘留後不久，誠然他也寫了關於經典研究的一些序文。然而，我猜想郝經《五經論》還是他早期所寫的。

---

12 郝經：〈春秋三傳折衷序〉，《陵川文集》卷28，頁6下至16上，或《全元文》卷125，第4冊，頁195～200。也可參見龔道運：《朱學論叢》（臺北市：文史哲出版社，1985年），特別是頁176～177。

郝經在《五經論》的序文中，首先引用邵雍的話來建立他對《五經》中四經的哲學觀點。儘管一般來說，郝經對邵雍不像他對二程或周敦頤那樣關注，但要注意的是，這裏他確實強調邵雍的觀點。這句引用邵雍的話，其曰：

> 邵子曰：「昊天之四時者，春夏秋冬之謂也；聖人之四經者，《易》、《書》、《詩》、《春秋》之謂也。昊天以時授人，聖人以經法天。」[13]

接著郝經提出淺顯易懂的問題，這裏明確提到的「經書」只有四本，為什麼人們通常會說《五經》呢？他的解釋如下：

> 其一，則禮樂也。夫論性者，言四端而不及信；序五行者，土配王於木火水金。故《易》、《書》、《詩》、《春秋》之間，《禮樂》為之經緯，雖五而為四也。惟齊非齊，奇耦錯綜，所以成變化而行鬼神，乃作《易》、《書》、《詩》、《春秋》、《禮樂》論。[14]

《禮記》更準確來說，是儒家禮儀之紀錄，在五經系統中也稱為一經。值得注意的是，郝經忽略了《周禮》，此書在北宋後期對王安石的改革和新法起了重要的啟發作用。這裏郝經對《周禮》的忽略，正好反映了他與二程一樣反對王氏新法的立場。

有幾個原因使郝經的序文值得注意。第一，透過引用邵雍而非朱熹的關於「五經」的看法，郝經明顯傾向於邵雍的《五經》觀，這從引文上下文中所表現出來的他們對《易經》的共同興趣已可見之。第二，郝經對邵雍「四經」論述的解釋，建基於五行之宇宙觀，是漢儒思想的基礎，而非宋朝理學

---

13 邵雍：〈觀物篇五十三〉，《皇極經世書》（《四庫全書》本）卷11，頁7上下。郝經：〈五經論序〉，《陵川文集》卷18，頁1上，或《全元文》卷127，第4冊，頁236。《全元文》中，引用句尾的標點符號，放在這最後一個句子前，因此編輯部不知這句話也是邵雍的。

14 郝經：〈五經論序〉，《陵川文集》卷18，頁1上下，或《全元文》卷127，第4冊，頁236。

的理氣觀。第三，也是最有趣的一點，郝經貶低了《禮記》的地位（包括不復存在的《樂記》），他提出漢代以此書只為輔經之緯書。而緯書在漢代意為與古代經典義理相悖之著作。關於郝經貶低《禮記》的內在意義，我們將在下文分析。但首先我們先要大概瞭解一下郝經對其他四經的看法。

郝經在論《易經》的文章中，他對四經的不同角色，提出了另外一個觀點：

> 盡天下之情者，《詩》也；盡天下之辭者，《書》也；盡天下之政者，《春秋》也。《易》也者，盡天下之心者也。[15]

這和上文引用的〈經史〉一文中的觀點，隱含了一些衝突：在〈經史〉一文中，《春秋》的價值在於其歷史判斷，而這裏則強調政治層面（我們在下面不久會解決這個明顯的衝突）。不管怎樣，在這篇文章裏，郝經認為《易經》才是知人求道最重要的經典。《春秋》因其在政治上的重要指導意義而被評為經書第二位。

郝經在這篇討論《易經》的論文中，進一步闡述了這部經書獨特的角色和地位：

> 故《易》也者，四聖人之所以盡天下之心而為之者，非他經之所得比也。《詩》、《書》、《春秋》如夏冬各一其時，《易》則一元之氣，貫天地而通四時也。大哉《易》乎！在天為神，在人為心，其在經也則為《易》，合而言之一也。形而上謂之道，形而下謂之器，合而言之亦一也。嘗觀之於吾心，於寂靜感通而見無畫之《易》；觀之於《書》，於奇偶變動而見有畫之《易》；觀之於造化也，於至賾至微而見無體之《易》；觀之於天地萬物也，於至大至眾而見有體之《易》。[16]

15 郝經：〈易〉，《陵川文集》卷18，頁1下，或《全元文》卷127，第4冊，頁236。

16 郝經：〈易〉，《陵川文集》卷18，頁4上下，或《全元文》卷127，第4冊，頁238。

在這裏，就像討論其他主題，例如「太極」一樣，郝經把「心」作為《易》之顯現。他對「心」的強調是明顯的。在讚美內在人性的善、人心之卓越，以及聖人存焉的時候，郝經三次強調：「乃盡己之心，推而盡天下之心。」[17] 因此，郝經對形而上的「心」之強調，和朱熹把重點放在天理、人性（而不繫於心）正好對照。此外，郝經並沒有忽略《易》學象數和義理二派眾多的分支。郝經註釋之《易經》就吸收了不少程氏《易》學的東西。儘管如此，如同龔道運所提到的，郝經對《易經》以及《河圖》的討論，呼應了很多朱熹的看法[18]。

郝經在論《春秋》的論文中，闡述了《易經》和《春秋》在宗旨上的同一性。即使「六經享有統整或單一原則」，這樣的整合性在各代經師傳經的過程中也慢慢分解和喪失了（在另外〈學〉的三篇論文和〈經史〉一篇的論文中，郝經闡述了學者如何因為追求自我的名聲和地位而使得對經書的理解走向片面化，而他們的分歧解釋遂模糊了經書的整合性[19]。）。回到郝經論《春秋》的文章，對《春秋》、《易經》二經內容、作用的不同理解，最能體現經學方法之分野。郝經宣稱：「《易》載聖人之心，《春秋》載聖人之跡。心跡一也，何遠之有？」如果注意經書內容和宗旨的話，人們很容易認定二經有很大不同。《易經》處理天地玄機，而《春秋》著重於個人過去之言行、歷史之局勢等特定內容。再者，《易經》所涉者廣，而《春秋》以禮法規範具體行為。因此，學者通常會專注於某一部經書中，而忽略在更高層次上二經相互之間的統一性。簡而言之，學者無視這個事實，即「蓋《易》窮理之書，而《春秋》盡性之《書》也。《易》由正以推變，《春秋》由變以返正者也」。[20]因此，《易經》和《春秋》這兩本書的關係建基於「一」與

---

[17] 郝經：〈易〉，《陵川文集》卷18，頁3上下，或《全元文》卷127，第4冊，頁237～238。

[18] 龔道運：《朱學論叢》，頁174～176。

[19] 郝經：〈學〉，《陵川文集》卷19，頁6下～11下，或《全元文》卷128，第4冊，頁252～255。

[20] 郝經：〈春秋〉，《陵川文集》卷18，頁9下～10上，或《全元文》卷127，第4冊，頁

「多」之間的一種宇宙論以及各種實踐關係。

根據郝經的說法，《春秋》獨特的用途，在於通過瞭解完整的人性，給予其獨特的地位。由於人性的複雜，人們只能透過一個人實際的行為來充分瞭解人性。此外，聖人（孔子）宣稱用「名」和禮儀來管理人們的行為，因為人們需要依靠禮儀來採取正確的行動。因此，只有確定禮儀規範之後，才能完整地瞭解人性。再者，人性是很難把握的，其無聲無味，人們無法直接察覺它，只能從行動中來瞭解它。因此，自從《春秋》記載了聖人專注於觀察人性的紀錄後：「故觀性之書，皆莫若《春秋》。」[21]據此，我們可以明瞭郝經關於《春秋》的不同說法及上述〈經史〉一篇和《五經論》裏〈易〉一篇二者之間的衝突背後的內在邏輯。因為人性只能從一個人的行為來瞭解，而《春秋》是從歷史判斷的角度來展示人性，因此，《春秋》是瞭解人類政治活動的重要來源。

《易經》和《春秋》的特殊地位也可以從郝經對其成書特點的描述中可知。在論他《易經》的論文中，郝經強調孔子以刪減已存詩集和文件的方式來編輯《詩》、《書》二經，並且只改進了《春秋》的文學表達方式，然而《易經》作為四聖相傳之書，其成書過程更為複雜[22]。

然而，在郝經論《春秋》的論文中，他以不同方式詮釋了孔子和《春秋》的關係。孔子以《十翼》輔《易經》，為《書》定讞，刪《詩》，唯《春秋》是其「作」也。郝經闡述孔子在《春秋》中如何通過一系列積極的書寫活動，包括決嫌疑、明是非、復法理、譴責犯上作亂之人及記錄人們的名位來表現其道德標準等。因此，孔子《春秋》之作「非若《易》、《詩》、《書》之因其舊而加修之也」。再者，孔子所面臨的局勢，和早期聖人——包括那些作《易》之聖人——是不同的。早期聖人本身已是聖王，擁有足夠的機會和地位去有效開展他們的政治實踐。因此，這些聖王在他們自己的時代

242。

[21] 郝經：〈春秋〉，《陵川文集》卷18，頁10下，或《全元文》卷127，第4冊，頁242。

[22] 郝經：〈易〉，《陵川文集》卷18，頁1上下，或《全元文》卷127，第4冊，頁236～237。

背景之下，都得以（通過政治實踐）去充分表現他們自己的「性」。與此相反，孔子沒有擔任官職或管理行政事務，所以他只能通過其個人生涯和書寫活動來完整展現他的「性」。儘管如此，「孔子之作《春秋》，盡其性而行之於無窮也」[23]。因此，世世代代的帝王可以依據《春秋》這部偉大的經書和重要的典範以為準則：

> 故世之學者，觀於《春秋》而行之，足以盡性而學夫聖。蓋性盡而理窮，則《易》在其中；《易》在其中，則聖在其中矣。[24]

但是在《春秋》的論文中，他也抱怨道：

> 而學《春秋》者，於一言一動，一事一物，必律之以禮，而繩之以法，惟恐其弛而不嚴。[25]

因此，學者和官員忽略了經書的完整性，甚至直接反對《易經》的重要原則。

從郝經論《詩》的論文中，我們可以知道《春秋》不只可以改正誤用《春秋》原則的歷史傾向，並且透過研究《春秋》也可以加強對人性的瞭解。所以他在論《詩》的論文中，提供另外一個觀點，即強調事物之「通」，特別是「通人情」。他在論《詩》的論文中宣稱：

> 天下之治亂，在於人情之通塞。甚矣，人之情惡塞而好通也。故天下之亂恆生於塞，而其治恆生於通。君人者，亦審夫通塞而已矣。[26]

為了把這一點弄清楚，郝經用治水做了個比喻。人的情緒也需要有個發洩的

---

[23] 郝經：〈春秋〉，《陵川文集》卷18，頁9下～10上，或《全元文》卷127，第4冊，頁243。

[24] 郝經：〈春秋〉，《陵川文集》卷18，頁11上下，或《全元文》卷127，第4冊，頁242～243。

[25] 郝經：〈春秋〉，《陵川文集》卷18，頁10上，或《全元文》卷127，第4冊，頁242。

[26] 郝經：〈詩〉，《陵川文集》卷18，頁7上，或《全元文》卷127，第4冊，頁240。

途徑，就如同為流動的水提供一個出水口是很重要的。因此，一個能把水治理好的人，只需要專注於水的流通方面，也就是清除污泥，使河水暢通，和大自然水的本性一起合作，順其高下之勢而為之開道。孔子擔心人們的情緒被阻塞而不能流通，故作《詩》來控制和緩和人的情感。再者，因為人情和人性緊密相連，這個疏導的方式也為《春秋》本人性而施政的進路提供了一些補充。在幾年後寫成的〈朱文公詩傳序〉中，郝經支持《詩經》所體現的「根於天道，著於人心 」之義；此外，他讚美朱子的《詩集註》「集傳注之大成」[27]。雖然郝經論《詩》的論文更多地主張人情的自由抒發，他對朱熹《詩經》著作的支持是很明顯的。

《詩》為抒發「人情」提供了一個簡潔扼要的模範，而《尚書》所記那些冗長的聖人之辭卻令郝經有些困惑。郝經對《尚書》的審查表明，《尚書》完全沒有早期聖人如伏羲者的篇章，關於湯和有虞氏的也只有五篇，夏朝只有四篇。到了商代，篇數急劇增加到十七篇，而周代共有三十二篇。在郝經看來，前朝聖人之訓沒有保留到下一個朝代，這實在令人無法想像。他認為早期聖人的訓言應該比晚期聖人的還要多。然而，事實上《尚書》中來自較晚時期如商、周二朝聖人們的文字比早期的要多，這個謎題需要解釋。為了強調這點，郝經引用了《書經》的大綱：

> 昔〈周豐〉之言曰：有虞氏未施敬於民而民敬，夏后氏未施信於民而民信，殷人作誓而民始畔，周人作會而民始疑。[28]

郝經解釋這段文字，認為自上古以來隨著社會逐漸發展，傳統世風澆薄，欺詐和推託逐漸變成了普遍現象。在信任至上的年代背景之下，著作的數量很少，相反地，不信任的年代，著作的數量卻大大增加了。早期的聖人像伏羲用簡單的方式在人們之間建立信任，而不是訴諸文字的力量來命令人民。當

---

[27] 郝經：〈朱文公詩傳序〉，《陵川文集》，《全元文》卷124，第4冊，頁188。

[28]《書．周豐》；郝經：〈書〉，《陵川文集》卷18，頁5下，或《全元文》卷127，第4冊，頁239。

堯讓位給舜，舜讓位給禹，他們的禪讓並不會引起「私天下」的懷疑。儘管如此，禪讓可能會引起某種疑慮，即繼任者可能不足以擔當治民之重任，所以，每一位讓位的聖人都會提供一些忠告。然而，堯只作出簡單的建議，即「執中」，「中」也者，也就是所謂的「中心」，而常用的字彙是「中庸」；相反地，舜覺得他給禹的忠告中有必要再加上其他三條建議。到了周公的時期，他與兄弟之間複雜的鬥爭促使他一再努力平息謠言，消除關於他在鞏固王朝中所扮演的積極角色的疑慮。周公別無選擇，只能使用許多嚴厲的訓令。東周時各地掌握軍權之諸侯經常叛變，並且通過寫下的誓言結盟，信任和秩序進一步惡化。看到時局這樣的動盪不安，孔子決定收集早期聖人的言論以傳其教，表現他們對「中」道的信心，從而教導後人何為治世之精要[29]。

以上提到的種種歷史分析，都可以從郝經論《尚書》一文開首有關「中」的議論中察知的。其基本原則是：

> 孚於中則不徵於言，徵於言者，皆未孚於中者也。故言之愈簡，則其孚愈篤；辭之愈繁，則其疑愈肆。然則無言可乎？不然也。言，心聲也。心有所用，則言以宣之，雖欲勿言，焉得而勿言。夫孚於中者，其言自可徵也，不孚於中而第徵於言，誣譎誕妄可勝也哉！[30]

因此，儘管郝經對冗長的文字陳述和公家文件抱有懷疑，他還是很快地承認了它們的必要性。再者，就如同他的歷史性分析所顯示的那樣，即使是古代聖人也不可能忽略文字。

我上文討論「四經」的先後次序，和郝經不同。我先論《易》，再論《春秋》，再論《詩》、《書》；這個次序也許更適合切入郝經對《禮記》的討論。舉例來說：他論《書》的文章主題在於「中」。而這篇論文對「辭」與「信」之間關係的重視也回應了《禮記‧中庸》篇。在引用《詩經》「相在爾

[29] 郝經：〈書〉，《陵川文集》卷18，頁5上下，或《全元文》卷127，第4冊，頁239～240。

[30] 郝經：〈書〉，《陵川文集》卷18，頁5上，或《全元文》卷127，第4冊，頁239。「孚於中」這三個字出自《易經》，指的是「心」。

室，尚不愧於屋漏」這句詩之後，《中庸》有云：「故君子不動而敬，不言而信。」[31]郝經自己討論經書的次序，即：先論《易》，再論《書》，繼之以《詩》、《春秋》，終以論《禮記》，也體現了另外一種內在的邏輯秩序，這種秩序把重心放在討論人性上。我們將會在郝經論《禮記》的文章中，看到他如何透過討論情之「已發」、「未發」來作為探討人性及以禮樂移風變俗的基礎。

郝經在他〈禮樂〉的論文中，一開始就有個聲明：「喜怒哀樂之未發，性也；其既發，情也。」[32]這個說法明顯在回應《中庸》那著名的章節：「喜怒哀樂之未發，謂之中；發而皆中節，謂之和。」[33]「未發」和「已發」的主題都是人性，也正是郝經此文開首的主題。在朱熹寫給一位學生的信中，其對人性的解析，和郝經後文所用的語言甚為相似：

> 情之未發者性也，是乃所謂中也，天下之大本也。性之已發者情也，其皆中節，則所謂和也。[34]

儘管一開始我認為可能從《四庫全書》的電子索引中，找到朱熹討論「已發」、「未發」時提到「未發性也」的大量章節，但是最後我卻只找到了這一句，所以郝經所用「未發性也」這樣字語的來源不是朱熹。之後，我反思到其實這類字語的罕見是合理的，因為朱熹討論「未發」和「已發」的情緒是從「心」的概念出發，反而不是集中於人性。

從對《中庸》之義加以發揮出發，郝經繼續論證他上述的看法：

> 可喜而喜，可怒而怒，可哀而哀，可樂而樂，則情之所以率乎性也。喜怒哀樂，不當其可而發，則非性、情之正，而人欲之私也。夫人之

31《中庸》第33篇。

32 郝經：〈禮樂〉，《陵川文集》卷18，頁12上，或《全元文》，第4冊卷127，頁243。

33《中庸》，第1篇。

34 出自朱熹寫給林用中（林擇之）的一封信，收入滕珙：《經濟文衡前集》（《四庫全書》本）卷21，頁11上。

> 有性也，而必有情；有血氣也，而必有欲。情、欲常相勝也，非情勝欲，則欲勝情。情勝欲則為君子，欲勝情則為小人。[35]

從這裏看來，即使郝經完全接受了情緒和慾望是人的自然本性，他還是展現了針對縱欲所帶來的不道德後果的典型儒家式關注。郝經把人類情感和慾望描繪成處於一種長時間的衝突之中，而人的道德就取決於獲勝的一方。

從社會和政治層面來看，人的「情」和「慾」之爭也決定了秩序之有無：

> 情勝欲則治，欲勝情則亂。故天下之治亂，在夫情、欲之相勝也。聖人者，懼天下之欲勝情也，於是因其本然之分，而為之《禮》，以節制之；因其本然之和，而為之《樂》以宣暢之。為之《禮》，雖有欲而不能踰；為之《樂》，雖有樂而不能悖。天下有僭越之姦，狂狡之戾，則有《禮》以折之；有忿疾之亂，鬱塞之慝，則有《樂》以釋之。[36]

由於《禮記》、《樂記》可以約束人們免於違反適當或是正確的原則，這兩本經書是為「王政之大綱也」。沒有這些約束，天下會動蕩不安。使用這兩本經書來約束人們是依天命而行事，並不只是為瞭解決個人自私的欲望。

然後，郝經對禮樂的興衰提供了一個歷史概述。在伏羲之前，只有一般的原則，卻沒有實際的禮儀制度。伏羲作禮之器，卻沒有留下任何關於禮儀的著作。在其他聖人逐漸提供一些文字指引之後，在周公時期才出現了一整套有關禮儀的原則、制度、禮之器和典章。到了西周衰敗的時候，《禮記》、《樂記》就只是空洞的文字了：

> 夷、厲而下，欲勝而情亡，《禮》、《樂》之理寖以昧，而其器寖以

---

[35] 郝經：〈禮樂〉，《陵川文集》卷18，頁12上下，或《全元文》，第4冊卷127，頁243。

[36] 郝經：〈禮樂〉，《陵川文集》卷18，頁12下，或《全元文》卷127，第4冊，頁243～244。

缺，致治之功寖以墮，而王政之大綱寖以不舉。[37]

郝經引用《論語》以彰顯孔子如何利用周公遺留下來的紀錄。魯國的紀錄尤其重要：

於是因魯史而修《春秋》以明《禮》，就大師而正〈雅〉、〈頌〉以明《樂》，然而無其位，無其權。明王不興，卒不能復《禮》、《樂》之實，第存其名而已。[38]

郝經這裏提到的「名」只是指純粹的「禮」之名稱，而非禮的具體表現持續惡化的情況在秦朝達到了最極端。秦代政權焚燒經書，只依據法律去約束和鎮壓人民。因此，秦代的軍事政權和法家制度導致了「禮」之「名」、「實」皆亡，關於禮的著作和器也佚失了。儘管如此，因為「禮樂」以人性和人情為基礎，有文化的統治者有可能在某種程度上，重現這些經書的本質思想，並恢復「禮樂」之教。但是，郝經對恢復「禮樂」之教有多樂觀呢？

在另外一篇關於《禮記》、《樂記》的論文中，郝經把他歷史分析的年代推前了。他強調恢復《禮記》、《樂記》之教需要有適當的「時」（times）和「機」（opportunities）。在《文中子》中，王通提出一個著名的可能性，即：「使諸葛而無死，禮樂其可興乎！」換句話說，王通假設如果諸葛亮（184～234）沒有那麼早去世，他有可能統一帝國，並且完成「王道」之治。郝經反駁道：

諸葛而無死，天假之年，誅魏復漢則有之矣，禮樂之興喪，何諸葛之足繫哉！[39]

換句話說，即使諸葛亮具有統一天下的潛力，他也不可能成功恢復禮樂王道

---

[37] 郝經：〈禮樂〉，《陵川文集》卷18，頁13上，或《全元文》卷127，第4冊，頁244。

[38] 郝經：〈禮樂〉，《陵川文集》卷18，頁13下，或《全元文》卷127，第4冊，頁244。

[39] 郝經：〈禮樂〉，《陵川文集》卷19，頁3下～4上，或《全元文》卷128，第4冊，頁251。

之治。郝經總結道甚至在漢代初期，官員們即使擁有最適當的時機去恢復「禮樂」，他們也沒有做到。之後，歷史就再沒有像這樣好的機會了，即使像諸葛亮這樣一心恢復王道之治的人也不能成功。

在郝經最後十年的人生，他把大部的力量專注於重寫蜀國歷史以作為漢代歷史的延伸。他為諸葛亮作了頌詞，並且再次探討了重振禮樂的不可能。他對諸葛亮的高度評價，可以從將其與伊尹和孟子並列得知：

> 以天下自任，佐王而行道濟時，伊尹也；以天下自任，無王而不能行道濟時，孟軻也；以天下自任，佐王行道，不能盡濟斯民，不盡其用，諸葛孔明也。[40]

郝經繼續闡述諸葛亮所面臨的限制，例如蜀國有限的資源，還有敵人的實力優勢。這些客觀因素使他無法統一天下，乃至恢復禮樂。比較上文郝經對王通評論（諸葛亮）的嚴苛看法，頌詞表達出來的判斷更和緩一些。更重要者，通過將諸葛亮與孟子並舉，郝經把諸葛亮置於道統延續的大脈絡之中。

郝經在兩篇論及《禮記》、《樂記》文章的結尾部分，敘述了《禮記》、《樂記》被忽略和失傳的歷史 。他對《禮記》（包括《中庸》在內）的觀點，值得我們深思。第一，郝經表明《禮記》的文本在漢代已經失傳，亦沒有修復到其他四部儒家主要經典在漢代的模樣。他將《禮記》與已失傳的《樂記》並排，凸顯了這個含意。第二、整篇歷史概述的主題，進一步表明這兩部經書的「真實性」，取決於禮儀是否持續實行，以及儀式和樂器是否真正存在和被使用。第三、因為「禮樂」基於人性和情感，人性和情感的延續是找回這些經書的唯一基礎。第四、在這篇文章中，他沒有特別提到或分開評論《中庸》。雖然他在討論《禮記》時，強調「中」、「和」、「已發」、「未發」之性，都能顯示出他特別留意到了《中庸》的部分。

在這一點上，郝經明顯地把《禮記》排在其他主要「經書」之後。這種

---

[40] 郝經：〈漢丞相諸葛忠武侯廟碑〉，《陵川文集》卷33，或《全元文》卷133，第4冊，頁395。

排列，對《禮記》中《中庸》的章節，亦有含意。朱熹對《中庸》的印象，比郝經深刻。朱熹對《中庸》有濃厚興趣，相反，郝經認為《春秋》才是一本就人性提供指引的經書。此外，若要處理情感和慾望的矛盾，郝經會查閱《詩》而非《中庸》。在他以情感為題的論文中，「中」也是很重要的。可是，他視《詩》為中庸智慧的主要文本，而《書》為「中」的出處。簡而言之，郝經講經書的文章，反映他至少在早期沒有接受朱熹的解釋和評價。現在，我們先比較郝經和荀子（前298～前238）的觀點，再探討郝經其他與《中庸》相關的文章，才判斷他接受了多少朱熹的觀點。

與荀子的想法進行比較，可能有助於瞭解郝經的觀點，因為這兩位儒家學者都重視經書和儀式在社會上的角色。此外，兩者都指出，聖人以內在的社會特徵（分）將儀式保留在《禮記》中，亦用「和」來發展《樂》中的音樂。的確，《荀子》中的某些段落，或可用作闡明郝經簡短精練的文字。雖然郝經將「中」和人類情感的恰當表達連起來，但荀子對這種連結作更明確的闡述：在回答「中」是什麼的問題時，荀子已斷言「禮義是也」[41]。要瞭解郝經認為《禮記》、《樂記》源自人性和情感，並能從人性和情感再現的觀點，我們可以參考一個荀子談到悲傷和快樂的例子。荀子認為悲傷和快樂是「人與生俱來的情緒」。荀子接著解釋：

> 若夫斷之繼之，博之淺之，益之損之，類之盡之，盛之美之，使本末終始，莫不順此，足以為萬世則，則是禮也。[42]

這段話清晰地描繪了人的自然情緒轉成禮的過程。

儘管如此，郝經沒有仿效荀子對經書的整體描述或對《禮記》地位的相對仔細評價。即使荀子表明所有經書都是一體的，他指出各部經書實有不同：「《詩》言是其志也，《書》言是其事也，《禮》言是其行也，《樂》言

41《荀子．儒效》。

42《荀子．禮論》。

是其和也，《春秋》言是其微也。」[43]在這段文字中，荀子強調聖人（孔子）的決心、目的、事務和行為，而郝經則以歷史的政務和修辭來論《春秋》。另外，荀子對《禮記》的重視，遠高於《書》和《詩》。例如：荀子明言：「不道禮憲，以《詩》、《書》為之，譬之猶以指測河也，以戈舂黍也，以錐餐壺也，不可以得之矣。」[44]同樣地，荀子認為，「隆禮義而殺《詩》、《書》」是辨別一個儒家學者是否有教養的重要條件[45]。因此，荀子對《禮》的重視，高於《詩》和《書》。此外，他常常省略《春秋》，因為他覺得《春秋》太模糊或難以理解。他甚至一併省略《易》。相反，郝經最重視《易》和《春秋》，其次為《詩》和《書》。再者，他將《禮記》排到最後。他甚至主張可以用《春秋》來釐清《禮記》。因此，對這些經書間的關係，他和荀子的觀點是不盡相同的。

雖然郝經在談《禮記》的文章中，沒有仔細討論《中庸》和子思，我們或者可以從他的其他現存著作中找到些什麼吧？我將探討那些看起來最緊要的段落。三個早期的例子來自一二四八年，即是郝經約二十五歲的時候。第一個例子是一二四八年的二月初，郝經寫給趙復的一封書信（〈書與漢上趙先生論性書〉）。兩個多月前，即一二四七年的十一月，北京太極學院的道學大師趙復訪問包州，郝經第一次與他見面。在那次訪問期間，郝經拜趙復為師。雖然那封信以人性為題，郝經也高度讚揚韓愈和李翱復興了自孟子後已失傳的儒學：

> 自漢至唐，八九百年，得大儒韓子，始以仁義為性，復乎孔子、孟子之言，其〈原性〉一篇，高出荀、揚之上。至其徒李翱為〈復性書〉，反復於《中庸》、《大學》之間，以復乎曾子、子思之言。恨不得親炙之而問其所以然，質心之所素定者。自唐至宋，復四五百年，得大儒周子、邵子、程子、張子、朱子之書，明《六經》孔、孟之

43《荀子．儒效》。

44《荀子．勸學》。

45《荀子．儒效》。

> 旨，接續不傳之妙，論道論理，論才論氣，論質論情，又備於韓子之書，皆先儒所未道者。[46]

在這裏，郝經基本上接納了朱熹對「道」的失傳及復興的觀點。另外，他認同朱熹的說法，認為北宋大師的見解創新。例如朱熹稱，周敦頤對無極的見解，是連古代聖人亦未曾申明的事實[47]。但是，不同於朱熹，郝經將韓愈和李翺置於道統之中，並且抬高了邵雍的地位。

第二、在一二四八年的三月中旬，郝經寫了〈庸齋記〉，讚揚楊春卿之利用「庸齋」兩個字，給自己新建的讀書屋定了名。郝經說，這個書齋的名稱反映了楊春卿決心將自己的心、言語和行為，與常見的「庸」合一，庸即所謂「平常日用之道」。在此，年輕的郝經也為組成《中庸》這個名字的兩個字進行解說：

> 昔者聖人之言道也，曰「中」而已。兼體用，貫本末，一理氣而為言也。後世聖人之言道也，而益之以「庸」。庸也者，平常之用也。豈「中」之未盡而復益之以「庸」乎？不然也。後世聖人之意，謂天下無無用之道，亦無非常之用。蓋道以用而見，用以常而久。[48]

郝經推論，因為人們曲解了聖人的意思，所以才弄出非正統的理論，例如：「非常道」和「反經合道」[49]。因此，人們忽略了真正的道，亦不再使用道。

第三、在郝經於一二四八年寄給趙復〈論八首・道〉的文章中，他又談

---

[46] 郝經：〈書與漢上趙先生論性書〉，《陵川文集》卷24，頁2下～3上，或《全元文》卷123，第4冊，頁163。

[47] 參朱熹給陸九淵的信，朱熹：《晦庵朱文公先生文集》，參朱杰人、嚴佐之、劉永翔主編：《朱子全書》（上海市：上海古籍出版社、合肥市：安徽教育出版社，2002年），第10冊，卷36，頁1568。或《四部備要》本（臺北市：中華書局重印，1970年）卷36，頁4下。

[48] 郝經：〈庸齋記〉，《陵川文集》卷25，頁13下～14上，或《全元文》卷130，第4冊，頁319。

[49] 郝經：〈庸齋記〉，《陵川文集》卷25，頁14下，或《全元文》卷130，第4冊，頁319。

到這些與道相關的主題，以及《中庸》的意思。在闡述了早期聖人在「六經」中對「道」其他方面的教導後，郝經談到子思對道的傳承：

既而顏子以之言「仁」，曾子以之言「恕」，子思以之言「中庸」，孟軻以之言「浩然之氣」，皆所以羽翼夫道也。[50]

在〈論八首・心〉一篇文章中，他重申了多個古代聖王對「心」的中心思想。在這裏，我們將選取一個以孔子作開首的主題：

孔子傳之曾、顏，曰「仁」，言本心之全 也；曰「一貫」，一心而貫萬事也。曾子傳之子思，曰「忠恕」，忠所以盡夫心，恕所以行夫心也。子思傳之孟子，曰「中庸」，中者心之體，庸者心之用也。[51]

郝經這三篇由二十中期到晚期的作品，說明他認同了朱熹的某些主要觀點，即「道」在古代的傳承，以及子思在將《中庸》和其他教導傳給孟子這個過程中的重要角色。但是，與朱熹不同，郝經強調了從孟子至有宋一朝諸葛亮、韓愈、李翺等其他人物的作用。故而郝經與朱熹對這一段道統的看法，實有根本之不同。

幾年後，大約在一二五四年，郝經拜訪子思的墓，致上他對子思的敬意，並且寫下一首〈子思墓〉的詩紀念他。詩的開頭幾行，描述墳墓的場景，以及從古代孔子到宋代二程轉「道」的傳統。重點還是子思在曾子和孟子之間所扮演的重要傳承角色：

前卻三代祖，宛與聖人列。乃是子思子，道貫祖孫一。
顏夭曾始傳，心授相世及。大學宏綱舉，中庸性理切。
浩氣有孟軻，六經復為七。向微三大賢，聖統幾廢絕。

---

[50] 郝經：〈論八首・道〉，《陵川文集》卷17，頁3下，或《全元文》卷126，第4冊，頁221～222。

[51] 郝經：〈論八首・心〉，《陵川文集》卷17，頁13下，或《全元文》卷126，第4冊，頁228。

> 爾來一千年，晦沒無人說。韓李端緒開，伊洛本根揭。
>
> 萬古唐虞心，日月光目睫。[52]

因此，子思是連接曾子和孟子的傳承者。而且，郝經這裏還強調了韓愈和李翺對重振道統的重要貢獻。

在一二五八年的〈順天府孔子新廟獻石碑〉一文中，郝經回到子思在儒學相傳中的角色。碑文的序寫道：

> 且得聖人之道者則有顏淵氏，傳聖人之道者則有子思氏，述聖人之道者則有孟軻氏，尊聖人之道者則有韓愈氏，贊聖人之道者則有邵雍氏，某何人也，敢置言於聖人之前哉！[53]

這一段文字是不尋常的，因為它略過了曾子，而郝經一直視曾子為孔子和子思之間的重要聯繫。然而，這段文字的目的，明顯不是為相傳的譜系提供一套完整的紀錄。因此，我們不應將這個忽略曾子的例子，解讀成郝經對曾子不再重視。對郝經而言，韓愈在孟子與宋代之間的道統傳續中有重要地位。此外，單就宋朝而言，比起周敦頤，郝經在這段更強調邵雍延續道統之功。

大約在七年後，也就是西元一二六五年，郝經在〈春秋三傳折衷序〉中，再次探討和詳細闡述子思在傳承的角色。在這篇敘述中，郝經強調一個事實：當孔子到了六十四歲的高齡時，曾子只是一個年輕的學生，所以他的理解力不及顏子。因此，那時候顏子是孔子全部教導的唯一繼承人。與顏子相反，子夏沒有機會聽到「人性和天之道」的教導。郝經推論：「故曾子之學，自顏氏之後獨為正大。」其為學的根源包括研究事物（格物）、擴闊知識（致知）、改正心思（正心），並修正本意（誠意）。「以是傳之子思，子思傳之孟軻。」[54]再者，郝經明言，《論語》、《大學》和《中庸》等經書源自

---

[52] 郝經：〈子思墓〉，《陵川文集》卷3，頁3上下（不包括在《全元文》中）。

[53] 郝經：〈順天府孔子新廟碑〉，《陵川文集》卷34，頁16上，或《全元文》卷133，第4冊，頁408。

[54] 郝經：〈春秋三傳折衷序〉，《陵川文集》卷28，頁7下～8上，或《全元文》卷125，

曾子的學派，再由子思和孟子發揚光大。在隨後的章節，他詳述了他早年之前對《四經》不同角色的概述，表明《四書》的作用：

> 故本諸《易》以求其理，本諸《書》以求其辭，本諸《詩》以求其情，本諸《禮》以求其制，本諸《語》、《孟》以求其說，本諸《大學》、《中庸》以求其心。[55]

除了表明《四書》的角色轉變這個主題外，這段文字與郝經所寫的《五經論》文章大有不同。在他早期論《易》的文章中，郝經將《易》看成理解心的資料經典。到了一二六五年，雖然《易》仍被用作理解所有事物的基本原則或規律，但在瞭解聖人的想法方面，《大學》和《中庸》已經擔當著重要的角色。這個轉變，連同把《論語》和《孟子》視為說明聖人的想法的典籍，顯示了郝經已採納了大部分朱熹對《四書》觀點。雖然郝經一二六五年所寫的序，是他處理《春秋》三傳之矛盾，並將其與《春秋》整合的大型計畫中，唯一尚存的部分，但郝經在南宋獄中所寫的《續後漢書》那部重要歷史作品，顯示了他更進一步接受了朱熹對子思和《中庸》的看法。

在郝經的《續後漢書》裏，至少有八篇傳記紀錄（在1271到1272年所編寫的）提到子思與《中庸》的關係或「道」之相傳。可是，我只會闡述與本文最相關的部分，即他對《中庸》與「道統」的看法。在一篇讚揚徐幹（171～218）能理解《中庸》的傳記中，郝經明確地稱讚子思編寫了《中庸》的文本：

> 堯、舜始言中，以為傳心之典，列聖授受，統理根極，至子思子著《中庸》，而其義備矣。[56]

第4冊，頁195～196。

[55] 郝經：〈春秋三傳折衷序〉，《陵川文集》卷28，頁10上和15上，或《全元文》卷125，第4冊，頁197和200。

[56] 郝經：《續後漢書》（《四庫全書》本）卷69中，頁8下，或《二十五別史》（濟南市：齊魯書社，2000年），第8冊，頁1008。

郝經早期的評論沒有明確地指出子思編寫了《中庸》，但在一二七一到一二七二這幾年間，他明確地表達了這個觀點。再者，在他《續後漢書》的其他傳記中，這個觀點也重複出現了。因此，他似乎比以前更全面地接受了朱熹的觀點。

在幾個段落中，郝經視子思為孔子傳統思想的傳人。然而，他以子思為對象所寫的聖人傳，可能是他對子思的最大讚賞。他表示，到了子思的時候，孔子的道才是最完整的，接著他敘述了子思的位置和成就：

> 孔子生鯉，字伯魚，先孔子卒。鯉生伋，字子思。孔子沒，受業於曾子，傳其聖祖之道。夫中，道之本然，理之當然，其體則不偏倚，其用則無過不及，故存而為一心之中，行而為萬事之中，猶太極為道之極，無所往而不為之極也。故聖人繼天立極，統理人道，存心應物，皆本乎此。堯、舜、禹謂之執中，湯謂之建中，文王為中孚，武王為皇極，周公為二五，孔子為中庸，皆傳乎此也。然未有著之書而言其義者，子思乃申明家法，作《中庸》一篇，以明列聖心法，謂未發之中謂之中，發而皆中謂之庸；不乖於道謂之和，真實無偽謂之誠。本之於天命人性，以明道教；終之於無聲無臭，以明道體。始言一理，中散為萬事，末復合為一理。率性節情，存心立命，大無不充，細無不盡，與《易傳》相表裏，而明《春秋》之用。大本達道，以合外，別為三德，列為九經，方之《大學》，又致廣大而盡精微。於是孔子之道，至子思而益備。[57]

在談及其他聖人的段落中，郝經簡短地重述了子思的角色。例如：在孟子的傳記中，郝經寫道：

> 故顏子發孔子大畜之德，曾子著孔子正大之學，子思極孔子高明之道，而孟子建孔子中興之業。於是孔子之道，得孟子而益尊。[58]

---

[57] 郝經：《續後漢書》卷83上，頁31上～32上，或《二十五別史》，第9冊，頁1359。

[58] 郝經：《續後漢書》卷83上，頁35下～36上，或《二十五別史》，第9冊，頁1361。

在這兩個主要的段落中，除了伏羲外，郝經涵蓋了全套朱熹所講的古代道統。然而，伏羲是這一整卷的第一個主題。

整個關於古代聖人的章節是在《續後漢書》接近結尾的部分，這一點是值得注意的，因為這些聖人出現的年份要比郝經校訂的歷史事件早得多。再者，他並沒有把這章命名為「道統」，而命名為古代聖人的「道術」，再加上副題「正傳」。準確來說，郝經將這些聖人抽出來獨立成章，而其他哲學家（例如：荀子）的道術與非正統的人物（例如：老子和佛家）則收於同一章。因此，他傳記的策略預示了約七十年後在蒙古人統治下所寫成《宋史》中〈道學傳〉與〈儒林傳〉之分野。

當郝經終於在寫漢史時用到「道統」這個詞的時候，與我們預想的不同，他的用法並不是朱熹追隨者的用法。第一個例子要回到徐幹的傳記，以下是一段徐幹的話：

> 學者所以總羣道也。羣道統乎己心，羣言一乎己口，惟所用之，故出則元亨，處則利貞。[59]

雖然《四庫全書》電腦索引提供這個「道統」的用法，但「道統」應是「道」被心所「統」。其他段落形容道為一個主動的角色，即道去統一、管理或控制。例如：在古代聖人的章節中，在交待過由伏羲傳到孟子後，他提出「道統天地萬物」的主張。在郝經的文集中，他早已用過「道統」這個詞，用法亦是如此。例如：在郝經論「道」的文章開首，他表明：「道統夫形器，形器所以載夫道。」[60]同樣地，在他論「氣」的文章開首，他以同一方式使用「道統」這個詞：「道統天地萬物之理，氣統天地萬物之形。」[61]在這兩個例子中，「統」是一個動詞，表達道「統」事物的想法。

---

[59] 郝經：《續後漢書》卷69中，頁7上，或《二十五別史》，第8冊，頁1007。

[60] 郝經：〈論八首・道〉，《陵川文集》卷17，頁1上，或《全元文》卷126，第4冊，頁220。

[61] 郝經：〈論八首・氣〉，《陵川文集》卷17，頁17上，或《全元文》卷130，第4冊，頁230。

現在回到他的《續後漢書》，在忠心耿耿的漢代官員馬日磾的傳記紀錄中，開始呈現了「道統」這兩個字文法上的轉變。在嚴厲批評帝王視「國璽」為統治權的證明時，郝經寫道：

> 二帝三王，以道為統，以心為傳，而不以物。自秦得楚卞氏玉，以琢為皇帝璽，丞相斯篆其文，秦亡而傳之漢，謂之傳國璽。以璽之所歸為天命之所在，莫不睚眦奪攘，而道統心傳瞢不復知。[62]

在這段文字裏，郝經第二次將「統」和「道」並列，這個用法開始接近一個複合名詞的用法。然而，這段文字的上下文強調政治的統一。因此，這樣的上下文背景，反映了陳逢源、蘇費翔（Christian Soffel）和蔡涵墨（Charles Hartman）最近的說法，即這個術語在宋朝或更早已被採用[63]。

在聖人堯的傳記中，郝經開始用「道」這個字之時，他主張「道」統治或管理天地萬物。然而，他接著向前推進，最終以「道」的典故作結：

> 道有太極，統天地萬物，而為之中，即伏犧氏奇[奇]耦之所本，八卦之所環，合九與十虛其中者也。天地萬物資之以為中而各為之極，道之所在也。故在人為心，運會天命，宰制情性，建立事業，為人之極。得則道在而心存，失則道違而心亡，允執其中而不失，以應萬變，無徃〔往〕而非中，莫不為之極。道之用不可勝窮，而天下治矣。伏犧雖範圍《河圖》而畫卦以垂道統，未始有言也。至是將以天

62 郝經：《續後漢書》卷14中，頁3上，或《二十五別史》，第7冊，頁147～148。

63 陳逢源：〈宋儒聖賢系譜譯述之分析——朱熹道統觀淵源考察〉，《政大中文學報》，第13期（2010年6月），頁75～116; Li Cho-ying and Charles Hartman, "A Newly Discovered Inscription by Qin Gui：Its Implications for the History of Song Daoxue," *Harvard Journal of Asiatic Studies*, Vol. 70, No. 2（December, 2010）, pp. 387～448; Christian Soffel and Hoyt Tillman, *Intellectual Currents in Zhu Xi's Wake: Ye Shi's, Wang Bo's and Hao Jing's Issues with the Zhongyong and the Daotong*, forthcoming.

下與人，雖以聖授聖，猶懼或失之，於是始以言傳，而道術可言矣。[64]

令人驚奇的是，郝經稱伏羲的《河圖》有道統的痕跡，只是伏羲沒有用一個詞來表達它。由「道」統治萬物轉為「道」的相傳和繼承（就是道統），這一點特別值得我們注意，因為它是一個線索，讓我們瞭解他如何理解這個概念的根源。

至少讀到這裏，讀者可能持反對意見，覺得我的分析忽略了一個明顯和主要的相反例子，即郝經一二五五年的〈周子祠堂碑〉一文。在那時，郝經早已經論述過整個古代正統的「道統」的相傳系譜，以及在宋代時由周敦頤、程氏兄弟、張載、楊時、游酢和朱熹所復興。除了宣布周敦頤為「道學宗」外，郝經亦讚揚朱熹「集道學大成」。再者，它的序的開首寫道：

> 道之統一，其傳有二焉：尊而王，其統在位，則其位傳；化而聖，其統在心，則以心傳。[65]

因此，他把古代的聖君和其後從孔子到孟子的聖人區別開來。因為古代的聖君握有皇權，所以他們更難以心傳道。這篇文章中，郝經不但列出整個「道統」，也分別用了三次「道統」這個詞。他的用法與朱熹一樣，把「道統」作名詞用，作「道」的相傳及其系譜。郝經一二五五年所寫的文章，反映了他十分理解和接受朱熹「道統」的想法。唯一明顯不同之處是，郝經把楊時和游酢這兩人包括在內。增加這兩個人名，明顯是為了釐清師生相傳的脈絡，其次在於在周敦頤位於中心的「道統」之中，加強助祭的地位。在郝經文章的其他部分，他沒有特別注意到這兩個在二程和朱熹之間的中間人。

令人頗感不解的是，既然郝經在一二五五年初的立場如此清晰，為什麼

---

[64] 郝經：《續後漢書》卷83上，頁10下～11上，或《二十五別史》，第9冊，頁1345。在括弧裏的修正反應《二十五別史》版本。按照邵雍和朱熹的闡述，「合九與十虛」指的是《洛書》和《河圖》，但是，臺灣大學中文系鄭吉雄教授說，九指陽，十指陰。

[65] 郝經：〈周子祠堂碑〉，《陵川文集》卷34，頁11上，或《全元文》卷133，第4冊，頁405。

他在之後的二十年好像不太願意沿用朱熹的習慣來使用「道統」這個詞？相反地，從他的文集裏的著作和《續後漢書》的例子中，郝經強烈傾向宋代初期的「道統」用法，並強調其政治和宇宙論的背景和涵意。

結論

總括來說，郝經在一二五五年後不再跟隨朱熹的「道統」標準和他二十年裏相對一致的「道統」用法，也許可以讓我們瞭解郝經如何看待「道統」的源頭和意思。在其最後二十年，他好像不認為「道統」的重點在於指定的聖人相傳，反而他更著重「道」的活動，即「道」統理天下萬事萬物。考慮到在那個時代，蒙古人侵佔了中國北部，並伺機侵佔南宋這一政治背景，郝經有這種想法亦很合理。如果推斷正確，郝經對「道統」的用法雖然顯示了他同意朱熹對子思和《中庸》的觀點，以及道統由古代傳到宋代的傳承順序，但朱熹比郝經更重視道統本身、特別當定界派別的概念。至少，對郝經來說，道統天下萬物這個概念更符合實際需要，而政治考量亦影響了這個詞的用法。

本人感謝國科會資助我2009年春擔任臺大歷史系的客座教授，有機會向中文系的同仁鄭吉雄教授及夏長樸教授請教，也與中文系博士生陳盈瑞及歷史系碩士生童永昌討論。中研院文哲所林慶彰先生和臺大人文社會高等研究院黃俊傑所長給機會來作有關的報告。因為受到2010年美國教育部Fulbright Hays Faculty Research Abroad Program的支持，本人可以在中國作研究，接受香港浸會大學中文系盧鳴東教授的邀請，參加「中日韓經學國際學術研討會」，繼續改進這研究結果。

費密經學思想試探

——以《弘道書》為例

汪學群*

費密（1625～1701）[1]，字此度，號燕峰，四川新繁人。費密的著述大都失傳，僅存的著作只有《弘道書》和《荒書》及詩鈔。其中《弘道書》是他的經學代表著作，此書始撰於中年以後，其中諸篇章皆為陸續撰成[2]。費密死後，《弘道書》由弟子蔡廷治錄為副本加以保存，一直到上個世紀二十年代，由唐鴻學根據新繁楊氏抄本刊行，因此學術界對他的經學研究幾乎闕如。在為數不多的研究中，以胡適〈費經虞與費密——清學的兩個先驅者〉一文最有代表性，此文稱費密的經學思想開顏李學派先聲，又稱他們為清代漢學開山，時代精神的先驅。筆者認為費密的經學思想與講求實用的顏李學派和偏重於經的清代漢學，還是有區別的。以《弘道書》為例，費密的經學思想主要圍繞著經與道的關係展開，《弘道書》顧名思義就是弘揚儒家的經

* 中國社會科學院歷史研究所。

1 戴望作〈費舍人別傳〉認為費密卒於康熙三十八年，七十七歲。章學誠〈書貫道堂文集後〉也認為費密「生天啟六年（丙寅，1626），卒康熙三十八年」。而《族譜》、《新繁縣誌》、《年譜》皆說卒於四十年（1701）。章、戴雖然都根據於費密之子錫璜的說法，但不足為信。費密如果生於天啟六年，到康熙三十八年只有七十四歲。《弘道書》卷首載康熙三十四年（1695）張含章的序，有「吾師」，「年七十一矣」之語，由此可以證明費密生於天啟五年（1625），《年譜》載卒於康熙四十年，終年七十七歲。

2 《年譜》三十一年條有「六月定《弘道書》」一句，可知此書初成於康熙三十一年（1692）。後來又多次修改增補，直到逝世前還在修訂，因此生前未敢「輕出示人」。

學道統。他經學思想的最大特色是在批評理學道統說的基礎上，闡釋了道統道脈統一、經道合一、中實之道等主張，建立了不同於理學家道統論的經道關係論。

一　道統與道脈

費密的經學思想以道統論為前提，他的道統論是建立在批評理學家道統說基礎之上的，因此在先討論道統論之前，有必要敘述一下理學家的道統說。

理學家的道統說肇始於唐代韓愈，韓愈針對魏晉以來的佛、老二氏盛行，提出自己的道統論，說：「斯吾所謂道也，非向所謂老與佛之道也。堯以是傳之舜，舜以是傳之禹，禹以是傳之湯，湯以是傳之文、武、周公，文、武、周公傳之孔子，孔子傳之孟軻；軻之死，不得其傳焉。」[3]這裏所講的道並非指佛、老二氏之道，而是孔、孟儒家之道，此道上承堯、舜、禹諸聖人，中經孔子發揚光大，終於孟子，後來其道千餘年不得其傳。韓愈自詡為接緒孟子，成為道統的承擔傳遞者。依據這一道統，孟子與韓愈之間的大儒如董仲舒、王充、揚雄、王弼等都不在其列，這一道統顯然有些片面化，但卻對後來理學產生重要影響。

關於理學的道統說，最有代表性的要數程頤和朱熹。

程顥死時，其弟程頤為他作行狀說：「周公沒，聖人之道不行；孟軻死，聖人之學不傳」。程顥「生千四百年之後，得不傳之學於遺經，志將以斯道覺斯民」[4]。這大體重複韓愈的話並有所發展，即把程顥看成是孟子之後的第一人。

道統論在朱熹手中算是完善系統化了，他曾在不同的著述中多次闡述道

3　韓愈：〈原道〉，《韓昌黎集》（長沙市：嶽麓書社，2000年）卷11，頁147。

4　程頤：〈明道先生墓表〉，《河南程氏文集》卷11，《二程集》（北京市：中華書局，1981年），上冊，頁6401。

統論，茲引數條：「蓋自鄒孟氏沒而聖人之道不傳，世俗所謂儒者之學」，「淺陋乖離，莫適主統」。周敦頤「奮乎百世之下，乃始深探聖賢之奧，疏觀造化之原而獨心得之，立象著書，闡發幽祕，詞義雖約，而天人性命之微、修己治人之要莫不畢舉。河南兩程先生既親見之而得其傳，於是其學遂行於世」[5]。《中庸》之書，「孟子沒，而不得其傳焉」。到了宋朝，「濂溪周夫子始得其所傳之要，以著於篇。河南二程夫子又得其遺旨而發揮之，然後其學布於天下」[6]。「及孟子沒而其傳泯焉」，二程出「而有以接乎孟氏之傳，實始尊信此篇而表章之。」[7]。「及其（孟子）沒而遂失其傳焉。則吾道之所寄不越乎言語文字之間，而異端之說日新月盛；以至於佛、老之徒出，則彌近理而大亂真矣。然而尚幸此書之不泯，故程夫子兄弟者出，得有所考，以續夫千載不傳之緒；得有所據，以斥夫二家似是之非。」[8]歸納起來不外以下意思：儒家之學到孟子以後出現斷裂，在以後的千餘年佛、老二氏之學盛行，真理為異端所亂，人心世風遭受危害。所慶幸的是儒家的一些典籍猶在，大道不至於消失，只是有待於人來挖掘。到了北宋，周敦頤、程顥、程頤出，對儒家經典重新加以詮釋，創建新儒學即理學，直指天人性命、修己治人之旨，從思想上回答了道統一以貫之的問題，使儒學重新光大。由此建立了孟子以下包括周敦頤、二程兄弟的新道統。朱熹所建立的道統對後來的理學產生很大影響[9]，這裏就不一一列舉了。

理學家提出道統論有它的歷史意義。佛教東來以後，建立了自己的傳遞系統或道統，這對其傳播擴大影響起了促進作用。而儒家自六朝以後漸趨衰落，一個重要的原因就是沒有建立與佛教相抗衡一以貫之的道統（儘管道統

---

5 朱熹：〈袁州州學三先生祠記〉，《朱熹集》（成都市：四川教育出版社，1996年）卷78，頁4079。

6 朱熹：〈中庸集解序〉，《朱熹集》卷75，頁3956。

7 朱熹：〈大學章句序〉，《大學章句》卷首，《四書章句集注》（北京市：中華書局，1983年），頁2。

8 朱熹：〈中庸章句序〉，《中庸章句》卷首，同上書，頁15。

9 就連費密的老師孫奇逢也提出理學家式的道統說，見孫奇逢《理學宗傳》一書。

所包含的內容存在）。理學大興後，恢復儒家自信心，首要任務是建立儒家自己的道統論以回應佛教的挑戰。但是理學家的道統論也存在著諸多流弊，最主要是提出道統論本來有助於恢復儒家以學術指導政治的功能，然而由於道統內容偏向道德形而上學而忽略人倫日用，則導致與政治的疏離。理學的一脈心學發展到明代，心性義理的研究可謂鞭辟近裏，政事日用甚至無人問津，儒家沒有起到經世的作用。面對晚明的政治動盪，以及國破家亡，束手無策，這一深刻的歷史教訓引起了清初諸儒的反思，他們大都把明亡歸結為心學的空談，批判王學末流空談誤國成為他們共同的價值取向。費密正是在這一大背景下反對理學家的道統論，提出自己的道統論。

費密反對理學諸家的道統論。他所畫聖賢事業圖，旨在說明歷代聖賢所傳大中至正之道，如以堯、舜、禹、湯、文、武、周公、孔子居中，瞿曇、老聃、楊朱、墨翟居右，伯夷、柳下惠、荀況、揚雄居左。之所以這樣排列是因為伯夷、柳下惠為孔子所稱頌，大體上說大中至正，無愧於道統之傳。至於荀況、揚雄則屬於孟軻一類的人物。從漢到唐有時稱荀、孟有時稱揚、孟，荀、孟的歷史地位沒有什麼區別。北宋從王安石、程顥、程頤開始，孟子的地位逐漸提高，於是便有貶低荀、揚等說。他認為削去七十子與漢唐諸儒，而以程顥、程頤兄弟上繼孟子以為道統，這不過是宋儒的妄論。

他發揮其父的觀點，認為後世所講的道統，先秦儒家並未有此說。具體而言，孔子未言道統說，其弟子及弟子的門人未曾有道統說，後來的孟子、荀子諸儒也未曾有道統說。到了漢代，尤其是從董仲舒開始，儒學得到了進一步的復興與光大，漢儒尊奉聖人所言，先王成法，尊護守衛，相授有緒。漢儒把聖人之道布為政事，安平易行，著為言論，篤實可用，可謂政教合一，並沒有所謂的道統之說。魏晉而後，老、莊清談言道，去實就虛，陋平喜高，其流弊所傳至南宋，於是開始私立道統。他表示：「自道統之說行，於是羲、農以來，堯、舜、禹、湯、文、武裁成天地，周萬物而濟天下之道忽焉，不屬之君上，而屬之儒生，致使後之論道者，草野重於朝廷，空言高於實事，世不以帝王繫道統者五六百年矣。經文煌煌，大訓乃為蕪亂，寧可不正哉！」[10]對於宋以來道統說盛行後給社會政治所帶來的危害深表關切，因為這種道統說違反經訓。

費密雖然反對宋儒的道統說，但對道統本身並不拒斥，而是提出自己的道統論。他的道統論特色是道統與道脈相結合，所謂統一於帝王道為統，傳於孔子道為脈，「統也者，道行於當時，薄海內外莫不化洽也。脈也者，道傳於萬世，王侯下逮庶人莫不取則也。合歷代帝王公卿稱曰道統，庶可也，無帝王則不可謂之統矣」[11]。孔子雖然是道脈，但其重要性不可低估，道之所以傳於萬世正是其脈即有賴於授受承傳。孔子是道脈的起點，後世傳道都由孔子開始。以孔子之道自我修治則道德盡修，以孔子之道治理天下國家則政事完備，尊孔子，二帝三王之道方可大明。

他又說：「故上之道在先王立典政以為治，其統則朝廷，歷代帝王因之，公卿將相輔焉；下之道在聖門授受而為脈，其傳則膠序，後世師儒、弟子守之，前言往行存焉。苟無帝王受天明命宰育萬匯，有磨礪一世之大權，優善懲惡，公卿行之以動盪九服，取儒生空辭虛說，欲以行教化而淳風俗，必不能矣。王天下者之於道，本也。公卿行焉，師儒言焉，支也。」[12]道為先王的治道，統即所屬在朝廷，道統即帝王公卿將之道統，在這裏，道統與治統是統一的。道脈則屬於儒家授受的系統，包括孔子及弟子傳遞的譜系。對於道來說，帝王是統是根本，公卿執行帝王的指令並相輔助，儒家宣講帝王的思想與學說，後兩者是支流，其中儒家是王道的傳播者，因此是道脈。

他還以松柏比喻道統與道脈的關係：上古是核，羲農以來是根。黃帝、堯、舜、夏、殷、周、秦、兩漢以後歷代君王是本，孔子修帝王之道為萬世所效法是由本而成大柯，其弟子承傳分為枝，後世諸儒傳道則不過是條葉豐茂而已。他認為，上古其氣渾噩，此為天道立。伏羲畫卦為窖，神農作耒耜立市，此為地道興。舟楫、弧矢、杵臼、衣裳始於黃帝，人道由此而完備。

10 費密：〈統典論〉，《弘道書》上，頁1。
11 費密：〈統典論〉，《弘道書》上，頁3。
12 費密：〈統典論〉，《弘道書》上，頁2。

天地人三道在周朝「東遷以後，日就陵替，孔子當其時，欲以道興治，天命不與，先王所遺傳焉，雖世異政殊，後世修述，尚與道不遠」[13]。孔子雖然有德而無位，其地位不同於二帝三王，但作為聖人則沒有什麼分別，孔門的弟子與孔子的關係如同諸侯之於天子，在這裏突出了孔子的歷史地位。

為了闡釋自己的道統論，他還畫圖表加以說明：「帝王為道之本，行之以公卿，講之以師儒，此支也。古經舊旨，先子遵奉，畫為此圖，密受傳之。」[14]根據天子統道表：二帝三王（作之君師）、孔子（作師）、帝（歷代）王道統，君師之尊、治教所本，公卿（輔行道統）修齊治平實行，師儒（講傳道脈）修齊治平實用。又有大統相繼表：依次為上古、包羲、神農、黃帝、唐、虞、夏、商、周、秦、漢。兩圖表體現了他所講的道統與道脈相統一，學統與治統相一致，具有濃厚的政教合一色彩。

君是道統的承擔者，公卿則是執行者，士大夫是道統的傳播者，他們之間對道統的維繫與發展起著重要的作用。他說：「欲正道統，非合帝王、公卿以事為要，以言為輔不可。蓋人主鎮撫四海，提挈綱維。士大夫協恭共濟，政和化洽，澤之渥者，當世蒙其休，法之善者，後世著為令，皆益治保民之大當，遵經據史，序上古及歷代為統典。」[15]總之，只要君王、公卿維護於上，士大夫協助於下，他們同舟共濟，同時輔以經史，就會造成天下太平、百姓安康的局面。

費密的道統論包括道統與道脈，其中尤重視道統，道統即是治統。由此出發，他進一步討論了君臣關係，說：「帝王所以創基保土，非一人之得已也，皆有良臣為之股肱焉，心膂焉，爪牙焉，乃能永定弘業，傳世葆位。」[16]他還有以下比喻：君王如同五嶽名山大川，佐輔之臣則如山上的巨木茂草，由此可見君主起決定性的作用。但也不能小視臣子，他們如同人的股肱。他寫道：「開業之君，發於草澤，名卑勢微，難危百狀，久而後集，非文臣為

13 費密：〈統典論〉，《弘道書》上，頁3。

14 費密：〈統典論〉，《弘道書》上，頁6頁。

15 費密：〈統典論〉，《弘道書》上，頁4～5。

16 費密：〈弼輔錄論〉，《弘道書》上，頁8。

之謀，無以懷將帥而料敵國。非武臣為之戰，無以平紛擾而定四方。守成之主，承祖宗丕緒，統一環區，撫育六合，日有萬幾，勵精勤惕，布恩膏，雍閭閻，必文臣理於內，固邊陲，奮威紀，必武臣振於外，國家倚之，群黎庇之。」[17]尤其是創業伊始，君主離不開文臣武將，他們履行著各自的職責，協助君主收服人心，安定社會，他們是天子的左右手，不僅如此，黎民百姓也需要他們的庇護。

他又說：「天下之治，群黎樂業，萬物遂其生，皆法制禮義所繼，特君相之功也。故帝王乘天運而理物，子子孫孫，勵精勤政，保育萬方，此君之道也。非良臣弼輔不可。三公論道，六卿分職，百僚庶績，郡邑循良，博士傳經，史記言行，此文臣之道也。翊衛京師，鎮馭邊陲，修繕關堡，肅勒軍伍，討擒叛逆，襄助漕運，此武臣之道也。君統於上，文武臣僚奉命守職，自上古至今，無有逾此而可致治者。」[18]君有君道，臣有臣道，各自履行自己的職責，他們之間並不矛盾，而是相互聯繫，但地位，或者說重要性，有所不同。

費密的道統論與理學家的道統說區別在於，他把道統等同於治統，同時在這裏面又分出道脈，而道脈類似於理學家講的孔、孟道統，偏於學統。也就是說，他強化了道統的政治色彩，淡化了學術成分，如果說理學家的道統說是道統與學統相結合，那麼費密的道統論則是道統與治統相一致、政教合一。他倡導道統論是希望以此來避免理學末流政教分離所導致無關時政的空談，也就是說試圖矯挽明末以來思想上的空疏，以及給社會所帶來的動盪，期以達到通經致用的目的。

二　倡導漢唐經學

費密反對理學家的道統說，主要是因為他們對漢以來的經學不屑一顧，

---

[17] 費密：〈弼輔錄論〉，《弘道書》上，頁9。

[18] 費密：〈文武臣表〉，《弘道書》上，頁15。

他們離經而論道，使儒學走向空疏，因此對理學及魏晉玄學持批評態度。而對於漢唐經學，費密則竭力闡揚，以為漢唐古學即經學，最符合孔子儒學的原意。

他提出漢代以來儒學兩次道變說，即「魏晉初變古學」和「宋南北再變古學」[19]。第一次指魏晉佛老清談歸於虛無，第二次是宋儒高論歸於靜坐。如後漢張衡的「以虛無溟涬」為道的根本。魏何晏的「天人之際」，王弼的「聖人茂〈文武臣表〉，神明」，王衍的「天地萬物以無為本」。晉韓康伯的「有必生於無」、「太極生兩儀」，潘尼的「無私寡欲」，元魏徐遵明的「真師在心」，關朗的「知命適時必先天理」。唐孔穎達的「虛無是太極」，李翺的「誠明復性」。宋王安石的「道德性命之理」，周敦頤的「無極而太極」，程顥的「靜坐會活潑潑地」，程頤的「沖漠無朕」、「萬象森然已具」，邵雍的「天根月窟」，張載的「天地之帥吾其性」，陸九淵的「本心六經注我」、「我注六經」，朱熹的「格物窮理，一旦豁然貫通」。明陳獻章的「靜中養出端倪」，王守仁的「致良知，向上一機」等，皆違背古學即經學，也有害於思想的發展。

他的批評矛頭所向，主要針對宋儒誤解經書。在他看來，古籍所載不過以義制事，以禮制心。《尚書》、《周禮》沒有所謂的抽象議論，所記載的諸聖賢不過是版築魚鹽，耕莘釣渭，箕子未嘗從事於沖漠無朕，靜觀天理。《孝經》、《論語》也沒有主靜無欲之說。顏淵、閔子騫、冉雍、仲由不講即物窮理、本心良知。也就是說理學諸家所提出的諸命題或學說，並不見於經書，孔子也未曾提及，是自我杜撰。

他說：「宋儒品行甚高，雖刻隘專擅，失聖門溫良儉讓之德，亦多正人君子，至其為說，則必不可從也。忠直廉節，聖門原有定訓，漢唐先儒久已言之，不自宋始也。宋儒所謂古人未識者，乃道德性命之理、無極而太極、靜坐會活潑潑地、太虛是道、靜觀天理等說，此皆聖門所無，源於二氏，假

---

19 費密：〈吾道變說〉，《弘道書》中，頁40。

託經文以行者也。」[20]宋儒重視品行及道德方面的建設，這是他們的強項，退一步說，在這方面漢儒已先他們而做了。至於宋儒所提出的諸種說教，雖然假借經文以加強其立論根據，其實質是受佛、老二氏的影響，流於空虛而不切實際。他又說：「後儒以靜坐談性辨理為道，一切舊有之實皆下之，而聖門大旨盡失矣。密少逢亂離，屢受饑饉，深知朝廷者，海宇之主也。公卿者，生民之依也。稍有參差，則弱之肉強之食，此時心在腔子即物窮理、致良知，有何補於救世？豈古經之定旨哉？言道而舍帝王將相，何以稱儒說？」[21]費密父子身遭亂世，正是由於朝綱不振的結果，因此其父平日教他，也以樹立朝廷威望為主。他自始至終對這一點深信不疑，而且不遺餘力維護朝廷的權威，反對理學家空談心性，這樣既有悖於儒家經典，也與事無補。

在他看來，宋儒經學惑亂的始作俑者為王安石，如說：「安石言之則為新義，行之則為新法，天下騷然，中原盡失，宋遂南渡。當是時，不專守古經，言足食足兵，好謀而成，從生聚教訓，實處講求，思以立國，而因循苟且，朝士所爭，乃王安石、程頤之學術，上殿多言格物，道德性命之說益熾。」[22]王安石以《周官》、《詩》、《尚書》這三經創為新經學，借此實施變法，結果造成天下大亂，中原也由此喪失。南宋以後經學進一步消沉，道德性命諸說氾濫於朝廷。呂祖謙、陸九淵、朱熹、張栻、陳亮雖然論述各有不同，但都竭力宣揚傳播以上諸說，尤其是陸九淵與朱熹。陸九淵講本心而忽略經傳，又非議程顥、程頤，陸氏弟子不盛，其學傳播也有限。朱熹根據道德性命說撰《四書集注》，力排孔門弟子，則影響甚廣。這一切歸根到柢，與王安石有關，即所謂「古今諸儒，獨取二程，然二程與安石稍異者不過靜坐體驗，會活潑潑地氣質之性耳。一切道德性命臆說，悉本安石焉」[23]。

對於明代的經學，他認為，永樂年間，「以元晦國姓，尊行其所傳，而聖門舊章大變。先輩有古學者，無不評論。王伯安更遠紹子靜。故嘉靖、萬

20 費密：〈祖述憲章表〉，《弘道書》上，頁37～38。

21 費密：〈文武臣表〉，《弘道書》上，頁15。

22 費密：〈道脈譜論〉，《弘道書》上，頁19。

23 費密：〈道脈譜論〉，《弘道書》上，頁19。

曆以來，學者不入於窮理，即入於致知。古經本旨荒矣。夫即物窮理，承訛既久。良知嘩世，又百有餘年。朱也，王也，各自為旨，違悖古經，蔽錮後世，陷溺膠庠。而其言在天下，已如江如河，莫之可遏」[24]。明代，宋儒經說得到官方的認可，尤其是朱熹的經注成為當時舉科的圭臬，漢唐古經注被拋棄，孔子原始經學已為後世所顛倒竄亂，異端邪說橫行。他在這封答李塨的書信中，透露出作《中傳錄》、《聖門舊章》的目的是正本清源，以古代經學為治學出發點，撥亂反正。同時也希望李塨等北方大儒積極影響，力挽狂瀾，為復興古代經學做出自己的貢獻。

對於朱熹經學在明代的影響，他進一步寫道：「熹齒既高，觀書深而氣平，稱漢儒說經，意味深長，知者鮮矣。明洪武中，定取士之法，用古注疏，兼之宋傳，著為令甲，宋傳亦未盡，從蔡沈言，天運大非。集諸儒更解，賜名《書傳會選》，敕劉昆孫刪《孟子》為節文（削去八十五段不以試士）。永樂得位，專用朱熹之說，始不遵祖訓，仍宋舊本，作《四書五經大全》，命科舉以為程式。古注疏亦未嘗有詔禁止，生徒恐畏趨時，專習宋傳，性理浮說盛行，遞相祖受，古義盡廢，七十子所遺，漢唐相傳共守之實學殆絕，講議益固。」[25]朱熹解經諸說在明代被尊為正統，明儒又根據朱熹之說編為《四書五經大全》，漢唐經注幾乎無人問津了。到了明代中期，王守仁遵信古本《大學》，摘錄朱熹晚年論學之語，撰為《朱子晚年定論》，其目的主要不在於恢復孔門經學本來的面貌，而是以為朱熹之說晚年大都合於陸九淵。陸九淵又推崇孟子，這樣由王守仁、陸九淵、孟子連成一線。另外，與朱熹窮理對立，王守仁舉出良知之說，此說即簡易又明瞭，一時學者聞風而動，紛紛由尊朱轉向尊王，由此窮理與良知並立，儒家經學陷入門戶之爭而不能自拔。對此費密感到十分痛心與憂慮。

費密曾與孫奇逢討論過朱陸異同等問題，孫奇逢稱費密，「論朱陸異

---

24 見馮辰：《李恕谷年譜》卷2，戊辰三十歲條。

25 費密：〈道脈譜論〉，《弘道書》上，頁19～20。

同，陽明之效諍論於紫陽，皆確有所見，不隨人口吻」[26]。對他未限於朱陸之爭的窠臼表示認同[27]，孫奇逢自己也十分反對朱陸、朱王之爭。

費密反對宋儒是因為其受二氏的影響，使經學受到戕害，推尊漢儒是因為他們治經學，他提出「追溯漢唐古學」這一口號，就是要復興漢唐經學，在這一點上，與漢儒可謂是知音。

在論及推尊漢儒經學的原因時，他寫道：「道之定，遺經立其本，七十子傳其緒，漢唐諸儒衍其脈。後儒比七十子猶滕、薛之於齊、晉也。七十子身事聖人也，見全經也，三代典制存也。自漢至近代諸儒，其德兄弟也，善言美行，皆可補益於世。然漢儒冢子也，後儒叔季也。漢儒雖未事七十子，去古未遠，初當君子五世之澤，一也；尚傳聞先秦古書，故家遺俗，二也；未罹永嘉之亂，舊章散失，三也。故漢政事、風俗、經術、教化、文章皆非後世可幾，何敢與漢儒敵耦哉？」[28]之所以推尊漢唐儒家，是因為他們推衍孔門經學學脈，尤其是漢儒經學有三條優勢，即離原始經學的時代不遠，經籍雖然遭秦火，但不乏口傳等流傳下來，有家學，也有師承，另外沒有遭受到西晉永嘉之亂的破壞，因此在資料上，保管大體完好。漢儒這些優勢使其從事的經學研究具有很高之可信度，因此費密才多加褒揚。

他敘述了漢人的經學傳遞系統，如治《周易》的有田何、王同、丁寬、孟喜，治《尚書》的有伏生、歐陽、夏侯、孔安國，治《詩》的有申公、毛公、韓嬰、轅固生，治《禮》的有高堂生、孟卿、后蒼，治《樂》的有制氏，治《春秋》三傳的有，胡毋子都、董仲舒（《公羊傳》），蔡千秋、劉向善（《穀梁傳》），劉歆、翟方進（《左傳》）。漢儒對經書的搜集整理做出了很大貢獻，正是他們的諸經注疏使後來的學者通曉經書大義。與宋儒「以二程、陸氏接孟子」有所不同，費密則「取秦、漢、隋、唐諸儒續七十子後，

---

[26] 孫奇逢：《孫奇逢給費密的手書》，載《費氏族譜》。

[27] 費密雖然主要批朱熹之學，但對陸、王之學也頗有微詞。章學誠〈書貫道堂文集後〉稱費密「講陸、王之學」不準確。

[28] 費密：〈道脈譜論〉，《弘道書》上，頁26～27。

雖本經史」[29]，其衛道之心昭然若揭。他的父親費經虞對漢唐以來的經學傳遞系統做了填充，子承父業，他也舉漢唐以諸儒加以補正，使經學傳遞系統更為完備，其目是反對宋明理學關於道統在漢唐中斷之說。

訓詁與義理是經學史上的老問題，他也借此表達了尊漢的態度，說：「二帝三代之王政定制，始不湮沒，書不盡言者，咸出口授。古今不同，非訓詁無以明之，訓詁明而道不墜，後世舍漢儒所傳，何能道三代風旨文辭乎？」[30]就經而言，文本不足以表示言語，有賴於口授，訓詁對於傳經至關重要，而這些都是漢儒的強項，因此治經必然推崇漢儒。他也談及義理，認為它是「人所共尊也。然惡得專取義理一切盡舍，而不合量之與？論事必本於人情，議人必兼之時勢」[31]。但反對專斷，要考慮到人情世故、客觀形勢等，所闡述的義理才切合實際而不是空論。他治經主張遵從注疏，「君子有志實學，必深考詳思，擇而行之，庶不空為高議，真足救時，功業可立也」。又「朝廷用人行政，因時變通，庶收實效，舍漢唐注疏，論人心、道心，致成虛浮杳冥，皆非聖門本旨也」[32]。有志於實學，倡導學以致用，切勿空疏蹈虛，因此主張以漢唐諸儒經籍注疏為主，反對空談人心道心之說，以為這些並非經學的本旨。

為了證明自己的主張，費密在《弘道書》中還旁徵博引，主要是明儒的看法。如林希說：「秦悖人道，焚書籍，坑學士，先王道無存，賴當時耆儒老叟，遺及漢世，口諷手傳，或山崖屋壁之間，收拾缺編折冊，朽蠹斷絕之餘，久而成文，當大壞之後，古經益以明世，學者求而易入，識為人之道者，漢儒之功，世之人猶指一二而譏之，亦甚愚矣。」王鏊說：「漢初六經皆出秦火煨燼之末，孔壁剝蝕之餘，然去古未遠，尚遺孔門之舊，諸儒掇拾補葺，專門名家，各守其師之說。其後鄭康成之徒，箋注訓釋，不遺餘力，其功不可誣也。宋儒性理學行，漢儒之說盡廢，其間有不可得而廢者，今

29 費密：〈道脈譜論〉，《弘道書》上，頁22。

30 費密：〈原教〉，《弘道書》上，頁41。

31 費密：〈弼輔錄論〉，《弘道書》上，頁13。

32 費密：〈先王傳道述〉，《弘道書》中，頁24，25。

猶見之《十三經注疏》，惟閩中有板，閩本亡，漢儒之學或幾乎息矣。」鄭曉說：「宋儒論漢儒駁雜，譏其訓詁，恐未足以服漢儒之心。宋儒取資漢儒者十之七八，宋諸經書傳注，盡有不及漢儒者，宋儒議漢儒太過，近世又信宋儒太過。」熊過說：「秦漢之際，儒士談論以明先王之典者，皆有譜牒可考，傳授之次不迷其所統一。漢而下則官師重，魏晉六朝，王、賀、范、徐及庾蔚之等，觀其所議，可以還古。」歸有光說：「光鑽研六經，溯其源本，秦火以後，儒者專門名家，確有指授，聖賢之蘊奧，未必久晦於漢唐，而乍辟於有宋，欲以餘年發明先聖之遺書。儒林、道學分為兩科，道學未可以蓋儒林，新安未可以蓋金谿、永嘉，而姚江亦未可以蓋新安。」黃洪憲說：「經藝奧微，漢儒精通其旨。使非《注疏》先行於世，則扃鐍未啟，宋儒之學未必能窺其堂奧，即使宋儒生經殘籍滅之後，其所窺識，未必能過《注疏》也，矧漢去古未遠，表章之後，遺書肆出，諸儒校讎未必無據焉。」[33]

以上諸條歸納起來，無非是說漢人去古未遠，易得孔門之舊，其經籍雖然經歷了秦始皇焚書坑儒，還能保存下來，並通過口授流傳，在漢代大體形成了經學的傳遞譜系。此時又未受佛、老二氏的影響，因此屬於原汁原味的儒學，復興儒學或講經學必須從漢唐入手。另一方面也說明，明代雖然理學大盛，尤其是中後期以後心學佔據統治地位，但經學並沒有中斷。除了以上所舉之外，還有楊慎、焦竑、陳第等人，一些儒臣士大夫的竭力倡導，在當時就形成了一股經學復興的暗流，到了明清鼎革時期，人們開始批評王學，連帶殃及理學之後，這股經學暗流逐漸浮出水面，開出學術發展的新格局，也就是說清初之所以重新倡導經學，從學理上講，也可以溯源自明代。

明代又有張朝瑞撰《孔門傳道錄》記述孔門七十子傳道大概，朱睦㮮為《授經圖》寫序，羅列出漢儒授經的系統，鄧元錫纂《學校志》，從七十子一直敘述到近代，王圻作《道統考》採納儒林世系，廣收秦漢、魏晉南北朝、隋唐諸儒文獻，置於宋儒之前，以此表明其不可廢。費密指出：「自諸

33 見費密：〈道脈譜論〉，《弘道書》上，頁20～21。

儒之說出，而四子之書行，談學仍歸中正，七十子與漢唐抱道諸儒為宋遏絕者五、六百年，萬曆間始復禘祫，聞道世系之中，吾道昔何可傷，而今乃可慶也？然四子立說或散見文獻，所畫世系，晉唐都求考補，或雖別為一編，其言未詳，其人未廣，其說未大行於世。吾先子常慊焉，謂四子遺書可因之以搜求，史傳儒籍，鄒魯遞及，雖缺略有間，授受可據，猶堪指陳，親炙，私淑，源流遠深，當遵聖門定旨。」[34]他的父親費經虞為經學復興不懈努力，費密受其影響，同時也秉承明儒重視經學的一脈，闡釋復興經學的道理，重建經學道統論，並與道脈相結合，在空間與時間上推演出經學發展的轍跡。孫奇逢稱費密「論漢唐諸儒有功於聖人，且有功於宋人，可謂漢儒知己」[35]。

三　從古經舊注發明吾道

理學道統說強調的是道，淡化了經，費密經學的經道關係論，則認為儒家講的道離不開經，即道在經中，他進而提出「從古經舊注發明吾道」[36]的主張，這一主張體現了經道合一的思想。

他詳細探討了經與道的關係，指出：「道與學非二也。道已不行於周公，既沒之後，則成、康以來，天下無聖人之道久矣。詩人尚美宣王，孔子止傷幽、厲，又何以異耶？蓋得時而駕，不得時而教，非善治有別道，而真儒有別學也。況宋祖帝乙不聞其上接成湯也。鄭祖厲王不聞其上接文、武也。且不傳之學亦遺經得之，非得於遺經之外也。古今遠隔，舍遺經而言得學，則不本聖門，叛道必矣。」[37]不同意理學把道與學一分為二的做法，這裏講的學主要指經學，道即經中之道，他認為道與經兩者統一，不存在著離開經之外的道，同理也沒有脫離道的經。

針對那種認為漢唐儒傳經雖然可信，但不懂得性命微旨，沒有聞道，

34 費密：〈道脈譜論〉，《弘道書》上，頁21。

35 孫奇逢：《孫奇逢給費密的手書》，載《費氏族譜》。

36 費密：〈題辭〉，《弘道書》卷首，頁1。

37 費密：〈道脈譜論〉，《弘道書》上，頁23。

宋儒才能傳道的說法，他反駁說：「聖人之道惟經存之，舍經無所謂聖人之道，鑿空支曼，儒無是也。歸有光嘗辟之云：自周至於今，二千年間，先王教化不復見，賴孔氏書存，學者世守，以為家法，講明為天下國家之具，漢儒謂之講經，後世謂之講道，能明於聖人之經，斯道明矣。世之論紛紛然，異說者皆起於講道也。有光真不為所惑哉！」[38]提出「聖人之道惟經存之」的命題旨在說明道在經中，經道一致，反對把經與道割裂。引明代經學家歸有光之語[39]，並給予肯定，是想借助先儒加強道在經中這一主張的立論依據，離經叛道必然是異端邪說並起。在經與道的關係上，經似乎更為重要，因為它是儒家的根基，因此他傾向於漢儒。

他從宗旨角度論道在經中，也就是說主張經旨與道旨統一，如說：「古經之旨何也？聖人之情見乎辭，惟古經是求而通焉，旨斯不遠矣。大道之行聖王不一，皆敦本務實以率天下。夫善不善者意也，治亂者時也，得失者政也，存亡者人也，聖人傳其要待後世推行焉耳，古經備矣。」又：「天子以至庶人修身為本，聖人懼後世未得修身之方也，於是取三代之遺而述焉，序《書》以紀之，定《禮》以立之，刪《詩》以風之，作《春秋》以裁之，晚而贊《易》。」[40]這種一致表現為經學宗旨離不開經文本，道的闡揚有賴於實踐，尤其是道德與政治的運作。儒家諸經，如《尚書》、《禮》、《詩》、《春秋》、《周易》都是為弘揚聖人之道服務的，聖人之道歸根到柢是修身並由此達於治事，這正是儒家經典的核心價值。

接著，他還具體闡釋了每部經書的宗旨及特色，說：「《尚書》者，二帝三王之鴻績而善政遺後之典冊也。《禮》者，四代損益定制，天子、諸侯以至卿大夫、士、庶人取正之遺則也。《詩》者，祭祀燕享、敦教化俗潤色升平之樂章也。《春秋》者，天王巡狩之典闕，方伯連帥會盟征伐以尊王室之舊事也。《易》者，先王則以開物成務而命官掌之，乃吉凶以前民用之由

---

38 費密：〈道脈譜論〉，《弘道書》上，頁23。

39 此語見：〈送何氏二子序〉，《震川先生文集》卷9，《四部叢刊初編》縮本。

40 費密：〈古經旨論〉，《弘道書》上，頁32。

辭也。此皆實政實教安朝廷而平諸夏者也。是《六經》先王以格上下，通神明，肅典章，施教育，和風俗而安民生之寶訓。先聖孔子序述為教，使三代政治不散，世熙則文以齊之而亦不忘武備，世亂則以武戡之而即誕敷文德，後世之士得之而身修，庶人聞之而身亦修矣，此所謂道用則舉之為行道，不用則傳之為明道，故《書》云：孝乎，惟孝友於兄弟，施於有政，為國以禮，以禮讓為國乎，何有？誦《詩》三百，授之以政，不達，使於四方，不能專對，雖多亦奚以為。五十以學《易》，可以無大過矣。孟軻曰：孔子成《春秋》而亂臣賊子懼。經旨昭昭如此，非有他也。」[41]諸經為載道之書。如《尚書》為古代諸聖講政治的著作，《禮》為古代各階層行為方式的著作，《詩》為諸禮儀潤色，輔助古禮施實的著作，《春秋》則為古代聖王處理諸國及少數民族關係的著作，《周易》為指導百姓趨利避害，逢凶化吉的著作。每部經書皆有自己的道，並以此相區別，但目標是共同的，即「皆實政實教安朝廷而平諸夏者也」。載道的重要性在於實行，即所謂的行道，對後世而言，則在傳道，孔子本人就是傳道者，《論語》諸篇不時引用經書語句，證明了這一點。經道合一也是行道與傳道的統一，經道合一是一個動態的歷史過程，在傳道過程中，不斷發展與不斷充實。

為了說明經道關係，他列祖述憲章表，並加以說明：「先王（天命、君師）有位在上，立而行之為王道，宣明綱常、制度，聖門（人道、克盡）無位在下，述而明之為吾道，雅言《詩》、《書》執《禮》。先王傳道，聖門傳道，各有表，復合之為此。庶見祖述憲章之旨，非先王之遠謨鴻烈，則孔子無所述，非孔子之纂修刪定，則先王無所存。先王以君道振之於前，孔子以師道集之于後，蓋分而無不合，合而中有分也。天以孔子木鐸萬世，故令無位，然道不行而纂修刪定，孔子之大不得已也。不守經傳舊聞，人人得以意見為說，先王之治散而聖門之教亂，學者所當深懼也。」[42]闡述了孔子與帝王之間的經道關係，相對來說，帝王偏於道，孔子偏於經，帝王傳道有賴於

41 費密：〈古經旨論〉，《弘道書》上，頁32～33。

42 費密：〈古經旨論〉，《弘道書》上，頁37～38。

孔子對諸經的闡釋，相傳孔子作《春秋》、《易傳》，對《詩》、《書》、《禮》等都有精彩的研究，而門人根據他論學而寫成的《論語》，也是經書之一，也就是說孔子所纂修刪定的經書，承載著古代帝王治國安邦的大道，為後世樹立了楷模，後儒只有遵循而不能改變，否則就是是非不清的意見之說。

費密所講道在經中的道的內涵是什麼，在回答人提問時，他明確表述了「中實之道」，如說：「古經所載可考也。謂之吾道者，所以別於諸子百家，偏私一隅而自以為道，不中不實也。中而不實，則掠虛足以害事。實而不中，過當亦可傷才。聖人慎言謹行，終身於恕，事不行怪，言不過高，既中且實，吾道事矣。」[43]道即來自於儒家經典，是儒家經書中的道，此道被概括為「中實」，中指不偏不倚，不走極端，實即務實而不蹈虛不浮誇，中與實密不可分並修養行事一以貫之，才為實行中實之道。經道合一即中實統一，他於此寫道：「古經之外，其言道也不中，不中必多虛少實，可以自全，不可以齊家治國平天下。夫道散事物，無可專指，人皆得言，無專指則彼可是此可非，人皆得言，則彼言一道此言一道，言雜道亂，上不可以為治，下不可以為學。」[44]道不離經，離經言道則不中，不中也不實，道雖然離不開事，但其核心不變即中實，中實之道是標準，離開這一準則，就會出現混亂。下面他具體分析了中與實。

關於中，他說：「道，總事物之全，然主也有在，出也有序，載也有殊，允執厥中。中者，道之平，其定也。命士、命稷、命教、命刑，事也。事者，道之要，其著也，求其定，不獨心也，耳、目、四肢皆合焉。治其著，不獨水土，刑教也，射、御、書、數皆通焉。安道之中，行道之事，惟聖人盡，賢者於聖人之盛德也、大業也，或得其一焉，不必同也，不必異也。天子出禮樂，則文之儒當之；出征伐，則武之儒當之；足國用，則計財賦之儒當之；善任使，則知人之儒當之矣。」[45]這裏講的道有兩個特點：其一

---

43 費密：〈吾道述〉，《弘道書》中，頁35。

44 費密：〈吾道述〉，《弘道書》中，頁36～37。

45 費密：〈原教〉，《弘道書》上，頁43。

是一般性，但不同事物有不同的道，因此道也有特殊的，一般性與特殊性總是統一的或者說一體的。其二是有序性，或者說有某種趨勢，其內在蘊含著一種必然性。中即不偏不倚，無過猶不及。中道往往與事聯繫在一起，因此中道之內容包括儒家講的六藝，即禮樂射御書數，也包括水土刑教等，涵蓋了社會的倫理道德、政治、經濟等方面。中道作為一般原則，所傳遞的是在具體的道德、政治、經濟活動中，持一種適中或者說恰到好處的方法論，使諸方面在穩定前提下，和諧有序的發展。

對於實，他又說：「古經之旨皆教實以致用，無不同也。而其傳亦皆學實以致用，即有異無損於聖人之道，亦不害其為傳也。」[46]經道合一，體現通經致用，學習經典不是目的，學以致用，把經中所蘊含的大道運用於實際，才是經學的歸宿。他論及經文、傳道、實事三者之間的關係，寫道：「古經者，道之定，治所取，教所本也。治以行之，教以傳之，舍實事而傳空文，必入於虛浮幽寂矣。外傳道而立實事，必至於壞常亂度矣。」[47]經道合一，經道與實事也統一，這樣才能使經道合一落到實處而非流於空談。

在中國思想史上，老子首先把道字概念化或範疇化，使其成為說明自然界萬物本體的概念，宋明理學則對道繼承改造，擴及為說明道德形而上學的基本概念。與之不同，費密所講的道是經中之道，道不離開儒家經典，而且既中又實，這顯然把道由形而上拉回到形而下，以此來說明儒家的中道與求實精神，這在明清之際是獨樹一幟的。不僅如此，他還對道的一些相關問題做出回答。

在他看來，中實之道的提出，並非主觀臆想而是有其理論依據的，如說：「蓋羲、農尚矣，堯命舜，稱允執厥中，舜亦以命禹，湯執中，文、武、周公無偏無陂，皆中也，萬世帝王傳焉，公卿用之，至孔子曰中庸，古今學者守之，庠序布焉。是中者，聖人傳道準繩也。不本中以修身，僻好而已；不本中以言治，偏黨而已；不本中以明學，過不及而已，故謂之中，傳

---

[46] 費密：〈聖人取人定法論〉，《弘道書》上，頁51。

[47] 費密：〈吾道述〉，《弘道書》中，頁37。

師友聞見世世不絕，使斯文未墜，故謂之道脈也。」[48]這個依據就是伏羲、神農、堯、舜、禹、湯、文王、武王、周公等帝王聖人傳承，一以貫之，都講中道，直到孔子集其大成，總結出中庸、尚中的原則，它是儒家所講的大道核心，無論是修身、與人交往、為學，還是從事於政事等，都應以中為本。

傳道內容涉及到社會生活的方方面面，舉其大端，有「議禮制度考文。其成風俗、興五教化，則在五品。人存政舉，不越九經，三公論道，六卿分職，各有施行，未可概舉。要使世平人安，即兵戎獄訟，亦期於忠厚而已。先王之道所以立治，萬世不易，民人有嗜欲，治之使歸大化」[49]。道由經來，經為載道之書，道的內容十分廣泛，包括禮儀、政事、刑法、軍事、風俗，也可以分為三個層面，即物質、觀念、制度，而且還不可更改。關鍵在於實施，期以達到國泰民安。關於傳道的方法，他認為吾道本旨在於有而非虛無，包括力行和內省，此二者為聖門為學之方法。具體有忠君、孝親、恭儉、信讓、上下、賞罰、立制、設教、從政、理家、學問、本業。此乃古經所傳之道中實以通天下之志，萬世不易。內省與力行作為為學傳道的方法是由裏及外，內省強調了行為主體的自律，以及自覺能動性，或者說有利於激發人的主觀能動作用。而力行則是具體的實踐活動，傳道由此完成，或者說落到實處。

傳道也有分工，他說：「故國家欲為治，士大夫欲為學，古經是矣。而空浮談經尤足害道。聖人自孔子而止，王道亦自孔子而存，上承二帝三代之典謨，下開修齊治平之學脈。學以出治者，帝王公卿也。學以從政守文者，師儒生徒也。學以安身立業者，農、工、商賈也。」[50]帝王公卿重在以學開出政治，師儒生徒則在於文本的傳遞，農工商則在於把自己的事業做好，不同階層各自努力，都是為了承傳大道。與此相關，他還提出傳道的二大系統，其一是先王：「先王執中建極而行舉賢親民為要，成升平之世者以此

48 費密：〈道脈譜論〉，《弘道書》上，頁22。

49 費密：〈先王傳道述〉，《弘道書》中，頁22。

50 費密：〈吾道述〉，《弘道書》中，頁36。

道也。」[51]包括三重，議禮、制度、考文；九經，修身、尊賢、親親、敬大臣、體群臣、子庶民、柔遠人、懷諸侯；五品，君臣、父子、夫婦、昆弟、朋友；四民，士、農、工、商。其二是聖門：「孔子中庸修己，而述謹言慎行為先成萬世之教者，以此道也。」[52]包括三德，中行、狂、狷；四教，文、行、忠、信；四科（論才），德行、言語、政事、文學；六經（舊章），《尚書》、《禮》、《詩》、《周易》、《春秋》。先王傳道重在政事實行，聖門傳道則在於學理，培養如何做人。

最後要提及的是費密對具體問題分析時，也貫徹中實之道的原則，以下試舉兩例：

第一，論封建與郡縣關係時，他指出王道也應適中，先王封建，「分四海之地以君子弟及有功之臣，各主其國，國有其土，土有其民，設卿大夫以佐理之，朝聘、燕享、祭祀、采祿，皆有定制。子孫保守，分土為井田，使民廬舍、桑麻，仰事俯畜，人口無饑，此最良法也。」秦始皇改為郡縣，「設吏治之，要亦因六國之舊，特去其國稱為郡耳，非至是乃封建為郡縣，開井田為阡陌也。夫封建、井田遞遷、遞降，雖出人為，乃氣運使然，本於天道，欲行郡縣、阡陌於先王風尚淳質之世，時有所不可，即欲行封建、井田於後王，人心大變之日，勢亦有所不能，故封建、井田，先王之善政也，郡縣、阡陌，後王之善政也。所謂王道，不過使群黎樂業，海宇無擾足矣」。「不知聖人窮變通久之道，而近於時中立也。立政、與事不泥古，不隨俗，或革或因，上不病國，下不困民，求合於中。」[53]封建與郡縣都是古代所謂的王道，它們在歷史上不同階段實施都有它的道理，也就是說適應自己的時代。但時代又是在不斷發展前進的，社會的需要、人們的認知也在不斷更新，因此沒有一勞永逸不變的制度，但其變化亦非斷裂，它們之間既有因又有革，不走極端不偏激，這本身就是中實之道。他對封建與郡縣兩種制度

---

51 費密：〈先王傳道表〉，《弘道書》中，頁29。

52 費密：〈聖門傳道表〉，《弘道書》中，頁33。

53 費密：〈先王傳道述〉，《弘道書》中，頁22。

的理解符合適中原則。

第二，對分工的分析貫徹著中實之道。如他說：「其人能學樂、誦詩、歌舞，俎豆以祀宗廟也；能善記、知書、理財，治獄任事也；能持弓矢、御車馬，以衛君上也，名之曰士；專力於稼穡，以充倉廩，而飽士女，其人名之曰農；百物之器足以裕內外也，其人名之曰工；通致貨財於天子，使有無咸取足焉，其人名之曰商賈。士以上之，農以安之，工以豐之，賈以濟之，如是則民有成業，閭閻勢定，而後國可立也。蓋農為國本，百物皆生焉。即車甲人畜以周社稷，咸賴于農。故農不庶，則田野不辟，穀畜寡而倉廩虛，其國必困。工不良，則五材不飭，而宮室衣服簠簋陋，其國不潔麗以整。賈不來，則物貨有無不相貿，市廛衰落，金帛不歸，其國必貧以弱。士不講習六藝，以率其子弟，仁義之澤不漸。鮮材通識達可以從政治事之人，則五教不宣，倫常失敘，強暴得以誣上行私，其國不雅順以久遠。苟四民失業，閭閻有饑寒侵奪之患，禮樂崩頹，外內不測於是乎起，而教亦無所施矣。故先王以制度構畫，不以議論鋪張，以要道經營，不以意見湊合，無不出之於實，無不行之以中，而國治天下平矣。」[54]士農工商為古代社會基本分工，這種分工反映了古代社會階層的基本構成，因此古代社會也可稱之為四民社會。這四種階層各有自己的特色，各自履行自己的功能，地位也不盡相同。其中農為國家的根本，其他三者也不可或缺，它們應該共同協作，良性互動，以道來經營，此道也即中實之道，如此天下太平。在這裏，他把中實之道運用於說明四民，可見中實之道為治國安邦的根本。需要指出的是，他論分工，把古代分工的原因歸結為古代帝王按照百姓的本性及才能不同而劃分，這顯然有片面性。古代的分工屬於自然分工，主要是根據人們生活生產的需要而形成的，至於百姓的本性及才能則應該是分工的結果而不是原因，正是長期的分工，使百姓專門從事某種工作才使其具備了這方面的才能。

關於費密的經學思想評價，弟子門人多有褒揚。如張含章稱《弘道書》所闡釋的道統道脈、復興漢唐古學、中實之道、經世致用等主張為「費夫

---

[54] 費密：〈吾道述〉，《弘道書》中，頁36。

子父子相承著書救弊之大旨也」[55]。蔡廷治也認為他「尊聖門舊章之論也。舊章古經存之，所謂道皆先王政教章程立國宜家之典，所謂學悉孝弟而說《詩》、《書》，雖上下不齊，易知易能，若行之則為事業，言之則為羽翼，經傳並立，非談性鑿理成幽杳不可致詰」[56]。上世紀二十年代胡適撰文對費氏父子的思想給予肯定，稱他們「一面提倡實事實功，開顏李學派之先聲；一面尊崇漢儒，提倡古注疏的研究，開清朝二百餘年漢學的風氣，他們真不愧為時代精神的先驅者」[57]。

張含章、蔡廷治的評價大體揭示了費密經學思想的特色。胡適則著重肯定其歷史地位，仔細分析起來，這一評價似是而非。倡導古經注疏的研究不完全是費密經學思想特色，因此以此來指出他開漢學風氣，略顯不足。實際上看，當時開清代漢學之風的大有人在，依照乾嘉時期漢學家的觀點，閻若璩、胡渭、張爾岐、毛奇齡才是漢學真正的開山，閻氏等人在當時，尤其是後來的影響，比費密要大得多（也可以說因其書未能刊行，幾乎沒有什麼影響），又如顧炎武、黃宗羲、方以智、萬斯同等對清代漢學的產生也有影響。另外，儘管費密與李塨有過交往，思想也有相似之處，但不能由此而說費密開顏李學派的先聲，因為倡導務實之學並不是他們的專利，包括顧炎武、黃宗羲、陸世儀等在內的一大批學者，都持這種學風。顏元研究務實之學是基於當時禪子虛文所做出的選擇，其深層原因是針對士大夫們空談誤國的社會現實而發的，這一點可以說是當時學者們共同追求的價值取向，因此以實事實功來推論費密與顏李學派之間的關係，尚欠說服力。

那麼如何評價費密的歷史地位？應先從他的經學思想特色入手。費密的經學思想特色在於反對理學家的道統論，依據儒家經典創立一套道統論，表現為道統、治統、學統三者統一，其核心內容是經道一致、政教合一，重新確立儒家經學以學術服務政治、指導政治這樣一個歷史功能，也就是說突顯

---

55 張含章：《弘道書》卷首，〈弘道書序〉，頁1。

56 蔡廷治：《弘道書》卷首，〈題辭〉，頁1。

57 胡適：《費經虞與費密——清學的兩個先驅者》，《胡適學術文集．中國哲學史》（北京市：中華書局，1991年）下冊，頁1140。

了傳統儒家經學的意識形態色彩。他之所以強調這一點，是想以此來結束明清之際因政教分離（學術與政治割裂）而造成的社會動亂，使社會重新走上穩定秩序的軌道，他的這種努力也符合當時社會的現實，因此有其合理之處。但從發展的眼光來看，費密的經學創獲並不多，其思想大都以儒家經典及漢唐諸儒的解說為立論根據，缺乏創新，採取思想上的歷史還原法來批評宋儒，其保守性是顯而易見的，因此不應稱其為時代精神的先驅。或許這樣評價費密的歷史地位更為貼切。

清儒「說經」的基礎知識

張壽安*

一　前言

學術界至今仍習慣用「考據學」來稱呼乾嘉學術，也習慣用「考據」來稱呼乾嘉學者的治學方法。事實上，乾嘉從事經史考證的學者從未同意這個稱呼，也不認為考據可以被稱為「學」。在他們看來「考據」是作學問的基本態度，也是研治所有學問的基本方法，豈可以「學」稱之！焦循就批評說若考據意指「唐必勝宋，漢必勝唐，凡鄭、許之一言一字，皆奉為圭璧，而不敢少加疑辭」，那根本是「非愚即偽，出主入奴」。他還解釋說：所謂考據，古人稱為「理據」、「根據」，只不過是主張學之有本、不為妄言而已，絕非今日的堅執一端，以通聲氣、爭門戶。焦循的這番議論發表在嘉慶三年（1798）回覆王引之的信中[1]。事實上，關於以考據學稱呼乾嘉以降經史考證工作的此一爭論，從乾隆中葉惠棟、袁枚之辯，到乾隆晚期（乾嘉間）袁枚、孫星衍、焦循、淩廷堪之辯，一直是學術界的大事。此一學術升降還需另文詳論，此處不言。但令我們感興趣的是：乾嘉學者既然反對用考據學一詞，那麼乾嘉學者如何稱呼自己的學術工作呢？

在約略瀏覽過乾嘉學者的文集後，我發現他們最常用的稱呼有：「實事

---

* 中央研究院近代史研究所。

[1] 〔清〕焦循：〈三月望日與王引之書〉，此書焦循《雕菰集》不載。見羅振玉輯印《昭代經師手簡二編》（中央研究院傅斯年圖書館藏）。王引之有否回信，今查羅振玉輯《高郵王氏遺書》（南京市：江蘇古籍出版社，2000年）內的《王文簡公文集》、《王文簡公文集補編》得信四封，皆無關於此。

求是」、「古學」[2]、「說經」等，其中最值得留意的是後者。

二 治經方法的開拓：從小學到天算典制

《四庫摘要》開宗明義在「凡例」中就指出四庫收錄的標準是「說經、論史」、徵實之作。其中，徵實是指「考證精核，辯論明確」，勿需說明。至於史以「論」字為言，應該是指「得其事之本末」以為褒貶之據，表示四庫仍主張史主褒貶的立場，也不難瞭解。至於「經」為何要以「說」字為言，就值得推敲了。《提要》闡釋說：「劉勰有言：意翻空而易奇，詞徵實而難巧。儒者說經論史，其意亦然。故說經主於明義理，然不得其文字之訓詁，則義理自何而推。」[3]明確指出縱使說經的目的在明義理，但「說」乃是推明義理的基礎，最根本的還是文字訓詁。所以儒者「明經」當以「說」字為本色。同樣的，乾嘉道三朝學術領導阮元在面對被指責為考據學、漢學等的譏彈時，也是神態自若的向批評者宣稱他的學問只是「實事求是」、「說經而已」[4]。但是，我們絕不能小看了「說經」這個宣言，也不能狹隘了文

[2] 盧文弨、錢大昕都主張治學「必自實事求是始」。錢大昕識阮元時，亦以「古學相勵」。阮元「揅經室」即慕錢大昕「潛研堂」之名而命之。汪中論乾嘉學術亦以「古學」為言，所舉學者有惠棟、戴震、王念孫、李惇、劉台拱。

[3]〔清〕永瑢、紀昀等：《四庫全書總目提要》（北京市：中華書局，1965年），「凡例」，頁4～5。

[4] 嘉慶十八年（1813）阮元編刻《揅經室文初集》，命弟子張鑑誌其緣起。張鑑詳其輯校義例並言：「師嘗誨鑑曰：修學好古，實事求是，此漢人樸實之學也，難者勿避，易者勿從，此魯師精博之學也。」又：「是以集中說經之文為多，說經之道以平實求其是，言昔人之所難言，而不言所易言。」〔清〕張鑑：《冬青館甲集》（上海市：上海古籍出版社，2002年《續修四庫全書．集部．別集類》，第1492冊）卷5，頁55。十年後（道光三年，1823）阮元刻《揅經室集》，〈自序〉：「余三十餘年來，說經記事，不能不筆之於書。……余之說經，推明古訓，實事求是而已，非敢立異也。」《揅經室集》（香港：香港商務印書館，1957年，《叢書集成初編》本），頁1。可見終其一生皆以「說經」自述其學。事實上戴震也每以「說經」讚譽時人。其〈鄭學齋記〉就讚美王昶：「今之知學者，說經能駸駸進於漢、進於鄭康成氏，海內蓋數人為先倡，舍人其一也。」《戴震全集》（北京市：清華大學出版社，1999年），第5冊，頁2591。

字、訓詁這層工夫。因為經學在清代之所以產生多元發展，就是這個「說」字。

然則，經得如何「說」呢？

在此，我們得先指出一條乾嘉學術發展的線索——以治經方法的開拓為主線，觀察惠棟、戴震以來的發展。

基本上學術界都認為清儒治經的方法是由文字音韻訓詁以明義理，所謂由字通詞，由詞通道。這固然沒錯，而且也是清儒研究經學最重要的基礎功。如顧炎武（1613～1682）倡導「讀九經自考文始，考文自知音始。以至諸子百家，亦莫不然」[5]。豎立起研究古經從古韻入手的基本方法。他在〈音學五書後序〉自述纂輯刊刻此書的艱難，並詳述其編排用意：

> 然此書為三百篇而作也，先之以《音論》，何也？曰：審音學之原流也。《易》文不具，何也？曰：不皆音也。《唐韻正》之考音詳矣，而不附於經，何也？曰：文繁也。已正其音而猶遵元第，何也？曰：述也。《古音表》之別為書，何也？曰：自作也。蓋嘗四顧躊躇，幾欲分之，幾欲合之，久之然後臚而為五矣。嗚呼！許叔重《說文》始一終亥，而更之以韻，使古人條貫不可復見，陸德明《經典釋文》割裂刪削，附注於九經之下，而其元本遂亡。成之難而毀之甚易，又今日之通患也。[6]

具體說明《古音表》的撰寫目的在於發明古韻，通過韻來正讀六經的文字。〈答李子德書〉更具體闡明經「文」與「音」的密切關係：

> 三代六經之音，失其傳也久矣，其文之存於後世者，多後人所不能通，而輒以今世之音改之，於是乎有改經之病。始自唐明皇改《尚書》，而後人往往效之，然猶曰：舊為某，今改某。則其本文猶在

5 顧炎武：〈答李子德書〉，《顧亭林詩文集》（香港：香港中華書局，1976年）卷4，頁72～76。

6 顧炎武：〈音學五書後序〉，《顧亭林詩文集》卷2，頁28～29。

> 也。至於近日鋟本盛行，而凡先秦以下之書率臆徑改，不復言其舊為某，則古人之音亡而文亦亡，此尤可歎者也。……嗟夫！學者讀聖人之經典與古人之作，而不能通其音；不知今人之音不同乎古也，而改古人之文以就之，可不謂之大惑乎？……聞之先人，自嘉靖以前，書之鋟本雖不精工，而其所不能通之處，注之曰疑；今之鋟本加精，而疑者不復注，且徑改之矣。以甚精之刻，而行其徑改之文，無怪乎舊本之日微，而新說之愈鑿也。故愚以為讀九經自考文始，考文自知音始。以至諸子百家，亦莫不然。[7]

所以說「讀九經自考文始，考文自知音始」。

王鳴盛也認為通經必以識字為基，不識字足以敗壞學術：

> 夫學必以通經為要，通經必以識字為基。自故明士不通經，讀書皆亂讀，學術之敗壞極矣，又何文之足言哉。[8]

錢大昕則稱六經者聖人之言，因其言以求其義，則必自訓詁始。義理由訓詁所出：

> 國朝通儒若顧亭林、陳見桃、閻百詩、惠天牧諸先生，始篤志古學，研覃經訓，由文字聲音訓詁而得義理之真……六經者，聖人之言，因其言以求其義，則必自訓詁始。謂訓詁之外別有義理，如桑門不立文字為最上乘者，非吾儒之學也。[9]
>
> 有文字而後有詁訓，有詁訓而後有義理。訓詁者義理之所由出，非別有義理出乎訓詁之外者也。[10]

---

7 顧炎武〈答李子德書〉，《顧亭林詩文集》卷4，頁72～76，。

8〔清〕孫星衍：《問字堂集》（《叢書集成》本）卷首，王鳴盛序，頁178。

9〔清〕錢大昕：〈臧玉林經義雜記序〉，《潛研堂文集》（《四部叢刊》本）卷24，頁218。

10〔清〕錢大昕：〈經籍纂詁序〉，《潛研堂文集》卷24，頁219。

戴震亦謂經之至者道也，所以明道者其詞也，所以成詞者字也。由字以通其詞，由詞以通其道，必有漸。小學是明道的必要途徑：

> 僕少時家貧，不獲親師。聞聖人之中有孔子者，定六經示後之人。求其一經，啟而讀之，茫茫然無覺。尋思之久，計於心曰：經之至者道也，所以明道者其詞也，所以成詞者字也。由字以通其詞，由詞以通其道，必有漸。求所謂字，考諸篆書，得許氏《說文解字》，三年，知其節目，漸覩古聖人制作本始。又疑許氏於故訓未能盡，從友人借《十三經注疏》讀之，則知一字之義當貫羣經，本六書然後為定。[11]

戴震弟子段玉裁且進而稱經義可由字音而得，與炎武之言相契：

> 經之不明，由失其義理。義理所由失者，或失其句度，或失其故訓，或失其音讀，三者失而義理能得，未之有也。[12]
>
> 小學有形、有音、有義。三者互相求，舉一可得其二。有古形、有今形。有古音、有今音。有古義、有今義。六者互相求，舉一可得其五。古今者，不定之名也。三代為古，則漢為今。漢魏晉為古，則唐宋以下為今。聖人之制字，有義而後有音，有音而後有形。學者之考字，因形以得其音，因音以得其義。《周官》六書，指事、象形、形聲、會意四者形也。轉注、假借二者，馭形者也。音與義也，治經莫重乎得義，得義莫切於得音。[13]

王石臞之作《廣雅疏證》也，「以詁訓之旨，本於聲音」，故就古音以求古義，引申觸類，不限形體。復為玉裁《說文解字讀》作序，謂《說文》之為書，以文字而兼聲音訓詁者，段氏作《六書音韻表》，立十七部以綜覈古音，故

---

[11]〔清〕戴震：〈與是仲明論學書〉，《戴東原集》（《四部叢刊》本）卷9，頁98。

[12]〔清〕段玉裁：〈在明明德，在親民說〉，《經韵樓集》（道光元年刊，《經韻樓叢書》本）卷3，頁25。

[13]〔清〕段玉裁：〈王懷祖廣雅注序〉，《經韵樓集》卷8，頁3。

> 《說文解字讀》一書，形聲讀若，一以十七部之遠近，分合求之，而聲音之道大明，於許氏之說，正義借義，知其典要，觀其會通。而引經與今本異者，不以本字廢借字，不以借字易本字，揆諸經義例，以本書有相合無相害也，而訓詁之道大明。訓詁聲音明而小學明，小學明而經學明，蓋千七百年來無此作矣。[14]

王氏之學父子相繼，龔自珍嘗述引之之言曰：

> 吾之學，於百家未暇治，獨治經。吾治經於大道不敢承，獨好小學。夫三代之語言，如燕越之相語，吾為之舌人焉。其大歸用小學說經，用小學校經而已矣。[15]

以上都說明文字音韻訓詁是清儒治經的基本，所謂訓詁明而後義理明。

然則，當我們更仔細的梳理，則發現清儒的治經方法並非僅止於此，在文字音韻訓詁之外，清儒說經還有更豐富的其他方法、其他途徑。盧文弨（1717～1796）就是一個關鍵的轉折人物。他在乾隆三十八年為惠棟《九經古義》寫序，就特別指出惠棟治經的方法，在文字音韻訓詁之外，還注重名物、象數：

> 凡文之義，多生於形與聲。漢人去古未遠，其所見多古字，其習讀多古音，故其所訓詁，要於本旨為近，雖有失焉者，寡矣。唐之為《釋文》、《正義》者，其於古訓亦即不能盡通，而猶閒引其說，不盡廢也。至有宋諸儒出，始以其所得乎天之理，微會冥契，獨闢窔奧，不循舊解。其精者固不可易，然名物、象數、聲音、文字之學多略焉。近世學者安於記誦辭章之習，但知發策決科為務。與之言古訓，駭然以為迂晦而難通，塞耳而不能聽也。嗟乎！此學問之所以日入於靡

[14]〔清〕王念孫：〈段若膺說文解字讀敘〉，《王石臞先生遺文》（《高郵王氏遺書》本）卷2，頁7。

[15]〔清〕龔自珍：〈工部尚書高郵王文簡公墓表銘〉，《龔定菴全集類編》（世界書局刊）頁233。

> 爛，而有終身讀書不識一字之誚也乎！今讀徵君此書，單詞片義，具有證據，正非曲徇古人。後之士猶可於此得古音焉，求古義焉，是古人之功臣而今人之碩師也。為性理之學者，或視此為糟粕。然虛則易歧，實則難假，承學之士，要必於此問塗，庶乎可終身不惑也。[16]

這和戴震在為惠棟寫授經圖時，特別標舉惠棟之學於文字訓詁之外，尤其重視典章制度，有異曲同功之效，都展現了兩人獨特的識力，也因此在乾嘉學術發展上，戴震能集其大成，開創新局面。

盧文弨又在為江寧郡學官錢塘所著《聖廟樂釋律》作序時，回顧康熙年間因考定曆法的一段中西算學之爭，特別討論了康熙對數學以及律呂學的重視，並對乾隆遵循康熙之教，推廣天算之學，大加推揚。特別揭示的用心是：盧文弨認為儒者應當通曉數學與審音。其序曰：

> 大樂與天地相應，故審音與明時無異理也。康熙年間司天者，中西各是其說而不相下，廷臣莫能決。聖祖仁皇帝謂不明其理則何以判其爭，於是專精研求於句股乘除之術，而數學於以大明，於是乎有《儀象考成》之書，而晦朔弦望無不正，合朔中氣無不驗。又推之以定樂，而有《律呂正義》一書，不泥古法，而獨探天地閒之元聲，為發千古未發之秘。今上纘緒，悉遵循之以為準。聖明作述，此誠千載一時之盛也。儒者躬被陶淑之化，而不明其理，不究其數，陽景中天而瞽者不見，震雷動物而聾者不聞，不當引以為深恥乎？[17]

盧文弨嚴厲的指責：儒者不明天文、不通曆算、無法驗證晦朔弦望、無能審音定律，不僅是置天下國家經濟於無睹，也是儒者之恥！所以他主張：「說經之道，貴擇善而從，不可以專家自囿。」[18]呼籲儒者得擴大治經的範圍。

---

[16]〔清〕盧文弨：〈九經古義序〉（癸巳），《抱經堂文集》（北京市：中華書局，2006年）卷2。

[17]〔清〕盧文弨：〈聖廟樂釋律序〉（丙午），《抱經堂文集》卷2，頁10。

[18]〔清〕盧文弨：〈丁小疋杰校本鄭注周易序〉（庚子），《抱經堂文集》卷2，頁11。

盧文弨又在為戴祖啟《春秋五測》作序時，強調天文知識與說解經書的重要性，說：「說《春秋》者之有例，猶夫觀天者之有法也。」

> 揆日之度，察星辰之行，以正時而成歲，必稽其玄焉，必立之法焉，而猶有參錯而難合者，則其立法疎也。故善觀天者不能廢法，而要當使法一稟於自然。此豈幸其一二偶驗而遂謂吾法之盡善，至其不驗，則將強天以求合，是其為不可也不甚明哉！說《春秋》者之有例也，猶夫觀天者之有法也。屬辭比事之為教也遠矣。顧左氏所稱，猶為史官之常例。雖其閒亦有聖人所不易者，然不可即以為聖人之所筆削者盡如此。厥後諸儒之說，莫不知有例，而用之不精，或偏而不全，或常而不變，其蔽往往陷於繚繞破碎，而使經之義轉晦。故法不密，則懸象遲速之度不能必其無差也；例不精，則垂文示教之旨不能必無失也。……昔之人所據以為說《春秋》之例，然者君謂其不盡然，立五測以祛四蔽，不必定出己見，而亦不必固守成說，期於適當而止，君之所以為例者不綦善乎！夫觀天者，至近世而儀器更精，分數更明，故其密合亦遠勝前代。蓋鑒前人之失，而順天以求合不偏守一法以測天。君也因文以見例，不偏執一例以測聖人。其道實有相類者，余是以擬議而為之說如此。君名祖啟，上元人，乾隆二十七年鄉貢士，今為關中書院山長。[19]

盧文弨為段玉裁《說文解字讀》作序時則提到：研治《說文》固然是明經的重要基礎，但不通眾經則不能治一經，更何況許慎之學非僅《說文》，還包括禮樂天道經濟道德，所謂「彰明禮樂而幽通鬼神」，明經訓以推治道。儒者治經的目的不只在明文字音韻，還得擴大到經世濟民的種種制度。

> 「我朝文明大啟，前輩往往以是書提倡後學，於是二徐《說文》本，學者多知珍重。然其書多古言古義，往往有不易得解者，則又或以其難通而疑之。夫不通眾經則不能治一經，況此書為義理事物所統

---

[19]〔清〕盧文弨：〈春秋五測序〉（丙申），《抱經堂文集》卷2，頁17～18。

> 蔇，而以寡聞尠見之胸，用其私智小慧，妄為穿鑿，可乎？」「蓋自有《說文》以來，未有善於此書者。匪獨叔重氏之功臣，抑亦以得道德之指歸，政治之綱紀，明彰禮樂而幽通鬼神，可以砭諸家之失，可以解後學之疑，真能推廣聖人正名之旨，而其有益於經訓者功尤大也。」[20]

若我們綜合觀察，不難看出他的理想是經學與治道相合，包括天象曆法律呂。

三　戴震以降的說經傳統：「說經」的基礎知識

但真能綜匯學諸學成一家理論的還是戴震。事實上，當我們仔細閱讀受戴震影響最深的揚州學派阮元江南學圈的學者著作，不難發現清儒自戴震以降已經形成了一個「說經傳統」。這個說經傳統不僅開啟了「古學」的豐富資源，分判出治經應有的基礎知識，也造就了專門之才，其後又因理論與實踐的高度發展，令這些專門之學展演成獨立的專門學科，對經學宣告獨立[21]。其中最有趣的莫過於：連「說經」本身也成了專門之學，即所謂「經訓之學」，至今不衰。這是經學發展在清代所呈現的一大轉折，也是近四百年學術發展史上的一大轉折，有必要加以表明。

乾隆間，戴震在〈與是仲明論學書〉中有很重要的治學宣言，乃學界皆知之事。不過，學界重視的多是他說「經之至者道也，所以明道者其詞也，所以成詞者字也。由字以通其詞，由詞以通其道，必有漸」一段，並視之為戴震治經明道的方法，甚至用來解釋「訓詁明而後義理明」一語。其實，這種解釋，對瞭解戴震學術造成很大的偏差。因為在這封信中，戴震接下來還有更重要的一大段話，闡釋上面那段話。所謂：

20〔清〕盧文弨：〈段若膺說文解字讀序〉（丙午），《抱經堂文集》卷3，頁33。

21 此即梁啟超最喜言之「附庸蔚為大國」，指文字、音韻、訓詁等學科離經學而宣告獨立。但梁啟超卻並未看出其後竟連「說經」本身也成為一門獨立學科。詳本文結論。

> 至若經之難明，尚有若干事：誦〈堯典〉數行至「乃命羲和」，不知恆星七政所以運行，即掩卷不能卒業；誦〈周南〉、〈召南〉，自〈關雎〉而往，不知古音，徒強以協韵，即齟齬失讀；誦古《禮經》，先〈士冠禮〉，不知古者宮室、衣服等制，則迷於其方，莫辨其用；不知古今地名沿革，則〈禹貢〉、〈職方〉失其處所；不知「少廣」、「旁要」，則《考工》之器不能因文而推其制；不知鳥獸、蟲魚、草木之狀類名號，則比興之意乖。而字學、詁訓、音聲未始相離，聲與音又經緯衡從宜辨。漢末孫叔然剏立反語，厥後考經論韻悉用之。釋氏之徒，從而習其法，因竊為己有，謂來自西域，儒者數典不能記憶也。中土測天用句股，今西人易名三角八綫，其三角即句股，八綫即綴術，然而三角之法有窮，必以句股御之，用知句股者，法之盡備，名之至當也。〈管〉、〈呂〉言五聲十二律，宮位乎中，黃鐘之宮四寸五分，為起律之本。學者蔽於鐘律失傳之後，不追溯未失傳之先，宜乎說之多鑿也。凡經之難明，右若干事，儒者不宜忽置不講。僕欲究其本始，為之又十年，漸於經有所會通，然後知聖人之道，如縣繩樹槷，毫氂不可有差。[22]

這段話在我看來，戴震所欲指出的根本就是「說經的基礎知識」，包括：天文、曆法、古音韻、名物、制度、地理、九數、樂律、古動植物知識等。換言之，欲治經學，必須先具備這些基礎知識，不明文字音韻訓詁固然不足以治經，同樣的，不明天文、曆法、名物、制度、地理、九數、樂律、古代動植物知識等，也不夠資格治經！戴震清楚的認識到經書所記載的是古代人類的生活文化事實，蘊含豐富的自然人文記錄，面對這兩三千年前的文獻，他發現經之難明絕不單是文字音韻的問題，還包括了自然環境、生活方式的種種變遷。所以他要在由字通詞之後，緊接著舉出這些非文字所能包括的「難明」「若干事」，進一層說明「明經」除了文字、音韻之外，還得具備各種

[22]〔清〕戴震：〈與是仲明論學書〉，信中聲稱他的治學方法乃「自得」之，並無師承。《戴震全集》，第5冊，頁2587～2588。

「技藝性的實用知識」。

這封信寫於乾隆十八年（1753），戴震《經考》完成後。次年，戴震避仇入都，結識錢大昕、秦蕙田、紀昀等一般新科進士，所著諸書也被冠以「精博」、「奇才」之美譽，廣受學界推崇[23]。次年（1755），紀昀即為戴震序梓《考工記圖》[24]。戴震在〈自序〉中，又一次清楚的表明明經所必須具備的基礎知識。言：

> 立度辨方之文圖，與《傳》、《注》相表裏者也。自小學道湮，好古者靡所依據。凡《六經》中制度、禮儀，覈之《傳》、《注》，既多違誤，而為圖者，又往往自成詰詘，異其本經，古制所以日就荒謬不聞也。舊《禮圖》有梁、鄭、阮、張、夏侯諸家之學，失傳已久，惟聶崇義《三禮圖》二十卷見於世，於《考工》諸器物尤疏舛，同學治古文辭，有苦《考工記》難讀者。余語以諸工之事，非精究少廣旁要，固不能推其制以盡文之奧曲。鄭氏《注》善矣，茲為圖，翼贊鄭學，擇其正論，補其未逮。圖傳某工之下，俾學士顯白觀之。因一卷書，當知古六書、九數等，儒者結髮從事，今或皓首未之聞，何也？[25]

《考工記圖》談「立度辨方」，是名物度數方面的記載。這篇〈序〉文中值得留意的有幾點：其一，戴震把「圖」的地位舉高到和「傳」、「注」等同，指出圖錄的重要性和秦漢以降的文字載錄相當。要確實讀懂文本必須先瞭解

23 在《潛研堂集》前言提到錢大昕識拔戴震一事。乾隆十九年，三十三歲的戴震還只是秀才，「策蹇至京師，困于逆旅，人皆以狂生目之，幾不能供饘粥。獲交於錢少詹大昕，稱為天下奇才。秦文恭公纂《五禮通考》，求精於推步者，少詹舉君名，文恭延之」（《漢學師承記》「戴震」）。之後，錢大昕又在紀昀、王鳴盛、朱筠這班同年進士中間為戴震延譽，「于是海內皆知戴先生矣」（《潛研堂文集》卷39〈戴先生震傳〉）。

24《考工記圖》在北京市受到紀昀等人熱切重視，和乾隆修纂三禮的學術環境有密切關係。參考拙書：《十八世紀禮學考證的思想活力》，第一章，「三禮館與學風初變」，頁55～61。

25〔清〕戴震：〈考工記圖序〉，《戴震全集》，第2冊，頁707。

圖錄，令圖錄的解讀發展成一重要的解經輔助工具[26]。其二，他進一步說明：欲解讀圖錄，必須從古六書、九數的基本知識入手。何謂六書九數？據《周禮．地官．司徒下》：「養國子以道，乃教之六藝：一曰五禮、二曰六樂、三曰五射、四曰五馭、五曰六書、六曰九數。」蓋六書、九數是古代保氏教弟子的學習內容。所謂六書是指：象形、會意、轉注、處事、假借、諧聲，六種造字之本。九數是：方田、粟米、差分、少廣、商功、均輸、方程、贏不足、旁要，九種算術的方法[27]。這些原本是古代王公子弟八歲成童即開始學習的基本知識，到後世卻成了皓首也未明曉之難事。所以戴震得說：「群經六藝之未達，儒者之恥。」「然舍夫道問學，則惡可命之尊德性？」他所說的六藝，在此，是指古六書、九數之學；他所謂的道問學，在此，也是指這些技藝之學。其三，得留意的是，戴震為「六藝」和「小學」作了新的界定。《考工記圖序》說：「自小學道湮，好古者靡所依據。」細讀戴〈序〉全文，不難發現，這裏所謂的小學，顯然不是朱熹所說的灑掃、應對、進退；也不是但指文字、聲韻、訓詁，如吾人今日所謂之小學；而是包括了六書、九數等治經所應具備的技藝性基本知識。至於六藝，則是指《周禮．地官．司徒下》所言禮、樂、射、御、書、數六種教學科目，而非六經。至此，我們可以清楚看出，戴震的明經方法絕對不是單一的由字通詞、由詞通道。事實上，六書九數所蘊藏的豐富古代天文、地理、曆法、算術、動植物及典章、名物、制度等等都是明經之士所當從事的學問，這才是戴震所謂的「明經之事」(「經之難明，尚有若干事」)。

四　從工具知識到專門之學

戴震所揭示的說經途轍，在淩廷堪為他所寫的〈行狀〉中有進一步闡

---

[26]「以圖解經」在清代蔚為風氣，不僅以圖解經，也以圖解名物、制度、水地。作品極多，值得作專題研究。

[27]《周禮》，收入《十三經》(上海市：上海書店，2001年)，上冊，頁383。

揚：

> 昔河間獻王實事求是。夫實事在前，吾所謂是者，人不能強辭而非之，吾所謂非者，人不能強辭而是之也，如六書、九數及典章制度之學是也；虛理在前，吾所謂是者，人既可別持一說以為非，吾所謂非者，人亦可別持一說以為是也，如理義之學是也。[28]

淩廷堪私淑戴震，一生致力於典章制度之學，在乾嘉間以精通音律、禮經、天文、三角幾何、制器和史學聞名，與焦循、李銳被稱為「談天三友」[29]。淩廷堪這篇〈行狀〉較諸當時其他人所寫之同類文章，有幾個要點值得說明。首先，他把戴震所述惠棟的治學理念典章制度轉成戴震的治學理念，又結合了六書九數，令六書九數和典章制度儼然成為實事求是理念的具體內容。其次，他在介紹戴震的學術成就時，完全以專門分科的方式來陳述。首先，淩廷堪把戴震學術大分為三項：小學、測算、典章制度；小學之下又細分：故訓、音聲，且特別闡述戴震四體二用的文字學理論；測算之學之下又細言：黃極、月道、鉤股。此外，又歸納出戴震的理義之書、地理之學（包括水、地之學）等。其次，論述戴震之學的後傳時，也是以專門之學的方式，分門系屬。他說：

> 先生卒後，其小學之學，則有高郵王給事念孫，金壇段大令玉裁傳之。測算之學，則有曲阜孔檢討廣森傳之。典章制度之學，則有興化任御史大椿傳之。皆其弟子也。[30]

---

[28]〔清〕淩廷堪著，王文錦點校：〈戴東原先生行狀〉，《校禮堂文集》卷35，頁317。

[29]〔清〕阮元言：「焦理堂，江都人，樸厚篤學、邃於經義，尤精於天文步算。與李尚之、淩次仲為談天三友。」詳氏記：《定香亭筆談》（香港：香港商務印書館，1957年，《叢書集成初編》本）卷4，頁166。也有以焦循、李銳、汪萊為談天三友者。參考洪萬生：〈談天三友焦循、汪萊和李銳——清代經學與算學關係試論〉，詳氏主編：《談天三友》（臺北市：明文書局，1993年），頁43～124。

[30] 淩廷堪又言：「先生之學，無所不通，而其所由以至道者則有三：曰小學，曰測算，曰典章制度。」同註11，頁313，所論學術分門及成就，詳頁313～316。

其後至晚清，學界凡論述戴學之流傳，幾乎都沿用了這種形式。

這種以專門之學的分列方式介紹戴震學術，在當時正逐漸成為共識。戴震死後書寫其生平學行者甚多，我們可試舉例，並觀察證明專門之學正逐漸成為一種說明學問傳衍的模式。

金榜（雍正十三年〔1735〕～嘉慶六年〔1801〕）所撰〈戴先生行狀〉是諸多傳誌中最翔實的一篇。他最特別的是，引用了戴震〈與是仲明論學書〉「經之難明，有若干事」的一大段文字，來闡揚戴震學術的「專門」取向。並解釋說：

> 凡經之難明了有此數事，先生日夜孳孳，蒐集比勘，凡天文、曆算、推步之法，測望之方，宮室衣服之制，鳥獸、蟲魚、草木之名狀，音和、聲限古今之殊，山川、疆域、州鎮、郡縣相沿改革之由，少廣、旁要之率，鐘實、管律之術，靡不悉心討索。知不可以雷同剿說，瞻涉皮傅。……年二十餘而五經立矣。[31]

王昶（雍正二年〔1724〕～嘉慶十一年〔1806〕）所撰〈戴東原先生墓誌銘〉也引出了這段話，還溯源似的說明戴震所治若干專門之學，與同縣前輩江永（康熙二十年〔1681〕～乾隆二十七年〔1762〕）之學十分相契，如：鐘律、聲韻、步算、地理，表明這種治經重專門的學術現象乃清初以降學界的共同走向。言：

> 本朝治經者眾矣，要其先之以古訓，析之以群言，究極乎天地人之故，端以東原為首。昔韓昌黎銘施士丐，柳子厚表陸淳，皆稱先生。蓋以經師為重。今竊取是例，以示張君，俾刻於幽竁。[32]

王昶舉韓愈和柳宗元的例子稱戴震為「先生」、為「經師」，可謂公然肯定了戴震治經方法在清學上的圭臬意義。王昶是阮元在西湖建詁經精舍時，與

31〔清〕洪榜：〈戴先生行狀〉，《戴震全集》，第6冊，附錄二，頁3381。

32〔清〕王昶：〈戴東原先生墓誌銘〉，《戴震全集》，第6冊，附錄二，頁3439～3440。

孫星衍同時聘請之精舍講席，足見阮元對其學術識見之肯定。觀察精舍的教學內容：十三經、三史疑義、小學、天文、地理、算法、詞章；可見專門之學在乾嘉以降蔚為風氣，源流、脈絡歷歷可尋。

與此同時，錢大昕在總結戴震學術貢獻時，雖未引這段文字，但也是用專門之學的方式來介紹戴學。他的歸納是：禮經、制度、推步、天象，聲音、文字、訓詁、水地等[33]。目類較前者更細。

江藩所撰《漢學師承記》也是重要指標之一。以下試歸納該書所舉人名與學門，以現其歸類[34]。

> 江藩：明象數制度之原，聲音訓詁之學。（頁34）
>
> 閻若璩：精於地理之學。（頁69）
>
> 顧祖禹：地理之學。（頁114）
>
> 惠棟：又因學《易》而悟明堂之法。（頁184）
>
> 錢大昕：精研古經義聲音訓詁之學，旁及壬遁太乙星命。（頁273）
>
> 說經之大略，至於辨文字之詁訓，考古今之音韻，以及天文輿地，草木蟲魚，散見於文集《十駕齋養新錄》者。（頁277～313）
>
> 錢大昕從子錢塘：於聲音、文字、律呂、推步之學，尤有神解。（頁325）
>
> 錢坫：精於小學。在畢沅幕中，與方子雲、洪亮吉、孫星衍討論訓故輿地之學。（頁329）
>
> 王昶：從惠棟遊，講求聲韻訓故之學。（頁336）
>
> 王昶弟子袁廷檮：精於讎校，邃深小學。（頁382）
>
> 王昶弟子李威：深於六書之學。

---

[33] 錢大昕：〈戴先生震傳〉，稱戴震為「奇才」。《戴震全集》，第6冊，附錄二，頁3429。阮元序錢大昕學術時也分十種：人倫師表、道德性理、經學、史學、天算、地理、小學、金石與職官、詩古文詞。詳阮元：〈《十駕齋養新錄》序〉，收入陳文和主編：《嘉定錢大昕全集》（南京市：江蘇古籍出版社，1998年），第7冊，頁1～2。

[34] 以下引文根據漆永祥：《漢學師承記箋釋》（上海市：上海古籍出版社，2006年），頁數隨引文標明於後。

孫星衍：訓詁、輿地及陰陽五行之學。（頁433）

江永：長於步算、鐘律、聲韻。（頁476）

盧文弨：精於讎校。（頁566）

汪萊：深於經學……尤善曆算，通中西之術。（頁627）

論學推許戴震與程瑤田的汪元亮：六書之學。（頁631）

郝懿行：著有《山海經注》，乃實事求是之學，若近世摽竊膚淺者，豈可同日而語哉！（頁674）

許鴻磐：深於輿地之學。（頁676）

陳厚耀：精於曆算，有《春秋長曆》十卷，於考證之學尤為有裨。（頁690～691）

江德量：為聲音訓詁之學。（頁708）

淩廷堪：至於聲音、訓故、九章、八線，皆造其極而抉其奧。（頁770）

焦循：聲音、訓詁、天文、曆算，無所不精。（頁774）

楊大壯：精於曆算、律呂之學。（頁777）

嘉慶十七年（1812），汪喜孫（乾隆五十一年〔1786〕～道光二十七年〔1847〕）受江藩之命為該書作「跋」，就直接指出乾嘉學術的特色是「專門之學」。言：

> 國朝漢學昌明，超軼前古，閻百詩駁偽孔，梅定九定曆算，胡朏明辨《易》圖，惠定宇述漢《易》，戴東原集諸儒之大成，裒然著述，顯於當代。顓門之學，於斯為盛。至若經史詞章，金石之學，貫穿勃穴，靡不通擅，則顧寧人導之於前，錢曉徵及先君子繼之於後，可謂千古一時也。[35]

汪喜孫承繼乃父汪中之學，又與前輩師友論學往還頻繁，識見亦頗不俗。這篇跋很可以看出他對乾嘉學術的評斷頗類似龔自珍，所謂專門之學，兼含專

[35]〔清〕汪喜孫：〈《漢學師承記》跋〉，《漢學師承記箋釋》，頁872～873。

經、史學、詞章、金石、曆算云云，並不拘限於兩漢經學而已。

五　結論

清儒的治學方法以考據稱謂是否妥當？縱使稱考據，然所考所據者又竟是何種學問？其具體知識內容為何？確實是值得深入探索的議題。學術界以考據學或考據方法稱呼清學已有七、八十年了，這種偏見使學術界落入抽象的方法討論，而忘卻清儒治學其實用的是很具體的技藝性知識（當然，他們後來都發展成專門之學了），而且相當豐富。戴震後學焦循在論及治學途徑時也說：

> 經學者，以經文為主，以百家子史、天文術算、陰陽五行、六書七音等為之輔。彙而通之，析而辨之，求其訓故，核其制度，明其道義，得聖賢立言之指，以正立身經世之法。[36]

展現他和戴震相承繼的說經傳統。

戴震所言經之難明若干事，不僅指出經書所蘊含的豐富知識內容，廣開名物度數之學，也令此後的治學導向專門。但戴震的原意畢竟是教人研治六書九數以求經之至道、作為修身之本、經世之資，從方法到目標，有其一貫的「成人、成學」之理念，絕非但啟人以專門知識而已。其後，阮元領導的大規模編書輯書工作，尤其編《疇人傳》，最能彰顯戴學的理念。我們不妨再讀讀他的「序」：

> 《疇人傳》，綜算氏之大名，紀步天之正軌，質之藝林，以稔來學，俾知術數之妙，窮幽極微，足以綱紀群倫，經緯天地。乃儒流實事求是之學，非方技苟且干祿之具。有志乎通天地人者，幸詳而覽焉。[37]

---

[36]〔清〕焦循：〈與孫淵如觀察論考據著作書〉，《雕菰集》（《叢書集成》本）卷13，頁212。

[37]〔清〕阮元：〈疇人傳序〉，《疇人傳》（臺北市：臺灣商務印書館，1955年），頁1～2。

阮元一面慨嘆「六藝道湮」，一面說明迎日、推策乃皇帝以來「帝王之要道」，「術數窮天理，制作謀造化。儒者之學，斯為大矣」。所以，技藝之學絕非單純的技術而已，它和大道有「作法、立論」的關係，後儒小看了技術之學是一大錯誤，而割裂了技藝和大道的關聯，更是錯誤。本文只是粗略的勾勒了一個大要，會議之後還要更仔細的梳理出這個說經傳統的吳皖揚常學術脈絡。近幾年，本人致力於研究近代中國知識轉型，尤其重視探討傳統學術的分化，清三百年學術發展進程中，所呈現的專門之學的逐漸建立，正是傳統學術轉型的有力證據，其豐富性有待開發。

江永與戴震學術關係研究

——以《詩經》學説為討論範圍

蔡根祥*

一 前言

清代學者戴震，是乾嘉學術的巨擘，對於考據、自然科學及思想上，均能極深研究，開拓門徑，獨樹大纛。王昶嘗云：「本朝之治經者眾矣，要其先之以古訓，折之以群言，究極乎天地人之故，端以東原為首。」[1]其推許之辭，可謂十分崇高的。

戴震的學術雖然自有所得，而深造上遂的發展，是啟迪自婺源江永的，這一點，學者大都確認以為真實。然而，江永與戴震之間，到底關係如何，則成為清末以來一宗學術公案。之所以有這樣懷疑討論，主要是緣於戴震平生著述中，雖然對江永推崇有加，而從未稱江永為師，或自己承認是江門弟子。不單只如此，戴震還曾經直稱江永為「吾郡老儒」；這樣實在令學者感到疑惑。

對於這個論題，其實可以分為兩個層面來討論的：第一層是江永與戴震之間，是否有師生關係？如果沒有，當然就不需要再進一步的討論，如果是「師生」關係，那才要探討第二層，是戴震到底有沒有「背師」？這一層的問

---

* 高雄師範大學經學研究所。

[1] 見〔清〕王昶：〈戴東原先生墓誌銘〉，《戴東原先生全集》（臺北市：大化書局，1978年），總頁66。

題包括「背師」事件所指的是什麼？「背師」事件的定義與理解如何？

戴震「背師」的討論，起因有三點：

第一是與校《水經注》案有關。魏源（1794～1857）在〈書趙校《水經注》後〉一文的末尾，指出說：

> 戴為婺源江永門人，凡六書、三禮、九數之學，無一不受諸江氏，有同門方晞所作〈群經補義序〉稱曰「同門戴震」可證。及戴名既盛，凡己書中稱引師說，但稱為「同里老儒江慎修」，而不稱師說，亦不稱先生；其背師盜名，合逢蒙、齊豹為一人。則攘他氏之書（指趙一清所校《水經注》），猶其罪之小者也。[2]

王國維（1877～1927）在所著〈聚珍本戴校水經注跋〉一文中，也提出相同的看法說：

> 東原學問才力，固自橫絕一世。然自視過高，鶩名亦甚；其一生心力，專注於聲音、訓詁、名物、象數，而於六經大義，所得頗淺。晚年欲奪朱子之席，乃撰《孟子字義疏證》等書，雖自謂欲以孔、孟之說還之孔、孟，宋儒之說還之宋儒，顧其書雖力與程、朱異，而亦未嘗與孔、孟合。其著他書，亦往往述其所自得，而不肯言其所自出。其生平學術出於江慎修，故其古韻之學，根於等韻，象數之學根於西法，與江氏同；而不肯公言等韻、西法，與江氏異。其於江氏，亦未嘗篤在三之誼，但呼之曰「婺源老儒江慎修」而已。其治酈書也亦然。[3]

---

[2]〔清〕魏源：〈書趙校水經注後〉，《魏源集》（北京市：中華書局，1976年），上冊，頁226。此文原載於周壽昌（1841～1884）《思益堂日札》（上海市：上海古籍出版社，1997年，《續修四庫全書》，第1161冊）卷5，頁6，總頁421。文字與《魏源集》小異。

[3] 王國維：〈聚珍本戴校水經注．跋〉，《觀堂集林》（臺北市：河洛圖書出版社，1975年）卷12，頁33，總頁580。此書乃影印中華書局1959年版，頁同。

魏源、王國維對戴震的指責，是因為校《水經注》一事而發，他們進而根據戴震對江永的態度，否認自己的學術實際出於江永，連這樣的「背師」行為都不惜為之，從而推證戴氏因襲趙一清校《水經注》的可能性。

第二是戴震在著作裏，稱江永為「吾郡老儒」。這個稱謂有異於吾人對業師的稱呼，被解讀為對老師的不敬與「諱言其師」。前述魏源、王國維兩人都引用這一現象來指謫戴震對老師的不敬與背離。考查戴震對江永的稱呼，並非全部都稱之為「吾郡老儒」的。

蒐檢戴震的著述、文集之中，從未發現戴震稱江永為「師」的。戴氏凡是有論及江永或引述江永言論的地方，大都稱為「江先生」，或者也稱「江昚齋先生」，而且是早年的著作為多，而未見到有「吾師」、「先師」等的稱呼，這造成了江、戴二人的師生關係顯得模糊。而有三處的稱呼頗異於平常，令人懷疑兩者之間師生關係是否存在，甚至被理解為戴震「諱言其師」。

在戴震於乾隆二十八年所撰的〈顧氏音論跋〉中，戴震稱江永為「江丈」。文章最後云：「余別有辨正，見〈答江丈論小學書〉，玆不具論，論其尤關音韻。」[4]此處所稱「江丈」就是指江永。

另兩處就是魏源、王國維所說的，均稱江永為「吾郡老儒」：一在《聲韻考》卷三中，稱「吾郡老儒江慎修永據三百篇為本，作《古韻標準》」[5]。而另外一處在戴震為段玉裁《六書音均表》所撰的序文裏，文中說：「吾郡老儒江慎修永於〈真〉已下十四韻，〈侵〉已下九韻，各析而二。」[6]

稱江永為「江丈」，一般解讀為僅是晚輩對長輩的平常尊稱，不能顯示有「師生」關係；而稱江永為「吾郡老儒」，則多被解讀為戴震不尊江永為

---

4 戴震：〈顧氏音論跋〉，《戴東原集》卷4，《戴東原先生全集》（臺北市：大化書局，1978年），頁27，總頁1054；中華書局1980年版，頁88。乾隆二十八年（1763）是年為戴氏入京九年之後。

5 戴震：《聲韻考》，《戴東原先生全集》卷3，頁3，總頁761。此書亦見《續修四庫全書》，第244冊。《聲韻考》撰成於乾隆三十一年（1766）。

6〔清〕戴震：〈六書音均表．序〉，《戴東原集》卷10，《戴東原先生全集》，頁9，總頁1106。是篇序文撰於乾隆四十二年（1777），即戴震去世之年。

師，且心存輕慢；這一來，為戴氏招至後來學者對他的嚴厲指責。

第三是在流傳的戴震著作中，從未有一處是戴震直接稱江永為「吾師」、「先師」的。連戴震的得意門人段玉裁所作《戴東原先生年譜》中，都沒有明確說戴震曾經拜入江永門下，只有少數同時或者後來的學者，則說戴氏確實曾經拜入江永之門，由是可見戴氏有意「諱師」江永。

嘉慶、道光年間，有張穆（1805～1849）其人，曾經為戴震早年在徽州求學的同窗方晞原的兒子寫了篇〈方牧夫先生壽序〉，序文說：

> 徽州山盤水交，實產魁儒。本朝婺源江氏，始以樸學為後進倡；一時從游，卓然深造有稱於世者三人：曰東原戴氏，曰檠齋金氏，其一則晞原方氏也。檠齋撰述未竟而歿；東原抗心自大，晚頗諱言其師；而晞原先生終己命為江氏之徒無異詞。[7]

可見戴震去世之後，對他生平行事有批評的聲音，已經出現。而在戴震所曾交往的學者名流之中，如錢大昕、王鳴盛、朱筠、紀曉嵐等人的文集、傳記中，很少記及江永與戴震之間，存在正式的師生關係。戴震在乾隆二十年（1755）進京，當時就結交了錢大昕等人。錢大昕為戴震入都之後的第一位學術相交的知己，不但為他宣揚名聲，還引見給其他同在京師的名人學者，因而得以結交紀昀、盧文弨、朱筠、王昶諸人。經過戴震的闡述與介紹，眾多學者對江永的著作與學問，得到更深入的瞭解；而在江永去世之後，錢大昕還受戴震之請，為江永作傳記，而在傳中對江、戴二人之關係，則只說是「忘年交」[8]。後來，錢大昕在戴震身後也為他作傳，而傳中也只說戴震是「少從婺源江慎修游」而已[9]，而不說戴震為江永的弟子。

---

[7]〔清〕張穆：《㞐齋文集》（上海市：上海古籍出版社，1995年，《續修四庫全書》影印清咸豐八年祁寯藻刻本，冊1532）卷2，頁17，總頁264。

[8]〔清〕錢大昕：〈江先生永傳〉，見《潛研堂文集》卷39，《嘉定錢大昕全集》（南京市：江蘇古籍出版社，1997年），第9冊，頁668。

[9]〔清〕錢大昕：〈戴先生震傳〉，見《潛研堂文集》卷39，頁671。又見於《戴東原先生全集》，總頁60。

段玉裁為戴震最得意的門生，曾為戴氏編定年譜，因此，段氏應該是對戴震瞭解最深的人，才能將年譜寫得那麼詳盡。而在年譜之中，段氏對江、戴的交往關係，非但不加詳述，甚至一點也沒有顯示二人之間存在著師生關係的線索。這一現象可以說明段玉裁對江、戴關係，是不知道二人之間有師生關係的，這是相當不可思議，而且難以理解的。這只有兩種可能性：其一是段玉裁確實不知戴震早年曾拜入江永之門，戴震從來就沒有對他說過；其二可能是段玉裁雖然可從其他地方聽說有這一關係，但是沒有經戴震親口說出，所以不能相信。然而無論是哪種可能性，都說明戴震從來就沒有跟段玉裁親口談到自己與江永是師生授業的關係。

又有余廷燦其人（1730～1798），籍貫長沙，是戴震學術的愛好者，雖然從未跟戴震謀面，他在戴震去世之後十餘年，抵達京師，唯恐戴震之學，日久失墜，所以到處打探戴震的事蹟[10]，特別收集相關資料，撰寫了〈戴東原先生事略狀〉一文；其中談到江永與戴震之關係，他只是說：「初，君與其同郡鄉先生江慎修永相講貫，友善。」[11]余氏還撰寫過〈江慎修永傳〉，對江、戴之間學術關係，作平等的敘述說：「自江永以注疏之學傳經，一時戴東原震，亦以《說文》、《爾雅》之學起休寧，若宮商應合，於是漢經師碩儒，授受微言，遂大顯於世。」[12]由此可見，余廷燦實在不知江永、戴震是有學術師生關係的。由此推而知之，在戴震去世之後十餘年中，京師裏曾跟戴震往來交遊的學者，鮮少有人知道江永與戴震之間的密切關係。這只能推估是因為戴震到京師之後，對自己曾師事江永一事，一直三緘其口，祕而不宣。

章學誠是另外一位可以觀察的學者。章氏雖然比戴震晚生十多年，而他在戴震去世之後二十年中，仍然在世。章學誠對戴震的學術非常關注，而且

---

[10]〔清〕余廷燦：〈戴東原先生事略狀〉，《戴震文集．附錄》（北京市：中華書局，1980年），頁275。文中說：「後君之死十有二年來京師，從士大夫之後，日聞君之學與君之人。」

[11]〔清〕余廷燦：〈戴東原先生事略狀〉，《戴震文集．附錄》，頁255。

[12]〔清〕余廷燦：〈江慎修永傳〉，《存吾文稿》（《續修四庫全書》集部，冊1456）。

他對戴震的評價是有褒有貶，而且是貶的多。章學誠雖推許戴震的學術成就，但對戴氏的「心術」卻嚴厲地加以指責。如章氏在〈與史餘村〉書裏說：「戴氏學術，雖未通方，而成家實出諸人之上，所可惜者，心術不正，學者要須慎別擇爾。」[13]又在〈答邵二雲書〉中說：「惟僕知戴最深，故勘戴隱情亦最微中，其學問心術，實有瑕瑜不容掩者……戴氏之言，因人因地因時，各有變化，權欺術御，何必言之由中。」[14]以章學誠對戴震的批判態度，如果得知江永本為戴震的老師，而在進京之後卻諱言師門，這對章學誠批判戴震心術不正，應該是最好不過的口實，豈能不大加撻伐呢？可見連章學誠也不知道江永與戴震間的關係。

以上種種現象，都讓人不得不懷疑戴震對於自己曾拜入江永之門這件事上，有刻意隱瞞的行為，而且加上他對江永的稱呼為「吾郡老儒」，這就促成了後世學者對戴震評價，認為有「背師」之嫌。

二　江永與戴震關係之探討

歷來學者對於這個問題，有三種不同的看法：就江永與戴震間是否有「師生」關係這層而論，正反兩面的主張都有：以為江永與戴震之間，交誼只是在師友之間，未曾正式著籍稱弟子；許承堯（1874～1964）主張這一種說法[15]，而後來余英時也贊同這一說[16]。而認為江永與戴震之間，確實存在著拜師入門的師生關係的，又可以分為兩種解讀法：其一是戴震在晚年不再

13〔清〕章學誠：〈與史餘村〉，見錄於余英時：《論戴震與章學誠》（臺北市：華世出版社，1977年）附錄四：《章氏遺書．逸篇》，頁307～308。

14〔清〕章學誠：〈答邵二雲書〉，見錄於余英時：《論戴震與章學誠》附錄四：《章氏遺書．逸篇》，頁309～310。

15 其說見於許承堯在〈戴東原先生全集．序〉，《戴東原先生全集》，總頁4～5，請參看。

16 參見余英時：〈戴震的經考與早期學術路向——兼論戴震與江永的關係〉一文。該文收錄於氏著：《論戴震與章學誠》，頁164～183。其後主張這一說的，多引用余英時的論述。

尊敬江永，戴氏確實有「背師」的事實；持這一種論調的，有張穆、魏源、王國維等都是，前文已經陳述，不再贅言。其二是雖然認為戴震的確是江永門下弟子，而戴震對於江永是始終敬禮的，主此說的以胡適為首[17]，李開亦持論相同[18]。

以上的三種看法裏，從今天看來，主張江永與戴震之間，情誼在師友之間，戴震並未正式拜入江永之門的這種看法，已經不能成立了。因為發現了確實的資料，證明戴震自己也親口承認江永是他的「老師」。

二〇〇四年八月，大陸長年研究乾嘉學術史的學者漆永祥先生，在上海圖書館訪尋古籍，發現該館藏有吳縣潘氏寶山樓鈔本江永《善餘堂文集》一冊，其中除了收錄了江氏的二十餘篇的著作之外，書末還附有一篇戴震的文章，內容是為祝賀江永七十歲大壽的賀文。漆先生於二〇〇五年在《中國典籍與文化》第一期中，發表了〈新發現戴震佚文—江慎修先生七十壽序〉一文[19]，將他的發現全文刊登。這一篇壽序，明確表明戴震與江永之間，實有正式拜師入門的「師生」關係。全文如下：

經學之難，或一代數人，或千年一人。若漢之鄭康成，宋之子朱子，

---

[17] 胡適曾因為戴震平反《水經注》抄襲案，所以也撰寫〈戴震對江永的始終敬禮〉一文，原刊於《經世日報．讀書週刊》第3期，1946年8月28日，後收入《胡適手稿》（臺北市：胡適紀念館，1966年）第一集，上冊卷1，頁29～30。胡適在文中論說：「東原二十歲始從江慎修問學。我們看他從二十四歲到五十四歲，從少年到他臨死，提到慎修，都稱『江先生』。……只兩處敘述古音的歷史，說鄭庠、顧炎武、江永三個人的古韻分部，因為作歷史的記載，特別用『吾郡老儒江慎修永』的稱呼。……我請一切讀書的人細讀這兩段歷史敘述，請問這一句『吾郡老儒江慎修永』有一絲一毫不恭敬的意思嗎？於亭林則直稱『崑山顧炎武』，於慎修則特別尊稱為『吾郡老儒江慎修永』，這不是特別表示敬意嗎？『吾郡老儒』豈不等於說『吾郡的一位老先生』嗎？」

[18] 李開：《戴震評傳》（南京市：南京大學出版社，2006年6月）第一章，頁16～18。基本上引用胡適的說法立論。

[19] 漆永祥：〈新發現戴震佚文——江慎修先生七十壽序〉，《中國典籍與文化》2005年第1期，頁122～123。

其學皆殊絕之學，其人皆亙古今不可無一，不能有二之人。然而竊猶有憾者，鄭氏之學，無所不通，一洗專門固陋之習，唐賈、孔諸儒為疏義，猶或有未盡，中朱子接鄒魯，下繼濂洛，理精義明，群言有所折中。而踵其學者，或鮮博物考古之功，非學力之有所限，蓋能兼之難也。**吾師**江慎齋先生，生朱子之鄉，上溯漢、唐、宋以來之絕學，以六經明晦為己任。震少知向慕，既數年，始獲一見；又數年，**始拜先生於吾邑之斗山；所讀諸經，往來問難，承口講指畫，然後確然見經學之本末**。既而先生就館本邑，未能從學，深悵恨焉。

震之愚，固不能窺先生之萬一，又未獲盡讀先生之書，所得讀者有《禮書綱目》、《周禮舉要》、《禮記擇言》、《律呂新義》、《深衣考誤》、《近思錄集注》及《古韻標準》、《切韻表》、《推步法解》、《翼梅》數種。博大精微，不可涯涘。《禮書綱目》前大中丞趙公暨禮館所抄者，特其梗概，先生尚欲博採眾說而論定之，卒朱子晚年之志。《律呂新義》一書，積數十年精思，始悟有自然理數，寓於河洛之中，獨取《管子》、《呂覽》之言，與聖祖仁皇帝論樂之旨吻合。史遷以下，凡言黃鍾最長者，皆不明中聲之理，有體無用，發千古所未發，猶恨不能起朱子及蔡西山而質之。

先生之在都中也，三禮館諸公服其精核，咸就商榷，先生隨問隨答，震親見其筆札數百條，發微訂誤；宜吾邑程中允、荊溪吳編修經術最邃者，皆以真吾師目之。先是有《四書典林》，聊救制義家杜撰不根之弊，趙撫軍序而刻之，幾於家有其書矣。而其有關經學之大者，藁存篋笥，未能盡問世，當必有知音者，廣為傳之。

震少覽近儒之書，所心折服者數人，劉原甫、王伯厚之於考覆，胡朏明、顧景範、閻百詩之於《水經》、地志，顧寧人之於古音，梅定九之于步算，各專精一家；先生之學力思力實兼之，皆能一一指其得失，苴其闕漏，著述若此，古今良難。

今聖主崇經學，特下明詔，博採通經之士，邑侯陳公以先生為首薦，

> 先生堅辭，不獲已，但以所著書目報去[20]，且致書與震，言「馳騖名場非素心」，又自謂生平撰著，得之午夜被中、白晝几上為多，兀兀窮年，不知老至，能知者鮮，亦不求人知，蓋先生之所造至深而自信者審矣。
>
> 今年七月十七日，先生七十大慶，蓋非尋常稱頌之辭可擬諸形容者，是以一切膚語，概從芟略，直舉**及門以後**所知與先生所自言者書之。自茲以往，年益高，學益進，自有不朽大業，藏名山，留宇宙；作朋三壽，何足為先生侈陳哉。乾隆十五年，歲在上章敦牂，月律中夷則[21]，**門人戴震**頓首再拜撰。[22]

該文寫於乾隆十五年（1750）七月，對江永的學行推崇備至，以為能身兼朱熹以來諸儒的各種專業而集其大成。文中尊稱江永為「吾師江慎齋先生」，而自稱「門人戴震」，有說「始拜先生」、「及門以後」等文字，則江、戴兩人之間存在著師生關係，顯然可知，已無疑問。

其實，除了這篇壽序之外，乾嘉時期，與戴震、江永有交往的人士裏，也有一些對江永、戴震的師生關係加以記述的。如與戴震同拜入江永之門的同學汪梧鳳（1725～1771）在他所撰寫的〈送劉海峰先生北歸桐城序〉中說：

> 吾友志相合，業相同，擇師而事無不相同者，休邑鄭用牧、戴東原，吾歙汪稚川、程易田、方晞源、金蘂中、吳蕙川數人而已。而東原、蘂中自鄉舉射藝京師，於今未歸者七年。……憶余生二十五年，從遊

---

20 詳見《婺源縣志・職官志》。陳雯，字覲溈，溧陽人，由貢生乾隆十二年任，十八年告病歸。

21 漆氏原文標點，此句作「歲在上章敦牂月，律中夷則」，有誤。按：「上章」屬庚，「敦牂」屬午，指乾隆十五年，歲次「庚午」。「月」字當下屬，作「月律中夷則」，「月律」是指十二律呂與十二月的相配關係；「夷則」於十二律呂屬七月。

22 漆永祥：〈新發現戴震佚文一篇——江慎修先生七十壽序〉，收於《中國典籍與文化》2007年第1期，頁122～123。

淳安方樸山先生，後三年，從遊星源江慎齋先生。[23]

這篇文章寫於乾隆三十六年（辛卯，1771），當時戴震尚在世。汪梧鳳與戴震不單是同學，而且在乾隆十七年時，曾經請戴震到家裏，教授自己的兒子汪灼，可見汪梧鳳與戴震相熟的程度，非比尋常，那麼他說的當然可信。

汪梧鳳跟隨江永學習，對於經學有獨到的體會，所以，他曾經為兒子汪灼編了一本《詩經》的授課本，後來成為學術著作，名為《詩學女為》，並作前序說：

予少攻詞章之學，久而厭苦之，乃讀經；從婺源昚齋江先生遊，與同學休寧戴震、同里汪肇龍、程瑤田輩講習辨難。[24]

這裏他說「同學休寧戴震」也與上述的說法相同。

又有鄭虎文（1714～1784）字炳也，號誠齋，浙江秀水人。他跟戴震、朱筠、汪梧鳳等人都相識，在乾隆三十三年（1768）後，又曾在徽州的紫陽書院前後講學十年。鄭虎文在汪梧鳳去世時，撰寫〈明經松溪先生汪君行狀〉一文，文中說：

君制義師淳安方氏楘如，古文法桐城劉氏大櫆，經學則與休陽戴氏震、同里汪氏肇龍，同出婺源江門。汪氏精三禮，而戴氏於諸經所得獨多，為江門大弟子，其學與江氏相出入，君亞焉。江氏作君祖傳，即稱君與戴震俱研經學，有著述聞於遠近也。[25]

鄭虎文還有〈為徽州守汪夢齡作婺源江先生從祀紫陽書院朱子祠碑記〉一

[23]〔清〕汪梧鳳：〈送劉海峰先生北歸桐城序〉，《松溪文集》（北京市：北京圖書館出版社，1997年，《四庫未收書輯刊》影印清刻本，第10輯，第28冊），頁6，總頁148。

[24]〔清〕汪梧鳳：《詩學女為》（上海市：上海古籍出版社，《續修四庫全書》，經部第63冊，影印清乾隆不疏園刻本）書前序文，總頁605。

[25]〔清〕汪梧鳳：《詩學女為》書前，總頁603～604。亦收入鄭虎文：《吞松閣文集》（北京市：北京圖書館出版社，1997年《四庫未收書輯刊》影印清刻本，第10輯，第14冊）卷35，頁6，總頁346。

文，文章裏說：

> 當（江永）未歿時，士之從先生受學以經術名者，徽為盛，戴震其最著者也。洎先生歿，貧不能護其子；鄉之士益信經術為迂闊不足用。雖戴震輩齗齗然持師說不少變，卒亦無有能信從之者。[26]

江永弟子汪世重及其孫汪錦波在乾隆四十年（1775）合著《江慎修先生年譜》，年譜中於「乾隆十八年癸酉」條下說：

> 館歙邑西溪（汪梧鳳居「不疏園」所在）。歙門人方矩、金榜、汪梧鳳、吳紹澤從學；休寧鄭牧、戴震、汪肇龍、程瑤田，前已拜門下問業，是年殷勤問難，必候口講指畫，數日而後去。[27]

這裏說「前已拜門下問業」是在乾隆十八年，可見戴震拜入江永門下在這年之前。

不過，對於戴震什麼時候開始拜入江門的，歷來學者眾說紛紜：第一種說法以為是在乾隆七年（1742），此說見段玉裁《戴東原先生年譜》。第二種以為在乾隆十五年（1750），許承堯、錢穆先生主張的。第三是以為在乾隆十八年（1753），楊應芹《東原年譜訂補》主張這一說法。現在從戴震所撰寫的江永〈七十壽序〉，是寫於乾隆十五年，所以，第三說是不對的可以確定，同時也可以確定第二說也不可信，因為戴震從學於江永，必在這一年之前。然則戴震到底什麼時間拜入江永之門呢？從江永與戴震的年譜對照看，可以得到一些蛛絲馬跡；對照如下：

---

[26]〔清〕鄭虎文：《呑松閣文集》卷29，頁15，總頁284。

[27]〔清〕汪世重、汪錦波合著：《江慎修先生年譜》（北京市：北京圖書館出版社，2006年，《乾嘉名儒年譜》第1冊），頁54，總頁398。

時間	江永	戴震
乾隆五年	六十歲。 休寧山斗程太史恂，敦請館於其家。 八月，同程太史入都，三館總裁方公苞、編修吳公紱殷勤問難。光祿梅公穀成、學士熊公暉吉、編修杭公世駿、部郎胡公蛟齡，俱就講學焉。	十八歲。 隨父文林公客南豐，課學童於邵武。
乾隆六年	六十一歲。 八月，自都歸里。	十九歲。 經學益進。
乾隆七年	六十二歲。 是年歲貢。《近思錄集注》成。 九月，郡守朱敦請紫陽書院講書。 十月，江西學政敦請閱卷。	二十歲。 是年自邵武歸。同邑程中允恂一見，大愛重之，曰：「載道器也。吾見人多矣；如子者，巍科碩輔，誠不足言。」婺源江慎修先生永，治經數十年，精於三禮及步算、鍾律、聲韻、地名沿革，博綜淹貫，巋然大師；先生一見傾心，取平日所學就正焉。
乾隆八年	六十三歲。 五月，自江西歸里。	二十一歲。
乾隆九年	六十四歲。 程太史恂復請館於休寧五城。	二十二歲。 是年長至日，成《籌算》一卷。……自敘云：「爾後增改其書，更名《策算》。」

時間	江永	戴震
乾隆十年	六十五歲。 館**山斗**程太史恂家。	二十三歲。 是年孟冬，成《六書論》三卷。孟冬自序先生以六書轉注之為互訓，失其傳且二千年；言六書者訛謬日滋，為此書辨之。今其稿未見，故不著錄而存此敘，可得其涯略。若答江慎修先生書，則專辨言轉注者之謬也。……先生有答江先生論小學書，……江先生得其書，謂眾說紛紜，得此論定，誠無以易。
乾隆十一年	六十六歲。 館如前。 三月，赴郡紫陽書院講書。	二十四歲。 是年《考工記圖》注成。
乾隆十二年	六十七歲。 館如前。	二十五歲。 是年仲春，成《轉語》二十章。……未見。
乾隆十三年	六十八歲。 婺城汪勳弟陞，敦請館於七里亭。門人汪麟書從學。	二十六歲。 紀文達公〈考工記圖序〉曰：「戴君語予曰：『昔丁卯、戊辰間，先師程中允出是書以示齊學士次風先生；學士一見而嘆曰：「誠奇書也。」今再遇子，奇之。是書可不憾矣。』」
乾隆十四年	六十九歲。 館婺城汪陞家。	二十七歲。 先生有《爾雅文字考》十卷。未刊。

今再考戴震為江永〈七十壽序〉中，說：「震少知向慕，既數年，始獲一見；又數年，**始拜先生於吾邑之斗山**。」從以上兩人行事來看，戴震「始獲一見」江永，應該在乾隆七年，而到乾隆十年才正式拜入江永之門的。主

要的論據在於戴震說「始拜先生於吾邑斗山」一句。所謂「斗山」，歙縣有「斗山書院」，在縣東城斗山之上[28]，然而戴震說「吾邑」，則地點應該在休寧而不該在歙縣城。筆者以為〈壽序〉的「斗山」，應該是「山斗」的誤倒。從江永年譜中，可見程恂就是居住在休寧縣山斗鄉的，所以，乾隆五年、十年兩條，都標明「山斗」程恂。今日還可見有舊鈔明天啓六年（1626）《新安休甯山斗程氏本枝續譜》，為明朝程履初纂修，譜中記載始遷祖程照，五代時由休寧東門遷山斗，程氏在休寧「山斗」是歷史望族，程恂應該就是該家族的名人。據此可以推斷戴震是在乾隆十年時，在休寧山斗程恂家的塾館中，正式拜入江永門下的。

其他如王昶（1724～1806）撰寫〈江慎修先生墓誌銘〉，文中說：

> 余友休寧戴君東原，所謂通天地人之儒也，常自述其學術實本之江慎修也。乾隆二十七年三月，先生卒，是年東原舉於鄉，明年來京師，求所以志先生者，卒不果。又十餘年，余自蜀還朝，而東原以薦授庶吉士，校理四庫館書，於是取所自為狀及汪世重等《年譜》而屬余銘之。……先生弟子著籍甚眾，而戴君及金君榜尤得其傳。[29]

王昶因為戴震的請求，為江永撰寫墓誌銘，因為他看到汪世重編的《江永年譜》，所以，他很明確指出戴震是江永的著籍弟子。另外，戴震卒後，有淩廷堪（1757～1809）撰有〈戴東原先生事略狀〉，文中說：

> 時婺源江君永精禮經及推步、鐘律、音聲、文字之學。先生偕其縣人鄭牧、歙人汪肇龍、方矩、汪梧鳳、金榜師事之，而先生獨能得其

---

[28] 參看〔清〕張佩芳修，劉大櫆纂：《歙縣志》（臺北市：成文出版社，1975年，《中國方志叢書》影印清乾隆三十六年刊本，第232號，第1冊）卷2之三〈營建志·學校〉，總頁288～289。

[29]〔清〕王昶：《春融堂集》（上海市：上海古籍出版社，1995年，《續修四庫全書》，冊1438，影印清嘉慶十二年塾南書舍刻本）卷55，頁3～5，總頁216～217。

全。[30]

凌廷堪雖然並沒有直接認識戴震，也只是戴震的同郡後學，但他私淑戴震之學，對戴震的生平，格外注意打聽；而由於他認識程瑤田，而程瑤田是戴震在休寧時同窗共席於不疏園的同學，也同師事江永。凌廷堪是從程瑤田口中得知戴震年輕時行事實況的[31]。

經過以上的論證，可知持江永、戴震交誼在師生之間之說的，已經不能成立。戴震既然確實是江永的入門弟子，而在文章中卻稱之為「吾郡老儒」，胡適雖然曾經力圖解釋「吾郡老儒」並非貶義，意在為戴震辨誣。「吾郡老儒」或許不一定是貶義，但是很明顯地不是「尊敬」的意味，以張穆、魏源、王國維幾位學者而言，難道他們都不理解「老儒」的語氣與意義嗎？況且，戴震在《聲韻考》卷三論古韻中，稱江永為「吾郡老儒江慎修永」，文中再稱引時又稱之為「江君」，倒是說到段玉裁時，稱之為「余友金壇段若膺玉裁」，相較之下，似乎對段玉裁還客氣些；這一段文字與戴震早年所撰《經考》卷三中「古音叶韻」條所論，內容十分相似，應該就是《聲韻考》論古韻理論的基礎與初稿。在《經考》裏，戴震還稱江永為「江昚齋先生」[32]，而到《聲韻考》則改稱為「吾郡老儒江慎修永」，這樣的改變不可能沒有原因的。

戴震對江永的態度，從尊崇變為「不敬」，大部分學者的考證，都認為是在晚年，至少是在到了京師之後，才發生的改變。而改變的原因，大多數的學者認為可能是因為戴震在晚年對「道」的體認，與江永的尊程、朱立場，產生極大的差異。戴震晚年著《孟子字義疏正》，對義理之學有了新的體會與見解，而將早年的考據之學降為次等之學，而又以自得的義理之學來

---

[30]〔清〕凌廷堪著，王文錦點校：《校禮堂文集》（北京市：中華書局，1998年），頁313。

[31]〔清〕凌廷堪：〈戴東原先生事略狀〉，《校禮堂文集》卷35，頁312。文中說：「洗馬大興翁覃溪先生授以戴氏遺書，讀而好之。又數年，廷堪同縣程君易田復為言先生為學之始末。」

[32]〔清〕戴震：《經考》，《戴東原先生全集》卷3，頁21，總頁404。

批判程、朱之說；這樣的學術觀點改變，使他對早年從江永所學的，已經認為不足觀了，所以，江永在戴震心目中的地位前後不同[33]。

然而比戴震年紀小十餘年的章學誠，對戴震非常注意，為文討論戴震的學術與行為，不下數十處，而實際針對戴震來批評而沒有指明的更多。章學誠對戴震早年拜江永為師，雖然毫不知情，而在《章氏遺書》中，對戴震的心術痛加指責。如在〈與史餘村〉書中云：

> 戴氏學術，雖未通方，而成家實出諸人之上，所可惜者，心術不正，學者要須慎別擇爾。邵先生深以僕為知言。僕自為世道計，別有專篇辨論深細；此時未可舉以示人，恐驚一時耳目也。[34]

又在〈答邵二雲書〉中云：

> 惟僕知戴最深，故勘戴隱情亦最微中，其學問心術，實有瑕瑜不容掩者。……抑知戴氏之言，因人因地因時，各有變化，權欺術御，何必言之由中。以僕親聞，更有甚於此者，皆可一笑置之。……夫行不踐言，學者亦所時有，要其所言本於所見，卓然不可誣也。獨至戴氏，而筆著之書與口騰之說，或如龍蛇，或如水火，不類出於一人，將使後人何所取準也。……戴氏筆之於書，惟闢宋儒踐履之言謬爾，其他說理之文，則多精深謹嚴，發前人所未發，何可誣也。……然其身既死，書存而口滅；君子存人之美，取其書而略其口說可也。[35]

章學誠與當時許多知名學者都有往來，他早年曾客居朱筠京師的寓所，學作

---

[33] 參見余英時：〈戴震的經考與早期學術路向—兼論戴震與江永的關係〉，見錄於余英時：《論戴震與章學誠》，頁151～183。又臺灣大學中文系鄭吉雄教授也是專研戴震的專家，曾親口告知筆者同樣的觀點。

[34]〔清〕章學誠〈與史餘村〉，見余英時：《論戴震與章學誠》附錄四：《章氏遺書．逸篇》，頁307～308。

[35]〔清〕章學誠〈答邵二雲書〉，見余英時：《論戴震與章學誠》附錄四：《章氏遺書．逸篇》，頁309～310。

文章，而跟邵晉涵的交往最深。邵晉涵、朱筠又跟戴震的交往十分密切；那麼，章學誠為何嚴厲地指責戴震「心術不正」呢？就只是因為一句「吾郡老儒江慎修永」嗎？章氏既然不知道江、戴是師生，那一句「吾郡老儒江慎修永」就不可能是批判「心術不正」的理由。

三　江永與戴震《詩經》學說對比研究

以前的學者對戴震「背師」的論說，大多都就一句「吾郡老儒江慎修永」來講，而缺少了其他資料的對比觀察，章學誠也沒有說清楚指責「心術不正」的實際事證。本文擬就江永與戴震的學術關係，作一次對比觀照，從兩人的《詩經》學說比較來看，以理解他們學術密切的程度，同時觀察戴震對江永《詩經》學說對待的態度，進而分析章學誠所說的「心術」問題。

江永可謂是徽派樸學的開創者，他窮畢生精力，廣蒐博集，以「勤考釋，重辨微」的治學方法，勤奮著述，凝結了大量治學有成的著作；他對經史、諸子、天文、曆算、鐘律、聲韻、禮儀、地理沿革等，都有重要創獲，堪稱為積學大儒。江永一生學術研究，最著力也成就最大的是禮學。在禮學方面更著有《禮書綱目》、《禮記訓義釋言》、《周禮疑義舉要》、《儀禮釋例》、《儀禮釋宮增註》、《深衣考誤》、《鄉黨圖考》等多部禮學重要著作。江永在其他經典的學術研究上，主要集結在他的《群經補義》一書之中，其中與《詩經》有關的見解有十條。本論文就是要對比這十條《詩經》論說與戴震《詩經》說解的關係。

從前面戴震為江永所作的〈七十壽序〉、鄭虎文所撰〈明經松溪先生汪君行狀〉、〈為徽州守汪夢齡作婺源江先生從祀紫陽書院朱子祠碑記〉、汪梧鳳的《詩學女為．序》等的記述，戴震跟江永所學習的，主要就是經學。而戴震經學著作裏，最完整也最多的，就是《詩經》的著作。戴震《詩經》的著述，今日可見到的有三種：

第一種是《毛鄭詩考正》四卷。說是四卷，是因為首部分鄭氏〈詩譜〉不記入卷數，如果計入的話，則為五卷。此書成於壬申、癸酉（1752～

1753）之後，應該是戴震從所著的《毛詩補傳》中別錄出來而成的。戴震有〈詩比義述序〉，謂：「昔壬申、癸酉歲，震為《詩補傳》未成，別錄書內辨證成一袟。」[36]這一袟書應當就是後來之《毛鄭詩考正》了。現比較《詩經補注》與《毛鄭詩考正》兩本書的內容，其中立論仍然有很多相同的。段玉裁也說過：「《毛鄭詩考正》初名《詩補傳》。」[37]

第二種是《詩經補注》二卷。這本書的名稱頗多不同的說法，如《毛詩補注》、《詩補注》、《毛詩補傳》、《詩補傳》、《詩經二南補注》、《杲溪詩經補注》。段譜云：「《詩經補傳》改稱《補注》。」據段譜於癸酉年，三十一歲之下記說：「是年《詩補傳》成，有序，在癸酉仲夏。」又丙戌年，四十四歲條下記說：

> 先是癸酉成《詩經補傳》，已而在揚州以此書之序及論鄭聲一條示是仲明。仲明索觀《詩補傳》，先生辭之，作書與之論學而已，蓋亦自恐於斯未信也。至是始成〈二南〉，改稱《補注》，作詩本旨詳於某篇幾章之下，其體例猶舊也。今〈二南〉著錄，而《詩補傳》已成者不著錄。先生所謂「每憾昔人成書太早，多未定之說者」，於此可見。[38]

據此可知，《詩補傳》初稿應當是寫成在癸酉年（1753）；然而據戴震〈詩比義述序〉謂：「昔壬申、癸酉歲，震為《詩補傳》未成，別錄書內辨證成一袟。」[39]似乎在癸酉年時尚未寫成全書，不過，在《戴東原集》卷十中，有《毛詩補傳・序》一文，其末署明「乾隆癸酉仲夏，戴震撰」，其文中說：「今就全書，考其字義名物於各章之下，不以作詩之意衍其說。」[40]可見作序的時候（癸酉仲夏）初稿就已經成帙了。又考察戴震〈與是仲明論學書〉

---

[36]〔清〕戴震：〈詩比義述序〉，《戴東原集》卷10，頁4，總頁1103。

[37]〔清〕段玉裁：《戴氏年譜》，《戴東原先生全集》，頁46，總頁51。

[38]〔清〕段玉裁：《戴氏年譜》，頁17，總頁37。

[39]〔清〕戴震：〈詩比義述序〉，《戴東原集》卷10，頁4，總頁1103。

[40]〔清〕戴震：〈毛詩補傳序〉，《戴東原集》卷10，頁3～4，總頁1103。

說：「今程某奉其師命，來取《詩補傳》，僕此書尚俟改正，未可遽達。」[41] 以此可知戴震當時的書稿已經完成，只是「尚俟改正」罷了。又考戴震《毛鄭詩考正》既然是由《詩補傳》中的辨證文字錄出而成的，則由《毛鄭詩考正》就可以考知《詩補傳》的大概了。今考《毛鄭詩考正》，從卷首為鄭氏〈詩譜〉，卷一至卷四為十五國〈風〉、〈小雅〉、〈大雅〉、三〈頌〉之考正文字，那麼《詩補傳》原書於〈風〉、〈雅〉、〈頌〉各部，應該都已有既定的內容可知。以此可推知當時《詩補傳》是已經完成的了。等到丙戌年（1766）方才得閒暇將全書加以刪定，然而最後僅完成了〈二南〉部分，所以〈詩比義述序〉中說「未成」。

第三種是近年才重新發現的戴震《毛詩補傳》抄稿二十六卷。一九九五年，大陸楊應芹先生整理《戴震全書》，於北京國家圖書館發現《戴氏經考》二十六卷抄稿，經研探之後，楊氏發表〈《戴氏經考》即《毛詩補傳》的考證〉一文，刊登於《文獻》一九九五年第一期，根據楊氏的研究得出：《戴氏經考》實為戴震所著的《毛詩補傳》原書，也稱為《戴氏詩經考》[42]。

所以，我們今日得以研究戴震《詩經》學比較完整的材料，有戴震三十一歲時（乾隆十八年癸酉，1753）所撰的《戴氏詩經考》（即《毛詩補傳》）二十六卷，還有在四十四歲（乾隆三十一年丙戌，1766）從《毛詩補傳》錄出的《毛鄭詩考正》四卷，以及修訂成的《杲溪詩經補注》二卷。

以下就江永在所著《群經補義》中的《詩經》學說[43]，與戴震的《詩經》學說對比，來觀察江永與戴震師生之間的學術關係。

41〔清〕戴震：〈與是仲明論學書〉，《戴東原集》卷9，頁7，總頁1098。

42 本論文所用的這本書，稱為《戴氏詩經考》，是根據戴震研究會、徽州師範專科學校、戴震紀念館編纂：《戴震全書》（北京市：清華大學出版社，1995年）第4冊。書後附記說：「《戴氏詩經考》二十六卷，係戴震早年所著之未刊稿，稿本之原名作《戴氏經考一》。」本論文所用，就取用這本書，也稱之為《戴氏詩經考》，以下引用此書時，不再贅述。

43〔清〕江永：《群經補義》（臺北市：漢京文化事業有限公司，《皇清經解》，第17冊），頁19～22，總頁12332～3。本論文引用江永《群經補義》，皆用這一本，以後不再贅述。《四庫全書》也收有這本書。

江永在《群經補義》中《詩經》學說，只有十條，而在《詩》標題之下，有小註說「《詩》詩之叶韻，有《古韻標準》詳之」，可見有關叶韻的問題，與詩義無關，所以另外見於《古韻標準》，而不在《群經補義》討論。現在分別列述江永《詩經》學說，並對比戴震《詩經》學說如下：

（一）第一條：江永說：

> 〈昏義〉言古者婦人始嫁三月，祖廟未毀，教於公宮；祖廟既毀，教於宗室。教成祭之，牲用魚，芼之以蘋藻；其事與〈采蘋〉之詩合。然則〈采蘋〉者大夫妻將嫁，教成而祭于宗子之廟，以魚為羹而芼之蘋藻，為鉶羹奠於奧之牖下。此祭宗子不主而季女主之，故曰「誰其尸之，有齊季女」，非大夫妻奉祭祀也。季女者，未嫁之稱；言尸之則非助祭也。鄭《箋》主此，似為長。

《詩經‧召南‧采蘋》詩的第三章說：「於以奠之？宗室牖下。誰其尸之？有齊季女。」江永根據他所擅長的禮學來解說《詩經》的內容，認為昏禮中的新婦要出嫁前三個月，在公宮、宗室接受婦德、婦功、婦容、婦言等的教育，與〈采蘋〉的內容相合。並以為鄭《箋》之說為是。

戴震在《戴氏詩經考》〈召南‧采蘋〉詩下說：

> 《毛傳》曰：「奠，置也。宗室，太宗之廟也。」「尸，主也。齊，敬也。季，少也。」鄭《箋》曰：「牖下，戶牖間之前。祭不於室中者，凡昏事於女禮，設几筵於戶外；此其義也與？」音餘

> 祭祀在室中之奧，此獨言牖下，異於常奉祭事也。考之《詩》、《禮》，奧與牖下各殊，室西南隅為奧，去戶遠，其地幽奧，故名。牖去戶近。牖下，或室中，或戶外，以女禮則知為戶外也。

> 〈采蘋〉三章　女子教成之祭，詩言其禮以為樂章也，所以使人知敬也，所以重教也。〈射義〉曰：「〈采蘋〉者，樂循法也。」謂循其教

之法度。禮：先嫁三月，「祖廟未毀，教於公宮」，「祖廟已毀，教於宗室」。教以婦德、婦言、婦容、婦功。教成祭之，牲用魚，芼之以蘋藻，所以成婦順也。穆叔曰：「濟澤之阿，行潦之蘋藻，寘諸宗室，季蘭尸之，敬也。」《毛詩．序》：「大夫妻能循法度也。能循法度，則可以承先祖，共祭祀矣。」其曰「循法度」，本之〈射義〉；其曰「大夫妻」，徒因詩中「宗室」字傅會爾。主婦薦豆，無取乎蘋藻，常奉祭事，在禮無有用蘋藻者，則采蘋藻，不可通。豆實菹醢，作菹之法生為之，則曰湘之，曰錡釜，不可通。祭事奠於奥，則曰牖下，不可通。王肅解奥即牖下，以臆說強合，故孔穎達駁之曰：「經典未有以奥為牖下者矣。」夫氏奉祭事，婦人助祭，不得專美之，則曰尸之，不可通。入廟稱婦，則曰季女，不可通。於詩辭一無可通矣。《詩》之外，《儀禮》、《禮記》、《左傳》，皆不可通。所謂失之毫釐，差以千里也。[44]

戴氏基本上也是以禮學的概念來解讀這首詩的，與江永同。不過，戴震更進一步批評《毛傳》的「不可通」，並對王肅解「奥即牖下」之說，以為是臆說；再加入〈射義〉、《左傳》等資料來論述，比江永詳盡，可謂後出轉精。戴震後來修訂《補傳》為《補注》，對這首詩的論述也沒有太多的改變，《杲溪詩經補注》說：

《毛傳》曰：「奠，置也。宗室，太宗之廟也。尸，主也。齊，敬也。季，少也。」鄭《箋》曰：「牖下，戶牖間之前。祭不於室中者，凡昏事於女禮，設几筵於戶外；此其義也與。宗子主此祭，惟君始有司為之。祭事主婦設羹，教成之祭，更使季女者，成其婦禮也。季女不主魚，魚菹實男子設之。疏云：以特牲少牢俎皆男子主之故也。其齍盛蓋以黍稷。《集傳》曰：「牖下，室西南隅，所謂奥也。」祭祀之禮，主婦薦豆實以菹醢。震按：《箋》說是也。祭祀在室中之奥，此獨言牖下，

44〔清〕戴震：《戴氏詩經考》，《戴震全集》，第4冊，〈采蘋〉，頁1825。

> 異於常奉祭事也。考之禮，牖下或室中，或戶外，以女禮則知為戶外。古者宮室之制，戶設於室東南，牖在戶西，奧又在牖西，為室西南隅之名，牖所以為名也。奧者，其地幽奧。王肅以為此篇所陳，皆大夫妻助夫氏之祭，采蘋藻以為菹，設之於奧，奧即牖下。疏云：經典未有以奧為牖下者矣。《集傳》蓋本其說。〈采蘋〉三章　女子教成之祭，所以歌也。〈士昏禮〉之記曰：「女子許嫁，笄而醴之，稱字。祖廟未毀，教於公宮，三月；若祖廟已毀，則教於宗室。」〈射義〉曰：「采蘋者，樂循法也。」謂樂其能循教之禮法，於是乎祭以成之。《春秋傳》穆叔曰：「濟澤之阿，行潦之蘋藻，寘諸宗室，季蘭尸之，敬也。」〈采蘋〉之詩，蓋亦專為樂章而作者。[45]

這一段文字基本上跟《戴氏詩經考》相同，只刪去了對《毛詩》批判性的文字，再加上對朱熹《詩集傳》說一併批評；而且以「按語」強調「《箋》說是也」，這跟江永以為鄭《箋》為長的立場一致。

（二）第二條：江永說：

> 「平王之孫，齊侯之子」，分明是魯莊公時王姬歸於齊之事。舊解平為正，恐未安。東遷之後，詩何以不入〈王風〉而入〈召南〉，其以此詩為有王者之化，異於〈黍離〉詩篇，故特付之〈召南〉乎！

考《詩經．召南．何彼襛矣》，《毛傳》解「平王」一詞說：「平，正也。武王女，文王孫，適齊侯之子。」而鄭《箋》也說：「正王者，德能正天下之王。」孔穎達《正義》沿襲毛、鄭的見解說：「〈大誥〉注，受命曰寧王，承平曰平王。」江永卻認為是「分明是魯莊公時王姬歸於齊之事」，而捨棄了以毛、鄭所代表的傳統看法，可謂勇於反古說。江永認為是魯莊公時事，就時間而論，相當於齊襄公時，王姬歸於齊。

戴震於《戴氏詩經考》裏〈召南．何彼襛矣〉詩中，也持同樣的看法。

---

[45]〔清〕戴震：《杲溪詩經補注》（臺北市：漢京文化事業有限公司，《皇清經解》，第5冊），頁3938～9。

戴氏說：

> 《毛傳》：「伊，維。緡，綸。」
>
> 何彼襛矣三章。王姬下嫁也。取肅雝焉，作詩之時未聞。《毛傳》：「平，正也。武王女，文王孫，適齊侯之子。」鄭《箋》：「正王者，德能正天下之王。」《正義》云：「〈大誥〉注，受命曰寧王，承平曰平王。」王介甫曰：「所謂平王者，猶格王、寧王而已。所謂齊侯者，猶康侯、寧侯而已。」洪容齋曰：《春秋》莊公元年，當周莊王之四年、齊襄公之五年，書王姬歸於齊；莊公十一年，當莊王之十四年，齊桓公之三年，又書王姬歸於齊。莊王為平王之孫，則所嫁王姬，當是姊妹。齊侯之子，即襄公、桓公，二者必居一於此矣。顧寧人曰：成王時，齊侯則太公，而以武王之女適其子，是甥舅為婚，周之盛時，必無此事。逮成王顧命，丁公始見於經，而去武王三十餘年，又必無未笄之女矣。
>
> 震按：太公之卒百有餘歲，管、蔡亂後，猶受命征淮夷，顧氏之說是也。若《春秋》之兩書王姬，則未知為桓王之女與？莊王之女與？桓王在位二十五年，此時必無姊妹，故洪氏但以為莊王姊妹；然桓王乃洩父之子、平王之孫也，桓王之女則洩父之孫，莊王之女，洩父早死，故平王之後即桓王，洪氏遂謂莊王為「平王之孫」，失之也。襄公、桓公皆娶王姬，襄公諸兒，僖公之子也，桓公小白，亦僖公之子，襄公之弟也。《集傳》存或說齊侯即襄公諸兒，亦失之。諸兒已立為齊侯五年，而後取王姬，小白已立為齊侯三年，而後娶王姬，然則與詩言「齊侯之子」者未協矣。曰孫，子未立之辭也。曰子，父在之辭也。[46]

戴震基本上跟江永一樣，也不贊成傳統毛、鄭的講法，而依據洪邁、顧炎武的說法反對傳統之說，而未提到江永的主張。不過，戴氏認為詩句裏「平王之孫」應該指桓王，但桓王那時沒有姊妹可嫁。又以為「齊侯之子」一句，齊襄公、桓公都不對，因為戴氏解釋「子」是「父在之辭」，應該是未即位為齊侯時的事。所以戴氏說「作詩之時未聞」，採取存疑的態度，這與江永不同。

---

[46]〔清〕戴震：《戴氏詩經考》，頁1832。

（三）第三條：江永說：

「衣錦褧衣」，夫人始嫁之服也。衣錦者，純衣而以錦緣，非通身用錦也。褧衣，禪縠之衣，登車則服之，為行道御風塵，猶〈士昏禮〉姆加景也。褧、絅、景一字同音。〈中庸〉「衣錦尚絅，惡其文之著」，斷章取義耳。錦衣惟夫人可服，〈丰〉篇似用之，士庶僭也。士宜純衣纁袡而加景，婦人服不殊裳。〈丰〉篇言「衣錦褧衣」、「裳錦褧裳」，舉上下體言之，非衣裳殊也。諸侯錦衣狐裘，亦是以錦為緣。

江永針對《詩經・鄭風・丰》詩中「衣錦褧衣」一句來辨析的。江氏認為「衣錦」並非通體都是錦布縫製的衣服，只是用錦布鑲邊而已。而「褧衣」則是出門時遮檔風塵的罩衫。並主張「褧、絅、景一字同音」通假，所以，〈士昏禮〉說姆加景之「景」，〈中庸〉「衣錦尚絅」的「絅」都是同詞異書。

戴震在《戴氏詩經考》〈丰〉詩裏，沒有討論到「衣錦褧衣」的考證問題，而是論述這首詩的主旨說：

〈丰〉四章《毛詩・序》：「刺亂也。昏姻之道缺，陽倡而陰不和，男行而女不隨。」余曰：此〈坊記〉所謂「親迎婦猶有不至者」是也。蓋言夫俗之衰薄，昏姻而卒有變志，非男女之情，而其父母之惑也。故記為女子自怨之辭以刺之。……[47]

（四）第四條：江永說：

「濟盈不濡軌」，軌是車行之迹，濟盈何能濡之。轍迹由輪所踐而成，不濡軌猶曰不濡輪焉耳。軌音九，與牡叶。

考〈邶風・匏有苦葉〉詩句說：「匏有苦葉，濟有深涉。深則厲，淺則揭。有瀰濟盈，有鷕雉鳴。濟盈不濡軌，雉鳴求其牡。」《毛傳》以為：「濡，漬也。由輈以上為軌。違禮義不由其道，猶雉鳴而求其牡矣。飛曰雌雄，

[47]〔清〕戴震：《戴氏詩經考》，頁1897。

走曰牝牡。」鄭《箋》謂：「渡深水者必濡其軌；言不濡者，喻夫人犯禮而不自知；雉鳴反求其牡，喻夫人所求非所求。」《釋文》說：「軌，舊龜美反，謂車轊頭也。依《傳》意直音犯。案《說文》云：軌，車轍也，從車九聲；龜美反。軓，車軾前也，從車凡聲；音犯。車轊頭所謂軏也；相亂故具論之。」由《釋文》所說，可知「濟盈不濡軌」的「軌」，《釋文》以為根據《毛傳》之意，應當音犯，字作「軓」才對。所以，江永針對這一議題來分辨，認為這個「軌」字，不是指車行的軌跡，而是借代為「輪」罷了，並且根據「軌」與「牡」叶韻，只能讀音九，不可能如《釋文》所說的作「軓」，音范。江氏之說既不同於《毛傳》，也不贊成《釋文》的說法，朱熹將「軌」直接解釋為「車轍」，也被江永所摒除。

戴震在《戴氏詩經考》〈邶風・匏有苦葉〉詩下，也討論了這個「軌」字，他說：

> 震按：瀰、滿，聲義相邇。軌，《毛詩》作「軓」，說者又與「軹」相溷。羅中行謂轂末亦為軌，謬甚。「轂末」乃「軹」也。軌，車轍也。軓，前軫也。軹，轂末也。三字傳寫易訛，此詩斷為車轍之「軌」，以古音考之，「軓」範同、「軹」《釋名》:「指也。」皆不可協矣。[48]

戴氏主張這個確定是「軌」字，不過他並沒有說明這「軌」自是不是直接解釋為「車轍」，還是跟江永一樣解釋為「車輪」。而戴氏的最重要證據，就是古音「軓」、「軹」都不能與「牡」叶韻，只有「軌」字方可能；這一點跟江永是完全一致的。後來，戴震將《毛詩補傳》中的考證文字，加以修訂並謄錄出來，成為《毛鄭詩考正》一書，書中對這一條有更多的考釋。他說：

> 二章《傳》「由輈以上為軓」。震按：詩以軌與牡韻，當為車轍之軌，古音讀如九。《毛詩》蓋譌作軓，遂以車軾前之軓解之，讀如

[48]〔清〕戴震：《戴氏詩經考》，頁1844。

> 范，不與牡協。《釋文》又有車轊頭之說。轂末名軵，軸末名轊。《周禮》大馭祭兩軵，《禮記．少儀篇》作祭左右軌，軌乃軵之譌。杜子春改大馭之軵為軹。蓋轂末名軵者，漢人通訛作軹，遂改軵以從之。於是經書字書不復有軵字，而轂末與 之植者、衡者，並名軹矣。[49]

雖然考證的材料增多，但是基本的論述並沒有不同，跟江永的說法還是一致的。戴震的得意門生段玉裁氏曾作了〈「濟盈不濡軌」傳曰「由輈以下曰軌」〉一篇論說，其中也提及江永與戴震對這個問題的看法說：

> ……以所據《毛傳》「由輈以上」之文求之，輈上於軸，輿上於輈，軓於輿最前，故定為「由輈以上曰軓」，此陸氏所謂「依《傳》意宜音軓」也。然與「牡」為韻，音既不齢；輈雖下於軓，然云「由輈以上曰軓」亦未安。朱子《詩集傳》、**江慎修、戴東原師皆仍作「軌」**，而又不能言其義，謂「濟盈水中，不濡陸路之車轍」，語甚無謂也。[50]

可見段玉裁也確實知道江永與戴震的說法，基本上是一致的。不過，段氏似乎並沒有仔細分辨戴震「車轍」的解釋，跟江永將「軌」借代為「車輪」的理解，事實上是有所差別的。

這個問題在當時以及後來，都還有人作進一步的討論，如跟段玉裁同是戴震門生的王念孫、王念孫的好友李惇（成裕）、兒子王引之等都是。他們基本還是遵循江永的「軌、牡」為韻的概念來立論的[51]。

49〔清〕戴震：《毛鄭詩考正》（臺北市：漢京文化事業有限公司，《皇清經解》，第6冊），頁3898。

50〔清〕段玉裁：《經韻樓集》（臺北市：大化書局，1977年，《段玉裁遺書》本）卷1，總頁874。

51 參考王引之《經義述聞》（臺北市：廣文書局，1979年）卷5，頁125，第五《毛詩》上有「濟盈不濡軌」條，其論曰：「家大人曰：……李成裕曰：『……不知「軌」有二義：其訓為車轍者，〈中庸〉「車同軌」是也；其訓為轊頭者，則〈少儀〉之「祭左右軌范」是也。……是車轊頭謂之軹，有謂之軌。轊頭在軓之下，車之濟盈，必濡

（五）第五條：江永說：

> 「夫也不良，歌以訊之」、「凡百君子，莫肯用訊」。以韻讀之，訊皆當為「誶」，字相似而訛也。《說文》：「訊，問也。」「誶，告也。」於義皆當為告，不當為問。〈離騷〉「謇朝誶而夕替」，王逸注引《詩》「誶予不顧」，可證也。（謇音蹇）

〈陳風・墓門〉詩：「夫也不良，歌以訊之。訊予不顧，顛倒思予。」《毛傳》解釋說：「訊，告也。」鄭《箋》謂：「歌謂作此詩也。既作又使工歌之，是謂之告。」《釋文》記載說：「訊，又作誶，音信。……告也。《韓詩》：『訊，諫也。』」江永針對〈陳風・墓門〉詩中的「訊」字作考覈，認為以叶韻的概念來看，「訊」字都應該讀作「誶」才對，之所以傳本《毛詩》寫成「訊」字，是字形相似所引致的訛誤。江氏引證《說文》「訊」、「誶」的義訓不同，在詩句裏應該是「告」義而不是「問」義，還根據王逸注《楚辭》引詩句就是作「誶予不顧」的。

其實，這個問題前人早有討論過的，自宋代王質《詩總聞》〈墓門〉篇第二章「墓門有梅，有鴞萃止。夫也不良，歌以訊之。訊予不顧，顛倒思予」下說：

> 聞音曰：斯，所宜切，徐氏凡斯皆讀作西。**訊，息誶切**。顧，果五切。予，演女切。
>
> 聞字曰：誰當作維。訊**當作誶，之當作止。「誶止」見《手鑑》，正引此詩**。[52]

王質以為「訊」字讀「息誶切」，是讀音與「誶」同；並據《龍龕手鑑》引

其轄頭，不必作軓也。且以古音言之，軌，居酉反；牡，莫九反；此章瀰鷕、盈鳴、軌牡，用韻甚密；**若軌字作軓，則出韻矣，無是理也**。此處訓詁當用鄭車轄頭之說為確。《集傳》讀軌作九音，是也，但訓軌為轍，轍非車上之物，則不可以言濡矣。』成裕此說，足正唐以後傳注相沿之誤。」

[52]〔宋〕王質：《詩總聞》（臺北市：臺灣商務印書館，《文淵閣四庫全書》本）卷7。

《詩》句作「誶止」，可直接證明「訊當作誶」。清朝顧炎武撰《詩本音》，有論及〈陳風．墓門〉這首詩說：

> 墓門有梅，有鴞萃止六至；夫也不良，歌以訊之。《釋文》：「訊，又作誶；徐音息悴反。」《廣韻》六至部中有「誶」字，引此詩作「歌以誶止」。《楚辭章句》引此亦作「誶予不顧」。考〈雨無正〉四章亦以訊與退、遂、瘁為韻，明是誶字之誤。〈皇矣〉「執訊連連」，本又作「誶」。《禮記．樂記》「多其訊言」，本又作「誶」。古人以二字通用。《莊子》「虞人逐而誶之」，註「一作訊」。《文選》王僧達〈和琅邪王依古〉詩「聊誶興亡言」，李善本作「訊」。《後漢書．黨錮傳》「帝亦頗誶其占」，「誶」一作訊。《荀子》「行遠疾速而不可託訊」，與偪、塞、忌、置為韻。張衡〈思玄賦〉「慎竈顯於言天兮，占水火而妄訊」，與 、對為韻。左思〈魏都賦〉「翩翩黃鳥，銜書來訊」，與匱、粹、溢、出、秩、器、室、莅、日、位為韻。[53]

江永應該也是從他們的研究成果上作進一步的判定，認為王質、顧炎武的說法有可取之處，但他並不同意顧炎武「訊」、「誶」同音通用的見解。

戴震在《戴氏詩經考》〈墓門〉詩下論述說：

> 震按：……「誶予不顧」猶言「不顧與誶」。誶，諸本皆作訊。音信。以韻考之不協。誶告，訊問，義訓相反。《釋文》云：訊「又作誶。」「徐息悴反。」今從徐音。[54]

看見戴震對這個問題的看法與論述，跟江永如出一轍，以韻而論，以義而辨都是，還比江氏少了引證。後來，戴震在修訂過的《毛鄭詩考正》裏，對這個問題就有更多的補充。他說：

> 「歌以訊之」、「訊予不顧」，《傳》「訊，告也」。震按：訊乃誶字轉

[53]〔清〕顧炎武：《詩本音》（臺北市：臺灣商務印書館，《文淵閣四庫全書》本）卷4。

[54]〔清〕戴震：《戴氏詩經考》，頁1945。

寫之訛。《毛詩》云：「告也。」《韓詩》云：「諫也。」皆當為誶。誶音碎，故與萃韻。訊音信，問也。於《詩》義及音韻，咸扞格矣。屈原賦〈離騷〉篇「謇朝誶而夕替」，王逸注引《詩》「誶予不顧」。又《爾雅》「誶，告也」，《釋文》云：「沈音粹，郭音碎。」則郭本誶，不作訊明矣。今轉寫亦譌。〈張衡傳〉〈思元賦〉注引《爾雅》仍作誶；《釋文》於此詩云：「本又作誶，音信；徐息悴反。」蓋於誶、訊二字未能決定也。[55]

這時，他引證的材料就比江永多了些。而與戴震同時的錢大昕在他的《十駕齋養新錄》裏也說：

陸氏《釋文》「誶」、「訊」不辨。誶訓告，訊訓問，兩字形聲俱別，無可通之理。六朝人多習草書，以卒為「卆」，遂與「卂」相似。陸元朗不能辨正，一字兩讀，沿訛至今。[56]

錢大昕對這個論題提出新的看法，以為「誶」之所以譌作「訊」者，乃因六朝草書，遂使「誶、訊」形體相似，故而混淆而不能辨正。這說法的確能說明譌字的原因。又以二字形聲皆不同，不可相通，反對通假之說。

可見對於「訊」、「誶」的討論，雖然清代以顧炎武為第一人，然而確立「訊」是「誶」的訛誤之說的，卻是江永，戴震、錢大昕都是承襲自江永而又有所開發的。現在，大陸皖北阜陽雙古堆漢墓《詩經》竹簡，其中正有〈陳風・墓門〉詩句，其中文句說：

斧以斯之；夫也不良，國人知之。S127

□梓止，夫也不良，歌以誶（見右圖S128[57]）

---

[55]〔清〕戴震：《毛鄭詩考正》，頁3902。

[56]〔清〕錢大昕：《十駕齋養新錄》（臺北市：漢京文化事業有限公司，《皇清經解》，冊17）卷439，頁12，總頁12762。

[57] 胡平生、韓自強編著：《阜陽漢簡詩經研究》（上海市：上海古籍出版社，1988年）。頁79～80。右圖為摹本。

今證以出土之漢代《詩經》文句，果真作「歌以誶之」。由此也可見江永對《詩經》的疑義，有深刻而精準的判斷力。

（六）第六條：江永說：

〈豳風・七月〉一詩，有〈風〉、有〈雅〉、有〈頌〉，各有其音節，非如鄭氏分章之說也。雪山王氏謂〈豳詩〉以鼓、鐘、琴、瑟四器之聲合籥，笙師以所歈十二器，以雅器之聲合籥。（歈同吹）

考鄭玄以為《周禮・籥章》所說豳有〈豳風〉、〈豳雅〉、〈豳頌〉，所以就將〈豳風・七月〉詩分為三段來配合說明：自「七月流火，九月授衣」至「殆及公子同歸」為〈豳風〉。國祈年於田祖，則〈豳雅〉，擊土鼓以樂田畯；自「七月流火，八月萑葦」至「以介眉 」為〈豳雅〉。國祭蜡則〈豳頌〉，擊土鼓以息老物，自「七月食瓜，八月斷壺」至「萬壽無疆」為〈豳頌〉。江永反對鄭玄將〈豳風・七月〉這首詩分成三截，以牽強配合《周禮・籥章》所說豳有〈豳風〉、〈豳雅〉、〈豳頌〉的不同，而採取了南宋王質（雪山王氏）《詩總聞》的說法[58]。

江永的觀點有可能也參考了顧炎武的看法。顧炎武《日知錄》卷三：

自〈周南〉至〈豳〉，統謂之〈國風〉。此先儒之誤。程泰之辯之詳矣。〈豳〉詩不屬於〈國風〉。周世之國無豳，此非大師所採。周公追王業之始，作為〈七月〉之詩，兼〈雅〉、〈頌〉之聲，而用之祈報之事。《周禮・籥章》逆暑迎寒，則歈〈豳〉詩；祈年於田祖，則歈〈豳雅〉；祭蜡，則歈〈豳頌〉。雪山王氏曰：此一詩而三用也。謂〈籥章〉之〈豳〉詩以鼓鐘琴瑟四器之聲合籥也。笙師 竽笙塤籥簫篪篴管，舂牘應雅凡十二器，以雅器之聲合籥也。 瞭播 擊頌磬笙磬凡四器，以頌器之聲合籥也。凡為樂器以十有二律為之數度，以十有二聲為之齊量。凡和樂亦如之。此用〈七月〉一詩特以其器和聲有不同爾。〈鴟鴞〉以下，或周公之作，或為周公而作。

---

[58] 參見〔南宋〕王質：《詩總聞》（臺北市：臺灣商務印書館，《文淵閣四庫全書》本）卷8，〈豳風・七月〉詩下。

則皆附於〈豳〉焉。雖不以合樂，然與〈二南〉同為有周盛時之詩，非東周以後列國之〈風〉也。故他無可附。[59]

戴震對這一種說法則不以為然，因為〈七月〉這首詩的內容，不能涵蓋「逆暑、迎寒」、「國祈年」、「國祭蜡」等祭祀。《戴氏詩經考》於〈大田〉詩下說：

〈大田〉四章〈楚茨〉以下四詩，皆言農事與祭祀，然翫其辭意，非用於祭祀之樂章也，亦猶〈豳〉詩之為陳王業爾。周以農事開國，故言之特詳：〈風〉有〈七月〉，〈雅〉有〈楚茨〉、〈信南山〉、〈甫田〉、〈大田〉，〈頌〉有〈思文〉、〈臣工〉、〈噫嘻〉、〈豐年〉、〈載芟〉、〈良耜〉。《周禮．籥章》：「中春，擊土鼓，龡〈豳〉詩，以逆暑。中秋夜迎寒，亦如之。凡國祈年於田祖，龡〈豳雅〉以樂田畯；國祭蜡，則龡〈豳頌〉，以息老物。」先儒但以〈七月〉一詩當之，則於祈年祭蜡，詩辭中固不能該之矣。〈七月〉備言寒暑之事，用之逆暑迎寒可也。〈豳雅〉、〈豳頌〉，宜列於〈雅〉、〈頌〉，今無明據。〈雅〉惟〈甫田〉可用之祈年，〈頌〉惟〈豐年〉可用之祭蜡，或〈豳雅〉四篇，〈豳頌〉五篇，而祈年祭蜡可用，則此二篇歟？周家言農事，推本於〈豳〉，故於〈風〉詩、〈雅〉詩、〈頌〉詩，皆有述作焉。《周禮》明列之為三，不得合指一篇也。[60]

戴震也是不贊成鄭玄所說的，不過，他也不採取王質、顧炎武、江永的觀點，轉而參考了朱熹所說三種說法中的第二式[61]，而又另創新見，認為〈豳

---

[59]〔清〕顧炎武：《日知錄》（臺北市：臺灣商務印書館，《文淵閣四庫全書》本）卷3，〈豳〉條下。

[60]〔清〕戴震：《戴氏詩經考》，頁2036。

[61] 朱熹的說法，見於《朱子語類》。《朱子語類》記載：「問〈豳〉詩本風，而《周禮》

風〉有〈七月〉，可以逆暑迎寒，〈豳雅〉應該是〈甫田〉可用以祈年，〈豳頌〉是〈豐年〉可以祭蜡。

與戴震同窗，同時師事江永的汪梧鳳，在他所著的《詩學女為》的〈總論〉中，也論及這個問題說：

> 《周禮．籥章》：逆暑迎寒，則歈〈豳〉詩，祈年於田祖，則歈〈豳雅〉；祭蜡，則歈〈豳頌〉。鄭康成三分〈七月〉之章以當之，固屬割裂無據。雪山王氏曰：此一詩而三用也。〈籥章〉之〈豳〉詩以鼓、鐘、琴、瑟四器之聲合龠也。笙師歈笙、竽、塤、籥、簫、篪、管、舂、牘、應、雅，凡十二器，以雅器之聲合龠。眡瞭、播鼗擊頌磬、笙磬，凡四器，以頌器之聲合龠也。凡為樂器以十有二律為之數度，以十有二聲為之齊量；凡和樂意如之。此〈七月〉一詩，特其以器和聲有不同耳。顧氏炎武從之。愚謂周以農事開國，故《周禮．籥章》皆推本於豳，明王跡之所自也。〈七月〉備言寒暑之事，用之逆暑迎寒，其為〈豳風〉也。〈楚茨〉、〈信南山〉、〈甫田〉、〈大田〉，皆言農事以為〈豳雅〉，而用之祈年；〈豐年〉、〈載芟〉、〈良耜〉、〈絲衣〉，言報祭飲酒，以為〈豳頌〉，而用之祭蜡，於辭義莫不允協。故用朱子之說，而於〈豳雅〉則去〈臣工〉、〈噫嘻〉二章，而增〈絲衣〉一章。[62]

汪梧鳳這一段論述，顯然是得之於江永的說法，不過最終他沒有採取師說，

籥章氏，祈年於田祖，則吹〈豳雅〉，蜡祭息老物，則吹〈豳頌〉；不知就〈豳〉詩觀之，其孰為〈雅〉？孰為〈頌〉？曰：先儒因此說而謂〈風〉中自有〈雅〉，自有〈頌〉，雖程子亦謂然，似都 了《詩》之六義。然有三說：一說謂〈豳〉之詩，吹之其調可以為〈風〉，可為〈雅〉，可為〈頌〉。一說謂〈楚茨〉、〈大田〉、〈甫田〉是〈豳〉之〈雅〉，〈噫嘻〉、〈載芟〉、〈豐年〉諸篇是〈豳〉之〈頌〉，謂其言田之事如〈七月〉也。如王介甫則謂〈豳〉之詩自有〈雅〉、〈頌〉，今皆亡矣。數說皆通，恐其或然，未敢必也。」本段引文取自四庫本《御纂朱子全書》卷35，〈豳七月〉條下。

62〔清〕汪鳳梧：《詩學女為》，〈總論〉，頁8，總頁609。

這一點跟戴震相同，而且他應該也參考了戴震的主張，只不過他遵用朱子的說法而略加小幅的修訂罷了[63]。由此可見，江永這一持論並不能獲得弟子的認同。

（七）第七條：江永說：

> 「十月之交，朔日辛卯，日有食之，亦孔之醜」，此幽王六年乙丑，周正十月辛卯朔日食，夏正則八月建酉也。去之數千年，麻家猶能追算此日入交，加時在辰；而《集傳》謂夏正建亥之月，誤矣。

《詩經．小雅．十月之交》詩，是歷來研究古代天文學者所十分重視的資料，江永本身就是算術、天文的專家，對於這首詩當然也非常投入研究。考〈毛詩序〉說：「〈十月之交〉，大夫刺幽王也。」鄭玄卻以為是「當為刺厲王；作《詁訓傳》時，移其篇第，因改之耳」。不過，鄭玄以為「十月」是「周之十月，夏之八月」。朱熹卻認為是「夏之十月」。江永他贊成《毛傳》說是幽王時的詩，反對鄭玄所說為厲王時詩的說法，然而他贊同鄭玄「十月」是以周正來算的，而反對朱熹「夏正十月」說，因為根據周正十月，也就是夏正八月來推算天文曆法，計算日食出現的時間，能夠得出明確的答案，就是在「幽王六年乙丑」。

《戴氏詩經考》〈十月之交〉首章下說：

> 震按：交者，月道交於黃道也。月以黃道為中，其南至，則在黃道南不滿六度，其北至，則在黃道北不滿六度。其自北而南，自南而北，斜穿黃道而過，是為交。交乃有食。以步算之法上推，幽王六年乙丑，建酉之月，辛卯朔，辰時日食。詩據周正十月，非夏正。以為夏十月，周十二月建亥者，失之。……[64]

---

[63] 戴震的說法也是從朱子說而來的，而且汪梧鳳《詩學女為》中，引用了不少戴震《毛詩補傳》的見解，由此可以推知。

[64]〔清〕戴震：《戴氏詩經考》，頁2005。

可見戴震在早年，見解與江永所說的並無大異，所以，戴氏在〈十月之交〉詩後說：「《史記》：幽王二年，『三川震竭，岐山崩』，以步算推，十月辛卯，日有食之，在幽王六年。見《唐書・志》。〈毛詩序〉：『大夫刺幽王也。』」結論跟江永完全相同。後來，戴氏在《毛鄭詩考正》裏更作了詳盡的考證，比之《毛詩補傳》又更深入[65]。

（八）第八條：江永說：

> 有謂〈正月〉篇以下，為東遷後之詩；蓋因「赫赫宗周，褒姒滅之」，似西周以滅故也。《集傳》兼存此說，而云未能必其然否。愚謂當以日食決之。使平王在位時有十月辛卯日食之年，則可。今推之

65《毛鄭詩考正》，頁6～7，總頁3907～8說：「〈十月之交〉首章，《傳》『之交，日月之交會』。《箋》云：『周之十月，夏之八月也。八月朔日，日月交會而日食。』震按：劉原甫始疑為夏正十月，非也。梁虞劚為劘唐傳，仁均及一行並推周幽王六年乙丑歲建酉之月，辛卯朔，辰時日食。近閻百詩《尚書古文疏證》初亦用劉原甫說，謂虞諸人傅會；後既通推步，上推之正合，復著論自駁舊時之失；然其言曰：『康成考之方作《箋》。』又曰：『經解不可盡拘以理者，此類是也。』則又不然。《毛詩》篇義云：『刺幽王。』《箋》乃謂『當為刺厲王』，豈與所推合乎！康成蓋決以理而已。趙子常云：『《詩》本歌謠，又多民事，故或用夏正，以便文通俗。』子常此論，明《詩》中用夏正者，原無所拘滯；然則〈十月之交〉篇，舉斯時日食以陳諫，泥何例？必取夏正而廢周一代正朔之大為不可用乎。病在析理未精。猥以為經解不可盡拘以理，是開解經者之弊也。《國語》幽王二年，西州三川皆震，三川竭，岐山崩，此《詩》所謂『百川沸騰，山冢崒崩，高岸為谷，深谷為陵』，正指其事；《詩》繫之幽王，《國語》亦其一證。古無推日食法，魏黃初已後，使課日食疏密；及張子信而益詳。然唐、宋推步家猶未能立法無舛，有當食不食，不當食而食之謬說，載在史志。大致日月交食一事，可以驗推步得失，其有不應，失在立法，不失在天行也。使有變動失行，則必不可以得其準，無從立推之之常法矣。或曰：日食既預推而得，聖人畏天變之意何如？曰：此變其懸象著明之常，不必為變其行度之常也。豈有天變見於上，而聖人不恐懼修省者乎！人君日食修德，月食修刑，依乎陰陽，立義無非敬天畏天之誠耳。或曰：《詩》言『亦孔之醜』，又言『彼月而食，則惟其常；此日而食，於何不臧』，何也？曰：此以王不知事天，而但陳天變以諫戒也。懸象著明，莫大乎日月，猶有時蔽虧；人君而可自謂無蔽，無足虧君德乎？日君象，月臣象；日失其明，俾晝作夜，君德如斯，豈不甚醜；冀王反己自責，知其蔽而醜之，則修德而復乎常明之體矣。」

> 不得其年，則信為幽王時之詩。褒姒滅周，是逆料其必然之辭，而非已然之辭也。然則東周以後，有〈風〉無〈雅〉，亦信矣。

江永所謂「有謂〈正月〉篇以下，為東遷後之詩」，應該是指如閻若璩所主張的看法：

> 《詩》降自〈黍離〉，而〈正月〉諸篇猶存之〈雅〉之中，不忍其遽也矣。蓋〈正月〉有「赫赫宗周，褒姒烕之」，〈雨無正〉有「周宗既滅，靡所止戾」；說者皆謂其道已然，事似周東遷後之詩云。[66]

然而江永根據天文上的事實「十月之交，日有食之」為支持的鐵證，證明這些詩都是幽王時的詩，不在東遷之後。

《戴氏詩經考》在〈十月之交〉詩後，也有一段論述說：

> 余曰：〈節南山〉言「國既卒斬」，〈正月〉言「赫赫宗周，褒姒滅之」，〈十月之交〉言「豔妻煽方處」，〈雨無正〉言「周宗既滅」；〈毛詩序〉皆以為刺幽王，據辛卯朔日食為幽王六年，而其辭有似西周已亡者，何也？蓋猶祖伊之言「天既訖我殷命」、「殷之即喪」云爾，不必疑為東遷後之〈小雅〉矣。[67]

戴震的說法跟江永的完全一致，也是強調〈十月之交〉中的日食為鐵證，證明是幽王時詩，只是多了個舉例，以《尚書．西伯戡黎》中祖伊的話，來說明這是推測、逆料的話語罷了。

（九）第九條：江永說：

> 武王之子封於韓。《括地志》同州韓城縣南十八里，為古韓國。然〈韓奕〉之詩言韓城，燕師所完，奄受追貊北國，則韓當不在關中。

---

[66]〔清〕閻若璩：《四書釋地》（臺北市：臺灣商務印書館，《文淵閣四庫全書》本）三續卷上〈王者之迹熄節〉條下。

[67]〔清〕戴震：《戴氏詩經考》，頁2010。

> 王肅謂涿郡方城縣有韓侯城。王符《潛夫論》曰：周宣王時，有韓侯，其國近燕，故《詩》云：「溥彼韓城，燕師所完。」考《水經注》云：聖水逕方城縣故城北，又東逕韓侯城東方城，今為順天府之固安縣，在府西南百二十里，與《詩》之「王錫韓侯，其追其貊，奄受北國」者正相符。又以梁山在韓城為可疑；然而燕地亦自有梁山。《水經注》鮑邱水過潞縣西，高梁水注之，水東逕梁山南。潞縣今之通州，其西有梁山，正當固安縣之東北也。禹治冀州水，恆衛既從，則燕地之梁山固其所奠定者；韓城之梁山，名偶同耳。然則韓始封在韓城，至宣王時，徙封於燕之方城與！

〈大雅・韓奕〉詩中的韓國、梁山，歷來都認為是在同州韓城縣附近，然而江永以為從詩句中所說的看來，韓國應該不在關中而在北邊靠近燕國的地方。所以，他引證了王肅、王符、《水經注》等來論述韓國當在順天府固安縣附近；而燕地也有梁山；所以江氏以為韓國在宣王時，徙封在燕國附近的方城。

江永這種說法是前有所承的。南宋王應麟撰《詩地理攷》，其中論〈大雅・韓奕〉首章曰「奕奕梁山」，其六章曰「溥彼韓城燕師所完」，引《漢志》夏陽之梁山，《通典》同州韓城縣古韓國；又兼引王肅所說，以為燕是北燕國及涿郡方城縣有韓侯城[68]。到清朝，胡渭（1633～1714）撰《禹貢錐指》中也論及這問題，他說：

> 〈韓奕〉之卒章曰：「王錫韓侯，其追其貊，奄受北國；因以其伯，實墉實壑，實畝實籍。」王符《潛夫論》曰：「昔周宣王時有韓侯，其國近燕。故《詩》云『溥彼韓城，燕師所完』。」《水經注》：聖水逕方城縣故城北；《詩》「溥彼韓城，燕師所完」。王肅曰：「今涿郡方城縣有韓侯城也。」《困學紀聞》曰：「燕師，鄭《箋》以為燕安之

68 參見〔宋〕王應麟：《詩地理攷》（臺北市：臺灣商務印書館，《文淵閣四庫全書》本）卷4，〈韓侯、韓城〉條。

師。《詩》云『奄受北國』，肅說為長。」渭按：《魏書．地形志》：范陽郡方城縣有韓侯城。方城今為固安縣，屬順天府。或泥奕奕梁山，謂韓侯國在今陝西韓城縣，非也。[69]

可見江永的說法與胡渭相同的。戴震在《戴氏詩經考》〈韓奕〉詩下，也考論梁山、韓國的地望說：

震按：梁山，在燕方城之北。《水經注》云：「濕水徑良鄉縣之北界，歷梁山南。」又云：「山有燕刺王旦之陵。」即此梁山也。其東南有韓城。《漢志》：涿郡有故安、良鄉二縣。廣陽國有方城縣，今之固安縣，即方城、固安二縣地，與良鄉縣並屬順天府。韓蓋近燕，後為燕所并。受命，謂命為北方牧伯。說經者不知近燕有梁山，有韓城，而以晉地之梁山、韓原今為韓城縣當之。西周梁山在畿內，則韓為畿內之國。於詩辭曰「入覲」，曰「燕師所完」，曰「其追其貊，奄受北國」，皆不可通矣。[70]

戴震的說法與江永的持論幾乎完全一樣，只多了些古今地名對照的說明而已。而在同一首詩之後，戴震還說：

顧炎武曰：「《水經注》：聖水『徑方城縣顧城北』，『又東南徑韓城東』。」王肅曰：「今涿郡方城縣有韓侯城，世謂『寒號』，非也。」方城縣，前漢屬廣陽，後漢屬涿，晉屬范陽。《魏書．地形志》：范陽郡方城縣，有韓侯城。

震按：韓近燕，故使燕眾築完之。王肅、孫毓皆謂：「燕，北燕國。」是也。[71]

可見戴氏是明確主張〈韓奕〉詩中的韓國，地理位置靠近燕國的。

---

[69]〔清〕胡渭：《禹貢錐指》（臺北市：臺灣商務印書館，《文淵閣四庫全書》本）卷19。

[70]〔清〕戴震：《戴氏詩經考》，頁2116。

[71]〔清〕戴震：《戴氏詩經考》，頁2119。

（十）第十條：江永說：

嘗疑魯僭郊禘自僖公始，而泮宮亦由僭郊而作；故云：魯人將有事於上帝，必先有事於頖宮；此亦倣天子而為之。王將郊，立於澤，以聽誓命。泮宮亦猶澤宮，於此聽誓命，亦即以為齊宮，猶隱公祭鍾巫而齊於社圃也。有事頖宮，告將郊上帝也。泮者，魯之水名，作宮其上，故曰泮宮。宮成而僖公飲酒，魯人遂大為鋪張揚厲之辭；克淮夷，獻馘獻囚，淮夷獻琛，皆無其事；夸張虛美，今《詩》並無立學教民之意；所謂「無小無大，從公於邁」者，從公飲酒耳，則泮宮非學也。〈明堂位〉以頖宮為周學，已不足信。漢文帝使博士作〈王制〉，謂天子之學曰辟雍，諸侯之學曰頖宮。釋者謂辟雍之制，水旋邱如璧；諸侯半之。又因獻馘獻囚之虛辭，謂天子出征，受成於學；執有罪反，釋奠於學，以訊馘告。夫立學祀先聖先師，非訊馘訊囚之地；出征受兵於廟，歸而飲至於廟以告祖，宜也。《周禮》、《左傳》皆無學中獻捷之禮，其為附會《詩》詞無疑矣。以泮宮為學，相沿已久；今雖不能反正其說，而讀書者何能無疑。作泮宮，亦土功之事，說者謂立學教民為得禮，故《春秋》不書；非也。僖始僭郊為大惡，不可書；故於三十一年卜郊不從始書之；則因郊而作泮宮，亦諱不書矣。

江永從詩句中觀察，認為詩中並沒有「立學教民」的意思；而從禮學而論，學宮也不是「訊馘訊囚」的處所；再從文獻記載來看，《周禮》、《左傳》也都沒有記載在學校中舉行獻捷之禮的。所以江永提出「泮宮」非學宮之說，而且更進而論說「泮宮」建置的目的，是魯僖公開始僭越要舉行郊禘之禮，而泮宮亦是為僭郊而作的。

南宋戴埴《鼠璞》有論〈泮宮〉一條，其中列舉五個疑點，論證「泮宮」不是學校育才的處所，而應該是魯國君的一個宮殿名[72]。明楊慎撰《丹

---

[72]〔宋〕戴埴：《鼠璞》（臺北市：臺灣商務印書館，《文淵閣四庫全書》本）卷上，〈泮

鉛續錄》有論〈魯頌泮宮〉一條，引用戴埴的說法[73]，而且還根據《禮記》、《說文》來討論「辟雍」、「泮宮」也不是學宮[74]。江永之說應該是整合了前人的辨證，加上自己的理解體會而來的。

《戴氏詩經考》於〈魯頌・泮水〉詩之末，也論及「泮宮」的性質，他

宮〉條，戴埴說：「魯泮宮，漢儒以為學。予觀〈菁菁者莪〉，〈序〉謂樂育人才，而詩叙教養之盛，中阿中陵，孰不知為育才之地。惟〈泮水〉〈序〉止曰『頌僖公能修泮宮』，而詩言「無小無大，從公於邁」，則征伐之事；言『順彼長道，屈此羣醜』，則克敵之功；言『淮夷攸服，既克淮夷，淮夷卒獲』，則頌淮夷之服。借曰受成於學，獻馘獻囚，可也；於此受琛、元龜象齒，大賂南金之畢集，何也？或曰：濟濟多士，克廣德心，此在泮之士，然不言教養之功，而繼以『桓桓於征，狄彼東南』，不過從邁之多賢，何也？又曰『載色載笑，匪怒伊教』，此公之設教，然不言教化及於羣才，而先以『其馬蹻蹻，其音昭昭』，不過宴遊之和樂，何也？合〈序〉與詩初無養才之說，其可疑一也。《春秋》二百四十二年，所書莫大於復古。僖公登臺望氣，小事也，左氏猶詳書之；學校久廢而乍復，蓋關吾道之盛衰，何經傳畧不一書，其可疑二也。〈坰〉〈序〉言史克作頌，以修伯禽之法，足用愛民，務農重穀數事，使果能興崇學校，克何不表而出之，以侈君之盛美，其可疑三也。上庠，虞制也；東序、西序，夏制也；左學、右學，東膠、虞庠，商、周之制也。孟子言庠校序皆古之學，使諸侯之學果名泮宮，何他國畧無聞焉；其可疑四也。記禮多出於漢儒，其言頖宮，蓋因詩而訛。鄭氏解詩，泮言半；諸侯之學，東西門以南通水北無其解；《禮記》頖言班，以此班政教，使鄭氏確信為學，何隨字致穿鑿之辭；其可疑五也。有此五疑，予意僖公不過作宮於泮地，樂成之際，詩人善禱，欲我公戾止於此，永錫難老；而服戎狄於此，昭假孝享，而致伊祜，於此獻囚獻馘而受琛貢；此篇與宣王考室之詩相表裏，特周為居處之室，魯為游從之宮，祝頌有不同。予按《通典》言魯郡乃古魯國，郡有泗水縣，泮水出焉。然後知泮乃魯水名，僖公建宮於上，詩言『翩彼飛鴞，集於泮林』，林者林木所聚，以泮水為半水，泮林亦為半林乎。泮為地名，與楚之渚宮、晉虒祁之宮無以異，於是又求之莊子，言歷代樂名黃帝、堯、舜、禹、湯、武王、周公有〈咸池〉、〈大章〉、〈韶〉、〈夏〉、〈濩〉、〈武〉；中曰文王有辟雍，是以辟雍為天子學，亦非也。詩言『於論鼓鐘，於樂辟雍』，又云『鎬京辟雍，無思不服』，亦無養才之意。莊子去古未遠，必有傳授。漢儒因解泮水，復言辟雍，求之義不可得，故轉辟為璧，解以員水。」

[73]〔明〕楊慎：《丹鉛續錄》（臺北市：臺灣商務印書館，《文淵閣四庫全書》本）卷1〈經說・魯頌泮宮〉條。

[74]〔明〕楊慎：《丹鉛餘錄》（臺北市：臺灣商務印書館，《文淵閣四庫全書》本）卷12。

說：

〈泮水〉八章　《春秋》僖公十三年，夏，會於咸。《左傳》云：「淮夷病杞故。」杜注「淮夷為魯東夷者」，是也。十六年，冬會於淮。《左傳》云：「謀鄫。」杜注：「鄫為淮夷所病故。」蓋杞、莒、鄫皆魯之東，杞近北，鄫近南，外薄淮夷，齊桓公會諸侯而城緣陵，遷杞，又城鄫，不果城而還。其不以師伐淮夷，必有淮夷求成獻賂之事，不足書，故不見於經傳。此詩魯人頌美其君，至五章以後，乃及淮夷，非全無是事而徒言之也。淮夷近魯，魯所當使之服，則詩文又以勉魯侯矣。泮宮也者，其魯人於是祀后稷乎？魯不得立后稷廟，而郊祀后稷，故作宮於都南。〈禮器〉曰：「魯人將有事於上帝，必先有事於頖宮。」頖、泮同。古字假借。鄭注：「告后稷也。」告之者，將以配天。然則《詩》曰「從公子邁」，曰「昭假烈祖，靡有不孝」，明在國都之外，祀后稷之地。曰「既作泮宮」，作者有加於舊也。曰「獻馘」、「獻囚」、「獻功」，蓋魯亦於祀后稷之地賞有功也。《書》所謂「用命賞于祖」也。泮宮為學宮，其說起於漢，前此未有聞焉。辟廱、泮宮，《周禮》、《孟子》皆不言。若果學宮，則有周一代大典也，不應遺失之。[75]

戴震也以為「泮宮」建置的目的，就是為了郊祀后稷，是僭禮的行為。而「泮宮」的用途是軍事上「賞有功」的地方，而不是教育用的學宮。這兩點具創發性的看法，都與江永所說的一致。可知戴氏之說適從江永傳承而來的。這一論述也見於《戴氏詩經考》〈大雅．靈臺〉詩下，他說：

震按：……「辟廱」，義未聞。〈周鼎銘〉有云：「王在辟宮，獻工錫章。」《史記》曰：「豐、鎬有天子辟池。」譙周曰：「成王作辟上宮。」此單言辟者也。〈周頌〉曰：「於彼西雝。」《毛傳》：「雝，澤也。」

---

[75]〔清〕戴震：《戴氏詩經考》，頁2154。

古銘識有云：「王在雝上宮。」此單言雝者也。其曰「辟上」、「雝上」，則以名池名澤而作宮其上，宮因水為名也。漢初說禮者，規放故事，始援〈大雅〉、〈魯頌〉立說，謂天子曰「辟廱」，諸侯曰「泮宮」。如誠學校重典，不應《周禮》不一及之，而但言成均、瞽宗。他國且不聞有所謂泮宮者。趙岐注《孟子》云：「雪宮，離宮之名也。」宮有苑囿臺池之飾，禽獸之饒，此詩靈臺、靈沼、靈囿，與辟廱連稱，抑亦文王之離宮乎。閒燕則講法論樂於此，不必主以為太學，于詩前後尤協矣。[76]

當然，戴震的論述要比江永的詳盡些，所用的論證材料也比較豐富，比如戴氏引用了出土的銅器文字，就是江永所沒有的。其後戴震訂錄《毛鄭詩考正》，在〈靈臺〉、〈泮水〉兩首詩裏，也都有同樣的論證，無甚改變[77]。

綜合以上十條江永與戴震有關《詩經》學說的對比，可以得知除了〈丰〉「衣錦褧衣」一條彼此沒有交集可觀之外，其餘九條中，〈豳風〉、〈豳雅〉、〈豳頌〉一題，戴震不接受江永的意見；〈何彼襛矣〉中「平王之孫」問題，江永與戴震都反對傳統說法，不過戴震也找不出他認為正確的對應人、時，所以存疑處理，稍與江永有異。其他的七條，戴震的論述幾乎是完全承受江永的主張。雖然論例只有十條，涵蓋面不夠廣，但已經可明確知悉戴震在《詩經》學上的很多觀點，相當高比例確是從江永處得來的。可見江永與戴震之間，不單只有師生的名分，而在學術上也是具有明確的傳承事實的。

四　有關戴震「背師」「心術」問題探討

張穆、魏源、王國維等指責戴震「抗心自大」、「諱師」、「背師」等負面批評，主要是因為他在著作中稱江永為「吾郡老儒江慎修永」，顯示了他

76〔清〕戴震：《戴氏詩經考》，頁2074。

77〔清〕戴震：《毛鄭詩考正》，頁3917〈靈臺〉、頁3921〈泮水〉兩詩之下。

對江永的尊敬不足；而且，在流傳的戴震著作裏，看不到他對江永稱師的記載，而在戴震入京師之後，似乎也沒有對別人特別說明自己的學問道業，是曾追隨江永拜師學習，連高弟子段玉裁也沒有聽說過，這真是難以令人釋懷的事實。

若果戴震雖然曾經拜入江永之門，而江永並沒有對戴震有實質的開導與提升，那他們兩人只能說是種有名無實的師生名分而已。然而從前面《詩經》學說的比較，也證明戴震的《詩經》學說，應該有很高的比例是由江永啟發的，在學術的道途上，江永無疑實質上、名分上都是戴震的老師；那麼，戴震為什麼會有那樣的行為表現呢？那基於怎麼樣的心態來面對自己的老師呢？

前面已經討論過，戴震拜入江永之門，應該是在乾隆十年，地點是在休寧的山斗鄉程恂的家塾裏，而戴震《毛詩補傳》則寫成在乾隆十八年癸酉仲夏。在這八年之中，戴震跟隨江永學習的情形，他自己在為江永寫的〈七十壽序〉裏說：「始拜先生於吾邑之斗山；所讀諸經，往來問難，承口講指畫，然后確然見經學之本末。……震親見其筆札數百條，發微訂誤。」江永《年譜》中說：「歙門人方矩、金榜、汪梧鳳、吳紹澤從學；休寧鄭牧、戴震、汪肇龍、程瑤田，前已拜門下問業，是年殷勤問難，必候口講指畫，數日而後去。」鄭虎文撰寫〈明經松溪先生汪君行狀〉說：「經學則與休陽戴氏震、同里汪氏肇龍，同出婺源江門。汪氏精三禮，而戴氏於諸經所得獨多，為江門大弟子，其學與江氏相出入，君亞焉。江氏作君祖傳，即稱君與戴震俱研經學，有著述聞於遠近也。」[78]汪梧鳳《詩學女為》前序說：「予少攻詞章之學，久而厭苦之，乃讀經；從婺源脊齋江先生遊，與同學休寧戴震、同里汪肇龍、程瑤田輩講習辨難。」[79]在在都能看出戴震在江永門下研究經學，成果豐碩，是出了名的。尤其是對《詩經》的研究，戴氏自己說是

[78] 見汪梧鳳：《詩學女為》書前，總頁603～604。亦收入鄭虎文：《吞松閣文集》卷35，頁6，總頁346。

[79]〔清〕汪梧鳳：《詩學女為》書前序文，總頁605。

「平生所志，所加功，全見於此」。江永雖然沒有專門的《詩經》著作，也沒有記下他平常與弟子講授《詩經》的內容，想江氏對《詩經》的意見當然不止上述的十條而已，戴震說「親見筆札數百條」，而他跟弟子講授的當然更多。

從前面《詩經》學說的對比觀察，十條中至少有七條是跟江永相同觀念的；然而，這七條論述裏，沒有一點兒提到是自己的老師江永說過的。通考戴震在《戴氏詩經考》裏，引述過歷來很多人的見解，其中清朝的學者就只引用過顧炎武四次，閻若璩一次；至於江永的見解呢？整本書裏也的確明確稱名引用了一次，但不在前述的八條。在《戴氏詩經考》〈商頌．長發〉首章「有娀方將，帝立子生商」下說：

> 江先生曰：「『有娀方將』，猶言簡狄之後欲大爾。帝於此時，即立子姓而興商。」[80]

戴震這一條引用江永的說法，可見江永平常講學，對整本《詩經》應該都有解釋的。但是，戴震在江永認為值得著述的重要論述上（前面十條）不加稱名引用，反而在這不甚要緊的地方稱名引用，而這個時間是戴震仍身在江永門下，正在學習之中。戴震這麼處理，到底出於什麼心態呢？

後來，戴震將《毛詩補傳》中考證部分錄出成《毛鄭詩考正》，對於〈長發〉詩「有娀方將，帝立子生商」的對應部分，戴震說：

> 震按：此「有娀」但指契母，「方將」者，言其後欲大耳。《史記》云：「契長而佐禹治水有功，封於商，賜姓子氏。」此詩言「洪水芒芒，禹敷下土方」，著契佐禹之功也。言「帝立子生商」，著受姓所起，由是世世相繼，商日以盛也。[81]

其中「言其後欲大耳」一句，顯然就是江永原來的見解，然而在這裏戴震卻

---

[80]〔清〕戴震：《戴氏詩經考》，頁2165。

[81]〔清〕戴震：《毛鄭詩考正》，頁14，總頁3923。

不再稱名引用了；這可能是因為《毛鄭詩考正》這本書體例所限的關係。不過，總觀上述而論，戴震實在是有掩蔽師名，竊據師說以為己意之嫌的。由此，不由令人聯想到戴震的另一學術公案——趙一清校《水經注》剽竊疑案。雖然這公案還沒有定論，正反兩方的支持者都各執一詞，如果再加上前述《詩經》學說的「掩蔽師名，竊據師說以為己意」之嫌的話，那就對戴震的學術道德評價十分不利了。或者，這也許就是章學誠之所以極力指說戴震「心術不正」、「學問心術，實有瑕瑜不容掩者」的原因之一罷。

五　結語與餘論

本論文的主要目的，是想從前人所沒有探討過的角度切入，來論辨江永與戴震之間的關係。前人大多數都是從江永、戴震之間的稱謂形式入手，再加上江、戴同時或稍後的師門同學、交遊學侶等的記述，來論斷江、戴師生關係，並進一步指評戴震「背師」、「諱師」。不過傳統上，往往是雖然有「師生」的名分，卻不一定是真正的師生，如科舉考試的座師與門生，就是名為「師生」而實際上只是一種人際關係而已。師生之間應該以「學術傳承」為鍵鏈，才是真正的「師生」。所以，本文就是從他倆實質的學術脈絡上來探討的。至於要從經學裏《詩經》這一個範疇來深探的理由，一方面是因為戴震從江永學習所得最被推許的，就是經學，另一方面是因為戴震在經學上最完整的論述就是《詩經》，大陸楊應芹先生於北京國家圖書館發現《戴氏經考一》二十六卷抄稿，即是後來的《戴氏詩經考》，給予本論文一份豐厚的材資，所以能作較全面對比觀察。

由對比江永與戴震兩人的《詩經》學說，得知至少就現存所能見到江永著述在《群經補義》裏的《詩經》學說十條，有七條是立論完全一致的，一條基本是同樣以反傳統的態度來解經的；一條沒有交集，無可比較；只有論「豳風、豳雅、豳頌」一條是觀點差異較大的：同樣都反對鄭玄將〈七月〉詩分成三截來配合，江永用宋朝王質的主張，戴震則支持朱熹的基本看法而有所修正。從比例上來看，戴震的《詩經》學見解應該有不少是傳承自江永的，加上戴震稱名引用的一條用例，可見江永對《詩經》是有全面的解讀觀點的。因此可以確定江永與戴震之間，不單止有「師生」的名分，而且有實質的學術傳承關係。

然而戴震在《詩經》相關學說裏，雖然與江永有高比例的相關性，但是在重要的論述中，都沒有稱名引用，而是當作自己的論述一樣來鋪陳，這不得不令人懷疑戴氏有「掩蔽師名，竊據師說以為己意」的嫌疑，更讓人聯想到戴氏的《水經注》校勘剽竊疑案，而這也可能是章學誠指責戴氏「學問心術，實有瑕瑜不容掩」的原因。

相對於戴震的表現，同是江永的高弟子，戴震的同窗兼學侶汪梧鳳，他在乾隆三十六年（1771）去世前所編纂成的《詩學女為》一書中，仍然尊稱江永為「江吾齋先生」[82]，這跟戴震在差不多的時間裏，稱江永為「吾郡老儒江慎修永」，形成對比極大的反差，相去不啻天壤了。

而戴震早年還曾從同鄉高位名儒程恂學習，根據段玉裁所撰寫的《戴東原先生年譜》，在乾隆七年條下說：「是年自邵武歸。同邑程中允恂一見，大愛重之，曰：『載道器也。吾見人多矣；如子者，巍科碩輔，誠不足言。』」[83]程恂是雍正二年的進士，乾隆元年中式博學鴻詞，官翰林院檢討，學問當然不錯，然而比起江永，應該還有層次上的距離；但是程恂位高顯貴，當然是一位有能力提拔弟子的老師，戴震拜入程恂門下，應該是不二之選。戴震後來也曾當著紀昀的面前，稱程恂為「先師」。《戴東原先生年譜》在乾隆十三年條下說：

> 紀文達公〈考工記圖序〉曰：「戴君語予曰：『昔丁卯、戊辰間，**先師**程中允出是書以示齊學士次風先生；學士一見而嘆曰：「誠奇書也。」今再遇子，奇之。是書可不憾矣。』」[84]

---

[82]〔清〕汪鳳梧：《詩學女為》，頁10，總頁610。

[83]〔清〕段玉裁：《戴東原先生年譜》，頁3，總頁30。

[84]〔清〕段玉裁：《戴東原先生年譜》，頁5～6，總頁31。

而紀昀的原書〈序〉說：

> 戴君東原始為《考工記》作圖也，圖後附以己說而無注。乾隆乙亥（二十年，1755）夏，余初識戴君，奇其書，欲付之梓。遲之半載，戴君乃為余刪取先後鄭注，而自定其說以為補注。又越半載，書成，仍名曰《考工記圖》，從其始也。[85]

那戴震稱程恂「先師」的時間是乾隆二十一年前後。而戴震在乾隆十五年為江永作〈七十壽序〉時，還稱江永為「吾師」，到乾隆十八年《毛詩補傳》初成書時，則稱江永為「江先生」，後來的文獻記載裏，就再也看不到戴震稱江永為「師」的了；甚至在江永去世（乾隆二十七年），戴震撰寫〈江慎修先生事略狀〉中，也沒有稱江永為「師」呢[86]！然則，戴震對程恂與江永兩位老師之間的態度，似乎是有些差異的；至於差異的原因，是因為感情、現實，抑或是學術，那就只有憑讀者自己的卓識了。

85〔清〕戴震：《考工記圖》（臺北市：臺灣商務印書館，1965年，《萬有文庫薈要》本）書前紀昀的〈序〉。又《續修四庫全書》，經部，禮類85冊，亦有此書。

86〔清〕戴震：〈江慎修先生事略狀〉，《戴東原集》卷12，頁1～6，總頁1121～1123。

論章太炎的今古文經學觀

黃梓勇*

學界在討論清末學術時，常將清代推崇許、鄭的漢學，和與今文經學相對的古文經學等同起來，反而忽略了清末推崇古文經傳的學者對於今、古文經學之分的論述。如學界在討論章太炎的古文經學時，常沿用清代今文家的觀念來展開論述，使理解時有過於簡略或偏差的情況。其實，早在上世紀三十年代，錢玄同已指出清代今文經學家對於今古文經學之分的論說，存在若干問題，且無論是清代自視為今文經學家的，或自視為古文經學家的，均提出了很多不同於漢代今、古文學的新見，尤其他指出由漢至清，自章太炎始有所謂古文家的說法，最具啟發性[1]。唯經過幾十年，學界很少沿著錢氏的思路，再作探討。而以往有關章太炎經學的研究成果，常有以下的問題：第一，每以接續古文經學傳統，作為章氏替古文經傳辯護的原因，並稱之為古文家，但所謂古文家的內涵到底是什麼，則又似乎並非不言自明，且章氏對今、古文經學有一套有別於清代今文家的說法，而此說法更有一發展的過程，則當學者提出章氏接續古文經學傳統時，到底是沿用清代今文家的說法，還是依照章氏自身某一階段的說法，似乎有進一步說明的必要。第二，由於簡單地解釋章氏專主古文經學出自接續統緒，因而在論述章氏的經學觀念時過於簡略，且忽略、甚至隱沒了章氏的古文經學概念是經過他多年的思考及對舊說的修正，才得出的學術見解。這兩個問題，源自章太炎自身在討

* 香港浸會大學中國語言文學系。

[1] 錢玄同：〈重論經今古文學問題〉，載《古史辨》（海口市：海南出版社，2003年），第5冊，頁58～59。

論今、古文經學問題時，沒有明確界定相關概念的內涵所致。故本文即以章太炎的今、古文經學觀念發展為中心，一方面希望通過分析其今、古文經學觀念的建立，修正過往學界由於受清代今文經學影響下，種種解讀的不準確處，另一方面希望通過此討論，來補充過往學界側重於討論清代今文學的偏至傾向。

一　清代古文經學概念簡述

清代學術由辨別漢、宋，到清中葉學術界於漢、宋學以外，別出一支以《公羊》學為中心的今文經學，才開始出現分辨今文經學和古文經學的見解。而所謂古文經學的內涵，基本上均是由那些所謂今文經學家所賦予的[2]。

由莊存與重視《公羊》學的經說，以及孔廣森撰《春秋公羊經傳通義》提出「經主義、史主事」，強調《公羊傳》解經的價值。至劉逢祿重申漢人「左氏不傳《春秋》」之說，認為漢代《公羊》學才是解讀《春秋》的正宗，

---

[2] 有關清代漢學、宋學、今文經學、古文經學這幾個概念，各自均有其發展過程，且清代學者在使用這些概念時，也沒有嚴格的定義。這裏簡略說明本文使用相關概念時，其一般的指謂。漢學：本文使用時，若沒有另出注文，則指以考文知音為學術方法的經學研究潮流，固然這理解並不能範圍清末劉師培等人認為漢學當包括西漢和東漢之學的含意，但鑒於乾嘉推崇賈、鄭、許、馬的學術方式而以漢學之名相號召，其後今文經家又在相同的出發點上，否定其合法性，方便起見，仍沿用漢學之名來統稱乾嘉以來以訓詁方法研究經學的學術範式。（有關漢學概念的發展，可參羅檢秋：《嘉慶以來漢學傳統的衍變與傳承》〔北京市：中國人民大學出版社，2006年〕，頁7～15。）今文經學：本文若不另出說明，則指以《公羊》學為中心的經學研究方式，雖然學界已指出清代今文經學，應當包括以《公羊》學為中心的一路，及以考證、輯佚今文經傳的另一路，但鑒於本文的討論對象如章太炎、康有為等人，均將考證一路的今文學排斥出今文經學的概念以外，因此本文沿用了他們的用法。（有關清代今文學的兩條不同路向，詳參蔡長林：〈清代今文學派發展的兩條路向〉，載彭林編：《經學研究論文選》〔上海市：上海書店出版社，2002年〕，頁75～100。）古文經學：本文以古文經學來指稱由今文經家來限定的古文經學概念，即以賈、鄭、許、馬之學為古文經學的內涵；另外，以「古文經學」來指稱章太炎逐步發展出來的、有別於今文經學家提出來的古文經學觀念。

而《左傳》只是一部與孔子《春秋》無關的史書。沉寂經年的漢代《公羊》學重新被重視，後更由《公羊》學為中心，擴展為嘗試貫通五經的今文經學。唯劉逢祿雖看重漢代《公羊》學，但他僅否定《左傳》的解經地位及重申漢代《公羊》學的解經價值，並未有發展出一套以《公羊》學為中心的今文經學觀念，他治《尚書》亦兼治今文、古文，治《禮》亦談及《周禮》。反觀與劉逢祿同時代的宋翔鳳則比劉氏更進一步，宋氏於〈擬太常博士答劉歆書〉云：

> 伏生《尚書》二十八篇，帝王之事已備，孔子雖為百篇之序，或虛存其目，或并合其文，條列明白……近聞得多十六篇，亦微文碎詞而已。《禮經》十七篇，五常之道，包括靡遺，不必推士禮以至於天子也。《春秋》先師之說，得孔子竊取之義，左氏所傳，其文則史，烏睹《春秋》之法乎！[3]

認為漢代立於學官的今文經傳，已全面包含孔子原義，後出之古文經傳大抵無關經學大體。宋氏於〈漢學今文古文考〉更直指劉歆竄亂古文舊書，成古文經傳，以變亂漢世博士今文家法，附會王莽，更指出：「當時學者（東漢），惟杜林、鄭眾、賈逵、服虔、許慎、馬融、鄭玄諸家好言古文。其書之傳者，惟許、鄭兩家。許慎《說文解字》引古文經以證六書，鄭玄輒以古文讀正今文之字，知古文家專明訓故，其譚先王之制、為政之體，非博士所傳，不可依也。」此文指出：古文經源出劉歆附會改竄古文舊書，而東漢諸儒，不明其源，沿劉歆所定之古文經，更作故訓，因而許、鄭之學即劉歆之古文經學，宋氏更認為這些古文家但明詁訓，其所談之禮制，皆不可依[4]。宋氏所提出的劉歆偽作古經說及許、鄭之學等同古文經學說，基本上已訂定了自後今文經學家對古文經學的批判及定義的基礎。

---

[3] 宋翔鳳：〈擬太常博士答劉歆書〉，《樸學齋文錄》卷1，頁23a～b；《續修四庫全書》（上海市：上海古籍出版社，1995年），第1504冊，頁335。

[4] 宋翔鳳：〈漢學今文古文考〉，《樸學齋文錄》卷3，頁9a～12b；《續修四庫全書》，第1504冊，頁363～364。

時代稍後的魏源又云：「余讀《後漢書・儒林傳》，衛（宏）、杜（林）、馬（融）、賈（逵）諸君子承劉歆之緒論，創立費、孔、毛、左古文之宗，土苴西京十四博士今文之學，謂之俗儒，廢書而喟！」又進一步指出東漢許、鄭之學即源出劉歆所欲建立之古文經學，而許、鄭以訓故通典章的學術方法，則導致經學分裂成經術、文章、政事，而不復西漢今文經學之合三者為一、兼求是與致用的狀態。因而魏源論及清代諸儒推崇許、鄭之學，認為其只形成不尚貫通、但務破碎的學術風潮，而無關經學大體。他指出：「西京微言大義之學，墜於東京；東京典章制度之學，絕於隋、唐；兩漢故訓聲音之學，熄於魏、晉。」西漢十四博士的今文經學是「微言大義」之學，東漢成為風潮的許、鄭古文訓故之學，則只是「典章制度」之學。故他提倡：「今日復古之要，由詁訓、聲音以進於東京典章制度，此齊一變至魯也；由典章制度以進於西漢微言大義，貫經術、故〔政〕事、文章於一，此魯一變至道也。」[5]

宋、魏二家可以說建立了延至清末民初以《公羊》學為中心的今文經學的立說重心。一則以西漢博士之學得孔子「微言大義」；二則以東漢許、鄭、賈、馬為訓故典制之學，源出劉歆，唯務破碎，且所尚古經有竄亂偽造之疑；三則認為當世經學當走出許、鄭訓故典章之學，而上求西漢「微言大義」之學。宋、魏二人的說法，基本上是針對清代「家家許、鄭，人人賈、馬」的情況，以溯源的方式，從經學史的層面，說明清代漢學源出東漢，而東漢之學又出自東漢諸儒不明劉歆所倡古經之不合法性，從而為其撰作故訓、考其典章而來的。宋、魏二人認為最大的問題是，清代漢學迷於訓故典章的學術方法，而不知自己所治，只是源出東漢，不及孔門「微言大義」的古文經學。因此宋、魏提出回復今文經學的傳統，並且嘗試以漢代《公羊》學的經義，來貫通群經，如宋氏以《公羊》學來解讀《論語》，魏氏則以《公羊》學來訓釋《詩》、《書》。

---

[5] 魏源：〈兩漢經師今古文家法考敘〉，《魏源全集》（長沙市：岳麓書社，2004年），第12冊，頁136～138。

至廖平《今古學考》主張今學、古學兩兩相對，各成宗派，雖然他的主張是以禮制來區分今學、古學，但基本的原則，仍然以許、鄭之學等同古文經學。康有為一八九一年致書朱一新時更說：

> 國朝顧、閻、惠、戴諸人用功於漢學至深，且特提倡以告學者，然試披其著述，只能渾言漢學，借以攻朱子，彼何嘗知今、古之判若冰炭乎？不惟不知其判若冰炭，有言及今、古學之別乎？夫兩漢之學，皆今學也。自鄭君混一今、古之文，而實以古文為主，魏、晉博士皆易以古學，而今學遂亡……今學博士，自戰國立，至後漢，正法凡五百年而亡，劉歆作偽，行於魏、晉，盛於六朝、隋、唐、宋初，凡五百年而息……國朝閻、毛、惠、戴之徒，極力主張漢學，能推出賈、馬、許、鄭以攻朱子，實僅復劉歆之舊，所謂物極則變也。然乾、嘉之世，漢學大行，未有及今學。諸老學問雖博，間輯三家《詩》及歐陽、大小夏侯遺說，亦與《易》之言荀、虞等，所以示博，非知流別也。至嘉、道間，孔巽軒（廣森）乃始為《公羊通義》，然未為知《公羊》也。近日鍾文烝為《穀梁補注》，然未為知《穀梁》也。直至道、咸，劉申受（逢祿）、陳卓人（立）乃能以《繁露》、《白虎通》解《公羊》，始為知學。則今學息滅廢絕二千年，至數十年間乃始萌芽，所謂窮則反本也。[6]

這段文字指出清代的漢學大家如惠棟、戴震，均不知今文經學和古文經學之別，而他們所主張的經學方法，在無意識間只是回復到劉歆所倡的古文經學傳統，而並未觸及經學之正統——西漢今文經學，且他更認為清代一些輯佚及注解西漢今文經及經說的學者，都並不明白今、古文經學流別，充其量只是一種清代漢學務博而不知宗統的副產品。康有為又於同年刊刻《新學偽經考》，指斥劉歆所主的古文經為偽經，所倡的古文經學是新莽之學，因而清

[6] 康有為著，姜義華、張榮華編校：《康有為全集》（北京市：中國人民大學出版社，2007年），第1冊，頁316。

代惠、戴諸公所回復的劉歆之舊，都只是亡新的偽學，而非孔子的聖學。康有為和宋、魏相似，也將賈、鄭、許、馬之學（漢學）等同於古文經學，從而完全否定了清代漢學的合法性。

以上簡單的回溯自清中葉至清末部分否定清代漢學、主張今文經學的看法。從中可以看到，這些見解均十分強調清代的漢學大家所主倡的訓故典章之學，源出劉歆的古文經學，且劉歆所謂的古文經學充滿著可疑和作偽的成份。根據他們的說法，清代的漢學大家並非有意識的重新發掘源自劉歆的古文經學，而是在未有考察清楚經學流變的情況下，主倡許、鄭、賈、馬，從而掉進了學術誤區，他們的工作，便是要帶領學術界走出這個誤區，重新發掘聖人六經之「微言大義」。其中廖、康二人，由抨擊漢學為古文經學，從而引申出漢代今文經學和古文經學自成派系之說法，強調今、古文經學壁壘分明，影響極大，後人常依照他們的分判來理解漢代以至清代的今、古文經學問題。但是，清代漢學常被譏為破碎、不成系統，若漢學真的如清代今文家所說在無意識間等同古文經學，則源出劉歆的古文經學似乎也只是一種破碎而不成系統的知識，那麼這種務為煩瑣、不務貫通的破碎之學，又如何與貫通、講求「微言大義」的今文經學相對而各成宗派，且最後更取今文經學而代之？而將此古文經學概念應用到分析章太炎等人的經學思想之上，又是否合理？這些都是有待解決的問題。

二　章太炎接續古文經學統緒辨

學界每謂章氏繼承了清代古文經學研究的餘緒，因而專主古文《左傳》之學，以與復興的今文《公羊》之學相抗[7]。所謂章氏繼承清代古文經學餘

---

[7] 如湯志鈞說：「清代的古文經學，亦稱『漢學』或『樸學』，它開創於明清之際的顧炎武……乾隆、嘉慶間……『漢學』大為流行，形成所謂乾嘉學派……隨著清朝封建統治危機的加深，外國資本主義勢力的入侵，清代的今文經學逐漸代替了古文經學……章炳麟是俞樾的學生，俞樾又是從顧炎武、戴震、王念孫、王引之等一脈相傳下來的清代著名『漢學』大師。章氏聞其餘緒，學『益精審』，並以『私淑』首先宣揚古文

緒，實則是指章氏師從漢學大師俞樾，因而接續了戴震、段玉裁、王念孫、王引之等人的漢學研究統緒，這種看法將漢學等同於古文經學的，正是源出上文提到的今文經學家的看法；另一方面，他們又指出嘉、道間復興的今文《公羊》之學，由康有為接棒並發揚。從而形成了一種簡單化的看法：自清代中葉出現了今、古文相抗的治經思想脈絡，而康、章二人各自繼承其一，從而出現清末今、古文經學論爭。

章氏之繼承清代漢學或樸學治學餘緒，確為的論，唯將之視為其專主古文經學的原因，則又出現若干問題。漢學原指通過考據訓詁、考文知音，以考見典章制度、求得經的本義，繼而明白聖人之道的一種治學方法，而與以闡釋聖人義理為主的宋學相對[8]。後來漢學考文知音、考據訓詁的研究方法擴大到史、子等文獻之上，形成了主導學界的學術潮流，清代漢學可上溯至清初之顧炎武，至惠棟及戴震出，而漸趨嚴密，且漸出現漢、宋門戶之爭。而正如章氏所言：「清初諸人講經治漢學，尚無今、古文之爭。自今文家以今文排斥古文，遂有古文家以古文排斥今文來相對抗，孫詒讓作《周禮

經籍的劉歆自居。」見氏著：〈辛亥革命前章炳麟學術思想評價〉，載氏著：《經學史論集》（臺北市：大安出版社，1995年），頁188～189；又如洪順隆說：「章太炎先生出生於同治七年戊辰，西元一八六八年。這時的學術界，已由乾嘉考據學獨盛的局面，變為古文經學、今文經學並駕齊驅的場面。古文經學由皖派戴震、段玉裁、王念孫、王引之的支流下傳，以俞樾、孫詒讓為代表；今文經學自莊存與、劉逢祿、宋翔鳳等，以至龔自珍、魏源、邵懿辰、戴望、廖平。這兩個學術派別，前者以章太炎為繼承人；後者以康有為為接棒者。章太炎繼承古文經學的餘緒，使他與《左傳》結下不解之緣。」見氏著：〈章太炎與左傳〉，載善同文教基金會編：《章太炎與近代中國學術研討會論文集》（臺北市：里仁書局，1999年），頁19～20。

8 周予同先生謂：「『漢學』這名詞乃由於與『宋學』對峙而成立。」見氏著：〈「漢學」與「宋學」〉，載周予同撰、朱維錚編：《周予同經學史論著選集（增訂本）》（上海市：上海人民出版社，1996年），頁323。這裏只是簡略指出漢學和宋學的特點，詳細的說明可參上舉周先生的文章。又漢學所指為何，於清代已引起很多討論，詳參〔清〕江藩著、漆永祥箋釋：《漢學師承記箋釋》（上海市：上海古籍出版社，2006年），頁35注6。梁啟超更嘗指出以清代所謂「漢學」，每每名實不副，因清代治經者，如戴震，一般不囿於漢代經說。見氏著：《清代學術概論》，頁36。

正義》，專重古文，與今文為敵，此其例也。」[9]是章氏認為今文《公羊》之學復興以前，只有漢、宋之別，而未有今、古之爭，故章氏自言：「余始治經，獨求通訓故、知典禮而已；及從俞先生游，轉益精審，然終未窺大體。二十四歲（1891）始分別古、今文師說。」[10]章氏始治經，專尚漢學，而未有分別今、古文經說之意識，正可說明清代漢學與「古文經學」，至少在章太炎的眼中是不能混而為一的。一八九一年正是康有為撰成《新學偽經考》，指斥古文《周禮》、《左傳》均為劉歆偽作，而今文經學大張其軍之時，據章氏《自定年譜》云：「初，南海康祖詒長素著『新學偽經考』，言今世所謂漢學，皆亡新王莽之遺；古文經傳，悉是偽造。其說本劉逢祿、宋翔鳳諸家，然尤恣肆。又以太史多據古文，亦謂劉歆之所羼入。時人以其言奇譎，多稱道之。」[11]又曾對《新學偽經考》撰有駁議數十條，並以此請教於孫詒讓[12]，可見章氏於是年「始分別古文師說」，與康有為《新學偽經考》的撰成及傳播不無關係，且正與其謂「今文家以今文排斥古文，遂有古文家以古文排斥今文來相對抗」之說相合。因此，章太炎認為清代的「古文經學」，是在今文《公羊》之學復興以後，才出現以與之相抗衡的學術思路，故章氏謂：「經有古、今文，自昔異路；近代諸賢，始則不別，繼有專治今文者作，而古文未有專業，此亦其缺陷也。」[13]是章太炎認為有清一代並未有真正的「古文經學」，故當是先有今文經學之復興，方有章氏專主「古文經學」之繼，且章氏之「治經專尚古文」，意者即欲建立完整的「古文經學」學說以與如日中天的今文經學對抗，因而並非先有所謂清代「古文經學」，而章氏接其統緒也，此不可不辨。不過，漢學重質樸、重實證的學術特點，對章

---

[9] 章太炎：〈清代學術之系統〉，載馬勇編：《章太炎講演集》（石家莊市：河北人民出版社，2004年），頁104。

[10]《太炎先生自定年譜》（香港：龍門書店，1965年），頁4～5。

[11]《太炎先生自定年譜》，頁5。

[12] 章太炎：〈瑞安孫先生傷辭〉，《章太炎全集》（上海市：上海人民出版社，1985年），第4冊，頁224。

[13]〈自述學術次第〉，載陳平原編校：《章太炎卷》（石家莊市：河北教育出版社，1996年），頁654。

氏建構「古文經學」概念有很大的影響，但影響之方式，並非如學界所言這樣，簡單歸納為接續古文經學統緒可以說明得了的。

其次，章氏之所謂今文經學和「古文經學」的內涵亦有辨明的必要。有學者嘗謂章太炎早年並非經古文學者，而用以判別今、古文學的標準，則源自周予同先生《經今古文學》所論，如周先生以古文家視孔子為先師、史學家，而今文家視孔子為素王、哲學家、政治家，論者即據此指出章氏早年也尊孔子為素王，因而判定章氏早年並非古文學者[14]。此說雖辯，且結論並不一定錯誤，但在論證上卻犯上以後證前的毛病。周先生之歸納古文派特點，實則有很多是出自章太炎及劉師培等人所主張的古文經說，如章氏早年之視孔子為素王，而後來視孔子為良史，是章氏將經轉為史，從而建立經即古文，古文即史的「古文經學」的重要論說[15]，而此即為周先生所採納以為古文派特點之一。正如錢玄同指出：「友人周予同兄之《經今古文學》，我也以為，因為他的見解是廖平的，而且他不僅要析漢之今、古文學，還要析清之今、古文學；而且他竟認所謂清之今、古文學與所謂漢之今、古文學是一貫的。這都是弟所反對的。」[16]即周氏之說出自廖平《今古學考》而有所補充，且最重要的是，此說未有意識到所謂清代「古文經學」是清末由章太炎等人經過逐步的研究，才得以完整建立起來的學術概念，與漢代所謂古文學根本並非二而為一的，因而若因這種分判今、古的方法，而謂章氏早年並非古文學者，結論對錯尚且可以再作討論，唯論證的方法則淹沒了章氏逐步建立「古文經學」觀念的發展過程，而容易令人以為章太炎以前已有以經史同體的「古文經學」觀念[17]。

---

[14] 張勇：〈戊戌時期章太炎與康有為經學思想的歧異〉，載《歷史研究》1994年第3期（總229期，1994年6月），頁24～27。

[15] 章氏云：「余以為經即古文，孔子即史家宗主。」見氏著：〈自述學術次第〉，載陳平原編校：《章太炎卷》，頁643～644。

[16]《古史辨》，第5冊，頁444。

[17] 關於這一點，劉巍亦有詳細的說明，見氏著：〈從援今文義說古文經到鑄古文經學為史學——章太炎早期經學思想的發展軌跡〉，收入桑兵、關曉紅主編：《先因後創與不破不立：近代中國學術流派研究》（北京市：生活．讀書．新知三聯書店，2007年），

三　章太炎今古文經學觀念的漸次建立

考章氏自一八九一年「始分別今、古文經說」，而他之分別今、古文經學則由研究《春秋》學開始，由一八九一至一八九六年間章氏即以札記形式撰作《春秋左傳讀》，據他所說：

> 嘗撢嘖於荀（卿）、賈（誼），徵文於（司馬）遷、（劉）向，微言絕恉，迥出慮表，修舉故訓，成《左傳讀》。志在纂疏，斯為屬草，欲使莊（存與）、孔（廣森）解戈，劉（逢祿）、宋（翔鳳）弢鏃，則鯫生之始願已。[18]

可見章太炎要以考輯「周、秦、西漢先師之說」來「紬微言，紬大義」，發明《左傳》之古義，以回護《左傳》的價值，又指出近人如洪亮吉、李貽德「劣能徵引賈、服」；臧壽恭《左義古誼》「雖上扳子駿，亦直捃摭其義，鮮所發明」[19]，則他認為只有沿著近儒辨正杜預《集解》，上溯東漢賈、服舊注，到徵引西漢末劉歆《左傳》學說的思路，再進一步上探西漢以至先秦相關的《左傳》學說，才能達至發明《左傳》所傳之「微言大義」的目的。雖然，章太炎很強調這工作，是要反擊今文經學家對《左傳》的攻擊，但他只是採用了與清代今文家提倡今文經學的相似方法，即由東漢之學上溯西漢之學，此意味著從東漢之學中，難以窺見《左傳》學的真義。從另一方面來說，他的做法只是加強了清代今文家攻擊近儒崇尚許、鄭、賈、馬的合法性。最重要的是，當時的今文學者，指出孔子為素王、作《春秋》「黜周王魯」、改制以待後王法，故《春秋》所載之制為孔子參合四代典制而設的新制，研究《春秋》當重義不重事，後人迷於《左傳》為《春秋》傳的

第3章第3節，頁291～293。

18 馬勇編：《章太炎書信集》（石家莊市：河北人民出版社，2003年），頁1。

19 見《春秋左傳讀敘錄・序》，《章太炎全集》（上海市：上海人民出版社，1982年），第2冊，頁808。

說法，以史解經，是不達《春秋》、甚至經學的真義的。而章太炎在《左傳讀》中，亦引先秦兩漢可判為《左傳》經說者，以證明左氏學亦有「黜周王魯」、孔子素王改制的說法。他完全沒有意識到如果孔子於《春秋》託改制之義，而《左傳》亦傳此義，則《左傳》所記典制到底是當時史實，還是素王新制，此一關鍵問題[20]。簡單來說，章太炎雖自言早年已「治經專尚古文」，但就他早年的撰成的《左傳讀》來說，他之所謂專治古文與康有為等人之倡今文為敵，只是沿用過往一般視《左傳》為古文經傳的看法，因而自己專治《左傳》即為「專尚古文」的簡單觀念，並未涉及到今、古文經學的本質差異問題。

至一八九九年，章太炎撰〈今古文辨義〉，針對廖平一八九八年刊刻的《古學考》，作出駁難，才開始對清代今文家的今、古文經學概念，有系統的反駁。當中指出漢代治今文經的今學十四博士，學說互歧，即今文經學一經之中有數家之傳，說既不一，則清代今文家所謂今、古各成宗派的觀念，自亦無據。但又云：

> 廖氏謂……古文重訓詁……古文之訓詁，如《周禮》杜（子春）及大鄭（興）等注，在今日視之為平常，不知當時鑿山通道，正自不易。蓋此諸家未言章句義理，惟求其字句之通，正如今日校勘家，彼此參稽以求通其不可通。迨其左右採獲，徽結盡解，則豁然墕斯而不可變，非如今日專執小學以說經者，必欲皮傅形聲，捨其已通而為之別求新說也。此訓詁之所以是重，而非穿求崖穴者所可擬矣。（原注：近代訓詁家如惠、戴、段、王，皆得古人正脈；其後小學說經者，多穿求崖穴矣。）訓詁既通，然後有求大義者，《異義》所載是也。[21]

---

[20] 有關章太炎《左傳讀》與清代《公羊》學的關係，詳參拙文：〈章太炎早年的春秋左傳學與清代《公羊》學的關係——以《春秋左傳讀》為討論中心〉，載《中國文哲研究集刊》第35期（2009年9月），頁161～188。

[21] 章太炎：〈今古文辨義〉，湯志鈞編：《章太炎政論選集》（北京市：中華書局，1977年），頁113～114。

宋翔鳳亦謂「古文家專明訓故」，廖氏所說正與其同，章太炎亦依此軌轍，以作論述。只是宋翔鳳、魏源等人在指出東漢古文經學專明詁訓的同時，並指出這種被清代漢學家奉為圭臬的學術方法，由於迷於以方法為目的，事實上並不能達致經學當講求孔子「微言大義」的真正目的。而章太炎則認為訓詁自有訓詁之用，只有「訓詁既通」，才能「有求大義」，基本上他是沿著清代漢學由考文知音，到典章制度，到聖人大義的治學範式，來回復訓詁明經的價值，而非寓目於這種區分今、古文經學的說法是否合理。基本上，〈今古文辨義〉重在反駁廖平的觀點，而未有正面說明今、古文經學概念的問題。

一九〇二至一九〇三年間，章氏修訂《訄書》，當中〈訂孔〉、〈尊史〉諸篇，改變以往孔子為「素王」、作《春秋》改制立法的看法，將孔子地位重訂為「良史」，以史的角度重新理解經，及以史學來重塑「古文經學」。同時期而撰成的《春秋左傳讀敘錄》更集中體現了此時章太炎由討論《春秋》今、古文學，而觸及到今文經學和「古文經學」之別的具體問題。簡言之，他在《敘錄》中指出，孔子《春秋》本為史著，經史同體，唯漢代《公羊》學因雜圖讖，從而提倡「黜周王魯」、孔子改制等經說，並視《春秋》為經，下啟劉逢祿等人經主義、史主事，經義不待事而著的看法，但章氏認為此並非孔門正義。至於漢代的《左傳》學，雖以研談古文經傳為核心，唯所建立之經說，則因時代風潮及爭立學官的影響，為應時世而雜入今文學、圖讖之說，因而東漢以至西漢末劉歆的《左傳》學亦每出現「黜周王魯」、孔子為「素王」的經說，章氏早年的《左傳讀》便因引漢代《左傳》學先師之說，而提出《春秋》古文學亦提倡「黜周王魯」的看法。但其時他一方面否定杜預對《春秋》古文學的論述，另一方面又提出：「《春秋》三家大義，《公羊》至董而備，《穀梁》至大劉而備，《左氏》至小劉而備。」[22]唯據其自言，劉歆以至賈、服的《春秋》古文學，既雜入圖讖、今文之說[23]，則章

22《章太炎全集》，第2冊，頁815。

23 章太炎於一九〇三年致書劉師培云：「觀子駿之說《左氏》，尤多旁引《公羊》。」見

太炎似又暗示終漢一代而至於今，《春秋》古文學均並非純正的古文學，甚至暗示了所謂漢代治古文經的大家，都曲解了古文經傳所包含的原義[24]。唯他似乎尚未找到可以取代雜入今文經說、圖讖之言的漢儒古文經說的另一系統，故其雖對漢儒古文學顯露不滿，仍未能提出另一套學說來取而代之[25]。

其後，章太炎因蘇報案入獄，至一九〇六年六月二十九日出獄，東渡日本。於是年他回覆劉師培來信時云：

> 來書所述《左氏》三例，第二條云：賈、服雖善說經，然於五十凡例外，間有所補，或參用《公》、《穀》，不盡左氏家法，宜存而弗論。僕懷斯疑甚久，始謂劉、賈諸儒曾見左氏微言，或其大義略同二《傳》，而杜征南不見，遂疑諸儒詭更師法。後復紬繹侍中所奏，有云《左氏》同《公羊》者，什有七八。乃知《左氏》初行，學者不得其例，故傅會《公羊》，以就其說，亦猶釋典初興，學者多以老、莊皮傅。征南生諸儒後，始專以五十凡例為揭櫫，不復雜引二《傳》，則後儒之勝於先師者也。然以為周公舊典，抑又失其義趣。其間固有史官成法，如赴告諸例，是也。自茲以外，大抵素王新意，賓禮有會盟，而無宗覲，官職汰孤卿，而存大夫，其非周、魯舊史，固已明白。《公羊》以殷禮自文，誠辭遁。《左氏》末師，又謂當時霸制，其於會盟之禮則從矣。抑豈孤卿之秩，亦霸制所無乎？故知酌損《周官》，裁益齊、晉，斯素王之志也。[26]

馬勇編：《章太炎書信集》，頁72。

[24] 有關章太炎《春秋左傳讀敘錄》的分析，見拙文：〈由《春秋左傳讀》到《春秋左傳讀敘錄》：章太炎《春秋左傳》學的轉變及其相關問題〉，未刊稿。

[25] 章太炎一九三二年致書徐哲東時云：「《春秋左傳讀》，即僕少作。其時滯於漢學之見，堅守劉、賈、許、潁舊義，以與杜氏立異，晚乃知其非。」章氏至撰成《敘錄》時，尚未有擺脫漢代之學的見解，仍然認為只有從劉、賈、許、潁、服這些研究古文經的大家身上，才能得知「古文經學」的經說，以上達經之本義。引文見馬勇編：《章太炎書信集》，頁920。

[26] 馬勇編：《章太炎書信集》，頁74。

這段文字完全反映了章太炎由始治《左傳》專崇漢師以疑杜預《集解》，到重新發現杜預《左傳》學價值的發展過程[27]。就信中所說，章氏早年認為劉歆、賈逵等東漢古文家得知左氏傳下來的微言，因而他們的經說是保留了左丘明原義的正統「古文經學」學說。但是透過章氏對《左傳》的經年考察，他發覺劉、賈等人傳下來的左氏學，與傳文所表達的以史傳經特點，有著很大的矛盾（尤其「黜周王魯」、孔子創制與記事、傳述舊文之間的矛盾），因而他改變了以往的看法，認為劉、賈等人在發現古文《左傳》時，實未知《左傳》的傳經特點，而雜引《公》、《穀》凡例以理解《春秋》古文學。反而，杜預以史書記事原則來理解《春秋》及《左傳》，才是真正明白《左傳》學特點的學者，而《春秋》的本義，亦只有依照《左傳》以史傳經的方法來加以理解，方得孔子本意。但是，章太炎在信中又指出《春秋》並非單純的、依照史實來記錄史事，如《春秋》無宗、覲[28]，又所載官職卿、大夫不別[29]，皆

---

[27] 又章氏晚年（一九三二）致書吳承仕時亦云：「僕治此經，近四十年。始雖知《公羊》之妄，乃於《左氏》大義，猶宗劉、賈。後在日本東京，燕閑無事，仰屋以思，乃悟劉、賈諸公，欲通其道，猶多附會《公羊》。心甚少之，亟尋杜氏《釋例》，文直辭質，以為六代以來，重杜氏而屏劉、賈，蓋亦有因。」此書回憶宗劉、賈到尊杜預的演變過程，正與〈致劉師培書〉相合。引文見馬勇編：《章太炎書信集》，頁361。

[28]《周禮．春官宗伯．大宗伯》：「以賓禮親邦國，春見曰朝，夏見曰宗，秋見曰覲，冬見曰遇。」《春秋》經文諸侯之會見，有朝、遇，而無宗、覲。

[29] 章氏為何會指出《春秋》經傳「汰孤卿，而存大夫」，就是劉師培也不明其意。劉氏回信時即謂：「若謂《左氏傳》無公孤，則《周禮》明言『公之孤四命則孤』。鄭眾曰：『九命上公，得置孤卿。』惟上公有之，諸侯不得置也。魯為侯國，故無二孤。來函謂孤卿之秩，豈亦齊、晉所無？實則按之《周禮》，齊、晉本無孤秩也。若《左傳》別卿於大夫，明證超垂，不勝縷舉。乃公謂汰卿以存大夫，亦僕所不解。」案：劉氏即疑章氏的意思是「汰卿而存大夫」，雖劉氏亦不同意此說，但終究要比「汰孤卿而存大夫」合理一些。見劉師培著，鄔國義、吳修藝編校：《劉師培史學論著選集》（上海市：上海古籍出版社，2006年），頁365。後來章氏於〈明解詁下〉中，分別解釋了《春秋》無覲，以及《春秋》經傳卿、大夫「雖殊號，既為一科」的問題，而當中只提到《春秋》卿、大夫混而不別，而從沒有提及「孤卿」，更可見章氏此信所謂「汰孤卿，而存大夫」的「孤卿」或許只是一時錯訛，實則其意是指卿。故本文論述時亦將之理解為「汰卿而存大夫」。〈明解詁下〉見章太炎著，龐俊、郭誠永疏證：《國故

與《周禮》所記相違[30]。雖然《公羊》家可以《春秋》改文從質以作說明，左氏學末師則又可以禮制沿革、春秋時期霸制如是來作解釋，但他卻認為這些說明和解釋都不達孔子《春秋》之意。他指出孔子既不是改文從質的改制，亦非如實地記錄當時霸制的實況，而是要「酌損《周官》，裁益齊、晉」。但問題是，「裁益齊、晉」尚且可說孔子依周禮譏貶諸侯霸政，「酌損《周官》」則根本上與《公羊》家改制之說相同了，則此又折入《春秋》、《左傳》所記史事，到底何者為史實，何者為「素王之志」以「酌損《周官》」的老問題上，而未能貫徹其經史同體，以史解經的觀念。究其實，則章太炎一方面既否定今文學對於孔子及經學的描述，但另一方面似乎認為單純用記載史事來理解孔子作《春秋》之意，並不能彰顯出孔子、《春秋》以至六經的價值，因而說出了「酌損《周官》，裁益齊、晉」，這一矛盾性的判斷，使經即使其本質為史，亦兼具素王之志的內涵，從而維持經學的價值。劉師培回覆此信書時云：

> 來書言《左傳》有素王新法，賓禮有會盟而無宗、覲，官秩汰孤卿而存大夫，故酌損《周官》，裁益齊、晉，斯為素王之志。此說誠新奇可喜，然按之古義，則殊不然。《左傳》所言典禮，無一不與《周官經》合……總之《左傳》所言，俱係《周禮》，不必以《公羊》改制之說附會《左傳》，以淆其家法。賈君〈春秋左傳序〉，首言孔子立素王之法，即係誤采二家之說。實則素王之說，出於緯書。[31]

指出章氏「酌損《周官》」之說，已折入《公羊》家孔子改制之說，反而損

論衡疏證》（北京市：中華書局，2008年），頁374～375。至於有關《春秋》經傳之不別卿、大夫，杜預《春秋釋例》已云：「諸侯大國之卿，皆必有命，固無所疑，其總名亦曰大夫也。故經傳卿大夫之文相涉，晉殺三卿，而經書大夫；邢邱之會，傳稱大夫，亦皆卿也。」見杜預：《春秋釋例（附校勘記）》（北京市：中華書局，1985年），頁34。

[30]《周禮．春官宗伯．典命》：「公之孤四命，以皮帛眂小國之君，其卿三命，其大夫再命，其士一命。」是《周禮》所載，卿與大夫，命秩不同。

[31] 劉師培著，鄔國義、吳修藝編校：《劉師培史學論著選集》，頁365～366。

害了經史同體的看法。雖然劉氏嘗試以《周禮》及漢儒《左傳》經說來解釋章氏《左傳》無宗、覲和汰卿的疑問，並不一定與事實相符（劉氏後來也放棄了這種解說，而主張以禮變的角度來理解無宗、覲和汰卿），但這時他的確看出了章氏此說仍然未能擺脫孔子改制說的問題。唯章太炎再答劉氏來書續論無宗、覲和汰卿的問題時云：「素王改制，固無其文，桓、文霸制，亦未塙爾。此絕不可解者。」[32]仍然堅持不以《春秋》所載禮制為當時史事，故與《周禮》有別，以作解釋，更見章氏要以「素王之志」來提高《春秋》及《左傳》價值的用心。

另一方面，章太炎於一九〇六年又發表了〈諸子學略說〉一文，當中論及儒家時云：

> 有商訂歷史之孔子，則刪定《六經》是也；有從事教育之孔子，則《論語》、《孝經》是也。由前之道，其流為經師；由後之道，其流為儒家。《漢書》以周秦、漢初諸經學家錄入〈儒林傳〉中，以《論語》、《孝經》諸書錄入〈六藝略〉中，此由漢世專重經術，而儒家之荀卿，又為《左氏》、《穀梁》、《毛詩》之祖，此所以不別經、儒也。若在周秦，則固有別。且如儒家巨子，李克、寧越、孟子、荀卿、魯仲連輩，皆為當世顯人，而〈儒林傳〉所述傳經之士，大都載籍無聞，莫詳行事。蓋儒生以致用為功，經師以求是為職。雖今文、古文，所持有異，而在周秦之際，通經致用之說未興，惟欲保殘守缺，以貽子孫，顧於世事無與。[33]

這裏從另一個角度，說明了經學與儒學的本質分別。經本來就是史，孔子刪定《六經》，只是為了考訂歷史而已，以求是為本志，流為經師；而其教育子弟克己復禮、治國安民，則所志在於致用，流而為儒家。在漢代以前，雖然今文、古文所傳孔子經義有別，唯「通經致用」之說未興，則尚且未有因

---

32 馬勇編：《章太炎書信集》，頁78。

33 湯志鈞編：《章太炎政論選集》，頁288～289。

致用而曲解經傳的問題。這裏章太炎明確的指出，漢代的今文和古文學，均經「通經致用」思潮的影響，將儒學致用之方，用之於本為求是而刪定之經，因而無論是漢代的今文家經說（尤其是齊學），還是古文家經說，均出現了不合經傳本義的情況。與上引致劉師培之書信合觀，則可見章太炎此時基本上對漢代經說充滿懷疑，且對於以往極引周、秦、兩漢以明「古文經學」經義的想法已有所動搖。

一九〇八年章太炎於《國粹學報》連載〈劉子政左氏說〉[34]，當中仍可窺見章氏《左傳》學尚未能完全擺脫今文經說，且嘗試左右彌縫，以牽合《左傳》學以史傳經和《春秋》制禮之說。章太炎很早便判別劉向為兼修《左傳》及《穀梁》的學者[35]，因而他認為可抽繹劉向著作中，解說《春秋》的部分文字，來窺探《左傳》學的經義，故撰〈劉子政左氏說〉一文。當中「隱元年《經》『天王使宰咺來歸惠公、仲子之賵』，《傳》『贈死不及尸，弔生不及哀，豫凶事，非禮也』」條，章太炎先引錄劉向《說苑・修文》一段與隱元年《經》、《傳》相關的文字，後下案語云：

> 案子政本治《穀梁》，此條則用《左氏》、《公羊》說，而又引荀子之說《穀梁》，明此乃三家說《春秋》制禮之通義，然首引《左氏》說，則此條實《左氏》之大義也。[36]

因應劉向兼治《左》、《穀》的見解，章氏認為孔子作《春秋》以制禮，是《春秋》三家之學的共同立場。同一條中，章太炎又進一步分析輿馬之制的

---

[34]《國粹學報》戊申年（光緒三十四年）第三、四、五、六、七號連載，連載時期為戊申三月二十日至七月二十日（1908年4月20日至8月16日）。

[35] 一九八六年撰成的《春秋左傳讀》卷9云：「大劉曾分《國語》。《論衡・案書篇》云：『劉子政玩弄《左氏》，童僕妻子皆呻吟之。』則知大劉實兼治《左》、《穀》，未可以《漢書》所云『自持其《穀梁》』抹殺也。」見《章太炎全集》，第2冊，頁529。一九〇三年，章太炎致書劉師培時即謂：「中壘雖治《穀梁》，然呻吟《左氏》，見于君山《新論》，是故《說苑》、《新序》所述，單文只字，悉東序之秘寶，石室之貞符也。」馬勇編：《章太炎書信集》，頁71。

[36] 章太炎：〈劉子政左氏說〉，《章氏叢書》（臺北市：世界書局，1982年），頁1b～2b。

問題：襄十九年《左傳》「鄭公孫蠆卒……王追賜之大路，使以行禮也」，何休指出：「天子車稱大路，諸侯車稱路車，大夫稱車。今鄭子蟜諸侯之大夫耳，當與天子士同賜其車，而名之大路，非正也。」鄭玄則謂「卿以上所乘車皆曰大路」，並引《詩》「彼路斯何，君子之車」及〈王制〉「卿為大夫」證成大夫之車亦稱為「路」的說法。章太炎引服虔之說，判斷「天子賜車則稱大路，尊卑俱得乘矣」來回應何休的駁難。但劉向《說苑‧修文》既云：「天子之賵，乘馬六匹、乘輿；諸侯四匹、乘車[37]；大夫曰參輿；元士、下士不用輿。」章太炎既定此段文字為《春秋》制禮的三家通義，則《左傳》傳文稱大夫乘「大路」，而章太炎判為左氏說的《說苑‧修文》稱「乘輿」，二者終有不合。因而章氏提出了折衷的說法，他說：

> 詳此典章（案：指尊卑俱得乘大路），宗周舊制。《春秋》損益四代，義則有殊……乘輿之名，非周所有，亦非起於秦漢，乃《春秋》家所定爾。凡四馬為乘，故諸侯曰乘車。天子六馬，亦從乘名，而曰乘輿。大夫三馬則不稱乘，而稱參輿，上得兼下，下不得兼上也。[38]

章氏左右彌縫，囿於《春秋》制禮為三家通義，以及劉向所說「乘車」、「乘輿」之制亦為《左氏》學所主的看法，因而指稱襄十六年《左傳》「大路」為宗周舊制，而劉向稱說左氏義為《春秋》制禮新法，漠視《傳》文，而僅以師法為斷，終究扞格難通。且天子駕六，正如章氏引《五經異義》所云：「《易》孟京、《春秋》公羊說天子駕六。《詩》說天子至卿大夫同駕四，士駕二。」又指出《毛詩》說不主天子駕六，而〈王度記〉則和公羊說同樣主天子駕六之說，章氏引了各種文獻後總括地說：

> 《毛詩》說周制也，〈王度記〉說《春秋》制也。大路、乘輿諸名，《公羊》、《左氏》有異，天子駕六之制，《公羊》、《左氏》所同。

---

[37] 案：原為天子「乘車」、諸侯「乘輿」，章太炎引賈誼說改之。章太炎：〈劉子政左氏說〉，頁2a、3a。

[38] 章太炎：〈劉子政左氏說〉，頁3a～3b。

《公羊》知《春秋》改制，不識周時舊章，則於《毛詩》相閡，《左氏》事從其舊，法從其新，斯古今兩制泯無牴牾，此則史官之能事，非鄉曲今文所擬矣。[39]

章氏於此進一步指出，《左傳》沿用「大路」之名，是事從舊章，但透過劉向所引亦可知左氏說亦主天子駕六的「乘輿」新制。所謂「事從其舊，法從其新」，明顯是章氏既要堅持劉向稱說為左氏義，同時為瞭解決《左傳》傳文與劉說不相合的問題，因而牽合而成的一種說法[40]。故章太炎晚年回顧其《左傳》學時云：「〈劉子政左氏說〉……亦牽摭《公羊》于心未盡于慊也。」[41]又云：「昔撰〈劉子政左氏說〉，猶從賈（逵）素王立法義，今悉不取。」[42]

章太炎的「古文經學」觀念，至一九〇八至一九一〇年間，才完整的建立起來。這兩年間，他撰作及刊登了多篇與今文經學、「古文經學」問題相關的文章，當中最重要的，是〈原經〉（一九〇八年寫成，一九〇九年刊於《國粹學報》，後收入一九一〇年出版的《國故論衡》）及〈明解詁下〉（收入一九一〇年出版的《國故論衡》）。〈原經〉大部分的內容是根據以往提出過的論點，再加詳論，例如反駁今文家六經皆孔子制作、素王改制的說法；論證經史同體，以至分析「素王」的語義等，均是沿著以往的思路，作詳細論證而來的。是篇最重要的一點，是反映了章太炎已找到一個論證的方法，來解決上引一九〇六年致書劉師培時所呈現的矛盾，他說：

然《春秋》所以獨貴者，自仲尼以上，《尚書》則闊略無年次，百

39 章太炎：〈劉子政左氏說〉，頁3b～4a。

40 另「昭三十二年《經》『冬，仲孫何忌會晉。韓不信齊高張、宋仲幾、衛世叔申、鄭國參、曹人、莒人、薛人、杞人、小邾人城成周』」條討論《公羊》「新周」之義云：「獎借篡夫，過為側詭。」但終究是「時論使然，非《公羊》獨創之義」，對《公羊》「黜周王魯」之說仍有所肯定。章太炎：〈劉子政左氏說〉，頁27b～28b。

41 章太炎一九三二年〈致徐哲東書〉語，見馬勇編：《章太炎書信集》，頁920。

42 章太炎：〈春秋左氏疑義答問〉，《章太炎全集》，第6冊，頁259。

> 國《春秋》之志，復散亂不循凡例；又亦藏之故府，不下庶人，國亡則人與事偕絕，太史公云「史記獨藏周室，以故滅」，此其效也；是故本之吉甫、史籀，紀歲時月日，以更《尚書》，傳之其人，令與《詩》、《書》、《禮》、《樂》等治，以異百國《春秋》，然後東周之事粲然著明。令仲尼不次《春秋》，今雖欲觀定、哀之世，求五伯之跡，尚荒忽如草昧。夫發金匱之藏，被之萌庶，令人人不忘前王，自仲尼、左丘明始。且蒼頡徒造字耳，百官以治，萬民以察，後嗣猶蒙其澤。況於年歷晻昧，行事不彰，獨有一人，抽而示之，以詒後嗣，令遷、固得持續其跡，訖於今茲。則耳孫小子，耿耿不能忘先代，然後民無攜志，國有與立，實仲尼、左丘明之賜。故《春秋》者，可以封岱宗，配無極。[43]

又在反駁漢代五經家「欲以經術干祿」，因言孔子作《春秋》為百世制法後說：

> 世欲奇偉尊嚴孔子，顧不知所以奇偉尊嚴之者……國之有史久遠，則亡滅之難。自秦氏訖今茲，四夷交侵，王道中絕者數矣；然搰者不敢毀棄舊章，藉不獲濟，而憤心時時見於行事，足以待後，故令國性不墮，民自知貴於戎狄，非《春秋》孰維綱是？《春秋》之績，其什伯於禹邪。禹不治洚水，民則溺，民盡溺則無苗裔，亦無與俱溺者；孔子不布《春秋》，前人往，不能語後人，後人亦無以識前，乍被侵掠，則相安於輿臺之分……此可為流涕長潸者也。然則繼魏而後，民且世世左衽，而為羯胡鞭撻，其憯甚於一朝之溺。《春秋》之況烝民，比之天地亡不幬持，豈虛譽哉？何取神怪之說，不徵之辭，云為百世制法乎？[44]

結合這兩段文字，可知章太炎認為孔子編訂《詩》、《書》、《禮》、《樂》均

---

43 章太炎著，龐俊、郭誠永疏證：《國故論衡疏證》，頁 301～303。

44 章太炎著，龐俊、郭誠永疏證：《國故論衡疏證》，頁 305～306。

是為了傳述先王之跡，且有鑒於其時史官記事散亂無統，故復依由尹吉甫、史籀所創之編年史凡例，參考諸國史書而作《春秋》。孔子編訂六經的貢獻，一方面在於他使堯、舜、三王以至東周之史事不至遺缺，且六經經過孔子編訂，才得以由官司所藏轉變為下及庶民，使人物事跡、典章制度不至於因一國之亡而亡；另一方面在於人民透過孔子編訂之經，而知一國之所以為一國，一民族之所以為一民族，凝聚民族意志，使國家得以成立，故存述史事，使人國性不墮，即便面對外夷交侵的環境，人民亦不會忘卻自身的歷史身份，此貢獻比大禹治水更大。章太炎認識到史的價值，從而以往的矛盾亦不復見，他前此曾因《春秋》無宗、覲及卿大夫不別的問題，而謂此反映了「素王」「酌損《周官》」之志，現在他於〈原經〉謂：

> 《周禮》者，成周之典。周世最長，事異則法度變，重以厲王板蕩，綱紀大亂，疇人子分分散，《周禮》雖有凡要，其孅悉在疇人，疇人亡則不能舉其事，雖欲不變無由。故《左氏》言春秋時制，既不悉應《周官》。其後天下爭於戰國，周道益衰，禮家橫見當時之法，以為本制。[45]

以典制流變的角度來理解經傳所載禮制不同的問題。〈明解詁下〉更詳細的以經傳所載，論證成周至春秋時期的禮制變化，當中所言即有前此以為「素王之志」的無覲和汰卿[46]。又〈原經〉延續了〈諸子學略說〉的看法，認為經學與諸子學之間有著本質的差別，其云：「惑者不睹論籑之科，不銓主客。文辭義理，此也；典章行事，彼也。一得造，一不得造。」[47]認為經本為記載典章行事的史，為客觀之學；文辭義理則為主觀之學。而素王改制之說，即因漢儒不明經書本質，以主觀意志來說客觀之學，從而出現的曲說。

章氏既認為今文家治經之法，是源自錯誤理解經書本質所致，他於〈明

---

[45] 章太炎著，龐俊、郭誠永疏證：《國故論衡疏證》，頁309～310。

[46] 章太炎著，龐俊、郭誠永疏證：《國故論衡疏證》，頁374～384。

[47] 章太炎著，龐俊、郭誠永疏證：《國故論衡疏證》，頁294。

解詁下〉便述及正確治經之法，當中云：「六經皆史之方，治之則明其行事，識其時制，通其故言，是以貴古文。」[48]治經之法便在於考明其事、其制、其言。所謂古文，章氏解釋即「壁中所得，河間所寫，張蒼所獻」等古文經傳，他指出研治這些經傳的方法是：

> 後世依（古文經傳）以稽古，其學依準明文，不依準家法。成周之制，言應《周官經》者是，不應《周官經》者非。覃及穆王以下，六典寖移，或與舊制駁，言應左氏內外傳者是，不應左氏內外傳者非，不悉依漢世師說也。[49]

並指出治古文不準漢代古文家師說之原因：

> 傳記有古、今文；今文流別有數家，一家中又自為參錯；古文準是。又古文師出今文後者，既染俗說，弗能棄捐，或自身傅會之，違其本真。今文傳記師說，或反與《周官》、《左傳》應，古文師說顧異。略此三事，則足以明去就之塗矣。[50]

這裏指出漢儒今文經說既雜讖緯，而古文經師既出今文師後，往往引今文經說以解古文經（因而早年章氏《左傳讀》引漢代左氏經說以解《左傳》，亦有「黜周王魯」、素王改制之說），甚至出現不合古文經傳原文的情況。因而，章太炎認為只有在認清經學本質是史的前提下，方可見漢代古文說之雜糅今文說（誤史為經），從而可以擺脫漢代師說的範圍，以考史事、明制度、通語言的方法治經。故章氏在此篇最後云：

> 《左氏》有五十凡例，傳所旃表，以詒後昆。漢師猶依違二家，橫為穿鑿，斯所以待杜預之正也。若乃行事之詳不以傳聞變，故訓之異不以一師成，忽其事狀，是口說而非傳記，則雖鼓篋之儒，載筆之史，

[48] 章太炎著，龐俊、郭誠永疏證：《國故論衡疏證》，頁356～357。
[49] 章太炎著，龐俊、郭誠永疏證：《國故論衡疏證》，頁358～359。
[50] 章太炎著，龐俊、郭誠永疏證：《國故論衡疏證》，頁359～360。

猶冥冥也。達其本志，則守達詁而不知變……要之，糅雜古、今文者，不悟明文與師說異；拘牽漢學者，不知魏晉諸師猶有刊剟異言之績。[51]

治經中事當依明文，不依師說，尤其不當迷於漢代經說，通經中言，亦當求其當，不當只依一家詁訓。直至這時，章太炎才對古文經傳的本質、治古文學的方法，建立起完整而貫通的論述。由章太炎於〈明解詁下〉對漢代古文學的態度來看，他基本上否定了漢代有真正的古文學出現過，反倒是魏晉時期的杜預以史來理解《左傳》，才得古文經傳明文之意。

四　章太炎今古文經學觀念的問題

因應上文疏理章太炎建立的「古文經學」觀念，這裏尚有三點要加以說明：第一，章太炎提出依準明文，不依準師說的治經方法，表面上看似與追求實事求是的清代漢學相同，若是，即前人將漢學等同古文經學，且謂章氏接續古文經學統緒之說法，自可成立。唯章氏此處不準一家之治經方法，雖似與漢學求是相同，但究其所以要依準明文的動機則異。漢學治經以考文知音，到知其典章制度，再到得知聖人之義，並未有意識到今文經學和「古文經學」之別，且聖人之義具體指什麼，亦未有詳細的說明，正如章太炎回憶早年依循漢學方法治經時云：「余始治經，獨求通訓故、知典禮而已；及從俞先生游，轉益精審，然終未窺大體。」[52]這裏所說的「大體」似乎便是所謂聖人之義到底是什麼的問題。因而章氏要求先體察到聖人之義的本質，亦即先要明白今文經學與「古文經學」之別，唯有明白到經的本質是史，才能瞭解經學之所貴處，此亦正是經學之大體所在，而古文傳記以史傳經的性質正正與經的本質相符合，因而相較別視經史的今文經學來說，更接近孔子修經的原義。由是所謂依準明文便自是依準古文經傳的明文了，而與漢學不別今

---

51 章太炎著，龐俊、郭誠永疏證：《國故論衡疏證》，頁384～385。

52《太炎先生自定年譜》（香港：龍門書店，1965年），頁4～5。

文經學、「古文經學」觀念的求是大不相同，當中多了一重理解和揀別的過程。且由上文可見，章太炎是經過多年的考察和不斷修正舊說，才能提出「古文經學」本質及方法的完整論述，他更以之與清代今文家所倡之今文經學相區別，這絕非所謂接續「古文經學」統緒的判斷，所能說明得了的學術概念建立過程，因而錢玄同才說章太炎以前尚未有一個純粹的古文家[53]。

第二，章太炎既認為漢代古文師說不符合古文經傳原文，且有雜糅今文經說之弊，由是而引出不迷漢師的「古文經學」觀念，即不以漢代古文家師說來範囿「古文經學」；但另一方面，章氏並沒有將相同的原則應用到今文經學的論述，將今文經傳原文所反映的今文經說與漢代經師所提倡的經說分別開來。如章氏在《春秋左傳讀》中，曾指出《公羊》學的「黜周王魯」說，是漢代經師曲解《公羊傳》「新周」而出現的經說[54]，即所謂「黜周王魯」以至經主義而不主事，均出自後師的誤讀。但他在《春秋左傳讀敘錄》又云：

> 《左氏》稱孔丘之後而滅于宋，穀梁子聞其說，故于「宋督弒其君

[53] 錢玄同：〈重論經今古文學問題〉，載《古史辨》，第5冊，頁58。

[54]《左傳讀》卷7「成周宣謝火」云：「宣十六年《經》：『夏，成周宣謝火。』〈五行志〉引《左氏》說：『謝者，講武之坐屋。』服子慎注：『宣揚威武之處。』麟案：《公羊傳》云：『外災不書，此何以書？新周也。』孔巽軒（廣森）說之曰：『周之東遷，本在王城。及敬王避子鼂之難，更遷成周。作《傳》者據時言之，故號成周為新周，猶晉徙新田，謂之新絳；鄭居郭、鄶之地，謂之新鄭云爾。《傳》道此者，言成周雖非京師，而先王宮廟有大災變，火為除舊布新之象，其後敬王果新邑于此，故《春秋》大之同於京師，而錄其災也。向使周人寅畏譴異，脩政更始，則子鼂之亂必不作，必可以無居新周之事矣。』治《公羊》者，舊有新周、故宋之說，新周實非如注解，故宋《傳》絕無文，唯《穀梁》有之，然意尤不相涉。巽軒此說，未必得《公羊》本義，而于《左氏》甚切。蓋火者，毀也。毀講武之坐屋者，示毀武備而虛尚文德也。敬王請城成周于晉曰：『昔成王合諸侯，城成周以為東都，崇文德焉。今我欲徼福假靈于成王，修成周之城，俾戍人無勤，諸侯用寧，蝥賊遠屏，晉之力也。』是敬王有虛慕文德之意，周所以弱也。《五行傳》曰：『殺太子，以妾為妻，則火不炎上。』說曰：『殊別適庶，則火得其性矣。』敬王與子鼂之爭，實由景王亂適庶之故。此火不炎上，其指博矣。」見《章太炎全集》，第2冊，頁415。

> 與夷及其大夫孔父」《傳》曰：「其不稱名，蓋為祖諱也。孔子故宋也。」《公羊》誤讀《穀梁》之文，復於「成周宣榭災」下，發新周之文以偶之，由是有黜周王魯之謬。[55]

指出《公羊傳》之「新周」是撰《傳》者有意配合《穀梁》「故宋」傳文，以發「黜周王魯」之說。雖然，章氏意識到今文經傳與清代今文學家所提倡的今文經說，應當有所區別，甚至在〈明解詁下〉曾指出公羊師說與《公羊傳》亦有所不合[56]，但是章氏並沒有刻意地將二者區分開來。他建立的「古文經學」觀念，是以由古文經傳出發的、不迷於漢師的治經方法為核心的，但他所批評的今文經學則是指向漢師所建立的今文經學傳統，因而他的今文經學和「古文經學」，並不是對稱的概念。他更嘗用此不對稱的觀念，分析清代經學家的今文經學和「古文經學」的歸屬問題，在一九二四年致書支偉成討論《清代樸學家列傳》時，章氏云：

> 今文之學，不專在常州。其莊、劉、宋、戴諸家，執守今文，深閉固拒，而附會之詞亦眾，則常州之家法也。若凌曙之說《公羊》，陳立之疏《白虎》，陳喬樅之輯三家《詩》、三家《尚書》，只以古書難理，為之徵明，本非定立一宗旨者，其學亦不出自常州。此種與吳派專主漢學者當為一類，而不當與常州派並存也。當漢學初興時，尚無古、今文之分別。惠氏於《易》，兼明荀、虞。荀則古文，虞則今文也。及張惠言之申虞氏，亦今文也。其他如孫之《尚書》，江之《禮書》，或采《大傳》，或說《戴記》，皆今、古文不分者。故不得以偶說今文經傳，遂以常州家法概之。《春秋》三傳，《穀梁》最微；桐鄉之鍾（文烝），丹徒之柳（興恩），番禺之侯（康），皆具扶微補絕之心，而非牢守一家以概六藝者，與常州家法絕殊。要之，皆吳派之

55《章太炎全集》第2冊，頁865。

56 章太炎著，龐俊、郭誠永疏證：《國故論衡疏證》，頁366～367。

變遷而已。[57]

此處章太炎將清代考證今文經傳的學者，都排出今文學之外，而只視他們為漢學考證學的一部分，當中明顯包含著今文經學當以漢師所說經說為中心的意識，而判別那一位學者是今文學者，亦當以其是否主倡漢代今文經說為本[58]。故他於同一封書信裏又說：

> 龔自珍不可純稱「今文」，以其附經於史，與章學誠相類，亦由其外祖段氏「二十一經」之說，尊史為經，相與推移也。[59]

章太炎憑著自己對古文經傳的研究，得出經是史的結論。古文經傳即以史傳經，故得經之本義，因而我們治經亦當用研治歷史的方法。相反，他視今文經學為別視經、史的學派，因而龔自珍「附經於史」，並不能被納入今文學之內，此更可見章太炎是以漢代今文經說來範圍今文學的。因而他曾說：

> 清代治經，分古文、今文兩派……古文是歷史，今文是議論，古文家治經，於當時典章制度很明白的確；今文家治理，往往不合古時的典章制度。《周禮》、《春秋左傳》都是古文學，《詩》和《書》則有古文有今文。但是今文家所說往往與古文情形不對，古文家將經當歷史看，能夠以治史的法子來治經，就沒有紛亂的弊病。[60]

---

57 馬勇編：《章太炎書信集》，頁828～829。

58 當今學界每以今文經學指稱清中葉以來復興的《公羊》學，及其後以《公羊》學經義發展出來的學說，實則此一方面隱沒了個別學者《春秋》主今文公羊之學，而他經則兼修古文學的情況（如莊存與、劉逢祿），另一方面又隱沒了認同今文經及其經說優於古文經及其經說的今文考證之學（陳壽祺、陳喬樅父子之輯今文《尚書》經說）。有關清代今文經學的兩條發展進路及《公羊》學、今文經學等概念的探討，參蔡長林：〈清代今文學派發展的兩條路向〉，載彭林編：《經學研究論文選》（上海市：上海書店出版社，2002年），頁75～100。

59 馬勇編：《章太炎書信集》，頁829。

60 章太炎：〈研究中國文學的途徑〉（原載於《宗聖學報》第3卷第2冊第25號，1921年5月），載馬勇編：《章太炎講演集》，頁76。

將今文經學定為以治理、議論為主的經學派別，而將「古文經學」視為以治史方法治經的經學派別。「古文經學」以歷史方法治經，是章太炎自身不迷漢師而得出的結論，今文經學以議論治經，則卻是章太炎以漢代師說為本所得出的結論，因而他的今文經學和「古文經學」觀念，是不對稱的。

第三，章太炎在分析經的本質時，十分強調經之為史，且分經師與儒生為二，認為治經是客觀之學，而治子則為主觀之學，二者各有其相應的範疇。而漢儒孔子改制說之出現，即因不別主客觀學術思路，從而衍生出來的學說。章氏別視經、子的看法，後來更引起了與胡適有關治經、治子方法的論爭[61]。不過，章太炎之分別經、子及主、客觀之學，並非絕對。尤以《周易》多陳義理，便與子近，章氏自身研究《周易》亦偏重於主觀的方法（即義理的方法），而非「明其行事，識其時制，通其故言」，因而章氏晚年稍為修正其「六經皆史之方」的絕對性陳述：

> 古無史之特稱。《尚書》、《春秋》皆史也，《周禮》言官制，《儀禮》記儀注，皆史之旁支。禮、樂並舉，樂亦可入史類。《詩》之歌咏，何一非當時之史料。大、小〈雅〉是史詩，後人稱杜工部為詩史者，亦以其善陳時事耳。《詩》之為史，當不煩言。《易》之所包者廣，關於哲學者有之，關於社會學者有之，關於出處行藏者亦有之。其關於社會進化之跡，亦可列入史類，故陽明有六經皆史之說，語雖太過，而史與儒家，皆經之流裔，所謂六藝附庸，蔚為大國，蓋無可疑。[62]

這裏可看到，章太炎指出經史同體，並主張以有別於治子方法的客觀方法來治經，且指出「六經皆史之方」，但當要將此擴大到範圍《周易》之時，

---

[61] 詳參陳平原：《中國現代學術之建立：以章太炎、胡適之為中心》（北京市：北京大學出版社，2005年），頁183～209；張永義：〈經、子之別與「國故」問題——章太炎、胡適關於治學方法的論爭〉，載陳少明編：《現代性與傳統學術》（廣州市：廣東人民出版社，2003年），頁74～98。

[62] 章太炎：〈論經史儒之分合〉，馬勇編：《章太炎講演集》，頁241～242。

則遇到理論上的困境，故此文亦謂「六經皆史之說」為「太過」。從根本說來，六經的性質有別，要以一套單一的體系來解說六經性質，出現扞格難通處，似是勢所必然。章太炎的「六經皆史」分判經史與諸子，卻難以為《周易》定位；反觀清代部分今文經學家，要別視經、史，經主義而不待事，但同樣地在為《尚書》和《春秋》定位時，也會出現理論上的困難。因而無論是章太炎的，還是清代今文學家所提出的今、古文經學觀念，也存在著與六經性質不符的問題。

總括而言，章太炎的「古文經學」並非接續而來的學術概念，而是他經過多年的考察建立出來的經學觀念。因而，當我們判斷章太炎承接「古文經學」傳統，到底是採用他自身的標準，還是部分清代今文家的標準，便當有所說明。按照部分今文家（宋翔鳳、康有為）的標準，則惠棟、戴震等人都是無意識間回復劉歆傳統的古文家，因而漢學等同古文經學，章太炎既繼承惠、戴的漢學求是傳統，則等同於接續古文經學統緒了。但是，按照章太炎自身的說法，「古文經學」由漢代至今，均未有真正建立起來，不單止惠、戴並非真正的古文家，就是提倡古文經傳的劉歆也並不真正明白古文經傳所主的經學觀念為何，由這個角度出發，則章太炎是「古文經學」的建立者而非接續者，因而所謂章太炎接續「古文經學」統緒的說法便不正確了。另外，章太炎所提出的今文經學和「古文經學」觀念，與清代今文學家所提出的，同樣存在若干理論層面上的難點，故無論是那一方的分判，似乎都未能完全說清楚今、古文經學的本質問題。說到底，所謂今、古文經學之所謂「學」到底是否成立，至今仍然值得再作考慮。尤其無論我們將清代今文學家以至章太炎的今、古文經學觀念應用到漢代經學的論述中，都會遇上極大的困難，因而將他們的今、古文經學觀念視為經學學說以作考究，問題尚且不大，但若將之視為經學史上的真實，便難免出現種種問題了。

2010 年 5 月 12 日

安井小太郎編纂經學入門書目的學術意義

林慶彰*

一　前言

中國傳統學問分經、史、子、集四大類，各個類留下多少成果？文淵閣《四庫全書》已收了三四五七種，這些學問在清末民初時，統稱為「國學」。國學的內涵既是這麼豐富，要入門應當如何？最佳的指南，是開一份國學入門書的書目，以解決讀者內心的疑惑，這種工作在民國十二年（1923）時，胡適、梁啟超都做了。當時，胡適為清華學生擬定了一份〈一個最低限度的國學書目〉，分工具書、思想史、文學史三部分，收書一九〇種。同年，梁啟超也應《清華周刊》記者之邀，撰寫《國學入門書要目及其讀法》，收書一六〇種，梁氏並擬定一份〈最低限度的必讀書目〉，附於該書之後，這是為國學開立的入門書目。至於有沒有學者為經、史、子、集四部開立入門書？經過仔細的檢索，在中國顯然沒有。在日本，安井小太郎在一九三三年由大東文化學院研究部印行《經學門徑書目》，這是中、日、韓研究經學的大事情，對於這本東亞唯一的經學入門書目，我們怎麼來看待它，並發掘其中的意義。

由於這本書目在國內少學者提到，前人也沒有留下什麼研究成果，所以本文所作的敘述和論析，大抵是個人的意見，如有不妥當的地方，敬請諒解。

* 中央研究院中國文哲研究所。

二　安井氏生平的三個時期

安井小太郎，日本安政五年（1859）生，名小太郎，字朝康，號朴堂。日向（宮崎縣）人。是江戶末年昌平黌教授安井息軒（1799～1876）的外孫。安井氏一生可分為三個階段：

（一）第一階段：求學時期

從安政五年（1858）到明治十七年（1894），二十七歲之前。

安政五年（1858），一歲，六月十九日生於麴町三番町安井息軒家。

慶應元年（1865），八歲，移居宮崎郡清武村息軒的故里。

明治二年（1869），十二歲，讀完《孝經》。接著在城下學校就學，讀完《論語》、《孟子》。

明治四年（1871），十四歲，至東京，入安井息軒的三計塾，專研《左傳》、《史記》、《戰國策》、《貞觀政要》、《周禮》、《管子》等經傳子史的書籍。

明治九年（1876）十九歲時入島田篁村之門。

明治十一年（1878）赴京都跟草場船山學習。

明治十五年（1892）東京帝國大學古典科入學。卒業後，任學習院助教授、教授。

從此一階段的記事，可知安井氏求學時期曾師事安井息軒、島田篁村、草場船山三大儒，已讀完《孝經》、《論語》、《孟子》、《左傳》、《周禮》等經學的典籍，也奠定後來成為經學大家的基礎。

（二）第二階段：撰述經學著作時期

從明治十八年（1885）到大正十年（1921）安井氏二十八歲到六十四歲

之前。

明治二十七年（1894）三十七歲，出版《大學講義》、《中庸講義》、《論語講義》（哲學館）。

明治二十八年（1895）三十八歲，出版《本邦儒學史》。

明治三十五年（1902）四十五歲，應聘北京大學當教習。

明治四十年（1907）五十歲，回國，任第一高等學校教授。

大正十年（1921）六十四歲，撰述《禮記譯注》。

此一時期完成的經學專著有：《本邦儒學史》、《大學講義》、《中庸講義》、《論語講義》、《禮記譯注》。單篇論文有：〈古文尚書考〉、〈周禮考〉、〈孟子論〉、〈鄭王異同辨〉、〈王陽明與論語〉、〈關於慊堂翻刻漢籍意見〉。

（三）第三階段：撰述經書解題時期

從大正十一年（1922）到昭和十三年（1938）過世。六十八歲退官，轉任大東文化學院教授，又擔任二松學舍專門學校、駒澤大學講師。

昭和三年（1928）七十一歲，任斯文會顧問。

昭和八年（1933）七十六歲，出版《經學門徑書目》。

昭和十年（1935）七十八歲，出版《論語講義》（大東文化協會）。

昭和十二年（1937）八十歲，出版《曳尾集》。

昭和十三年（1938）八十一歲，四月二日過世。

此一時段約有十五年，完成的專著有《經學門徑書目》、《論語講義》、《曳尾集》等。單篇論文有〈正平板論語解〉、〈讀南淵書〉、〈讀揚雄傳〉、〈論偽古文孔傳〉、〈宋代異學禁〉、〈論語孔注辨疑〉、〈車乘考並序〉、〈朱子之經學〉、〈春秋正義解說並缺佚考〉、〈先秦至南北朝之經學史〉、〈毛詩詁訓傳撰者考〉、〈經學研究之方針〉、〈清代於學術上之功績〉、〈續詩疑〉、〈周代井田無公田辨〉、〈讀伯夷傳〉等。然最重要的是他在此一階段為日本學者之經學著作所撰寫的解題，如果以學派來分，這些著作解題分屬江戶時期的各個學派：

1. 古學派

伊藤仁齋：〈大學定本解題〉、〈中庸發揮解題〉、〈論語古義解題〉、〈孟子古義解題〉。

龜井南冥：〈論語語由解題〉。

廣瀨淡窗：〈讀孟子解題〉。

2. 折衷學派

冢田大峰：〈孟子斷解題〉。

猪飼敬所：〈孟子考文解題〉。

豐島豐洲：〈論語新注解題〉。

3. 陽明學派

佐藤一齋：〈大學欄外書解題〉、〈中庸欄外書解題〉、〈孟子欄外書解題〉。

4. 懷德堂學派

中井履軒：〈大學雜義解題〉、〈中庸逢原解題〉、〈孟子逢原解題〉。

5. 考證學派

皆川淇園：〈論語繹解解題〉。

吉田篁敦：〈論語集解考異解題〉。

市野迷庵：〈正平本論語札記解題〉。

東條一堂：〈論語知言解題〉。

撰述經籍解題的工作大概在昭和元年（1926）結束。這工作從大正十一年（1922）開始，安井氏整整作了四年。這些解題包括江戶時代各個學派的著作，後來大部分收入關儀一郎所編《日本名家四書注釋全書》中，這可能是關儀一郎請求安井氏為他所編的叢書所作的解題。

《經學門徑書目》出版的昭和八年（1933），安井氏的解題工作已結束七年，將一生所讀的經學著作選出適合初學者入門的，加上解題，編成這本《經學門徑書目》，對七十多歲的安井來說，因為做的是自己熟悉的事，應該不會太過勉強。

三 《經學門徑書目》的結構

根據〈朴堂先生著述論文目錄〉，安井小太郎這本《經學門徑書目 》刊行於昭和八年（1933），由松雲堂發行[1]，這年安井氏七十六歲，可以說是晚年的著作。昭和四十六年（1971）四月有松雲書院重印本。這部書沒有序文，因此安井氏編纂這書的動機、目的、內容編排，都不得而知。現在，我們先討論以下幾個問題：

（一）分類

基本上這本《經學門徑書目》的分類，大抵採用《四庫全書》的分類體例，再略作修正。我們先看《四庫全書總目》經部的分類：

易類、書類、詩類、禮類（周禮、儀禮、禮記、三禮總義、通禮）、春秋類、孝經類、五經總義類、四書類、樂類、小學類

而安井氏《經學門徑書目》的分類是：

周易部、尚書部、詩部、周禮部、儀禮部、禮記部、春秋部、論語部、孝經部、爾雅部、孟子部、四書部、群經部

把《經學門徑書目》的分類與《四庫全書總目》作比較的話，有數點值得注

---

[1] 〈朴堂先生著述論文目錄〉，見《斯文》第22編第7號（1938年7月），頁23～25。該《目錄》將「經學門徑」誤排作「經學問徑」。

意：

其一，《四庫全書總目》的禮類又分周禮、儀禮、禮記、三禮總義、通禮、雜禮等小類，安井氏的書目只分周禮、儀禮、禮記三類，另有聶崇義《三禮圖》、豬飼敬所《讀禮肆考》、秦蕙田《五禮通考》、徐乾學《讀禮通考》、江永《禮書綱目》、淩廷堪《禮經釋例》五本書附在禮記之後。朱子《儀禮經傳通解》，《四庫全書總目》入通禮類，安井氏將其改入禮記類，這樣的安排並非完全妥當。

其二，《四庫全書總目》把論語、孟子都納入四書類。安井氏不採《四庫全書總目》的分類法，改採朱彝尊《經義考》，於《四書》之前仍立論語部、孟子部，只不過安井氏在論語部之後、孟子部之前插入孝經部、爾雅部。

其三，《四庫全書總目》有小學類，安井氏的時代小學已逐漸獨立成所謂「語言文字學類」，但《爾雅》仍是經書，所以把它獨立成爾雅部。

其四，《四庫全書總目》在四書類之前有「群經總義類」，安井氏的《書目》則改在「四書部」之後，這樣的改動也比較合理。

（二）各類收書數目

1. 周易部：收書二十七種，中國學者著作二十二種，日本著作五種。
2. 尚書部：收書二十五種，中國學者著作二十三種，日本著作二種。
3. 詩　部：收書二十七種，中國學者著作二十二種，日本著作五種。
4. 周禮部：收書十三種，中國學者著作十二種，日本著作一種。
5. 儀禮部：收書十二種，中國學者著作十一種，日本著作一種。
6. 禮記部：收書十五種，中國學者著作十四種，日本著作一種。
7. 春秋部：收書三十七種，中國學者著作三十三種，日本著作四種。
8. 論語部：收書四十三種，中國學者著作二十五種，日本著作十八種。中國學者著作中有兩種《論語義疏》，是日本的版本。
9. 孝經部：收書十六種，中國學者著作九種，日本著作七種。

10.爾雅部：收書八種，中國學者著作六種，日本著作二種。

11.孟子部：收書二十一種，中國學者著作十三種，日本著作八種。

12.四書部：收書二十二種，中國學者著作九種，日本著作十三種。

13.群經部：收書二十八種，中國學者著作二十三種，日本著作五種。

每一種書之下，都有或長或短的摘要，短的如周易部所收明何楷的《古周易訂詁》（乾隆十六年郭氏再刻本）十六卷，該書的摘要是：

> 明何楷著。此書雜采漢晉以來之舊說，不株守一家。其取捨多徵實之言，是明人著書中的白眉。傳本絕少，不足供應好學之士，可惜。（頁4）

篇幅長的如陳啟源的《毛詩稽古編》，摘要說：

> 清陳啟源著。舉篇名，解釋篇中字句。〈敘例〉曰：參酌舊詁，不創立新解。《集傳》、《大全》，今日經生尚之，而注疏亦立於國學，故所辨證，此二書為多。又引據之書以經傳為主，而兩漢諸儒文語次之，以漢世近古也，魏晉六朝及唐又次之，以去古稍遠也，宋元迄今去古益遠，又多鑿空之論。此書體例大約如此，釋義親切詳到，譯著有據者多，是清儒《詩》注的翹楚，卷末附經詁、舉要、考異、正字、辨物、稽疑六門，附錄尤佳。

引陳啟源《毛詩稽古編》之〈敘例〉以說明該書之體例，並略作評價。

四　編纂《經學門徑書目》的學術意義

《經學門徑書目》既收有二九四種中、日學者的著作，其中中國學者的著作二二二種，日本學者著作七十二種，我們可以從安井氏為這些著作所作的摘要，來檢視他的學術立場。

（一）中日學者著作並重

從《經學門徑書目》所收的中、日學者著作，也可以看出安井氏是否有國家主義的立場，把日本學者的著作收錄特別多。周易部收書二十七種，日本學者的著作僅收伊藤東涯《周易經翼通解》、伊藤仁齋《易經古義》、榊原篁洲《易學啟蒙諺解大成》、東條一堂《繫辭答問》、真勢中洲創、松井羅洲修飾《周易釋古義》等五種而已。尚書部收書二十五種，日本學者的著作僅收二種。

收錄日本學者著作較多的是論語部、孟子部和四書部。論語部收書四十三種，收入日本學者著作十五種，所收之書有：伊藤仁齋《論語古義》、荻生徂徠《論語徵》、片山兼山《論語徵廢疾》、松平賴寬《論語徵集覽》、龜井南溟《論語語由》、龜井昭陽《論語語由述志》大田錦城《論語大疏》、安井息軒《論語集說》、竹添井井《論語會箋》、伊藤仁齋《語孟字義》、並河天民《天民遺言》、木山楓谿《語孟字義辨》、冢田大峰《論語群疑考》、吉田篁墩《論語集解考異》、林泰輔《論語年譜》等十五種，另有正平本[2]《論語集解》、藤堂本《論語集解》、天文本《魯論》[3]等三本《論語》古本。

孟子部，收書二十一種，日本學者著作八種。四書部，收書二十二種，日本學者著作十三種，這已超過半數。安井氏所以在這幾部收錄較多日本人著作，蓋《論語》和《四書》在日本流傳一千多年，累積相當豐富的著作，足供研究者參考之用。

---

2 指後村上天皇正平十九年（1364）九月，堺浦的道祐居士刊刻的何晏《論語集解》。這是日本最早翻刻的中國經籍。

3 日本天文年間（1532～1555）刊刻的《論語》，是《論語》單經本（無注）最古的本子。刻板藏泉州堺南宗寺，有清原宣賢的跋。

（二）無今古文的成見

編輯入門書最忌有作者的成見，但是每一位作者都有他的學術立場，難免有成見。像皮錫瑞作《經學歷史》一書，很多地方都顯示了他的今文學的立場[4]。安井氏不是中國學者，比較沒有今古文的包袱，所以他沒有陷入今古文的漩渦中，這點我們可以從《經學門徑書目》所收書得到證明。

今古文問題比較嚴重的是《詩經》和《春秋》兩經。《詩經》有齊、魯、韓三家《詩》，是為今文。《毛詩》一家為古文。三家《詩》在魏、晉間都已亡佚，歷來一直是《毛詩》獨盛，從晚清開始，今文三家《詩》崛起，以前亡佚的齊、魯、韓三家佚文也陸續被輯出來，有取代《毛詩》的氣勢。安井氏所處的晚清時期，正好是今文學最興盛的時代，他的《書目》所收錄的書，從《毛詩正義》到段玉裁《詩經小學》，其中除魏源《詩古微》是今文系統外，大抵都是《毛詩》系統。接著收錄的是陳壽祺的《三家詩遺說考》、范家相的《三家詩拾遺》、馮登府《三家詩異文疏證六卷·補遺三卷》三種，和前面提到的《詩古微》，就有四種，這是合乎當時《詩經》發展的歷史事實。

再看看今古文之爭比較激烈的《左傳》與《公羊傳》問題，安井氏的《書目》，從《春秋左傳注疏》到《左氏會箋》，共收錄九種《左傳》的著作，接著著錄《春秋公羊傳注疏》、孔廣森《春秋公羊通義》、劉逢祿《公羊何氏釋例》、陳立《公羊義疏》等四種《公羊》學的著作，兩傳的重要著作都收錄了，可見安井氏並沒有偏今文或古文，態度非常客觀。

---

4 詳細情形可參考吳仰湘：〈皮錫瑞《經學歷史》研究〉，《經學研究論叢》第14輯（臺北市：臺灣學生書局，2006年12月），頁1～52。

（三）兼收漢宋學著作

經學史上有所謂漢、宋之爭，「漢」是指漢學傳統，宋人一出現，都要面對漢人所遺留下來的學術傳統，宋人對漢人的傳經，往往持否定的態度，所以有「漢人解經而經亡」的說法。這漢、宋之爭到清中葉變得更厲害，幾已達到水火不容的地步。許多學者本來考察今文學發展，以作為編輯各種教材的補充之用。安井氏的《書目》對漢、宋學問題，沒有較深入的研究，但我們從他所收的著作，仍可看出安井的態度。例如：詩部收錄《毛詩正義》，代表的是漢學的知識傳統，接著著錄歐陽修的《毛詩本義》、呂祖謙的《呂氏家塾讀詩記》、朱熹的《詩集傳》、嚴粲的《詩緝》等四種，可見安井氏也是很重視宋人注經的成就。

（四）學術研究的步調問題

日本江戶時代中期起，經學著作的步調，往往比中國還要快，譬如：山井鼎的《七經孟子考文》傳入中國後，阮元用來作為校勘《十三經注疏》的主要材料，對阮元作《十三經注疏校勘記》是頗有幫助的。另外，經學家太宰春臺作《詩書古傳》、《論語古訓》、《論語古訓外傳》，都比中國阮元、陳鱣同類型的著作要早六七十年[5]。即至明治時代，日本的井上哲次郎有《日本朱子學派之哲學》、《日本陽明學派之哲學》、《日本古學派之哲學》，這種符合現代學術規範的著作都已出版。在中國還停留在編學案的學術格局中，這樣來看待中、日、韓的經學才會有較實質的意義。

[5] 太宰春臺作《詩書古傳》、《論語古訓》、《論語古訓外傳》，阮元作《詩書古訓》，陳鱣作《論語古訓》，太宰氏的著作，比阮元、陳鱣的著作要早六七十年。

五 《經學門徑書目》對所收書之評價

《經學門徑書目》因為有摘要，對所收的書往往有或長或短的批評，把這些批評彙集起來觀察，就可以看出安井氏對某一經學問題的看法。由於摘要有將近三百篇，要從這麼多摘要中看出安井氏的經學觀點，的確要費一番功夫。本小節擬將同一類型的著作歸納，然後按時間先後排列。

（一）對清初考辨《易》圖著作的評價

首先，看周易部，安井氏對考辨《易》圖的幾本著作的評價，《書目》中收錄，有胡渭的《易圖明辨》十卷、黃宗羲《易學象數論》六卷、張惠言《易圖條辨》一卷三種。安井氏所撰《易圖明辨》的摘要說：

> 河圖、洛書、五行、九宮、參同契、先天易、太極圖、龍圖、易數鉤隱圖、啟蒙、先天古易、後天之學、卦變等，多出於道士之說，力論其非根據《易》學而來，考證學給《易》學的功用，尤為顯著。（頁10）

胡渭的《易圖明辨》是用考據的方法，明白的舉出證據來證明坊間流傳之《易》圖，並非本於《周易》，而是出於道士之說。黃宗羲《易學象數論》的摘要說：

> 漢《易》以京房、焦延壽為首，一直到鄭玄，重視卦象、方術者之《易》，至宋陳摶、劉牧，是道士之《易》。此書先論河洛、先天、方位、納甲、納音、月建、卦氣、卦變、互卦、筮法、占法，皆屬於象。其次，論太玄、乾鑿度、玄包、潛虛、洞極、洪範數、皇極數、六壬、太乙、遁甲，是屬於數，在此書之後，出版的有毛奇齡的《圖書原舛編》、胡渭《易圖明辨》，皆祛除《易》學迷妄大有功的著

作。（頁11～12）

對胡渭的著作，安井氏特別強調考證學方法在該書中的應用，在《易學象數論》中則強調黃宗羲此書，與毛奇齡、胡渭之作，掃除《易》學迷障，大有功於《易》學。

至於，張惠言的《易圖條辨》，安井氏的摘要說：「辨河圖、洛書、太乙、九宮、太極圖、納甲圖、皇極經世、卦變圖、朱子卦變、程蘇卦變，與《易圖明辨》等相同，是破圖《易》象之說的書。」（頁12）

（二）對宋代《詩經》學著作的評價

宋代《詩經》學著作，安井氏的《書目》收錄了呂祖謙的《呂氏家塾讀詩記》、朱熹的《詩集傳》、嚴粲的《詩緝》，稱為「宋代《詩》學三大著作」（頁29），《呂氏家塾讀詩記》的摘要說：

> 呂祖謙是朱熹的好友，對《詩》學的觀點完全相反，祖謙固守毛、鄭，相信《詩序》，作為宋代古義學家的解釋，有一讀的價值。（頁28）

強調呂祖謙與朱熹相反的解《詩》立場，但要瞭解古義，仍有一讀的價值。朱熹《詩集傳》的摘要說：

> 朱熹廢《詩序》不用，不拘泥於《詩序》，因詩中文句，定作詩的時代，作詩的緣由，又因其文句，定是否是淫詩，這與毛、鄭的古義大不相同，然屬訓詁者多從毛、鄭。又《毛詩》於一篇詩，注興也，不注比、賦。朱熹於各篇每章，皆注比也、興也，或注比而興也。這也是和古義不同的地方。（頁28～29）

這裏特別強調朱子廢《詩序》不用，其實朱子的說法遵循《詩序》者多達百分之七十五，並不如一般人所說「廢詩序」。近人有關此一問題的研究不少[6]，安井先生都無法見到這些著作，所以仍然依照傳統的說法來立論，至於摘要中點明「訓詁多從毛、鄭」，倒是合乎事實的說法。前人往往以為漢、宋學是對立的，宋學就是揚棄漢學，所以才能稱為「新經學」。這個觀點不太能適用於宋代的朱子學派，除了朱子的《詩集傳》，訓詁多從毛、鄭之外，蔡沈的《書集傳》，訓詁也多從《古文尚書》孔《傳》，所以漢、宋學的關係不是對立的，應是一種批判繼承的關係。嚴粲《詩緝》的摘要說：

> 以呂氏《讀詩記》為主，雜採諸說，發明呂氏之意，論大小雅之別，不從〈大序〉來解詩體，後儒多從之。朱熹《集傳》、呂祖謙《讀詩記》、嚴粲《詩緝》，宋代《詩》學三大著作。（頁29）

（三）對宋元《禮記》著作的批評

安井氏的《書目》收錄宋衛湜《禮記集說》、元陳澔《禮記集說》和元吳澄的《禮記纂言》三本著作，安井氏對這三書有比較詳盡的摘要。衛湜書的摘要說：

> 取鄭玄以下一百四十四家之說，作為參稽之資，而其書多亡佚，為此書僅存。且取捨采擇之書者多，陳澔之注立於學官，風行天下，此書讀者少，《禮記義疏》中多取自此。與澔書相比，不可同日談。（頁52）

安井氏以為衛湜之書不立於學官，讀者少，清人修《禮記義疏》，多從此書

6 相關的研究成果有：（1）李家樹：《國風詩序與詩集傳之比較研究》（香港：香港大學中文系碩士論文，1976年），後來改寫書名作《國風毛序朱傳異同考析》（香港九龍：學津出版社，1979年）。（2）王清信：《詩經二雅毛序與朱傳所定篇旨異同之比較研究》（臺北市：東吳大學中國文學系碩士論文，1998年）。（3）林慶彰：〈朱子詩集傳二南的教化觀〉，收入鍾彩鈞主編：《朱子學的開展——學術編》（臺北市：漢學研究中心，2002年），頁53～68。

取材。陳澔書與其相比，不可同日而語。陳澔之書的摘要說：

> 此書頗便初學，澔之學淵源於朱熹之壻黃榦，為朱學派所尊，得立於學官，其徵引多誤筆，《四庫全書摘要》曾舉數條加以討論。得《禮記》大要是好事，禮制之精細方面，比孔穎達的《疏》稍差一點。（頁52）

指出陳澔之書有不少錯誤，整體來說，不如孔穎達的《禮記注疏》。元吳澄書的摘要說：

> 割裂經文，以類相從，各篇亦類聚，通禮九篇，喪禮十一篇，祭禮四篇，通論十篇，把〈曲禮〉、〈少儀〉、〈玉藻〉作一篇，〈大學〉、〈中庸〉別為一書。考禮制之人便利，猶冠〈禮記〉之名則不可，朱熹《儀禮經傳通解》以《儀禮》為經，稍可免受批評。（頁53）

指出吳澄割裂《禮記》一書，其書不可冠以《禮記》之名。這是對疑經改經者的批判。

（四）對安井息軒著作的評價

安井息軒是安井小太郎的外祖父，安井小時候一直住在外祖父家，受外祖父的調教，是形塑安井學術性格的重要人物。安井息軒的著作甚多，有《論語集說》、《孟子定本》、《大學說》、《中庸說》、《毛詩輯疏》、《左傳輯釋》等經學著作，可說是江戶時代很具代表性的經學大家。安井氏之《書目》收錄其祖父之著作有《毛詩輯疏》、《左傳輯疏》、《論語集說》、《孟子定本》等四種。安井氏的摘要並不多，且並未特別揄揚安井息軒，摘要說：

> 雖本《毛傳》、鄭《箋》，解釋多從《傳》意，多前人未發之見，引清儒陳啟源等人之說，通暢詩義。（頁33）

安井氏強調他祖父的著作解釋雖多從《傳》意，但時有前人未發之見，且常引清儒陳啟源等人之說來使詩意通暢。《左傳輯疏》的摘要說：

> 舉清人和國人之說，並加以批判，往往有所見，應一讀。（頁60）

強調該書對清儒和日本學者之著作採批判的態度，而時有所見，有一讀的必要。《論語集說》的摘要說：

> 以《集解》為底本，引《集注》、《古義》、《徵》及清朝考據家之說，斷以己意，整理複雜的《論語》各家之說，井然有序。（頁77）

他強調安井息軒的書是引朱子《論語集注》，伊藤仁齋《論語古義》、荻生徂徠《論語徵》等人之說法和清代考據家之說，然後斷以己意，且強調安井息軒善於整理前人複雜的說法，使之條理井然。《孟子定本》的摘要說：

> 以趙注本為底本，參酌朱熹《集注》、焦循《孟子正義》、伊藤仁齋《孟子古義》，以及自家之見。（頁98）

指出安井息軒的書是以趙岐《孟子章句》為底本，參取朱子、焦循、伊藤仁齋等人之作而成。

（五）對竹添井井著作的評價

竹添井井（1842～1917），名光鴻，通稱進一郎，號井井。是安井息軒的學生。有《毛詩會箋》、《左傳會箋》、《論語會箋》三部大著作，前人稱為「三會箋」。安井氏的書目三本書都收錄了。《毛詩會箋》的摘要說：

> 多取馬瑞辰、胡承珙等考據家之說，也有自家獨得之說。雜以邦儒之說，有稍失氾濫之憾，近代優良的著作。（頁33）

指出《毛詩會箋》取材的來源，惋惜該書稍流於氾濫，但還是肯定該書是優良著作。《左傳會箋》的摘要說：

> 據秘府藏卷、古抄本訂正經注文字，引國內外先儒之說，作為參稽之資，唯舉先儒之說皆沒其名，不能知何人之說者甚多，可惜。（頁60）

指出《左傳會箋》引前人之說皆沒其名，這是竹添氏三《會箋》中最受人詬病的地方，近數十年來，探討此一問題的論文甚多[7]，但早在八十年前安井氏已先指出。《論語會箋》的摘要說：

> 體例與《左傳（會箋）》、《毛詩（會箋）》相同，《論語（會箋）》多引清朝近代人之說，又引國人之說，和《毛詩會箋》相比，是更能得要領的好著作。（頁77）

指出《論語會箋》多引清人、近代人之著作，如和《毛詩會箋》相比，更能得要領。安井氏指出三《會箋》的優缺點，《毛詩會箋》稍流於氾濫，《左傳會箋》「舉先儒之說皆沒其名」，只有《論語會箋》比較沒爭議，但安井氏仍以為三部書都是優良著作。

六　結論

民國以來為國學開入門書目，最有影響的應該是胡適所編的〈一個最限度的國學書目〉和梁啟超的《國學入門書要目及其讀法》，至於為經學開立入門書目的，古今中外僅有安井小太郎的《經學門徑書目》。此書的出版，個人覺得有數點學術意義：

其一，經學自中國傳到日本，從江戶時代起就逐漸有周邊顛覆中央之舉。自明治時代起日本因受西學的影響，經學研究也有獨立發展的空間，在中國流行編輯國學入門書目之際，安井氏發揮他的經學素養，編輯一份經學入門書目，也是理所當然的事。這證明了中國沒有的，日本也可以有，這也

7　孫赫男：〈竹添光鴻《左傳會箋》研究述要〉對此事有詳細的討論，見《北京大學學報》2006年第3期（2006年5月），頁147～150。

是日本經學獨立發展的重要例證。

其二，安井氏所以能在經學上有較大的成就，得力於外祖父安井息軒和島田篁村、草場船山等老師的細心教導，再加上為江戶時代經學家撰寫經學著作解題，有整整四年的歷練，於七十六歲時完成《經學門徑書目》，這可說是水到渠成的事。

其三，安井氏編纂《經學門徑書目》的態度是相當客觀的，這書目的特色是中、日著作並重，無今古文學的偏見，也無漢宋問題。各書之解題文字儘量簡潔，但都能抓住重點來批評。這本《經學門徑書目》代表安井氏研究經學七十年的心血結晶。這書雖已出版近八十年，用來作為當代的經學入門書目，仍舊不會過時。這就是安井氏識見高明的地方。

《周易》卦名的語義學特徵

蘇費翔（Christian Soffel）*

一　序言：《周易》卦名的基本符號性質與語義性質

《周易》為儒家經典之首，今存不同版本都是具有相當複雜的符號系統。從語義學（semantics）的角度來看，可以把《周易》的基本的符號（signs）分成兩種：第一個單位是抽象的符號，即「爻」與「卦」。「爻」是單獨的一條橫線，有陽爻「－」與陰爻「--」之分；「卦」乃是指由三爻或六爻組成的「八卦」（即：☰、☷、☳、☶、☲、☵、☱、☴）或「六十四卦」（即：䷀、䷁、䷂、䷃、……等等）。第二個單位就是所謂的「卦名」，即是由一個或兩個漢字所組成的名稱（即：乾、坤、屯、蒙、需、訟、師、比、小畜、履、泰……等等）。

《周易》雖然早期版本「爻」與「卦」的樣式稍有差異（如馬王堆《周易》陰爻皆往上凸出來，似「┘└」形），但是性質皆相同。卦名亦有發展的歷史，如「坎」字（即「☵」、「䷜」卦的卦名）在馬王堆帛書均做「贛」，在《熹平石經》殘片做「欿」[1]。這些改變當然是沿著漢字的發展而發生的，但是有可能也是代表卦名詮釋的變遷。無論如何，橫線符號一方面是漢字名稱，另一方面其基本關係是長久不變的。

一個很重要的問題在於某一卦的象徵意義與卦名的漢字語義具有怎麼樣的關係。譬如，由六個陰爻所組成的䷁卦，歷代諸儒視為「地」、「純陰」、

* 德國慕尼黑大學漢學系。

[1] 詳見下文。

「柔順」、「牛」、「腹」……等等的象徵[2]。另一方面，此卦在《周易》所使用的卦名是「坤」，是一個漢字，那麼這漢字在《周易》的文本中是有語意的呢？如果有的話，這語意與☷卦卦形的象徵有何種關係？

這個問題並不簡單。一則，「坤」字不太可能擁有「地」、「純陰」、「柔順」、「牛」、「腹」等等所有的語意。二則，「坤」字的解說紛紜[3]，最起碼可以說其字義不是很清楚的。再者，「坤」字在一般文章不會出現，其使用範圍皆與《周易》有直接關係，因此又難以從其他的立場來判定「坤」字的意思。

此問題更有純粹語義學的一個困境。如《周易・說卦》云「坤，順也」[4]，並不知這段話是說「坤」字的意思為「順」，還是坤卦（即☷符號）為「順」的象徵。這種不定性並不是中國語言特殊文法所造成的，因為英文文法是一樣不清楚的，如英譯「Kun means compliant」[5]。或有譯者特別著明「Khwăn[6] is the symbol of docility」[7]，但是這一句等於文言文「坤，順之象也」，中英文一樣是很清楚的說法。

學者常談論某一卦名的意思，但是要先證明卦名的意思是否存在的。Richard Rutt認為，《周易》的卦名只是「標籤」（「tag」），並沒有自己的字義：

> 每卦卦辭之初有一個或兩個字，常命為「卦名」。不如「名」，應該視它們為標籤或標目更為恰當，彷彿我們現代使用的數字一樣。……這些標籤是很奇特的字串；至少現在無法將其或許存在的語義視為某

---

2 三個陽爻☰卦亦相同。

3 可以參考《康熙字典》（上海市：上海書店出版社，1985年），頁240。

4《十三經注疏》（臺北市：大化書局，1989年），第1冊，《周易正義》卷9，頁196（=6b）。

5 Richard Rutt, *The Book of Changes (Zhouyi)*（*Durham East Asian Series*, Richmond: Curzon Press, 1996）, p. 447.

6 「ㄎㄨㄣ / kun」的拼音，理雅各（James Legge）寫成「Khwăn」。

7 James Legge: *I Ching – Book of Changes*（New York, etc.: Random House, 1996）, p. 428.

卦或某卦卦辭的標題或說明。翻譯家有困難將部分卦籤翻成外語，更支持這一結論。……〔八卦卦名〕的來源很不清楚。它們跟卦的外表沒有關係，又不會組成有系統的全體。中國人僅僅把它們當做標籤。衛禮賢認為它們有自己的意義，並翻譯成「創造性」（乾）、「容納性」（坤）、「軟活性」（巽）、「災難性」（坎）、「接合性」（離）、「停止」（艮）、「喜悅」（兑），又責備理雅各曾沒有翻譯卦名，但是理雅各知道他為什麼這樣做。[8]

在此，Rutt批評衛禮賢試圖把卦名翻成外語；只有理雅各採用正確的做法，單獨用拼音來代替卦名。在此可見，若用外文分析《周易》，這個問題尤為重要：如果我們認為《周易》的卦名都有（一個或幾個）固定的意義，就必須用外語的翻譯來表達這個意義；如果把卦名僅視為標籤，就根本沒有翻譯的可能性，用拼音才是最合理的方式。

除了Rutt先生之外，很少學者提出卦名語義及其翻譯可能性的問題。鄭吉雄曾經分析卦名字義，分為下列六種[9]：

（1）卦名為虛義，而演繹出具體實義

（2）卦名為實義，而演繹出抽象意義

（3）卦名的詞義，隨著詞性的轉變而轉變

（4）將卦名之字同時在爻辭中發揮兩種意義

（5）以卦名之字為本，引甲為另一字

（6）卦名以及爻辭具有一直線發展的意義，但卦象又具有另一意義，與卦名本義不同

以此為出發點，找出一個初步的答案並不難：每卦卦名是具有兩方面的意思，包括字義（如「震」、「坎」卦尤為明顯）與象徵的意義都是存在的。

---

8 Richard Rutt: *The Book of Changes (Zhouyi)* , p. 118～120.

9 鄭吉雄：〈從卦爻辭字義的演繹論《易傳》對《易經》的詮釋〉，《漢學研究》第24卷第1期（2006年6月），頁1～33（頁28）。

但筆者認為，可以提供更徹底的分析。

筆者最基本的觀念，謂不要認為《周易》每一版本皆相同。必須容納《周易》古代各種鈔本、歷代《周易》注釋家對卦名的語義與象徵的關係有著自己的看法，而且此看法很有可能是潛意識的，不會直接說出來，尤其古代版本是這樣的。因此，要尋找別的方式來偵察每一卦名的象徵性。

二　天干地支的標籤特徵

幸好，古代中文有一套漢字無疑是純粹的象徵符號，那就是天干（甲、乙、丙、丁、戊、己、庚、辛、壬、癸等十個）與地支（子、丑、寅、卯、辰、巳、午、未、申、酉、戌、亥等十二個）。天干地支組成六十單位的循環，曆算家早在商朝已經用它們來算日子[10]，後來才應用於月、年上，至今為中國月曆的特色。郭沫若（1892～1978）曾以為，地支原先是指魚的某些部分。但是這樣的說法今日學者不太會接受[11]。

初期建立天干地支的系統時，每字的字義或許還有影響力，但如果是這樣的話，這個字義系統很早就被遺忘了。現代的學者要理解這些字的原義，已有很大的困難（詳見下文）；從春秋時期之後，又缺乏相關記載。天干地支似乎很快就成為標籤，大多失去了原來的字義，僅保留序數的用途。

接下來，筆者會找出天干地支字群的四項特徵，後來可以用來討論《周易》卦名原先的問題。

特徵一：除天干地支的範圍之外，這些字幾乎不會用到

天干地支的字樣，大多只會出現在天干地支的使用範圍內，不會當特立

---

10 朱歧祥：《甲體文讀本》（臺北市：里仁書局，1999年），頁2。

11 徐中舒編：《甲骨文字典》（成都市：四川辭書出版社，1988年），頁1535、1538、1541。

的漢字。例外只有「甲」（像「盔甲」之類）、「丁」（兵丁、庖丁）、「己」（自己）、「辛」（辛辣）、「子」（子女）、「未」（從未）、「申」（申明）。其餘（乙、丙、戊、庚、壬、癸、丑、寅、卯、辰、巳、午、酉、戌、亥）幾乎僅用於天干地支的位置。

偶爾有從天干地支引申出來的意思。如：「中午」的「午」之意思是從地支的紀時分配法而來的，「午」是指上午十一點到下午一點之時段。「早辰」的「辰」（多寫成「晨」）一樣是指早上七點到九點的一段。又「貴庚」的「庚」也是指在天干比較後面的部分[12]。

偶爾是簡化字如「丑角」的「丑」應該是「醜」的簡化。

另外，天干地支的字偶爾還有別的用處，如《詩經・小雅・賓之初筵》「有壬有林」，「壬」訓為「大」；但是這種例子非常少，影響力又不大。

特徵二：原來的字義早已失傳

天干地支的字都不會很複雜，看樣子在初期有一個特殊的字義（像「未」字一定跟樹木有關）。與一般數字（一、二、三……）不同的是，這個字義不是從序數的作用而引申出來的。更有趣的是，天干地支字義大部分很早就被遺忘了。專門研究甲骨文的學者也很困難找出這些字的原義，其中很多字用幾種說法。剛好因為這些困難存在，就可以知道在商朝的時代天干地支字目的基本意義早已經沒有很重要了。例如說，如果「未」字在甲骨文裏面尚有「樹木」之義，就應該會有很清楚的驗證；但是這種驗證並不存在。到了周朝以後，字義愈來愈模糊不清。漢代以來，更是這樣：在《說文解字》當然每一個字都有具體的字義說明，但是它在一般文章不會出現，似乎是漢人敷衍之說法。早期的字義與字的形象很接近；如對照甲骨文專家與《說文解字》之說法，可見他們解說字原遇到不少困難：

---

[12] 參見〔漢〕司馬遷：《史記》（北京市：中華書局，1964年），頁1322：「日，庚、辛主殺。」

天干	《甲骨文讀本》[13]	《甲骨文字典》[14]	《說文解字》[15]
甲	本義不明	未可確證	種子發芽之象；或人頭空空之象
乙	形似幼鳥或流水，無確據	所象形不明	象春草木冤曲而出
丙	形似容器的底座，無確據	所象形不明	从一入冂，一者陽也
丁	疑為釘字初文	頂之本字	夏天萬物皆實之象
戊	象斧鉞之形	象兵器形，戉戚之屬	六甲（即甲子、甲戌、甲申、甲午、甲辰、甲寅）與五行相交
己	形似線條詰詘，實意不詳	象綸索之形，取約束之義	象萬物辟藏之曲形
庚	象樂器中的鐘形	有耳可搖之樂器	象秋時萬物庚庚有實
辛	或為刻刀的刑具，或為奴隸的頭飾，實意不詳	象古之曲刀形，乃施黥之刑具	从一辛，辛罪也
壬	與工字同源	所象不明	象婦人懷孕之形，同妊字
癸	可能是戣字初文（一種像戟的兵器）	所象形不明	象水從四方流入地中之形
地支			
子	象小孩形	象幼兒之形	象形
丑	象手爪形	象爪之形	象手之形
寅	象矢形	象矢形	象正月陽氣動，去黃泉欲上去，陰尚強也
卯	本義不明，或為對剖之義[16]	所象形不明，或謂「劉」之假借字（即「殺」之義）	象開門之形
辰	象蜃的初文	象縛蚌鐮於指之形	震也。从乙匕，匕象芒達，厂聲

天干	《甲骨文讀本》	《甲骨文字典》	說文解字
巳	象人子形	祀字初文	象蛇形
午	似鞭索之形，本義仍待實證	象束絲交午之形	陰氣啎逆陽氣之形
未	與木字同源	象木重枝葉形	象木重枝葉形
申	電字初文	象電形為始義，神乃引申義	从臼自持也（注：臼，叉手也）
酉	象盛酒器	象酒尊之形	象製酒之器
戌	象斧形	象古兵器形，斧鉞之屬	从戊一，一亦聲
亥	與豕同，象豪豬	字形所象不明	从二（古文上字），从雙人（一人男、一人女），从乚，象懷子咳咳之形

看上述表格可見甲骨文所象形不明的天干地支相當多，又常常無法從甲骨文的前後文考證出天干地支的字義。

《說文解字》對漢字來源的誤解，一般並不為罕見之事，但是在天干地支尤為常見。所有的天干都解釋得不正確，地支只有子、丑、未、酉為正確或近是。這個現象一個重要的原因當然是許慎深受陰陽、五行思想之影響。但是另一方面，剛好因為天干地支的字義到漢代沒有流傳得很清楚，許慎才有機會強加自己的思想到字義上去。

---

13 據朱歧祥：《甲體文讀本》，頁3～4。

14 據徐中舒編：《甲骨文字典》，頁1535～1612。

15〔漢〕許慎著、段玉裁注：《說文解字注》（上海市：上海古籍出版社，1981年），頁740ff. [14b:19ff.]。在此多以現今的常用字來代替《說文解字》所用的罕見異體字。

特徵三：字形簡單，皆為象形或指事字

天干地支的字多是很簡單的字樣，筆畫不多。雖然意義常常不明，但無疑是象形或指事之字，沒有形聲字。

特徵四：少有異體字

天干地支的字從古到今變化不多，很少出現異體寫法。秦漢時期相當流行不同部首的異體字，但是天干地支比較沒有這個現象（辰字為例外，詳見下文）。《說文解字》雖然指出天干地支一些字的異寫，但是這些在現存漢代文獻並不流行[17]，更不會出現在流傳下來的古典文獻。連中國大陸最近舉行的簡化字方案，也沒有涉及天干地支二十二個字。

上述四種特徵雖然有一些例外（而且具體的例子可能還有商榷之空間），但是從方法論的角度帶來很大的好處，因為他們跟本文原來提出漢字符號性質的問題，沒有直接的關係。因此可以很直率地應用這些特徵在《周易》諸卦的卦名上，這樣來解答字義存在與否的難題。雖然每一個特徵各自會有一些問題，但是一併來使用，就可以描繪出卦名字群在語義學的具體作用。如果發現某一《周易》版本的卦名都有天干地支的特徵，就很有可能是符號（tag）而已；如果沒有的話，卦名字義很有可能是很重要的。

三　出土《周易》中八卦字義：馬王堆帛書

接下來的分析，因為篇幅有限，所以把重點放在《周易》的八卦上，即乾☰、坤☷、震☳、艮☶、離☲、坎☵、兌☱、巽☴。

《周易》原先的面貌，今日已無法見到。若要知道早期的狀況，頂多可

[16] 朱歧祥：《甲體文讀本》，頁12～13。

以分析上海博物館藏的《周易》竹簡[18]。這一版本有一些爭議：第一個最重要的疑點是他的來源不明，這些竹簡都是在香港的古董市場被尋獲的，沒有發掘報告；在上海博物館所出版的資料又沒有相關的分析，剛好相反地，對竹簡的可靠性十分肯定[19]。第二個問題是，學者目前還不確定，《易》竹簡是屬《周易》，還是另外一種版本[20]。但是無論如何，《易》竹簡殘缺，六十四卦中僅涉及三十四個，八卦的雙重卦中，甚至只有一個（即〈艮〉卦[21]），因此用《周易》竹簡無法考辨八卦的符號性質。

發現在一九七〇年代的馬王堆帛書卻沒有這些問題，來歷很清楚[22]，無疑是漢代初期的作品，而且文本幾乎是完整的。

如檢查八卦卦名，就會發現馬王堆卦名與流傳下來《周易》卦名皆相異：

現存《周易》	馬王堆《周易》
乾	鍵
坤	川（巛）[23]
震	辰
艮	根
離	羅
坎	贛
兌	奪
巽	筭

馬王堆帛書常見異體字的現象，一般有兩個解說。有部分學者似乎以為，馬王堆帛書的作者故意地用不同的字來表現與現存《周易》不同的意義，如鄧球柏釋鍵字為關鍵、川字為流水、羅字為網羅、贛字為貢獻、奪字為奪取、筭字為計算[24]。如果是這樣的話，卦名原本的字義當然是非常重要的，絕非

[17] 可參見王貴元：《馬王堆帛書漢字構形系統研究》（南寧市：廣西教育出版社，1999年），頁293～297。

只是符號而已。

但是又有學者（如張立文）以為這些異體字並不一定代表與現存《周易》不同的意思，只是同一概念不同的寫法[25]。這個說法是很有道理的，因為漢代初期還沒有漢字寫法很嚴格的規定。當時的卦名可以理解為口頭的「詞」（word），具體用哪一個漢字來表達這個詞為次要的問題。

漢代的作家將自己的語言寫下來的時候，選用的漢字所遵守的規則並不清楚。用邏輯來推算，應該有兩種方法：第一是選用一些與語義相近的字，用特定的部首來表示意義，如「鍵」是用「金」部首的字來表達〈乾〉卦「剛健」的這意，或「羅」是用「网」部首來表達〈離〉卦「附著」的意思（「離」同「罹」）。如果卦名使用這個方法，字義依然是非常重要的。

第二個方法就是漢代作家只會注意到卦名的發音；換言之，八卦卦名只是口頭的某些音，原則上可以用任何發音相同（或相接近）的字樣來表達。既然現存《周易》與馬王堆《周易》卦名用字的發音都很接近，這個方法似乎也是頗有影響力的。如果是這樣的話，卦名用字只是符號，抑或是有重要字義的呢？

為瞭解決最後一個問題，就可以用天干地支的四個特徵。

---

[18]《上海博物館藏戰國楚竹書》（上海市：上海古籍出版社，2003年），第3冊，頁11～70、131～260。

[19]《上海博物館藏戰國楚竹書》，第3冊，頁137。

[20] 竹簡《易》是《周易》，還是《易》的其他版本，是有爭議的問題。請參見何澤恆：〈論上博楚竹書《周易》的易學符號與卦序〉，收入鄭吉雄編：《周易經傳文獻新詮》（臺北市：臺大出版中心，2010年），頁9～32（頁31～32）。

[21]《上海博物館藏戰國楚竹書》，頁60～61、200～203。

[22] 可以參考上海書店出版社編：《馬王堆帛書藝術》（上海市：上海書店出版社，1996年）。

[23] 馬王堆〈坤〉卦是川字或巛字，專家有爭議。可參考在下面提出鄧球柏、張立文的專著。

特徵一：除《周易》卦名的範圍之外，這些字幾乎不會用到嗎？

馬王堆《周易》八卦卦名，雖然不為常用字，但是仍然用在與《周易》無關的一般文章中，鍵、川、辰、根、羅、奪等字不用特別說明；「筭」只是「算」的另外一個寫法。「贛」字，現在只用在地名，但是以前也有「賜予」的意思，如《淮南子．精神訓》曰：「今贛人敖倉，……則身飽而敖倉不為之減也。」[26]

特徵二：原來的字義早已失傳嗎？

馬王堆八卦卦名的用字沒有解釋的困難；除了辰字外，《說文解字》都提供正確的字義與字形來源。

特徵三：字形簡單，皆為象形或指事字嗎？

除川（巛）、辰外，馬王堆八卦卦名都是相當複雜的，多為形聲字。

---

[24] 鄧球柏：《帛書周易校釋》（長沙市：湖南人民出版社，1987年），頁77、141、212、248、281、315。鄧球柏：《白話帛書周易》（長沙市：岳麓書社，1995年），頁1、58、82、104、127、150。後來，歐美學者如 Dominique Hertzer, *Das Mawangdui Yijing – Text und Deutung*（*Diederichs Gelbe Reihe*, München: Diederichs, 1996年）與 Edward Shaughnessy, *I Ching – The Classic of Changes*（New York: Ballantine Books, 1996年）, pp. 287, 292, 304, 307, 312, 317，都是接受鄧球柏的意見。

[25] 張立文：《周易帛書今注今譯》（臺北市：臺灣學生書局，1991年），第1冊，頁44，注2，頁141，注1，頁230，頁325，注1；第2冊，頁409，注1，頁492，注1，頁580，注1，頁665，注1。

特徵四：少有異體字嗎？

馬王堆八卦卦名皆與現存《周易》不同，可見漢代卦名並不為固定漢字，反而多用異體字。

總之，天干地支四項特徵，在馬王堆卦名都不會有效。因此可見，對馬王堆《周易》的作者而言，卦名的字義是非常重要的，無論他是不是認為所寫的字義跟所講的口頭意義是相同的。

四　石經《周易》版本八卦字義

流傳《周易》，即是從漢代開始歷代傳下來的版本，為《五經》之首。文明在中國社會越來越普遍，文獻越來越容易保存，又越來越多，致使各種經書的版本越來越穩定，字形與經文內容比較不會改變。秦始皇雖然曾經統一文字，但是從出土文獻可以知道，到漢代初期，異體字常常出現。從漢代中、後期始，文字才開始標準化。刻於東漢熹平年間（172～178）的《熹平石經》又是協助經典版本的鞏固趨勢。

《熹平石經》今存只有一些殘片，其中《周易》部分只有〈繫辭下〉、〈說卦〉等篇中幾百個字[27]，幸好包括八卦所有卦名。〈乾〉、〈震〉、〈艮〉、〈離〉、〈兌〉、〈巽〉的字形與今日流傳《周易》相同，〈坎〉卦卦名作「欿」，與今版稍異；〈坤〉卦卦名作「ㄴㄴㄴ」，較像馬王堆「川（巛）」字形。

如果想知道，石經《周易》八卦卦名的字義與符號性質，就可以用上述四項特徵來分析：

---

[26] 何寧：《淮南子集釋》（北京市：中華書局，1998年），第2冊，卷7，頁544。

特徵一：除《周易》卦名的範圍之外，這些字幾乎不會用到嗎？

因為《熹平石經》殘缺，必須有其他漢代文獻來檢查八卦卦名的用法。如果這樣做，就沒有很清楚的答案。一方面，〈乾〉、〈坤〉（⺃⺃⺃）、〈艮〉、〈巽〉使用範圍僅限於《周易》，但是〈震〉、〈離〉、〈坎〉（欿）、〈兌〉一般的用法相當普遍。

特徵二：原來的字義早已失傳嗎？

這個特徵的結果與上一個特徵相同。據《說文解字》與後代學者的意見，〈乾〉、〈坤〉（⺃⺃⺃）、〈艮〉、〈巽〉的字義不明（或最起碼是有爭議的），〈震〉、〈離〉、〈坎〉（欿）、兌卻是沒有問題的，皆為常用字，意思又很分明。

最後四個卦名（〈震〉、〈離〉、〈坎〉、〈兌〉）用法普遍，當然意思也要很清楚。相反地，字義比較不明的字（〈乾〉、〈坤〉、〈艮〉、〈巽〉），剛好又是使用範圍限於《周易》，亦是有道理的。

特徵三：字形簡單，皆為象形或指事字嗎？

只有〈艮〉、〈兌〉、〈⺃⺃⺃〉（坤）卦卦名的字形相當簡單，其餘（〈乾〉、〈震〉、〈離〉、〈欿〉）比較複雜，〈巽〉字有一點難歸屬。無論如何，可見這個特徵在石經又不是很清楚的。

---

[27] 請看馬衡：〈漢熹平石經周易殘字跋〉，收入：顧頡剛編：《古史辨》（香港：太平書局，1963年），第3冊，頁70～73（頁71對面的圖案）。

特徵四：少有異體字嗎？

只有最後一個特徵才有比較明確的結果。如果將《熹平石經》與今日流傳《周易》相比較，只有坤（𠄌𠄌𠄌）、坎（欿）字才有改變，其中欿→坎的變化又不大。總之，卦名的字形很穩定，可視為卦名字義不是那麼重要的一個象徵。當然也是因為漢代的文字漸漸標準化的原因，異體字比較不會出現。

用我們上述的方法，可以說在《熹平石經》八卦卦名的字義與抽象的符號性質一樣是很重要的。今日流傳的《周易》應該也是這樣子。但是其中〈乾〉、〈坤〉、〈艮〉、〈巽〉四卦卦名比較有單純符號的特色，字義沒有很明顯；另一方面，〈震〉、〈離〉、〈坎〉、〈兌〉為常用漢字，其一般的字義亦有影響到《周易》諸卦的解釋，尤其在「震」、「坎」很直接可以看到。

這樣來看，如果總體來看《周易》比較晚的版本，八卦卦名的字義與符號性質是具備的。這個現象會造成一種模糊的狀態，字義與符號是相平衡的，為後代《周易》豐富解說之基礎，字義與符號的界限越來越不明顯。

五　《說卦》與八卦字義

從天干地支所引申出來的特徵，在古代出土文獻並非常常使用，但是從漢末之後，經書已出現定本，漢字系統又標準化，不太可能再有異體字的問題。因此討論後代版本的話，已經無法應用這些特徵，必由其他地方著手。

〈說卦〉為《周易・十翼》之一，據學者意見，是戰國末期或秦、漢初之作品[28]，雖然算是比較早之書，但是沒有現存的出土文獻，又不收入馬王堆《周易》，因此只好將現存〈說卦〉視為漢後之文獻來處理，意思是說，〈說卦〉雖然應該有很早的根源，但〈說卦〉流傳於世的版本在八卦的用字與字義方面，是後來的書。

〈說卦〉有一段話（即第七章[29]，於《熹平石經》不存），對我們的問題是非常重要的，曰：

> 乾健也，坤順也，震動也，巽入也，坎陷也，離麗也，艮止也，兌說也。[30]

可以試問這一段是說明〈乾〉、〈坤〉等八卦卦名的字義，還是八卦卦形的象徵意義呢？這段話的作者是不是認為「乾」字有「剛健」的意思，還是「☰」卦形為「剛健」的象徵？

正如本論文的序所說，單從文法來看，就無法找出一個答案，因為像「乾，健也」的句子包括兩種解說：「乾字是剛健的意思」或「☰卦形為剛健的象徵」。既然〈說卦〉只有流傳下來的定本，所以也沒辦法使用上述四項特徵。

幸好，我們可以用下列的分析單，從〈說卦〉的結構來判斷這一段話的意義。〈說卦〉的內容多是解釋八卦的特徵與用法。開頭有一些敘述性的段落，說明陰陽迭起的變化、八卦與四時的關係、萬物的發展等等。從第七章開始，就有八卦卦名具體的解說。第七章就是上面那一句，第八章云：

> 乾為馬，坤為牛，震為龍，巽為雞，坎為豕，離為雉，艮為狗，兌為羊。
>
> 乾為首，坤為腹，震為足，巽為股，坎為耳，離為目，艮為手，兌為口。[31]

第十章又為敘述性的一段，說明八卦與家庭成員的關係。第十一章卻云曰：

---

[28] Edward Shaughnessy, "I Ching 易經（Chou I 周易）, " in Michael Loewe, ed., *Early Chinese Texts – A Bibliographical Guide*（Berkeley: The University of California, 1993 年）, pp. 216～228,（p. 216, p. 219）.

[29] 在此用朱熹《周易本義》的分章法。見於〔宋〕朱熹：《周易本義》（臺北市：武陵出版社，1995 年）。

[30]《十三經注疏．周易正義》卷 9，頁 196（=6b）。

乾為天，為圜，為君，為父，為玉，為金，為寒，為冰，為大赤，為良馬，為老馬，為瘠馬，為駁馬，為木果。

坤為地，為母，為布，為釜，為吝嗇，為均，為子母牛，為大輿，為文，為眾，為柄。其於地也為黑。

震為雷，為龍，為玄黃，為旉，為大涂，為長子，為決躁，為蒼筤竹，為萑葦。其於馬也，為善鳴，為馵足，為作足，為的顙。其於稼也，為反生。其究為健，為蕃鮮。

巽為木，為風，為長女，為繩直，為工，為白，為長，為高，為進退，為不果，為臭。其於人也，為寡髮，為廣顙，為多白眼，為近利市三倍。其究為躁卦。

坎為水，為溝瀆，為隱伏，為矯輮，為弓輪。其於人也，為加憂，為心病，為耳痛，為血卦，為赤。其於馬也，為美脊，為亟心，為下首，為薄蹄，為曳。其於輿也，為多眚，為通，為月，為盜。其於木也，為堅多心。

離為火，為日，為電，為中女，為甲胄，為戈兵。其於人也，為大腹，為乾卦，為鱉，為蟹，為蠃，為蚌，為龜。其於木也，為科上槁。

艮為山，為徑路，為小石，為門闕，為果蓏，為閽寺，為指，為狗，為鼠，為黔喙之屬。其於木也，為堅多節。

兌為澤，為少女，為巫，為口舌，為毀折，為附決。其於地也，為剛鹵。為妾，為羊。[32]

這一段，多用「A為B」格式，很明顯地不是解釋八卦卦名的字義。譬如單獨一個「乾」字，不可能有天、圜、君、父、玉、金、……等等那麼多種不同的意思，否則用這種詞語寫文章會很混亂。毫無疑問，〈說卦〉第十一章只是列舉各卦的象徵範圍。

[31]《十三經注疏．周易正義》卷9，頁197（=7a）。

同樣地，第八章（乾為馬……等等）與第九章（乾為首……等等）也不是講及八卦的字義，亦可以直接理會到。

再回到第七章（乾健也……等等），就會發現這一段與第八、九、十一章有兩個不同：一則是文法方面，第七章有「AB也」句法，後面幾章皆是「A為B」句法。二則是意義方面，第七章從字義很難感覺出來是八卦的字義，還是其象徵的說明；後面幾章卻無疑是其象徵而已。如果這兩種不同點一起來看的話，就有很明顯的區分。有一個解說最可通：〈說卦〉現存版本的漢代編輯者（有意識地或無意識地）用「AB也」的句法來描寫字義，用「A為B」句法來描寫象徵義。

其實，仔細看〈說卦〉第七章跟馬王堆卦名與《熹平石經》卦名結合在一起，就會發現卦名解說多用同樣聲旁的字：

馬王堆	〈說卦〉第七章	《熹平石經》
鍵	← 健	
川（巛）	← 順	
	陷 →	欿
	說 →	兌

如果假設漢初的時候寫漢字比較自由，口頭的言語比較重要，具體用哪一個漢字來表示出某一個音節幾乎無所謂的話，那麼這種說明都沒有意思。如口頭語言早期有像 **(h) ljot/*(h) lots* 一個詞[33]，可以表達各種意思，學人用「說、兌」字寫下來，那麼「兌，說也」一句似乎沒有什麼意思。因為這個原因，看起來〈說卦〉現存版是比較晚出的，說不定是漢代中期、後期的學者用比較早的資料編輯起來的。〈說卦〉第七章是有解說字義的用途，也受了《周易》以前版本卦名異體字的影響，後來在〈說卦〉的前後文中與解說八卦象徵義的第八、九、十一章雜在一起。

《周易・序卦》又有一段與〈說卦〉第七章有關：

---

[32]《十三經注疏・周易正義》卷9，頁197～198（=7b～10b）。

有天地，然後萬物生焉。……物不可以終過，故受之以坎。坎者，陷也。陷必有所麗，故受之以離。離者，麗也。……主器者莫若長子，故受之以震。震者，動也。物不可以終動，止之，故受之以艮。艮者，止也。……旅而无所容，故受之以巽。巽者，入也。入而後說之，故受之以兑。兑者，說也。[34]

這一段說明六十四卦的順序，都是從卦名的意義著手。在這裏用「坎者，陷也」，「離者，麗也」，「震者，動也」，「艮者，止也」，「巽者，入也」，「兌者，說也」等字串，剛好與〈說卦〉第七章相吻合，因此一定也是字義的表現。

無論如何，有一點是十分清楚的：卦名的字義對〈說卦〉、〈序卦〉的作者是非常重要的。

六　唐代孔穎達《周易正義》與八卦字義

從漢末以降，《周易》的經文幾乎不變，卦名用字皆一樣，完全無法從字形的應用法來推想到卦名的符號性質。但是卦名多是符號或者多有字義的問題，依然是存在的。幸好，《周易》的註疏愈來愈詳細，注家偶爾會直接或間接談及卦名字義的事。

從唐代以來，《周易正義》可視為《周易》經文的標準版，包括王弼（226～229）、東晉韓康伯的注，陸德明（約550～630）的音義，孔穎達（574～648）的疏。其中，只有孔穎達談及八卦字義的問題，但是尤為詳細。就〈乾〉卦有曰：

此〈乾〉卦本以象天，天乃積諸陽氣而成天，故此卦六爻皆陽畫成卦

[33] 請參考William H. Baxter: *A Handbook of Old Chinese Phonology*（Berlin: Mouton de Gruyter, 1992）, pp. 755, 806.

[34]《十三經注疏．周易正義》卷9，頁199～200（=11a～14a）。

也。此既象天，何不謂之天而謂之乾者？天者定體之名，乾者體用之稱。故〈說卦〉云：「乾健也。」言天之體以健為用。聖人作《易》，本以教人，欲使人法天之用，不法天之體。故名乾不名天也。[35]

這一段很明顯地是說，〈乾〉卦是天的象徵（並非「乾」字是有「天」的意義）。乾字卻有著「健」的意思，因此用「乾」字命名 卦，以「乾」字的意義來表明本卦動態的意思。而且孔穎達剛好是用〈說卦〉第七章「乾健也」一句來訓詁「乾」的字義，與〈說卦〉作者原來的立場相同。

就〈震〉卦有曰：

震動也。此象雷之卦，天之威動，故以震為名。[36]

就〈艮〉卦有曰：

艮止也，靜止之義。此是象山之卦，其以艮為名。[37]

就〈兌〉卦有曰：

兑說也。〈說卦〉曰：「說萬物者，莫說乎澤。」以兑是象澤之卦，故以兑為名。[38]

就〈巽〉卦有曰：

巽者卑順之名。〈說卦〉云：「巽入也。」蓋以巽是象風之卦，風行無所不入，故以入為訓。若施之於人事，能自卑巽者，亦無所不容。然巽之為義，以卑順為體，以容入為用。故受巽名矣。[39]

可見，孔穎達解釋〈震〉、〈艮〉、〈兌〉、〈巽〉卦卦名的來源也是從這些字的字義來出發的。

就〈坎〉卦有曰：

---

[35]《十三經注疏・周易正義》卷1，頁20（=1a）。

坎是險埳之名，習者便習之義。險難之事，非經便習不可以行。故須便習於坎事乃得用。故云習坎也。[40]

就〈離〉卦有曰：

離麗也。麗謂附著也。言萬物各得其所附著處，故謂之離也。[41]

孔穎達在〈坎〉、〈離〉兩卦，雖然沒有直述卦象與字義的分殊，但是必有類似的想法。

孔穎達只有在〈坤〉卦沒有相似的說明，只云：

蓋乾坤合體之物，故〈乾〉後次〈坤〉，言地之為體。

那或許是因為孔穎達自已不太清楚「坤」字有何意義，才有這樣含糊的說法。但是不管如何，卦名的字義對孔穎達是一個非常重到的成分，並且用它來說明八卦的命名規則。

七　結論

曾經Richard Rutt認為《周易》諸卦卦名只是符號，又以為卦名在《周易》沒有使用其字義，這是錯誤的觀點。其實看上述資料可見卦名無疑具有符號性質與語義性質。從外文的角度來看，這個簡單的答案，仍然不能解決翻譯的問題。如果要決定在《周易》是不是要把卦名翻譯成外文，就必須先知道它們的符號性質還是字義性質比較強。為瞭解決這個問題，要各別研究

---

[36]《十三經注疏．周易正義》卷5，頁126（=23a）。

[37]《十三經注疏．周易正義》卷5，頁126（=23a）。案：《四庫全書電子版》（香港：迪志文化出版有限公司，1999年），頁7a，末句作「故以艮為名」，才為是。

[38]《十三經注疏．周易正義》卷6，頁142（=9a）。

[39]《十三經注疏．周易正義》卷6，頁140（=6b）。

[40]《十三經注疏．周易正義》卷3，頁83～84（=32b～33a）。

《周易》每一版本、每一注疏家。

如是早期的出土文獻，就可以用字形、異體字的用法、字的象形本義來做抉擇。如果某些字的特色頗像天干地支二十二個字，就可以知道其符號性質特別強，最好不要翻譯其字義；相反地，如果與天干地支差異很大，就表示字義比較強，最好還是要翻譯。

漢代以後《周易》標準化，卦名的用字亦是固定下來的，天干地支的方法已不能應用。但是仔細讀《周易・十翼》的前後文與《周易》的注解，偶爾還是可以窺見某一古代學者的意見。這樣會發現，卦名的字義性質是頗為重要的。

[41]《十三經注疏・周易正義》卷3，頁85（=36a）。

興與象

——簡論占卜和詩歌的關係及其對《詩經》和《周易》的形成之影響

夏含夷*

> 子曰：「興於詩，立於禮，成於樂。」（《論語·泰伯》）

> 聖人立象以盡意。（《繫辭傳》）

> 神對於詩人們像對於占卜家和預言家一樣，奪去他們的平常理智，用他們作代言人，正因為要使聽眾知道，詩人並非藉自己的力量在無知無覺中說出那些珍貴的辭句，而是由神憑附著來向人說話。（《蘇格拉底對伊安的話》）

占卜刻辭仍然是現在所知中國最早的文字資料。無論這是否能夠說明中國古代文明比其他地區的文明更重視宗教（不少西方漢學家說雙河流域文明最早的文字資料都與經濟有關係，而中國最早的文字資料，即甲骨文和青銅禮器上的銘文，都和宗教有關係，說明中國更重視宗教[1]），我們確實可以說占卜在中國古代文明裏起著非常重要的作用，不但表徵宗教的地位，並且對中國文學和哲學也都有著深刻的影響。中國傳統文獻的起源在某種程度上也

* 美國芝加哥大學東亞語文學系。

[1] 這個說法在西方漢學界比較普遍，可以舉Mark Edward Lewis, *Writing and Authority in Early China*（Albany, N.Y.: SUNY Press, 1999），第15頁為相當權威的例子。

可以追尋到占卜的習慣。自從漢代以來，中國傳說一直以為《周易》是第一經典，而《周易》的起源與占卜有密切關係。二十世紀以後，一些文學批評家提出《周易》可以視作從商代甲骨卜辭到《詩經》的媒介，有的甚至論證《周易》和《詩經》在文學形式上非常相似（其實，早在清代初年，顧炎武已經暗示過類似的看法）[2]，認為這至少表明兩部書來自同樣的文化環境。這些觀點無疑都很有道理，可是我覺得《周易》和《詩經》的關係不僅僅是在形式上而已。得到上引蘇格拉底對伊安所說之話的啟發，即「神對於詩人們像對於占卜家和預言家一樣，奪去他們的平常理智，用他們作代言人」，我們應該也可以發現《詩》的神學意義。下面我打算從中國古代占卜考察《周易》的原來性質和形式，然後從《周易》的形式問題再轉到《詩經》的形式和性質。從這樣的比較中，也許我們對中國最重要的這兩部經典能夠體會到前人所未言之新認識。

討論中國古代占卜，學者們通常從商代甲骨卜辭入手。然而，我覺得傳世文獻更可以說明占卜的文學意義。《史記・孝文本紀》載有一個非常重要的故事，說呂太后死後的內戰平定以後，漢朝的劉氏勢力（特別是齊王劉肥和淮南王劉長）請代王劉恆稱帝。劉恆是高祖劉邦的兒子之一，為人有「德至盛」之譽，然而對承繼皇帝之位，他仍然猶與未定。於是在這種危機情況之下，令卜人占卜，故事如下：

> 孝文皇帝，高祖中子也。高祖十一年春，已破陳豨軍，定代地，立為代王，都中都。太后薄氏子。即位十七年，高后八年七月，高后崩。九月，諸呂呂產等欲為亂，以危劉氏，大臣共誅之，謀召立代王，事在呂后語中。……代王報太后計之，猶與未定。卜之龜，卦兆得大橫。占曰：「大橫庚庚，余為天王，夏啟以光。」代王曰：「寡人固已

---

[2] 譬如劉大杰：《中國文學發展史》（北京市：人民出版社，1973年），頁13～14。李鏡池：〈周易筮辭考〉，載於《古史辨》第3輯，頁187～251，有更精采的論述。西方學者當中當以Pauline Yu（余寶琳），*The Reading of Imagery in the Chinese Poetic Tradition*（Princeton, N.J.: Princeton University Press, 1987），頁37～43。

> 為王矣，又何王？」卜人曰：「所謂天王者乃天子。」[3]

這個故事雖然沒有提到卜人「卜之龜」的題目（即占卜之「命龜」或「命辭」），但是根據其他占卜紀錄，我們可以推測命辭是「我欲為天子，尚饗」一類的禱告之辭。遇到龜甲上的兆文以後，占人做了繇辭，謂：「大橫庚庚，余為天王，夏啟以光。」這個繇辭像傳世文獻上其他繇辭一樣，是由三句話組成的，第一句對兆文作形容，後二句將兆文和占卜的題目聯繫起來。兆文形容為「大橫庚庚」，「橫」是《史記・龜策列傳》裏頻繁提及的兆文，大概像├一類的樣子（就是橫畫比這個要長），每次都說是「若橫吉安」，應該是非常吉祥的兆文。「庚庚」很可能是龜甲兆文裂開後所發出的聲音（甲骨文學家多說「卜」不但是象形字，也是象聲字，古音是 *pok），《史記集解》引張晏解釋說「庚，更也，言去諸侯而即帝位也」，《史記索隱》謂「『庚庚』猶更更，言以諸侯更帝位也」，都以「庚」當作「更」的假借字，意思是「更改」或「更代」。占人對兆文作這樣的形容，不一定很客觀（特別是兆發出的聲音應當以何字來寫定，恐怕多有主觀成分，這是我們後面還要討論的現象），但是遇到吉祥兆文以後，他接著作韻文謂「余為天王，夏啟以光」，意思是劉恆作皇帝得到龜和鬼神的贊同，又如張晏所說的那樣：

> 先是五帝官天下，老則禪賢，至啟始傳父爵，乃能光治先君之基業。文帝亦襲父跡，言似夏啟者也。[4]

因為這個繇辭提到「王」而不謂「帝」，所以劉恆仍然未被說服，等到卜人說明「天王」就是「天子」，他才同意，以後做了著名的漢文帝。

從這個故事，我們可以得到很大啟發。「大橫庚庚，余為天王，夏啟以光」這三句話的韻文是這次占卜的「繇辭」，是卜人或者占人得到龜甲上的兆文以後所發明的辭，一邊形容兆文、一邊說明兆文的意義。繇辭的「繇」

---

3 《史記・孝文本紀》（北京市：中華書局，1959年）卷10，頁413～414。

4 《史記・孝文本紀》卷10，頁415《史記集解》所引。

很重要，與一些同源字都有關係，特別是童謠的「謠」和《周易》術語的「爻」。

在漢文帝劉恆占卜即天子之位將近四百年以前，中國傳世文獻上載有另外一個占卜紀錄，與《史記．孝文本紀》所載故事頗相似，也值得深入考察。《左傳．襄公十年》載有鄭皇耳侵略衛國的故事，衛君孫文子想要反攻，但是他也猶豫不定，令卜人占卜。完整的故事如下：

> 衛侯救宋師於襄牛，鄭子展曰：必伐衛，不然，是不與楚也，得罪於晉，又得罪於楚，國將若之何？子駟曰：國病矣。子展曰：得罪於二大國，必亡，病不猶愈於亡乎？諸大夫皆以為然，故鄭皇耳帥師侵衛，楚令也。孫文子卜追之，獻兆於定姜。姜氏問繇，曰：兆如山陵，有夫出征，而喪其雄。姜氏曰：征者喪雄，禦寇之利也，大夫圖之。衛人追之，孫蒯獲鄭皇耳於犬丘。[5]

儘管這個占卜紀錄也不完整，沒有全載占卜過程的每一細節，可是大體上還是相當清楚。像《史記》的故事一樣，這次占卜也造出了一個「繇」，謂「兆如山陵，有夫出征，而喪其雄」。像《史記》的繇辭一樣，這個繇辭也是由三句韻文組成的，第一句明顯的形容龜甲上的兆文：「兆如山陵。」到底像一個什麼樣子，很難說，但是我們可以想像一個像山陵的卜兆，可能會像「∧」或相似的樣子。要說明這個兆文的意義，恐怕就更難，但是在中國古代自然界山是比較危險的地帶，山陵應該更是如此。無論如何，也像《史記》的繇辭一樣，《左傳》的這個繇辭的後兩句也將兆文的意義聯繫到占卜的題目，即反攻鄭軍，謂「有夫出征，而喪其雄」。也像劉恆那樣，孫文子也不理解這個繇辭的意思，是說他「出征」反攻鄭軍「而喪其雄」（就是他），還是說鄭軍因為「出」征「而喪其雄」（就是鄭君）？因為孫文子不清楚，所以問了定姜。定姜，即「姜氏」，恐怕不是占人，而可能是一位「由

[5] 《春秋左傳正義．襄公十年》（北京市：中華書局，1980年影印《十三經注疏》本）卷31，頁246（總頁1948）。

神憑附著來向人說話」的女史。她說明了繇的意義，謂「征者喪雄，禦寇之利也」，意思很清楚是說兆文的危險是對鄭軍而言，因此「征者」，亦即鄭，會「喪雄」。反之，據姜氏判斷，繇辭的這兩個句子是衛國之反攻的吉兆，因此她接著說「征者喪雄，禦寇之利也」。姜氏的這兩個句子不屬於原來繇辭中，而是對繇辭的解釋，應該算是占辭。

除了它內在的歷史意義以外，《左傳》的這個占卜紀錄對理解《周易》爻辭的性質和形式也特別重要。這是因為姜氏說的「禦寇之利」顯然是《周易》爻辭裏幾次出現的術語「利禦寇」之變形，如〈漸．九三〉爻辭：

> 〈漸．九三〉：鴻漸於陸，夫征不復，婦孕不育。凶。利禦寇。

很清楚地，這個爻辭的前三句話與上引《史記》和《左傳》的「繇」有同樣的形式。

> 大橫庚庚（陽部）：余為天王（陽部），夏啟以光（陽部）。
> 兆如山陵（蒸部）：有夫出征（耕部），而喪其雄（蒸部）。
> 鴻漸于陸（覺部）：夫征不復（覺部），婦孕不育（覺部）。

正如《左傳》繇辭第一個句子形容兆文的形狀，〈漸．九三〉爻辭第一句同樣形容大自然的一個現象，應該算是一個徵兆。後面兩個句子都和第一個句子押韻，將第一個句子的徵兆聯繫到占卜或占筮的題目。正如《左傳》的占卜，題目是鄭國的侵略和衛國的反攻，同樣〈漸．九三〉的爻辭應該源於一次和戰爭有關係的占筮。這個爻辭，亦即繇辭，顯然不吉，「夫征不復」對出征的軍隊已經很不利，更不用說「婦孕不育」表徵家事也會有惡變。正如《左傳》繇辭的「兆如山陵」大概含有危險的象徵意義，同樣我覺得「鴻漸於陸」的「鴻」是很不吉祥的象徵，特別是對婚姻關係而言[6]。無論象徵意

---

[6] 見拙作，李衡眉和郭明勤譯：〈結婚，離婚與革命——《周易》的言外之意〉，《周易研究》第20期（1994年），頁45～57。儘管在中國後代鴻鴈變為訂婚禮品，象徵夫婦終生忠實，可是在《詩經》裏每次提到鴻鴈，婚姻問題就會同時出現。

義如何，不難看出爻辭的繇辭形式。〈漸．九三〉爻辭裏還載「凶。利禦寇」兩個術語，如上面所指出的那樣，這兩個術語不應該屬於原來的繇辭，而是對繇辭的解釋，可以稱作占辭[7]。從上面《左傳》的敘述來看，占辭這一部分應該是後加的。

《周易》爻辭有不少像〈漸．九三〉的形式一樣，包括完整的繇辭和附加的占辭，如下所列：

〈泰．上六〉：城復于隍，勿用師，自邑告命。貞吝。

〈坎．上六〉：繫用徽纆，寘于叢棘，三歲不得。凶。

〈困．初六〉：臀困于株木，入于幽谷，三歲不覿。

〈鼎．九二〉：鼎有實，我仇有疾，不我能即。吉。

〈鼎．九三〉：鼎耳革，其行塞，雉膏不食。方雨虧。悔，終吉。

〈鼎．九四〉：鼎折足，覆公餗，其形渥。凶。

〈豐．九三〉：豐其沛，日中見沫，折其右肱。無咎。

〈豐．九四〉：豐其蔀，日中見斗，遇其夷主。吉。

可以看出，這幾條爻辭的核心由三個押韻的句子組成，第一句都形容某一現象，後面兩個句子說到人間世的相關之事情。這些爻辭的占辭都很簡單，謂「貞吝」、「凶」、「吉」等等。

除了載有完整的繇辭以外，《周易》爻辭裏往往也載有單句，應該是片斷的繇辭第一句話裏的徵兆。下面所列就是幾個比較典型的例子：

〈乾．上九〉：亢龍。有悔。

〈蒙．六四〉：困蒙。吝。

---

7 在一九四七年發表的〈周易筮辭續考〉裏，李鏡池根據〈繫辭傳〉謂：「《易》有四象，所以示也；繫辭焉，所以告也；定之以吉凶，所以斷也。」把《周易》爻辭分成三個部分：「斷辭」（即貞兆之辭），「告辭」（即敘事之辭）和「示辭」（即象占之辭）；見李氏：《周易探源》（北京市：中華書局，1978年），頁130。李氏的「示辭」是我所稱「繇辭」，他的「斷辭」就是我的「占辭」。

〈蠱・九二〉：幹母之蠱。不可貞。

〈噬嗑・六二〉：噬膚滅鼻。無咎。

〈賁・六二〉：賁其須。

〈復・六二〉：休復。吉。

〈復・六三〉：頻復。厲。無咎。

〈大過・九三〉：棟橈。凶。

如果《周易》經過了完整的編輯，我們大概可以設想這些徵兆應該像「鴻漸于陸」那樣啟發「夫征不復，婦孕不育」的反應，我們可以利用〈同人〉卦作為例證。

〈同人〉卦辭：同人于野。亨。利涉大川。利君子貞。

初九：同人于門。無咎。

六二：同人于宗。吝。

九三：伏戎于莽，升其高陵，三歲不興。

九四：乘其墉，弗克攻。吉。

九五：同人，先號咷而後笑。大師克相遇。

上九：同人于郊。無悔。

〈同人〉卦辭和爻辭集中在「同人於某」的句型，但是多像上所引「〈蠱・九二〉：幹母之蠱。不可貞」片斷不完整的辭。唯有九三「伏戎于莽，升其高陵，三歲不興」一個爻辭是典型三句話的繇辭。然而，也有一些片斷的爻辭似乎是從繇辭後面兩句話留下來的。諸如九四「乘其墉，弗克攻。吉」。基於繇辭的形式，我們大概可以設想這個爻辭原來讀作「同人于宗：乘其墉，弗克攻」。同樣，「九五：同人，先號咷而後笑。大師克相遇」第一句的「同人」看起來應該是「同人于郊」的斷片。雖然如此，《周易》確實沒有經過完整的、最後的編輯，我們現在也不好給它編一個新的樣子。《周易》歷來引起讀者的興趣的主要原因之一，是因為它不完善，讀者找不出一個內在的、不變的系統。〈繫辭傳〉謂「《易》不可為典要」，似乎意味著這一點。

要理解《周易》裏片斷的徵兆原來的象徵意義，恐怕莫如對《詩經》的用法更能夠說明周人對大自然的看法。「子曰：小子！何莫學夫《詩》？《詩》：可以興，可以觀，可以群，可以怨；邇之事父，遠之事君；多識於鳥、獸、草、木之名。」[8]「多識於鳥、獸、草、木之名」並不是指動物學或者植物學的知識，而是說通過《詩》，我們可以認識鳥獸草木的象徵性質，可以理解山陵為什麼危險、鴻鴈為什麼和婚姻問題有關係。下面我打算轉到《詩》的象徵層面，以便說明蘇格拉底的話——「神對於詩人們像對於占卜家和預言家一樣，奪去他們的平常理智，用他們作代言人」——不僅僅形容古代希臘的情況，並且用在古代中國也不無道理。

閱讀《詩經》裏的詩之前，我們先回到《左傳》看看裏面所載的一個童謠。魯昭公在位二十五年（前517），從魯奔走到齊（《春秋》裏有隱晦的記載，謂「公孫于齊」）。據說，當年春天南方的鳥鸜鵒來到魯國，魯國的兒童做了童謠說明它的象徵意義：

> 有鸜鵒來巢。書所無也。師己曰：異哉，吾聞文、武之世，童謠有之，曰：鸜之鵒之，公出辱之，鸜鵒之羽，公在外野，往饋之馬，鸜鵒跦跦，公在乾侯，徵褰與襦，鸜鵒之巢，遠哉遙遙，稠父喪勞，宋父以驕，鸜鵒鸜鵒，往歌來哭。童謠有是，今鸜鵒來巢，其將及乎。[9]

這樣看這個故事當然有意思，但是我們不一定能夠看出童謠的形式。下面把它分段處理，也許就更清楚了：

> 鸜之鵒之，公出辱之。
>
> 鸜鵒之羽：公在外野，往饋之馬。
>
> 鸜鵒跦跦：公在乾侯，徵褰與襦。
>
> 鸜鵒之巢：遠哉遙遙。
>
> 稠父喪勞，宋父以驕。

8《論語．陽貨第十七》。

9《春秋左傳正義．昭公 25 年》卷51，頁407（總頁2109）。

鸜鵒鸜鵒，往歌來哭。

這樣就很容易看出童謠是由個別相關的繇辭組成的（謠和繇不但是同源字，恐怕原來就是同一個字）。正如上面所討論的占卜繇辭和《周易》的爻辭一樣，「鸜鵒之羽：公在外野，往饋之馬」，第一句「鸜鵒之羽」是形容鸜鵒這個徵兆的某一方面，後面押韻的兩句話「公在外野，往饋之馬」，則把它聯繫到人間世的事情，亦即昭公的奔走。「鸜鵒跦跦：公在乾侯，徵褰與襦」與此相似，其餘各行亦基本相似；雖然只有一個句子，但是用法顯然一樣。因為「鸜鵒來巢」是當年春天的現象，而昭公是九月才奔走，所以中國歷來文學家都以為這個童謠是預言。當然也有人採取懷疑態度，以為是昭公奔走後而造的。無論如何，鸜鵒被看作是徵兆，有一定象徵意義，而童謠的形式與占卜的繇辭和《周易》的爻辭基本一樣，這是無人可否認的。

《詩經》最有名的特徵是「興」，通常載於一章的開頭，頭兩句話形容大自然的某一現象，後面再接著兩句話說到人間世的事情。雖然有人說大自然的現象和人間世的事情之間沒有必然關係（甚至有人說頭兩句只是為了起韻腳[10]），我覺得我們如果承認鸜鵒和昭公之奔走的關係（至少在當時人的眼光裏是這樣的），我們就不難看出《詩經》裏的興起著同樣的作用。更重要的是，我們應該可以看出當時人是如何感受興的大自然現象和人間事情之間的關係的。為了說明這一點，我們可以選擇幾乎任何一首詩作為例證。因為上面剛剛談到了「鸜鵒來巢」這個童謠，所以於此舉〈周南・鵲巢〉來作為例子，此詩也說到一隻鳥，即「鳩」（也就是鳲鳩，或有人說是鸜鵒）。

維鵲有巢，維鳩居之。
之子於歸，百兩御之。

維鵲有巢，維鳩方之。

---

10 譬如，顧頡剛：〈起興〉，《歌謠週刊》第94期（1925年），再版於《古史辨》第3輯（北京市：樸社，1931年），頁672～677。

之子於歸，百兩將之。

維鵲有巢，維鳩盈之。
之子於歸，百兩成之。

因為鳩不自己做巢，反居他鳥之巢，所以在西方有很不吉祥的象徵意義（象徵一個人到別人家裏和人家的夫人發生關係），然而它在中國一直都是吉祥的徵兆，通常像這裏一樣表明有新婦來居家。因此《詩小序》謂：「〈鵲巢〉，夫人之德也。國君積行累功以致爵位，夫人起家而居有之。德如鳲鳩乃可以配焉。」這首詩一共三章，每一章都是典型的興，皆以四個四字句組成。這表面上與三句話的繇辭和爻辭稍微不同，但是頭兩個句子與繇辭和爻辭頭一個句子起著同樣的作用，是形容大自然的現象，也即徵兆。後兩個句子與繇辭和爻辭的後兩個句子就基本一樣，也是形容人間的事情，在這裏就是一位女性來到夫家結婚。

上面也提到「鴻」（即鴻鴈）在《周易》裏的一個例子。在《詩經》的興裏，鴻鴈也經常出現，我覺得用法和在《周易》裏一樣，也是提出徵兆。〈小雅〉有一首詩叫做〈鴻鴈〉，圍繞著鴻鴈的行動來表達詩人自己的感情。

鴻鴈于飛，肅肅其羽。
之子于征，劬勞于野。
爰及矜人，哀此鰥寡。
鴻鴈于飛，集于中澤。
之子于垣，百堵皆作。
雖則劬勞，其究安宅。
鴻鴈于飛，哀鳴嗷嗷。
維此哲人，謂我劬勞；
維彼愚人，謂我宣驕。

上面討論《周易・漸・九三》爻辭的時候，指出鴻鴈往往表徵戰爭和婚姻問題。我們如果將〈漸．九三〉和《詩．鴻鴈》頭一章頭四個句子對比，可以看出這樣的象徵意義是它們共有的。

《周易．漸．九三》：鴻漸于陸，夫征不復，婦孕不育。凶。利禦寇。

《詩．鴻鴈》：鴻鴈于飛，肅肅其羽。之子于征，劬勞於野。

我覺得這兩段文字，無論從形式上還是意義上看，很清楚地都屬於同一個象徵環境。這一點希望已經不必再贅述。然而〈鴻鴈〉這首詩還有一點很值得討論，就是末章鴻鴈的鳴叫：「鴻鴈于飛，哀鳴嗷嗷。」這裏說鴻鴈的鳴有「嗷嗷」的聲音，這應該是象聲詞無疑。然而，雖然是象聲詞，我們應該設問是不是僅僅是在模仿鴻鴈這鳴叫的聲音，或許它還有別的意義？中國注疏家歷來很少談到這個問題。據我所知，比較權威的解釋有宋鄭樵《通志．詩說》在解釋〈周南．關雎〉時的說法：「凡鴈鳧之類，其喙扁者，則其聲關關；雞雉之類，其喙銳者，則其聲嗷嗷，此天籟也．雎鳩之喙似鳧鴈，故其聲如是。」鄭氏說因為鴻鴈的喙扁形，所以牠的鳴叫應該象「關關」之聲，而雞雉之類因為「其喙銳者」，所以它的鳴叫應該象「嗷嗷」之聲。問題是這和〈鴻鴈〉完全矛盾，與〈鴻鴈〉中鴻鴈的鳴叫（「嗷嗷」）正好相反。

上面我討論《史記．孝文本紀》所載漢文帝占卜故事的時候，曾指出繇辭「大横庚庚，余為天王，夏啟以光」的「庚庚」也是象聲詞，但是早期注疏家指出它不僅僅是象聲詞，而更應該理解為「更」，意思是「更改」或「更代」。其實，我們知道龜甲裂開時候所發的聲音一點不像「庚庚」那樣，而應該像「卜」（古音為 *pok）的聲音。雖然如此，劉恆所使用的占人確實聽到了「庚庚」的聲音（至少他說聽到了這個聲音）。有了這個啟發以後，我們應該設問〈鴻鴈〉的詩人聽到了鴻鴈的鳴叫時，會不會聽到的是他願意聽到的聲音？而因為中文象聲詞只能以漢字來寫，所以寫定的時候所用之字會不會含有自己本自的意義？我們再來看看載有鴻鴈鳴聲的全章：

鴻鴈於飛，哀鳴嗷嗷。

維此哲人，謂我劬勞；

維彼愚人，謂我宣驕。

儘管在現傳《毛詩》裏，〈鴻鴈〉一篇中鴻鴈鳴叫的「嗷嗷」聲帶著口字旁，以便表示是象聲字，但是我們完全可以設想在西周春秋時代這個字只能寫做「敖」。敖有幾個相關的意思，一個是敖容（通常寫作傲容），也就是驕傲的意思，一個是戲謔，一個是敖煎（通常寫作熬煎），也就是忍熬的意思。這一章中間兩句謂「維此哲人，謂我劬勞」，「劬勞」正好有熬煎的意思。更顯著的是，最後兩句話說「維彼愚人，謂我宣驕」，難道「宣驕」不就是鴻鴈所鳴「嗷嗷」，詩人感到連鴻鴈也在戲謔他（或她）？

我們再從《詩經》裏另外一首詩來看看鴻鴈和其他鳥能不能說話。〈邶風·匏有苦葉〉也載有鴻鴈之鳴，並且也載有雉之鳴。

匏有苦葉，濟有深涉。
深則厲，淺則揭。

有瀰濟盈，有鷕雉鳴；
濟盈不濡軌，雉鳴求其牡。

雝雝鳴鴈，旭日始旦，
士如歸妻，迨冰未泮。

招招舟子，人涉卬否。
人涉卬否，卬須我友。

傳統說法以為這首詩諷刺衛宣公，「公與夫人並為淫亂」。無論這個歷史解釋有沒有道理，這首詩確實和男女關係有關。詩人在等待他的（或是她的，詩本身並不清楚）朋友過河，但是朋友一直都不來，詩人感覺很「擁塞」，又不能過河。這首詩裏也載有雉鳴[11]，但是在這裏，我們只想討論鴻鴈的鳴叫。鴻鴈鳴「雝雝」。關於這個「雝雝」，《毛傳》謂：「鴈聲和也」。這和《詩經》裏「雝」聲（特別是編鐘的聲音）的解釋一致，說是「和聲」。但是在〈匏有苦葉〉裏，很難看出什麼「和聲」，詩人的感情非常煩惱。我們如果考慮到「雝」的異體字是「雍」，也許會看出比較適合的意思。「雍」的引申意是「和諧」，但是原來有兩個相關的意義，其基本意義是「池沼」，即水堤後面的水，相關意義是「堵塞」，後來乃以「壅」字寫（其實原義很可能就是「壅」，而壅是後起之字），引申意義是擁塞、阻擋。據我想，詩人到了河邊，不能過河，也找不到他的（或是她的）朋友，他的感情正好可以說是「擁塞」。

說到鳥鳴，《詩經》最有名的鳥鳴當然是〈關雎〉的雎鳩之鳴，即「關關」。上面已經引用了宋鄭樵的動物學說明：「凡鴈鳧之類，其喙扁者，則其聲關關；雞雉之類，其喙銳者，則其聲噭噭，此天籟也。雎鳩之喙似鳧鴈，故其聲如是。」[12]鄭氏這個說明恐怕有一些基本誤解。第一，雎鳩之喙一點都不像鳧鴈之類那樣扁，反而像雞雉之類銳。第二，雎鳩之鳴也不像「關關」這個聲音，反而有一點像吹簫（可以參考http://www.youtube.com/watch?v=3c5IH6zEWHE）。除非我們完全不知道雎鳩是一隻什麼鳥，我們只能決定「關關」並不是象聲詞，而應該像前面討論的「庚庚」、「噭噭」和「雝雝」那樣，是占卜者或者詩人所願意聽到的中文字音。〈關雎〉詩人願意聽什麼話，我們再來看看全詩：

關關雎鳩，在河之洲。

---

[11] 詩第二章謂「有鷕雉鳴」，《毛傳》解釋說：「鷕，雌雉聲也。衛夫人有淫泆之志，授人以色、假人以辭，不顧禮義之難，至使宣公有淫昏之行。」陸德明《經典釋文》說明鷕（*yao*）的聲音：「鷕以小反。」小為宵部，「要」亦為宵部字。是不是說這個雉（即山雞）「有要」，也就是說它（或者像《毛傳》所說的那樣，她）有所要求？下面說「雉鳴求其牡」，很清楚要求的就是「其牡」，也就是公雉。

[12] 向熹：《詩經詞典》（成都市：四川人民出版社，1986年），頁144引鄭樵《通志．詩說》。

窈窕淑女，君子好逑。

參差荇菜，左右流之。
窈窕淑女，寤寐求之。

求之不得，寤寐思服。
悠哉悠哉！輾轉反側。

參差荇菜，左右采之。
窈窕淑女，琴瑟友之。

參差荇菜，左右芼之。
窈窕淑女，鍾鼓樂之。

儘管有各種傳統說法，諸如《毛傳》說詩人是周文王的后妃「說樂君子之德，無不諧和，又不淫其色，慎固幽深，若雎鳩之有別焉。……夫婦有別則父子親」；或者《魯詩》所謂「后妃之制，夭壽治亂存亡之端也。……禍敗曷常不由女德？是以佩玉宴鳴，〈關雎〉歎之，知好色之伐性短年」等等[13]，這些說法在中國文學批評史中當然不無歷史作用，但是現在我們大概都可以同意〈關雎〉基本上是一首戀歌，最簡單的讀法就像袁梅所說的那樣「一個青年愛上了那位溫柔美麗的姑娘。他時刻思慕她，渴望和她結為情侶」[14]。詩人應該就是詩裏的「君子」，對象是「窈窕淑女」，他時而「寤寐求之」，時而「輾轉反側」。在床上想了什麼，我覺得回答很簡單，客氣地說，他想了和她發生關係，更直接地說，他想了和她發生關係。這樣他聽到雎鳩之鳴，自己聽到了「關關」是因為他在想「關關」，也就是說，他願意聽到大自然的這個徵兆是在說他終於會「友之」、會「樂之」。

13《漢書．杜欽傳》（北京市：中華書局，1962年）卷60，頁2669。

14 袁梅：《詩經譯注（國風部分）》（濟南市：齊魯書社，1983年），頁77。

這是不是只是一個現代的佛洛伊德似的離經叛道的解釋，與中國古代讀法沒有關係？我覺得不是。「關」本身就有這個意思。「關」原義是一個門閂，從「丱」得聲，「丱」應該是它的核心義符，是一個象形字，「丱」像連貫一個兩扇門的橫木，現在叫做門栓。我們大概不需要佛洛伊德指出這種橫木的性的意義，但是如果這還不夠清楚，我們現在就可以看看上海博物館藏楚竹書《孔子詩論》，其中就把〈關雎〉的「關」字寫為「[門+串]」。「串」也是象形字，連貫任何兩個東西，在中國古代也是連貫男女的俗語。無論〈關雎〉的詩人聽到了一個什麼字，《孔子詩論》的作者（至少是它的抄寫者）肯定想到了男女之間的關係。

其實，中國古代不僅僅是《孔子詩論》談到〈關雎〉就想到男女之間的關係。馬王堆帛書〈五行篇〉有這樣的一段話：

> 諭而知之謂之進之，弗諭也，諭則知之矣，知之則進耳。諭之也者自所小好諭乎所大好。「茭芍淑女，唔昧求之」，思色也。「求之弗得，唔昧思伏」，言其急也。「繇才繇才，倦縛反側」，言其什急也。急如此其什也，交諸父母之側，為諸？則有死弗為之矣。交諸兄弟之側，亦弗為也。交諸邦人之側，亦弗為也。畏父兄，其殺畏人。繇色諭於禮，進耳。[15]

〈五行篇〉的注疏家說「茭芍淑女，唔昧求之」，亦即「窈窕淑女，寤寐求之」，是詩人在「思色」，也就是想到戀愛。然而，根據這個注疏家，無論詩人想得多麼急，他也不會在父母的面前做愛（「交」）。這是由於禮教的風化。如果當時沒有將〈關雎〉讀為戀歌，他怎麼會提出這樣的解釋？

寫這篇文章的目的並不是為了給〈關雎〉作一個新的解釋，而是為了說明《詩經》的「興」和《周易》的「象」（也就是繇辭）在西周宇宙論中如何起著同樣的知識作用，而這個作用與占卜也有密切關係。正如烏龜是一個神物，能夠傳達神仙的意志——能夠替神仙「說話」，同樣地鴻鴈、雎鳩

---

[15]《馬王堆漢墓帛書〔壹〕》（北京市：文物出版社，1980年），釋文，頁24。

以及大自然的許許多多其他現象也都會說話。問題是，這些話不是每一個人都能夠「聽懂」。蘇格拉底說神會利用詩人、占卜家和預言家作代言人，有一定道理，但是從另外一方面也可以說詩人、占卜家和預言家會把「話」放在神（至少神物）的嘴巴裏。為了再次說明這一點，我想最後想引用另外一個西方的例子，即美國詩人愛德格・愛倫・坡（Edgar Allan Poe，1809～1849）的詩歌〈烏鴉〉。在這首詩裏，年輕的詩人有一天晚上為了忘記他前年去世的愛人麗諾爾（Lenore），在讀含有「早已被人遺忘的傳聞」的書。突然，門外傳來一個聲音。他打開門出去聽，唯一聽到的聲音是「麗諾爾」。他回到房間裏以後，窗戶上又傳來了聲音。他打開窗戶，有一隻烏鴉飛進來「棲在我房門上方一尊帕拉斯半身雕像上面」。詩人問烏鴉的名字，烏鴉說「永不復還」（nevermore）。於此不能全引這首長篇敘事詩，但是至少應該引用幾章[16]：

Then, methought, the air grew denser, perfumed from an unseen censer
Swung by Seraphim whose foot-falls tinkled on the tufted floor.
'Wretch,' I cried, 'thy God hath lent thee - by these angels he has sent thee
Respite - respite and nepenthe from thy memories of Lenore!
Quaff, oh quaff this kind nepenthe, and forget this lost Lenore!'
Quoth the raven, 'Nevermore.'

'Prophet!' said I, 'thing of evil! - prophet still, if bird or devil! –
Whether tempter sent, or whether tempest tossed thee here ashore,
Desolate yet all undaunted, on this desert land enchanted –
On this home by horror haunted - tell me truly, I implore –
Is there - *is* there balm in Gilead? - tell me - tell me, I implore!'
Quoth the raven, 'Nevermore.'

---

[16] 中文譯文引自曹明倫譯：《愛倫・坡集》（北京市：三聯書店，1995年），頁110～111。

'Prophet!' said I, 'thing of evil! - prophet still, if bird or devil!
By that Heaven that bends above us - by that God we both adore –
Tell this soul with sorrow laden if, within the distant Aidenn,
It shall clasp a sainted maiden whom the angels named Lenore –
Clasp a rare and radiant maiden, whom the angels named Lenore?'
Quoth the raven, 'Nevermore.'

接著我想，空氣變得稠密，被無形香爐熏香，
提香爐的撒拉弗的腳步聲響在有簇飾的地板。
「可憐的人」，我呼道：「是上帝派天使為你送藥，
這忘憂藥能中止你對失去的麗諾爾的思念；
喝吧，喝吧，忘掉對失去的麗諾爾的思念！」
烏鴉說：「永不復還。」
「先知！」我說：「凶兆！——仍是先知，不管是鳥是魔！
是不是魔鬼送你，或是暴風雨拋你來到此岸，
孤獨但毫不氣餒，在這片妖惑鬼祟的荒原——
在這恐怖縈繞之家——告訴我真話，求你可憐——
基列有香膏嗎？——告訴我——告訴我，求你可憐！」
烏鴉說：「永不復還。」

「先知！」我說：「凶兆！——仍是先知、不管是鳥是魔！
憑我們頭頂的蒼天起誓——憑我們都崇拜的上帝起誓——
告訴這充滿悲傷的靈魂。它能否在遙遠的仙境
擁抱被天使叫作麗諾爾的少女，她纖塵不染——
擁抱被天使叫作麗諾爾的少女，她美麗嬌豔。」
烏鴉說：「永不復還。」

也許麗諾爾「永不復還 」，但是如果我們能夠像蘇格拉底那樣體會詩人的功

能、能夠像孔子那樣「多識於鳥、獸、草、木之名」、能夠像愛倫・坡那樣聽懂「先知」的語言，也許我們也能夠明白至少一部分古代的興與象。

《漢書．敘傳》述《易》考

吳家怡*

一　前言

班固父子對史遷先黃、老而後六經，多所貶抑；班固立意推尊經書，尤重《周易》。前人或有以為《漢書》因襲前代史書而少有創見；筆者比對班固撰作資料，得見班固編撰《漢書》雖多採史遷舊文，然《易經》對《漢書》之影響其實深微，乃其書撰作旨意所在，用意深刻。如〈敘傳〉述撰百篇之旨，從游俠諸志之撰作，乃至史事人物、歷史興衰之評鑑，皆藉《易》義彰顯，涵蓋極廣，遠較《史記．太史公自序》述《易》篇章數目為多。可見《漢書》不僅襲取前代史料，更藉《易經》申明其史學觀點。

《漢書》稱引《易》文以撰史者，以〈敘傳〉為多。〈敘傳〉不僅為研究班固史觀之重要史料，於理解《漢書》全書旨意，亦至關重要。本文即以《漢書．敘傳》為中心，論其述《易》諸例，以明《易》學對於《漢書》撰作的影響。

二　〈敘傳〉用《易》旨意

〈敘傳〉述《易》凡三十二例，班固自述撰《漢書》二十餘篇之旨，即與《易經》相關。「六經皆史」、「經史同源」之說，始於章學誠，其後成為經學研究中的重要治學理念，然歷來學者於經史如何互為影響，實鮮有論及。以下試述〈敘傳〉用《易》旨意所在，以觀班固之經學與歷史撰作理念

* 香港中文大學中國語言及文學系。

間的密切關係。

(一)宣揚「漢承堯運」的天命正統

王莽建立新朝後，為證明其政權的合法性，採用了劉向父子的五行相生說，並修改漢以前諸朝德性，以為漢朝乃屬火德。漢光武帝光復漢室後，正式承認漢朝正朔為火德。是以《漢書》亦採此說，謂高祖因時而起，漢朝乃承天道正統，順天應民而興。〈敘傳〉述其撰〈高帝紀〉之旨云：

> 皇矣漢祖，纂堯之緒，實天生德，**聰明神武**。秦人不綱，罔漏于楚，爰茲發跡，斷蛇奮旅。神母告符，朱旗乃舉，粵蹈秦郊，嬰來稽首，**革命創制**，三章是紀，**應天順民**，五星同晷。項氏畔換，黜我巴、漢，西土宅心，戰士憤怨。乘釁而運，席卷三秦，割據河山，保此懷民。股肱蕭、曹，社稷是經，爪牙信、布，腹心良、平，龔行天罰，赫赫明明。述〈高紀〉第一。[1]

《漢書·敘傳》「聰明神武」、「革命創制」、「應天順民」之言，皆本《周易》。《易·繫辭上》謂：「神以知來，知以藏往。其孰能與此哉！古之**聰明**睿知**神武**而不殺者夫！」[2]〈革·彖傳〉曰：「**天地革而四時成**。湯、武**革命**，**順乎天而應乎人**。革之時大矣哉！」[3]班固用《易》，意謂唯有古之聰明慧智神武而不殘暴之人，方能知來藏往，而漢高祖見秦失綱維，因時而起，入關破秦，創立漢室，其功乃如湯、武革命般偉大。《漢書》認為漢朝「順天應人」，乃接火德而興：「伐秦繼周，木生火，故為火德，天下號曰漢。」[4]〈高

---

[1] 〔東漢〕班固：《漢書》（北京市：中華書局，2006年），頁4236。

[2] 李學勤主編：《十三經注疏整理本·周易正義》（北京市：北京大學出版社，1999年），頁288。

[3] 《周易正義》，頁202～203。

[4] 王鳴盛解曰：「漢繼周不繼秦，故用火德，尚赤。王莽用土德代漢，又因漢稱堯後，亦稱舜後。明正當受漢禪也。亦可笑矣。」〔清〕王鳴盛：《十七史商榷》（臺北市：

帝紀〉贊語云：

> 《春秋》晉史蔡墨有言，陶唐氏既衰，其後有劉累，學擾龍，事孔甲，范氏其後也。而大夫范宣子亦曰：「祖自虞以上為陶唐氏，在夏為御龍氏，在商為豕韋氏，在周為唐杜氏，晉主夏盟為范氏。」范氏為晉士師，魯文公世奔秦。後歸于晉，其處者為劉氏。劉向云：戰國時，劉氏自秦獲於魏。秦滅魏，遷大梁，都于豐，故周市說雍齒曰：「豐，故梁徙也。」是以頌高祖云：「漢帝本系，出自唐帝[5]。降及于周，在秦作劉。涉魏而東，遂為豐公。」豐公，蓋太上皇父。其遷日淺，墳墓在豐鮮焉。及高祖即位，置祠祀官，則有秦、晉、梁、荊之巫，世祠天地，綴之以祀，豈不信哉！由是推之，**漢承堯運**，德祚已盛，斷蛇著符，旗幟上赤，**協于火德，自然之應，得天統矣**。[6]

班固記述西漢一朝史事，首列〈高帝紀〉，宣揚漢紹堯運，實乃天德，認為它的功烈不僅遠勝秦朝，亦夏、商、周三代所不足比擬者，一反《史記·高祖本紀》重在表明漢興之人事努力。〈太史公自序〉云：

> **子羽暴虐，漢行功德**；憤發蜀漢，還定三秦；誅籍業帝，天下惟寧，改制易俗。作〈高祖本紀〉第八。[7]

史遷明言漢之所以興，一方面因為項羽不仁，另一方面乃漢朝力行功德而致。〈高祖本紀〉篇末，司馬遷的評價更為明確：

> 太史公曰：夏之政忠。忠之敝，小人以野，故殷人承之以敬。敬之敝，小人以鬼，故周人承之以文。文之敝，小人以僿，故救僿莫若以

大化書局，1977年），頁90。

[5] 陳直《漢書新證》疑「是以頌高祖云：『漢帝本系，出自唐帝。』」句為班固採用劉向補《史記》之文。陳直：《漢書新證》（天津市：天津人民出版社，1979年），頁14。

[6] 《漢書》，頁81～82。

[7] 〔西漢〕司馬遷：《史記》（北京市：中華書局，2007年），頁3302。

忠。三王之道若循環，終而復始。周、秦之閒，可謂文敝矣。秦政不改，反酷刑法，豈不繆乎？故漢興，**承敝易變，使人不倦，得天統矣**。朝以十月。車服黃屋左纛。葬長陵。[8]

「承敝易變」指漢朝上承周、秦文敝之時，改變統治之道，主要指漢初廢除苛法，與民休息的政策。司馬遷讚揚此等政策合乎天道、順應人心，從而肯定劉邦功績，重在人事之努力。王鳴盛評《漢》不如《史》曰：「班氏作贊，乃遠引蔡墨、范宣子之言。劉氏出陶唐，遂謂漢帝系本唐帝、承堯運得天統，是何言邪？司馬遷贊則言三代異同，周末文敝，漢救以忠為得統，絕不及堯後之說。此班改馬而遠失之者。」[9]《史》、《漢》之異，正在司馬遷「所記以仁義為本」[10]，重人事之功；而《漢書》則藉《易》文強調「漢承堯運」的政治正統。

（二）說明禮樂刑法之源

班固以為禮樂刑法之源，皆與《易》相關。其自述撰〈禮樂志〉之旨云：

上天下澤，春雷奮作，先王觀象，爰制禮樂。厥復崩壞，鄭、衛荒淫，風流民化，湎湎紛紛。略存大綱，以統舊文。述〈禮樂志〉第二。[11]

「上天下澤」乃〈履卦．象傳〉，其文云：「**上天下澤**，履；君子以辯上下，定民志。」[12]〈履〉卦上卦為〈乾〉天，下卦為〈兌〉澤。是以《周易正義》

[8]《史記》，頁393～394。

[9] 見「高祖非堯後」條。《十七史商榷》，頁66。

[10] 司馬遷於〈漢興以來諸侯王年表〉中自云：「臣遷謹記高祖以來至太初諸侯，譜其下益損之時，令時世得覽。形勢雖彊，要之**以仁義為本**。」見《史記》，頁803。

[11]《漢書》，頁4242。

[12]《周易正義》，頁63。

謂：「天尊在上，澤卑處下，君子法此〈履〉卦之象，以分辯上下尊卑，以定正民之志意，使尊卑有序也。」[13]〈象傳〉明確地將〈履〉卦納入「上天下澤」之禮序中，故〈序卦傳〉又云：「物畜然後有禮，故受之以〈履〉。」王弼注曰：「履者，禮也。」[14]乃從天高澤下之自然位序，進而論及人文倫理之禮義法度，見〈敘傳〉所言與〈象傳〉同。

「春雷奮作」本於〈豫卦・象傳〉：「**雷出地奮**，豫；先王以作樂崇德，殷薦之上帝，以配祖考。」[15]劉德曰：「〈豫〉，樂也。」[16]〈敘傳〉易「雷出地奮」為「春雷奮作」，其義無別。雷從地出，猶陽氣出於地，正春天萬物復甦之象。此言先王效法陽氣萌動、春和物生的自然現象，制作音樂以尊崇文德、享祭帝祖。《漢書》多次以此《易》經文義論樂，如〈禮樂志〉謂：「王者未作樂之時，因先王之樂以教化百姓，說樂其俗，然後改作，以章功德。《易》曰：『先王以作樂崇德，殷薦之上帝，以配祖考。』」[17]〈藝文志〉述《樂》六家後云：「《易》曰：『先王作樂崇德，殷薦之上帝，以享祖考。』故自黃帝下至三代，樂各有名。」[18]先王觀此兩卦之象，制作禮樂，正因樂為先王效法自然之道而作，故縱世道衰敗，雅樂聲律卻能為之節。〈敘傳〉以〈象傳〉文義說明制禮作樂的來源。

是見〈敘傳〉結合〈履〉、〈豫〉二卦〈象傳〉，以「上天下澤」所言之禮序，與「雷出地奮」所言之樂理，謂先王觀此兩卦之象，制作禮樂，即以《易》為禮樂之源、作為《漢書》述〈禮樂志〉之因由。

而〈敘傳〉述〈刑法志〉曰：

> **雷電皆至**，天威震耀，五刑之作，是則是效，威實輔德，刑亦助教。季世不詳，背本爭末，吳、孫狙詐，申、商酷烈。漢章九法，太宗改

13《周易正義》，頁63。
14《周易正義》，頁335。
15《周易正義》，頁85。
16《漢書》，頁4242。
17《漢書》，頁1038。
18《漢書》，頁1711。

作，輕重之差，世有定籍。述〈刑法志〉第三。[19]

劉德及顏師古皆以為「雷電」之象出〈噬嗑卦・象傳〉[20]：「**電雷**，噬嗑；先王以明罰敕法。」[21]〈噬嗑卦〉上卦為〈離〉，下卦為〈震〉，震為雷，離為電，乃雷電皆至並作，天威震耀之象。

然劉、顏二氏未盡班固之意。考「雷電皆至」之言實出〈豐卦・象傳〉：「**雷電皆至**，豐。君子以折獄致刑。」[22]此「雷電」固亦〈噬嗑卦〉「天威震耀」之象，然〈豐卦〉除包含明察刑罰、整飭法律，使人整肅鑑戒，歸於正道之嚴明；更點出先王決獄用刑之時，情理兼備、輕重合道之聖智。《周易正義》曰：「君子法象天威而用刑罰，亦當文明以動，折獄斷決也。斷決獄訟，須得虛實之情；致用刑罰，必得輕重之中。若動而不明，則淫濫斯及，故君子象於此卦而折獄致刑。」班固遂以此刑法嚴明而不失情理之象，說明刑法的產生、漢律之合理。

班固以為震威應該用來幫助施行恩德、刑法應該用來幫助實行教化。後代不明此理，背本求末，如吳起、孫武之詭詐；申不害、商鞅之殘酷。是以漢代的刑法有九種，為景帝時所改作，輕重有不同，各代都有明文規定，此為〈刑法志〉之所記。

（三）作為評騭史事人物的標準

〈敘傳〉中尚有不少篇章與《易》相關，作為其論史鑑人之準據，其撰〈哀帝紀〉之旨云：

---

[19]《漢書》，頁4242。

[20] 劉德曰：「〈震〉下〈離〉上，〈噬嗑〉，利用獄。雷電，取象天威也。」師古曰：「《易》象辭曰：『雷電，〈噬嗑〉，先王以明罰敕法。』故引之。」見《漢書》，頁4242。

[21]《周易正義》，頁102。「電雷」乃據項安世引漢石經改。

[22]《周易正義》，頁225。

孝哀彬彬，克綦威神，**彫落洪支，底剭鼎臣**。婉孌董公，惟亮天功，**〈大過〉之困，實橈實凶**。述〈哀紀〉第十一。[23]

「〈大過〉之困，實橈實凶。」語出〈大過卦〉九三爻辭：「**棟橈，凶**。」[24]意謂屋棟下沉彎曲，行將塌陷，既因中間壓力過重，亦由兩端支撐力太弱。因之〈彖傳〉云：「棟橈，本末弱也。」[25]班固以《易・大過卦》之象，論哀帝雖「文辭博敏，幼有令聞」[26]，然攬權於身，屢誅大臣，獨寵董賢，欲成大功，猶《易・大過卦》所稱，小材大用，不堪其任，終必折曲，是為凶災。

「彫落洪支，底剭鼎臣」[27]，則見《易・繫辭下》：「子曰：『**德薄而位尊，知小而謀大，力小而任重**，鮮不及矣。《易》曰：「**鼎折足，覆公餗，其形渥，凶**。」言不勝其任也。』」之意。鼎立方能為用，足折則不能立，且珍膳翻倒，使形沾濁，是為凶象。班固引《易》文以論哀帝廢退王氏、重誅大臣於屋下，獨任知小德薄之董賢，則必受其災。班固於一篇篇旨同時剪裁兩則意思相近之《易》文，以證任力不均為哀帝之世以凶險終之因由。

〈敘傳〉以〈繫辭〉「德薄而位尊，知小而謀大，力小而任重」以證史，其例屢見，諸如：「信惟餓隸，布實黥徒，越亦狗盜，芮尹江湖。雲起龍襄，化為侯王，割有齊、楚，跨制淮、梁。綰自同閈，鎮我北疆，**德薄位尊**，非胙惟殃。吳克忠信，胤嗣乃長。述〈韓彭英盧吳傳〉第四。」[28]以及「子絲慷慨，激辭納說，棊轡正席，顯陳成敗。錯之瑣材，**智小謀大**，禍如發機，先寇受害。述〈爰盎朝錯傳〉第十九」等[29]，班氏皆以〈繫辭〉所言任用不勝任者而終至禍害之義以論史，如盧綰與高祖同鄉而封為燕王，卻轉福為殃；又如晁錯不過小才，故其禍如機發。因此可見，班固往往以《易》道

[23]《漢書》，頁 4239。
[24]《周易正義》，頁 127。
[25]《周易正義》，頁 125。
[26]《漢書》，頁 345。
[27]《漢書》，頁 4239。
[28]《漢書》，頁 4246。
[29]《漢書》，頁 4252。

作為評斷歷史興衰之依據。

班固又述〈陳勝項籍傳〉云：

> **上嫚下暴，惟盜是伐**，勝、廣熛起，梁、籍扇烈。赫赫炎炎，遂焚咸陽，宰割諸夏，命立侯王，誅嬰放懷，詐虐以亡。述〈陳勝項籍傳〉第一。[30]

「上嫚下暴，惟盜是伐」，即〈繫辭上〉所言：「小人而乘君子之器，盜思奪之矣；**上慢下暴，盜思伐之矣**。」[31]意謂：「小人居上位必驕慢，而在下必暴虐。為政如此，大盜思欲伐之矣。」[32]班固引此論述陳涉首難、群雄蜂起之因。而《漢書》易「盜思伐之矣」為「惟盜是伐」，配合〈敘傳〉小序之四言句式，見班固引《易》多有變通，整齊文句也。

〈敘傳〉引《易》論人之辭屢見。其言曰：

> 北平志古，司秦柱下，定漢章程，律度之緒。建平質直，犯上干色；廣阿之廑，**食厥舊德**。故安執節，責通請錯，**蹇蹇帝臣，匪躬之故**。述〈張周趙任申屠傳〉第十二。[33]

「食厥舊德」文出《易・訟卦》六三爻辭：「**食舊德**，貞厲，**終吉**。」[34]意指坐享祖上蔭祿，雖占問不利，但最終獲吉。此云任敖原是獄吏，因於高祖有舊恩而受封，如食祖上之德。而「蹇蹇帝臣，匪躬之故」則引《易・蹇卦》六二爻辭：「**王臣蹇蹇，匪躬之故**。」[35]〈蹇卦・象傳〉云：「王臣蹇蹇，終無尤也。」[36] 指臣下處難之時，仍能履正居中，志匡王室，盡忠於君。〈敘傳〉總

---

[30]《漢書》，頁4245。
[31]《周易正義》，頁278。
[32]《周易正義》，頁279。
[33]《漢書》，頁4249。
[34]《周易正義》，頁48。
[35]《周易正義》，頁166。
[36]《周易正義》，頁167。

《漢書》記申屠嘉之旨，以其「剛毅守節」[37]，責天子私愛鄧通，以明其耿耿忠心。是故顏師古謂：「申屠嘉召責鄧通，請誅朝錯，皆不為己身，實有蹇蹇之節也。」[38]《漢書》以《易經》「蹇蹇」之辭譬剛正不阿、犯顏直諫之臣尚見〈循吏傳〉，班氏以龔遂「為人忠厚，剛毅有大節，內諫爭於王，外責傅相，引經義，陳禍福，至於涕泣，**蹇蹇**亡已」[39]。亦用《易》於處難之時，仍以道事君，盡忠補過，為度難關，不惜犯顏直諫，可謂無過之意。

〈敘傳〉引《易》論人又見：

> **榮如辱如，有機有樞**，自下摩上，惟德之隅。賴依忠正，君子采諸。述〈賈鄒枚路傳〉第二十一。[40]

「榮如辱如，有機有樞」之言出〈繫辭上〉：「言行，君子之樞機。樞機之發，榮辱之主也。言行，君子之所以動天地也，可不慎乎？」[41]〈繫辭〉以為言語行為乃君子處事之關鍵，直接掌握人之榮辱成敗。君子通過言語行動感動天地萬物，故不可不慎。言論美善，千里外之人都受其惠澤；言論醜惡，千里外之人都將離棄之，以見審言慎行之重要。班固引申而論言語之招致榮辱，實取決於說話動機。「春秋魯臧孫達以禮諫君」[42]，秉心忠正，可稱有德；枚乘以其言正而免於刑戮；路溫舒以其辭順意篤而為世家，見班固引申《易》義以論人之成敗禍福。

〈敘傳〉又以《易》義作為評論游俠之依據：

> **開國承家**，有法有制，家不臧甲，國不專殺。矧乃齊民，作威作惠，如台不匡，禮法是謂！述〈游俠傳〉第六十二。[43]

37《漢書》，頁3102。
38《漢書》，頁4249。
39《漢書》，頁3673。
40《漢書》，頁4253。
41《周易正義》，頁276。
42《漢書》，頁2372。
43《漢書》，頁4267。

「**開國承家**」出〈師卦〉上六爻辭：「大君有命，**開國承家**，小人勿用。」[44]開國謂建國封為諸侯，承家謂立家封為大夫，謂君子功大能開國為侯、功小亦將承家為卿。然小人不可施用，若小人施用於世，則亂必生。是云：「開國承家，以寧邦也。小人勿用，非其道也。」[45]若要國興家寧，須用君子而非小人。游俠以齊等之民的身份「存亡死生」[46]，在班固看來實不合儒者大義。正如公孫弘所議：「解布衣為任俠行權，以睚眥殺人，解雖弗知，此罪甚於解殺之。當大逆無道。」[47]

於是，為了批駁司馬遷之「進姦雄」[48]，班固在〈游俠傳〉中反覆申述守職奉上之儒家大義。其開篇謂：「古者天子建國，諸侯立家，自卿大夫以至于庶人，各有等差，是以民服事其上，而下無覬覦。孔子曰：『天下有道，政不在大夫。』百官有司奉法承令，以脩所職，失職有誅，侵官有罰。夫然，故上下相順，而庶事理焉。」[49]正強調從天子到庶民各自恪守本分，即可上下相順，從此大治。游俠不守本分，無視禮法，犯上行權，罪莫大矣。可見〈敘傳〉引〈師卦〉「開國承家」之言，除標示國君之功，亦有以游俠比之小人，不可施用於世之意也。

再觀〈敘傳〉謂：「**占往知來，幽贊神明，苟非其人，道不虛行**。學微術昧，或見仿佛，疑殆匪闕，違眾迕世，淺為尤悔，深作敦害。述〈眭兩夏侯京翼李傳〉第四十五。」[50]「占往知來」出〈繫辭下〉「**占事知來**」[51]；「幽贊神明」見〈說卦〉：「昔者聖人之作《易》也，**幽贊於神明**而生蓍，參天兩地而倚數。」[52]此兩句言《易》之蓍占能見往知來，通合天人，是以〈眭兩夏

[44]《周易正義》，頁53。
[45]《周易正義》，頁53。
[46]《史記》，頁3181。
[47]《史記》，頁3188。
[48]《漢書》，頁2737～2738。
[49]《漢書》，頁3697。
[50]《漢書》，頁4261。
[51]《周易正義》，頁320。
[52]《周易正義》，頁323～324。

侯京翼李傳〉之贊語云：「**幽贊神明，通合天人之道**者，莫著乎《易》、《春秋》。」[53]

至於「**苟非其人，道不虛行**」[54]，則見〈繫辭下〉[55]，意謂非賢明之人，《易》道即不能為用。《易》就現象而言，動而無常；就理而言，靜而有度。習《易》既深，可洞見其規律，故能原始察終、唯變所適、明變存要，遂得因物應變之道。然若非其人，學小術拙，小則成過，大則成禍。班固是撰此傳以明戒之，深見班氏再次剪裁不同篇次之《易》文，整齊文句，以彰知人論史行事之準法。

（四）作為班固撰書之旨

班固除以《易》鑑史論人，更以《易》義為其作書之旨。〈敘傳〉記班彪之言曰：「有子曰固，弱冠而孤，作〈幽通之賦〉，**以致命遂志**。」[56]是記班固以《易》文「致命遂志」為撰〈幽通賦〉的目的。〈幽通賦〉亦數引《易》以為說，如：「**皇十紀而鴻漸兮，有羽儀於上京**。」[57]「**紛屯亶與蹇連兮**，何艱多而智寡！」[58]「〈**震**〉**鱗漦于夏庭兮，帀三正而滅**（**周**）〔**姬**〕；〈**巽**〉**羽化于宣宮兮，彌五辟而成災**。」[59]及「亂曰：**天造屮昧**，立性命兮。」[60]

「致命遂志」出〈困卦．象辭〉：「澤無水，困。**君子以致命遂志**。」王弼注云：「澤無水，則水在澤下，水在澤下，困之象也。處困而屈其志者，小人也。『君子固窮』，道可忘乎？」[61]謂水在澤下，則其上枯槁，萬物皆

---

[53]《漢書》，頁3194。
[54]《漢書》，頁4261。
[55]《周易正義》，頁316。
[56]《漢書》，頁4213。
[57]《漢書》，頁4213。
[58]《漢書》，頁4216。
[59]《漢書》，頁4219。
[60]《漢書》，頁4224。
[61]《周易正義》，頁195。

困。然君子雖遭困厄喪身，仍必守其志道，不屈撓妥協。班固以君子處困而自通不失為其撰作之道也。縱處困窮之時，仍秉剛健之德，踐行理想，作〈幽通之賦〉以進取濟困。

唐張銑嘗言：「是時多用不肖而賢良路塞，班固賦〈幽通〉，述古者得失神明之理，以為精誠信惠，是所為政也。」[62]《後漢書．班固傳》亦謂：「固自以二世才術，位不過郎，感東方朔、揚雄自論，以不遭蘇、張、范、蔡之時，作〈賓戲〉以自通焉。」[63]班固一生際遇坎坷，險死於刑戮，後卻為文以明己意，是以用《易》義以明其志。

三　總結

清人趙翼頗嫌《漢書》「多用《史記》原文」[64]、宋人鄭樵譏刺班固對司馬遷「專事剽竊」[65]、張守節云：「固作《漢書》，與《史記》同者五十餘卷，謹寫《史記》，少加異者，不弱即劣，何更非剝《史記》，乃是後士妄非前賢。」[66]即便尊班抑馬的劉知幾，亦謂「班氏《漢書》全取《史記》」[67]。

《漢書》於史料運用上雖多取前史，然於經學觀，班固卻明顯不與史遷同。《漢書．司馬遷傳贊》謂司馬遷「是非頗繆於聖人，論大道則先黃、老而後六經」[68]、「至於採經摭傳，分散數家之事，甚多疎略，或有牴牾」[69]。相對

62《文選．班固〈幽通賦〉》張銑注。見〔梁〕蕭統編，李善等註：《增補六臣註文選》（臺北市：華正書局，1974年）卷104，頁267。

63〔南朝〕范曄著，李賢等注：《後漢書》（北京市：中華書局，1965年），頁1373。

64〔清〕趙翼：《廿二史札記》（北京市：中國書店，1987年），頁15。

65〔宋〕鄭樵：《通志》（北京市：中華書局，1987年），頁1。

66 見〈史記集解序〉之注文，《史記》，頁1。

67〔唐〕劉知幾：《史通．雜說上》（上海市：上海古籍出版社，1987年，《文淵閣四庫全書》影印本）卷16，頁125。

68《漢書》，頁2737～2738。

69《漢書》，頁2737。

於史遷「究天人之際，通古今之變，成一家之言」的撰史目的[70]，班固則為了「緯六經，綴道綱」[71]，「旁貫五經，上下洽通」[72]。班氏立意別出《史記》，推尊經書，尤重《周易》。從《史》、《漢》稱述經書之排序，亦可窺見《漢書》之經學觀有別於《史記》，其端倪可見於《史記・儒林列傳》之論眾經之承傳。〈儒林列傳〉以《詩》為首：

> 言**《詩》**於魯則申培公，於齊則轅固生，於燕則韓太傅。言**《尚書》**自濟南伏生。言**《禮》**自魯高堂生。言**《易》**自菑川田生。言**《春秋》**於齊魯胡毋生，於趙自董仲舒。及竇太后崩，武安侯田蚡為丞相，絀黃老、刑名百家之言，延文學儒者數百人，而公孫弘以《春秋》白衣為天子三公，封以平津侯。天下之學士靡然鄉風矣。[73]

《漢書・儒林傳》依據《史記》，然更之以《易》為首[74]：

> 漢興，言**《易》**自淄川田生；言**《書》**自濟南伏生；言**《詩》**，於魯則申培公，於齊則轅固生，燕則韓太傅；言**《禮》**，則魯高堂生；言**《春秋》**，於齊則胡毋生，於趙則董仲舒。及竇太后崩，武安君田蚡為丞相，黜黃老、刑名百家之言，延文學儒者以百數，而公孫弘以治《春秋》為丞相封侯，天下學士靡然鄉風矣。[75]

〈儒林傳〉於史料上所言基本於《史記》無異，卻更易眾經之排序，以《易》為首。這或與今古文經之排序相關，但仍可見《漢書》撰史，非僅襲錄前史，特別於經學觀上表達了明確的立場。據上所論，班固由自身撰文目的、

---

70 見《漢書・司馬遷傳贊》。《漢書》，頁2735。

71《漢書》，頁4271。

72《漢書》，頁4235。

73《史記》，頁3118。

74 鄭鶴聲亦注意到這問題：「《史記・儒林傳》以《詩》為首，次《尚書》，次《禮》次《易》，次《春秋》。《漢書・儒林傳》以《易》為首，次《尚書》，次《詩》，次《禮》，次《春秋》。」見《史漢研究》（上海市：商務印書館，1930年），頁149。

75《漢書》，頁3593。

述禮樂刑法所生之由、以至評鑑史事人物，往往用《易經》文義作為標的依據。是以《漢書》將《易》說與多篇篇旨相提並論，申明其以《易》撰史之深意。班氏引用《易》經之時，更嘗剪裁結合不同篇章而意思相關之經傳，又會整齊文句，使《易》之文義更融合於其文辭，其深受《易》學之影響可見。

義理《易》與今文學

——皮錫瑞《易學通論》的經學立場及其意義

蔡長林*

一 前言

皮錫瑞著《易學通論》，旨在泛論在其時代之前，各類治《易》學之主張，並以其個人見解，評論歷代《易》說得失。按《續修四庫摘要》言：「（皮氏）治經宗今文，頗持孔子改制之說，著述甚富，晚年教於鄉校。初為《經學歷史》以授諸生，猶恐語焉不詳，學者未能窺治經門徑，更纂《經學通論》。自序署光緒丁未，為其卒之前一年，是為晚年定本。《易經通論》即其一也。是書分三十章，自三易名義，畫卦重卦，文、周繫辭，孔子作傳，漢、宋家法，古今宗派，以訖清代各家，皆能考其源流，辨其中失，斷之己意，意示學人治《易》之術。」[1]蓋篇幅雖少，然自伏羲作《易》之義蘊，至清儒復理術數之是非，皆有系統的總結。雖非針對經文作具體詮釋，也非完整的《易》學史綜論，然此書所涉及之《易》學問題，不但面向包涵甚廣，更有皮氏強調研《易》之先，務必釐清的基礎認知。其論說，既有對《易》學史之敏銳觀察，亦潛藏著獨特的經學立場。對今文家所認定的今文學面貌，更是有澄清之功，頗值得深入探討。

---

* 中央研究院中國文哲研究所。

1 吳承仕撰、中國科學院整理：〈易經通論摘要〉，《續修四庫全書總目摘要》（北京市：中華書局，1993年），頁174。

按《四庫全書總目》（以下簡稱《提要》）言《易》有兩派六宗[2]。又言：「《易》道廣大，無所不包，旁及天文、地理、樂律、兵法、韻學、算術，以逮方外之爐火，皆可以援《易》以為說，而好異者又援以入《易》，故《易》說愈繁。」[3]《提要》所論列者，大致上是歷代學者對《易》學或《易》學史之理解。而對《易》學稍有涉及之人，大概也都會以《提要》所言兩派六宗之說作為建立其《易》學史認知的基本概念。許多談論《易》學的基礎書籍，也常常是依兩派六宗之說來開展，而象數義理並舉。皮氏對此一現象雖不否定，卻並不滿意，他認為說《易》之書最多，然可取者少，又認為《易》說多偽託，不當崇信偽書，甚至認為《易》學有正傳有別傳。正傳者義理，別傳者則是衍象數而言陰陽災變者。即使承認言《易》不離象數，也強調不當求象於《易》之外，更不當求數於《易》之先。呈現的雖是象數義理並舉，卻又以義理勝之的《易》學立場。

所以上自先秦、漢初，下至王《注》、程《傳》，乃至焦循以假借言《易》，皆以有義理可言而亟論之；至於西漢焦、京，東漢鄭、虞，與夫《連山》、《歸藏》、宋人圖書之說，或以為《易》外別傳，或以偽託而斥之。皮氏的諸般議論，源自於他特有的「孔子《易》教」觀點，以為卦、爻辭為孔子所作，孔子之作卦、爻辭，旨在明義理、切人事。為堅其說，而力主文王只重卦，無作卦、爻辭之事，所謂「《易》歷三聖」者，是伏羲畫卦，文王重卦，孔子作卦爻辭。皮氏又強調孔子除撰卦、爻辭（經）之外，亦撰〈彖〉、〈象〉、〈文言〉（傳），是自作自解。至於〈繫辭傳〉，即史遷所謂《易大傳》者，實孔門高弟所為，而〈序卦〉、〈說卦〉、〈雜卦〉與孔

---

[2] 按：紀昀於〈易類總序〉云：「聖人覺世牖民，大抵因事以寓教。《詩》寓於風謠，《禮》寓於節文，《尚書》、《春秋》寓於史，而《易》則寓於卜筮。故《易》之為書，推天道以明人事者也。《左傳》所記諸占，蓋猶太卜之遺法。漢儒言象數，去古未遠也。一變而為京、焦，入於禨祥，再變而為陳、邵，務窮造化，《易》遂不切於民用。王弼盡黜象數，說以老、莊。一變而胡瑗、程子，始闡明儒理，再變而李光、楊萬里，又參證史事。《易》遂日啟其論端，此兩派六宗，已互相攻駁。」《欽定四庫全書總目．易類一》（臺北市：藝文印書館，1966年），頁62～63。

[3] 同前註。

子無涉，〈孔子世家〉所載，乃後人羼入者，是所謂「《十翼》之說於古無徵」也。按據皮氏所言，衡以諸家論斷，有是有非[4]。或於皮氏所論，以史實駁之，以為不過今文家門戶之見；其同情者，亦不過緣今文家通經致用於時局之憂思，為其開通。然吾以為所當論者，在彼而不在此。須知通論性質的著作，旨在導引初學者對所學有整體之認識，理當不偏不倚，以傳世成說為據，不宜羼入過多個人色彩。然皮氏以如此鮮明立場論《易》，除了今文家通經致用的傳統之外，似應探明其更深層次的經學政治觀。治經者，不論宗今文，抑或宗古文，其術雖異，然同具深層之經學政治觀，即取得經典解釋權，實為其研經第一義。以通經致用視經生，實有本末倒置之嫌。本文之目的，不在辨皮氏說法之是非，而在於鉤勒皮氏論說背後的價值意識，及其論說對理解經學的性質，存在著何種意義，同時思考以史學態度理解經典，對認識經學性質產生的遮蔽。

二　以義理為前提的《易》學評論

個人以為，在討論皮氏《易》學論述的同時，似應把「經學的性質」或者「經學的作用」這一問題帶進來思考。不論皮氏之說是否合於理據，能否放諸四海皆準，可以看出來，他心中自有一番「經學為何」的定見。這種定見，學者可以用今文家悠謬之言來嘲諷之，當然也可以靜下心來思考皮氏之說，是否具有嚴肅的意義。身為一個現代經學研究者，個人最感困擾的，莫過於面對著以考史求真為經典是非依據的今天，經學面目究竟為何，或者究竟何種言說，方稱得上是出以經學立場的論說。這對許多溷經史為一的學者來講，或許只是一個假命題。但我們不得不問，在許多以考史為宗的論述中，經典根源性問題往往被全盤推翻，或者被批判得體無完膚。舉例來說，民國以來，各種對《易經》原始面目的研究洋洋灑灑，取得重大的成就，為

[4] 如謂孔子作卦爻辭，已難當太炎氏之駁，然以《十翼》之說於古無徵，又較前賢以《十翼》皆孔子所作為客觀矣。

研治《易經》，開創一條嶄新的道路[5]。但就算那些史學家的考證有理有據，難道經學家就一定得放棄伏羲畫卦、文王重卦、孔子《十翼》的傳世成說？這一套說法是禁不起史學家作事實檢驗的，但是經學家若放棄了，那情況與理學家放棄十六字心傳，有何不同？因為「《易》歷三聖」，是許多傳統《易》學家展開其《易》學論述的大前提，有其神聖的意義在焉。這樣的幽深情懷，似乎很難得到在今日受到史學求真精神洗禮的我們，做出同情的理

[5] 如郭沫若著有〈《周易》時代的社會生活〉、〈《周易》之制作時代〉，倡言以「新興科學的觀點」研究《周易》。主要論點有：1.將八卦視為圖騰，為古代生殖器崇拜的遺留；並以數學的觀點去解釋八卦。2.否定「《易》歷三聖」，認為《易》是古代卜筮之書，為一編纂而成的集結。3.從卦爻辭出發，分析周代的生活基礎、社會制度、精神文明等周代文化。4.以「辯證法」去解讀《周易》中所存有的對立概念，稱之為「樸素的辯證法」。另外，余永梁著〈易卦爻辭的時代及其作者〉，為最早使用王國維「二重證據法」研究《周易》之學人，他透過地下出土文物，申論商、周兩民族文化的關係，並討論到筮法的興起、卦爻辭與卜辭的比較、卦爻辭的作者等相關問題。又如李鏡池著《周易探源》，收錄〈《周易》筮辭考〉、〈關於《周易》的性質和它的哲學思想〉、〈《周易》的編纂和編者思想〉、〈易傳探源〉、〈易傳思想的歷史發展〉等篇。主要關注在於懷疑經傳之先，率先討論經、傳的著成時代問題。其《周易通義》則是主張：須以「唯物主義」的歷史觀點去解讀《周易》所呈現出來的當代面貌。另外，屈萬里先生著有《漢石經《周易》殘字集證》、《先秦漢魏易例述評》、《周易集釋初稿》、《學易劄記》、《周易批注》，單篇論文有〈漢石經《周易》為梁丘氏本考〉、〈《周易》卦爻辭成於周武王時考〉、〈說易散稿〉、〈易卦源於龜卜考〉，收於《書傭論學集》；另有〈說易〉、〈關於《周易》之年代思想〉、〈《周易》古義補〉、〈《周易》卦辭利西南不利東北說〉、〈西周史事概述〉，收於《屈萬里先生文存》。其主要觀點，是將《周易》視為架構西周史之史料，如〈西周史事概述〉、〈《周易》卦利西南不利東北說〉多有引述《周易》為證者。至於古史辨中的《易》學，為「科學研究」口號的實踐者，關於考據《周易》的相關著作，皆收錄於《古史辨》第三冊，計有：1.顧頡剛：〈《周易》卦爻辭中的故事〉，2.錢玄同：〈論觀象制器的故事出於京氏易書〉，3.馬衡：〈漢熹平石經《周易》殘字跋〉，4.錢玄同：〈讀漢石經《周易》殘字而論及今文易的篇數問題〉，5.胡適：〈論觀象制器的學說書〉，6.錢穆：〈論十翼非孔子作〉，7.李鏡池：〈易傳探源〉，8.李鏡池：〈論易傳著作時代書〉，9.顧頡剛：〈論易經的比較研究及彖傳與象傳的關係書〉，10.余永梁：〈易卦、爻辭的時代及其作者〉，11.李鏡池：〈左、國中易筮之研究〉，12李鏡池：〈《周易》筮辭考〉，13.容肇祖：〈占卜的源流〉（含〈占卜源流表〉、〈《周易》演變表〉）等。

解。但是，經典一定要通過史學的認證或檢驗嗎？經說不能作為一個經學家寓寄其價值想像的媒介嗎？西方的哲學家，在觀察歷史規律的同時，會有自身的一套哲學語言。然而歷史哲學與歷史事實之間，不必然要一致；同樣的，經說，或者對經典的想像與史實之間，為什麼一定要符合？換言之，除了以考證求真治經學之外，經學還可以有那些內容？

如果上述的說法可以被接受，那麼從這個角度來看皮氏的《易學通論》，大概就可以理解為何他要在經說中寓寄價值理想，這是一個經學家職責之所在。在《經學通論》裏，皮錫瑞開宗明義表明他的立場。他說：

> 經學不明，則孔子不尊。孔子不得位，無功業表見，晚定六經以教萬世。尊之者以為萬世師表。自天子以至於士庶，莫不讀孔子之書，奉孔子之教。天子得之以治天下，士庶得之以治一身。有舍此而無以自立者。此孔子所以賢於堯、舜，為生民所未有。其功皆在刪定六經。……漢初諸儒深識此義，以六經為孔子所作，且謂孔子為漢定道，太史公謂：「言六藝者折衷於孔子，可謂至聖。」董仲舒奏武帝表章六經，抑黜百家，諸不在六藝之科，孔子之術者，勿使並進。故其時上無異教，下無異學，君之詔旨，臣之奏章，無不先引經義；所用之士，必取經明行修。此漢代人才所以極盛，而治法最近古，由明經術而實行孔教之效也。(〈序〉)

皮氏之言，表面上是一段頗為人詬病的經學史論斷，以為六經皆經孔子刪定，而經學時代，斷自孔子刪定六經為始。然皮氏更深層次的目的在使學者能窺治經之門徑。亦即在治經之前，先要建立起正確的觀念，所謂尊孔必先明經者也。他認為漢代（西漢）是經學的黃金時代，也是政治的黃金時代。而所以「上無異教，下無異學」者，其故在於「明經術而實行孔教」也。孔子之教何指？不過人倫義理而已。換言之，皮氏想要告訴我們的是，經學的根本性質無他，即在明人倫義理耳。

基於此原則論《易》，故皮氏亟言「伏羲作《易》垂教，在正君臣、父子、夫婦之義」(二章)[6]。此為《易》學之最根本問題。他強調:「讀《易》者當先知伏羲為何畫八卦,其畫八卦有何用處?」(同上)按〈繫辭傳〉言:「古者包犧氏之王天下也,仰則觀象於天,俯則觀法於地,觀鳥獸之文與地之宜,近取諸身、遠取諸物,於是始作八卦,以通神明之德,以類萬物之情。」[7]「通神明之德」者,在測知未來,趨善避惡;「類萬物之情」者,在正社會秩序,厚君民之別[8]。漢人關於這方面的討論,特別豐富。今觀《正義》所引:

> 《乾鑿度》云:「孔子曰:上古之時,人民無別,群物未殊,未有衣食器用之利。伏羲乃仰觀象於天,俯觀法於地,中觀萬物之宜,於是始作八卦,以通神明之德,以類萬物之情。故《易》者,所以繼天地、理人倫而明王道。是以畫八卦,建五氣,以立五常之行象;法乾坤,順陰陽,以正君臣、父子、夫婦之義。度時制宜,作為罔罟,以佃以漁,以贍民用。於是人民乃治,君親以尊,臣子以順,群生和洽,各安其性。」此其作《易》垂教之本意也。[9]

按《乾鑿度》之說,以為伏羲作《易》之旨,在遵循天地自然之運行,以規畫人生秩序。故云:「畫八卦,建五氣,以立五常之行象;法乾坤,順陰陽,以正君臣、父子、夫婦之義。」此所以言「故《易》者,所以繼天地、理人倫而明王道」者也。類似的言論,也出現在陸賈《新語》及《白虎通》裏面。如《新語・道基》篇云:

---

6 按:《易學通論》計三十章,本文所引出於1989年臺北藝文印書館影印之《經學通論》,為免繁瑣,凡引用皮氏原文,皆於文末以阿拉伯數字附其章節,不另行出注。

7 阮元總纂:《周易正義》,《十三經注疏》(臺北市:藝文印書館,1989年),頁166。

8 高志成:《皮錫瑞易學述論》(臺中市:逢甲大學中國文學研究所碩士論文,1995年),頁58。故皮氏引鄭玄〈六藝論〉:「虙義作十言之教,曰乾、坤、震、巽、坎、離、艮、兌、消、息。無文字,謂之《易》,以厚君民之別。」皮氏加案語曰:「鄭專以『厚君民之別』為說,蓋本孔子云『君親以尊,臣子以順』之義。」(二章)

9 阮元總纂:《周易正義》,頁4。

先聖仰觀天文，俯察地理，圖畫乾坤，以定人道。民始開悟，知有父子之親，君臣之義，夫婦之道，長幼之序。於是百官立，王道乃生。[10]

又《白虎通》亦暢此說云：

古之時，未有三綱六紀，民人但知其母，而不知其父，能覆前，不能覆後，臥之詓詓，起之吁吁，飢即求食，飽即棄餘，茹毛飲血而衣皮葦。於是伏羲仰觀象於天，俯察法於地，因夫婦，正五行，始定人道，畫八卦，以治天下。[11]

蓋二者之說，皆以聖人畫卦之前之後相對照，以為是從無知向有知的社會轉變，而居其關鍵地位者，正是人倫意識的展現，此乃聖人作《易》之初衷，亦是《易》學之功用。皮氏更引焦循之論為據，焦循謂「讀陸氏之言，乃恍然悟伏羲所以設卦之故」，更推闡其旨曰：

學《易》者，必先知伏羲未作八卦之前是何世界？伏羲作八卦，重為六十四，何以能治天下？神農、堯、舜、文王、周公、孔子何奉此卦畫為萬古修己治人之道？孔子刪《書》始唐、虞，治法至唐、虞乃備也；贊《易》始伏羲，人道自伏羲始定也。有夫婦，然後有父子。有父子，然後有君臣。伏羲設卦觀象，定嫁娶以別男女，始有夫婦，有父子，有君臣。然則君臣自伏羲始定，故伏羲為首出之君。[12]

按焦循從「人文化成」的角度進一步解釋伏羲畫卦之旨，繼其後之聖人，依其宗旨進一步發揚，而後五倫有等差，社會有秩序。上述諸家之說，皆為皮氏所引。是知皮氏所特重者，即人類之社會秩序，此儒家正名之教所從出，亦聖人作《易》垂教之本意也。故所謂經學，即根本此人倫社會精神，由此

---

10 陸賈：《新語》（瀋陽市：遼寧教育出版社，1998年），頁1。

11 班固：《白虎通》（北京市：中華書局，《叢書集成初編》，據《抱經堂叢書》排印，1985年），頁21。

12 焦循：《易圖略》。

出發，以言人事，以明義理者。

所以皮氏雖亟言孔子作卦、爻辭，並作〈彖〉、〈象〉、〈文言〉以自解，然皮氏並不認為孔子所言義理是其自我創設，而是發明羲、文之垂範。他說：

> 朱子以「《易》為卜筮作，非為義理作」，其說大誤……。伏羲畫卦，雖有占而無文，而亦寓有義理在內。〈繫辭傳〉謂包羲「始作八卦，以通神明之德，以類萬物之情」，所謂通神明、類萬物者，必有義理，口授相傳。……據其說，可知伏羲作《易》垂教，當時所以正人倫、盡物性者，皆在八卦之內，意必有義說寓於卜筮，必非專為卜筮而作。文王重卦，其說加詳，卜人、筮人口授相傳。以其未有文辭，故樂正不以教士。然其中必有義理，不可誣也。……孔子見當時之人惑於吉凶禍福，而卜筮之史加以穿鑿傅會，故演《易》繫辭，明義理，切人事，借卜筮以教後人，所謂以神道設教。其所發明者，實即羲、文之義理，而非別有義理；亦非羲、文並無義理，至孔子始言義理也。（二十七章）

皮氏之意，以為不論是伏羲作八卦，或者文王重卦，必有義理，口授相傳。然以其無文字，故樂正不以教士，卜史又加穿鑿，惟孔子演《易》繫辭，明義理，切人事，借卜筮以神道設教，發明羲、文之義理。故皮氏以為朱子之說當改成「《易》為卜筮作，實為義理作」。按照現代人的研究，至少春秋時代之人以《周易》為卜筮之書，可為定論[13]。然而從經學的角度言之，自伏羲作《易》始，即蘊涵義理於其中，傳統經生多有類似之主張。如阮元云：「庖犧氏未有文字，始畫八卦，然非畫其卦而已，必有意立乎卦之始，必有言傳乎畫之繼。」[14]當代學者張善文認為：「清人皮錫瑞不同意把《周易》看成簡單的筮書，認為八卦、六十四卦符號及卦爻辭均含寓義理，而《易傳》

---

13 李鏡池：〈左國中易筮之研究〉，《古史辨》第3冊。

14 阮元：〈易書不盡言言不盡意說〉，《揅經室集》。

作者只是把這些義理作了更加鮮明、更加切近人事的闡發，這種認識是較為客觀的。」[15]個人以為，客觀與否，倒不是論定皮氏之說最該重視的部分，而應注意皮氏論說背後隱藏的意識。按皮氏言：

> 《易》本卜筮之書，伏戲畫卦，文王重卦，皆有畫而無辭。其所為通神明之德、類萬物之情者，當時必有口說流傳，卜人、筮人世守其業，傳其大義，以用於卜筮。學士大夫尟有通其說者，但以為卜筮之書而已。至孔子，乃於卦、爻各繫以辭，又作〈彖〉、〈象〉、〈文言〉以解其義。（二十二章）

敘述至此，大概可以掌握到為何皮氏堅持孔子繫卦、爻辭，又作〈彖〉、〈象〉、〈文言〉以解其義的緣故了。這樣的論調，不能止停留在與他「孔子刪定六經」的論調相一致這一層次來看待，而應注意到其中蘊含有一種將「變蒙昧為文明」的功績而歸功於孔子的意味在。其實，皮氏與主流論說之差異，不過是孔子作《經》或作《傳》的不同。傳統之說，如孔氏《正義》以為，伏羲畫八卦，文王演為六十四卦，並作卦爻辭（亦有以爻辭為周公作者），孔子作《十翼》，為《易傳》，即〈彖〉、〈象〉、〈文言傳〉、〈繫辭〉、〈說卦〉、〈序卦〉、〈雜卦〉。從史學求真的角度來看，兩種說法大概都經不起事實的檢驗，但從經學寄託學術理想來看，皮氏不過把人文化成之功，從羲、文轉移到孔子罷了。今觀皮氏之言曰：

> 〈王制〉：「樂正崇四術，立四教，順先王《詩》、《書》、《禮》、《樂》以造士。春、秋教以《禮》、《樂》，冬、夏教以《詩》、《書》。」《文獻通考》應氏曰：「《易》雖用於卜筮，而精微之理非初學所可語。《春秋》雖公其記載，而策書亦非民庶所得盡窺。故《易．象》、《春秋》，韓宣子適魯始得見之。則諸國之教，未必盡備六者。」錫瑞案：此亦卦辭、爻辭不出於文王、周公之一證。……當時造士止有《禮》、《樂》、《詩》、《書》，則以《易》但有卦、爻而無文辭，故不

[15] 張善文：《象數與義理》（瀋陽市：遼寧教育出版社，1993年），頁16。

> 可與《禮》、《樂》、《詩》、《書》並立為教，當時但以為卜筮之書而已。至孔子闡明其義理，推合於人事，於是《易》道乃著。《史記·孔子世家》曰：「孔子晚而喜《易》，序〈彖〉、繫〈象〉，〈說卦〉、〈文言〉。讀《易》，韋編三絕。曰：『假我數年，若是，我於《易》則彬彬矣。』孔子以《詩》、《書》、《禮》、《樂》教，弟子蓋三千焉，身通六藝者七十有二人。」蓋《易》與《春秋》，孔門惟高才弟子乃能傳之。於是學士大夫尊信其說，或論作《易》之大旨，或說學《易》之大用，或援《易》以明理，或引《易》以決事，而其教遂大明。（六章）

按：皮氏「至孔子闡明其義理，推合於人事，於是《易》道乃著」的論斷非常重要，既闡明了《易》道自伏羲、文王以來，雖蘊有人倫義理，然存於卜筮，樂正不教，士夫不習，至孔子始推而明之的過程。也表明了他對《易》經性質的定調，是落實在義理一路上。此所謂孔門高弟與學士大夫尊信其說，或論作《易》之大旨，或說學《易》之大用，或援《易》以明理，或引《易》以決事，而其教遂大明。換言之，《易》道之宗旨，《易》道之大用，即是明義理以切人事也。

為了說明孔門《易》學主義理、切人事為主，皮氏曾詳舉戰國、漢初諸子言《易》之說為據，以證其言之不誣。如言：

> 如《荀子·大略》篇曰：……「《易》之〈咸〉，見夫婦。夫婦之道，不可不正也，君臣、父子之本也。咸，感也，以高下下，以男下女，柔上而剛下。聘士之義，親迎之道，重始也。」此本〈彖傳〉、〈序卦〉之旨而引申之。……〈大略〉篇又曰：「『復自道，何其咎？』以為能變也。」《呂覽·務本》篇引而申之曰：「以言本無異，則動卒有喜。」《荀子》言變，《呂覽》言動，皆取〈復〉卦剛反之義。《呂覽·應同》篇曰：「平地注水水流溼，均薪施火火就燥。」闡發經義，簡明不支。……周末諸子引《易》，具有精義如此。《史記》載蔡澤言「亢龍」之義「上而不能下，信而不能詘，往而不能自返」，

> 《國策》載春申君言「狐濡其尾」之義「始之易，終之難」，皆引《易》文以決時事。其說之精，亦可以補周末諸子之遺也。（六章）[16]

另外，皮氏有「漢初說《易》皆主義理切人事不言陰陽術數」（十章）之論，詳舉《淮南》、《賈子》、《春秋繁露》、《說苑》、《列女傳》之說以為證。如《淮南子》：

> 《淮南子．繆稱訓》曰：「故君子懼失仁義，小人懼失利。觀其所懼，知各殊矣。《易》曰：『即鹿無虞，惟入於林中。君子幾，不如舍，往吝。』」又曰：「小人在上位，如寢關暴纊，不得須臾安。故《易》曰：『乘馬班如，泣血漣如。』言小人處非其位，不可長也。」……〈人間訓〉曰：「今霜降而樹穀，冰泮而求穫，欲其食，則難矣。故《易》曰『潛龍勿用』者，言時之不可以行也。故『君子終日乾乾，夕惕若厲，無咎』。『終日乾乾』，以陽動也；『夕惕若厲』，以陰息也。因日以動，因夜以息，惟有道者能行之。」〈泰族訓〉曰：「《易》曰『豐其屋，蔀其家，窺其戶，闃其無人』者，非無眾庶也，言無聖人以統理之也。」（十章）

又如《說苑》：

> 〈法誡〉篇曰[17]：「孔子讀《易》，至於〈損〉、〈益〉，則喟然而歎。子夏避席而問曰：『夫子何為歎？』孔子曰：『自損者益，自益者缺。吾是以歎也。』子夏曰：『然則學者不可以益乎？』孔子曰：『否。夫道成者[18]，未嘗得久也。夫學者以虛受之，故曰得。』又曰：『謙也者，致恭以存其位者也。』夫豐明而動，故能大。苟大，則虧矣。吾

---

16 按：錢穆先生〈論十翼非孔子作〉一文，以為荀子不講《易》，今《荀子》書中有引及《易》的幾篇，並不可靠。但他也認為〈大略篇〉為其弟子、或再傳弟子所作。則仍是秦漢之際或漢初儒者之言。

17 按，以下引見《說苑．敬慎》篇，非〈法誡〉篇。

18「夫道」，《說苑．敬慎》本作「天之道」。

戒之。」(同上)

仔細觀察皮氏所舉諸例，確實有皮事所言主義理、切人事的特徵。如荀子論〈咸〉卦，以為夫婦之道，君臣、父子之本，故不可不正也。如《淮南子》言觀其所懼以見君子小人之殊異。又如《說苑》孔子之論損、益等，或涉義理，或言人事，此皆《易》道未羼雜陰陽災變之前的形態。

所以在皮氏心目中，經學有正傳有別傳。以《易》而言，既然正傳在孔門義理之學，則其判教之標準，亦依此而發。皮氏言：「(《漢書》)〈彭宣傳〉:『宣上書言三公鼎足承君，一足不任，則覆亂矣。』宣治《易》事張禹，禹受《易》於施讎者也。劉向治《易》，校書考《易》說，以為諸家說皆主田何、楊叔、丁將軍者也。淮南王集九師說《易》者也。賈、董漢初大儒，其說《易》皆明白正大，主義理、切人事，不言陰陽術數，蓋得《易》之正傳，田何、楊叔之遺，猶可考見。」(十章)又曰:「據《漢書》，則田何、丁寬、楊何之學本屬一家，傳之施、孟、梁丘，為《易》之正傳。焦、京之學明陰陽、術數，為《易》之別傳。」(九章)皮氏又言:「以《易》而論，別傳非獨京氏而已，如孟氏之卦氣、鄭氏之爻辰，皆別傳也。」(十一章)又言:「孔子言《易》於《論語》者二條，一勉無過，一戒無恆，皆切人事而言。戰國諸子及漢初諸儒言《易》，亦皆切人事而不主陰陽災變。至孟、京出而說始異。故雖各有所授，而止得為《易》之別傳也。」(同上)又言:「孟、京以前，言《易》無有主卦氣、十二辰之類者，不可以後人之說誣前人，而以《易》之別傳為正傳也。」(十三章)換言之，主義理、切人事者，為《易》之正傳；主陰陽、言災變者，則《易》之別傳。

皮氏之論鄭玄《易》學，亦依此為標準。皮氏於鄭《易》有褒有貶。褒者褒其據禮說《易》，貶者貶其爻辰之說。如《六藝論疏證》云:「漢儒說《易》，各有所據。惟鄭君據禮說《易》，義極正大，故《六藝論》《易》並及政教。」[19]皮氏又言:「鄭君用《費氏易》，其注《易》有爻辰之說，蓋本費

[19] 皮錫瑞:《六藝論疏證》(上海市:上海古籍出版社，《續修四庫全書》，據上海辭書出版社圖書館藏清光緒二十五年刻本影印，1995年)，頁272。

氏《分野》一書。然鄭所長者不在此。鄭學最精者三《禮》，其注《易》，亦據禮以證。《易》義廣大，無所不包。據禮證《易》，以視陰陽、術數，實遠勝之。鄭注如嫁娶、祭祀、朝聘，皆合於《禮經》。其餘雖闕而不完，後儒能隅反而意補之，亦顓家之學也。」（十三章）

皮氏依此標準，尚論漢代以下言《易》之說。如論王弼曰：「孔子之《易》，重在明義理，切人事。漢末《易》道猥雜，卦氣、爻辰、納甲、飛伏、世應之說紛然並作。弼乘其敝，掃而空之，頗有摧陷廓清之功，而以清言說經，雜以道家之學，漢人樸實說經之體至此一變。宋趙師秀詩云『輔嗣《易》行無漢學』，可為定論。范武子謂王弼、何晏罪浮桀、紂，則詆之太過矣。弼《注》之所以可取者，在不取術數而明義理；其所以可議者，在不切人事而雜玄虛。《四庫提要》曰：『弼之說《易》，源出費直。直《易》今不可見，然荀爽《易》即費氏學，李鼎祚書尚頗載其遺說，大抵究爻位之上下，辨卦德之剛柔，已與弼《注》略近。但弼全廢象數，又變加厲耳。平心而論，闡明義理，使《易》不雜於術數者，弼與康伯深為有功；祖尚虛無，使《易》竟入於老、莊者，弼與康伯亦不能無過。瑕瑜不掩，是其定評。諸儒偏好偏惡，皆門戶之見，不足據也。』」（十五章）

皮氏論程子曰：「程子與邵同時，又屬懿戚，不肯從受數學。其著《易傳》，專言理，不言數。〈答張閎中書〉云：『得其義，則象數在其中。』故程子於《易》頗推王弼，然其說理非弼所及，且不雜以老氏之旨，尤為純正。顧炎武謂見《易》說數十家，未見有過於程《傳》者，以其說理為最精也。」（十七章）皮氏又言：「王《注》、程《傳》說《易》主理，固不失為《易》之正傳，而有不盡滿人意者，則以王《注》言理不言象，程《傳》言理不言數也。」（二十二章）其說看似有矛盾，實則言象言數者，皆可求於《易》之中，然二氏未措意耳。

又皮氏於宋人圖書之學深惡之，故於朱子更增先天自然之《易》，以為未定之論。其言曰：

> 朱子此說，與經學大有關礙。六經皆出孔子。故漢初人以為文王但重

> 卦而無辭，卦辭、爻辭皆孔子作。其後乃謂文王作卦、爻辭，又謂文王作卦辭，周公作爻辭。孔《疏》遂以文王、周公作者為經，孔子作者為傳，則已昧於經、傳之別，而奪孔子之制作，以歸之文王、周公矣。然《易》歷三聖，道原一揆，猶未始歧而二之也。自宋陳、邵之圖書出，乃有伏義之《易》與文王之《易》、孔子之《易》，分而為三。朱子此說，更增以天地、自然之《易》，判而為四，謂「不可便以孔子之《易》為文王之說」，又謂不可「誤認文王所演之《易》為伏義始畫之《易》」，則是學《易》者於孔子之明義理、切人事者，可以姑置勿論，必先索之杳冥之際、混沌之初。即使真為上古之傳，亦無裨於聖經之學，矧其所謂伏義者，非伏義也，乃陳、邵之書也，且非儒家之言，乃道家之旨也。（十八章）

蓋皮氏既不喜焦、京等漢人圖書之學，亦不喜宋人圖書之學，以為宋人圖書之學亦出於漢人而不足據。且伏羲、文王、孔子之《易》截然分明，將使學者於孔子之明義理、切人事者，姑置勿論，而索之杳冥之際、混沌之初。故皮氏引黃宗羲〈易學象數論序〉之言為據而論之曰：

> 黃氏此說，但取王弼《注》與程《傳》之說理者，而尤推重程《傳》，漢之焦、京，宋之陳、邵，皆所不取，說甚平允。焦、京之《易》，出陰陽家之占驗，雖應在事後，非學《易》之大義。陳、邵之《易》，出道家之修煉，雖數近巧合，非作《易》之本旨。故雖自成一家之學，而於聖人之《易》，實是別傳而非正傳。（二十章）

按黃氏之論，以為《易》經焦、京，而世應、飛伏、動爻、互體、五行、納甲之變無不具，蕪穢康莊，使觀象玩占之理，盡入淫瞽方技之流。雖有輔嗣廓清之功，世人未嘗不以別傳視之。逮伊川作《易傳》，收其昆侖旁薄者，散之於六十四卦中，理到語精，《易》道於是而大定。然晦菴作《本義》，加《河圖》先天之說於開卷，讀《易》者從之。後世頒《本義》於學官，於是經生學士，信以為羲、文、周、孔其道不同，使夫子之韋編三絕者，須求之賣醬箍桶之徒，而《易》學之榛蕪，仍如焦、京之時矣。皮氏又引《四庫提要・易類》之說而論曰：

> 以孟、京、陳、邵均為《易》外別傳，至明至公。孟、京即所謂天文、算術，陳、邵即所謂方外爐火也。漢之孟、京，宋之陳、邵，既經辭闢，學者可以勿道。國朝二黃、毛、胡之闢宋學，可謂精矣。圖書之學，今已無人信之者，則亦可以勿論。（二十一章）

綜上所述言之，皮氏治《易》，以義理為宗，而於漢人言陰陽災變，宋人先天圖書，皆以為《易》外別傳。前者仍許其不背聖人演《易》之宗旨（十一章），後者則斥其無裨聖經之學（十八章）。要之，皆非言《易》所當究心者也。按章如愚言：「三《易》同祖伏羲，而文王之《易》獨以理傳；五家同傳《周易》，而費氏之學獨以理傳；馬、王諸儒同釋《易》之學，而王弼之注獨以理傳。然則明《易》之要，在理而已矣。以象談《易》，占筮者之事也；以數談《易》，推筮者之事也；以理談《易》，學士大夫之事也；然而不可不兼也。」[20]以皮氏言，以理談《易》，固學士大夫之事，而可以不必兼之也。

三　義理主張背後的今文學立場

這一路敘述下來，可以清楚的掌握到皮氏論《易》鮮明的宗旨，即是主義理，並以此一標準衡量歷代《易》學。但是，皮錫瑞又是一個今文學家，對今文經說特別偏重，例如《經學通論》開宗明義就強調：「一當知經為孔子所定，孔子以前不得有經。二當知漢初去古未遠，以為孔子作經，說必有據。三當知後漢古文說出，乃尊周公，以抑孔子。四當知晉、宋以下，專信古文《尚書》、《毛詩》、《周官》、《左傳》，而大義微言不彰。五當知宋、

---

[20] 章如愚：《群書考索續集》（臺北市：臺灣商務印書館，《四庫全書》第938冊，1983年），頁10。

元經學雖衰，而不信古文諸書，亦特有見。六當知國朝經學復盛，乾嘉以後，治今文尤能窺見聖經微旨。……執此六義，以治諸經，乃知孔子以萬世師表之尊，正以其有萬世不易之經，經之大義微言亦甚明。」（〈序〉）皮氏之言，確實有清楚的今、古文意識在裏面。但是如何來說明皮氏的今文情懷呢？皮氏常用的幾個關鍵詞如漢初、西漢、焦、京以前，東漢以後，基本上可以涵蓋他的今文學意識或說明他的今文學立場。但仔細觀察的話，我們可以掌握到皮氏對今文學的相關論述，與今文博士之學是有距離的，這代表什麼樣的意義呢？個人以為，與其說皮氏有明確的今古文門戶，不如說他的今文學意識是對一種美好時代的想像。他對今文學的偏好，應當放在這一美好想像底下來思考，才能顯現出獨特的意義。如同他在〈經學通論序〉中，對孔子定六經以教萬世之義，充滿了贊嘆之情，而稱許惟「漢初」諸儒能明此義，所以人才極盛，而治法最近古，由明經術而實行孔教之效也。美好的「漢初」，正是他的今文學意識根本之所在。

但是這一孔門正傳的美好時代，卻被許多方術之言所破壞，而孔子所建立起來的《易》學體系，緣自於東漢以降的古文經說所誤導，使後人產生錯誤見解。對皮氏而言，焦、京以降，東漢以後等字眼，就是一種學術災難。《史記》論漢初傳經諸大家，如申公、轅固、韓嬰、伏生、高堂生等，皆不言其所授，蓋史公已不能明。惟於《易》之授受獨詳，以其父受《易》楊何之故。皮氏言：「劉向校書，考《易》說，以為諸《易》家說皆祖田何、楊叔、丁將軍，大誼略同，唯京氏為異黨。焦延壽獨得隱士之說，託之孟氏，不相與同。據《漢書》，則田何、丁寬、楊何之學本屬一家，傳之施、孟、梁丘，為《易》之正傳。焦、京之學明陰陽、術數，為《易》之別傳。乃至於今，不特王同、周王孫、丁寬、服生之《易傳》數篇無一字存，即施、孟、梁丘，漢立博士，授生徒以千萬計，今其書亦無有存者，轉不如伏生《尚書》，齊、魯、韓《詩》，猶可稍窺大旨，豈非事理之可怪而經學之大可惜者乎？」（九章）他對別傳取代正傳，使正傳至今一字無存，感到無限的惋惜。對皮氏而言，伏生《尚書》，齊、魯、韓《詩》之於今日，雖可稍窺大旨，已難免斷簡殘編之嘆；至於王同、周王孫、丁寬、服生之《易傳》，或是施、孟、梁丘等博士之說無一文者，就真是經學之大可惜了。這也是他為何要極力鉤勒先秦諸子、漢初諸家，以及漢碑言《易》之說，就是想使這些「主義理切人事」之言，得以存十一於千百也。

基於這樣的情懷，他對《易》之別傳，有一種鳩占鵲巢的排斥感。他說：「經學有正傳，有別傳。以《易》而論，別傳非獨京氏而已，如孟氏之卦氣、鄭氏之爻辰，皆別傳也。又非獨《易》而已，如伏《傳》五行，《齊詩》五際，《禮》月令、明堂陰陽說，《春秋》公羊，多言災異，皆別傳也。」（十一章）從這一條記載，就很能夠說明筆者上述所言，以為皮錫瑞的今文學意識，其實是對一種美好時代的想像，而不必然要落實到經學今文門戶上，否則不會以上述這些今文學色彩濃厚的數家之學為別傳。再來看這一條記載，皮氏言：「《漢書．儒林傳》曰：『孟喜好自稱譽，得《易》家候陰陽、災變書，詐言師田生且死時枕喜膝，獨傳喜。諸儒以此燿之。博士缺，眾人薦喜。上聞喜改師法，遂不用喜。京房受《易》梁人焦延壽。延壽云嘗從孟喜問《易》。會喜死，房以為延壽《易》即孟氏學。翟牧、白生不肯，皆曰非也。至成帝時，劉向校書，考《易》說，唯京氏為異黨。』據班氏說，則《易》家以陰陽、災變為說，首改師法，不出於田何、楊叔、丁將軍者，始於孟而成於京。」（同上）這條記載的學術語境，應當落實在他對孔門正傳被取代的遺憾，而不必然落實在對今文學師法的維護上。

又皮氏引王充之說，以為〈說卦〉至宣帝時始出，非史公所得見，故疑〈孔子世家〉「說卦」二字為後人羼入者。而〈說卦〉論八卦方位，與《卦氣圖》合，疑焦、京之徒所為，皆非孔門正傳。（七章）又皮氏反駁文王作卦辭、周公作爻辭之說而言：

> 據孔《疏》之說，文王作卦、爻辭，及文王作卦辭，周公作爻辭，皆無明文可據，是非亦莫能決。今據西漢古義以斷，則二說皆非是。……伏羲在未制文字之先，八卦止有點畫。文王在制文字之後，六十四卦必有文字。有文字即是辭，不必作卦辭而後為辭也。孔《疏》云「史傳、讖緯皆言文王演《易》」，今攷之史傳，《史

記》但云文王演三百八十四爻，不云作卦、爻辭；讖緯云「卦道演德者文」，則「演《易》」即演三百八十四爻之謂，不必為辭演說乃為「演」也。……然以爻辭為文王作，止是鄭學之義；以爻辭為周公作，亦始於鄭眾、賈逵、馬融諸人，乃東漢古文家異說。若西漢今文家說，皆不如是。史遷、楊雄、班固、王充但云文王重卦，未嘗云作卦辭、爻辭，當以卦、爻之辭並屬孔子所作。蓋卦、爻分畫於羲、文，而卦、爻之辭皆出於孔子。如此，則與「《易》歷三聖」之文不背。（五章）

按：皮氏非常看重所謂的西漢古義，如言：「西漢以前，無以為文王、周公作卦、爻辭者，況納甲、世應之說乎？」（十一章）皮氏往往舉西漢古義，對治東漢馬、鄭之說，如言：

漢人說《易》，以為文王重卦。《史記．周本紀》曰：「西伯囚羑里，蓋益《易》之八卦為六十四卦。」〈日者傳〉曰：「自伏羲作八卦，周文王演三百八十四爻。」揚子《法言》曰：「《易》始八卦，而文王六十四。」又曰：「文王淵懿也，重《易》六爻，必亦淵。」《漢書》、《論衡》所說略同。據其說，文王但重卦而無辭，則卦、爻辭亦當屬孔子作。馬、鄭始以為文王作卦、爻辭，又以為文王作卦辭，周公作爻辭。以爻辭為文王作，則「王用享於岐山」，與東鄰、西鄰，文王不應自言；以為出於周公，則羲、文、周、孔，凡四人，與《易》歷三聖之數不合。當以漢初古說為正，而後世知此者甚尟。（〈四川易古田先生遺說序〉）

在這個角度上，西漢古義與他的今文學意識基本上也是互相重疊的。西漢的對立面，就是東漢以後，他認為許多經學上的錯誤說法，都是鄭眾、賈逵、馬融乃至鄭學之徒的誤導。如論「《十翼》之說於古無徵」，引《隋書．經籍志》、程迥《古易考》、李邦直、朱新仲、傅選卿、戴震之說為據，而言：

古今人皆疑〈說卦〉三篇，而《十翼》之說於古無徵。《漢書．藝

> 文志》:「《易經》十二篇。」又曰:「孔氏為之〈彖〉、〈象〉、〈繫辭〉、〈文言〉、〈序卦〉之屬十篇。」是已分為十篇,尚不名為《十翼》。孔《疏》以為鄭學之徒並同此說,是《十翼》出東漢以後,未可信據。歐陽修謂《十翼》之說不知起於何人,自秦、漢以來大儒君子不論。後人以為歐陽不應疑經,然《十翼》之說,實不知起於何人也。(七章)

皮氏又言:

> 自東漢後,儒者誤疑〈繫辭傳〉云「蓋取諸〈益〉與〈噬嗑〉,以為神農時已有重卦,則重卦當屬神農;重卦既為神農,則文王演《易》必當有辭,遂疑卦辭、爻辭為文王作。其後又疑文王作爻辭,不應有「岐山」、「箕子」、「東鄰」諸文,遂又疑爻辭為周公作。重忱貤繆,悍然以文王、周公加孔子之上,與六經皆孔子作之旨不合矣。(十九章)

在《經學通論》中,皮氏亦有此說:

> 東漢以後,始疑所不當疑。疑《易》有「蓋取諸〈益〉」、「蓋取諸〈噬嗑〉」,謂重卦當在神農前;疑《易》有「當文王與紂之事邪」,謂卦爻辭為文王作;疑爻辭有「箕子之明夷」、「王用亨于岐山」,謂非文王所作,而當分屬周公,於是《周易》一經不得為孔子作。孔《疏》乃謂文王、周公所作為經,孔子所作為傳矣。疑《左氏傳》韓宣適魯見《易.象》與魯《春秋》,有「吾乃今知周公之德」之言,謂周公作《春秋》,於是《春秋》一經不得為孔子作。杜預乃謂周公所作為舊例、孔子所修為新例矣。或又疑孔子無刪《詩》、《書》之事,《周禮》、《儀禮》並出周公,則孔子並未作一書。章學誠乃謂周公集大成,孔子非集大成矣。(〈經學開闢時代〉)

不難想像,皮氏有一個強烈的願望,就是想要把使經典煥發生命力的榮耀歸於孔子，所以他不惜辭費，不斷的重覆「六經皆孔子作」這樣的論調，而後強力掃蕩與此一論調不合，尤其是東漢古文家的經說，因此才形成了鮮明的所謂今文學的立場。是以皮氏所為，雖然是一種出於今文學的門戶之見，但不能否定的是，他心中的價值理想，卻不是「今文學」這三個字就可以簡單概括的。我們或者可以用《經學歷史》的說法來補充，皮氏說：

> 孔子道在六經，本以垂教萬世，惟漢專崇經術，猶能實行孔教。雖《春秋》太平之義，〈禮運〉大同之象，尚有未逮，而三代後政教之盛，風化之美，無有如兩漢者。降至唐、宋，皆不能及。尊經之效，已有明徵。(〈經學極盛時代〉)

這是一個研經之人對學術黃金時代的美好想像，此正如儒家信徒，會對所謂的上古三代，充滿了美好的想像一樣。況且皮氏這種美好想像，是建立在學術的比較與選擇上，例如對《易》說正傳、別傳的分疏而得來的。他不斷的向我們宣示，惟有漢初之古義，方是孔門嫡脈，也是治經方法之正宗。如言：

> 尊孔子者，必遵前漢最初之古義，勿惑於後起之歧說。與其信杜預之言，降孔子於配享周公之列；不如信孟子之言，尊孔子以繼禹、周公之功也。(〈經學昌明時代〉)

又說：

> 治經者當先去其支離不足辨，及其瑣細無大關繫；而用漢人存大體玩經文之法，勉為漢時通經致用之才，斯不至以博而寡要與迂而無用疑經矣。(〈經學通論序〉)

敘述之此，班固所言古之學者的治學特色，與皮氏心目中理想的治經形態，其實已經重疊了。班固言：

> 古之學者耕且養，三年而通一藝，存其大體，玩經文而已，是故用日

少而畜德多，三十而五經立也。後世經傳既已乖離，博學者又不思多聞闕疑之義，而務碎義逃難，便辭巧說，破壞形體，說五字之文，至於二三萬言。後進彌以馳逐，故幼童而守一藝，白首而後能言，安其所習，毀所不見，終以自蔽。此學者之大患也。（《漢書．藝文志》）

班固碎義逃難，便辭巧說，破壞形體的批判，不難想像針對的是今文博士已經開枝散葉的章句之學，但是如我稍前所言，皮氏心目中的今文學，其實與博士之學是稍有區隔的。其實他心目中理想的經學形態，就是漢武帝時代的經學。他說：「經學至漢武始昌明，而漢武時之經學為最純正。」（〈經學開闢時代〉）又言：「太史公書成於漢武帝時，時經學初昌明，極純正時代，間及經學，皆可信據。」（〈經學昌明時代〉）他連用「極純正」、「最純正」來形容漢武時代的經學，認為這才是他心目中的今文學。彼時經學初立學官，家法、章句尚未分化，古義紛綸，切合人事，這才是他心目中理想經學時代。而漢人之所以如此，則是能知孔子定六經以教萬世之意。所以他才會說：「故其時上無異教，下無異學，君之詔旨，臣之奏章，無不先引經義；所用之士，必取經明行修。」都是「由明經術而實行孔教之效」的緣故。

是以，討論皮氏經說，重點或不在談其以今文立場為進退之是非，而在於思考其今文立場言說背後的意義。這樣的思考，其實帶有這樣的訴求：研究經典是否有寄託獨特價值理想於其中的必要性？或者說，經學的想像可否與歷史事實脫鉤？是否應該這樣認為：我們若能接受理學有其獨特語彙，就當接受經學也有其獨特語彙。至少今文學的獨特語彙不應該被漠視或簡單的否定。今文學的獨特語彙就是「六經皆孔子作」。今文家的考史與批判，其實都是圍繞這一點而出發。按馬宗霍批判皮氏言：「晚世有皮錫瑞為《經學歷史》，始自裁斷，與但市鈔疏者稍殊，惟持論既偏，取材復隘；其以經學開闢時代，斷自孔子，謂六經皆孔子作，尤一家之私言，通人蓋不能無譏焉。」[21]又《續修四庫提要》謂：「（皮氏）雖然持論考事，違失人所時有，未為大過；獨謂卦爻之辭皆孔子所作與文、周無與，則嚮壁虛造，振古所未有

---

[21] 馬宗霍：《中國經學史．序》（臺北市：臺灣商務印書館，1986年），頁2。

也。」[22]從考史求實的角度來看，今文經說顯得不是那麼具說服力，但是今文家的價值理想，或者說在考史與批判等強烈的意識背後，今文家這些具有獨特的經學理念，形成特殊系統的經說，其背後所堅持的價值理想，對經學的理解，或是研經之人，有何意義？也就是說，該用怎樣的經學視野來看待這樣的學術群體？這或許是肩負重新建構經學主體性的我們，所當深思熟慮的大課題。

四　結語

歷來對於皮錫瑞學術的認知，常以「今文學擁護者」一語蔽之，殊不知其隱藏於今文家說背後的深刻意含。皮錫瑞所力圖廓清的是自武帝以降，雜染了象數、陰陽等以占筮為本、以比附人事的《易》學，且試圖重返孔子《易》學之本真，一種以義理為本而會通人事的《易》學。在如此前提之下，《易經》絕非純為上古占筮之遺留，亦非可以蹈空玄虛語彙詮解之書，而為一部孔子據以「為萬世制法」、可資治世的典籍。必須在此條件下，方能理解皮錫瑞為何對於漢初時的經術治世之學如此嚮往。對他而言，那是不偏離孔子之教、依循孔教正傳的醇正時代。

不過，皮錫瑞的主張，是經學意義上的「應然」，而非歷史上的「實然」。他所強調的論點，不論「孔子作卦、爻辭」，抑或「孔子作《十翼》」，從追求事實的史學眼光看來，多為難有實據之空言。然而，必須澄清的是，在歷史長河中，真正對人們發揮影響力的，往往是帶有主觀情感的「去『相信』」，而非立足於歷史「真實的面貌」上；因此，在《易》學的發展中，具有決定性影響力的，並不在於孔子是否真的對《易經》做出了什麼樣的修訂，反而是王弼所詮解的《易經》、孔穎達編修的《正義》、以及程、朱所虔誠信仰的《周易》。同樣地，對皮錫瑞而言，真正對其學術建構發生影響的，並非歷史的事實，而是自身所選擇之信念，進而方得構築了其

22 吳承仕撰、中國科學院整理：〈易經通論摘要〉，《續修四庫全書總目提要》，頁174。

個人的經學世界。因此，對筆者而言，探討皮錫瑞經說能否成立，絕非第一企求，而是那些經說背後藏匿著的個人視野，及其所架構出來的經學觀點，方為需要迫切關注的焦點。

附錄：《經學通論》目錄・卷一《易》

1. 論變易、不易皆《易》之大義
2. 論伏羲作《易》垂教，在正君臣、父子、夫婦之義
3. 論重卦之人，當從史遷、揚雄、班固、王充，以為文王
4. 論《連山》、《歸藏》
5. 論卦辭文王作、爻辭周公作，皆無明據，當為孔子所作
6. 論《易》至孔子始著，於是學士大夫尊信其書
7. 論卦辭、爻辭即是〈繫辭〉，《十翼》之說於古無徵
8. 論孔子作卦辭、爻辭，又作〈彖〉、〈象〉、〈文言〉，是自作自解
9. 論傳經之人惟《易》最詳，經義之亡惟《易》最早
10. 論漢初說《易》皆主義理，切人事，不言陰陽、術數
11. 論陰陽、災變為《易》之別傳
12. 論孟氏為京氏所託，虞氏傳孟學，間出道家
13. 論鄭、荀、虞三家之義，鄭據禮以證《易》，學者可以推補，不必推補爻辰
14. 論《費氏易》傳於馬、鄭、荀、王，而其說不同，王弼以十篇說經，頗得費氏之旨
15. 論王弼多清言，而能一掃術數，瑕瑜不掩，是其定評
16. 論以傳附經始於費直，不始於王弼，亦非本於鄭君
17. 論宋人圖書之學亦出於漢人而不足據
18. 論先天不可信，朱子〈荅袁機仲書〉乃未定之說
19. 論胡渭之辨甚確，若知《易》皆孔子所作，更不待辨而明
20. 論黃宗羲論《易》取王《注》與程《傳》，漢之焦、京，宋之陳、

邵，皆所不取，說極平允，近人復理焦、京之緒，又生一障

21. 論近人說《易》張惠言為顓門，焦循為通學，學者當觀二家之書
22. 論象數已具於《易》，求象數者不當求象於《易》之外，更不當求數於《易》之先
23. 論焦循《易》學深於王弼，故論王弼得失極允
24. 論焦循以假借說《易》本於《韓詩》，發前人所未發
25. 論假借說《易》並非穿鑿，學者當援例推補
26. 論《易》說多依託，不當崇信偽書
27. 論《易》為卜筮作，實為義理作，孔子作卦、爻辭純以理言，實即羲、文本意
28. 論說《易》之書最多，可取者少
29. 論漢人古義多不傳，漢碑可以引證
30. 論筮《易》之法，今人以錢代蓍，亦古法之遺

佐藤一齋《易》學初探

——以《言志四錄》與〈九卦廣義〉為核心

賴貴三*

1. 佐藤一齋畫像二幅

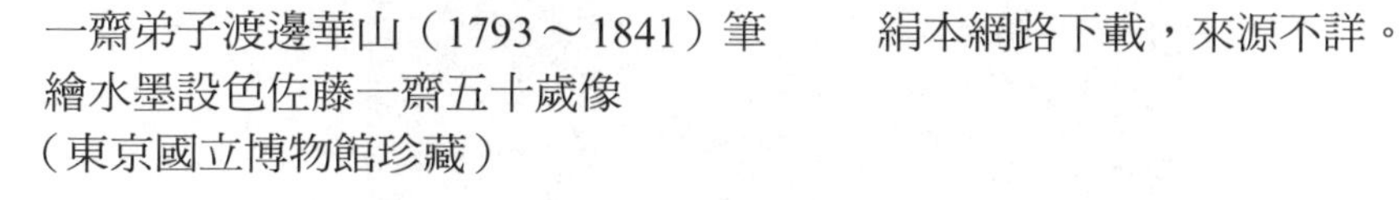

一齋弟子渡邊華山（1793～1841）筆繪水墨設色佐藤一齋五十歲像（東京國立博物館珍藏）

絹本網路下載，來源不詳。

* 臺灣師範大學國文學系。

2.佐藤一齋藏書篆印一方

「愛日樓　」長方陽文篆印

3.溝上與三郎《佐藤一齋先生印譜》三方

（和本，大正十四年，1925）

左：「一齋老人」正方陽文篆印　　右：「佐藤坦印」正方陰文篆印

「靜修所」[1]長方陰文篆印

[1] 按：天保十二年（1841），一齋七十歲，以齡躋古稀，欲謝絕塵事，以養餘年，遂就岩村侯箭庫下邸，借數百步之地，新築書堂，名曰「靜修所」。

4.佐藤一齋法書二幅

一齋佐藤坦　楷書七字對（江戸時代，1772～1859）

紙本肉筆 126.1cm、 43.9cm

「一齋坦書」の下に、陰刻「佐藤坦字大道」と陽刻「號一齋」の落款が押されている。佐藤一斎は美濃の人で、名は坦、字は大道、号を一齋と称し、十九歳で岩村藩主の近侍となるが、致仕して大阪で中井竹山に学び、京で皆川淇園と交わり、江戸に出て林簡順の門に入り、林述齋没後に昌平黌の儒官となる。昌平黌では朱子学を、家では陽明学を講じ、門弟が三千人を超えたと称される、江戸後期の大儒者である。「小怨を以て親戚を疎んず毋れ、細怒を以て朋友を疑ふ毋れ」とは、良い言葉である。

毋以小怨疎親戚，毋以細怒疑朋友

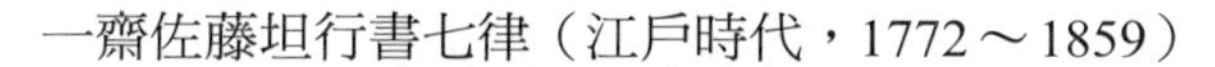
一齋佐藤坦行書七律（江戶時代，1772～1859）

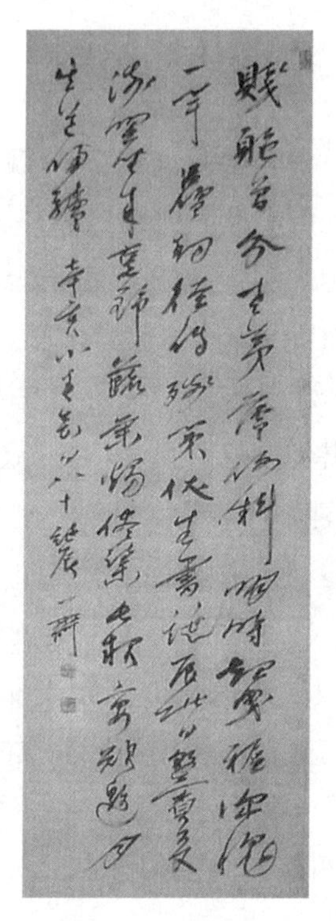

絹本肉筆 90.3cm、 30.3cm

「辛亥（嘉永四年，1851）小春剛日八十袠（秩）一齋」の下に、陰刻の「佐藤坦印」と「一齋老人」の落款が押されている。佐藤一斎は美濃の人で、名は坦、字は大道、号を一齋と称し、十九歳で岩村藩主の近侍となるが、致仕して大阪で中井竹山に学び、京で皆川淇園と交わり、江戸に出て林簡順の門に入り、林述齋没後に昌平黌の儒官となる。昌平黌では朱子学を、家では陽明学を講じ、門弟が三千人を超えたと称される、江戸後期の大儒者である。

一　前言

筆者於二〇〇七年春，奉聘籌備及成立本校國際漢學研究所，而日本漢學為本所教學與研究重要一環，期間與同仁藤井倫明、金培懿教授賢伉儷以及張崑將教授等，時相切磋，頗獲教益；又蒙臺灣大學歷史系黃俊傑教授汲引指導，惠贈所編《東亞文明叢書》，發蒙啟瞶，豁然開朗。二〇〇九年八月一日起，教授研究休假一年，申請中央研究院中國文哲研究所半年期訪問學人，潛心進修，廣閱藏書，游息藏止，眼界為之一新；二〇〇九年十月三～四日，在臺灣大學文學院院長葉國良（1949～）教授領導下，隨同該院歷史系與日文系等同仁，應邀赴大阪關西大學參加「第六屆日本漢學國際學術研討會」，發表論文一篇：〈「觀國之光，利用賓于王」——竹添進一郎《棧雲峽雨日記（附詩草）》與永井久一郎《觀光私記》中國旅遊體驗書寫較論〉[2]，此為筆者正式撰寫有關日本漢學研究論文的嚆矢。此後，又參加「日本儒學讀書會」，研讀佐藤一齋（さとう　いっさい，名坦，字大道，號一齋，1772～1859）[3]《言志四錄》，在師長同仁學友的砥礪琢磨之下，深有心得感悟，此本文所以作之原由。

黃俊傑教授在〈論東亞儒者理解經典的途徑及其方法論問題〉引言中，開宗明義即提出：

> 東亞儒家思想史的發展與中日韓各地儒者對經典的解釋密切相關而且互為因果。在二千年來東亞儒家解釋經典的諸多途徑之中，最為常見而且最為突出的，當是經過身心體驗以理解經典這種解經途徑。在悠

---

[2] 賴貴三：〈「觀國之光，利用賓于王」——竹添進一郎《棧雲峽雨日記（附詩草）》與永井久一郎《觀光私記》中國旅遊體驗書寫較論〉，日本關西大學：「第六屆日本漢學國際學術研討會」，2009 年10月3～4日，頁1～25。後收入《アジア文化交流研究》（大阪府：關西大學），第5號（2010年2月），頁101～120。

[3] 佐藤一齋生卒年，時當〔清〕乾隆三十七年（1772）至咸豐九年（1859）。

> 久的讀經傳統之中，東亞儒者之於經典，不僅是閱讀者或觀察者，而且更是經典價值理念的參與者與實踐者。在東亞儒學傳統中，經典研讀絕不是一種與個人生命無關的客觀性的概念推衍活動，而是一種主客交融、身心合一的生活實踐活動。東亞儒家的經典詮釋可以說是一種具有「實踐詮釋學」（praxis hermeneutics）特色的經典詮釋傳統。這種經典詮釋傳統，就經典中價值理念之內化而言，必落實在讀經者的身心體驗、體知與體現；就讀經者與外在世界之互動而言，必然會要求在政治領域中將經典價值理念加以客觀化。這種讀經傳統是一種內外交輝的事業。[4]

黃教授從東亞儒家經典詮釋史的經驗觀察，認為「體知」是一種手段[5]，而「體現」才是讀經的目的。因此，「體現」才是東亞儒家詮釋學中最重要的關鍵詞[6]。中國經典詮釋學是以「認知活動」（內聖進學）為手段，而以「實踐活動」（外王經世）為其目的。所以，作為認知方法的「體知」，必然落實在作為道德目標的「體現」之上。總之而言，儒家經典詮釋學是一種體驗之

---

[4] 黃俊傑：〈論東亞儒者理解經典的途徑及其方法論問題〉，收入《中國詮釋學》第6輯（濟南市：山東人民出版社，2009年5月），頁1。

[5] 黃俊傑教授詮釋「體知」之義，認為「體知」兼攝二義，參前引文頁2：第一是指通過身體而對世界進行思考（bodily thinking），第二是身體及其器官本身進行思考（body thinking）。

[6] 前揭書，引文頁12、注49，借用人類學家Andrew J. Strathern: *Body Thoughts*（Ann Arbor: University of Michigan Press, 1996年）之說，以王業偉、趙國新譯：《身體思想》（瀋陽市：春風文藝出版社，1999年），頁255，定義「體現」說：「體現，……與在某種程度上未被身體體現或被認為與身體無關的價值有關，換句話說，體現是一個通過把抽象與具體結合起來掩飾它自身的一個術語。」認為這項人類學式定義，也完全可以適用於東亞儒家經典詮釋學。

學，以「身心合一」[7]為其特徵，以「知行合一」[8]為其基礎；擴而大之，則東亞儒家經典詮釋學可說是一種「實踐詮釋學」（praxis hermeneutics）。本文由此獲得深刻啟發。

二　佐藤一齋略傳事表[9]

日本幕末[10]江戶時代晚期大儒佐藤一齋（さとう　いっさい，1772～1859）為德川幕府後期（十八世紀末至十九世紀）朱子學與陽明學兼治的著名學者，弱冠從井上四明學朱子學；後傾心於中井竹山（1730～1804）陽明學，據《日本史總覽》屬於「懷德堂」[11]朱王兼學系統，其上下師傳譜系甚

---

[7] 佐藤一齋《言志耋錄》（收入相良亨、溝口雄三、福永光司校注：《佐藤一齋、大鹽中齋》，《日本思想大系・46》，東京都：岩波書店，1982年），第53條，頁276，云：「喜怒哀樂，直見於面貌；形影一套，聲響同時，謂之心身合一。」

[8] 佐藤一齋《言志耋錄》第52條，頁276，云：「就心曰知，知即行之知。就身曰行，行即知之行。譬猶聞人語了之，諾，就口；頷，就身，等是一了字。」

[9] 佐藤一齋略傳，係綜合參考以下資料，精簡歸納，整理完成：（1）相良亨、溝口雄三、福永光司校注：《佐藤一齋、大鹽中齋》，《日本思想大系・46》（東京都：岩波書店，1982年）。（2）山崎道夫：《佐藤一齋》（東京都：明德出版社，平成13年，2001）。（3）高瀨武次郎（1868～1950）：《佐藤一齊と其門人》（東京都：南陽堂本店，大正11年，1922），第十章〈墓碑銘と行狀記〉，其中第二節為一齋嗣子立軒（梲）所撰〈一齋の行狀記：皇考故儒員佐藤府君行狀〉，頁852～868。按：疋田啟佑據以改寫為〈佐藤一齋略傳〉。（4）井上哲次郎、蟹江義丸編：《日本倫理彙編》（東京都：臨川書店，昭和45年，1970）卷之三，《陽明學派の部・下》，頁1～6。（5）《國史大辭典・6》（東京都：吉川弘文館編刊，昭和60年11月1日），頁406。（6）日本歷史學會編：《明治維新人名辭典》（東京都：吉川弘文館編刊，昭和56年9月10日），頁457。（7）フリ一百科事典「ウィキペディア（Wikipedia）。

[10] 幕末是指日本歷史上德川幕府統治的末期。一八五三年日本對外開放，封建主義的幕府放棄孤立主義的鎖國政策，並在一八六七年權力移交後來的明治政府。

[11] 懷德堂乃享保九年（1724）由大阪商人成立的鄉學校，又稱懷德書院，此派學風自由，具批判性精神。先後由三宅石庵（1665～1730）、中井甃庵（1693～1758）、五井蘭洲（1697～1762）、中井竹山（1730～1804）、中井履軒（1732～1817）、山片蟠桃（1748～1821）等人主持，至明治二年（1869）廢校。

為清楚[12]。一齋天資高邁，精力絕人，從事教育七十年，繼林述齋（名衡，1768～1841）之後，為昌平黌儒官十九年；雖然一生為統治階級服務，但因其在朱子學派的林氏教團之下，發展了陽明學，故其影響及於統治階級的反對派，造就了明治維新的許多重要人物，所著有《愛日樓全集》、《佐藤一齋稿本》、《言志四錄》與《欄外書》等[13]。其中，尤以《傳習錄欄外書》中提倡陽明學，但他以陽明學者而盤據朱子學的大本營昌平黌，導致許多抱持道統觀念的學者反對他，稱其為「陽朱陰王」。不過，一齋雖秉承陽明學，於朱子學亦不偏廢，可謂兼治朱王學者，而以陽明學為歸嚮[14]，實自成一

---

12 佐藤一齋（1772～1859）其學術淵源，師承如下：三宅石庵（萬年，1665～1730）→中井甃庵（1693～1758）→中井竹山（積善，1730～1804）→佐藤一齋。於陽明學系統，其傳承如下：佐藤一齋→山田方谷（1805～1877，傳三島毅〔1830～1919年〕）、池田草庵（1794～1859，傳岡本巍〔年代不詳〕）、吉村秋陽（1797～1866，傳河井繼之助〔1827～1868〕）、東澤瀉（正純，1832～1891）、奧宮慥齋（1811～1877）。於朱子學系統，其傳承如下：佐藤一齋→佐久間象山（1811～1864，傳吉田松陰）、大橋訥庵（1816～1862）、中村敬宇（1832～1891）。詳參兒玉幸多等監修：《日本史總覽》（東京都：新人物往來社，1988年），〈近世三〉。德川初期為十七世紀初至十八世紀初，德川中期為十八世紀初至十八世紀中。此時期日本陽明學極為盛行。

13《言志四錄》即《言志錄》、《言志後錄》、《言志晚錄》、《言志耋錄》（皆原漢文），收入於相良亨、溝口雄三、福永光司校注：《佐藤一齋、大鹽中齋》，《日本思想大系．46》。《大學欄外書》、《中庸欄外書》與《論語欄外書》，收見《日本名家四書注釋全書》（大正11年刊）；《傳習錄欄外書》（原漢文），收入佐藤一齋：《佐藤一齋全集》（東京都：明德出版社，1998年），卷5。又有《孟子欄外書》2卷、《小學欄外書》1卷、《近思錄欄外書》3卷等。

14 詳參佐藤一齋：〈答大鹽中齋贈洗心洞箚記書〉，此書即明顯道出一齋深信陽明學的苦心孤詣。一般認為，陽明學在日本的真正開創者為中江藤樹（1608～1648），他早年也學習朱子學，37歲時（1644），獲《王龍溪語錄》讀之，後又讀《陽明全書》，大有所獲，乃賦詩曰：「致知格物學雖新，十有八年意未真；天佑夏陽令至泰，今朝心地似回春。」（《藤樹先生遺稿》第一冊）於是，在近江設令其徒，皆攻讀《陽明全書》，被奉為「近江聖人」。他力求像王龍溪那樣把陽明學普及到庶人中去，斷言：「心學為由凡夫至聖人之道。」（《翁問答》）「行儒道者，天子、諸侯、卿大夫、士庶人也。此五等人能明明德，交五倫者謂之真儒。……真儒在五等中不擇貴賤、貧富。」

家之言，其學與宋儒邵雍（康節，1011～1077）、明儒陳獻章（白沙，1428～1500）相近，而精彩處乃在其所著關於《周易》之書，發揮氣一元論的主張[15]。以下歸納整理其事略，以知人論世，尚友古人。

西元	日本紀年	年齡	生平事略
1772	安永元年	1	壬辰十月二十日（1772年11月14日）卯時，生於美濃國（みの，今岐阜縣）岩村藩，江戶濱町（はまちょう）下屋敷（現東京都中央區日本橋濱町）藩邸，時父信由（のぶより，字壹卿，號文永，稱勘平）年四十五，母蒔田氏，生二男二女，長男鷹之助，次男即為一齋。一齋初名信行，通稱幾久藏。其後，通稱捨藏（すてぞう），號惟一齋、一齋，別號愛日樓（あいじつろう）、老吾軒；號其塾曰「百之寮」、「風自寮」，晚名其遊息之所曰「錫難老軒」。其家系出大職官鐮足公，曾祖名廣義（號周軒），始以儒仕岩村侯，後為家老，生平奉濂、洛之學[16]；祖信全，襲父職；父信由，亦襲職為美濃岩村藩執政家老，執國政，凡三十餘年，有功績。

（續）

（《藤村先生精言》）因此，中江被稱為日本陽明學派的開山祖。一六五〇年，明儒朱舜水（1600～1682）東渡日本講學，將王學傳授給日本人，日本人注重身體力行，成為推動明治維新的力量。

15 一齋《愛日樓文》卷3，有〈原氣〉、〈原理〉二篇，則主理、氣合一。收見《大日本思想全集》，第16冊，《佐藤一齋集》。

16 原善（念齋，1774～1820）《先哲叢談》卷5，頁27～28，云：「周軒學主實用，不騖虛文，是以人不知其為儒，然其所著有《四書小學參考》各若干卷，皆藏於家。周軒家至今數世，職祿相襲。曾孫坦，字大道，號一齋，別成一家，今以碩儒見推，蓋皆周軒積善之餘也。」收入三枝博音、清水幾太郎編：《日本哲學思想全書》（東京都：平凡社，1979～1981年）卷20，《傳記資料篇》。

西元	日本紀年	年齡	生　平　事　略
1778	安永七年	7	一齋自幼好讀書，又善臨池技（書道），射騎刀槍術，無所不學；又修北條氏之兵（兵法），小笠原氏之禮（禮法）。書則七歲入於三井親和之門，學篆隸諸體，作擘窠字。
1783	天明三年	12	比十二、三歲，殆如成人。
1786	天明六年	15	至十五歲成童，嶄然露頭角，欲以「天下第一等事」（即「聖賢之事」）成其名，以「古今第一等人物」[17]自期，乃從事聖賢之學，始立其志，甚為堅定。
1790	寬政二年	19	始登岩村藩仕籍，入近侍之列，為藩主松平乘保的近習；又與松平衡（即日後之「林述齋」）同窗，述齋長一齋四歲，親如兄弟，往來講學，概無虛日；又出入於井上四明與鷹見星皐門下，潛心問學，聽其講論，反駁古學派徂徠學。
1791	寬政三年	20	撰《辨道薙蕪》二卷批判荻生徂徠（1666～1728），顯示出朱子學傾向。又作《孝經解意補義》一卷。 八月，因故辭職，懇請脫仕籍；十月，得許，離開岩村藩，乃賦詩曰：「濯足溪流仰看山，唯水與山意偏閑；投簪心境無餘事，夢在鷗盟猿約間。」

（續）

[17] 《言志錄》，頁226～227，第118條，文曰：「欲為世間第一等人物，其志不小矣！余則以為猶小也。世間生民雖眾，而數有限，玆事恐非難濟；如前古已死之人，則幾萬倍於今，其中聖人賢人、英雄豪傑，不可勝數。我今日未死，則似稍出頭人，而明日即死，輒忽入於古人籙中。於是，以我所為，校諸古人，無足比數者，則可愧矣！故有志者，要當以古今第一等人物自期焉。」

[18] 按：觀其名、字，與《周易》思想密切相關，蓋取義自〈履・九二〉爻辭：「履道坦坦，幽人貞吉。」

西元	日本紀年	年齡	生　平　事　略
1792	寬政四年	21	改今名坦（たん），字大道（たいどう）[18]。 二月，遊學大阪，寓間大業家；大業精曆數，又兼具識見，一齋相遇，一見如故。 又因述齋介，進修儒學於中井竹山與林錦峰門下，日夜切磋，討論經義，或至夜半，竹山喜其能舉一反三；竹山長子曾弘詞才絕倫，麗澤相質，其學大進。 其後遊京都，訪皆川淇園（1735～1807）[19]。 六月時返家，中井竹山乃贈以詩（如下文）。
			一齋自述曰：「余齡二十一時，快烈公（林述齋）猶在巖邑藩，從臾（慫恿）余西遊，貺詩曰：『三尺凝霜識者稀，終教紫氣斗邊微。風雨何時開匣去？延平津畔化龍飛。』并貺遊學資若干，乃蒯糇獨步，抵浪速，主間大業家，從遊竹山先生。居半年，日夜在側，討論經義，輒至夜半。先生乃喜其切問，不以為可厭。然數有鄉信，而慈手書沓至，不得已而決歸。先生有詩見貺，曰：『聞君客迹自濃藩，目擊俱欣吾道存；累旬未極新知樂，歸路俄驚遠別魂。世故易擡雙白眼，詞場且對一青樽；妙年將任斯文責，何日游蹤再及門？』又書一行大字見貺，其語為『困而後寤，仆而復興』八字，余問出處。先生曰：『仆而復興，為王文成語。首句則今臨筆加之耳。』又設餞讌，使嗣子伯毅為主。既而東歸，執贄於簡順林公，借寓其邸內間宅。是時，快烈公每來我寓，相與講習如故。居無何，簡順公捐館。會先朝新政，賢良彙進，特命快烈公承後林氏，而余先在焉，因正師弟之名，以至於終身。故余於快烈公，不特講學，而平生內外事，亦皆無所不與焉，殆乎人間可有一，而不可有二者。

（續）

[19] 皆川淇園為著名經學家，尤擅於《易》，其學重字句考證。

西元	日本紀年	年齡	生　平　事　略
			余今何幸際會盛時，老年蒙擢，無能為也。然公之靈有知，將展眉於地下歟！略錄履歷貽諸後。」[20]王文成「仆而復興」一語，使一齋自此注意姚江之學。
1793	寬政五年	22	既東歸。二月，入昌平坂學問所，先執弟子禮於大學頭林信敬（簡順，1767～1792）之門，寓其邸內，始以儒為業；述齋每來其寓，相與講習。四月，信敬下世，無嗣；藩主松平乘薀（のりもり）三男乘衡（のりひら）迎公儀儒官林家養子林述齋繼其後為當主（大學頭，だいがくのかみ），述齋為朱子學宗家，一齋復近侍為入門弟子，受其指導，始正師弟之名，以一齋為其門人，終生親交；遂潛心於六經，旁及文辭，所交皆一時俊秀，如松崎慊堂（密復，1771～1844）、清水赤城、市野隼卿。 復遊京畿、大和、伊勢及攝播，與當時名儒相往來，討論難詰，攻以理義，深造儒學。既而，名聲漸起，門人日進，大小侯伯有志於斯文、漢學者，延聘講說，無有虛日。
1800	寬政十二年	29	至長崎，與中國人沈敬瞻、劉雲台、錢宇文、周慶書相往來。
1804	文化元年	33	築「愛日樓」落成。
1805	文化二年	34	十月，昇進為林家塾長，監督門生，名聲藉甚；然耳提面命，夜以繼日，講習不倦，門人益進，從遊之士甚夥；當講經之日，聽者滿堂。爾後，門人成家者多達數十人。與同門松崎慊堂（まつざき・こうどう，名密復，字退藏，1771～1844）友好；此後幕府公認為儒學的大成者，尊崇為儒學者的最高權威，成為幕府朱子學專門的儒官。其後，廣見識於陽明學，學者稱其「陽朱陰王」。

（續）

[20] 文錄自《言志晚錄・別存》第44條，頁273。

西元	日本紀年	年齡	生平事略
1813	文化十年	42	王月（正月）下澣，識《言志後錄》第166條：「君子而不才無能者有之，猶可以鎮社稷；小人多才多藝者有之，祇足以亂人國。」 五月二十六日，始錄《言志錄》第1條曰：「凡天地間事，古往今來，陰陽晝夜，日月代明，四時錯行，其數皆前定。至於人富貴貧賤，死生壽殀，利害榮祿，聚散離合，莫非一定之數，殊未之前知耳。譬猶傀儡之戲，機關已具，而觀者不知也。世人不悟其如此，以為己之知力足恃，而終身役役，東索西求，遂悴勞以斃，斯亦惑之甚。」 臘月小寒節後五日，錄《言志錄》第53條曰：「家翁今年齡八十有六，側多人時，神氣自能壯實；少人時，神氣頓衰脫。余思子孫男女同體一氣，其所賴以安者固也。不但此，老人氣乏，得人氣以助之，蓋一時氣體調和，如服溫補藥味一般。此其所以愛多人，而不愛少人。因悟〈王制〉『八十，非人不煖』，蓋謂以人氣煖之，非膚嫗之謂。」
1815	文化十二年	44	中秋月下，錄《言志錄》第91條：「人看月，皆徒看也，須於此想宇宙無窮之概。」
1816	文化十三年	45	正月，錄《言志錄》第129條：「需，雨天也。待則霽，不待則沾濡。」
1821	文政四年	50	《言志後錄》第241條：「齡比五十，閱歷日久，鍊磨已多，在聖人為知命，於常人亦為從政治事時候。然以世態習熟，易生驕慢，則其失晚節，亦在此時候，可不慎乎？余以文政辛巳（按：即是年），往美濃鉈尾，訪七世八世祖故墟，抵京師，展五世六世祖墳墓。歸途過東濃巖邑，謁女兄，時齡適五十，因益加自警。」
1823	文政六年	52	撰成《言志錄》，總246條。嘉平月（臘月），一齋受業福知山城主源綱條校字。
1824	文政七年	53	春仲月下浣，源綱條書《言志錄・跋》於浪華城山里廨舍。

（續）

西元	日本紀年	年齡	生平事略
1827	文政十年	56	為岩村藩藩臣，藩主松平乘美（のりよし）擢加「老臣」銜，以議國事，盡力於藩政，以博識、溫厚、篤實，享有高名，著有《重職心得箇條》、《御心得向存意書》。
1828	文政十一年	57	重陽，始撰《言志後錄》，錄第1條。
1830	天保元年	59	《言志錄》刊行，總255條。
1832	天保三年	61	十月二十日誕辰，記《言志後錄》第72條：「思未生時之我，則知天根；思方生時之我，則知天機。」 臘月，臥病偶書《言志後錄》第141條：「小藥，是草根木皮；大藥，是飲食衣服；藥原，是治心修身。」
1833	天保四年	62	春季，筆記《言志後錄》第181條：「五穀豐歉，亦大抵有數。三十年前後，必有小饑荒；六十年前後，必有大凶歉。雖較有遲速，竟不能免，可不為之預備乎？」
1837	天保八年	66	瓜月（農曆七月），記《言志後錄》第240條：「余自翻轉視觀察，姑配一生。三十已下，似視時候；三十至五十，似觀時候；五十至七十，似察時候。察時候當達於知命樂天。而余齡今六十六，猶未能深入理路，而況於知命樂天乎？餘齡無幾，不容不自勵。」 記《言志後錄》第241條：「今年犬馬齒六十有六，無疾病，無事故，保全首領，蓋誘衷使然，一何幸也。」 嘉平月（農曆十二月）朔，記《言志後錄》第243條：「血氣有老少，志氣無老少。老人講學當益勵志氣，不可讓少壯人。少壯人春秋富，假令今日不學，猶容有來日可償，老人則真無來日，尤當勿謂今日不學而有來日。《易》曰：『日昃之離，不鼓缶而歌，則大耋之嗟。』謂此也。偶有所感，書以自警。」

（續）

西元	日本紀年	年齡	生平事略
1838	天保九年	67	孟陬月（正月），始撰《言志晚錄》。 撰成《言志後錄》。
1841	天保十二年	70	以齡躋古稀，欲謝絕塵事，以養餘年，遂就岩村侯箭庫下邸，借數百步之地，新築書堂，名曰「靜修所」；又築一樓，名曰「東暖樓」，園植蕉桂，以為隱棲之所，往來宴息。 七月，述齋以七十四歲卒，淒然無聊，一齋受到打擊，益絕意世事；而此時，幕府一新庶政，以徵賢良為名[21]。 十一月，擢為幕府學問所「昌平黌」（しょうへいこう）儒官（總長）教授，住官舍，於是皤然復起，乃賦三律，詩云：「畢竟虛名無一長，謬承徵命入朝堂；久居人後材如櫟，徒在物先齡迫桑。昨夢猶餘簑笠態，殘軀重著帽袍裝；深慚垂釣磻溪叟，大耋鷹揚報寵光。」「近築幽棲墨水涯，豈圖今日赴公車？聖明普照分珠礫，文武兼收施兔罝。不比蟠桃初結實，恰同枯卉再生芽；老吾願使書香繼，傳一經餘傳一家。」「七十無車底用懸，抵今挽做曰強年；鷺鴛儘遣成新綴，猿鶴奈何違舊緣？赴所不期天一定，動於無妄物皆然；世間多少營營者，知否此翁真可憐。」 又作〈太公垂釣圖〉以示意，云：「謬被文王載得歸，一竿風月與心違；想君牧野鷹揚後，夢在磻溪舊釣磯。」

（續）

21《言志晚錄．別存》第43條，頁273，一齋記曰：「公（林述齋）晚年謂余曰：『吾在職四十九年，幸全首領，訣在二字，識之否？』余請問。公曰：『正字，公字。』余服其言之不虛。公既捐館，其翌辛丑（即是年），朝政一新，不圖余濫蒙擢舉，晚就仕途，官事不諳，如入暗室。忽憶公之言，奉以周旋，庶亦能全首領以終。」

西元	日本紀年	年齡	生平事略
1842	天保十三年	71	移居於官舍，黽勉從事，誘掖後進，講說經義，不敢以頹老，委之於人；於是，天下之人目以為泰山北斗，莫不景仰。侯伯以下迎聘講學者，前後數十家，或枉駕官舍；凡士民之入門者，無慮三千人。四月，奉召特旨講《易》於江戶將軍殿廷，辨說詳晰。此後，國家漸多事，或助林祭酒作外交文書，或應幕府之需作時務策，所上頗裨補於國政，幕府優遇，屢賜榮賞。
1846	弘化三年	75	三月，大將軍臨昌平黌聽講，與同僚共講〈白鹿洞書院揭示〉。
1849	嘉永二年	78	仲春月，撰成《言志晚錄》，總292條，小序自題曰：「單記積年，又成一堆，及輯錄，則略以類相從，事亦多係釋褐後。」
1850	嘉永三年	79	《言志後錄》一緒刊行。
1851	嘉永四年	80	始撰《言志耋錄》。夏五月，自題曰：「余今年齡躋八袠，耳目未至太衰，何其幸也。一息之存，學匪可廢。單記成編，呼曰《耋錄》。」 《言志耋錄》第316條，自記曰：「余今年（辛亥）耋齡，衰老之極，肚裏夙痾亦同衰。因思於今宜虞外感，乃日服藥預防，又益節飲食，慎起居，庶乎以延一日，即亦守身之孝爾歟！」
1853	嘉永六年	82	協助昌平黌林學長祭酒翻譯美國國書。 撰成《言志耋錄》，總340條。 中秋後一日，一齋婿河田興撰《言志耋錄・跋》。
1854	安政元年	83	日本與美國締結親和條約之際，盡力協助大學頭林復齋（ふくさい，述齋六男）完成外交文書。《言志耋錄》刊行。

（續）

西元	日本紀年	年齡	生平事略
1859	安政六年	88	六月，感時邪；至八月，稍復，強為塾徒講《論語》；入九月，痰喘劇發，苒荏不起，元氣漸消磨。九月二十四日亥時（1859年10月19日），逝世於昌平黌官舍，享壽八十有八歲。 十月三日，葬於江戶城南麻布鄉高明山深廣寺（あさぶしんこうじ）祖塋之次，署作「立誠先生佐藤府君之墓」[22]，釋號曰「惟一院成譽大道居士」，墓碑刻「惟一先生佐藤府君之墓」。其弟子中村敬宇（正直，1832～1891）作詩哭之，曰：「天上中臺墜，人間泰嶽頹；儒林誰送斧？學海忽揚埃。一代稱尊宿，先生實傑魁；嵩高牆數仞，浩瀚浪千堆。經術固深造，文章由己裁；筌蹄忘字句，花月謝嘲詼。侯伯競延禮，陶鈞多俊材；微生霑訓誨，師事自童孩。尚憶陪東席，俄驚赴夜臺；悲哀豈終極？腸胃為傷摧。坯土今如此，風姿安在哉？著書遍傳播，曠劫不為灰。」

據佐藤一齋嗣子立軒（槤）所撰〈一齋の行狀記：皇考故儒員佐藤府君行狀〉記載，文曰：

> 先子天資高邁，精力絕人，夙抱經綸大材；而文儒自居，不施之於事業，舉世惜焉。或目以高尚君子，而殊不知自少至耋，一意所志，在於推名大道之原，修諸己而後教人，以供當世之用也。乃其道之大享，宗室王公，列藩君相，苟有志於政治者，悉咨詢，崇奉以為軌範；門人弟子遵材成器，各展力於所仕，或以文學，或以吏務，隨分見效者，不可勝數，此其不規規於事為之末，而厚澤被於一世，與夫

22 詳參若山拯：〈惟一先生佐藤府君之墓〉，收入佐藤一齋著、狄生茂博（1954～）編集解說：《愛日樓全集》，《近世儒家文集集成》卷16（東京都：ぺりかん社，1999年）。

> 高蹈遯世，或齎志弗果者，蔑然異途矣。
>
> 先子學術宗宋賢，而依明儒，不喜分析，而主一本；不貴該博，而要深造，其得力則在達心之靈光耳。壯歲，著《言志錄》一卷；踰耳順，著《後錄》一卷；七十，而著《晚錄》；八十，而著《耋錄》，其學之造詣，就此四卷，可見其全體；至老而困勉不已，亦可見焉。[23]

一齋終生從事教育約七十年，為儒官十九年，培育弟子無數，深刻影響明治維新人物的思想，其中以安積艮齋（信，1791～1860）、渡邊華山（登，1793～1841）、吉村秋陽（晉，1797～1866）、山田方谷（球，1805～1877）、河田迪齋（一齋女婿，即河田興，1806～1859）、橫井小楠（時存，1809～1869）、佐久間象山（啟，1811～1864）、池田草庵（緝，1813～1878）、大橋訥菴（正順，1816～1862）、中村正直（敬宇，1832～1891）、東沢瀉（1832～1891）、牧野默庵（？～1891）、奧宮慥齋、河田藻海、竹村悔齋、林鶴梁等最為著名，皆為幕末與明治維新時代重要活躍學者，影響十分深遠。其著書又影響及於吉田松陰（1830～1859）、西鄉隆盛（1827～1877），西鄉隆盛更手抄《言志四錄》一百零一條為《南州手抄言志錄》，成為傳世有名的自誡座右銘。

一齋對於天文學與曆學保持高度興趣，並嘗師事之與多親交流，對於西洋鐘錶、計時儀器相當關注，撰述《懸錘時器雜記》、《時辰表雜鈔》、《洋製測時器記》與《自鳴鐘時刻考》等諸書，因此其一生「愛日」、「惜陰」，善用時間，嚴守時間第一，自律十分嚴格。其著書超過百種，據其子立軒所言，最精《周易》，又撰《言志錄》、《言志後錄》、《言志晚錄》、《言志耋錄》，總稱為《言志四錄》，為其一生所思、所信的箴言語錄；又有《周易》、《論語》、《孟子》、《大學》、《中庸》、《小學》、《易學啓蒙》、《近

---

23 分參高瀨武次郎著：《佐藤一齋と其門人》，第十章〈墓碑銘と行狀記〉，第二節〈一齋の行狀記：皇考故儒員佐藤府君行狀〉，頁860～861、頁863。

24 一齋四十四歲時，遭逢母喪，因而撰著《哀敬編》，說明喪事之禮法。

思錄》、《傳習錄》「欄外書」（註釋書），《圖考》、《哀敬編》[24]、《吳子副註》、《孫子副註》、《愛日樓文詩》、《古本大學旁釋補》、《腹暦》（係1838～1859年間的日誌）等書。尤以《言志四錄》為世所傳頌。近十餘年來，於佐藤一齋銅像、佐藤一齋彰顯碑、舊藩校知新館與岩村公民館前，陸續舉行「言志祭」[25]，並朗讀《言志錄》、專題演講等活動，以紀念江戶後期、岩村藩出身的幕末大儒學者——佐藤一齋[26]。

三　《言志四錄》論《易》要旨

《言志錄》（246條）、《言志後錄》（255條）、《言志晚錄》（292條，別存44條）與《言志耋錄》（340條）全四卷，總稱之為《言志四錄》[27]，為一齋後半生四十餘年語錄，深具指導性，為現代人不斷讀頌研習。此書顯示一齋學問、思想與人生觀的多元性，以及修養處世的心得，總其隨想記錄的內容共1133條（另《晚錄》別存44條，共1177條），理義精純，為日本儒者語錄的翹楚。而《言志錄》書名的由來，據其自述，蓋取於《尚書．舜典》「詩言志，歌永言」與《論語．公冶長》「盍各言爾志」章。不過，筆者依此書內容，以及其思想的脈絡義涵，反倒覺得以《論語．述而》孔子曰：「志

---

25 最近一次為平成二十一年（2009）十月二十四日（土），於佐藤一齋銅像前，舉行第13回「言志祭」，為「佐藤一齋沒後150年紀念祭」。

26 有關佐藤一齋的研究文獻，可以參考二松學舍大學東アジア学術総合研究所編刊：《陽明學》，第三號，《佐藤一齋特集號》，平成三年（1991）三月：（1）山縣明人：〈《言志四錄》における思想的戰略の變容〉。（2）田中佩刀：〈一齋学の系譜〉。（3）中村安宏：〈《愛日樓文詩》の考察〉。（4）疋田啟佑：〈佐藤一齋略伝〉。（5）樹神弘：〈佐藤一齋に關する参考資料紹介——岩村町歷史資料館及び岩村町在住者の所蔵品から〉。（6）種元勝弘：〈佐藤一齋に關する参考資料〉。（7）橋本榮治：〈一齋研究参考文獻目錄〉。（8）橋本榮治：〈佐藤一齋の著作解題〉。

27 本文《言志四錄》版本，據以下二書：（1）收入於相良亨、溝口雄三、福永光司校注：《佐藤一齋、大鹽中齋》，《日本思想大系．46》，頁10～356；（2）井上哲次郎、蟹江義丸編：《日本倫理彙編》卷之三，《陽明學派の部．下》，頁12～142。

於道，據於德，依於仁，游於藝。」《論語‧為政》孔子云：「吾十有五，而志於學；三十而立，四十而不惑，五十而知天命，六十而耳順；七十而從心所欲，不踰矩。」最能深刻表達《言志四錄》中，一齋「志學」的生命進境，與「志道」的學思理想，契合於孔子時聖的圓融通達。據一齋繼嗣佐藤立軒（榥）撰〈故儒員佐藤府君行狀〉，記一齋詩文云：

> 先子作文，以八家為法，尤貴韓、歐；於明，則學王文成，每欲作一文，必先或坐或臥，以養精神、益氣力，固立其趣向，波瀾頓挫，首尾照應，設諸胸中，猶畫者立意匠，工者立繩墨，而後始起筆。於是，千言立成，雖然句句字字取法於古人，極其精密，改而又改，殆經十日，而後初脫稿。常曰：「人好用實字雕其文，吾則用虛字飾其言。」平生所熟讀之書冊，朱綠紛然，標出句法、字法，是足知其精練也。作詩則先子所不任，然其精練不異作文，嘗曰：「文能達意，詩能言志，如此而已。綺語麗辭，比之佞口，吾曹所不屑焉。」又曰：「文詞可以見其為人，況復留於後？宜以修辭立誠為眼目。」先子弱冠以後，不用意於筆札，然四方來索字者，月不知幾十也，晚歲尤多。興到則隨意一掃，不費按排，而位置得宜，至筆力之勁，則謂之天然可也。[28]

從上，可知一齋為文之情狀，驗諸《言志四錄》，尤為彰明較著。而其孜孜不倦於經學者，反本開新，益加令人欽慕。如《言志錄》（頁2～219）曰：「太上師天，其次師人，其次師經。」[29]《言志錄》（頁60～221～222）：「古人讀經以養其心，離經以辨其志，則不獨讀經為學，而離經亦是學。」《言志錄》（頁140～228）：「方讀經時，須把我所遭人情事變做注腳；臨處事時，則須倒把聖賢言語做注腳，庶乎事理融會，見得學問不離日用意思。」

---

[28] 文錄自《愛日樓全集》「一、略傳」，頁2。

[29] 按：本文《言志四錄》依據版本為相良亨、溝口雄三、福永光司校注：《佐藤一齋、大鹽中齋》《日本思想大系‧46》，標示數字，前為其條次，後為其頁碼。

《言志錄》（頁227～234）：「經之妙於用處是權，權之定於體處是經。程子『權只是經』一句，詮極妙。」……通篇措意皆極簡明。一齋講說六經，理義深奧，辨說詳細，足動聽者之心；其《言志四錄》內含朱子學與陽明學色彩，多引用四書五經，其中《周易》文句尤多；復能博採諸說、兼採朱、王以折衷之。其思想方法本於《周易》，具有樸素的自發辨證法因素。著書頗多，於經最精《周易》，著《周易欄外書》十卷[30]、《易學啟蒙欄外書》一卷、《圖考》一卷以及〈九卦廣義〉[31]；嘗謂「仰觀俯察，為作《易》之本。然後世多說天文，而不及地理，因原〈河圖〉，作〈地體圖〉，以發前人未發之理」，其說曰：

> 無極之真即大極之靈，斯生兩儀，其奇而動者為陽，偶而靜者為陰。陽之奇而動，即清者之天也；陰之偶而靜，即濁者之地也。其初，混沌未分，陰陽本一太極也；既分之後，又相感動焉。蓋天氣之應而至者，乃至虛至靈，主宰地體，以為地心，斯知地必有空虛處矣。是乃在地之天，而風雷水火之原，造化生生之本也。朱子嘗曰：「地卻是有空闕處。」又曰：「天之氣貫在地中，地卻虛有以受天之氣。」此言也，實先我而闡其幽者歟！愚因作此圖，最中一圈，乃虛靈之象，名此曰心輪，在〈河圖〉中央五點者是也。第二圈，陰受陽真，陰陰麗陰，水火妙合之象，已起於此，以陰陽言之，地陰胎天陽；以虛實言之，陽實抱陰虛，是為真陽真陰之合體，其陽之感於陰為震，其之陰應於陽為巽。有氣而無形，包在地心外，名此曰氣輪，在〈河圖〉一二真陽真陰，三四雷風是也。第三圈雷氣之與風氣磨，而其焰

---

[30] 分元亨利貞四冊，元冊解說《周易》上經，惟為求對稱，將下經〈震〉、〈艮〉兩卦移至此處。亨冊解說《周易》下經；利冊解說〈彖傳〉；貞冊解說〈繫辭傳〉。附錄中另有《易圖》。

[31]〈九卦廣義〉係解說「憂患三陳九卦」之〈履〉、〈謙〉、〈復〉、〈恆〉、〈損〉、〈益〉、〈困〉、〈井〉、〈巽〉九卦。收於佐藤一齋著，狄生茂博編集解說：《愛日樓全集》，《近世儒家文集集成》卷16，卷之2，頁11～18。

> 成火；風氣之與雷氣和，而其潤成水，水火成形，而無定形，名此曰精輪，在〈河圖〉六七水火者是也。第四圈水得火而蒸出焉，其渟畜者成澤質，而風又竅於澤，火得水而炎上焉，其凝結者成山質，而雷又發於山，山澤周匝於地體外面，隆然突起，小大皆山也；窊然低窪淺深皆澤也，人與萬物生死於其間，以成世界，是地面也，名此曰形輪，在〈河圖〉八九山澤者是也。第五圈在於最外者，人與萬物之托於地氣中，猶鱗介之在水中，人徒知所蹈之為地，而不知地氣之為地，乃至謂風雨霜露亦自天而降，可謂謬矣！蓋地氣上發，必有其限，猶水面也，限以內皆地也，名此曰限輪，在〈河圖〉十點者是也，舊圖置之五點外，愚則改移之於最外，前圖可查也。其有一限界四輪為兩片者，是為地偶判合之象，地體初其得天氣也，闢而受之，翕而保之，密合以成一塊，凡其產地者，雖有大小長短精粗美惡之不同，而率皆具此象。至於人尤為精英，則形軀亦分明見其為判合矣！今圖中一線，乃眎其象焉耳。凡地體歸藏之概也，續《易》者能翫其象，推其數，沈潛反覆，自得諸心，則此圖庶乎其為察於地理之一助矣。[32]

故其學說重點，開宗明義首見於《言志錄》第1條（頁1～219）之「天數（氣數）定命論」：「凡天地間事，古往今來，陰陽晝夜，日月代明，四時錯行，其數皆前定。至於人富貴貧賤，死生壽殀，利害榮祿，聚散離合，莫非一定之數，殊未之前知耳。……」達觀者知道天道、人事都有必然趨勢；不但人無力，鬼神亦無力，因此最好安分知足；知生死有命，則不當畏死[33]。他

---

32 文錄自一齋嗣子立軒（榥）：〈皇考故儒員佐藤府君行狀〉，收入高瀨武次郎著：《佐藤一齊と其門人》，第十章〈墓碑銘と行狀記〉，第二節〈一齋の行狀記〉，頁861～863。

33 互參佐藤一齋《言志晚錄》（283～268）：「前乎我者，千古萬古；後乎我者，千世萬世。假令我保壽百年，亦一呼吸間耳。今幸生為人，庶幾成為人而終，斯已矣，本願在此。」

認為宇宙只是一個氣，而氣必有一隆一替[34]。此說隱括《中庸》三十章「日月代明」以下語，亦可互證於《周易．乾九五．文言傳》：

> 夫大人者，與天地合其德，與日月合其明，與四時合其序，與鬼神合其吉凶。先天而天弗違，後天而奉天時，天且弗違，而況於人乎？況於鬼神乎？[35]

一齋《言志錄》第一條「天數（氣數）定命」之論，與《易傳．乾九五．文言傳》「自然合德」之說，顯然理解觀點並不相同。而《言志錄》最後一條（頁246～235～236）則以「數始於一而成於十，十復歸於一」開篇，闡論「天地之數」、「感應之幾」，以及引《周易．繫辭上傳》「蓍之德，圓而神；卦之德，方以智」，以定「七八九六」揲蓍之數，以推「吉凶悔吝」之所趨，而得出「凡是數理之秘也，不獨《易》為然；而萬物之數，亦皆不越於此」之結論，首尾始終遙應，自詮數理奧秘，可知一齋「數象」、「義理」兼綜，其深於《易》，不言可喻。限於篇幅，以下分類列表摘錄《言志四錄》論《易》條目，略觀其大較，以探討其《易》學要旨：

[34] 互參《言志晚錄》(54～257)：「宇宙間一氣斡旋，開先者必有結後，持久者必有轉化，抑者必揚，滯者必通，一隆一替，必相倚伏，恰是一篇好文辭。」又《言志晚錄》(112～260)：「天地間事物必有對，相待而固，不問嘉耦怨耦，相為資益，此理須商思。」

[35] 參見朱熹：《易本義》(臺北市：世界書局，1988年)，頁4。

言志四錄 經傳分類	言志錄	言志後錄	言志晚錄	言志耋錄
卦辭	33～220（有志之士如利刃，百邪辟易；無志之人如鈍刀，**童蒙侮翫**）[36] 凡1條	59～240（進步中不忘退步，故不躓。〈臨〉之繇曰：「**元亨利貞，至于八月有凶。**」） 87～242（去假己而成真己，逐客我而存真我，是謂**不獲其身**） 120～244（**艮背**工夫，神守其室，即**敬**也，即**仁**也） 凡3條	80～258（**艮其背，不獲其身；行其庭，不見其人**，**敬**以存**誠**也。**震驚百里，不喪匕鬯**，**誠**以行**敬**也。**震艮**正倒，工夫歸於一） 86～259（體實而虛，心虛而實，**中孚**之象即是） 97～259（兵家說鍊心膽，與**震艮**工夫髣髴） 98～259（無我，則**不獲其身**，即是義；無物，則**不見其人**，即是勇） 凡4條	127～279（推美於人，取醜於己，是**謙**也。**謙**之反為驕，讓之反為爭，驕爭是亡身之始也） 152～280（免愆之道，在**謙**與讓；干福之道，在惠與施） 217～283（物之**睽**合，歸於感應之厚薄） 243～285（凡物有輕重，有虛實，以成變化，皆**既**、**未濟**之象也） 凡4條
爻辭	44～221（得意時候，最當著退步工夫，一時一事，亦皆有**亢龍**）[37] 105～225（天下事物，有理勢不得不然者。**《易》曰：「賁其須。」**）[38] 凡2條	110～243（**牽羊悔亡**，操存工夫當如此） 179～247～248（白能受眾采，五色之原也。賁之極無色，為**白賁**；**素履**之吉，白也） 196～248（事動於不得已，動亦**无悔**。在**革**之夬曰：「**已日乃革之**。」） 243～251（血氣有老少，志氣無老少。《易》曰：「**日昃之離，不鼓缶而歌，則大耋之嗟**。」） 凡4條[39]	166～263（游蕩子弟，亦非可棄，慫慂學問脩為，即悔悟法也。《易》云：**冥升，利于不已之貞**。」[40]謂此） 201～264～265（「**舍爾靈龜，觀我朵頤**」，靈龜不可舍矣。凡觀諸外者，皆朵頤之觀也） 220～265（人於此學，片時不可忘。**鼓缶而歌**，亦是學；**嚮晦宴息**，亦是學） 235～266（形迹之嫌，不可以口舌辯；**无妄之災**，不可以智術免，莫如把一**誠**字以為楦子） 凡4條	58～276（人之生也**直**，當自反以吾心為註腳） 242～185（**白賁**，是禮文之極處；**噬嗑**，是刑政之要處。從政者，宜翫其辭，以得其旨） 268～286（聽**訟**之道，仁以為體，莊以涖之，智以察之） 269～286（聽**訟**要明白，又要不明白，總之以仁智兼至為最緊要） 272～287（**訟**訴，既就其言色，以視聽其心，則我當先以平意公心待之） 凡5條
彖傳	77～223（元聲**太和**，存於天地人心者，則前乎聖人，後乎聖人，未嘗有始終焉） 94～224（人須守地道，**地道在敬，順承乎天**而已） 95～224（耳目口鼻，四肢百骸，各守其職以聽乎心，是**地順乎天**也） 96～224（**使地能承乎天者，天使之也**；使身能順乎心者，心使之也） 244～235（世有君子有小人，其迭相消長者，數也。數之所以不得不然者，即理也。人當安於可測之理，以俟於不可測之理，是**人道**也，即**天命**也） 凡5條	85～242（**艮**為**篤實輝光，君子**之象也） 127～244（知，是行之主宰，**乾道**也；行，是知之流行，**坤道**也，合以成體軀，則知行是二而一，一而二） 凡2條	141～262（婦德，一箇**貞**字；婦道，一箇**順**字） 凡1條	10～274（不慮而知者，**天道**也；不學而能者，**地道**也。并**天地**而成此人，畢竟不能逃之） 83～277（**天道**，無變化而有變化；**地道**，有變化而無變化。我立於兩間，**仰觀俯察**，**裁成**而**輔相**之，乃是**人道**之變化，所以參天地也） 103～278（**咸**，是心之影子；**夢**，是心之畫圖）[41] 220～284（**天道**，都是**吉凶悔吝**，**《易》**也。即知**人道**於六經盡之） 221～284（**《易》**記**天道**，《書》記政事，《詩》記性情） 凡5條

（續）

言志四錄 經傳分類	言志錄	言志後錄	言志晚錄	言志耋錄
象傳	9～219（**君子**，有德之稱） 50～221（五穀自生，假耒耜以助之。人君**財成輔相**，亦與此似）[42] 189～231（人最當慎口。口之職兼二用，出**言語**、納**飲食**是也） 231～234（**坤厚載物**，人當體之） 241～235（不定而定，謂之**无妄**。宇宙間唯有此活道理充塞焉。萬物得此以成其性，所謂「**物與无妄**」也） 凡5條	1～237（此學吾人一生負擔，當斃而後已。道固無窮，孜孜**自彊**，不知老之將至，則其神明**不測**） 2～237（「**自彊不息，天道也**，君子所以也）[43] 3～237（**自彊不息**時候，心地光光明明） 96～243（**君子**自慊，小人則自欺；**君子自彊**，小人則自棄。上達下達，落在一自字） 97～243（忿熾則氣暴，慾多則氣耗。**懲忿窒慾**，於養生亦得） 凡5條	278～268（**嚮晦宴息**，萬物皆然。故就寢時，宜空虛其懷，以養夜氣。不然，枕上思惟，夢寐不安，於養生為碍） 凡1條 ※《言志耋錄・補注（參考）》，頁356，存一條，曰：「**嚮晦宴息**，宜虛懷安靜以養天和。不然枕上思惟多是間思雜慮，非宴息之宜。」	62～276（情之發有緩急，**忿慾**尤為急。**忿**，猶火，不**懲**將自焚；**慾**，猶水，不**窒**將自溺。**損卦**工夫，緊要在此） 63～277（**懲忿窒慾**，重一忍字；遷善改過，重一敏字） 86～278（古人釋**易**字為**不易**。試思晦朔變而晝夜**不易**，寒暑變而四時**不易**，死生變而生生**不易**，古今變而人生**不易**，是之謂**不易之易**） 171～281（人當不忘往事，是為**厚德**） 凡4條
文言傳	15～220（**脩辭立其誠**，立誠脩其辭）[44] 154～229（不起妄念，是**敬**；妄念不起，是**誠**） 155～229（**敬**能截斷妄念） 156～229（一箇**敬**生許多聰明） 157～229（**敬**，則心精明） 158～229（脩己以**敬**，以安人，以安百姓，壹是**天心**流注） 159～229（勿錯認**敬**做一物，放在胸中） 凡7條	17～238（過生於不**敬**，能**敬**則過自寡矣） 22～238（心存中和，則體自安舒，即**敬**也） 38～239（一字，**積**字，甚可畏。善惡之**幾**，在初一念；善惡之熟，在**積**累後） 60～240（**先天而天弗違**，廓然太公，未發之中也，**誠**也；**後天而奉天時**，物來順應，已發之和也，**敬**也。凡無事時，當存**先天**本體；有事時，當著**後天**工夫，**先天後天**，要其理則非二矣） 88～242（**敬**，生勇氣） 100～243（無為而有為之謂**誠**，有為而無為之謂**敬**） 248～252（從容以養天和，即便**敬**也） 凡7條	52～257（文詞可以見其為人，況復留貽於後？宜以**脩辭立誠**為眼目） 174～263（持**敬**者如火，使人可畏而親之；不**敬**者如水，使人可狎而溺之） 184～264（人一生有順境，有逆境。惟一**敬**字以貫逆順，可） 185～264（天下人皆為同胞，我當著兄弟相；天下人皆為賓客，我當著主人相。兄弟相，愛也；主人相，**敬**也） 188～264（愛**敬**之心，即天地**生生**之心） 198～264（愛**敬**二字，為交際之要道） 217～265（求道要懇切，不要迫切。深造是**誠**，助長是偽） 252～267（人情趨**吉**避**凶**，殊不知**吉凶**，是善惡之影響也） 271～267（做事非**誠**意，則凡百不成） 凡9條	66～277（人心之靈如太陽，然但克伐怨欲。故**誠**意工夫，莫先於掃雲霧仰白日。凡為學之要，自此而起基，故曰：「誠者，物之終始。」） 92～278（坦蕩蕩之容，自常惺惺之**敬**來；常惺惺之**敬**，自活潑潑之**誠**出） 99～278（立**誠**，似柱礎，是竪工夫；居**敬**，似棟梁，是橫工夫） 285～287（**天道**人事，皆以**漸**至） 286～287（**人道**在**敬**，**敬**固為終生之孝） 287～287（道理無往不然。**敬**一字，固修身工夫；養生之訣，亦歸於一箇**敬**） 306～288（養老之方，恰是**坤道**。心欲靜，事欲簡，衣欲厚，食欲柔） 334～289（人道，只是**誠敬**而已） 凡8條

（續）

言志四錄 經傳分類	言志錄	言志後錄	言志晚錄	言志耋錄
繫辭傳	26～220（處事欲周詳，處事欲**易簡**）[45] 28～220（纔有誇伐念頭，便**與天地不相似**）[46] 48～221（**天尊地卑，乾坤定矣**。君臣之分，已屬天定，各盡其職而已）[47] 124～227（雲烟，聚於不得已；**風雨**，洩於不得已；**雷霆**，震於不得已。斯可以觀至誠之作用）[48] 125～227（動於不可已之勢，則**動而不括**。履於不可枉之途，則**履而不危**）[49] 137～228（生物皆畏死，人其靈也，當從畏死之中，揀出不畏死之理。**精氣之為物也**，天寓於此室；**遊魂之為變也**，天離於此室。夫晝夜一理，幽明一理，**原始反終，知死生之說**，何其**易簡**而明白也。吾人當以此理自省焉）[50] 144～228（博聞強記，聰明橫也；**精義入神**，聰明豎也）[51] 171～230（元氣**生生**不息，斡旋於其間，凡此皆**天地**一大政事，所謂天道至教。**風雨**霜露無非教者，人君最宜體此） 172～230（天下之體，以**交易**而立；天下之務，以**變**易而行）[52] 176～230（**方以類聚，物以群分**。人君以國為黨者也。） 177～230～231（**聰明睿知**，能盡其性者，君師也） 178～231（為邦之道，不出於教養二途。教，**乾道**也，父道也；養，**坤道**也，母道也） 182～231（遇難處之事，不得妄動，須候**幾**至而應之） 202～232（**吉凶**，以理言之，君子常**吉**，小人常**凶**。以氣言之，有流行，有對待）[53] 203～232（天下之憂，集於一身，非**凶**乎？天	9～237（人處事有多少應酬？心之靈光，與太陽並明。能達其靈光，則習氣消滅，不能為之嬰累，聖人一掃之，曰**何思何慮**，而其思歸於無邪。無邪即靈光之本體也） 10～237（天地間靈妙，莫如人**言語**者） 27～239（物有榮枯，人有死生，即**生生**之易也。死生榮枯，只是一氣之**消息盈虛**，知此則**通乎晝夜之道而知**） 57～240（人一身以上下分**陰陽**，上體為**陽**，下體為**陰**。上虛下實，函成地天**泰**；前虛後實，亦函成地天**泰**） 75～241（鄉愿一輩人，有陰德惜福之說。余謂德無**陰陽**，公為之而已。揣摩**天數**，斷斷不可也） 89～242（**謙，德之柄也**；敬，德之輿也，可以**行師，征邑國**矣） 91～242（箴者，鍼也，心之鍼也，非**幾**纔動） 99～243（古往今來，**生生**不息。**精氣為物**，天地未嘗增一物；**遊魂為變**，天地未嘗減一氣） 101～243（聖人見事於**幾**先，自事未發而言，謂之**先天**；自**幾**已動而言，謂之**後天**。中和，一也；**誠敬**，一也） 132～244（震巽之感為氣，坎離之交為精，艮兌之合為形，是**男女構精**之理也） 154～246（草木氣質，人氣質亦然，同具**生生**之理） 158～246（**生生**無病，物之性也。其受病必有可療之藥，即**生生**之道也） 234～250（**陰陽變化**，使人不識其端倪） 240～151（五十至七十，似察時候；察時候當達於**知命樂天**） 凡14條	9～254（發憤忘食，志氣如是；樂以忘憂，心體如是。不知老之將至，**知命樂天**如是） 19～255（理本無形。其實**太極**之呼吸，只是一誠，謂之氣原，即是理） 34～256（朱、陸異同，在**太極**無極一條。余謂朱子所論，為精到不可易） 61～257（**精義入神**，燧取火也；**利用安身**，劍在室也） 250～266（人就我謀事，須要妥貼**易簡**，不生事端，即是智） 272～268（人家平常所托醫人，不可不精選；既托之，則信而聽之，可也。不則卻因藥釀病，太不可，究謂之不**知命**） 285～268（生，是死之始；死，是生之終。不生則不死，不死則不生；生固生，死亦生。**生生之謂易**，即此） 286～268（凡人忘少壯之過去，而圖老歿之將來，人情皆莫不然。吾儒則在《易》，曰「**原始反終，故知死生之說**」，何其**易簡**而明白也） 287～268（欲知死之後，當觀生之前。**晝夜**，**死生**也；醒睡，**死生**也；呼吸，**死生**也） 289～268（勞佚，形也；**死生**，迹也。知勞之為佚，可以言人；知死之為生，可以言天） 凡10條	27～275（學者志大，工夫則皆要小。小，於事為始，於物為**幾**。《易》云「**復，小而辨於物**」是也） 36～275（為學有自然，有工夫。自然是順數，自源而流；工夫是**逆數**，自麓而巔，巔則源之所在，麓則流之所歸。雖有難易，其究一也） 232～284（**有數之數**，迹也；**無數之數**，理也。邵子則以有數之數，說無數之數） 328～289（人生二十至三十，如方出之日；四十至六十，如日中之日，**盛德大業**，在此時候；七十八十，則衰頹蹉跎，如將落之日，無能為耳） 338～290（臨歿工夫，宜一念覓未生之我。**原始反終，知死生之說**，是也） 凡5條 ※《言志耋錄．補注（參考）》，頁353，存一條，曰：「良知之發，宜自慈孝念頭認之，認而致之，即良能也。孟子姑分釋知能之明之，與**乾知坤能**之為**易簡**同一也。」 ※《言志耋錄．補注（參考）》，頁354，存一條，曰：「為學著眼處在**易簡**，而工夫卻艱。象山云：『**易簡**工夫終久大。』勿認做容易事。」 ※《言志耋錄．補注（參考）》，頁354，存一條，曰：「吹毛之劍，必經百鍊。**精義**之學，可以**入神**；勿忘，勿助長。」 ※《言志耋錄．補注（參考）》，頁354，存一條，曰：「天來之善不著工夫者，謂之良。自然之美不假脩者，亦謂之良。**乾以易知，坤以簡能**，即所謂良知良能。『知《易》者，莫如孟子。』」[55]

（續）

言志四錄 經傳分類	言志錄	言志後錄	言志晚錄	言志耋錄
	下之樂，歸於一身，非**吉**乎？享天下之樂者，必任天下之憂，則**吉凶**果何所定歟？） 204～232（**乾以易知**，良知也；**坤以簡能**，良能也。**乾坤**統於**太極**，知能一也。） 246～235～235（**數**始於一而成於十，十復歸於一。《易》自**太極**而起，至**四象**而數略具。） 凡17條[54]			
說卦傳	32～220（雖搬薪運水，亦是學之所在，況讀書**窮理**乎） 170～230（**窮理**二字，原本《易傳》:『**和順于道德而理於義，窮理盡性以至于命**。』故吾儒窮理，唯理於義而已。義在於我，窮理亦在於我）[56] 169～230（泰西之說，已有漸盛之機，其所謂**窮理**，足以驚人） 凡3條	58～240（面背又各分三段，**乾**三陽位在前，初為**震**，中為**坎**，上為**艮**；**坤**三陰位在後，初為**巽**，中為**離**，上為**兌**。前三陽皆與後三陰相代，則函成前**坤**後**乾**，而心神**泰**然，呼吸與天地通，余從**艮背**工夫得之） 凡1條	18～254（**窮理**，理，固理；窮之，亦是理） 20～255（程子言萬物一體。皆自**陰陽**陶冶中出來，我其一也；讀《**易**》**窮理**，深造而自得之，真知萬物之為一體） 凡2條	68～277（無不可**窮** **理**，無不可**應**之**變**） 186～282（故**水火** **逮**，而後萬物**生生**無 也，此理不可不知） 234～284（西洋窮理 形而下之數理；《**周** **窮理**，形而上之道理 道理，譬則根株也； 理，譬則枝葉也，枝 自根株生，**窮理**者宜 《**易**》理而入也） 250～285（**帝出于震** 日出之方也，故東方 人有義勇。**說言于兌** 日沒之方也，故西方 人有智慧） 凡4條
序卦傳	凡0條	凡0條	凡0條	凡0條
雜卦傳	凡0條	凡0條	凡0條	凡0條

（

言志四錄 經傳分類	言志錄	言志後錄	言志晚錄	言志耋錄
未明引	1～219（天地間事，莫非一定之**數**） 3～219（作事，須有事**天**之心） 4～219（**天道漸**運，人事**漸**變，必至之勢）[57] 10～219（我既**天**物，必有**天**役；**天**役弗共，**天**咎必至） 21～220（心下痞塞，百慮皆錯） 73～222（**伏陰慾陽**，結為疫氣，欲驅除之，莫若資乎人**純陽之氣**也。**陽氣四發**，疫氣自能消散，乃至闔鄉人心，亦因以懽然和暢，無復邪慝之伏鬱於內矣）[58] 74～222（治安日久，樂事漸多，勢然也；勢之所趨，即**天**也） 75～222～223（坊間詞曲，多是淫哇巴歈，有**損**無**益**） 97～224（舉目百物，皆有來處。心則**天**也，軀殼成而天寓焉，心之來處，乃太虛是已）[59] 108～225（性稟諸天，軀殼受諸地。天純粹無形，無形則通，乃一於善而已。地駁雜有形，有形則滯，故兼善惡，**地本能承乎天以成功者**）[60] 111～225（人身之生氣，乃**地**氣之精也） 129～227（**需**，雨天也。**待**則霽，不待則沾濡）[61] 148～229（取**信**於人難也。人不信於口而信於躬，不信於躬而信於心，是以難） 149～229（臨時之**信**，累功於平日；平日之信，收效於臨時） 150～229（信孚於上下，天下無甚難處事）[62] 198～232（此心靈昭不昧，眾理具，萬事出。吾心即**天**也） 223～234（**漸**必成事，惠必懷人） 243～235（**天**定之**數**，不能移動） 245～235（凡作事，當盡於**人**而聽於天焉。**數**諉於天來，則事必不成；**數**俟於天定，則事必成。要之，皆**數**也） 凡19條	20～238（宇，是對待之**易**；宙，是流行之**易**。宇宙，不外我心） 25～238（人一生所遭，有險阻，有坦夷，有安流，有驚瀾，是氣數自然，竟不能免，即**易**理也） 26～238（山水之可遊可觀者，遠近相取，險易相錯，然後有幽致耐賞，最見**坤輿**之為文） 37～239（人生於**地**而死於地，故人宜執地德。地德，**敬**也，人宜**敬**。地德，**順**也，人宜**順**。地德，**簡**也，人宜**簡**。地德，**厚**也，人宜**厚**） 47～240（《**易**》以天說人，《書》以人說天） 56～240（余固無藝無能，然不厭人之有藝能，每諦觀之，但見其理無非《**易**》理） 70～241（人涉世如行**旅**然，途有險夷，日有晴雨，畢竟不得避。是處**旅**之道，即涉世之道也） 71～241（我體既具，必有心意。可以悟我性之為**天**，我體之為**地**） 74～241（孔子在齊聞韶學之，之杞得夏時，之宋得**坤乾**。聖人之學，蓋得力於遠**游**艱難也多矣） 78～242（**天**始氣而**地**造物，**天**變而**地**化也。主宰之靈，即性也） 123～244（**山**以實為體，而其用虛也；**水**以虛為體，而其用實也） 180～248（氣運有小盛衰，有大盛衰。天地間大抵不能逃**數**，即活**易**也） 230～250（《**周易**》自兩呂復古，而朱子用其本，亦有見。《**程傳**》則名傳注，而實與經亞，不論書本之古今，最高） 凡13條	7～254（人皆知仰而蒼蒼者為**天**，俯而隤然者為**地**。而不知吾軀皮毛骨骸之為**地**，吾心靈明知覺之為**天**） 24～255（周子主靜，謂心守本體，《**圖說**》自註，無欲故靜。程伯子因此有天理人欲之說，叔子持**敬**工夫，亦在此） 45～256（《**易**》，是性字註腳；《詩》，是情字註腳；《書》，是心字註腳） 47～256（經書不可不講明，就中以《**易**》、《書》、《魯論》為最緊要） 77～258（人為**地**氣之精英，**天**之氣貫在**地**中，卻虛有以受**天**之氣，理或然。余所作〈**地體圖**〉[63]，不知能得彷彿否） 78～258（**震**為**乾**陽初起，即氣原也。其發而感**離**虛，則為**雷霆**；觸**坎**實，則為**地震**。於人為志氣，動天驚地事業，亦不外此**震**氣） 79～258（人身臍為受氣之蒂，則**震**氣自此而發。思慮云為，皆根柢於此，凡百技能亦多如此） 127～260（氣運有常**變**。常，是**變**之**漸**，不見痕跡，故謂之常。**變**，是**漸**之極，見痕跡，故謂之**變**。人事常**變**，亦係氣運之常**變**。故當**變革**之時，天人齊**變**） 275～268（凡生物皆資於養，**天**生而**地**養之，人則**地**氣之精英。吾欲靜坐以養氣，動行以養體；氣體相資，以養此生，所以從**地**而事**天**） 280～268（養生工夫，在**節**一字） 凡10條	3～274（讀**經**書，即讀我心也，勿認做外物。讀我心，即讀**天**也，勿認做人心） 5～274（宋學，以周子為鼻祖。而世稱宋學者，徒講四五集註而已。余意周子《**圖說通書**》，宋學之宗也，學者宜與經書一樣精究之） 8～274（朱文公於《**易**》復古《**易**》，於《詩》刪小序，固是巨眼。其最有功者，在於創定《四書》之目，此是萬世**不易**之稱） 44～276（無一息間斷，無一刻急忙，即是**天地**氣象） 69～277（能**變**，故無**變**；常定，故無定，**天地**間都是活道理） 80～277（英氣，是**天地**精英之氣，聖人蘊之於內，不肯露諸外） 84～277～278（**天地**間事物，必有配合之理。有極**陽**者出，必有極**陰**者來配，人與物皆然） 244～285（**天**資於**地**，而萬物泰；**水**資於**火**，而天功濟） 245～285（**水火**，靈物也。**天地**生殺之權，全在**水火**） 246～285（**天地**之用，莫大於**水火**） 247～285（**水火**，是**天地**之大用） 凡11條 ※《言志耋錄・補注（參考）》，頁355，存一條，曰：「《**慈湖易傳**》，其發揮心理，皆出於自得。蓋亦六經註我之旨。學者須一讀以知文安之傳。」

（續）

言志四錄 經傳分類	言志錄	言志後錄	言志晚錄	言志耋錄
分計	共59條（經3條，傳56條）	共49條（經7條，傳42條）	共41條（經8條，傳33條）	共46條（經9條，傳37條）
總　計	195條（經27條，傳168條）			

36「童蒙」，詳參《周易·蒙》：「蒙，亨，匪我求童蒙，童蒙求我。……」亦見於〈蒙·彖傳〉：「……匪我求童蒙，童蒙求我，志應也。……」〈蒙·六五〉爻辭：「童蒙，吉。」〈蒙·六五·小象傳〉：「童蒙之吉，順以巽也。」凡複見者，一律注附於首見之文。

37「亢龍」，見於〈乾·上九〉：「亢龍，有悔。」又見於〈乾·上九·文言傳〉：「亢龍有悔，盈不可久也。」「亢龍有悔，窮之災也。」「亢龍有悔，與時偕極。」《周易·繫辭上傳》第八章：「亢龍有悔，子曰：『貴而无位，高而无民，賢人在下位而无輔，是以動而有悔也。』」頁350，《言志錄·補注（參考）》，存一條，曰：「值亢龍之時，當以潛龍之心處之，庶免乎有悔。乾卦六陽，正倒皆乾，正之亢，即倒之潛。」

38 參見《周易·賁六二》：「賁其須。」〈小象傳〉曰：「賁其須，與上興也。」

39《言志後錄·補注（參考）》，頁352，存一條，曰：「益用十朋之龜，謂益智也。舍爾靈龜，謂舍智也。心之靈光，即龜象。」

40 語出〈升·上六〉：「冥升，利于不息之貞。」「不息之貞」，一齋作「不已之貞」。

41 以下各條，與此相類，節錄如下備參：117～279（人心感應，磁石之吸鐵也），118～279（感應一理），119～279（我自感，而後人感之），120～279（慎我感，以觀彼應；觀彼應，以慎我感），121～279（無脚而走者，感應也），122～279（感應之妙，通於異類，況人乎）。

42「財成輔相」，詳參《周易·泰·大象傳》：「天地交，〈泰〉。后以財成天地之道，輔相天地之宜，以左右民。」

43《周易·乾·大象傳》曰：「天行健，君子以自強不息。」

44「修辭立其誠」，文詳《周易·乾九三·文言傳》：「君子進德修業。忠信，所以進德也；修辭立其誠，所以居業也。……」

45「易簡」，文詳《周易·繫辭上傳》第一章：「……〈乾〉以易知，〈坤〉以簡能。易則易知，簡則易從。易知則有親，易從則有功。有親則可久，有功則可大。可久則賢人之德，可大則賢人之業。易簡而天下之理得矣！天下之理得，而成位乎其中矣！」〔唐〕白居易，字樂天；其弟白行簡，字思退；〔宋〕陸九淵「易簡工夫終久大」語，俱源自此，其義精，其蘊深。

46「與天地不相似」，參詳《周易·繫辭上傳》第四章：「《易》與天地準，故能彌綸天地之道。……與天地相似，故不違。……」

47「天尊地卑，乾坤定矣」，參詳《周易·繫辭上傳》第一章文。

[48]《周易・繫辭上傳》第一章：「剛柔相摩，八卦相盪，鼓之以雷霆，潤之以風雨。」《言志錄・補注（參考）》，頁351，存一條，曰：「雲烟過眼，是畫前《易》也。百鳥感耳，是天然《詩》也。」

[49]《周易・繫辭下傳》第五章：「動而不括，是以出而有獲，語成器而動者也。」《周易・履》：「履虎尾，不咥人，亨。」

[50]《周易・繫辭上傳》第四章：「原始反終，故知死生之說；精氣為物，遊魂為變，是故知鬼神之情狀。」《言志錄・補注（參考）》，頁351，存三條，曰：「欲知死之後，則須思生之前。原始反終，理極明白，何必為幽渺憑空之說乎？」「身之地在外，先之天在內，即成〈泰卦〉，生道也。先之天在外，身之地在內，即成〈否卦〉，死道也。」「骨肉歸於土，地歸於地也。魂氣徂於方，天歸於天也。幽明之故，死生之說，於〈泰〉、〈否〉觀之，思過半矣。」

[51]《周易・繫辭下傳》第五章：「精義入神，以致用也；利用安身，以崇德也。」

[52]《言志錄・補注（參考）》，頁351，存一條，曰：「朱子《本義》云：『易有交易、變易二義。』此理甚精。凡天下之體，以交易而立，以變易而行，不獨《易》書然。」

[53]《言志錄・補注（參考）》，頁352，存一條，曰：「吉凶從我所認，有一定而無一定。《易》云：『吉凶以情遷。』亦此意。」

[54]《言志錄・補注（參考）》，頁351，存一條，曰：「凡區處事，當順而入，勿迫勿激，使人不覺其跡，斯為得矣。《易》云：『巽，德之制也。』」

[55]《言志耋錄・補注（參考）》，頁356，存一條，曰：「《易傳》『〈乾〉以易知，〈坤〉以簡能』，孟子著一良字，以見靈光之自然。知之致所，即是能，是謂知能合一。」可與此條互見共參。

[56]《周易・說卦傳》第一章：「昔者聖人之作《易》也，幽贊於神明而生蓍，參天兩地而倚數，觀變於陰陽而立卦，發揮於剛柔而生爻，和順於道德而理於義，窮理盡性以至於命。」

[57]《言志錄・補注（參考）》，頁351，存二條，曰：「漸，天道也。凡事以漸遂必有成矣。如歷代姦雄有竊其秘者，一時亦能遂志，可畏之至。」「凡為事，循於不可罔之理，動於不可已之勢，履於不可枉之途，安於不可測之命。」

[58] 有關「陰」、「陽」及其氣之說，可參《周易・繫辭上傳》第五章「一陰一陽之謂道」、「陰陽不測之謂神」，第六章「陰陽之義配日月」；《周易・繫辭下傳》第六章「子曰：『〈乾〉、〈坤〉，其《易》之門邪！〈乾〉，陽物也；〈坤〉，陰物也。陰陽合德，而剛柔有體，以體天地之撰，以通神明之德。」《周易・說卦傳》第一章：「昔者聖人之作《易》也，幽贊於神明而生蓍，參天兩地而倚數，觀變於陰陽而立卦，發揮於剛柔而生爻，和順於道德而理於義窮理盡性以至於命。」第二章；「昔者聖人之作《易》也，將以順性命之理，是以立天之道，曰陰與陽；立地之道，曰柔與剛；立人之道，曰仁與義。兼三才而兩之，故《易》六畫而成卦；分陰分陽，迭用柔剛，故《易》六位而成章。」

一齋婿河田興於《言志耋錄・跋》嘗曰：

> 一齋先生既著《言志錄》，又有《後錄》、有《晚錄》，皆嘗上梓。齡踰八旬，則《耋錄》亦成。其命意之卲，言辭之精，足以見其真積力久之功，其幾出於不得已歟？[64]

就上表摘錄有關《易》學內容而言，即可證河田興跋語，洵非虛言。以下綜合歸納幾項要旨，以見一齋《易》學之所關注、特識與慧見：

（一）回歸《周易》經傳，而以《易傳》為主，旁及兩宋學者

就筆者整理摘述的《言志四錄》195條條文中，一齋引據《周易》卦、爻辭經文以為論者，僅27條；而《易傳》則有168條，為其六倍之多，可證其《易》學回歸經傳原典，具有「返本開新」的義理詮釋特色。此外，關於歷代《易》學，一齋亦僅引述兩宋學者，如周敦頤（1017～1073）、邵雍（1011～1077）、呂大防（1027～1097）、程顥（1032～1085）、程頤（1033～1107）、朱熹（1130～1200）、呂祖謙（1137～1181）、楊簡（1141～1225），而未及漢魏以下其他各家，又可見其學術思想的歸趣，以宋學為主，又獨鍾於性理、心學，嘗謂：「朱、陸異同，在太極無極一條。余謂朱子所論，為精到不可易。」可謂兼綜朱、陸，宗旨鮮明。誠如源綱條《言志

---

[59] 一齋此則論身、心、良知、天與太虛，與大鹽中齋《洗心洞箚記》之說相應，可以互見共參。

[60] 參詳《周易・坤・彖傳》：「至哉坤元，萬物資生，乃順承天。」《周易・坤六二・文言傳》：「君子敬以直內，義以方外，敬義立而德不孤。」

[61]《周易・需・彖傳》：「〈需〉，須也，險在前也，剛健而不陷，其義不困窮矣！」《周易・需・大象傳》：「雲上於天，需。」

[62] 以上兩則，義可通於《周易・中孚》：「豚魚吉，利涉大川，利貞。」因恐引注各則出處，佔用過多篇幅，以下除非必要，恕不贅《周易》經、傳出處說明。

[63] 詳參前注32上引文。

[64] 文詳《言志耋錄》，頁290。

錄・跋》曰：「悉出於先生之所自得，正足以使人正其趣向而得所歸宿矣。」[65] 一齋嫻熟《周易》經傳，運用自如，深入自得，令人刮目相看。

（二）詮釋「易」字名義，原原本本，曉暢清明，允中肯綮

《易緯・乾鑿度》首見「易一名而含三義：易也，變易也，不易也」，而鄭玄（127～200）《易贊》、《易論》特標舉「易簡、變易、不易」三義，今錄存於孔穎達（574～648）《周易正義・序》。一齋秉承此說，說「易簡」以「慮事欲周詳，處事欲易簡」、「人就我謀事，須要妥貼易簡，不生事端，即是智」，「晝夜一理，幽明一理，原始反終，知死生之說，何其易簡而明白也」、「凡人忘少壯之過去，而圖老歿之將來，人情皆莫不然。吾儒則在《易》，曰『原始反終，故知死生之說』，何其易簡而明白也」，「良知之發，宜自慈孝念頭認之，認而致之，即良能也。孟子姑分釋知能之明之，與乾知坤能之為易簡同一也」，可謂別開生面。說「變易」，而承朱子《周易本義》上經卷一小序之說，與「交易」並言曰：「天下之體，以交易而立；天下之務，以變易而行。」說「不易」，而衍繹其義曰：「古人釋易字為不易。試思晦朔變而晝夜不易，寒暑變而四時不易，死生變而生生不易，古今變而人生不易，是之謂不易之易。」而綜此三義，以《周易・繫辭傳》「生生之謂易」作結曰：「物有榮枯，人有死生，即生生之易也。死生榮枯，只是一氣之消息盈虛，知此則通乎晝夜之道而知。」「生，是死之始；死，是生之終。不生則不死，不死則不生；生固生，死亦生。生生之謂易，即此。」說理浹洽，原始反終，以天地、萬物、人事之消息盈虛與死生循環為證，切合《易》旨。

---

[65] 詳參源綱條：《言志錄・跋》，頁236。

（三）特重「誠敬之教」，以為修身工夫、養生之訣，人道天心流注。

一齋於《言志四錄》，反復闡論「誠」、「敬」之教，此義源出有三：一、《周易・乾九二・文言傳》：「庸言之信，庸行之謹，閑邪存其誠，善世而不伐，德博而化。」二、《周易・乾九三・文言傳》：「君子進德脩業。忠信，所以進德也；脩辭立其誠，所以居業也。知至至之，可與幾也；知終終之，可與存義也。」三、《周易・坤六二・文言傳》：「直，其正也；方，其義也。君子敬以直內，義以方外，敬義立而德不孤。直方大，不習无不利，則不疑其所行也。」故單言「誠」則曰：「脩辭立其誠，立誠脩其辭。」「求道要懇切，不要迫切。深造是誠，助長是偽。」「雲烟，聚於不得已；風雨，洩於不得已；雷霆，震於不得已。斯可以觀至誠之作用。」「理本無形。其實太極之呼吸，只是一誠，謂之氣原，即是理。」單言「敬」，則曰：「過生於不敬，能敬則過自寡矣。」「心存中和，則體自安舒，即敬也。」「敬能截斷妄念。」「一箇敬生許多聰明。」「敬，則心精明。」「敬，生勇氣。」「脩己以敬，以安人，以安百姓，壹是天心流注。」「持敬者如火，使人可畏而親之；不敬者如水，使人可狎而溺之。」「勿錯認敬做一物，放在胸中。」「天下人皆為同胞，我當著兄弟相；天下人皆為賓客，我當著主人相。兄弟相，愛也：主人相，敬也。」「愛敬之心，即天地生生之心。」「愛敬二字，為交際之要道。」「道理無往不然。敬一字，固修身工夫；養生之訣，亦歸於一箇敬。」「人道在敬，敬固為終生之孝。」「從容以養天和，即便敬也。」合言「誠」、「敬」則曰：「不起妄念，是敬；妄念不起，是誠。」「先天而天弗違，廓然太公，未發之中也，誠也；後天而奉天時，物來順應，已發之和也，敬也。凡無事時，當存先天本體；有事時，當著後天工夫，先天後天，要其理則非二矣。」「立誠，似柱礎，是竪工夫；居敬，似棟梁，是横工夫。」「無為而有為之謂誠，有為而無為之謂敬。」「人道，只是誠敬而已。」「聖人見事於幾先，自事未發而言，謂之先天；自幾已動而言，謂之後天。中和，一也；誠敬，一也。」其議論淺顯明白，其義理淵懿深刻，其譬喻生動平實，於「誠敬之教」、「天人之道」，闡微顯幽，開張恢宏，殆無餘蘊，讀之思之，憬然有悟，而衷心嚮之。

（四）講究學養工夫，以艮、震、損、乾、隨、夬、升、離卦為法。

一齋以為「艮為篤實輝光，君子之象也」，故屢論及「艮背工夫」，並與「誠敬」相結合，一貫通達，事理俱精且明，因引〈艮〉、〈震〉二卦為例，曰：「艮其背，不獲其身；行其庭，不見其人，敬以存誠也。震驚百里，不喪匕鬯，誠以行敬也。震艮正倒，工夫歸於一。」「艮背工夫，神守其室，即敬也，即仁也。」「前三陽皆與後三陰相代，則函成前坤後乾，而心神泰然，呼吸與天地通，余從艮背工夫得之。」「兵家說鍊心膽，與震艮工夫髣髴。」「無我，則不獲其身，即是義；無物，則不見其人，即是勇。」而論〈損〉卦，則曰：「情之發有緩急，忿慾尤為急。忿，猶火，不懲將自焚；慾，猶水，不窒將自溺。損卦工夫，緊要在此。」「懲忿窒慾，重一忍字；遷善改過，重一敏字。」於〈乾〉則曰：「得意時候，最當著退步工夫，一時一事，亦皆有亢龍。」於〈離〉、〈隨〉則曰：「血氣有老少，志氣無老少。《易》曰：『日昃之離，不鼓缶而歌，則大耋之嗟。』」「人於此學，片時不可忘。鼓缶而歌，亦是學；嚮晦，亦是學。」於〈夬〉則曰：「牽羊悔亡，操存工夫當如此。」於〈升〉則曰：「游蕩子弟，亦非可棄，慫慂學問脩為，即悔悟法也。《易》云：『冥升，利于不已之貞。』」故其論學，至死不渝，曰：「臨歿工夫，宜一念覓未生之我。原始反終，知死生之說，是也。」「此學吾人一生負擔，當斃而後已。道固無窮，孜孜自彊，不知老之將至，則其神明不測。」「為學有自然，有工夫。自然是順數，自源而流；工夫是逆數，自麓而巔，巔則源之所在，麓則流之所歸。雖有難易，其究一也。」「博聞強記，聰明橫也；精義入神，聰明竪也。」「為學著眼處在易簡，而工夫卻艱。象山云：『易簡工夫終久大。』勿認做容易事。」其最高境界，則在於「精義之學，可以入神」，一齋學《易》體道，真切篤實。

（五）闡論天道、地道與人道，結合良知良能與知行合一之說

一齋闡論天道、地道與人道，曰：「天道，無變化而有變化；地道，有變化而無變化。我立於兩間，仰觀俯察，裁成而輔相之，乃是人道之變化，所以參天地也。」「天道，都是吉凶悔吝，《易》也。即知人道於六經盡之。」「《易》記天道，《書》記政事。」「自彊不息，天道也，君子所以也。」「自彊不息時候，心地光光明明。」「元氣生生不息，斡旋於其間，凡此皆天地一大政事，所謂天道至教。風雨霜露無非教者，人君最宜體此。」「不慮而知者，天道也；不學而能者，地道也。并天地而成此人，畢竟不能逃之。」「婦德，一箇貞字；婦道，一箇順字。」「人須守地道，地道在敬，順承乎天而已。」「坤厚載物，人當體之。」「人當不忘往事，是為厚德。」「地德，敬也，人宜敬。地德，順也，人宜順。地德，簡也，人宜簡。地德，厚也，人宜厚。」而說良知良能與知行合一，則曰：「知，是行之主宰，乾道也；行，是知之流行，坤道也，合以成體軀，則知行是二而一，一而二。」「乾以易知，良知也；坤以簡能，良能也。乾坤統於太極，知能一也。」「天來之善不著工夫者，謂之良。自然之美不假脩者，亦謂之良。乾以易知，坤以簡能，即所謂良知良能。『知《易》者，莫如孟子。』」一齋將《易》道、孟子良知良能學與陽明知行合一統論，渾然天成，筆者敬服不已。

（六）闡論天心、人心與道心一致，當從經書求之，六經皆我註腳

一齋習程、朱工夫性學，而宗陸、王本體心學，皆以六經為之源頭活水，以天心、人心與道心合一，故曰：「宇，是對待之易；宙，是流行之易。宇宙，不外我心。」「讀經書，即讀我心也，勿認做外物。讀我心，即讀天也，勿認做人心。」「《易》，是性字註腳；《詩》，是情字註腳；《書》，是心字註腳。」「舉目百物，皆有來處。心則天也，軀殼成而天寓焉，心之來處，乃太虛是已。」「我體既具，必有心意。可以悟我性之為天，我體之

為地。」「人之生也直，當自反以吾心為註腳。」「使地能承乎天者，天使之也；使身能順乎心者，心使之也。」「感，是心之影子。」「人處事有多少應酬？心之靈光，與太陽並明。能達其靈光，則習氣消滅，不能為之嬰累，聖人一掃之，曰何思何慮，而其思歸於無邪。無邪即靈光之本體也。」

以《詩經》「思無邪」與《易傳》「何思何慮」，詮釋「靈光之本體」，一心朗照。

（七）闡論積漸、幾微與理勢之道，以明變數知天命，究天人之際

積漸之義，首見於〈坤．初六〉「履霜，堅冰至」，以及〈漸〉卦；幾微之道，則昭彰於《易傳》，而《易》貴時尚位，理勢存焉，數命蘊焉，故一齋汲汲孜孜，語重心長，數言曰：「一字，積字，甚可畏。善惡之幾，在初一念；善惡之熟，在積累後。「天道人事，皆以漸至。」「學者志大，工夫則皆要小。小，於事為始，於物為幾。《易》云『復，小而辨於物』是也。」「箴者，鍼也，心之鍼也，非幾纔動。」「天道漸運，人事漸變，必至之勢。」「變常漸：氣運有常變。常，是變之漸，不見痕跡，故謂之常。變，是漸之極，見痕跡，故謂之變。人事常變，亦係氣運之常變。故當變革之時，天人齊變。」「天下事物，有理勢不得不然者。《易》曰：『賁其須。』」「動於不可已之勢，則動而不括。履於不可枉之途，則履而不危。」「事動於不得已，動亦无悔。在革之夬曰：『已日乃革之。』」「世有君子有小人，其迭相消長者，數也。數之所以不得不然者，即理也。人當安於可測之理，以俟於不可測之理，是人道也，即天命也。」「數始於一而成於十，十復歸於一。《易》自太極而起，至四象而數略具。」「天地間大抵不能逃數，即活易也。」「有數之數，迹也；無數之數，理也。邵子則以有數之數，說無數之數。」一齋三復斯言，以究天人之際，以明天人之分，應然之理，當然之勢，權衡在《易》。

（八）聽訟以仁智兼至為要，人君裁成輔相，以教養盡性盡職為務

一齋洞明人事，關懷政事，故多引《易》文，以論君臣為邦之道，公意平心，施禮文，治刑政，皆可為座右，如其言曰：「聽訟之道，仁以為體，莊以涖之，智以察之。」「聽訟要明白，又要不明白，總之以仁智兼至為最緊要。」「訟訴，既就其言色，以視聽其心，則我當先以平意公心待之。」「白能受眾采，五色之原也。賁之極無色，為白賁；素履之吉，白也。」「白賁，是禮文之極處；噬嗑，是刑政之要處。從政者，宜翫其辭，以得其旨。」「君子，有德之稱。」「君子自慊，小人則自欺；君子自彊，小人則自棄。上達下。」「五穀自生，假耒耜以助之。人君財成輔相，亦與此似。」「天尊地卑，乾坤定矣。君臣之分，已屬天定，各盡其職而已。」「方以類聚，物以群分。人君以國為黨者也。」「聰明睿知，能盡其性者，君師也。」「為邦之道，不出於教養二途。教，乾道也，父道也；養，坤道也，母道也。」「謙，德之柄也；敬，德之輿也，可以行師，征邑國矣。」以上所論，皆以《易》理為之撐持，而求落實於政事，具體而微，可為南針。

（九）養生工夫在慎口，能節度，守坤道，自然生生無病，知命樂天

一齋秉家學傳授，皆壽高學厚而德尊，耋齡猶能撰述不輟，在能持志養氣，故諄諄以《易》教，曰：「人最當慎口。口之職兼二用，出言語、納飲食是也。」「天地間靈妙，莫如人言語者。」「養老之方，恰是坤道。心欲靜，事欲簡，衣欲厚，食欲柔。」「發憤忘食，志氣如是；樂以忘憂，心體如是。不知老之將至，知命樂天如是。」「五十生生：生生無病，物之性也。其受病必有可療之藥，即生生之道也。」「五十至七十，似察時候；察時候當達於知命樂天。」「養生工夫，在節一字。」一齋追步孔聖，融會貫通其學，身、心、道並修，與天地相參。

（十）以〈震〉、〈兌〉為譬，比較東西窮理之說，饒富興味別趣

一齋時處十九世紀西方工業發達之帝國主義侵逼亞洲之際，故其言曰：「泰西之說，已有漸盛之機，其所謂窮理，足以驚人。」以其位居儒學首席，參贊幕末國政，多與西人西學相接，因此感受深刻，而有以下引《易》理，以比較中西之論，曰：「西洋窮理，形而下之數理；《周易》窮理，形而上之道理。道理，譬則根株也；數理，譬則枝葉也，枝葉自根株生，窮理者宜自《易》理而入也。」「帝出于震，日出之方也，故東方之人有義勇。說言于兌，日沒之方也，故西方之人有智慧。」「窮理，深造而自得之，真知萬物之為一體。」一齋此說，頗富興味別趣，而不失《易》理，復能回歸儒學本義，可謂明道知時之醇儒。

以上概分十點，精簡歸納一齋《易》學特識慧見，可以相觀而善，並體現一齋《易》學明體達用、知行合一、身心一如、天人一體、事理一致之思想蘊涵。

四 〈九卦廣義〉論《易》要旨

佐藤一齋於〈九卦廣義〉小序中，引朱子《周易本義》言：「九卦皆反身修德，以處憂患之事也。」並自謂曰：

> 予屏居環堵，而寒素零丁，自守苦節。是以每讀《易》，至九卦之條，未必不感激奮發，以自反諸身也。間嘗廣其義，遂成一小編，固非敢示人，聊以試踐履之實而已矣。[66]

一齋廣衍「憂患九卦」之義，一則以自反諸身，再則以試踐履之實，其初心可謂誠篤。因本篇內容精要，廣申九卦之義，闡述別有新解，故照錄原

---

[66]〈九卦廣義〉收錄於佐藤一齋：《愛日樓全集》卷之2，頁11～18；小序，頁11。

文，以與《周易．繫辭下傳》第七章「三陳九卦」觀照參研，文曰：「《易》之興也，其於中古乎？作《易》者，其有憂患乎？是故〈履〉，德之基也；〈謙〉，德之柄也；〈復〉，德之本也；〈恆〉，德之固也；〈損〉，德之脩也；〈益〉，德之裕也；〈困〉，德之辨也；〈井〉，德之地也；〈巽〉，德之制也。〈履〉，和而至；〈謙〉，尊而光；〈復〉，小而辨於物；〈恆〉，雜而不厭；〈損〉，先難而後易；〈益〉，長裕而不設；〈困〉，窮而通；〈井〉，居其所而遷；〈巽〉，稱而隱。〈履〉以和行，〈謙〉以制禮，〈復〉以自知，〈恆〉以一德，〈損〉以遠害，〈益〉以興利，〈困〉以寡怨，〈井〉以辨義，〈巽〉以行權。」一齋本之以廣反身修德、踐履操行之實，而闢道德仁義之蘊，闡微顯幽，援古證今，說理酣暢，議論宏肆，以篇幅故，簡敘其可觀者。

(一)〈履〉

〈履〉也者，禮也。禮也者，天下之大經大本矣，而民彝物則之所以立也。性命之理，由於斯焉；仁義之德，由於斯焉，則凡天下之人之所履以行也。所履以行者，不為不多焉，而有體用二者而已。禮，其體；而節文，其用也。節文，猶方圓也，猶輕重也；禮，猶規矩也，猶權衡也。節文有一定之禮，而禮無一定之節文；猶方圓有一定之規矩，而規矩無一定之方圓也；猶輕重有一定之權衡，而權衡無一定之輕重也。故以輕重為權衡者，未知權衡者也；以方圓為規矩者，未知規矩者也；以節文為禮者，未知禮者也。後之言禮者，吾惑焉。局蹐乎升降周旋之末，而牽制乎器數文物之間，影響形迹，摸擬倣像，其流弊至謂禮為偽者，勢宜然，則所謂大經大本者，安在哉？蓋外于民彝物則，而求所謂禮於粧點雕飾之間，則〈履〉之體失，而偽之端起矣。此豈古聖人之教然乎哉？孔子曰：「克己復禮為仁。」又曰：「禮也者，義之實也。」此仁義之德，由於禮也。《書》云：「惟皇上帝降衷于下民，若有恆性。」《詩》云：「惟天之命，於穆不已。」所

> 謂命者，天敘、天秩；而衷者，大經、大本也，此性命之理，由於禮也。故不窮性命之理，而局蹐乎升降周旋之末，謂之妄動；不據仁義之德，而牽制乎器數文物之間，謂之冥行。冥行與妄動，其於禮也遠矣。故舍規矩以制方圓，則方圓爽其度矣；去權衡以定輕重，則輕重失其準矣；外於禮以言節文，則節文亡其則矣。古之君子，有見于斯焉，則窮性命之理，據仁義之德，以明乎民彝物則之所以立焉。而後升降周旋，自中其節；而器數文物，自合其度者，其非以體用、本末之有序，而不紊邪？在〈履〉之九三[67]曰：「履道坦坦。」嗚呼！非深造自得之君子，孰能與于此哉？[68]

一齋開宗明義即強調〈履〉、禮「體用合一」之義，謂禮為「天下之大經大本」，而「民彝物則之所以立」，故「性命之理」、「仁義之德」皆由於斯，故深造自得之君子，因而不至於「妄動」、「冥行」，體用、本末循序不紊，「履道坦坦」矣。

（二）〈謙〉

> 〈謙〉也者，誠之發洩，而見乎外者也。誠也者，謙之蘊積，而存乎內者也。雖有內外表裏之別，而其相成用也一矣。《書》云：「滿招損，謙受益，惟乃天道。」[69]《易》云：「〈謙〉尊而光，卑而不可踰，君子之終也。」故不積誠之實于內，而徒從謙之名于外，則未啟天下之偽端者鮮矣。子噲之於子之，謙而愚者也；公孫弘之於汲黯，謙而黠者也；新莽之於平帝，謙而誣者也；魏操之於獻帝，謙而奸者也。此四者，外託名於謙，以匿其情，而內肆夫求名要利之私，此豈非啟

[67] 按：〈履〉無九三爻，此為「九二」筆誤，當正之。〈履．九二〉曰：「履道坦坦，幽人貞吉。」

[68] 文錄自佐藤一齋：《愛日樓全集》卷之2，頁11～12。

[69] 按：語出《尚書．大禹謨》：「惟德動天，無遠弗居。滿招損，謙受益，時乃天道。」

天下之偽端者哉？夫聖人之謙者，則不然也。堯之允恭克讓，舜之溫恭允塞，是之謂誠之謙也。孔子之比老彭，孟子之私淑孔子，是之謂謙之誠也。誠積之于內，謙行之于外，豈弗謙之至者哉？予故曰：「謙與誠，雖有內外表裏之別，而其相成用也一矣。」[70]

一齋以「謙」發洩現外，誠蘊積存內，明其內外表裏雖別，而相成用則為一。正引《書》、《易》經典之言，而反證以四則偽謙歷史故事，結論以堯、舜誠而謙，孔、孟謙而誠，此聖人誠積於內，而謙行於外，故能尊而光，制禮以為德之柄也。

（三）〈復〉

孔子曰：「〈復〉，其見天地之心乎！」天地之心即仁矣，而仁則以天地萬物為一體者，即人心是也。孟子曰：「萬物皆備於我。」此之謂也。故君子之學，以求盡其心而已矣。凡人稟性於天之初，莫不皆純粹至善也，則心固靈昭而無或昧者也。然而，逸居無教，則不能全性分之固有，而保心體之同然也。終使之慾膠之于內，物誘之于外，私意氣習，纏繞障蔽於其間，而牿亡其所謂純粹而靈昭者也。譬諸水也，水固清矣，而污入之則濁矣；譬諸鑒也，鑒固明矣，而垢積之則昧矣。聖人有憂於此，故其立教也，以仁為大端，而盡心為節目，即〈復〉之義也。夫盡心之初，必在使之懲人慾、扞外物，而矯正夫私意氣習之偏也。故《書》有之云：「惟狂克念作聖。」[71]此則盡其心，而復其初之義也。蓋責人之心而責己，恕己之心而恕人，則責者、恕者，不可勝用也。嗜利之心而嗜義，好色之心而好德，則嗜者、好者，不可勝用也；責者、恕者、嗜者、好者，不可勝用也，則心莫不

70 文錄自佐藤一齋：《愛日樓全集》卷之2，頁12。

71 按：文詳《尚書．多方》：「惟聖罔念作狂，惟狂克念作聖。」

> 盡矣。心既盡矣，而純粹靈昭之體，復其初矣；則視聽言動，合其則矣；喜怒哀樂，中其節矣，而無往而不吾萬物一體之仁也，是之謂盡其心也，是之謂復其初也。[72]

一齋首引〈復・彖傳〉「〈復〉，其見天地之心乎」開顯立題，而天地之心，即孔子以天地萬物為一體之仁，實即人心。故君子學以求盡心，則「萬物皆備於我」。凡人稟性於天之初，皆純粹至善，心固靈昭而無昧；然逸居而無教，則不能全性分之固有，而保心體之同然，故一齋汲汲以論聖人之憂，故立教以仁為大端，而盡心為節目，即〈復〉之本義初衷，「復其初」則體仁盡心，無往而不中節矣。

（四）〈恆〉

> 夫聖人之道，在彝倫日用之間，而其學不出於庸言、庸行二者而已矣。孔子之言，在《詩》、《書》、執《禮》，而不在恠力亂神；行在孝弟忠信，而不在索隱行怪者，孰可不謂之恆焉哉？今之為學者，吾知其二矣，而所謂庸言、庸行不與焉。章繪句琢，以眩世俗，博採極覽，以飾詭辯，不求道義之實於吾心，而摸索於影響之間者，此之謂記誦之學。詭激其行，微玅其論，明心見性，似有得焉；虛無恬淡，似有悟焉，而大汩亂聖學之真者，此之謂釋、老之學。釋、老之徒，自許以有德；而其所謂德者，在棄人倫、遺事物，而視夫孝弟忠信，以為芻狗土苴，則其於庸行將如何哉？自吾道不謂之德，而謂之虛矣。記誦之徒，自誇以其博，而其所謂博者，在支離外馳，而與夫《詩》、《書》、執《禮》，不相干涉，則其於庸言將如何哉？自吾道不謂之博，而謂之雜矣。雜與虛，其於庸言、庸行，猶冰炭之不相容，則尚何可謂之恆焉哉？蓋世之學者，不陷釋、老，則入記誦者，何

---

[72] 文錄自佐藤一齋：《愛日樓全集》卷之2，頁13。

> 也？釋、老之學，似高卻卑；記誦之學，似難卻易，獨聖人之學，不出於庸言、庸行二者；而其道愈易愈難，愈卑愈高，此人之所以不易測焉者也。夫置常珍，而嗜異饌者，不足與論味也；棄雅聲，而悅巴歈者，不足與論音也；外乎正學，而攻乎異端者，不足與論道也。然而，嗜異饌者，不過爽其口焉；悅巴歈者，不過聾其耳焉；獨至夫攻乎異端者，害不在口耳，而在其心焉。有志之士，其可不慎，且懼乎哉？[73]

一齋開篇以聖人之道，在彝倫日用之間；而聖人之學，不出於庸言庸行，以此二者貞定〈恆〉常之義，可謂易簡矣。故以此駁今之學者，徒騖「記誦之學」，「不求道義之實於吾心，而摸索於影響之間」，其學雜；以及釋、老之學，「詭激其行，微妙其論」，「明心見性」、「虛無恬淡」，汨亂聖學之真，其學虛，虛與雜皆非聖人庸言、庸行之學，尤非其恆道，因之攻乎異端，明其口耳之害，以盡其心焉。

（五）〈損〉

> 自損而人益之，自抑而人揚之，自卑而人高之，自虧而人盈之。故虧者所以為盈也，卑者所以為高也，抑者所以為揚也；損者所以為益也。河海能處卑，故百川歸之；日月能照下，故萬物仰之；聖人能損其身，以恤下民，故百姓懷之，〈損〉之時義，大矣哉！凡聖人之於其躬，莫不損焉，說在六四之繫曰：「損其疾，使遄有喜。」蓋損聲華，而就實體，則道斯立焉；損虛偽，而存誠敬，則德斯聚焉；損人慾，而復天理，則仁斯行焉；損淫暴，而從事宜，則誼斯脩焉；損奢侈，而繇儉節，則禮斯存焉；損詐譎，而保良知，則智斯全焉。六者既損，而道德仁義禮智聚其躬，則人孰弗嚮而慕焉哉？此聖人之所以

---

[73] 文錄自佐藤一齋：《愛日樓全集》卷之2，頁14。

> 「損其疾」，而「有喜」也。抑也，卑也，虧也，皆損之類也；以類推之，亦所不俟辯說也。[74]

損益循環相生，反復其道，時義大矣哉！故一齋闡論：聖人損身，以恤下民，道斯立焉；損虛偽，而存誠敬，德斯聚焉；損人慾，而復天理，仁斯行焉；損淫暴，而從事宜，誼（義）斯脩焉；損奢侈，而繇儉節，禮斯存焉；損詐譎，而保良知，智斯全焉。聚道德仁義禮智六德於躬，嚮而慕焉，盡〈損〉之道，亦云至矣。

（六）〈益〉

> 〈益〉之〈大象〉曰：「風雷，〈益〉；君子以見善則遷，有過則改。」夫風雷之勢，交相激發，猶人俟朋友之切劘磨礱，以成其德歟！責善規過，朋友之道也。故子路人告之以有過則喜，孔子擇三友以求益，孰非斯象之意乎？嗟乎！益者諒善矣。然而，不善亦有益之義也。六三之辭曰：「益之用凶事。」則益之不善者也。昔者，桀、紂造瓊宮、瑤臺、峻宇、雕墻，以益凶事於飲食矣，終遭湯武之一戎衣，而為天下戮者，豈不亦益之不善者哉？夫君子用之，則為朋友切劘之道；小人用之，則為家國滅亡之資。故〈益〉之義，居善不善之間，而擇之之如何，存乎其人焉。[75]

《論語・述而》第三章曰：「德之不修，學之不講，聞義不能徙，不善不能改，是吾憂也。」此孔子求益之教，憂患體仁之義，居擇其善不善，皆存乎其人。

---

[74] 文錄自佐藤一齋：《愛日樓全集》卷之2，頁15。

[75] 文錄自佐藤一齋：《愛日樓全集》卷之2，頁15。

（七）〈困〉

> 夫劍之質，鐵也。然而，鐵不可以斬物，而劍可以斬物者，何也？必經烈焰，受鉗錘，且挫折，且鍛煉，而後其利鈍，可得而試也。其經烈焰，受鉗錘之時，為鐵者甚苦矣。既其為劍也，鐵亦自喜其可以能斬堅斷剛者也。夫大丈夫之建業於一世，而流芳於千歲者，亦何以異於此邪？其初必持危操於窮阨險難之中，困乎心，衡乎慮，猛省不撓，警發不弛，而後其志業可得而遂也。蓋持危操於其初，豈不亦極苦至困哉？其及建業於一世也，則亦自喜夙志之有成也。故古之君子，不貴無困阨，而貴其能以處困阨也。文王之王，兆乎羑里；勾踐之霸，胎乎會稽，凡生長於飽暖安逸之中，而能成其業者，天下古今寧有此哉？善哉！孟軻氏之言曰：「人之有德慧術知者，恆存乎疢疾。」又曰：「天將降大任於其人也，必先苦其心志。」噫！彼小人之無智，僅涉于變故屈辱，則懊惱困頓，憂惶失措，遂不能自勝其處也。是以其名亦與骨共朽矣，不亦悲乎！如孔子所云：「君子固窮，小人窮斯濫矣。」故君子之處困阨也，自甘其困阨，當益致其踐履之實，以務求於自謙，是則其所以異於小人也。然則，今之處困阨者，則建業於一世之烈焰，而流芳於千歲之鉗錘也，亦何憚挫折鍛煉之苦於前，而頓斬堅斷剛之利於後邪？[76]

一齋舉鐵經烈焰、鉗錘、挫折與鍛煉，而成斬堅斷剛之劍為例，以明大丈夫之建業流芳，其初必持危操於窮阨險難之中，困心衡慮，猛省不撓，警發不弛，而後志業可得而遂，故古之君子不貴無困阨，而貴其能以處困阨；甚者，君子之處困阨，自甘其困阨，尤當益致其踐履之實，以務求於自謙，即

---

[76] 文錄自佐藤一齋：《愛日樓全集》卷之2，頁16。

不憚於挫折鍛煉之苦。

（八）〈井〉

〈井〉者何也？不變其處之象也。不變其處者，唯大人為然。夫大人之行，素貧賤患難，而不願其外矣。因毀譽榮辱，而不改其介矣，其得〈井〉之義歟？彼小人之處世，譬若飄風浮靄，倏來倏往，無復有一定之質，趑趄乎勢利之途，而出入乎權貴之門，娢婀僂儞，終日齷齪，亦何不憚繁難勞苦也？然而，其處平世也，小人君子猶不易辨也。若夫一旦有非常之變，則彼小人惟恐免禍之不速，奚暇及其他哉？當斯之時，凜然獨立乎其間，斯身可齏可粉，而志節不可屈且奪者，此之謂大人也。故比干之死，夷齊之餓，曾子之易簀，子路之結纓，其事雖或異，而不變其處則均矣，豈彼小人之所得而與焉哉？或問曰：「筦仲之不死於子糾之難，韓信之忍辱於胯下，豈為不變其處歟？」對曰：「行中權，存乎其人矣。君子猶以為不變其處也。」[77]

一齋以「不變其處之象」以釋〈井〉，基本切合〈井〉「德之地」、「居其所而遷」與「辨義」三陳之理；而以「大人」之行，「素貧賤患難，而不願其外」、「因毀譽榮辱，而不改其介」，為得〈井〉之義，以與「小人」為辨，故舉史證為說，申之以「行中權，存乎其人」，貞定君子所謂「不變其處」之德行。

（九）〈巽〉

〈巽〉者，順也，順乎理也。為父而巽，斯能慈；為子而巽，斯能

[77] 文錄自佐藤一齋：《愛日樓全集》卷之2，頁17。

孝；為兄而巽，斯能順；為弟而巽，斯能悌；為君而巽，斯能仁；為臣而巽，斯能忠。故〈巽〉者，順乎理，而不逆之義也。巽之反為逆；逆者，凶德也；為父而逆，必不能慈；為子而逆，必不能孝；為兄弟、為君臣而逆，則必不能順而悌、而仁、而忠也。逆，誠凶德也。然則，不逆而已，而巽盡於斯歟？曰：「不然！夫君有爭臣，而後能保其社稷；父有爭子，而後其身不陷於不義，順理而諫矣。諫而逆矣，則逆亦巽之道也。〈說卦〉曰：『巽為木、為風。』謂理之所在，莫不入焉。」[78]

〈巽〉、順，聲義訓詁相通，一齋以「順乎理而不逆之義」釋之，並以〈說卦傳〉第十一章「〈巽〉，為木為風」，復以第七章「〈巽〉，入也」，詮釋「理之所在，莫不入焉」[79]之旨，終乎此篇，誠如《論語．顏淵》所謂：「君子之德，風；小人之德，草。草上之風，必偃。」若對照《馬王堆帛書易傳．衷（易之義）》以風水〈渙〉為此三陳之卦，則其義亦頗有深蘊，故於此「三陳九卦」之末，引孔子之言曰：「〈渙〉而不救，則比矣。」[80]《馬王堆帛書易傳．二參子》釋〈渙．九五〉：「奐其肝大號。」（通行本作：「渙汗其大號。渙王居，无咎。」）引孔子曰：「奐，大美也。肝言亓（其）內，亓內大美，其外必有大聲問（聞）。」[81]則〈渙〉卦之義，不獨字面之「渙散」義，尚有轉化之「煥美」義，與〈巽〉順理入道之義，可謂雙彰兩美，可以並存互觀。故源乘衡於〈跋九卦廣義〉總結之，曰：

道不徒存也，以文存焉；文不徒傳也，以道傳焉。堯、舜之心，所以

---

78 文錄自佐藤一齋：《愛日樓全集》卷之2，頁17。按：《馬王堆帛書易傳．衷（易之義）》，於「三陳九卦」，〈巽〉卦皆書作〈渙〉卦，與通行傳本不同。詳參廖名春：《帛書易傳初探》（臺北市：文史哲出版社，1998年），頁276～277。

79《言志錄．補注（參考）》，頁351，存一條，曰：「凡區處事，當順而入，勿迫勿激，使人不覺其跡，斯為得矣。《易》云：『巽，德之制也。』」即可與此互見相參。

80 詳參廖名春：《帛書易傳初探》，頁277。

81 詳參廖名春：《帛書易傳初探》，頁264。

宣著于萬世者，不以文乎？孔、孟之書，所以赫奕于千秋者，不以道乎？古之所謂文者，如此而已矣。……藤君大道，天資甚高，問學精博，嘗慨於舊習之弊，而將張皇其性學者矣。其處己接物之際，必原諸理義之公，而進退取與不苟焉。……頃日，推衍九卦之義，成一小葉子，固非爭妍媸於文字間者也。然其胸中素定之規，觀之行墨之間可見矣，蓋自試所蘊于內者，以發之于外而已。……[82]

通觀〈九卦廣義〉全篇，一齋特重孔、孟儒學仁義道德、禮智心性，尤以盡心體仁為其究竟。試觀照王陽明於〈大學問〉中，曾說：「何謂身？心之形體運用之謂也。何謂心？身之靈明主宰之謂也。」[83]一齋學友大鹽中齋（平八郎，1794～1837）也說：「自形而言，則身裹心，心在身內焉。自道而觀，則心裹身，身在心內焉。其謂心在身內者，一遺操存之功，則物累我；其覺身在心內者，常得超脫之妙。而我役物、役物與累於物之別，學者宜知之。」[84]故一九九三年出土的《郭店楚簡・六德》中，將「仁」字寫成「身（上）心（下）」[85]合體之字，即隱喻「身」、「心」之合一觀。所以，從一齋〈九卦廣義〉之詮解，可證儒家經典詮釋學是一種體驗之學，強調讀經者親身實踐而得的「體知」，以身心合一為其特徵，以知行合一為其基礎，與孔孟儒學、陽明心學，道通理貫，共源同流，若合符節，可謂一致。而質言之，以一齋《言志四錄》與〈九卦廣義〉為例，具體展現出東亞儒家經典詮釋學一種鮮明的「身心一體論」，即誠如黃俊傑教授所謂之「實踐詮釋學」。

一齋主張以「心」解經，完全循王陽明的思路。故於《言志錄》說道：「經書文字，以文字注明之可也。意味則當以我心透入得之，畢竟不能著

---

82 詳參佐藤一齋：《愛日樓全集》卷之2，頁18。

83 詳參王陽明：《王陽明全集》（上海市：上海古籍出版社，1992年），下冊，頁971。

84 詳參大鹽中齋：《洗心洞箚記》，收入《佐藤一齋・大鹽中齋》，《日本思想大系・46》，頁567，第6條。

85 詳參荊門市博物館：《郭店楚墓竹簡》（北京市：文物出版社，1998年），〈六德〉，頁187。

文字。」又說：「窮經須要考據於此心，引證於此心。如徒就文字上考據引證，輒謂窮經止此，則陋甚。」再則說讀書之法：「當以心讀無字之書，乃洞有自得。」故主張「讀書亦心學也」，又進而言之：「方讀經時，把我所遭人情事變做註腳。臨處事時，則須倒把聖賢言語做註腳。庶乎事理融會，見得學問不離日用意思。」「讀經，宜以我之心讀經之心，以經之心釋我之心。不然，徒爾講明訓詁而已，便是終身不曾讀。」「讀經書，即讀我心也，勿認作外物。讀我心，即讀天也，勿說做人心。」[86]一齋強調讀經時，必須通過自己的親身體認才能有所得之言，主張應以「我所遭人情事變」與經典內容相印證，以親身「體驗」經典中的道理，這是一種「體知」的讀經法，可謂中肯的當。東亞儒者多強調以讀者之心遙契經典作者之心，因此讀者與作者成為神交心友，冥搜密察，遠承玄旨，一齋即為顯例。

五　結語

近千年來，儒學於東亞文明的發展過程中，可說是一極為重要的課題。尤其，自近世日本德川幕府將朱子學列為官學以還，至十八世紀後期出現了折衷派、正學派朱子學。在思想與立場上，朱子學派與陽明學派、古文學派、水戶學派、闇齋學派等，彼此間的思想主張，都存在著異趣同歸的互動關係。

自一六〇三年，德川家康（1543～1616）終結了戰國時代，統一全日本。此後，他建立的江戶幕府統治日本達264年，史稱「江戶德川時代」。德川時代將朱子學奉為官學，日本儒學的發展進入鼎盛時代；在此

---

[86] 以上引文詳參佐藤一齋：《言志錄》，收入《佐藤一齋・大鹽中齋》，《日本思想大系・46》，頁234，第235、236條；《言志後錄》，頁245，第138、144條；《言志耋錄》，頁228，第140條；頁258，第76條；頁274，第3條。誠如王陽明〈詠良知四首示諸生〉詩云：「無聲無臭獨知時，此是乾坤萬有基。」所描繪的正是一種讀者與經典作者「心」「心」相印的超越經驗。

期間，出現了以藤原惺窩（1561～1619）[87]、林羅山（1583～1657）、山崎闇齋（1618～1682）等為代表的朱子學派；以中江藤樹（1608～1648）、熊澤蕃山（1619～1691）、三輪執齋（1669～1744）、大鹽中齋（1793～1837）等為代表的陽明學派；以山鹿素行（1622～1682）、伊藤仁齋（1627～1705）、荻生徂徠（1666～1728）等為代表的古學派。又有以中西淡園（1709～1752）、細井平洲（1728～1801）、井上金峨（1732～1784）等人為代表的折衷學派；與以吉田篁墩（1745～1798）、太田錦城（1765～1825）、松崎慊堂（1771～1844）、海保漁村（1798～1866）、安井息軒（1799～1876）等人為代表的考證學派。儒學的各式各樣的探討主題，不但與近世日本社會的演進息息相關，明治維新前後，更影響到日本近代化的進程。

幕末被奉為儒學「泰山北斗」的佐藤一齋，雖尊奉宋儒及朱子之學，其實尤欽慕於明儒陽明之學，故終其一生，凡關於文成之事蹟者，莫不網羅蒐輯；因此，他在日本朱子學獨尊的形勢下，從事教育七十年，任儒官十九年，聽其講學者，常滿堂盈庭，開創並發展幕末王學的先河，也是朱王兼綜的代表學者。一齋在《言志四錄》、〈九卦廣義〉等著作中，大力宣揚陽明的「知行合一」論，這些返本開新、承先啟後的思想，在廣大市民與農民之中，產生廣泛的作用；特別是一齋培養的大批學生中，有很多著名人物成為明治維新的中堅骨幹，影響十分深遠。

---

87 一齋《言志晚錄》中，嘗提及其曾祖父佐藤周軒之學來自藤原惺窩，並讚賞其兼採朱、陸。一齋嗣子立軒（梲）：〈皇考故儒員佐藤府君行狀〉，收入高瀨武次郎著：《佐藤一齊と其門人》（東京都：南陽堂本店，大正11年〔1922年〕），第十章〈墓碑銘と行狀記〉，第二節〈一齋の行狀記〉，頁864，記曰：「先子於我邦學者，唯推惺窩藤公，嘗就箭庫賜邸園中，營一小祠，掛公之肖影，以致欽仰之意。曰：惺窩藤公〈答林羅山書〉曰：『陸文安，天資高明，措辭渾浩，自然之妙，亦不可掩焉。』又曰：『紫陽篤實而邃密，金谿高明而簡易，人見其異，不見其同，一旦貫通，同歟？異歟？必自知，然後已。』余謂我邦首唱濂、洛之學者為藤公，而早已并取朱、陸如此。羅山亦出於其門，余曾祖周軒受學於後藤松軒，而松軒之學，亦出自藤公。余欽慕藤公，淵源所自，則有乎爾。」（《言志晚錄》第28條，頁255）

此外，佐藤一齋以中國經典中習見的具有普遍性的「天」的概念，徹底解構「中國」一詞的特殊意涵，以及「華夷之辨」的文化認同[88]，可謂別具慧根，匠心獨運。再者，一齋常謂人與萬物皆氣所結，因此主張天地萬物一體觀；又特別強調「靈光本體」，在《言志四錄》，中，隨處可見，以下引錄五條為證：

> 深夜獨坐闇室，群動皆息，形影俱泯。於是反觀，但覺方寸內有炯然自照者，恰如一點燈火，照破闇室。認得此正是我神光靈昭本體，性命即此物，道德即此物。至於中和位育，亦只是此物光輝充塞宇宙處。[89]
>
> ……心之靈光，與太陽並明，能達其靈光，則習氣消滅，不能為之嬰累，聖人一掃之，曰何思何慮，而其思歸於無邪，無邪即靈光之本體也。[90]
>
> 靈光無障礙，則氣乃流動不餒，四體覺輕。[91]
>
> 人當自思察在母胎中之我，心意果如何；又當自思察出胎後之我，心意果如何，人皆並全忘不記也。當我體既聚，必有心意。則今試思察胎胞中心意，必是渾然純氣專一，無善無惡，只有一點靈光耳。方生之後，靈光之發竅，先知好惡，好惡即是非，即知愛知敬之所由出也。思察到此，可以悟我性之為天，我體之為地。[92]
>
> 人當自認我軀有主宰，主宰為何物，物在何處，主於中而守於一。能流行，能變化，以宇宙為體，以鬼神為跡，靈靈明明。至微而顯，呼做道心。[93]

---

[88] 詳參黃俊傑：〈論中國經典中「中國」概念的涵義及其在近世日本與現代臺灣的轉化〉，《臺灣東亞文明研究學刊》第3卷第2期（總第6期，2006年12月），頁91～100。

[89] 詳參佐藤一齋：《言志錄》第214條，頁233。

[90] 詳參佐藤一齋：《言志後錄》第9條，頁237。

[91] 詳參佐藤一齋：《言志耋錄》第78條，頁277。

[92] 詳參佐藤一齋：《言志後錄》第71條，頁241。

[93] 詳參佐藤一齋：《言志後錄》第104條，頁243。

以上數條，可窺其「良知」即是「靈光」之學術思想大端[94]。一齋學術宗宋賢，而依明儒，不喜分析，而主一本，不貴該博，而要深造，其得力則在通達心之靈光。凡此，與其儒學、《易》學精湛深刻的涵養，都有著密不可分的體用本末關係，值得正視與肯定。

佐藤一齋《言志四錄》與〈九卦廣義〉中，對於「道」、「德」、「仁」、「義」、「禮」、「智」、「信」、「謙」、「誠」、「敬」……等的重視講求，可覘其自我期許於學問，而立志作「古今第一等」的人之襟懷，以及對於自我身心與他物一體的希求，冀達「性理合一」、「知行合一」、「天人合一」的境界。宮城公子（1957～）教授認為佐藤一齋所謂的「古今第一等人物」，即是擁有一齋所重視的「敬」與「誠」思想，而能將之推及至對外危機的處理及政治實踐上的人物；亦即處理對外危機，展現政治上的有效性，就是幕末儒學的特色[95]。故就《言志四錄》與〈九卦廣義〉中之《易》學思想而言，

---

94 一齋嗣子立軒（槐）：〈皇考故儒員佐藤府君行狀〉，收入高瀨武次郎：《佐藤一齊と其門人》），第十章〈墓碑銘と行狀記〉，第二節〈一齋の行狀記〉，頁863～864，錄有數條，以備參考，曰：「人心之靈，莫不有知，只此一知，即是靈光，可謂嵐霧指南。」又曰：「靈光充體時，細大事物，無遺落、無遲疑。」「學貴自得，人徒以目讀有字之書，故局於字不得通透，當以心讀無字之書，乃洞有自得。」「吾欲把讀書靜坐打做一片，因自試之，讀經時寧靜端坐披卷，涉目一事一理，必求之於心，乃能默契之，恍有自得。此際真是無欲，即是主靜，不必做一日各半工夫。」「余弱冠前後，銳意讀書，欲目空千古；及過中年，一旦悔悟，痛戒外馳，務從內省，然後自覺稍有所得，不負於此學。今則老矣，少壯所讀書，過半遺忘，茫如夢中事，稍留在胸臆，亦落落不成片段，益悔半生費力無用；今而思之，書不可妄讀，必有所擇且熟可也，只要終身受用足矣！後生勿蹈我悔。」「濂、洛復古之學，實為孔、孟之宗，承之者紫陽、金谿；及張、呂，雖有異同，而其實皆純全道學，決非俗儒之流。於元則靜修、魯齋，明則崇仁、河東、餘姚、增城，是其選也。亦雖各有異，皆一代之賢儒，其遡洄濂、洛則一也。上下千載，落落唯有此數君子而已，吾取而尚友之，於心樂焉。」（《言志後錄》第255條，頁252。）

95 據宮城公子教授分析：在近世思想史的意義上，一齋否定了朱子學中人人應遵守的客觀性規範之「理」，其思想較接近陽明學。一齋思想中的「天」，也就是「理」的概念。一齋的「理」並非既成的理法或規範，而是隨時因應變化狀況而產生的「狀況之理」，亦非超越狀況的普遍性之「理」。在幕末動亂期，尤其是外來壓力的危機成為事實的弘

一齋讀書融釋、講學縝密的功夫，以及身體力行的堅持，踐履其躬的執著；因此，其學「剛健篤實」，其道「輝光日新」，如山天〈大畜〉之「養賢」、「畜德」，終「應乎天」而「大正也」[96]，足為日本儒學之典範，而東亞近世儒者之正則宗師。

化、嘉永（1844～1849）年間，若有能從容應對的思維邏輯者，即能達到一齋所謂「狀況之理」，而發揮儒學主體。宮城教授又指出，儒教思想主體的「天人合一」思想，是扎根於江戶時代，但是從幕末維新期開始，在現代化的自由民權時期，人人被迫接受世界的全體性，並在此全體性中建構自己和世界的關係。此時「天人合一」思想剛好提供了大眾所需的實踐性能量。而植木枝盛（1857～1892）的《無天雜錄》，和佐藤一齋《言志四錄》的思想主張，有不少類似之處。但是，植木的自由民權思想，尤其是自由論中所謂的「精神的自由」，與留法思想家中江兆民（1847～1901）的「心神的自由」二者，皆為自由民權思想注入了日本式的特質。而這個「精神的自由」乃是轉化自幕末期的橫井小楠（1809～1869）、山田方谷（1805～1877）、春日潛菴（1811～1878）等之學問形態。詳參宮城公子：〈日本の近代化と儒教的主體〉，收入《日本史研究》（日本史研究會，1987年），第295號。

[96] 詳參《周易．大畜．彖傳》：「〈大畜〉，剛健篤實，輝光日新。其德，剛上而尚賢，能止健，大正也。不家食吉，養賢也；利涉大川，應乎天也。」〈大象傳〉曰：「天在山中，〈大畜〉；君子以多識前言往行，以畜其德。」

從詞彙角度淺議〈仲虺之誥〉與〈湯誥〉的成書年代

宗靜航*

自宋以來，學界對今傳《尚書注疏》中《古文尚書》之真偽，多有所懷疑。自清閻若璩《尚書古文疏證》刊行，「學界對《尚書古文疏證》的論斷大多持認同的態度」，以此書為「不朽之作」，「定了偽《古文尚書》的鐵案」[1]。然而，近年來有學者指閻氏的考證，「絕大部分證據都似是而非，不能成立」[2]；更有學者認為「閻若璩的研究遠遠不足以支撐其結論」，「書中還包含許多刻意捏造的偽證」，「『定案』實際上是一個錯誤結論」[3]。關於閻氏書的價值和《古文尚書》之真偽等問題，絕不是本文所能解決的。本文只是希望從一個比較少人留意的角度，以〈仲虺之誥〉、〈湯誥〉為例，對《古文尚書》之成書年代，提出輔證，供學界參考。

探討古籍成書年代的方法很多，鄭良樹先生說：

> 雖然辨偽方法的種類非常繁多細密，而且不嫌其重複紛沓，但是，分析起來，不外只是從三個不同的層面著手而已，那就是作者、本書及流傳。[4]

* 香港浸會大學中國語言文學系。

1 參姜廣輝：〈閻若璩與《古文尚書》公案〉，《義理與考據——思想史研究中的價值與實證方法》（北京市：中華書局，2010年），頁413。

2 楊善群：〈辨偽學的歧途——評《尚書古文疏證》〉，《淮陰師範學院學報》（哲社版）第27卷第3期（2005年6月），頁396

3 張岩：《審核古文〈尚書〉案》（北京市：中華書局，2006年），頁1。

4 鄭良樹先生：《古籍辨偽學》（臺北市：臺灣學生書局，1986年），頁119。

從「本書來考察」，鄭先生認為包含：「古籍本身的文字」、「古籍本身的思想」、「書籍本身的名物」[5]，並指出「就古籍本身來考察其真偽、時代及附益，是追探古籍真偽『最基本』和『最切身』的一種方法」。[6]

> 從古籍本身所用的語言來考察其成書年代，應該是「最切身」的方法。對構成語言的其中一個要素——詞彙，學者認為其變化最快，以之探討古籍的成書年代，很有價值。[7]

本文就以這種「最切身」的方法，從詞彙的角度，考察〈仲虺之誥〉、〈湯誥〉，以探討其成書年代。為方便論述，現在把有關資料引錄如下：

一　附勢

「附勢」一詞，〈仲虺之誥〉只一見：

> 式商受命，用爽厥師。簡賢附勢，寔繁有徒。[8]

「附勢」即「阿附權勢」[9]。此詞語不見於先秦西漢時期之典籍，比較早的用例見於北齊，茲引錄如下：

> （1）何至阿諛附勢，損公惠私也。（北齊．魏收【506～572】《魏書．于栗磾傳第十九》）[10]

---

5 鄭良樹先生：《古籍辨偽學》，頁128。

6 鄭良樹先生：《古籍辨偽學》，頁134。

7 參胡敕瑞：〈中古漢語語料鑒別述要〉，載浙江大學漢語史研究中心編：《漢語史學報》第5輯（上海市：上海世紀出版集團，2005年），頁275。

8 孔穎達：《尚書注疏》（臺北市：藝文印書館景印清嘉慶20年【1815】南昌府學重刊本），頁111。

9 參《漢語大詞典》，第11冊，頁953。

10 魏收：《魏書》〔標點本〕（北京市：中華書局，1974年），第3冊，頁741。

二　簡賢

「簡賢」一詞，〈仲虺之誥〉只一見：

> 式商受命，用爽厥師。簡賢附勢，寔繁有徒。[11]

「簡賢」即「輕慢賢能」、「選用賢能」[12]。此詞語不見於先秦西漢時期之典籍，比較早的用例見於東漢，茲引錄如下：

(1) 治天下者尊賢考功則治，簡賢違功則亂。（東漢・班固【32～92】《漢書・谷永杜鄴傳》）[13]

(2) 治天下者，尊賢考功則治，簡賢退功則亂。（東漢・荀悅【148～209】《漢紀・孝成一第二十四・建始三年》）[14]

(3) 右集難解凡文方訣簡賢得失實陰陽反形以致道。（東漢・于吉【生卒年不詳】《太平經・卷九十八・男女反形訣第一百五十九》）[15]

(4) 簡賢授能，以方叔、召虎之臣鎮御四境。（晉・陳壽【233～297】《三國志・魏書・陳思王植》）[16]

(5) 夫國以簡賢為務，賢以孝行為首。（劉宋・范曄【398～445】《後漢書・伏侯宋蔡馮趙牟韋列傳》）[17]

(6) 識所用掾史皆簡賢者，如虞廷、傅寬、薛愔等，多至公卿校尉。

11《尚書注疏》，頁111。

12 參《漢語大詞典》，第2冊，頁1257。

13 班固：《漢書》〔標點本〕（北京市：中華書局，1962年），第11冊，頁3448。

14 荀悅：《前漢紀》（臺北市：華正書局，1974年），上冊，卷24，頁7b，總頁335a。

15 王明：《太平經合校》（北京市：中華書局，1960年），頁449。

16 陳壽：《三國志》〔標點本〕（北京市：中華書局，1959年），第2冊，頁566。

17 范曄：《後漢書》〔標點本〕（北京市：中華書局，1965年），第4冊，頁917～918。

（劉宋・范曄《後漢書・樊宏陰識列傳》）[18]

（7）臣任功曹王渙以簡賢選能。（劉宋・范曄《後漢書・循吏列傳》）[19]

（8）簡賢依德，乃隸夫君。（梁・徐悱【？～524】妻劉氏祭夫文）[20]

（9）平公長孫嵩、北新侯安同對理民訟，簡賢任能。（北齊・魏收【506～572】《魏書・帝紀第三》）[21]

（10）簡賢選士，命茲良使。（北齊・魏收《魏書・列傳第十一》）[22]

〈仲虺之誥〉中的「簡賢」，當解作「輕慢賢能」，上引十個用例，只有東漢・班固《漢書》與〈仲虺之誥〉用法相同。現在所見用例，東漢以後只用作「選用賢能」。

三　聽聞

「聽聞」一詞，〈仲虺之誥〉只一見，並又見於本篇《孔傳》：

矧予之德，言足聽聞。[23]

「聽聞」即「指聽的活動或所聽到的內容」[24]。此詞語不見於先秦西漢時期之典籍，比較早的用例見於東漢，茲引錄如下：

（1）是故帝王之意，不窺人閨門之私，聽聞中冓之言。（東漢・班固《漢書・文三王傳》）[25]

18《後漢書》，第4冊，頁1130。

19《後漢書》，第9冊，頁2468。

20 歐陽詢撰、汪紹楹校：《藝文類聚》（上海市：上海古籍出版社，1982年），頁680。

21 魏收：《魏書》，第1冊，頁50。

22 魏收：《魏書》，第2冊，頁600。

23《尚書注疏》，頁111。

24 參《漢語大詞典》，第6冊，頁717。

25 班固：《漢書》，第8冊，頁2216。

（2）聽聞其雅頌之樂。(《孟子·公孫丑章句上》:「聞其樂而知其德」東漢·趙岐【約108～201】注)[26]

（3）訩訩籍籍，不可聽聞。(東漢·馮衍〈與婦弟任武達書〉，劉宋·范曄《後漢書·馮衍傳》注引)[27]

（4）亦不欲聽聞凶事凶言凶音也。(東漢·于吉《太平經·卷一百十五至十六》)[28]

（5）郡縣荒虛，田疇蕪曠，聽聞屬城，民戶浸寡。(晉·陳壽《三國志·吳書·駱統》)[29]

（6）臣在下土，聽聞歌謠。(劉宋·范曄《後漢書·杜欒劉李劉謝列傳》)[30]

（7）街談巷議，罔顧聽聞。(蕭梁·沈約【441～513】《宋書·蔡廓列傳》)[31]

（8）聽聞非殊異，遲暮獨傷心。(梁·劉孝綽【481～539】〈詠百舌詩〉)[32]

（9）矧，況也。況我之道德善言足聽聞乎！(〈仲虺之誥〉:「矧予之德，言足聽聞。」《孔傳》[33])[34]

---

[26] 孫奭：《孟子注疏》(臺北市：藝文印書館景印清嘉慶20年【1815】南昌府學重刊本)，頁56。

[27] 范曄：《後漢書》，第4冊，頁1033。

[28] 王明：《太平經合校》，頁640。

[29] 陳壽：《三國志》，第5冊，頁1335。

[30] 范曄：《後漢書》，第7冊，頁1855。

[31] 沈約：《宋書》〔標點本〕(北京市：中華書局，1974年)，第5冊，頁1576。

[32] 歐陽詢撰、汪紹楹校：《藝文類聚》(上海市：上海古籍出版社，1982年)，頁1601。

[33] 對於今傳《尚書》西漢·孔安國《傳》，學者多從（清）閻若璩的考證，認為是魏晉人所偽，然而作偽者則難以確定。參劉起釪：《尚書學史》(訂補本〕(北京市：中華書局，1996年)，頁351～352。所以本文暫把偽《孔傳》資料置於所有典籍之後。

[34]《尚書注疏》，頁111。

四　凶害

「凶害」一詞，〈湯誥〉只一見：

爾萬方百姓罹其凶害。[35]

阮元《校勘記》云：「古本『害』作『虐』。」[36]筆者認為今本〈湯誥〉原文似應作「凶害」，理由如下：

第一、據筆者所見，今傳各本《尚書》作「凶虐」者有日本《內野本》[37]、日本《足利本》[38]、日本《上圖本（八行本）》[39]；作「凶害」者有日本《上圖本》（影天正本）[40]、《書古文訓》[41]、《四部叢刊本》[42]、日本東方文化研究所經學研究室編《尚書正義定本》[43]、南宋高宗年間刊本[44]《尚書正義》[45]、南宋孝

35《尚書注疏》，頁112。

36《尚書注疏》，頁123。

37 顧頡剛、顧廷龍：《尚書文字合編》（上海市：上海古籍出版社，1996年），第1冊，頁670。

38 顧頡剛、顧廷龍：《尚書文字合編》，第1冊，頁675。惟在「虐」字旁寫有「害」字。

39 顧頡剛、顧廷龍：《尚書文字合編》，第1冊，頁683。惟在「虐」字旁亦寫有「害」字。

40 顧頡剛、顧廷龍：《尚書文字合編》，第1冊，頁679。

41 顧頡剛、顧廷龍：《尚書文字合編》，第1冊，頁686。

42《尚書》，《四部要籍注疏叢刊》（北京市：中華書局，1998年），第1冊，頁32下。

43《尚書》，《四部要籍注疏叢刊》，第1冊，頁237上。

44 參李致忠：〈影印宋本《尚書正義》說明〉，《尚書正義》，《古逸叢書三編》之二十七（北京市：中華書局，1987年）第1函。

45《尚書正義》（《古逸叢書三編》之二十七）第1函，第3冊，卷8，頁14A。

宗年間十三卷刊本[46]《尚書》[47]、南宋寧宗慶元間[48]、《附釋文尚書註疏》[49]；《唐石經》此句則殘脫[50]。

從上引版本異文的數量上看，作「凶虐」的只有三個日本傳本；作「凶害」的比較多，而且包括中國和日本傳本。當然，不能以數量作為判斷的唯一根據。

第二、「凶虐」一詞，不見於今本《尚書》[51]；

第三、「凶害」一詞，除見於〈湯誥〉外，尚四見於今本《尚書》《孔傳》。

「凶害」即「災害」[52]。此詞語不見於先秦西漢時期之典籍，比較早的用例見於東漢，茲引錄如下：

（1）人或以立春東北徙，抵艮之下，不被凶害。（東漢．王充【27～約97】《論衡．難歲》）[53]

（2）從寅、申徙，相之如者，無有凶害。（東漢．王充《論衡．難歲》）[54]

---

46 參昌彼得：〈國立中央圖書館善本叢刊敘錄〉，《尚書》，《國立中央圖書館善本叢刊》第2～3種（臺北市：國立中央圖書館，1991年），頁3。

47《尚書》（《國立中央圖書館善本叢刊》第2～3種），頁100。

48 參秦孝儀：〈景印宋刊本附釋文尚書注疏序〉，《景印宋本附釋文尚書註疏》（臺北市：國立故宮博物院，1989年），第1冊。

49《景印宋本附釋文尚書註疏》，第3冊，卷8，頁11b。

50 顧頡剛、顧廷龍：《尚書文字合編》，第1冊，頁486。

51 參劉師殿爵教授、陳方正主編：《尚書逐字索引》（香港：香港商務印書館，1995年）。「凶虐」一詞始見於東漢．班固〈封燕然山銘〉：「鑠王師兮征荒裔，勦凶虐兮截海外。」（《文選》：上海：上海古籍出版社，1986年，第6冊，頁2408）是具中古時期特色的詞語（參宗靜航：〈從語言角度探討《尹文子》的真偽問題〉，載《中國文化研究所學報》第45期〔2005年〕，頁323～324），即使〈湯誥〉原文作「凶虐」，對本文的結論，並沒有影響。

52 參《漢語大詞典》，第2冊，頁466。

53 黃暉：《論衡校釋》（北京市：中華書局，1990年），第3冊，頁1024～1025。

54 黃暉：《論衡校釋》，第3冊，頁1025。

（3）惟辟作威，圖黜凶害，天子是毗。（東漢．班固《漢書．敘傳下》）[55]

（4）丁、傅僭恣，自求凶害。（東漢．班固《漢書．敘傳下》）[56]

（5）人之數當與天地相應，不相應力而不及，故得凶害也。（東漢．于吉《太平經．一男二女法第四十二》）[57]

（6）失此三而多端者，悉被凶害也。（東漢．于吉《太平經．三急吉凶法第四十五》）[58]

（7）為者，為利帝王，除凶害出也。（東漢．于吉《太平經．解師策書訣第五十》）[59]

（8）恐愚民人犯天地忌諱不止，共亂正氣，使為凶害。（東漢．于吉《太平經．起土出書訣第六十一》）[60]

（9）不知守道，早避凶害。（東漢．于吉《太平經．急學真法第六十六》）[61]

（10）此乃救迷惑，使人長吉而遠凶害。（東漢．于吉《太平經．生物方訣第七十一》）[62]

（11）可謂已得長吉，遠凶害矣。（東漢．于吉《太平經．六罪十治訣第一百三》）[63]

（12）天不欲蓋，地不欲載，凶害日起，死于道旁。（東漢．于吉《太平經．六罪十治訣第一百三》）[64]

55《漢書》，第12冊，頁4261。

56《漢書》，第12冊，頁4269。

57 王明：《太平經合校》，頁38。

58 王明：《太平經合校》，頁47。

59 王明：《太平經合校》，頁64。

60 王明：《太平經合校》，頁125。

61 王明：《太平經合校》，頁160。

62 王明：《太平經合校》，頁174。

63 王明：《太平經合校》，頁244。

64 王明：《太平經合校》，頁252。

（13）從是令者，後皆亂而有凶害。（東漢．于吉《太平經．天讖支干相配法第一百五》）[65]

（14）人能堅閉耳，不聽其辭語，則吉矣；聽其辭，則凶害矣。（東漢．于吉《太平經．致善除邪令人受道戒文第一百八》）[66]

（15）得天地之意，凶害自去。（東漢．于吉《太平經．卷七十三至八十五．闕題》）[67]

（16）守吾文以為深戒，以為行者萬世可無凶害。（東漢．于吉《太平經．神司人守本陰祐訣第一百五十六》）[68]

（17）以此自養，乃可無凶害也。（東漢．于吉《太平經．經文部數所應訣第一百六十七》）[69]

（18）得其中意者，可以致平，除凶害也。（東漢．于吉《太平經．某訣第二百四》）[70]

（19）臣知其君有失，將睹凶害而救之。（東漢．于吉《太平經．卷一百二十至一百三十六．辛部》）[71]

（20）使其更無凶害，是大功也。（東漢．于吉《太平經．卷一百二十至一百三十六．辛部》）[72]

（21）凡人以此日入山，皆凶害，與虎狼毒蟲相遇也。（晉．葛洪【283～363】《抱朴子內篇．登涉》）[73]

（22）而比年水旱，人不收穫，涼州緣邊，家被凶害。（劉宋．范曄

---

[65] 王明：《太平經合校》，頁271。
[66] 王明：《太平經合校》，頁286。
[67] 王明：《太平經合校》，頁310。
[68] 王明：《太平經合校》，頁440。
[69] 王明：《太平經合校》，頁466。
[70] 王明：《太平經合校》，頁634。
[71] 王明：《太平經合校》，頁685。
[72] 王明：《太平經合校》，頁685。
[73] 王明：《抱朴子內篇校釋》〔增訂本〕，頁301。

《後漢書．何敞列傳》)[74]

（23）上顯忠義，下除凶害，此桓文之事也。（劉宋．范曄《後漢書．皇甫嵩列傳》)[75]

（24）王之凶害，其如我所言。（〈西伯戡黎〉：「今王其如台。」《孔傳》)[76]

（25）桀不能順天，流毒虐於下國，萬民言凶害。（〈泰誓〉（中）：「有夏桀弗克若天，流毒下國。」《孔傳》)[77]

（26）言周道不至，故天下凶害於我家。（〈大誥〉：「弗弔！天降割于我家。」《孔傳》)[78]

（27）凶害延大，惟累我幼童人成王。（〈大誥〉：「延洪惟我幼沖人。」《孔傳》)[79]

五　敷虐

「敷虐」一詞，〈湯誥〉只一見：

夏王滅德作威，以敷虐于爾萬方百姓。[80]

「敷虐」即「施行虐政」。此詞語不見於先秦西漢時期之典籍，比較早的用例見於蕭梁，茲引錄如下：

（1）加以嗣君荒怠，敷虐萬方。（蕭梁．蕭子顯【488～537】《南齊

74《後漢書》，第6冊，頁1481。
75《後漢書》，第8冊，頁2306。
76《尚書注疏》，頁145。
77《尚書注疏》，頁154。
78《尚書注疏》，頁190。
79《尚書注疏》，頁190。
80《尚書注疏》，頁112。

書・本紀第一・高帝紀》)[81]

六　結語

以上所舉見於〈仲虺之誥〉的「附勢」、「簡賢」、「聽聞」和見於〈湯誥〉的「凶害」、「敷虐」五個詞語，都不見於先秦典籍，而見於東漢或以後典籍。當然，並不能就此而指〈仲虺之誥〉和〈湯誥〉為偽書。但是，這兩篇《古文尚書》既然有晚出的詞語，其最後成書可能在東漢或以後[82]。另外，從漢語史的角度來說，也不能夠認為這兩篇《古文尚書》所反映的都是先秦時期的現象。隨著地下佚籍的不斷出土，學者對古書的形成和流傳，大多認為是要經過很長時間：「一般都要經過較大的改動變化，才能定型。」[83]徐剛先生在詳細研究《尚書》的「古文源流」後說：「經文與《孔傳》都應該有一個不斷地加工完善的過程。在這一過程中，難免加入西晉甚至更晚時候的東西。」[84]這也就是本文能在今傳的《古文尚書》中發現晚出語言的原因。

---

[81] 蕭子顯：《南齊書》〔標點本〕(北京市：中華書局，1972年)，第1冊，頁22。

[82] 筆者對《古文尚書》中的〈胤征〉也作過同樣的考察，發現其中有「火炎昆岡」、「玉石俱焚」、「猛火」、「天戒」、「常憲」五個晚出詞語。參宗靜航：〈《尚書・胤征》的成書年代——一個語言學的考察視角〉，《徐州師範大學學報》(哲社版)第36卷第1期(2010年1月)，頁74～76。

[83] 李學勤先生：〈對古書的反思〉，《簡帛佚籍與學術史》(南昌市：江西教育出版社，2001年)，頁32。

[84] 徐剛：《古文源流考》(北京市：北京大學出版社，2008年)，頁47。

《召誥日名考》的曆學背景及相關問題

郜積意*

一　前言

清代學者李銳（1769～1817），字尚之，江蘇元和人，錢大昕弟子。兼精經學與曆學，於曆學，可謂窮幽極微，其精審遠超錢氏。曾撰《召誥日名考》，以曆釋經，文簡意賅。《清史列傳》謂其「融會古曆，以發明經術」。[1]李氏在《召誥日名考》中論及，鄭玄注〈召誥〉實據「殷曆」，並編排出鄭氏的周初年代表，其論深具卓識。然其中仍有可商者。茲一一表襮之，一則明李氏之創見，二則證鄭玄《周書注》中的年代學背景，三則知經學與曆學不可偏廢。

二　李銳以「殷曆」釋鄭玄《召誥注》

《尚書・召誥》云：「惟二月既望，越六日乙未，王朝步自周，則至于豐。越若來三月，惟丙午朏。越三日戊申。」

鄭玄注云：「當為一月、二月。不云正月者，蓋待治定制禮，乃正言正月故也。」[2]

此鄭《注》何以破經文「二月、三月」為「一月、二月」呢？箇中原由，清代學者各有解釋，如江聲《尚書集注音疏》云：

---

* 南開大學文學院。

1 《清史列傳》（北京市：中華書局，1987年），第18冊，頁5590。

2 〈大雅・文王・疏〉引，見《十三經注疏》（杭州市：浙江古籍出版社，1998年），上冊，頁503下。

> 云二月、三月當為一月、二月者，謂此經當為一月既望，下文當為丙午朏也。鄭知然者，以〈洛誥〉戊辰烝是居攝七年十二月，此是居攝五年事。計五年三月至七年十二月，凡三十四月，其間餘分積至二萬八千九百七十六有奇，以九百四十分之日法除之，則三十日有餘矣。則五年、（若）六年之終必置一閏。置一閏，則五年三月朔至七年十一月晦，以匝三十四月。若三月丙午朏，則甲辰朔也。推之五月，當癸卯朔，七月當壬寅朔。率兩月而退一日，則七年十二月應丁卯朔，不得有戊辰。若此二月為一月，下文丙午朏是二月，則七年十二月丁巳朔，戊辰乃其十二日，鄭說誠是。[3]

又王鳴盛《尚書後案》云：

> 鄭以二月為一月，據〈洛誥〉十二月戊辰逆推之。……若以五年三月丙午朏推之，至七年十二月幾匝三年，必有一閏矣。有閏月則七年十二月不得有戊辰，今戊辰烝祭，自是十二月日，故鄭據此而於〈召誥〉二月、三月謂當為一月、二月。蓋惟〈召誥〉三月改為二月，從二月丙午朏推至七年十二月，方有戊辰。觀鄭注〈洛誥〉之精，益見注〈召誥〉之密。[4]

李銳《召誥日名考》則云：「江徵君（聲）、王光祿（鳴盛）以為據〈洛誥〉十二月戊辰逆推之，其說未核。今案鄭君精于步算，此破二月、三月為一月、二月，以緯候入蔀數推知，上考下驗，一一符合，不僅檢勘一二年間月日也。」[5]

所謂「以緯候入蔀數推知」，即據緯書《乾鑿度》所載文王受命之數。其文曰：「今入天元二百七十五萬九千二百八十歲，昌以西伯受命，入戊

---

[3] 江聲：《尚書集注音疏》，收入《續修四庫全書．經部．書類》（上海市：上海古籍出版社，1995年），第44冊，頁542上。

[4] 王鳴盛：《尚書後案》，《續修四庫全書．經部．書類》，第45冊，頁192下、207上。

[5]《召誥日名考》，《續修四庫全書．經部．書類》，第55冊，頁693上。

午部二十九年，伐崇侯，作靈台，改正朔，布王號於天下，受錄應河圖。」[6]《乾鑿度》並云：「元曆無名，推先紀曰甲寅。」[7]此以甲寅為上元，當是「殷曆」[8]。李銳正是據此認為，鄭玄破經文之干支日，乃據《乾鑿度》「殷曆」推算的結果。

今將此推算過程還原如下：

既知天元至西伯受命共二七五九二八〇年，則據「殷曆」之四分法，可得入蔀年：

（一）求入紀：2759280÷4560＝605＋480／4560。知入天紀四八〇年。

（二）求入蔀：480÷76＝6＋24／76。數起甲子蔀，算外六（經甲子、癸卯、壬午、辛酉、庚子、己卯六蔀），知入戊午蔀二十四年。

案：此入戊午蔀二十四年，但《乾鑿度》謂「昌以西伯受命，入戊午蔀二十九年」，是入蔀二十九年與二十四年互異。對此，孔穎達《疏》云：「此略其殘數，整言二百八十而不言五也。」[9]其說可從。故《乾鑿度》的準確表述應是：「今入天元二百七十五萬九千二百八十〔五〕歲，昌以西伯受命，入戊午蔀二十九年。」

或有疑者，為何不定「入戊午蔀二十九年」之訛（即「九」字乃「四」字之誤），而斷前句「二百八十」下奪「五」字？比如，鄭玄注「入戊午蔀二十九年」云：「受命後五年而為此者。」[10]即以二十四年為說。

這是因為，鄭玄的周初年代學乃以文王受命入戊午蔀二十九年為據，若換成二十四年，則與鄭氏其餘的周初年代編排全不合，且從鄭氏《尚書注》中也可推出文王受命「入戊午蔀二十九年」，如〈周書序〉云：「惟十有一

---

6 《乾鑿度》，收入《文淵閣四庫全書．經部．易類》（臺北市：臺灣商務印書館，1983年），第53冊，頁877上。

7 同前註，頁876下。

8 《續漢書．律曆志》云：「黃帝造曆，元起辛卯，而顓頊用乙卯，虞用戊午，夏用丙寅，殷用甲寅，周用丁巳，魯用庚子，漢興承秦初用乙卯。」以上諸古曆中，惟殷曆以甲寅為上元。

9 〈文王．序．疏〉引，《十三經注疏》，上冊，頁503上

10 見《文淵閣四庫全書．經部．易類》，第53冊，頁877下。

年，武王伐殷。」鄭玄《注》：「十有一年，本文王受命而數之，是年入戊午蔀四十歲矣。」[11]明乎此，則鄭注《乾鑿度》云「受命後五年而為此者」，乃是鄭玄隨文出注的體現，並非其真實的見解。當同一文獻前後互歧時，鄭注有時不改原文，隨文出注[12]。

既知殷曆上元至文王受命二七五九二八五年，此歲入戊午蔀二十九年，只要結合鄭玄的周初年代學，就可編排出明晰的周初年表。因為鄭玄提到，成王即政前，仍用殷曆[13]。關於鄭玄的周初年代學，散見於孔穎達《五經正義》中，後世學者曾有輯錄，如清人孔廣林補訂《尚書鄭注》云：

> 文王十五生武王，九十七而終。終時武王年八十三矣，于文王受命為七年。後六年伐紂，後二年有疾，疾瘳後二年崩。崩時年九十三。文王崩後明年生成王，則武王崩時成王年十歲。服喪三年畢，成王年十二。明年將踐阼，周公欲代之攝政，群叔流言，周公辟之居東都，時成王年十三也。居東二年，成王收捕周公之屬黨，時成王年十四也。明年秋，大熟，遭雷風之變，時周公居東三年，成王年十五，迎周公反，而居攝之元年也。居攝四年，封康叔，作〈康誥〉。五年作〈召誥〉。七年作〈洛誥〉。伐紂至此，十六年也。作〈康誥〉，時成王年十八，故《傳》云：「天子大子十八，稱孟侯。」居攝七年〈洛誥〉，時成王年二十一也。明年成王即政，時年二十二也。[14]

---

[11]〈文王・序・疏〉引，《十三經注疏》，上冊，頁503上。

[12] 關於鄭氏隨文出注的特點，可參拙文〈鄭玄〈周書〉、〈豳風〉注的年代學背景〉，將刊於《中研院史語所集刊》第81本第3分。

[13] 如〈大雅・大明・疏〉引鄭玄注《尚書》云：「文王受命、武王伐紂，時日皆用殷曆。」又，鄭注〈洛誥〉云：「王者未制禮樂，恒用先王之禮樂。是言伐紂以來皆用殷之禮樂，非始成王用之也。周公制禮樂，既成，不使成王即用《周禮》，仍令用殷禮者，欲待明年即取（案：取，當為政）告神受職，然後班行《周禮》。班訖，始得用《周禮》。故告神且用殷禮也。」分見《十三經注疏》，上冊，頁508中、215上。

[14]〔宋〕王應麟輯，〔清〕孔廣林增訂：《尚書鄭注》，收入《學津討原》（清嘉慶琴川張氏照曠閣刻本）第2集，第1冊，頁5a～6a。

而李銳所編排的鄭氏周初年表，其依據正是「殷曆」及鄭玄的周初年代學，見下表：

李氏所排鄭玄周初年代表

入蔀之年	歲名	周初史年	引證
入蔀三十年	己未	文王受命元年	
入蔀三十一年	庚申	二年	
入蔀三十二年	辛酉	三年	
入蔀三十三年	壬戌	四年	
入蔀三十四年	癸亥	五年	
入蔀三十五年	甲子	六年	
入蔀三十六年	乙丑	七年	文王崩。文王年十五，生武王，九十七而終，終時，武王年八十三矣。
入蔀三十七年	丙寅	八年	
入蔀三十八年	丁卯	九年	
入蔀三十九年	戊辰	十年	
入蔀四十年	己巳	十一年	〈書序〉云：「惟十有一年，武王伐殷。」注云：「十有一年，本文王受命而數之，是年入戊午蔀四十歲矣。」是年，武王俯取白魚。
入蔀四十一年	庚午	十二年	
入蔀四十二年	辛未	十三年	〈書序〉：「武王克殷，以箕子歸，作〈洪範〉。」〈洪範〉曰：「惟十有三祀。」譜云：「以曆校之，文王受命十三年辛未之歲，殷正月六日殺紂。（李銳自注：案是月己未朔，六日甲子）」
入蔀四十三年	壬申		
入蔀四十四年	癸酉		〈金縢〉：「既克商，二年，王有疾。」
入蔀四十五年	甲戌		
入蔀四十六年	乙亥		武王崩，時年九十三，成王年十歲。
入蔀四十七年	丙子		

入蔀之年	歲名	周初史年	引證
入蔀四十八年	丁丑		服喪三年畢，成王年十二。
入蔀四十九年	戊寅		周公辟居東都，成王年十三。
入蔀五十年	己卯		周公居東二年，成王年十四。
入蔀五十一年	庚辰	周公居攝元年	成王年十五，迎周公反，居攝元年。
入蔀五十二年	辛巳	二年	
入蔀五十三年	壬午	三年	
入蔀五十四年	癸未	四年	封康叔，作〈康誥〉，成王年十八，稱孟侯。
入蔀五十五年	甲申	五年	作〈召誥〉。

此表將鄭氏的周初年代論一一落實，識見度越江聲、王鳴盛諸人。但是，《乾鑿度》明文「昌以西伯受命，入戊午蔀二十九年」，何以表中改為文王受命之年為入蔀三十年？對此，《召誥日名考》釋云：

> 入戊午蔀二十九年（歲在戊午）。是年文王得赤雀受命，明年改元。《中候吾應》云：「季秋之月甲子，赤雀銜丹書入豐，至於昌戶，再拜稽首受。」[15]

可見，李氏據緯書認為，赤雀銜丹書，乃文王受命年，至明年方改元。孔穎達亦持是說。因此，《乾鑿度》的「受命」年，在《召誥日名考》中被替換成「改元」年。這是上表改動的原因，也是李氏編表是否可信的關鍵所在。以下將詳驗其是非。

三　李銳推算法之驗證

《日名考》有二處列有具體的推算過程，其一曰：

---

[15]《召誥日名考》，頁693上。

> 案《乾鑿度》是年入天元二百七十五萬九千二百八十五歲，以元法四千五百六十除去之，餘四百八十五，不滿紀法一千五百二十，為入紀年，以六十去之，餘五。命起甲寅，算上，得是年歲在戊午。置入紀年四百八十五，以蔀法七十六除之，得積蔀六，不盡，二十九為入蔀年。置積蔀六，命甲子一、癸卯二、壬午三、辛酉四、庚子五、己卯六，算外，得戊午蔀。[16]

案：入蔀年可見上文計算公式，其中惟多歲名演算法，即「命起甲寅，算上，得是年歲在戊午」。考「殷曆」的歲名演算法，與後漢《四分曆》之法同，《四分曆》推入蔀術曰：

> 以元法除去上元，其餘以紀法除之，所得數從天紀，算外，則所入紀也。不滿紀法者，入紀年數也。以蔀法除之，所得數從甲子蔀起，算外。所入紀歲名命之，算上，即所求年太歲所在。[17]

所謂「其年太歲所在」，簡言之，即是此年之年名。四分術推求年名，先求入紀年，再以六十除去之，算上，即是年名。以文王受命年為例：

（一）求入紀年：2759285 ÷ 4560 = 605 + 485/4560。知入天紀四八五年。

（二）求年名：485 ÷ 60 = 8 + 5/60。數從甲寅起，算上五（經甲寅、乙卯、丙辰、丁巳），為戊午，知此年為戊午年。

需要提及者，四分術求年名法，乃以算上之年計，而非算外之年計。所以，在李銳的計算中，二七五九二八五的涵義是，殷曆上元至文王受命年為算上之年，而非算外之年。正因如此，其可議之處在於，古籍中上元至某年的記載，皆從算外，尤其「殷曆」更是如此，如《唐開元占經》載「殷曆上元甲寅至今二百七十六萬一千八十，算外」[18]，又如司馬彪《續漢書·律曆志》

---

[16]《召誥日名考》，頁693上。

[17]《後漢書》（北京市：中華書局，1965年），頁3060。

[18] 收入《文淵閣四庫全書·子部·術數類》，第807冊，頁944上。

載後漢「曆議」，其中馮光、陳晃以為開闢至獲麟二百七十五萬九千八百八十六歲，此二七五九二八五，也是算外之年。據此，《乾鑿度》云天元至文王受命二七五九二八五年，從文例上看，亦當是算外之年。李銳以算上之年計，得戊午年，若以算外計，則此年應是己未年。

為何說古籍中關於殷曆上元至某年的記載，皆從算外呢？這是因為，以算外計，殷曆紀年的推算結果與現行的干支紀年相合。比如，馮光、陳晃言上元至獲麟之年（魯哀公十四年，前481）共二七五九八八六，此為算外，算上則為二七五九八八七，求年名：1）2759887÷4560＝1087，2）1087—60×18＝7。數從甲寅起，算上7，得此年年名為庚申。據現行干支紀年，魯哀公十四年正是庚申年。又如，《開元占經》載殷曆上元至唐開元二年為算外二七六一〇八一年，則算上為二七六一〇八一年，求年名：（一）2761081÷4560＝2281。（二）2281－60×38＝1。數起甲寅，算上一，即是甲寅，而唐開元二年正是甲寅年。

此二例說明現行干支紀年與殷曆求年名法的結果相同。現行的干支紀年，究竟始於何時，史無明文，然據古籍所載，最遲在前漢太初改曆之前，所用年名已與現行干支紀年一致：

其一，《史記．封禪書》載元封元年詔書云：「其大赦天下，如乙卯赦令。」[19]乙卯者，元朔三年，考《漢書．武帝紀》，元朔元年、三年皆有大赦事，以乙卯驗之，當是元朔三年，此年為西元前一二六年，正與現行干支紀年合。

其二，《漢書．禮樂志》載《郊祀歌》第十章「天馬歌」云：「天馬徠，執徐時。」末云：「太初四年誅宛王獲宛馬作。」[20]師古《注》引應劭云：「太歲在辰曰執徐。」[21]今考《漢書．武帝紀》云：「（太初）四年春，貳師將軍廣利斬大宛王首，獲汗血馬來。作西極《天馬之歌》。」[22]知太初四年

---

[19]《史記》（北京市：中華書局，1959年），頁1398。

[20]《漢書》（北京市：中華書局，1962年），頁1061。

[21]《漢書》，頁1060、1061。

[22]《漢書》，頁202。

（前101）即為庚辰年。此亦與現行干支紀年一致。

其三，光武帝建武三十年，《後漢書．張純傳》載此年張純上奏云「今攝提之歲，蒼龍甲寅，德在東宮」[23]，以甲寅為此年年名。建武三十年，即西元五十四年，今干支紀年正是甲寅，二者亦同。

其四，《續漢書．律曆志》載虞恭、宗欣云：「孝文皇帝後元三年，歲在庚辰。上四十五歲，歲在乙未，則漢興元年。」[24]亦同通行干支紀年。

其五，《續漢書．律曆志》載蔡邕「曆議」云：「武帝始用《太初》丁丑之元。」

以上幾處，曆術背景不同，但年名皆與現行干支紀年一致。可以想見，治「殷曆」者，其求年名結果也應與現行干支紀年一致，不可能自留其隙以待人攻。知緯書「殷曆」上元至某年的記載，當是算外年，而非算上年。

據此，則李銳的年名計算就有一年之差。今仍以二十九年為準，依李表之例，重新編排鄭玄周初年代表如下：

鄭玄據「殷曆」所排之周初年代表

周初史年	入戊午蔀之年	歲名	說明
文王受命之年	二十九年，當西元前1082年	己未	見於《易緯．乾鑿度》：今入天元二百七十五萬九千二百八十歲，昌以西伯受命，入戊午蔀二十九年。伐崇侯，作靈台，改正朔，布王號於天下。
受命二年	三十年	庚申	
受命三年	三十一年	辛酉	
受命四年	三十二年	壬戌	
受命五年	三十三年	癸亥	
受命六年	三十四年	甲子	

---

[23]《後漢書》，頁1197。

[24]《後漢書》，頁3036。

周初史年	入戊午蔀之年	歲名	說明
受命七年	三十五年	乙丑	文王九十七歲崩，武王八十三歲。鄭云：文王十五生武王，九十七而終，終時文王受命七年，武王年八十三。
受命八年	三十六年	丙寅	崩後一年，武王八十四歲，成王生。鄭云：文王崩後明年生成王。
受命九年	三十七年	丁卯	崩後二年，武王八十五歲，成王二歲。
受命十年	三十八年	戊辰	崩後三年，武王八十六歲，成王三歲。
受命十一年	三十九年	己巳	崩後四年，武王八十七歲始伐殷。成王四歲。〈書序〉：惟十有一年，武王伐殷。鄭注：本文王受命而數之，是年入戊午蔀四十歲。案：此恐鄭氏偶誤。
受命十二年	四十年	庚午	崩後五年，武王八十八歲，成王五歲。
受命十三年	四十一年	辛未	崩後六年，武王八十九歲伐紂克殷，成王六歲。鄭云：（崩）後六年伐紂。又，〈書序〉云：武王克殷，以箕子歸。作〈洪範〉。〈洪範〉有「十有三祀」語。又，〈大雅・文王・疏〉引鄭氏《譜》云：「以曆校之，文王受命十三年，辛未之歲，殷正月六日殺紂。」
受命十四年	四十二年	壬申	伐紂後一年，武王九十歲，成王七歲。
受命十五年	四十三年	癸酉	伐紂後二年，武王九十一歲，成王八歲，鄭云：後二年有疾。
受命十六年	四十四年	甲戌	武王九十二歲，成王九歲。

周初史年	入戊午蔀之年	歲名	說明
受命十七年	四十五年	乙亥	武王九十三歲崩，成王十歲。鄭云：疾瘳後二年崩。武王崩時成王年十歲。
受命十八年	四十六年	丙子	成王即嗣子位，十一歲。
受命十九年	四十七年	丁丑	成王十二歲，鄭云：服喪三年畢，成王年十二。
周公居東始年	四十八年	戊寅	周公因流言辟居東都，成王十三歲。鄭云：群叔流言，周公辟之居東都，時成王年十三。
居東二年	四十九年	己卯	居東二年，成王十四歲，鄭云：居東二年，成王收捕周公之屬黨，時成王年十四。
居東三年，周公攝政元年	五十年	庚辰	居東三年，成王迎周公歸，亦周公攝政元年，成王十五歲。鄭云：周公居東三年，成王年十五，迎周公反，而居攝之元年也。
攝政二年	五十一年	辛巳	成王十六歲。
攝政三年	五十二年	壬午	成王十七歲。
攝政四年	五十三年	癸未	作〈康誥〉，成王十八歲，鄭云：居攝四年，封康叔，作〈康誥〉，成王年十八，故《傳》云：天子大子十八，稱孟侯。
攝政五年	五十四年	甲申	作〈召誥〉，成王十九歲。鄭云：五年作〈召誥〉。
攝政六年	五十五年	乙酉	成王二十歲。
攝政七年	五十六年	丙戌	作〈洛誥〉，成王二十一歲，鄭云：七年作〈洛誥〉，伐紂至此十六年。
成王元年	五十七年	丁亥	周公致政，成王二十二歲，鄭云：明年成王即政，時年二十二也。

與李表相較，此表中可議者，乃以文王受命十一年為入蔀三十九年，此與鄭注〈書序〉不合。〈書序〉云「惟十有一年」，鄭注云：「本文王受命而數之，是年入戊午蔀四十歲。」[25]竊以為，此或是鄭氏涉筆直書而致誤。文王受命元年既為入蔀二十九年，則十一年當為受命三十九年，而非四十年。

以上是鄭玄周初年代的編排。與李銳之表相較，差異在於，李氏不合文王受命年為入蔀二十九年，但合於〈書序〉鄭注「本文王受命而數之，是年入戊午蔀四十歲」。本表不合鄭注〈書序〉「入戊午蔀四十年」，但合文王受命年為入蔀二十九年。二表雖有此差異，然在〈召誥〉日名的推算上，結果無異，即（一）求積月：54×235÷19＝12690÷19＝667＋17/19。閏餘17，知閏四月（〔19－17〕×12÷7＝3＋3/7，數起天正正月，算外三，閏四月）。（二）求積日：667×27759÷940＝18515253÷940＝19697＋73/940。（三）求天正朔日：19697－60×328＝17，數起戊午，算外十七，得天正正月乙亥朔。以大餘十七加二十九，以小餘七十三加四九九，可知二月朔甲辰。又以大餘四十六加二十九，小餘五七二加四九九，得三月甲戌朔。（四）一月之望日：大餘十七加十四，小餘七三加七一九又二分之一，得一月望日己丑。二月之望日：四十六加十四，小餘五七二加七一九又二分之一，得二月己未望。李銳之推算結果同。據此，即可知鄭玄為何破〈召誥〉二月、三月為一月、二月。

〈召誥〉云「二月既望，越六日乙未」，案：二月己未望，既望即庚申，經六日算上，為乙丑，非乙未。一月己丑望，既望是庚寅，經六日算上，正是乙未。故鄭玄以為「二月」誤，當作「一月」。又〈召誥〉云「三月丙午朏，越三日戊申」，三月甲戌朔，無丙午；二月甲辰朔，丙午正初三日（即朏），故鄭玄破「三月」為「二月」。其實，〈召誥〉中還有其它曆日，如「越三日庚戌，越五日甲寅，若翼日乙卯，越三日丁巳，越翼日戊午，越七日甲子」等等，經鄭玄破讀之後，所有曆日皆合。這就是鄭玄據「殷曆」而破讀〈召誥〉「二月、三月」為「一月、二月」的根源所在，知李銳所論，

---

[25]〈文王・序・疏〉引，《十三經注疏》，上冊，頁503上。

深具卓識。

四　劉歆以「殷曆」編排周初年代之法

《召誥日名考》還提及劉歆「殷曆」之法，「劉歆所說殷術周公六年始入戊午蔀，實與此不同」[26]，此說引而不發。以下詳證之，以明漢代據「殷曆」編排周初年代，實有多種。推算之法雖同，但因史實理解之異，其結果卻大相徑庭。

劉歆據「殷曆」編排周初年代，見於《世經》，其詳如下：

據劉歆《世經》之「殷曆」所排周初年表

周初史年	入蔀之年	《世經》之文
文王受命元年	西元前1135，入己卯蔀五十二年	
文王受命二年	西元前1134，入己卯蔀五十三年	
文王受命三年	西元前1133，入己卯蔀五十四年	
文王受命四年	西元前1132，入己卯蔀五十五年	
文王受命五年	西元前1131，入己卯蔀五十六年	
文王受命六年	西元前1130，入己卯蔀五十七年	
文王受命七年	西元前1129，入己卯蔀五十八年	
文王受命八年	西元前1128，入己卯蔀五十九年	

26《召誥日名考》，頁693上。

周初史年	入蔀之年	《世經》之文
文王受命九年	西元前1127，入己卯蔀六十年	文王崩。《世經》：「文王十五而生武王，受命九年而崩。」
文王崩後一年	西元前1126，入己卯蔀六十一年	
崩後二年	西元前1125，入己卯蔀六十二年	
崩後三年	西元前1124，入己卯蔀六十三年	
崩後四年武王克殷	西元前1123，入己卯蔀六十四年	《世經》：「崩後四年而武王克殷，武王八十六歲。」
克殷後一年	西元前1122，入己卯蔀六十五年	（筆者案：劉歆之意，此歲為周年之始）
克殷後二年	西元前1121，入己卯蔀六十六年	
克殷後三年	西元前1120，入己卯蔀六十七年	
克殷後四年	西元前1119，入己卯蔀六十八年	
克殷後五年	西元前1118，入己卯蔀六十九年	
克殷後六年	西元前1117，入己卯蔀七十年	
克殷後七年	西元前1116，入己卯蔀七十一年	《世經》：「（武王）克殷後七歲崩，武王九十三歲。凡武王即位十一年。」
周公攝政元年	西元前1115，入己卯蔀七十二年	

周初史年	入蔀之年	《世經》之文
攝政二年	西元前1114，入己卯蔀七十三年	
攝政三年	西元前1113，入己卯蔀七十四年	
攝政四年	西元前1112，入己卯蔀七十五年	
攝政五年	西元前1111，入己卯蔀七十六年	
攝政六年	西元前1110，入戊午蔀	《世經》:「殷曆以為六年戊午。」

和上表對照，武王克殷及周公攝政的入蔀之年全不相同。劉歆如此編排的依據究竟何在呢？

依據是，劉歆以三統術定周朝共八六七年，其以「殷曆」推算，即以八六七之數為基礎。

在劉歆之前，學者們關於周年的說法並不統一，譜牒上的記載也各有分歧。司馬遷《史記》所確定的周朝年數，始於共和。至於西周各王年數，卻無記載。鄭玄〈詩譜序〉中云：「夷、厲以上，歲數不明，太史《年表》，自共和始。」[27]因此，兩漢學者試圖給出自己的年代學框架。劉歆《世經》中的說法是，「殷曆自周昭王以下亡年數，故據周公、伯禽以下為紀」，《世經》還提到，「成王元年正月己巳朔，此命伯禽俾侯于魯之歲也」[28]。據此可知，只要知曉魯公在位年數，即可知周朝年數。《世經》給出的魯公在位年數如下：

伯禽（四十六）＋考公（四）＋煬公（六十）＋幽公（十四）＋微公（五十）＋厲公（三十七）＋獻公（五十）＋慎公（三十）＋武公（二）＋懿公（九）＋柏禦（十一）＋孝公（二十七）＋惠公（四十六）＝386

---

27 見《十三經注疏》，上冊，頁263。

28《漢書》，頁1017。

自伯禽至惠公共三八六年。魯惠公之後，即魯隱公，其下年代明晰，至秦滅周（前256），共四六七年。則成王元年至秦滅周共386＋467＝853（年）。又據上表可知，成王即位前，有周公攝政七年，並武王克殷後七年，故劉歆認為周朝年數共八六七年，即853＋7＋7＝867。

這是劉歆所給出的周朝年數，至於其中緣由，與三統的推算相關[29]。既知劉歆的周朝年數為867年，那麼，他用「殷曆」推算周初年代的過程就可以還原而出，比如，《世經》提到周公攝政五年，據三統術，為丁巳朔旦冬至；而據殷曆，則為戊午蔀首[30]。今還原如下：

（一）據上述可知，三統上元至周公攝政五年（前1111）共一四二一二〇年算外，則求入紀：142120÷4617＝30＋3610/4617，知入紀3610年。求入統：3610÷1539＝2＋532/1539，知入甲申統五三二年。求積月：532×235÷19＝6580。求積日：6580×2392÷81＝194313＋7/81。求天正朔：194313－60×3238＝33，數從甲申起，算外三三，為丁巳。即此年天正正月丁巳朔。求冬至日：532×8080÷1539＝2793＋133/1539，2793－60×46＝33。數自甲申起，算外三三，為丁巳，此年冬至日為丁巳。故劉歆云：「周公攝政五年，正月丁巳朔旦冬至。」

（二）據上述可知，殷曆上元至周公攝政五年（前1111）共二七五九二五六年，則求入紀：2759256÷4560＝605＋456/4560，知入天紀四五六年。求入蔀：456÷76＝6，數起甲子，算外六（曆甲子、癸卯、壬午、辛酉、庚子、己卯），得戊午蔀首。此年朔旦冬至日即為戊午。故《世經》云「殷曆以為六年戊午」，此「六年」應是衍文。故《漢志》載《世經》之文可校改如下：「周公攝政五年，正月丁巳朔旦冬至，殷曆以為（六年）戊午。」錢大昕、李銳之推算有誤。

以上還原劉歆據「殷曆」編排周初年代的過程，可知劉、鄭二人的區別

---

29 參拙文〈《世經》三統術與劉歆《春秋》學〉，《漢學研究》第27卷第3期（2009年9月）。

30《漢書》，頁1016。

所在。以曆法言，二人關於文王受命的入蔀年有異。以史實言，鄭玄以為，武王崩，周公居東二年，其後攝政。而劉歆則徑以攝政直承武王之崩年。二人雖同用「殷曆」編排，但對周初史實及其年代背景的理解根本不同。孫星衍《尚書今古文注疏》曾引劉歆《世經》，以為劉歆據《三統曆》所推，與鄭說大同小異[31]，殊謬。

五　鄭玄《周書注》曆日考

據上表所列鄭玄的周初年代編排，即可考證鄭注《周書》中的具體曆日，並以此作為進一步討論的基礎。

（一）〈康誥〉：「惟三月哉生魄。」

案：據上表，鄭玄認為〈康誥〉作於周公攝政四年，此年入戊午蔀五十三年，則積月：53×235÷19＝655＋10/19。積日：655×27759÷940＝19342＋665/940。天正朔：19342－60×322＝22，數起戊午，算外二十二，為庚辰，即天正正月庚辰朔。以下大餘加二十九，小餘加四九九，可得二月庚戌朔、三月己卯朔，則三月哉生魄為三月辛巳日。

（二）〈召誥〉：「惟二月既望，越六日乙未。」又云：「越若來三月，惟丙午朏，越三日戊申，越三日庚戌，越五日甲寅，若翼日乙卯，越三日丁巳，越翼日戊午。越七日甲子。」

案：鄭破二月、三月為一月、二月，已見上。一月既望是庚寅日，則乙未為二十一日。二月甲辰朔，丙午為初三日，戊申為初五日，庚戌為初七日，甲寅為十一日，乙卯十二日，丁巳十四日，戊午十五日，甲子二十一

31《尚書今古文注疏》（北京市：中華書局，1986年），頁340。

日。

〈召誥〉所作之時，據《史記・魯世家》云「成王七年二月乙未」[32]，此成王七年，意謂攝政七年，與鄭說周公攝政五年大異。考周公攝政七年，「殷曆」二月壬戌朔，則乙未等等曆日皆不合。對此差異，有學者認為，史公之說源自孔安國，而鄭玄說則來自伏生《大傳》，前者為古文說，後者為今文說[33]。此言仍有未盡。因為《大傳》還提到，武王死，「成王幼在襁褓」[34]，此與鄭說成王十歲異。《大傳》云：「武王死，成王幼，周公盛養成王，使召公奭為傅，周公身居位，聽天下為政。」[35]此「居位，聽天下為政」，即居攝義。審繹文意，《大傳》以為武王崩，周公即攝政，此與鄭玄的居東二年說不合。故鄭玄採《大傳》攝政五年之說，並非今文說可以涵括。究其源，是《大傳》之說合於鄭氏以「殷曆」推排的周初年代學。換言之，若《大傳》不合周初年代學，亦棄而不取。故僅以今、古師說區分鄭氏《周書注》，不能曲盡其義。

（三）〈洛誥〉：「予惟乙卯，朝至於洛師。」

案：此乙卯前無月，難以斷定具體之日。偽《孔傳》云：「致政在冬，本其春來至洛眾說，始卜定都之意。」孔穎達《疏》謂七年三月乙卯。《傳》、《疏》皆以前篇〈召誥〉為說，以〈召誥〉、〈洛誥〉並作於攝政七年，故以乙卯日繫諸三月。考〈書序〉云：「成王在豐，欲宅洛邑，使召公先相宅，作〈召誥〉。召公既相宅，周公往營成周，使來告卜，作〈洛誥〉。」以鄭氏五年作〈召誥〉、七年作〈洛誥〉衡之，則此文之「乙卯」，必非〈召誥〉中的「越翼日乙卯」，《傳》、《疏》不合鄭氏本旨。以下文

32《史記》，頁1519。

33《尚書今古文注疏》，頁390。

34 見皮錫瑞：《尚書大傳疏證》，收入《續修四庫全書・經部・書類》，第55冊，頁762上。

35《尚書大傳疏證》，頁761上。

「在十有二月」考之，據鄭玄「殷曆」，攝政七年十二月戊午朔，乙卯必不在十二月。有學者認為，從周公營洛到成王至洛命周公後，中間約經過十個月[36]，是以乙卯日繫於春月。因無本證，備一說而已。

（四）〈洛誥〉：「戊辰，王在新邑，烝。」

此戊辰，繫於下文十二月，據鄭玄「殷曆」，十二月戊午朔，則戊辰為十一日。

（五）〈多方〉：「惟五月丁亥，王來自奄，至於宗周。」

案：《大傳》云：「周公攝政，一年救亂，二年克殷，三年踐奄，四年建侯衛，五年營成周，六年制禮作樂，七年致政成王。」[37]但據鄭《箋》，踐奄在攝政初年，不在三年。〈豳風．破斧〉：「惡四國者，惡其流言毀周公也。」[38]四國，謂管、蔡、商、奄，於周公攝政時叛亂。經文「周公東征，四國是皇」，鄭《箋》：「周公既反，攝政，東伐此四國，誅其君罪，正其民人而已。」[39]知〈破斧〉東征之事，在攝政初年。又據上表，攝政初年入戊午蔀五十年，則積月：50×235÷19＝618＋8/19。積日：618×27759÷940＝18250＋62/940。大餘：18250－60×304＝10。命起戊午，算外十，天正正月戊辰朔。以下大餘加二十九，小餘加四九九，得五月丙寅朔，則丁亥為二十二日。

---

36 劉起釪：《尚書校釋譯論》（北京市：中華書局，2005年），第3冊，頁1505。

37《尚書大傳疏證》，頁769上。

38《十三經注疏》，上冊，頁398中。

39《十三經注疏》，上冊，頁398中。

（六）〈顧命〉：「惟四月哉生魄。甲子。越翼日乙丑。丁卯。越七日癸酉。」

案：鄭玄注〈顧命〉曰：「此成王二十八年，居攝六年為年端。」又〈康王之誥〉曰：「庶邦侯、甸、男、衛。」鄭注曰：「獨舉侯甸男衛四服者，周公居攝六年，制禮班度量，至此積三十年。」知鄭玄認為成王在位共二十八年崩，並周公居攝六年計，共三十年。鄭玄既以為周公致政成王後，始用「周曆」，則此二十八年之曆日當依「周曆」推算。據《開元占經》所載周曆上元至開元二年共二七六一一三〇年算外，則上元至成王崩（西元前1027，據鄭氏上表）共二七五九三九〇年，（一）求入紀：2759390÷4560＝605＋590/4560，知入天紀五九〇年。（二）求入蔀：590÷76＝7＋58/76，知入丁酉蔀五十八年。（三）求積月：58×235÷19＝717＋7/19。（四）求積日：717×27759÷940＝21173＋583/940。（五）求天正朔：21173－60×352＝53。命起丁酉，算外五十三，知此年天正正月庚寅朔。以下大餘加二十九，小餘加四九九，得此年四月己未朔。則哉生魄為辛酉日，甲子，為四月六日，乙丑七日，丁卯九日，癸酉十五日。

劉歆《世經》以為成王在位三十年崩，不以攝政六年為年端，與鄭氏異。皮錫瑞以為《世經》乃古文異說，並引王肅之說成王在位二十八為證，疑鄭玄或是今文說[40]。此或未盡可據。因王肅對武王崩成王年歲的推斷皆與鄭異，而王肅之說是否可歸為今文說，仍無明證。可以確定的是，鄭玄在周初年代的取捨上，其依據並非今、古說，而是依殷、周曆推算。凡與曆算結果合者，無論今、古說，鄭皆採用；凡不合曆算者，無論今、古說，皆不用。這對於理解鄭氏《周書注》的曆日問題及相關的師說歸屬，或許可提供新的思路。

---

[40]《今文尚書考證》，頁413。

六　結語

上文以李銳的《召誥日名考》為討論基礎，可知鄭玄《周書注》的曆學背景，亦可知李銳的創見所在。兩漢著名的經學家，有不少精曉曆學，如劉歆、賈逵、蔡邕、鄭玄等等，以曆釋經，是經學家們常用的方法，不瞭解他們的曆學背景，就難以全面把握他們的經學特點。然而，由於學科建制的影響，當下的經學研究，極少關注二者間的關聯性。拙文拋磚引玉，希望能引起經學研究者對於曆學等相關學科的重視。

郭店〈成之聞之〉若干引《書》的詮釋問題

范麗梅*

一　前言

上古經典文本經由漢字體系書寫而成，各個漢字記錄著漢語中的語詞，由本義逐步引申或假借開展出一個詞義涵蓋或大或小的範圍，這個詞義範圍是上古經典解釋得以準確考察，或深入推闡的重要基礎。就上古經典解釋者而言，這個詞義範圍更是與經典解釋者相互激盪，相輔相成而逐步形成某些「哲學範疇」[1]不可或缺的一環。因此解讀或闡釋上古經典文獻，有必要深入探討其中關鍵詞的詞義範圍。本文以新出土的郭店楚簡〈成之聞之〉為討論對象，嘗試說明上古文獻如何應用若干詞義的豐富性，並以《尚書》思想為背景，進行層次不同的解釋，從而構建出一套道德修養與為政導民的理論。

郭店〈成之聞之〉的簡序在公佈以後，尚存在許多編連的問題，目前經過多年與多位學者的努力，可說是已達到一個初步的共識[2]，亦即〈成之聞

* 中央研究院中國文哲研究所。

[1] 有關「哲學範疇」的討論，可參看張岱年：《中國古典哲學概念範疇要論》（北京市：中國社會科學出版社，1989年）。張立文：《中國哲學範疇發展史（天道篇）》（臺北市：五南圖書出版公司，1996年）。張立文：《中國哲學範疇發展史（人道篇）》（臺北市：五南圖書出版公司，1997年）。溫特爾班著，羅達仁譯：《哲學史教程：特別關於哲學問題和哲學概念的形成和發展》（北京市：商務印書館，2009年）。格拉日丹尼科夫著，曹一健譯，馬玉珂校譯：《哲學範疇系統化的方法》（北京市：中國人民大學出版社，1988年）。

[2] 詳細討論與總結的意見可參廖名春：〈郭店簡〈成之聞之〉的編連和命名問題〉，《新出楚簡試論》（臺北市：臺灣古籍出版有限公司，2001年）。顧史考：〈郭店楚簡〈成

之〉可以分為兩個獨立的篇章，一是李學勤所稱的〈天常章〉，包括簡三十一～三十三與三十七～四十[3]。另一是其餘簡的重新編連，分別是簡四～二十、三十四～三十六、二十九、二十三、二十二、三十、一～三、二十四～二十八、二十一，據廖名春所說以篇首命名的古書慣例，可稱為〈君子之於教〉。在〈君子之於教〉中，似又可分成兩大部分，一是簡四～二十的部分，此部分的宗旨在於反本求己，以身作則。二是簡三十四以後的部分，此部分是〈君子之於教〉中集中徵引《尚書》的部分，但在簡序的編連與字詞的釋讀上，都存在不少問題，本文即以此部分作為研究的重點。

二 〈君子之於教〉引《書》部分的行文邏輯

根據上述多位學者的努力，〈成之聞之〉簡三十四～三十六、二十九、二十三、二十二、三十、一～三、二十四～二十八、二十一的排序已經達到一個共識，即上述所稱〈君子之於教〉的下半部，亦是集中引《書》的部分，本文先列釋文如下：

> 君子曰：從允懊�，則先者余，來者信36。〈君奭〉曰：「襄我二人，毋有合哉言！」蓋道不悅之詞也。
>
> 君子曰：雖有其外而29行之不疾，未有能深之者也。勉之遂也，強之功也，惰之淹也，怠之功也[4]。23是故凡物在疾之。〈君奭〉曰：「唯冒，丕單稱德！」蓋言疾也。

之〉等篇雜志〉，《郭店楚簡先秦儒書宏微觀》（臺北市：臺灣學生書局，2006年）。陳劍：〈郭店簡〈尊德義〉和〈成之聞之〉的簡背數字與其簡序關係的考察〉，收入武漢大學簡帛研究中心編：《簡帛（第二輯）》（上海市：上海古籍出版社，2007年）。鄧少平：〈由簡背數字論郭店〈成之聞之〉「天常」章的位置〉，「復旦大學出土文獻與古文字研究中心網站」（2010年3月22日）。

[3] 李學勤：〈試說郭店簡〈成之聞之〉兩章〉，《清華簡帛研究》第1期（2000年8月）。

[4]「勉之遂也，強之功也，惰之淹也，怠之功也」一句根據鄧少平：〈郭店〈成之聞之〉23號簡試釋〉，「復旦大學出土文獻與古文字研究中心網站」（2009年12月18日）。

君子曰：疾之22可能，終之為難。「槁木三年，不必為邦旗！」蓋言挾之也[5]。是以君子貴30成之。

聞之曰：古之用民者，求之於己為外。行不信則命不從1。信不著則言不樂。民不從上之命，不信其言，而能含德者，未之2有也。故君子之莅民也，身服善以先之，敬慎以導之，其所在者入矣3。民孰弗從？型於中，發於色，其審也固矣，民孰弗信？是以上之外24務在信於眾。〈冏命〉曰：「允師濟德。」此言也，言信於眾之可以25濟德也。

聖人之性與中人之性，其生而未有分之，節於而也26，則猶是也。雖其於善道也，亦非有譯婁以多也。及其尃長而厚27大也，則聖人不可由與墠之。此以民皆有性而聖人不可莫也28。是以知而求之不疾，其去人弗遠矣。勇而行之不果，其疑也弗往矣。21[6]

以上釋文是依據簡文的行文邏輯所作的分段，行文邏輯參考顧史考的說法，顧史考據陳偉所引《禮記・祭義》：「教曰孝，其行曰養。養可能也，敬為難；敬可能也，安為難；安可能也，卒為難。父母既沒慎行其身，不遺父母惡名，可謂能終矣。」認為簡文亦用此遞增累進的過程為文[7]。根據這個邏輯可以列表如下：

---

[5] 「挾」字根據周鳳五：〈郭店竹簡文字補釋〉，《古墓新知——紀念郭店楚簡出土十周年論文專輯》（香港：香港國際炎黃文化出版社，2003年），頁66～67。

[6] 荊門市博物館：《郭店楚墓竹簡》（北京市：文物出版社，1998年），頁49～51。

[7] 唯顧史考以為簡36與簡29的連讀，是以文章形式的考慮姑且相連的，並且還指出二者無必然關係。見顧史考：〈郭店楚簡〈成之〉等篇雜志〉，《郭店楚簡先秦儒書宏微觀》，頁188。

君子曰	從允愼怹，則先者余，來者信。	從允愼怹之亙
	〈君奭〉曰：「襄我二人，毋有合哉言！」蓋道不悅之詞也。	亙之可能疾之為難
君子曰	雖有其亙而行之不疾，未有能深之者也。勉之遂也，強之功也，惰之淹也，怠之功也。是故凡物在疾之。	
	〈君奭〉曰：「唯冒，丕單稱德！」蓋言疾也。	疾之可能終之為難
君子曰	疾之可能，終之為難。	
	「槁木三年，不必為邦旗！」蓋言挾之也。是以君子貴成之。	亙在信於眾
聞之曰	古之用民者，求之於己為亙。……是以上之亙務在信於眾。	
	〈冏命〉曰：「允師濟德。」此言也，言信於眾之可以濟德也。	

簡文此部分經過這樣的調整與說解，邏輯變得非常清楚，也使得簡文中多個字詞的考釋有了比較可靠的行文脈絡，可以作為依據。其行文方式是先引「君子曰」或「聞之曰」，後引《尚書》，一步步推進論述的主題，先是「亙」，再者「疾」，再者「終」，最後又回到「亙」。在這三個主題中，「疾」與「終」二者的意涵比較清楚，前者指的是道德修養必須趕緊努力勉強為之，不能怠惰拖延；後者則指道德修養必須及身而成，不能只是一時的激勵奮發而已，而貴在能夠及身看到成就。與「疾」、「終」二主題相比，「亙」字的意涵就比較不好理解了，然而它卻又是簡文這個部分中非常重要的關鍵，因為它是三個主題中的第一主題。簡文的論述由「亙」出發，而後又回到「亙」，亦即由「聞之曰」開始即以較長的段落回過頭來討論「亙」。之後再開啟另一段敘述「聖人之性與中人之性」的比較，這一段話主要講的是道德如何及時成就的問題，也就是回到「疾」與「終」這二個主題上，因為及時成就道德的重要關鍵就是「疾」，而能「疾」之後還必須完成，就是

「終」，所以最後總結說「是以知而求之不疾，其去人弗遠矣。勇而行之不果，其疑也弗往矣」，指的就是知「死」之後必須能「疾」，否則「去人弗遠」，而能「疾」之勇敢的去執行之後必須求「終」之成果，否則就如同疑止不前，而不能完成道德的修養，簡文即依此循環反覆的方式來推闡思想。

那麼「死」字究竟所指為何？仍須結合簡文的行文邏輯來說明，由上表可知「雖有其死」的具體內容就是「從允懍忨」，其中「允」字是一個重要的關鍵詞。同時下文「上之死務在信於眾」之後引〈冏命〉「允師濟德」，也提到「允」字，可見「允」字是簡文整個段落中不可或缺的重要概念，因此有必要作深入的討論。

三 「允」字的詞義範圍

「允」字是〈君子之於教〉引《書》部分論述的重要關鍵，欲瞭解這個部分，應先考察「允」字在先秦兩漢文獻中所使用的詞義範圍。探討「允」字的詞義範圍，則須先瞭解「允」字的本義，才能由此推演出與其相關的引申或假借的其他詞義，甚或是由此演變出的虛詞含義。

有關「允」字的本義，筆著曾經在釋讀《詩經．大雅．生民》「克岐克嶷」的小文中指出「允」與「矣（矣）」是關係密切的兩個同源字。就字形而言「允」字所描繪的是一人側面之形，上部頭首放大，描繪其臉部向前的樣子，與「矣（矣）」字描繪頭首四顧的樣子恰恰相反。因此若就造字初形而言，「允」與「矣（矣）」字實具備相同的造字概念，二者皆從人行走之義出發，前者作人側面形，上部重點標示人頭前視之形；後者則作人正面形，上部標示人頭四顧之形。因此「允」字本義應是象人行前進之貌，而「矣（矣）」字則象人行走拄杖轉頭四顧停止前進張口疑問之形。就聲韻而言，「允」字在餘紐文部；「矣（矣）」字在匣紐之部，二者聲紐相近，韻部則主要元音相同，具備對轉關係，因此二字很可能由同一語源發展出來。至於詞義，「允」與「矣（矣）」既然是由與行走有關的同一概念發展出來的兩個相反的詞義，則前者由行進前視引申出義無反顧的確信義；後者則由停頓四顧引申出疑惑義，唯傳世文獻多作「疑」字。同時「允」與「矣」亦皆出現由動詞轉為虛詞的用法，此用法亦多由二者的本義引申而來。例如「允」之「確信」義轉為副詞，表達「誠然」之義，多由於句首或動詞之前；「矣」之「疑惑」義轉為表達「疑問」語氣的虛詞，則多用於句末，或用在複句中前一分句之後，表示「停頓」[8]。

瞭解了「允」字的本義，則可以進一步概括「允」字在先秦兩漢文獻中所常使用的詞義範圍，根據典籍傳注的訓釋或是文獻的語意脈絡，可以歸納出四大類的詞義：

第一是由行進前視引申出「前進上升」義，如李富孫《易經異文釋》：「允升，《說文・本部》引作『粇升』，云『進也』。」[9]柳榮宗《說文引經考異》：「允，篆文作[illegible]，從㠯從儿。儿，古文奇字人也。㠯，用也。用人進之也，進而用之，信之也。」[10]又林義光提出：「㠯非聲。允當與粇同字。進也。……[illegible]象人。上象其頭，丨進而益上之形。」[11]《尚書・君陳》：「爾克敬典在德，時乃罔不變，允升于大猷。」[12]

第二是由行進前視義無反顧引申出「允當」義，如《周易・升卦・初六》：「允升大吉。」王《注》：「允，當也。」[13]或由行進前視義無反顧引申

---

[8] 范麗梅：〈《詩經・大雅・生民》「克岐克嶷」解── 兼論古文字「允」、「矣」同源〉，臺灣大學中文系「先秦文本與出土文獻國際學術研討會」（臺北市：臺灣大學，2008年12月27～28日）。

[9] 李富孫：《易經異文釋》，嚴靈峰：《無求備齋易經集成》（臺北市：成文出版社，1976年），頁120。

[10] 今核對甲骨「允」的字形，可知柳說「允」從「㠯」是不正確的，但注意到允有「進」的意思，值得注意。柳榮宗《說文引經考異》，丁福保：《說文解字詁林》（臺北市：臺灣商務印書館，1976年），頁4606。

[11] 林義光：《文源》卷7，劉慶柱、段志洪主編：《金文文獻集成（第十七冊）》（香港：明石文化，2004年），頁526。

[12] 孔安國傳，孔穎達等正義：《尚書正義》，《十三經注疏》（臺北市：藝文印書館，1955年），頁275。

[13] 王弼，韓康伯注，孔穎達等正義：《周易正義》，《十三經注疏》（臺北市：藝文印書館，1955年），頁107。

出「允合」義，如《文選・王儉褚淵碑文》:「忠貞允亮。」李周翰《注》:「允，合。」[14]《尚書・說命中》:「允恊于先王成德。」《尚書・太甲中》:「伊尹拜手稽首曰：修厥身，允德協于下，惟明后。」[15]或由行進前視義無反顧引申出「允若順從」義，如《尚書・大禹謨》:「祗載見瞽瞍，夔夔齋慄。瞽亦允若。」《孔傳》:「言舜負罪引惡，敬以事見于父，悚懼齋莊，父亦信順之，言能以至誠感頑父。」[16]《孟子・萬章上》:「孝子之至莫大乎尊親，尊親之至莫大乎以天下養。為天子父，尊之至也；以天下養，養之至也。《詩》曰：『永言孝思，孝思惟則。』此之謂也。《書》曰：『祇載見瞽瞍，夔夔齋栗，瞽瞍亦允若。』是為父不得而子也。」趙《注》:「舜既為天子，敬事嚴父，戰栗以見瞽瞍，瞍亦信知舜之大孝，若是為父不得而子也，以此解咸丘蒙之疑。」[17]

第三是由行進前視義無反顧引申出「誠信」義，如《周易・晉卦・六三》:「眾允。」李鼎祚《周易集解》引虞翻《注》:「允，信也。」[18]又《左傳・文公十八年》:「明允篤誠。」孔《疏》:「允者，信也，終始不愆，言行相副也。」[19]另外，又由「誠信」義出現反訓的「巧佞」義，如《爾雅・釋詁下》:「允，佞也。」邵晉涵《正義》:「允訓為信，又訓為佞者，《逸周書・寶典解》云『展允干信』，是允為不信，反覆相訓也。」[20]

第四是由詞義虛化後用作虛詞的，表達「誠如」義，如《尚書・堯典》:「允恭克讓。」《孔傳》:「允，信。」[21]在此「允」與「克」都是副詞，

---

14 蕭統編，李善等註：《增補六臣註文選》(臺北市：華正書局，1974年)，頁1079。

15 孔安國傳，孔穎達等正義：《尚書正義》，頁141、118。

16 孔安國傳，孔穎達等正義：《尚書正義》，頁58。

17 趙岐注，孫奭疏：《孟子注疏》，《十三經注疏》(臺北市：藝文印書館，1955年)，頁164。

18 李鼎祚輯：《周易集解》(臺北市：臺灣商務印書館，1996年)，頁175。

19 杜預注，孔穎達等正義：《左傳正義》，《十三經注疏》(臺北市：藝文印書館，1955年)，頁353。

20 邵晉涵：《爾雅正義》(合肥市：安徽教育出版社，2002年)，頁577。

21 孔安國傳，孔穎達等正義：《尚書正義》，頁19。

「克」表示能夠，「允」表示誠如，是由詞義「誠信」虛化而來的。或用於句首的發語詞，也是由本義表「前進」的詞義虛化而來，如《經傳釋詞》卷一：「允，發語詞也。《詩・時邁》曰『允王維后』，言『王維后』也。又曰『允王保之』，言『王保之』也，允，語詞耳。」[22]

在先秦兩漢諸家的訓釋著作中，將「允」訓作「信」，是最普遍的說法。然而這個訓釋是如何取得的？卻未能說清楚。本文通過同源的「允」與「夋」比對，指出「允」的本義之後，即能較好的說明「允」字在先秦兩漢文獻中所使用的詞義範圍，基本上都是由「允」的本義引申出來的，亦即由行進前視的本義引申出「前進上升」、「允當」、「允合」、「允若順從」、「誠信」等實詞意義。查考文獻中若干「允」字的用法，倘若都解作「信」，雖未嘗不可，然而瞭解到「允」具有「信」的意涵實由義無反顧的「前進」義而來，則比較能精準掌握某些文句的意思，例如文獻中有「允德」一詞，《大戴禮記・衛將軍文子》：「孝子慈幼，允德稟義，約貨去怨，蓋柳下惠之行也。」[23]《孔子家語・弟子行》：「孝恭慈仁，允德圖義，約貨去怨，輕財不匱，蓋柳下惠之行也。」[24]其「允德」與「稟義」或「圖義」對句，「稟」、「圖」二字在此為動詞，則「允」或可解為動詞的「進」，而「允德」即「進德」，指進修道德之義。

瞭解了「允」字所表的詞義範圍，有助於〈君子之於教〉引《書》部分的理解，因為此部分正是利用「允」字所覆蓋的詞義範圍去做經典解釋的，從而發展出一套道德理論的敘述。

---

22 王引之：《經傳釋詞》（南京市：江蘇古籍出版社，2000年），頁13。另，「允」字作為虛詞尚有與「用」、「以」相通，或與「聿」相通的用法，唯與本文關係較遠，在此不贅。

23 王聘珍撰，王文錦點校：《大戴禮記解詁》（臺北市：漢京文化事業有限公司，1987年），頁115。

24 陳士軻輯：《孔子家語疏證》（上海市：上海書店，1987年），頁77。

四　〈君子之於教〉「允師濟德」之「允」

瞭解了「允」字的本義以及其在先秦兩漢文獻所使用的詞義範圍，則能較好的理解〈君子之於教〉的相關段落，首先討論有關「允師濟德」中的「允」字，為便於討論，先列釋文如下：

> 聞之曰：古之用民者，求之於己為外。行不信則命不從1。信不著則言不樂。民不從上之命，不信其言，而能含德者，未之2有也。故君子之莅民也，身服善以先之，敬慎以導之，其所在者入矣3。民孰弗從？型於中，發於色，其審也固矣，民孰弗信？是以上之外24務在信於眾。〈冏命〉曰：「允師濟德。」此言也，言信於眾之可以25濟德也。

在此段中「允師濟德」是作為《尚書》的佚文——〈冏命〉的文句被引用的[25]。簡文在引用此句後，又接著對之進行訓解以加強自己的論述，所作的訓解即「言信於眾之可以濟德也」，因此對於其中「允」字的意思，便可以據此肯定就是「信」，學者們都是依此說明的，例如廖名春訓「允」為「信」，訓「師」為「眾」，訓「濟」為成，認為全句是強調取信於民才能成就德行[26]。而劉釗訓「允」為「信」，訓「師」為「眾」，訓「濟」為成，而「濟德」意為成就道德[27]。此外，丁原植、涂宗流、郭沂等皆作此解[28]。李學勤

---

25 有關〈冏命〉的「冏」字釋讀，見周鳳五師：〈讀郭店竹簡〈成之聞之〉劄記〉，《古文字與古文獻（試刊號）》（1999年10月），頁51～52。李學勤又釋讀作〈說命〉之「說」，見李學勤：〈試論楚簡中的〈說命〉佚文〉，《煙臺大學學報》第21卷第2期（2008年2月）。

26 廖名春：〈郭店楚簡〈成之聞之〉、〈唐虞之道〉篇與《尚書》〉，《中國史研究》1999年第3期，頁36。

27 劉釗：《郭店楚簡校釋》（福州市：福建人民出版社，2003年），頁145。

28 丁原植：〈〈成之聞之〉篇釋析〉，《郭店楚簡儒家佚籍四種釋析》（臺北市：臺灣古籍出版社，2000年），頁165。涂宗流：《郭店楚簡先秦儒家佚書校釋》（臺北市：萬

亦指出：「『允』訓為信，『師』訓為眾，均系《尚書》常見。……『允師濟德』意云信於眾而成德，文句古雅，與《尚書》其他篇和諧。」[29]因此「允」字在「允師濟德」中作「誠信」義解，是可以肯定的，且此「誠信」義也能與簡文此段所言「行不信則命不從」、「信不著則言不樂」、「不信其言」、「民孰弗信」、「務在信於眾」等不斷強調「信」的宗旨相扣。

然而在此段簡文中，提到「誠信」是作為在上位者所必須具備的道德時，簡文前後兩次都提到所謂的「死」，即「古之用民者，求之於己為死」，與「是以上之死務在信於眾」指的都是在上位者所必須具備的修養，而「死」到底該作何解釋，則必須回到簡文上段所談「從允慏怹」的部分作全面的考察，也就是必須再討論另外一個「允」字應當作何解釋。

五 〈君子之於教〉「從允慏怹」之「允」

有關「從允慏怹」中「允」字的解釋，以及「從允慏怹」相關文句的說解，自竹簡公佈以來，就產生了好幾種說法，為便於討論，先列相關釋文如下：

> 君子曰：從允慏怹，則先者余，來者信36。〈君奭〉曰：「襄我二人，毋有合哉言！」蓋道不悅之詞也。

第一種說法是依從先秦兩漢文獻「允」字的常訓，將之訓作「信」的說法，如丁原植訓「從」為依順，訓「允」為信，「從允」似指採取誠信的態度。訓「釋」為消除，「釋過」似指消除過失。「先者」疑指君子所治理的人民，訓「舍」為止息，得到安置。「來者」疑指欲歸附於君子者，訓

卷樓圖書有限公司，2001年），頁92～93。郭沂：〈〈大常〉（原題〈成之聞之〉）考釋〉，《郭店竹簡與先秦學術思想》（上海市：上海世紀出版集團，2001年），頁216。

[29] 李學勤：〈試論楚簡中的〈說命〉佚文〉，《煙臺大學學報》第21卷第2期（2008年2月），頁90。

「信」為信服[30]。又如涂宗流訓「從」為聽從，順從；訓「允」為信，為誠。訓「釋」為釋去怨恨而服，訓「過」為過失、錯誤。訓「先者」為前導，前驅，訓「餘」為長久。訓「來者」為後來者，訓「信」為取信[31]。又如崔永東訓「允」為信，「從允」指服從信德，亦即講信用。以為「余」與身、親含義相通，當有親近的意思。以為簡文「是說統治者講信用，改過錯，先前的人（原有的臣民）則會親近他，親近歸服的人相信他」[32]。又如劉釗訓「允」為誠信，訓「釋」為消除、赦宥。簡文指「從誠信出發寬宥過錯，則除去以前之過錯，今後才能使人相信」[33]。又如顏世鉉訓「允」為信，「從允」指趨就誠信。以為「釋過」猶「赦過」，指原諒人民無心的小過失。以「先者」為「舊者」，指原先已歸其治理的百姓，讀「余」為「豫」，訓為喜樂之意。以為「來者信」指治外之民信其仁德而前來歸附[34]。又如王連成讀「惍」為「惑」，意指以誠信來消除他人的疑惑[35]。

第二種說法是將「允」解為「適當」或「公允」，前者如周鳳五師訓「從」為遵從，依循；訓「允」為適當，指適當的行為。訓「釋」為除去、捨棄，訓「過」為過分、過度，指過度的行為。指出簡文意指「人的行為必須恰如其分方為適當」。訓「先者」為領先，讀「余」為舒，訓作「緩」，指緩行。訓「來者」為未至、落後，讀「信」為「迅」或「侚」或「徇」或「迿」，訓作迅速、超前。並指出：「此句承上文『從允釋過』，以行路為

---

30 丁原植：〈〈成之聞之〉篇釋析〉，《郭店楚簡儒家佚籍四種釋析》（臺北市：臺灣古籍出版社，2000年），頁157。

31 涂宗流：《郭店楚簡先秦儒家佚書校釋》（臺北市：萬卷樓圖書有限公司，2001年），頁102～103。

32 崔永東：〈讀郭店楚簡〈成之聞之〉與《老子》箚記〉，《簡帛研究2001》（桂林市：廣西師範大學出版社，2001年），頁70。

33 劉釗：《郭店楚簡校釋》（福州市：福建人民出版社，2003年），頁143～144。

34 顏世鉉：〈郭店楚墓竹簡儒家典籍文字考釋〉，《經學研究論叢》第6期（1999年3月），頁179～180。

35 王連成：〈也談《太一生水》「名字」章及其與《老子》之間的關係〉，「簡帛研究網」（2007年9月12日）。

喻，指出領先者要放慢腳步，緩緩而行；落後者要加緊趕上，努力超前，如此方能『從允釋過』，避免『過猶不及』的缺失。」[36]後者如郭沂讀「余」為「虛」，以為與下句「信」對文，指空無淡化的意思。將簡文理解為「先者虛之，來者信之」，指「一個人如以公允的態度解釋其過錯，那麼就要淡化其以往的過錯，而其未來的過錯則需實際地對待」[37]。

第三種說法是將「允」解作「悔改」，如陳偉讀「允」為「悛」，訓為悔改。訓「釋」為放過、赦宥。「先」疑為「往」字之誤。讀「余」為「舒」，訓為伸展；讀「信」為「伸」，與「舒」義近[38]。

現將各家說法列如下表，以清眉目：

	從	允	懌	怭	先者	余	來者	信
丁原植	依順	信	消除（釋）	過失	治民	止息（舍）	歸附者	信服
涂宗流	聽從	信	服（釋）	過失	前導	長久（餘）	後來者	取信
崔永東	服從	信	改	過錯	原臣民	親近	歸服者	相信
劉釗	從	誠信	赦宥（釋）	過錯	前錯	除去	今後	相信
顏世鉉	趨就	誠信	原諒（赦）	小過失	原百姓	喜樂（豫）	治外之民	信
王連成	以	誠信	消除	疑惑（惑）				
周鳳五	依循	適當	捨棄（釋）	過度	領先	緩行（舒）	落後	迅速（迅）
郭沂	以	公允	解釋	過錯	以往過錯	淡化（虛）	未來過錯	實際對待
陳偉		悔改（悛）	赦宥（釋）		往之誤	伸展（舒）		伸展（伸）

36 周鳳五：〈楚簡文字考釋〉，《第一屆簡牘學術研討會論文集》（嘉義市：嘉義大學，2003年），頁126～127。

37 郭沂：〈〈大常〉（原題〈成之聞之〉）考釋〉，《郭店竹簡與先秦學術思想》，頁212。

38 陳偉：〈郭店簡書〈德義〉校釋〉，《楚地出土簡帛文獻思想研究（一）》（武漢市：湖北教育出版社，2002年），頁81。

由上表可見，各家所釋「允」字基本上只有三種說法，然而對「允」以下文句的解讀卻各不相同，即便是將「允」都解釋為「信」的說法，其下文的解讀也各不相同。這些釋讀基本上都符合上古漢語漢字通讀的規律，唯各說似多將相關文句抽離了全文意旨，未能與〈君子之於教〉相關段落的邏輯或文意脈絡相符。

在〈成之聞之〉簡序重編的研究過程中，「從允悳怹」所在的簡三十六是否與引用《尚書・君奭》「襄我二人」所在的簡二十九相連，是學者無法確定的一個問題，此或許正是上述某些學者只能孤立的釋讀「從允悳怹」這一文句的主要原因。即便在簡序重編逐步取得共識的最後階段，學者仍提出簡三十六與簡二十九的相連問題，如顧史考以為簡三十六與簡二十九的連讀是以文章形式的考慮姑且相連的，並且還指出二者無必然關係[39]。又如陳劍以為：「此第三十六號簡很有可能當與下第二十九號簡連讀，但缺乏確證。」[40]都對這兩簡是否相連，作若干保留的態度。這之後也有學者嘗試調動簡序以說明這個問題，例如鄧少平則將簡三十六接簡二十一，再接簡二十九，認為三者「確乎有著意義上的關聯。只不過簡三十六和簡二十一是從正面立論，而簡二十九引周公的『不悅之詞』則是從反面強調」。[41]事實上，根據上文所述〈君子之於教〉引《書》部的行文邏輯，可知簡三十六與簡二十九在行文模式上可以連接，是沒有問題的，只是學者們一時缺乏連繫二者的證據。就行文邏輯與簡文中若干重要的關鍵詞而言，「從允悳怹」這句話實與《尚書・君奭》「襄我二人」有密切的連繫。這一點廖名春也指出過，以為「襄我二人，毋有合哉言」是「周公指責君奭不能與更多的人合作」，因此認為簡三十六是從正面立論，講寬以待人、團結人的重要，而簡二十九則是引證

---

[39] 顧史考：〈郭店楚簡〈成之〉等篇雜志〉，頁188。

[40] 陳劍：〈郭店簡〈尊德義〉和〈成之聞之〉的簡背數字與其簡序關係的考察〉，收入武漢大學簡帛研究中心編：《簡帛》第2輯（上海市：上海古籍出版社，2007年），頁4。

[41] 鄧少平：〈郭店〈成之聞之〉21號簡新解新編〉，「復旦大學出土文獻與古文字研究中心網站」（2009年12月17日）。

《尚書》批評不團結之語，來支持上述論點，兩者是互相聯繫的[42]。廖說僅寬泛的比對內容後指出簡三十六與二十九二者是聯繫的，事實上二者的聯繫尚有更多明確的證據可以說明。

簡文引《尚書・君奭》：「襄我二人，毋有合哉言！」並作評價說「蓋道不悅之詞也」。如同廖名春所言，《尚書・君奭》這句話是周公指責君奭不能與更多的人合作，總的而言，是周公與召公二人意見不一致。《尚書・君奭序》：「召公為保，周公為師，相成王為左右，召公不說，周公作〈君奭〉。」[43]這與簡文所謂「蓋道不悅之詞也」的評價一致。簡文所引「毋有合哉言」的「合」事實上是扣緊「從允」的「允」字而言的，前者以周公希望君奭能與他人合作，意見允合一致，這正是扣緊「允」有「允合」一類意思而言的。同時，眾人的意見若都能「允合」，則往往此意見就是最「允當」的意見，因此「從允懊�」的「允」字在此應結合〈君奭〉的引文「毋有合哉言」的「合」字來解釋，當作「允合」、「允當」這類意思。

簡文「從允」作「允合」、「允當」解釋，表面上看雖與下文「允師」將「允」解為「信」不一致，然而考慮到簡文所引〈君奭〉的「合」，以及下文將要討論的「歹外」，都能與「允合」、「允當」的意思配合，可知這正是簡文有意以不同的意涵來解釋「允」字，以此手段來解釋經典，並建構理論。

六　〈君子之於教〉之「歹外」

確定了「允」字的釋讀，則可以進一步討論上述作為三個主題中的第一主題「歹外」，到底具備那些內涵？有關「歹外」的釋讀，學者基本有四種意見：

42 廖名春：〈郭店簡〈成之聞之〉的編連和命名問題〉，《新出楚簡試論》（臺北市：臺灣古籍出版有限公司，2001年），頁240～241。

43 孔安國傳，孔穎達等正義：《尚書正義》，頁244。

第一是訓作「急切急速」義，如陳偉讀為「亟」，訓作「急切」[44]。周鳳五師讀作「亟」，訓作「疾速」，引申為積極、努力[45]。此說已有學者指出不確，因為「死」若讀作訓為急切努力的「亟」，則與三個主題之第二主題「疾」的意思重覆。

第二是訓作「敬愛」義，如李銳讀為「亟」，訓作「敬愛」[46]。此說似僅配合簡文「是故欲人之愛己也，則必先愛人；欲人之敬己也，則必先敬人」一句立論，一則與〈君子之於教〉全篇意旨無法全面配合；二則與「從允釋過」、〈君奭〉「襄我二人」在文意上無法連接；三則若置於「求之於己為死」、「上之死務在信於眾」二句中也難以通順的解釋。

第三是讀作「恆」，訓作「永恆」，如顧史考認為：「不管是召公『不悅』抑是周公『不悅』，且無論簡序如何排列，都很難看出此『不悅之詞』與任何上下文的可能關係。依筆者之見，此文所言應該是跟同簡下面所云『恆』的概念有直接的瓜葛才是。……下面既言『恆』，那麼『不說之司』所指應該便是『恆』的意思，因而在此做個猜測，將彼句讀為『不輟之治』。」[47]若依此說讀作「道不輟不治」，是指「恆」的話，則此永恆之意，似乎不能直接從前引〈君奭〉的話中得出，〈君奭〉這句話主要是提到「毋有合在言」，這句話不能直接導引出不輟或永恆的結論。且若讀作「恆」，又與「終之」的意思重覆，有恆心才能終成之，因此言「終之」，就含有需要恆心的意思了。這一點李學勤也已指出：「如果仍讀為『亙（恆）』，前面說『有其恆』，後面又講『終之為難』，就互相矛盾了。」[48]因此此說也難以成立。

第四是讀作「極」，訓作「中」，如李學勤以為「亙」當為「亟（極）」

---

44 陳偉：〈郭店簡書〈德義〉校釋〉，《楚地出土簡帛文獻思想研究（一）》，頁84。

45 周鳳五：〈郭店竹簡文字補釋〉，《古墓新知—紀念郭店楚簡出土十周年論文專輯》（香港：香港國際炎黃文化出版社，2003年），頁66。

46 李銳：〈郭店楚墓竹簡補釋〉，《華學》第8輯（北京市：紫禁城出版社，2006年8月），頁173。

47 顧史考：〈郭店楚簡〈成之〉等篇雜志〉，《郭店楚簡先秦儒書宏微觀》，頁190。

48 李學勤：〈郭店簡「君子貴誠之」試解〉，《中國古代文明研究》（上海市：華東師範大學出版社，2005年），頁232。

的誤字，指出戰國至漢初文字，「亙」與「亟」每相淆混。而簡文的「極」應訓作「中」[49]。但李說並未加以申論。此說是四種說法中最為可取的，應可肯定。理由有四點：

第一，「亙」若讀作「極」，訓作中道，能夠完全與上文「從允」以及〈君奭〉的「合」緊密相扣，「從允」與「合」指允當、允合、適當的意思，這正是所謂的中道。

第二，「極」能夠訓作中道，也有中正、標準的意思。就先秦儒家思想而言，在上位者應守中道，此中道足以作為民眾的標準，讓在上位者由此以身作則，這是符合〈君子之於教〉全篇意旨的。

第三，「極」訓作中道，訓作標準，置於「求之於己為亙」、「上之亙務在信於眾」也能通順的解釋，前者意旨在上位應以「求之於己」作為應守的中道，或是應有的標準；後者則指在上位者所守的中道，或所持的標準，應當在取信於民眾。

第四，「極」作為〈君子之於教〉三個主題中的第一主題，與後面的「疾」與「終」足以形成一個論述的理路：即指出在上位者應守中道以治民，但雖有中道，還必須積極努力的去執行；雖努力的執行，還必須及身去完成，以取得最後的成就，層層推進，完全符合邏輯理據。

同時，在《尚書．洪範》以及《孔傳》、孔《疏》中有與簡文類似的論述，所言與簡文可相互參照：

> 次五曰建用皇極。……次九曰嚮用五福，威用六極。……五、皇極。皇建其有極。……惟時厥庶民于汝極，錫汝保極。凡厥庶民，無有淫朋，人無有比德，惟皇作極。[50]

此處所言的「極」，與簡文所說的「極」的內涵基本是一致的，亦即以「中道」的內涵作為所建立的「標準」。這一點《孔傳》說得很清楚：

---

[49] 李學勤：〈郭店簡「君子貴誠之」試解〉，《中國古代文明研究》，頁232。

[50] 孔安國傳，孔穎達等正義：《尚書正義》，頁168、172。

> 皇，大。極，中也。凡立事當用大中之道。……大中之道，大立其有中。……眾民於君取中，與君以安中之善言從化。民有安中之善，則無淫過朋黨之惡，比周之德，為天下皆大為中正。[51]

將「皇極」解作「大中之道」,「極」即中道之意。立事當用中道，與簡文「從允」的意思相當，就是要以允當、中道的方式行事。又說「眾民於君取中」以及「與君以安中之善言從化」皆與簡文所言「古之用民者，求之於己為極」、「故君子之莅民也，身服善以先之，敬慎以導之，其所在者入矣。民孰弗從？型於中，發於色，其審也固矣，民孰弗信」的意思相符，即在上之君必須以身作則，為民表率，以中道行事，且使民從善安中，內化到性命之中。此外，孔《疏》也就此思路進一步說明：

> 「皇，大」,〈釋詁〉文。「極」之為中，常訓也。凡所立事，王者所行皆是，無得過與不及，常用大中之道也。《詩》云:「莫匪爾極。」《周禮》:「以為民極。」《論語》:「允執其中。」皆謂用大中也。……「皇」，大也。「極」，中也。施政教，治下民，當使大得其中，無有邪僻。故演之云，大中者，人君為民之主，當大自立其有中之道，以施教於民。當先敬用五事，以斂聚五福之道，用此為教，布與眾民，使眾民慕而行之。在上能教如此，惟是其眾民皆效上所為，無不於汝人君取其中道而行。積久漸以成性，乃更與汝人君以安中之道。言皆化也。若能化如是，凡其眾民無有淫過朋黨之行，人無有惡相阿比之德，惟皆大為中正之道，言天下眾民盡得中也。……「大中之道，大立其有中」，欲使人主先自立其大中，乃以大中教民也。凡行不迂僻則謂之「中」,《中庸》所謂「從容中道」,《論語》「允執其中」，皆謂此也。[52]

孔《疏》在此舉《周禮》「以為民極」和《論語》「允執其中」來說明「皆

---

[51] 孔安國傳，孔穎達等正義：《尚書正義》，頁 168、172。

[52] 孔安國傳，孔穎達等正義：《尚書正義》，頁 168、172。

謂用大中」，亦是以標準和中道兩層意思來解釋「極」的，與簡文如出一轍。此外又提到「惟是其眾民皆效上所為」與簡文提到「是故上苟身服之，則民必有甚焉者」、「上不以其道，民之從之也難」的思路一致。另外，「積久漸以成性」也與簡文下文言「聖人之性與中人之性」之逐漸博長厚大等內容相當，唯簡文對於性的養成有比孔《疏》更深一層的思考而已。

以上的對比旨在說明〈君子之於教〉的「極」事實上講的就是「中道」，此與簡文全篇的思想極其符合。此外，李學勤也已論證過〈成之聞之〉與《中庸》的關係密切[53]，在此可以進一步肯定。「中道」思想不僅出現在《中庸》，同時也普遍出現於上古儒家典籍之中，上述引文也還提到「允執其中」，見於《論語・堯曰》：「允執其中，四海困窮，天祿永終。」[54]以及《尚書・大禹謨》：「人心惟危，道心惟微，惟精惟一，允執厥中。」[55]是下開中古以下儒學思想的重要命題，尤其〈堯曰〉提到「允執其中」、「永終」，亦與〈君子之於教〉所強調的「從允」以及第一主題「極」和第三主題「終之」相當。唯其中「允」字，注解多訓做「信」，如何《注》：「包曰：允，信也。……言為政信執其中。」[56]《孔傳》：「信執其中。」[57]則僅取「允」的一部分詞義為說。現根據〈君子之於教〉「從允」、「合」與「極」三者關係密切的論述，可知此一命題所涵蓋「允」的詞義範圍是由本義到引申諸義多個層次的，且由此建構的思想內涵也更加豐富。

七 〈君子之於教〉之「悹悆」

瞭解〈君子之於教〉「允」、「極」等幾個關鍵詞之後，則簡文「從允

53 李學勤：〈郭店簡「君子貴誠之」試解〉，《中國古代文明研究》。

54 何晏等注，邢昺疏：《論語注疏》，《十三經注疏》（臺北市：藝文印書館，1955年），頁178。

55 孔安國傳，孔穎達等正義：《尚書正義》，頁55。

56 何晏等注，邢昺疏：《論語注疏》，頁178。

57 孔安國傳，孔穎達等正義：《尚書正義》，頁56。

愼怸」一句話就比較好理解了。根據楚簡用字的習慣，「愼怸」讀作「釋過」，是非常普遍的釋讀。「從允釋過」，應依周鳳五師的說法，依循合適的行為，捨棄過度的行為，即「人的行為必須恰如其分方為適當」的意見[58]。而本文上引孔《疏》所言「無得過與不及，常用大中之道也」，也能很好的解釋「從允釋過」。

然而，考慮到〈君子之於教〉在「從允愼怸」後又言「則先者余，來者信」，以及結合上古儒家文獻相關思想，則「愼怸」一詞或許還有其他釋讀的可能，在此嘗試提出一個新的說法。在提出新說以前，有必要明確「先者」與「來者」的意思，在上述各家說法中，往往以二者為相對意義的兩個詞，或以為是原有治理的人民與後來歸附的外人相對，或領先者與後來者相對，或以往與未來相對，或前與後相對等等。然而查考「先」在上古典籍的用法，往往與「後」相對，表達的多是時間或位置上的順序關係，而「來」則多與「去」相對，表達的是空間的遠近關係。以《尚書》為例，如〈召誥〉：「茲殷多先哲王在天，越厥後王後民。」〈西伯戡黎〉：「非先王不相我後人。」〈大禹謨〉：「無怠無荒，四夷來王。」[59]因此簡文中的「先者」，應是指時間上先依附的人民，而其實也概括了後來的人民；而「來者」則指空間上遠來的人民，但也概括了近身的人民。總得而言，是指在上位者所治理或領導的前後四方之民。

簡文「從允愼怸，則先者余，來者信」的「先者余，來者信」是互文見義，指的是在上位者能夠「從允愼怸」的話，那麼前後四方之民將會「余」、將會「信」。因此「從允愼怸」應是指在上位者應具備的道德，「從允」在上文已詳細說明。而「愼怸」若據上文所說，解成「釋過」，實與「從允」所要表達的意涵相同，就沒有更加豐富的意思了。這裏提出一個值得進一步思考的解讀。在《尚書．梓材》中有一段話：

今王惟曰：先王既勤用明德，懷為夾；庶邦享作，兄弟方來。亦既用

58 周鳳五：〈楚簡文字考釋〉，《第一屆簡牘學術研討會論文集》，頁126。

59 孔安國傳，孔穎達等正義：《尚書正義》，頁220、145、53。

明德，后式典集，庶邦丕享。皇天既付中國民越厥疆土于先王，肆王惟德用，和懌先後迷民，用懌先王受命。已！若茲監。惟曰：欲至于萬年惟王，子子孫孫永保民。[60]

《孔傳》的解釋是：

言文武已勤用明德，懷遠為近，汝治國當法之。眾國朝享於王，又親仁善鄰，為兄弟之國，萬方皆來賓服，亦已奉用先王之明德。君天下能用常法，則和集眾國大來朝享。……今王惟用德，和悅先後天下迷愚之民，先後謂教訓，所以悅先王受命之義。[61]

這段話首先敘述先王勤勞努力，以明德懷柔諸侯，輔佐王室，使庶邦兄弟等皆來朝進貢。接著說明上天既已將人民與疆土交付給先王，因此王應以美德「和懌」先後的「迷民」，用以終成先王之天命。在此「和懌」指的是安樂和悅的意思，而「迷民」指的是迷惑的民眾，意即使迷愚之民眾能安居樂業的意思。

據此，頗疑〈君子之於教〉的「懟忑」應讀作「懌惑」，「懟」讀作「懌」，完全可以通假，而「忑」讀作「惑」，前舉王連成已有此說。而簡文「從允懌惑，則先者余，來者信」即〈梓材〉所謂的「和懌先後迷民」，即依循允合適當的方式行事，使迷惑的民眾能安樂和悅，那麼前後四方之民皆能「余」、能「信」了。在此「余」讀作「豫」，解作喜樂的意思，上引顏世鉉也已指出[62]。唯「豫」在此實扣緊「懌」而言的，二字在《尚書》中多通用，如《尚書．金縢》：「既克商二年，王有疾弗豫。」《孔傳》：「伐紂明年，武王有疾不悅豫。」《釋文》：「豫本又作忬。」孔《疏》：「〈顧命〉云『王有疾不懌』，懌，悅也，故不豫為不悅豫也。」《尚書．金縢序》：「武王

---

60 孔安國傳，孔穎達等正義：《尚書正義》，頁213。

61 孔安國傳，孔穎達等正義：《尚書正義》，頁213。

62 顏世鉉：〈郭店楚墓竹簡儒家典籍文字考釋〉，《經學研究論叢》第6期（1999年3月），頁179～180。

有疾，周公作〈金縢〉。」《釋文》：「『武王有疾』，馬本作『有疾不豫』。」《校勘記》：「弗豫，陸氏曰『豫本又作忬』。按，《說文》引作『有疾不悆』，《釋文》別本作忬，蓋即悆字也。」《尚書．顧命》：「惟四月，哉生魄，王不懌。」《孔傳》：「王有疾，故不悅懌。」《釋文》：「懌音亦。馬本作『不釋』，云『不釋，疾不解也』。」[63]是解作喜樂的這個詞，可以用「豫」、「忬」、「懌」、「釋」、「悆」等字來表示，簡文用「余」，完全可通。新出清華簡〈保訓〉「惟王五十年，不瘵」的「瘵」從「余」聲，亦讀作「豫」或「懌」[64]。因此可知「豫」指喜樂義，實因其無病無災的關係，因此簡文所說的「先者豫」當指前後四方之民皆能無病無災的安樂和悅。

綜上所述，簡文應釋作「從允懌惑，則先者豫，來者信」，指依循允合適當的方式行事，使迷惑的民眾能安樂和悅，那麼前後四方之民皆能安樂也能信任他了。〈君子之於教〉的「懌」、「豫」可解作喜樂義，還可以從其下文中找到呼應，即「行不信則命不從，信不著則言不樂」，所謂「信」與「樂」正是「從允懌惑」所要達至的目標。

同時，考慮到簡文在此段中所引的《尚書．君奭》，似應也配合起來說明：

> 公曰：「嗚呼，君！肆其監于眞矣茲。我受命無疆惟休，亦大惟艱。告君乃猷裕，我不以後人迷。」公曰：「前人敷乃心，乃悉命汝，作汝民極。……」公曰：「……予不允惟若茲誥，予惟曰襄我二人，汝有合哉言，曰：『在時二人。』天休滋至，惟時二人弗戡。」[65]

在〈君奭〉中提到周公說「汝有合哉言」的一句話之前，周公還提到「告君

---

[63] 孔安國傳，孔穎達等正義：《尚書正義》，頁185、186、197、275。

[64] 見孟蓬生：〈〈保訓〉釋文商補〉，「復旦大學出土文獻與古文字研究中心網站」（2009年6月23日）。周鳳五：〈北京清華大學藏戰國竹書〈保訓〉新探〉，收入國立臺灣大學中國文學系主編：《孔德成先生學術與薪傳．討會論文集》（臺北市：國立臺灣大學中國文學系，2009年），頁193。

[65] 孔安國傳，孔穎達等正義：《尚書正義》，頁248～249。

乃猷裕，我不以後人迷」，所謂「不以後人迷」似即〈梓材〉所謂「和懌先後迷民」以及簡文所謂的「懌惑」。據此，簡文君子曰「從允懌惑，則先者豫，來者信」的一段話似也是對應著〈君奭〉的全文脈絡而言的。總的來說，簡文基本上是以《尚書》各篇作為整體思想背景來進行論述的。

此外，「懌」在上古儒學思想中其實是一個重要的概念，它是君子成德的表現。這個概念屢屢出現在上古儒學文獻之中，除了本篇〈君子之於教〉之外，在此另舉一、二例說明。首先如〈緇衣〉，目前所見〈緇衣〉有三種文本，即郭店、上博與傳世本，其中有一則提到：

> 子曰：苟有車，必見其軾。苟有衣，必見其敝。人苟有言，必聞其聲；苟有行，必見其成。《詩》云：「服之無懌。」（郭店〈緇衣〉）[66]
>
> 子曰：苟有車，必見其軾。苟有衣，必□□□。□□□□，□□□□；□□□，必見其成。《詩》云：「服之無臭 。」（上博〈緇衣〉）[67]
>
> 子曰：苟有車，必見其軾。苟有衣，必見其敝。人苟或言之，必聞其聲；苟或行之，必見其成。〈葛覃〉曰：「服之無射。」（《禮記．緇衣》）[68]

在此徵引《詩經．葛覃》的一句詩「服之無射」，郭店作「懌」；上博作「臭」；《禮記》本作「射」，而《毛詩》作「斁」，諸字其實都應讀作上述的「懌」字，各字皆在餘紐鐸部，相轉可通。鄭《注》：「射，厭也。言己願采葛以為君子之衣，令君子服之無厭，言不虛也。」[69]而《毛傳》：「斁，厭也。」[70]都將之訓為厭滿之意，與上述「懌」為喜悅之意恰恰相反。然而厭滿

66 荊門市博物館：《郭店楚墓竹簡》，頁20。

67 馬承源主編：《上海博物館藏戰國楚竹書（一）》（上海市：上海古籍出版社，2001年），頁64～65。

68 鄭玄注，孔穎達等正義：《禮記正義》，頁934。

69 鄭玄注，孔穎達等正義：《禮記正義》，頁934。

70 毛氏傳，鄭玄箋，孔穎達等正義：《毛詩正義》，《十三經注疏》（臺北市：藝文印書

與喜悅往往是一線之隔的感受，由此在同一組聲符的詞義上指示出相反的訓釋，在上古典籍中二個詞義皆見，例如「豫」，《周易・豫卦》李鼎祚《集解》引鄭玄：「豫，喜逸悅樂之貌也。」[71]《孟子・公孫丑下》：「夫子若有不豫色然。」焦循《正義》：「《易・豫卦》鄭氏《注》云：『豫，喜豫悅樂之貌也。』」[72]《楚辭・九章・惜誦》：「行婞直而不豫兮。」王《注》：「豫，厭也。」[73]是「豫」兼有喜悅與厭滿兩個相反的意思。而就上古儒學所論的道德修養中，往往以無「厭懌」作為成德必要的手段，而以「悅懌」表達成德的見證。

除了「懌」之外，〈緇衣〉引〈葛覃〉「服之無懌」旨在說明「必見其成」，這與〈君子之於教〉言「終之為難」或「君子貴成之」的思路也一致。《禮記・緇衣》孔《疏》：「此明人言行必慎其所終也，將欲明之，故先以二事為譬喻也。……『〈葛覃〉曰：服之無射』者，此〈周南・葛覃〉之篇，美后妃之德也。詩之本意言后妃習絺綌之事而無厭倦之心，此則斷章云采葛為君子之衣，君子得而服之，無厭倦也。言君子實得其服而不虛也，引之者証人之所行終須有效也。」[74]亦指出「慎其所終」或「所行終須有效」的宗旨。

其次，徵引〈葛覃〉表達由「懌」而「成」的思想又見於上博〈孔子詩論〉：

> 孔子曰：「吾以〈葛覃〉得厥初之詩，民性固然。見其美，必欲反其本。夫葛之見歌也，則以絺綌之故也。后稷之見貴也，則以文武之德也。」[75]

館，1955年），頁30。

71 李鼎祚輯：《周易集解》（臺北市：臺灣商務印書館，1996年），頁96。

72 焦循：《孟子正義》（北京市：中華書局，1998年），頁309。

73 洪興祖：《楚辭補注》（臺北市：藝文印書館，1986年），頁210。

74 鄭玄注，孔穎達等正義：《禮記正義》，頁934～935。

75 馬承源主編：《上海博物館藏戰國楚竹書（一）》，頁28、36。

在此則以〈葛覃〉為論述對象。由上舉〈緇衣〉引〈葛覃〉以及此處以〈葛覃〉為論述對象的情況，可知〈葛覃〉一詩在上古儒家文獻的徵引中所塑造的中心概念就在「懌」，進一步推闡的重要主題就在「終成」。這一概念與主題與〈君子之於教〉「懌」所表達的思想一致。尤其〈孔子詩論〉談到「見其美，必欲反其本」的反本、成美的思想與〈君子之於教〉「窮源反本者之貴」與「君子貴成之」的論述更是如出一轍。

八　結語

通過以上解讀，可列郭店楚簡〈成之聞之〉中〈君子之於教〉引《書》部分關鍵詞的釋文如下：

> 君子曰：從允懌惑，則先者豫，來者信36。〈君奭〉曰：「襄我二人，毋有合哉言！」蓋道不悅之詞也。君子曰：雖有其極而29行之不疾，……〈君奭〉曰：……。君子曰：疾之22可能……「槁木三年……。聞之曰：古之用民者，求之於己為極。……是以上之極24務在信於眾。〈冏命〉曰：『允師濟德』。」此言也，言信於眾之可以25濟德也。

在此段釋文中，關鍵性的兩個「允」字，前者「從允」應訓作允合、允當，與所引〈君奭〉的「合」字相扣，同時因為「從允」作為「極」的具體內容，「允」若訓作允合，也與訓作中道的「極」含義相配合。後者「允師」訓作誠信，這是簡文本身已作的明確訓釋。其中「上之極務在信於眾」是連接前後二者的關鍵句子，「極」作為中道，以「允」的允合義為具體內容，而在上位者所守的中道又務在信於眾，亦即是務在於「允」的誠信義，因此兩個關鍵性的「允」字是構築〈君子之於教〉引《書》部分中心思想的重要概念。

本文經過對「允」字詞義範圍的考察，以及對〈君子之於教〉相關段落的解讀，可知〈君子之於教〉應用了「允」字兩個層次的意義，建構了一套道德修養與為政導民的理論。亦即從允合中道到允信於眾的雙層次解釋，來強調在上位者必須先反己修身，做到允合中道的標準，以此以身作則，方能允信於大眾，進而引導大眾人民，使之無迷惑而真心服從跟隨，以致無災無病，安居樂業。

這樣的一套理論是利用漢語漢字一字形多詞義的特點所建構起來的，在建構的過程中，並以《尚書》思想為背景，在解釋的每個環節皆扣緊《尚書》不同篇章的思想作論述，以〈君子之於教〉而言，明確徵引的是〈君奭〉、〈冏命〉，而實際內容可以連接的還包括〈洪範〉、〈梓材〉等篇章。以〈洪範〉思想為背景的，主要是談「極」之中道的部分；而以〈梓材〉思想為背景的，則論述了有關「懌」之安樂和悅以成德的部分，這樣的概念也見於對《詩經》的解釋當中，三個文本的〈緇衣〉以及上博〈孔子詩論〉皆是其例。

陳振孫《書》學之研究

何廣棪*

一　緒言

余攻治陳振孫及其《直齋書錄解題》用力頗勤，費時亦最久。初則探研其生平及著作，撰就並版行《陳振孫之生平及其著述研究》[1]，以為知人論世及鑽研直齋學術之根據；而近十數年來則絡繹撰作與出版《陳振孫之經學及其〈直齋書錄解題〉經錄考證》[2]、《陳振孫之史學及其〈直齋書錄解題〉史錄考證》[3]、《陳振孫之子學及其〈直齋書錄解題〉子錄考證》[4]、《陳振孫之文學及其〈直齋書錄解題〉集錄考證》[5]。其後又發表相關論文十餘篇，則收入拙著

* 樹人大學中國文學系。

1 民國82年10月，臺北市：文史哲出版社初版。後經修訂，2009年3月，臺北市：花木蘭文化出版社印行，收入《古典文獻研究輯刊八編》。

2 民國86年3月，臺北市：里仁書局初版。後經修訂，2006年3月，臺北市：花木蘭文化出版社印行，收入《古典文獻研究輯刊二編》。

3 2006年9月，臺北市：花木蘭文化出版社印行，收入《古典文獻研究輯刊三編》。

4 2007年3月，臺北市：花木蘭文化出版社印行，收入《古典文獻研究輯刊四編》。

5 2010年3月，臺北市：花木蘭文化出版社印行，收入《古典文獻研究輯刊十編》。

《碩堂文存三編》[6]、《四編》[7]、《五編》[8]、《六編》[9]中。

二〇〇七年十一月十七日至十八日，臺灣「中國經學研究會」曾舉行「第五屆中國經學研究會國際學術研討會」，余曾以〈陳振孫《易》學之研究〉為題，謹就振孫之《易》學著作、《易》學淵源、《易》學特色與見地、及其對各家《易》學著作之評價等項，撰就論文在會上宣讀。茲則略仍舊貫，下分「陳振孫之《書》學著作」、「陳振孫《書解》內容之推究」、「宋儒與陳振孫對《古文尚書》之辨偽及其淵源」、「陳振孫《書》學之特色與見地」四項，以撰作〈陳振孫《書》學之研究〉，以應此次研討會之邀請。

二　本論

（一）陳振孫之《書》學著作

有關陳振孫之著作，元人脫脫《宋史・藝文志》一無著錄，以迄清人黃虞稷、倪燦撰、盧文弨考訂之《宋史藝文志補》則僅著錄：

---

6 《碩堂文存三編》收有〈近年來有關陳振孫及其著述研究之新探索〉。民國84年6月15日，臺北市：里仁書局印行。

7 《碩堂文存四編》收有〈陳振孫生卒年新考〉、〈劉貢父「不徹薑食」、「三牛三鹿」二語考——讀《直齋書錄解題》札記〉。民國90年元月，臺北，文史哲出版社印行。

8 《碩堂文存五編》收有〈讀陳振孫《直齋書錄解題》札記〉、〈讀陳振孫《直齋書錄解題》續札〉、〈讀陳振孫《直齋書錄解題・詩類》札記〉、〈讀陳振孫《直齋書錄解題・語孟類》札記〉、〈談「蚪戶銑谿體」——讀《直齋書錄解題》札記〉、〈呂昭問小考～讀《書錄解題》札記〉、〈尤袤與陳振孫之學術情緣〉、〈南宋有兩「陳振孫」——讀《陳容壙志》、《陳容墓志銘》書後〉。民國93年9月15日，臺北市：里仁書局印行。

9 《碩堂文存六編》收有〈宋匪躬四考——讀《直齋書錄解題》札記〉、〈《陳振孫之經學及其〈直齋書錄解題〉經錄考證》增訂本後記〉、〈《陳振孫之史學及其〈直齋書錄解題〉史錄考證》後記〉。民國96年9月15日，臺北市：花木蘭文化出版社印行。

陳振孫《直齋書錄解題》五十六卷。今分二十二卷。[10]

而其餘著作均付闕如。

關於振孫《書》學著作，宋人周密《志雅堂雜鈔》卷下〈書史〉記載有三條，其一云：

直齋所著書有言《書解》一冊，《易解》、《繫辭錄》、《史鈔》。[11]

案：周密字公謹，其父晉字明叔，與振孫過從甚密，振孫曾借閱其所藏〈張氏十詠圖〉，後跋而歸之。周密年輕時則嘗接聞振孫之道範謦欬，故對其生平及著述情事，知悉甚詳，拙著《陳振孫之生平及其著述研究》已考論及之[12]。周密此條謂振孫著有《書解》一冊，所言應可信。

其二云：

子昂云：「高恥堂有《易說》、《詩》、《書解》之類尤好。」[13]

案：此條所記之「子昂」，即趙孟頫。孟頫字子昂，湖州人，與周密同鄉里，年齒又相及。文中所言之「高恥堂」，即高斯得，《宋史》卷四百九、〈列傳〉第一百六十八有傳。其〈傳〉且載斯得有「《恥堂文集》行世」[14]。至此條所云「《詩》、《書解》」，乃《詩解》、《書解》之省稱。《書解》，應即前條所載之直齋《書解》也。

其三云：

姚子敬處有恥堂《易膚說》，又有《增損杜佑通典》，甚佳。其家

---

[10] 見《宋史藝文志．補．附編》（上海市：商務印書館，1957年），頁546。

[11] 見《粵雅堂叢書》，第一集，《志雅堂雜鈔》（清咸豐三年刻本）卷下，頁13A。

[12]《陳振孫生平及著述研究》（文史哲出版社本），第四章〈陳振孫之戚友與交游〉、第三節〈陳振孫學術上之友朋〉，頁301～306。

[13]《粵雅堂叢書》，頁13B。

[14] 見脫脫：《宋史》（臺北市：鼎文書局，1994年）卷409〈列傳〉第168〈高斯得〉，頁12328。

只有一本，恐難借出。又有唐仲友《兩漢精華》，有陳木齋《詩話鈔》、直齋《書傳》、雪林《詩家糾繆》。[15]

案：此條之「姚子敬」，《宋史》無傳，事跡無可考。惟有關高恥堂著作，《宋史》本傳寫作《詩膚說》、《增損刊正杜佑通典》[16]。或恥堂既撰《易膚說》，又撰《詩膚說》；至所記有關杜佑《通典》者，則應同屬一書。又此條所載「直齋《書傳》」，則應與《書解》同，非為二書也。

振孫《書解》亦有被稱作《尚書說》者，清人朱彝尊《經義考》卷八十三、〈書〉十二著錄：

陳氏振孫《尚書說》，佚。[17]

《書解》、《尚書說》，二者應同屬一書。近人陳樂素撰〈《直齋書錄解題》作者陳振孫〉，謂《書解》與《尚書說》「未詳是否一書」[18]，所言似過於矜慎矣！

據上所考，則振孫確撰有《書解》一冊，周密《志雅堂雜鈔》卷下〈書史〉謂高恥堂、姚子敬均藏有之，其言可信。《書解》或稱《書傳》，亦稱《尚書說》，三者同書異名，否則，則書寫偶有錯誤耳。

（二）陳振孫《書解》內容之推究

陳振孫撰《書解》一冊，南宋時猶存，元時袁桷尚得研讀之。嗣後，其書則不絕如縷。清初朱彝尊《經義考》雖著錄有振孫《尚書說》（即《書

15《粵雅堂叢書》，頁14A。

16 見脫脫：《宋史》卷409〈列傳〉第168〈高斯得〉，頁12328。

17 見《四部備要．經部．經義考》（上海市：中華書局，據揚州馬氏刻本校刊本），第1冊，卷83，頁3A。

18 陳樂素文，發表於1946年11月20日《大公報．文史周刊》。此處轉引自徐小蠻、顧美華點校本：《直齋書錄解題》（上海市：上海古籍出版社，1987年），附錄二，頁695～696。

解》），而標明「佚」字，疑其時書已不復在此霄壤間矣！

振孫此書雖佚，竊以為其書之內容似仍得以略窺探其端倪者。考袁桷《清容居士集》卷二十一〈序・龔氏四書朱陸會同序〉載：

> 《五經》專門之說不一，既定於石渠、鴻都，嗣後學者靡知有異同矣。……《書》別於今文古文，晉世相傳馴致後，宋時則有若吳棫氏、趙汝談氏、陳振孫氏疑焉，有考過千百年而能獨明者也。……至治二年八月辛未袁桷序。[19]

同書卷二十八〈墓誌銘・劉隱君墓誌銘〉又載：

> 《五經》之學，由宋諸儒先緝續統緒，《詩》首蘇轍，成鄭樵；《易》首王洙，東萊呂祖謙氏後始定十二篇；胡宏氏辨《周官》，余廷椿乃漸次第；《書》有古文今文，陳振孫掇拾援據，確然明白，言傳心者猶依違不敢置論。[20]

案：袁桷字伯宗，生於南宋度宗至元泰定帝時，《元史》卷一百七十二、〈列傳〉第五十九有傳。其〈傳〉謂：「桷在詞林，朝廷制冊勳臣碑，多出其手。所著有《易說》、《春秋說》、《清容居士集》。泰定四年（一三二七）卒，年六十一。」[21]是桷既善屬文，兼研治經學，其年代又距振孫匪遙，故其所考論直齋治《書》學之言必有依據，應可相信。

如上所推論，袁桷所言既可信，據之以推究《書解》，則振孫之書，其內容必有考證及《尚書》今、古文與其真偽者。惟《書解》已亡，余不獲已，頗擬據《直齋書錄解題》（以下簡稱《解題》）卷二〈書類〉所載資料以推究之，庶或可求得《書解》內容之一二。

---

[19] 見袁桷：《清容居士集》，收入《景印文淵閣四庫全書》（臺北市：臺灣商務印書館，1986年），第1203冊，卷21，頁286～287。

[20] 袁桷：《清容居士集》卷21，頁380～381。

[21] 見宋濂等：《元史》（臺北市：鼎文書局，1993年）卷172〈列傳〉第59〈袁桷〉，頁4025～4026。

考《解題》卷二〈書類〉所著錄書籍，凡二十九種，欲藉之以推考《書解》內容，則以其中第一種「《尚書》十二卷、《尚書注》十三卷」條至為重要。茲不妨分段迻錄之，並試予闡說，以作推究《書解》之依據。

《解題》卷二〈書類〉「《尚書》十二卷、《尚書注》十三卷」條[22]載：

漢諫議大夫魯國孔安國傳。初，伏生以《書》教授，財二十九篇，以〈舜典〉合於〈堯典〉，〈益稷〉合於〈皋陶謨〉，〈盤庚〉三篇合為一，〈康王之誥〉合於〈顧命〉，實三十四篇。

案：此乃振孫考伏生《今文尚書》之篇數。謂《今文尚書》初「財二十九篇」，後釋出〈舜典〉、〈益稷〉、〈康王之誥〉，則增多三篇；〈盤庚〉分為三，又多出二篇，是共增五篇。二十九加五，故《今文尚書》「實三十四篇」。

又載：

及安國考論魯壁所藏，始出〈舜典〉諸篇，又定其可知者，增多二十五篇，引〈序〉以冠諸篇之首，定為五十八篇。

案：此條考論魯壁所藏《古文尚書》篇數。振孫認為既經孔安國考論之《古文尚書》，其內實已有〈舜典〉、〈益稷〉、〈康王之誥〉等文，是《今文尚書》所訂三十四篇均在安國所見《古文尚書》內。惟《古文尚書》另多出《今文尚書》所闕之二十五篇，是則安國所見《古文》，合〈序〉而言，凡五十九篇。後安國引〈序〉以冠每篇之首，改定為五十八篇，斯則安國考論原藏魯壁《古文尚書》之實況也。

又載：

雖作《傳》既成，會巫蠱事作，不復以聞，故未嘗列於學官，世亦莫之見也。

---

22 此條載見徐小鑾、顧美華點校：《直齋書錄解題》，頁26～27。

案：此言孔安國據《古文尚書》以作《傳》，而遇巫蠱事，乃無以聞。其學既不列學官，所為《傳》，「世亦莫之見」。考《漢書．武帝本紀》，固知巫蠱事發生於征和二年（前92）秋七月[23]，是安國獻《孔傳》事，在巫蠱事發前。

又載：

> 考之〈儒林傳〉，安國以《古文》授都尉朝，遞遞相承，以及塗惲、桑欽；至東都，則賈逵作《訓》，馬融、鄭康成作《傳》、《注解》，而逵父徽實受《書》於塗惲，逵傳父業，雖曰遠有源流，然而兩漢名儒皆未嘗實見孔氏《古文》也。

案：此乃據《漢書．儒林傳》、《後漢書．儒林列傳》及孔穎達《尚書正義》以考兩漢《古文尚書》之授受，振孫並謂其間雖「遠有源流」，然「兩漢名儒皆未嘗實見孔氏《古文》」，蓋以其書既深藏石渠、鴻都中，故即當世名儒亦莫能得而見之矣！

又載：

> 豈惟兩漢，魏、晉猶然，凡杜征南以前所注經傳，有援〈大禹謨〉、〈五子之歌〉、〈胤征〉諸篇，皆云《逸書》；其援〈泰誓〉者，則云今〈泰誓〉無此文，蓋伏生《書》亡〈泰誓〉，〈泰誓〉後出。或云武帝末民有獻者，或云宣帝時，河內女子得之，所載白魚火烏之祥，實偽書也。然則馬、鄭所解，豈真《古文》哉！故孔穎達謂賈、馬輩惟傳孔學三十三篇，即伏生《書》也，亦未得為孔學矣。

案：此言即魏、晉經師亦皆未得見孔氏《古文》，故凡杜預前所注書有引古文〈大禹謨〉、〈五子之歌〉、〈胤征〉、〈泰誓〉者，恐皆為偽書也；即賈、馬、鄭玄所傳注，亦僅能據伏生《書》三十三篇（即《今文經》），而非孔

---

[23] 事見班固：《漢書》（臺北市：鼎文書局，1995年）卷6〈武帝紀〉第6，頁208～209。

氏《古文》(即增多之二十五篇)。〈泰誓〉又後出,原非伏《書》所有,故其所載「白魚火烏之祥」,實偽書也。

又載:

> 穎達又云:「王肅注《書》始似竊見《孔傳》,故於亂其紀綱,以為太康時。皇甫謐得《古文尚書》於外弟梁柳,作《帝王世紀》往往載之。蓋自太保鄭沖授鄭愉,愉授梁柳,柳授臧曹,曹授梅賾,賾為豫章內史,奏上其《書》,時已亡〈舜典〉一篇。至齊明帝時,有姚方興者,得於大航頭而獻之,隋開皇中搜索遺典,始得其篇。夫以孔注歷漢末無傳,晉初猶得存者,雖不列學官,而散在民間故耶?」

案:振孫此處所引「穎達又云」之文,實取自穎達《尚書注疏·虞書》疏,而內容則有刪略,文字亦多所異同[24]。是則穎達固誤以王肅所竊見之《孔傳》為真《孔傳》、皇甫謐所得之《古文尚書》為真《古文》矣!

又載:

> 然終有可疑者,余嘗辨之。

案:是振孫不信孔穎達之言,而終疑魏、晉後所流傳《古文尚書》與《孔傳》為偽,故撰就《書解》以辨之。余嘗竊考曾得讀振孫《書解》之袁桷所撰文,其一則曰:「《書》別於今文古文,……陳振孫氏疑焉,有考過千百年而能獨明者也。」此殆袁氏推譽振孫能疑古文之偽,謂其於千百年後考之而能獨明也。其二則曰:「《書》有今文古文,陳振孫氏掇拾援據,確然明白。」此則不惟謂振孫能考《古文》之偽,且掇拾資料,援以為據,以證《今文》之真,而兩者之考皆「確然明白」也。由是推之,足見振孫《書解》之內容,實涵蓋考辨《尚書》今、古文及其真偽,而非僅獨辨古文之偽而已也。

---

24 見阮元:《重刊宋本尚書注疏附校勘記》(嘉慶二十年江西南昌府學開雕本)〈堯典〉第一,頁3B。

振孫已明言魏、晉後所傳《古文尚書》為可疑，並嘗辨之。至其所撰《書解》內容有考及《今文尚書》為真者，斯則仍可覓取相關旁證以申說之。《解題》卷二〈書類〉著錄：

> 《南塘書說》三卷，趙汝談撰。疑古文非真者五條。朱文公嘗疑之而未若此之決也。然於伏生所傳諸篇亦多所掊擊牴排，則似過甚。[25]

案：此條於前既讚揚汝談疑古文非真，謂其勇決有過於朱子者；然後半亦責其於伏生今文「多所掊擊牴排」，「則似過甚」。以是觀之，則振孫於《今文經》之真，固堅信不疑，且情見乎辭矣！故余謂《書解》之內容必有考論及此者。

綜上所推考，則振孫《書解》一書，內容應甚富贍，惜書既亡，故亦不可具悉。竊以為其書必有考及今、古文之篇章與篇數、伏生《書》與《孔傳》、及今、古文之授受，並著重考證及偽古文與真今文者。余僅據《解題》所載及袁桷《清容居士集》相關資料，以推究其書內容如上，尚希能不遠於事實。

（三）宋儒與陳振孫對《古文尚書》之辨偽及其淵源

宋儒疑《古文尚書》之偽，朱彝尊謂始於宋人吳棫。朱撰《經義考》卷八十、〈書〉九著錄：

> 吳氏棫《書裨傳》，《宋志》十二卷，《授圖經》十三卷。未見。《一齋書目》有之。王明清曰：「吳棫才老，舒州人。」……按：說《書》疑古文者自才老始，其書《菉竹堂目》尚存。[26]

是其證。《書裨傳》一書，《解題》卷二〈書類〉著錄：

---

[25] 徐小鑾、顧美華點校：《直齋書錄解題》，頁34。

[26]《四部備要．經部．經義考》，冊11，卷80，頁5B～6A。

《書裨傳》十三卷，太常丞建安吳棫才老撰。首卷舉要曰〈總說〉，曰〈書序〉，曰〈君辨〉，曰〈臣辨〉，曰〈考異〉，曰〈詁訓〉，曰〈差牙〉，曰〈孔傳〉，凡八篇。考據詳博。[27]

吳棫，《宋史》無傳。清陸心源《宋史翼》卷二十四、〈列傳〉第二十四、〈儒林〉二載棫「紹興間始除太常丞」[28]，則棫乃南宋高宗時人。竊疑其書八篇中，如〈總說〉、〈書序〉、〈孔傳〉諸篇皆應考及《古文尚書》之偽者，故振孫譽棫「考據詳博」。而朱子早於振孫，亦盛推才老書。朱子曰：「吳才老《書解》，徽州刻之。才老於考究上極有功夫，只是義理上看得不仔細。」又曰：「吳才老說〈胤征〉、〈康誥〉、〈梓材〉等篇，辨證極好，但已看破〈小序〉之失，而不敢勇決，復為〈序〉文所牽，殊覺費力耳！」[29]朱子所言才老「考究上極有功夫」，直齋與之所見同；又謂其「辨證極好，但已看破〈小序〉之失」，蓋朱子此說，大抵多就才老辨《古文》之偽而作推譽，惟亦嫌其「義理看得不仔細」，又「不敢勇決，復為〈序〉文所牽」，則朱子所分析甚翔實，所考較直齋為細密。

宋人《古文尚書》辨偽工作，朱子實繼吳棫之後，其所考論之成果，均見《晦庵書說》中。此書由其弟子黃士毅所集成。《解題》卷二〈書類〉著錄：

《晦庵書說》七卷，朱熹門人黃士毅集其師說之遺，以為此書。……又嘗疑孔安國《傳》恐是假，〈書小序〉決非孔門之舊，安國〈序〉決非西漢文章；至謂與《孔叢子》、《文中子》相似，則豈以其書出於東晉之世故耶？非有絕識獨見不能及此。至言《今文》多艱澀，《古文》多平易，伏生倍文暗誦，乃偏得其所難，而安國考定於科斗古書錯亂磨滅之餘，反專得其所易，此誠有不可曉者。[30]

---

27 徐小蠻、顧美華點校：《直齋書錄解題》，頁30。

28 見陸心源：《宋史翼》（北京市：中華書局，1991年），頁255。

29《四部備要．經部．經義考》，「吳氏棫《書裨傳》」條引。

30 徐小蠻、顧美華點校：《直齋書錄解題》，頁32。

據是，則知朱子所辨偽，既謂孔《傳》、〈書小序〉皆不可靠；安國〈尚書序〉非西漢文章；又謂《今文》艱澀，《古文》平易，伏生背誦偏得其難，安國考定古書於錯亂磨滅之餘，而反專得其所易，此誠至不可曉。是朱子識見之透徹，與立論之勇決，遠出才老之上，無怪振孫許為「非有絕識獨見不能及此」。由是推之，則振孫撰《書解》以考究《古文》之偽，或可推遠本於吳才老，然深究其主要淵源，實導自朱文公者矣！

趙汝談字履常，號南塘。所撰《南塘書說》三卷亦辨《書》今古文之真偽，《解題》有著錄，前已引及之，茲不再錄。汝談，宋孝宗時人。《宋史》卷四百一十三、〈列傳〉第一百七十二有傳。其〈傳〉謂「汝談天資絕人，沉思高識，自少至老，無一日去書冊。其論《易》，以為為占者作；《書》〈堯〉、〈舜〉二典宜合為一，禹功只施於河洛，〈洪範〉非箕子之作；《詩》不以〈小序〉為信；《禮記》雜出諸生之手；《周禮》宜傅會女主之書。要亦卓絕特立之見」[31]。據是，汝談固遍通群經，而尤深於《書》者。振孫譽其疑古文非真，雖朱子亦未及其勇決。袁桷亦將之與才老、直齋並稱，謂其所考《書》今、古文，皆「有考過百年而能獨明者」[32]。其後余又得讀劉後村序〈趙虛齋注莊子內篇〉，曰：「往歲水心葉公講學，析理多異先儒，《習學記言》初出，南塘趙公書抵余曰：『葉猶是同中之異，如某則真異耳！』余駭其言而未見其書也。端平初，余為玉牒所主簿，葉為卿，攝郡右銓，趙為侍郎，朝夕相親，稍窺平生論著。于《書》、《易》皆出新義，雖伊、洛之說不苟隨，惟《詩》與朱子同。且語余曰：『莆人惟鄭漁仲善讀書，子可繼之，勿為第二流人。』余謝不敢當。」[33]觀此，足證南塘治經多出新義，不肯為第二流人。振孫撰《書解》亦在敢疑，至其求新與勇決，應亦有淵源南塘者，故趙、陳二人治《尚書》，所獲業績，亦彼此相得也。

綜上所考，則振孫於《古文尚書》之辨偽，固與吳、朱、趙三人為同

---

[31] 見脫脫：《宋史》卷413〈列傳〉第172〈趙汝談〉，頁12396。

[32] 袁桷：《清容居士集》卷21，頁286～287。

[33] 見王梓材、馮雲濠：《宋元學案補遺》（臺北市：世界書局，1974年）卷69〈滄州諸儒學案補遺上．補文懿趙南塘先生汝談〉，頁2470。

道，而其淵源朱、趙之跡，似猶斑斑可考也。

（四）陳振孫《書》學之特色與見地

陳振孫《書》學之特色，上言及其在辨偽方面已表現出敢疑、求新與勇決，茲無妨再據《解題》舉例，以證成其治《書》學仍有其他特色與見地。

1. 對與《書》學相關著作之眞僞表示高度懷疑

振孫治《書》敢疑，不惟體現於《古文尚書》與《孔傳》上，其對與《書》相關著作之真偽，亦多存疑，且每辨其不足信。《解題》卷二〈書類〉著錄：

> 《汲冢周書》十卷，晉五經博士孔晁注。太康中，汲郡發魏安釐王冢所得竹簡書，此其一也。今京口刊本，以〈序〉散在諸篇，蓋以倣孔安國《尚書》。相傳以為孔子刪《書》所餘者，未必然也。文體與古書不類，似戰國後人依倣為之者。[34]

此辨《汲冢周書》非孔子刪書所餘，以其文體與古書不類，遂疑為「似戰國後人依倣為之者」。

又著錄：

> 《古三墳書》一卷，元豐中，毛漸正仲奉使京西，得之唐州民舍。其辭詭誕不經，蓋偽書也。《三墳》之名，惟見於《左氏》右尹子革之言。蓋自孔子定書，斷自唐、虞以下，前乎唐、虞，無證不信，不復采取，於時固以影響不存，去之二千載，而其書忽出，何可信也？況皇謂之「墳」，帝謂之「典」，皆古史也，不當如毛所錄，其偽明甚。人之好奇，有如此其僻者，晁公武云張商英偽撰，以比李筌《陰

[34] 徐小蠻、顧美華點校：《直齋書錄解題》，頁28。

符經》。[35]

此辨《古三墳書》乃偽書，其辭詭誕不經，固明證矣！況孔子定書時，此書已影響不存乎？去之二千載而書忽出，何可信耶？至晁公武謂乃張商英偽撰，晁說見《郡齋讀書志》卷第四〈經解類〉「《三墳書》七卷」條，不備錄。

又著錄：

《尚書精義》六十卷，三山黃倫彝卿編次。或書坊所託。[36]

此又疑《尚書精義》乃書坊偽託，非黃倫編次。是振孫所疑之書固不少，所辯言而有據，可昭徵信。

2.主張治《書》須博極群書，長於考訂

《解題》卷二〈書類〉著錄：

《石林書傳》十卷，尚書左丞吳郡葉夢得少蘊撰。博極群書，彊記絕人。《書》與《春秋》之學，視諸儒最為精詳。[37]

此推譽夢得「博極群書，彊記絕人」，故所撰《石林書傳》最為精詳也。

又著錄：

《二典義》，尚書左丞山陰陸佃農師撰。為王氏學，長於考訂。待制游，其孫也。[38]

振孫每醜詆王安石，陸佃雖「為王氏學」，然所撰《二典義》，探究〈堯典〉、〈舜典〉義，而能「長於考訂」，振孫仍肯定之。

---

[35] 徐小蠻、顧美華點校：《直齋書錄解題》，頁28～29。

[36] 徐小蠻、顧美華點校：《直齋書錄解題》，頁33。

[37] 徐小蠻、顧美華點校：《直齋書錄解題》，頁30。

[38] 徐小蠻、顧美華點校：《直齋書錄解題》，頁30。

又著錄：

> 《書辨訛》七卷，樞密院編修官鄭樵漁仲撰。其目曰〈糾繆〉四，〈闕疑〉一，〈復古〉二。樵以遺逸召用，博物洽聞，然頗迂僻。居莆之夾漈。[39]

漁仲治學雖迂僻，然博物洽聞，故亦稱讚之。又前引吳棫撰《書裨傳》十三卷，其書「考據詳博」，振孫亦視之為棫書優點也。

又著錄：

> 《無垢尚書詳說》五十卷，禮部侍郎錢塘張九成子韶撰。無垢諸經解，大抵援引詳博，文義瀾翻，似乎少簡嚴，而務欲開廣後學之見聞，使不墮於淺狹，故讀之者亦往往有得焉。[40]

九成書「援引詳博，文義瀾翻」，雖少簡嚴，亦賞譽之，以讀其書者每有所得也。

3.主張治《書》須不詭隨前人傳注，惟亦不應主觀獨斷

《解題》卷二〈書類〉著錄：

> 《禹貢論》二卷、《圖》二卷，程大昌撰。凡論五十三篇，後論八篇，圖三十一。其於江、河、淮、漢、濟、黑、弱水七大川，以為舊傳失實，皆辨證之。淳熙四年上進。宇宙廣矣，遠矣，上下數千載，幅員數萬里，身不親歷，耳目不親聞見，而欲決於一心，定於一說，烏保其皆無牴牾？然要為卓然不詭隨傳註者也。[41]

程氏《禹貢論》，成於宋孝宗淳熙四年（1177），所著書能不詭隨前人傳

---

[39] 徐小蠻、顧美華點校：《直齋書錄解題》，頁30。

[40] 徐小蠻、顧美華點校：《直齋書錄解題》，頁31。

[41] 徐小蠻、顧美華點校：《直齋書錄解題》，頁31。

註，振孫以「卓然」二字褒之。然於其治此書時，未經考察調查，而「欲決於一心，定於一說」，治學態度不免流於主觀獨斷，振孫亦大不以為然。

以上據《解題》資料以推考振孫治《書》之特色，所得者三：即對與《書》學相關著作之真偽表示高度存疑，一也；治《書》須博極群書，長於考訂，二也；治《書》須不詭隨前人傳注，惟亦不主觀獨斷，三也。上述三項特色，想亦為振孫《書解》所具備。

振孫治《書》除具上述三項特色外，猶有下列若干見地，茲不妨仍據《解題》以資探研，並略申管見如下：

1. 治《書》須注重版本，並覓求善本

《解題》卷二〈書類〉著錄：

> 《汲冢周書》十卷，晉五經博士孔晁注。……今京口刊本，以〈序〉散在諸篇，蓋以倣孔安國《尚書》。[42]

此言《汲冢周書》有京口刊本，並謂其書特色乃以〈序〉散在諸篇，殆倣孔安國《古文尚書》也。

又著錄：

> 《東萊書說》十卷，呂祖謙撰。……世有別本全書者，其門人續成之，非東萊本書也。[43]

此言《東萊書說》有別本全書，乃門人續成者，與此書不同。

又著錄：

> 《尚書大傳》四卷，漢濟南伏勝撰。大司農北海鄭康成注。凡八十有三篇。……印板刓缺，合更求完善本。[44]

---

[42] 徐小蠻、顧美華點校：《直齋書錄解題》，頁28。

[43] 徐小蠻、顧美華點校：《直齋書錄解題》，頁31。

[44] 徐小蠻、顧美華點校：《直齋書錄解題》，頁28。

此言書「印板刓缺」，宜另求完善本。是皆振孫治《書》重視版本之證。

2.訓釋《尚書》不可彊通

《解題》卷二〈書類〉著錄：

> 《晦庵書說》七卷，朱熹門人黃士毅集其師說之遺，以為此書。晦庵於《書》一經獨無訓傳，每以為錯簡脫文處多，不可彊通。呂伯恭《書解》不可彊通者，彊欲通之。嘗以語伯恭而未能改也。[45]

此條之「呂伯恭」，指呂祖謙；《書解》，即前引之《東萊書說》。伯恭解《書》，每於不可彊通處，仍彊欲通之，朱子規之而未能改。振孫最傾倒朱子，此條所載如此，固可推悉其殊不以伯恭所為為允也。

3.評《書》有透露其政治主張者

《解題》卷二〈書類〉著錄：

> 《書義》十三卷，侍講臨川王雱元澤撰。其父安石序之曰：「熙寧三年，臣安石以《尚書》入侍，遂與政。而子雱實嗣講事，有旨為之說以進。八年，下其說太學頒焉。」雱蓋述父之學。王氏《三經義》，此其一也。初，熙寧六年，命知制誥呂惠卿充修撰經義，以安石提舉修定。又以安石子雱、惠卿弟升卿為修撰官。八年，安石後入相，新傳乃成，雱蓋主是經者也。王氏學獨行於世者六十年，科舉之子熟於此乃合程度。前輩謂如脫墼然，案其形模而出之爾。士習膠固，更喪亂乃已。[46]

振孫於王安石及其新政，深表不滿。此條記述其子王雱《書義》成書之經過

---

45 徐小蠻、顧美華點校：《直齋書錄解題》，頁32。

46 徐小蠻、顧美華點校：《直齋書錄解題》，頁29。

甚詳，惟毫不掩飾謂安石將《三經義》用於科舉，以箝制學術，膠固士習，為禍之烈達六十年，延至高宗南渡後乃已。振孫反對王氏之政治主張固甚明顯，而抨擊之言亦至猛烈。

4.評論《書類》書籍，亦有借題發揮，隱約批評時政者

《解題》卷二〈書類〉著錄：

> 《東坡書傳》十三卷。其於〈胤征〉，以為羲和貳於羿，而忠於夏；於〈康王之誥〉，以釋衰服冕為非禮。曰：「予於《書》見聖人之所不取，而猶存者有二。」可謂卓然獨見於千載之後者。又言：「昭王南征不復，穆王初無憤恥之意，哀痛惻怛之語；平王當傾覆禍敗之極，其書與平康之世無異，有以知周德之衰，而東周之不復興也。」嗚呼！其論偉矣。[47]

此條力崇東坡評〈胤征〉、〈康王之誥〉，所論至當，以為乃「卓然獨見於千載之後者」；其後又藉東坡評昭王、穆王、平王史事，以影射靖康之難，及徽、欽二帝之北狩，暗示宋高宗「初無憤恥之意，哀痛惻怛之語」；至宋室南渡，「當傾覆禍敗之極」，統治者猶與居「平康之世無異」，乃知「宋」德之衰，而「南宋」之不可復興也。全篇借題發揮，所批評矛頭則隱然指向高宗。

5.《解題》評論中，另有隱約揭露宋高宗與秦檜間不尋常關係者

《解題》卷二〈書類〉著錄：

> 《陳博士書解》三十卷，禮部郎中陳鵬飛少南撰。秦檜子熺嘗從之遊。在禮部時，熺為侍郎，文書不應令，鵬飛輒批還之。熺浸不平。鵬飛說書崇政殿，因論《春秋》母以子貴，言《公羊》說非是。檜怒，謫惠州以沒。今觀其書，紹興十三年所序，於〈文侯之命〉，其

---

[47] 徐小鑾、顧美華點校：《直齋書錄解題》，頁29～30。

言驪山之禍，申侯啟之，平王感申侯之立己，而不知其德之不足以償怨；鄭桓公友死於難，而武公復娶於申。君臣如此，而望其振國恥，難矣。嗚呼！其得罪於檜者，豈一端而已哉！[48]

此條乃藉陳鵬飛解說〈文侯之命〉之辭，隱約揭露高宗與秦檜間不尋常關係。平王、武公者，暗喻宋高宗；申侯者，暗喻秦檜；鄭桓公者，暗喻徽、欽二帝。高宗市恩於秦檜，置父、兄北狩之辱於腦後，優遊歲月，不振國恥。《解題》曰：「君臣如此，而望其振國恥，難矣。」此數句雖為陳鵬飛〈序〉中語，實乃振孫借以抒發一己之憤懣者。是則振孫憂國傷時之衷懷，固已形諸楮墨間矣！

6.評《書》學著作，每寓其褒貶之見，間亦評論及撰者之爲人

振孫對歷代《書》學著作，於《解題》書中，每有褒貶之評論，本文前已引述及其謂蘇軾《東坡書傳》「可謂卓然獨見於千載之後者」；謂陸佃《二典義》「視諸儒最為精詳」；謂吳棫《書裨傳》「考據詳博」，斯皆褒譽之例也。至謂王雱《書義》用於科舉以膠固士習，使治《書》者「如脫墼然，案其形模而出之」；謂鄭樵《書辨訛》「頗迂僻」；謂程大昌撰《禹貢論》，「身不親歷，耳目不親聞見，而欲決於一心，定於一說，烏保其皆無牴牾」；至趙汝談《南塘書說》，則「於伏生所傳諸篇亦多所掊擊牴排，則似過甚」，斯又其貶斥之例也。

然振孫治《書》褒貶之見，於《解題》中，猶有可述者。《解題》卷二〈書類〉著錄：

《尚書講義》三十卷，參政金壇張綱彥正撰。政和四年上舍及第，釋褐授承事郎，以三中首選，除太學官。其仕三朝，歷蔡京、王黼、秦檜三權臣，皆不為之屈。紹興末乃預政，年八十四而終。此書為學官

[48] 徐小鑾、顧美華點校：《直齋書錄解題》，頁30～31。

時作。[49]

此條既考及張書乃任學官時所作，又褒譽其為人不畏權臣也。

又著錄：

《書說》七卷，禮部尚書會稽黃度文叔撰。度篤學窮經，老而不倦。晚年制閫江淮，著述不輟，時得新意，往往晨夜叩書塾，為友朋道之。[50]

此條推譽黃文叔「篤學窮經，老而不倦」，又謂其著述不輟，「時得新意」，往往「為友朋道之」，斯則讚美文叔能追求朋友間切磋琢磨之樂也。

又著錄：

《柯山書解》十六卷，柯山夏僎元肅撰。集二孔、王、蘇、陳、林、程頤、張九成及諸儒之說，便於舉子。[51]

此又謂元肅之書能集諸家之大成，材料齊備，「便於舉子」考試參研也。

三　結論

二年前，余既撰就〈陳振孫《易》學之研究〉，今又以〈陳振孫《書》學之研究〉為題撰成此篇。周密《志雅堂雜鈔》卷下〈書史〉載振孫所著書有《書解》、《易解》、《繫辭錄》，則振孫固擅《易》、《書》等經學，且有著述傳世者也，其《書解》一書，高斯得、姚子堂輩猶收藏有之。惟《書解》其後不知所蹤，雖博涉群書如朱彝尊亦無緣得見，所撰《經義考》云書已佚，是《書解》或散佚於清初前矣。

有關《書解》之內容，余據《解題．書類》之材料，暨袁桷《清容居士

---

[49] 徐小蠻、顧美華點校：《直齋書錄解題》，頁32。

[50] 徐小蠻、顧美華點校：《直齋書錄解題》，頁33。

[51] 徐小蠻、顧美華點校：《直齋書錄解題》，頁33～34。

集》所收〈龔氏四書朱陸會同序〉、〈劉隱君墓誌銘〉二文以作推究。大抵《書解》以考證《今文尚書》、《古文尚書》之真偽為主，間亦考及二書於兩漢、魏晉間之授受源流。因原書已佚，上述推究之論，亦未敢確信其無訛也。

振孫對《古文尚書》之辨偽，固上承吳棫，《解題》卷二〈書類〉著錄才老所撰《書裨類》十三卷，譽其「考據詳博」。惟振孫之《書》學，則實淵源於朱子。《解題》中評論《晦庵書說》，認為朱子辨偽確當，「非有絕識獨見不能及此」。至趙汝談之疑古文非真，振孫服其「勇決」，至於汝談掊擊觝排今文，並疑其非真，振孫則大不以為然。

振孫之《書》學仍有三點特色，如對《書》學相關著作之真偽表示高度懷疑，一也；主張治《書》須博極群書，長於考訂，二也；又治《書》須不詭隨前人傳注，亦不應主觀獨斷，三也。

振孫治《書》尚有六點見地，如主張治《書》須注重版本，並覓求善本，一也；訓釋《尚書》不可彊通，二也；治《書》於評論間透露其政治主張，三也；評論《書類》書籍，借題發揮，隱約批評時政，四也；《解題》評論文詞中，隱約揭露宋高宗與秦檜間不尋常關係，五也；對歷代《書》學著作作評論，《解題》中每寓褒貶之見，間亦評論及撰者之為人，六也。

上述有關振孫《書》學之特色與見地，拙文中均列舉例證，一一闡釋說明之。

試論吳汝綸《尚書故》的訓詁

——以宗《史記》說為例

蔣秋華*

一　前言

吳汝綸（1840～1903）生於桐城，承繼了清初以來即享盛譽的古文傳統，所為文章備受稱揚，與張裕釗（1823～1894）、薛福成（1838～1894）、黎庶昌（1837～1897）並稱為中興桐城文派的曾國藩（1811～1872）門下四大弟子。

早年以文章出名的吳汝綸，在中年以後，轉向研治經學，先後撰成《易說》與《尚書故》兩部解經之作，其〈與王子翔〉說：

> 吾說《書》、《易》二經，自信過於詩文，以說經易而文字難也。然冀州人欲為我刻《尚書故》，我尚堅辭不敢問世，豈敢遽刻拙文，以貽識後賢。[1]

以文學家而從事研經的工作，轉折相當大，所以他雖對自己的著作，深具信心，但也不願輕易刊刻其書，顯示其慎重的態度。其〈答黎蒓齋〉曰：

> 近十年來，自揣不能為文，乃遁而說經，成《書》、《易》二種。說

* 中央研究院中國文哲研究所。

1 見吳汝綸：〈與王子翔〉，《尺牘》卷1，吳汝綸著，施培懿、徐壽凱校點：《吳汝綸全集》（合肥市：黃山書社，2002年），第3冊，頁249～250。

> 《書》用近世漢學家體制，考求訓詁，一以《史記》為主，《史記》所無，則郢書燕說，不肯蹈襲段、王一言半義。當其得意，亦頗足自娛，不知其為《爾雅》蟲魚之瓮瓮也。廉卿見而善之，名之曰《尚書故》。其說《易》則用宋、元人說經體，亦以訓詁文字為主，其私立異說尤多，蓋自漢至今，無所不採，而亦無所不掃。此書成於廉卿別後，未嘗示人，人亦恐不謂然也。此皆經生結習，不足上告知己。所以嘵嘵者，要令故人知我無志於文，乃別出他途以自溷耳。[2]

述說其撰寫二書的方式：《尚書故》乃模仿漢學家的著述體例，以訓詁考察經義，但宗主《史記》，凡是《史記》無說者，則出以己見，不欲採用前輩段玉裁（1735～1815）、王念孫（1744～1832）的任何意見。《易說》則仿宋、元學者的說經體例，也是以文字訓詁為主，再以己意論斷。對於前人的說法，吳汝綸是「無所不採，而亦無所不掃」，也就是有所借助，但非完全倚賴。就此而言，吳汝綸的兩部經解，都採取訓詁的方式，不過更多的是一己之見，所以儘管前人的論述甚多，在他看來，合者可取，不合者揚棄，似乎其態度是相當客觀的。但是他解《尚書》卻又以《史記》為主，亦即先已選定裁量的標準，則分判各家說法時，是否可以保持客觀，不生偏頗？本文試就吳汝綸的《尚書故》一書中，在宗主《史記》的狀況下，探求其所作之經解，是否恰適。

二 解《尚書》宗主《史記》

吳汝綸撰著《尚書故》之前，先完成《寫本尚書》一書。《寫本尚書》乃抄錄經文，並附上異文，所錄以《史記》為主，《史記》若無，才改用別家。考其目的，除辨別經書的異文外，更重要的，是要讀者玩味文句、文詞，以文學家的觀點來研讀經書。光緒十三年（1887），吳汝綸抄錄《寫本尚書》完畢，十八年石印刊行時，改稱《寫定尚書》。《寫本尚書》的完

---

2 見《尺牘》卷1，《吳汝綸全集》，第3冊，頁100～101。

成，距他同治八年（1869）開始抄錄異文，時間長達將近二十年。此書的完成，使吳汝綸研讀《尚書》本文時，可以透過《史記》的輔助，更明確的通曉經義，可說是為《尚書故》的撰作，奠定了基礎。

在《寫本尚書》的基礎上，吳汝綸接著撰寫《尚書故》。大約在光緒十一年（1885），吳汝綸開始著手《尚書故》的著述[3]。直到光緒三十年（1904），才由其子吳闓生（1878～1949）完成編次，門人王恩紱、王恩績等集貲刊行。這時他已逝世一年了。

光緒七年（1881），吳汝綸〈與王晉卿〉曰：

> 鄙抄《尚書》，實以《史記》為主，史公所無，乃採後賢之說。竊謂古經簡奧，一由故訓難通，一由文章難解。馬、鄭諸儒，通訓詁不通文章，故往往迂僻可笑；若後之文士，不通訓詁，則又望文生訓，有似韓子所譏「郢書燕說」者。較是二者，其失維鈞。……子長文字，與六經同風，又親問故於孔氏，蓋不徒習傳師說，兼有默討冥會，獨得於古人者，惜不得此才，解說全經。其採摭《尚書》，但自成一家之言，故不能多載。然則其偶有解釋，其可寶貴，豈復尋常。[4]

文中指出經生與文士的解經，各有弊病，因而所釋經義，同屬不當。吳汝綸之所以選擇《史記》作為指標，乃因司馬遷（前145？～86）的文筆可上比六經，且其《尚書》學又獲得名師孔安國的傳授，再加上他能夠「默討冥會」，所以雖然沒有注解全部的經文，但採摭《尚書》之說入《史記》，以己意略加闡說，往往有可貴的見解。因此，吳汝綸要據以為裁斷的準則。

吳汝綸〈答柯鳳蓀〉曰：

> 拙著《尚書故》，本旨專以《史記》為主，史公所無，乃考辨他家，以此與孫淵如多異。又往往自造訓詁，以成己說。[5]

---

3 參見施培懿：〈前言〉，《吳汝綸全集》，第1冊，頁17。

4 見《尺牘》卷1，《吳汝綸全集》，第3冊，頁615。

5 見《尺牘》卷1，《吳汝綸全集》，第3冊，頁163。

說明其書以《史記》為主，因而和孫星衍（1753～1818）的書頗有異同。而書中有不少訓詁，是為了證成己說而造作的。另一封〈答柯鳳蓀〉曰：

> 手書並寄還拙著《尚書故》四冊，……初為此書時，乃深不滿於江、孫、段、王諸人，戲欲與之爭勝，並非志在釋經，故即用諸公著述體裁。性苦不能廣記，區區私旨，但欲求通古人文辭，不敢拘執古訓，往往有私造訓詁處，雖見非於小學專家而不顧也。[6]

說明他撰著《尚書故》的動機，是對江聲（1721～1799）[7]、孫星衍[8]、段玉裁[9]、王鳴盛（1722～1797）[10]等人的著作有所不滿，於是生出爭勝之心，遂模仿他們的著作體例，寫作此書，蓋其原本的用意，其實並不在解經。由於自己不擅長小學，又「不敢拘執古訓」，所以自謙許多訓詁是「私造」的，然而他卻不管旁人的非議。

吳汝綸又於〈與柯鳳蓀〉曰：

> 僕於經學殊疏，往因《尚書》無善本，近時江、王、孫、段亦未盡愜人意，遂發憤為此。初意但欲與江、孫爭名，故襲用其體例，異日風氣變遷，此等固亦不貴。要在訓詁精鑿，或亦後之治經學者所不廢。[11]

重申其撰作的動機，但是對於訓詁的態度，釋出不同的觀點。吳汝綸認為考據學的風氣會隨著時代而改變，終有遭棄之日，然而只要「訓詁精鑿」，也會被後來的治經者參用。

吳汝綸〈答何豹丞〉曰：

> 尊論《尚書》古訓捨《史記》無由考，惜近代經師不能通太史公書。

---

6 見《尺牘》卷1，《吳汝綸全集》，第3冊，頁198。

7 江聲撰有《尚書集注音疏》。

8 孫星衍撰有《古文尚書馬鄭注》、《尚書今古文注疏》。

9 段玉裁撰有《古文尚書撰異》。

10 王鳴盛撰有《尚書後案》。

11 見《尺牘》卷1，《吳汝綸全集》，第3冊，頁237。

> 此最卓識。僕說《易》以《太玄》為主，說《書》以《史記》為主，向來私旨與大教略同，此可仰攀以自慰也。鄙注《尚書故》中，多郢書燕說，已告知鳳蓀，令持與老弟一閱。但我所臆說，如「綏」之為「告」、「迪」之為「逃」、「惠」之為「謂」，與「自」之為「於」、「丕」之為「茲」等詁，皆古人未言，亦無字書可證，懸空臆決，未必有當於人心。此類至多，私心不敢自信，願與同學商榷。公有所見，幸勿秘不告我。學古以彼此切磋為要，正不得好人同己也。[12]

他贊同何氏的主張：《尚書》古訓除《史記》外，別無所考。因為這種論調，和他的看法完全相合。同時吳汝綸舉出了自己著作中的一些創見，但恐無字書可證，不能令人信服，所以希望得到友人的指正。

由以上書信中吳汝綸的自述，可以得知《尚書故》的撰作，確實是以《史記》為宗主，只有在《史記》沒有引用時，不得已才採取他家的說法。書中頗有一些吳汝綸自得之見，然而因為沒有字書的佐證，所以讓他感到不安，希望可以獲得友人的教導。至於撰述動機，亦明白標舉乃出於對前輩著作的不滿，卻又模仿他們的著作體例，仍舊由訓詁入手，只是有許多的說解，不同於以往的舊說，而且多是他自己的創見，旁人雖未必盡能接納，他卻是頗有自信的。

三 《尚書故》宗《史記》說的訓詁

吳汝綸《尚書故》的體例，是先列舊說，再加按語。而所列舊說，又以《史記》為最優先，凡是《史記》所有的，必予列上，再引用前人的說解，最後加上他的按語，以為評斷。

如《尚書・堯典》：「厥民夷。」《尚書故》曰：

> 《史記》：「其民夷易。」孫星衍云：「〈釋詁〉：『夷，易也。』」汝綸

---

[12] 見《尺牘》卷1，《吳汝綸全集》，第3冊，頁163～164。

> 按：《史》以「夷易」釋「夷」者，司馬相如〈封禪文〉：「軌跡夷易。」李善注：「夷、易，皆平也。」《素問》：「秋三月，此謂容平。」又云：「收斂神氣，使秋氣平。」是此文所云「夷易」也。[13]

《尚書》與《史記》出現異文，孫星衍引《爾雅》以為說解，謂夷、易同義。其說為吳汝綸援引，又引司馬相如（前179？～117）〈封禪文〉李善（630～689）注，指出夷、易皆可釋為平。最後引《素問》，以其言及秋日時有平字之文，乃以其與《史記》「夷易」一詞相關。此處吳氏之所為，即為說明《史記》之異文，實與《尚書》文字詞義相通。這是為《史記》申說之例。

〈堯典〉「三載考績三載黜陟幽明庶積咸熙」，此一段文字該如何句讀？前人有不同的斷法。段玉裁《古文尚書撰異》曰：

> 又按：《尚書大傳》曰：「《書》曰：『三歲攷績，三攷黜陟幽明。』」其訓曰：「積不善至於幽，六極以類降，故黜之；積善至於明，五福以類相升，故陟之。」不必今文家「幽明」下屬。又谷永待詔公車，對曰：「經曰：『三載考績，三考黜陟幽明。』」[14]

他指出《尚書大傳》和《漢書．谷永傳》所記載的谷永問對，均將經文斷作：「三載考績，三載黜陟幽明。」《尚書故》曰：

> 《史記》：「三歲一考功，三考黜陟。」《白虎通》：「三年有成，故於是賞有功，黜不肖。」[15]

吳汝綸根據《史記》和《白虎通》，斷作：「三載考績，三載黜陟。」將「幽明」二字屬下句。吳汝綸〈與朱仲武〉曰：

---

[13] 見《尚書故》卷1，《吳汝綸全集》，第2冊，頁389。

[14] 見段玉裁：《古文尚書撰異》，《皇清經解》（臺北市：藝文印書館，1986年）卷568，頁45下～46上。

[15] 見《尚書故》卷1，《吳汝綸全集》，第2冊，頁433。

> 惠書並是正拙印《尚書》二十九則，仰見考證精確，足以匡謬糾誤，感荷無已。就中「三考黜陟」句絕，其讀本之史公。《尚書》「幽明庶績咸熙」，史公釋以「遠近眾功皆興」。鄙說《尚書》，一以《史記》為主，故置〈谷永傳〉而不從，此微旨所寄也。其餘則皆當仰依尊說矣。[16]

說明他的句讀是依據《史記》的解說，所以不取谷永的斷法。詳細考察兩種讀法，似乎都可說通。「幽明」二字，《史記》作「遠近」，蓋訓詁字，或連下以為句，惟若屬上為句，作「三考黜陟遠近」，謂三考後升降遠近的官員，似乎也可說通。如此，則《史記》之句讀與前一說無異。由於此說有爭議，且二種斷句前人採用不一，實難論斷何者為確。吳汝綸選擇依從《史記》，未可厚非。

《尚書．皋陶謨》：曰：「若不在時，侯以明之，撻以記之，書用識哉！欲並生哉！工以納言，時而颺之，格則承之庸之，否則威之。」此一大段文句，《史記．夏本紀》作：「君德誠施，皆清矣。」僅有七字，《尚書故》曰：

> 《史記》：「君德誠施，皆清矣。」汝綸按：此《史記》約《尚書》為文也。……又按：臧和貴以此經為後人增句。竊謂「侯以明之」以下，《史記》所無，文辭不能奧深，或漢時《書》說，而後人誤合於經。下「海隅蒼生」、「共惟帝臣」及此「否則」字，皆非《尚書》文法。〈無逸〉「否則」皆讀「丕則」，與此不同也。疑古經至「若不在時」句止。若，順也；不，否也；時，是也。若否在時，猶「邇可遠在茲」，故史公釋為：「君德誠施，皆清也。」[17]

吳汝綸以為《史記》乃約省《尚書》為文，然而他又依據臧禮堂（1776～1805，字和貴）的說法，認為《尚書》有後人增添的文句。他論斷的依據，

---

[16] 見《尺牘》卷1，《吳汝綸全集》，第3冊，頁278

[17] 見《尚書故》卷1，《吳汝綸全集》，第2冊，頁455～456。

是文辭不夠深奧，故懷疑此處是漢人解釋《尚書》的文句，誤竄入經文之中。他指出本篇中的幾個詞語，謂其不符合《尚書》的文法，僅有「若否在時」一句可信，其餘皆屬衍文。他雖舉出「否則」一詞與〈無逸〉中的用法相異，所以不是古經原有之文詞，然而卻沒有提出其他可以佐證的資料。這種以文辭的好壞來判定經文的真偽，屬於主觀的判斷，完全憑藉讀者自身的感受而定，並無確切可靠的證據，所以吳汝綸的說解不能讓人信服。

〈微子〉「微子若曰：父師、少師」，《尚書故》曰：

> 《史記》云：「微子度紂終不可諫，欲死之及去，未能自決，乃問於大師、少師。」汝綸按：父師，當依《史記》作大師。鄭注：「父師，三公也。少師，大師之佐，孤卿也。」古無以父師為三公者。《鄭志·答趙商》云：「成王周官立大師、大傅、大保，茲惟三公。」鄭以大師為三公，故曰「少師，大師之佐」，是鄭本「父」作「大」也。舊傳：「父師、大師，三公。」蓋本以「三公」釋大師，與鄭義同。「父師」二字，後人所加。《禮記疏》引《書傳略說》云「大夫、士七十而致仕，大夫為父師，士為少師，教於州里」云云，蓋沿此經已誤之本為說，不足為據。若經本作「父師」，史公無緣改為樂官之太師也。大師、少師為樂官，見於《論語》。疵、彊之名見於〈周本紀〉、〈人表〉。馬、鄭以箕子為大師，比干為少師，於古無徵。《漢書·五行志》：「箕子在父師位。」言在父位、師位耳，不以父師為官名，亦不以父師為大師也。《史記》義為長。[18]

吳汝綸以為《尚書》「父師」當依《史記》改作「大師」，他考察鄭玄（127～200）、《偽孔傳》的注解，謂其所據之本作「大師」，但兩家是將「大師」當成三公之一，官位極高，而《書傳略說》的解釋，是根據《尚書》已經錯誤的傳本，所以不可靠。馬融（79～166）、鄭玄以大師、少師分指箕子、比干，吳汝綸指他們並沒有證據。又以《漢書》謂箕子在父師位，乃指

[18] 見《尚書故》卷2，《吳汝綸全集》，第2冊，頁587。

父位、師位，不當作官職名稱。因此，他總結說《史記》作「大師」最恰適，而且大師與少師均為樂官，即《論語・微子篇》的大師摯、少師陽，也是《史記・殷本紀》的大師疵、少師彊。他的論斷極精詳，屈萬里（1907～1979）曰：

> 父師、少師，皇侃《論語疏》引鄭玄云：「父師者，三公也，時箕子為之奴。」「少師者，太師之佐，孤卿也，時比干為之死也。」《偽孔傳》與鄭說同，後人多承用之，予作《釋義》時亦用此說。今按：父師，《史記・殷本紀》、〈周本紀〉、〈宋世家〉，均作太師。〈周本紀〉謂太師名疵，少師名彊，以為皆樂官。孫氏《注疏》、段氏《撰異》，皆本今文家說，以為太師疵即《論語》之太師摯，少師彊即《論語》之少師陽。崔述《考信錄》更詳辨以父師、少師為箕子、比干之非是。吳氏《尚書故》云：「父師，當依《史記》作太師。……史公無緣改為樂官之太師也。」茲改從《史記》說。[19]

原來他撰《尚書釋義》時，採用了鄭玄、《偽孔傳》的說法，以父師指箕子，少師指比干[20]，而於後來的《尚書集釋》中，受了孫星衍、段玉裁、崔述（1740～1816）、吳汝綸的影響，而改從《史記》，所引述的論據，即吳氏的《尚書故》。

〈君奭〉「厥基永孚於休」，《尚書故》曰：

> 汝綸按：……孚、符同字。《史記・律書》：「萬物剖符甲而出。」以符為孚。[21]

《史記・燕世家》未參用此句，吳汝綸依《史記・律書》，將「孚」字釋作「符」字，雖然沒有提出其他的例證，卻解說得極恰適，故亦為屈萬里採

---

[19] 見屈萬里：《尚書集釋》（臺北市：聯經出版事業公司，1983年），頁106。

[20] 參見《尚書釋義》（臺北市：華岡出版社，1956年），頁55。

[21] 見《尚書故》卷2，《吳汝綸全集》，第2冊，頁784。

用[22]。

〈呂刑〉「三后成功，惟殷於民」，《尚書故》曰：

> 《墨子》「殷」作「假」。……汝綸按：《廣雅》：「殷，正也。」〈堯典〉「以殷仲春」，《史記》「殷」作「正」。惟殷於民，以正於民也。《墨子》作「假」，假亦正也。[23]

他根據《史記》引〈堯典〉的異文，將此處的「殷」字亦釋作「正」。這裏他找到《廣雅》作為例證，也為屈萬里採用[24]。

以上所引述的《尚書故》中，吳汝綸依據《史記》而做的注解，或可從，或不可從，得失雜見，可見他提出的「主《史記》說」，先具一衡量準則，以驗諸說，未必能使其採擇皆恰適，亦即並非毫無爭議。

四　不重視今古文之分

漢代《尚書》有今古文之分，今文經立於學官，古文經傳於民間，由於出現的時間有早晚的差異，整理後的經文，也有文字、篇數、解說等的不同，所以後世注解者，對於今古文的分別，認為相當重要。如皮錫瑞（1850～1908）曰：

> 兩漢經學有今古文之分，以《尚書》為最先，亦以《尚書》為最糾紛難辨。治《尚書》不先考今古文分別，必至茫然無頭緒，治絲愈棼。[25]

他指出研治《尚書》若不先分別今古文，必然亂無頭緒。可是吳汝綸似乎態度不同，《尚書故》曰：

---

22 參見《尚書集釋》，頁204。

23 見《尚書故》卷2，《吳汝綸全集》，第2冊，頁896。

24 參見《尚書集釋》，頁255。

25 見皮錫瑞：《經學通論》（北京市：中華書局，2003年），〈書經〉，頁47。

> 《史記》與《尚書》字異者，歸熙父云：「或史公所見別本不同，或古今文字異，或改用訓詁字，亦有全句改者，讀之當有辨。」《漢書》言：「史公從孔安國問故，所載多古文說。」段玉裁乃云：「文字仍依今文。」陳壽祺又云：「今文中有古文。」譏段氏以「方」為古文，「旁」為今文，與《儀禮》不合。此皆強生分別。今文亡久矣，古書多異字，鄭君所云：「一經之學，數家競爽。」不專是今古文異也。且如《漢書》所載《史記》之文，亦多異同，豈《史》、《漢》亦有今古文邪？今錄異文，更不強分今古。[26]

《史記》引用《尚書》時，常出現文字的差異，所以會有這種情形，吳汝綸引明人歸有光（1506～1571，字熙父）之言，以為有幾種可能：司馬遷所見到的傳本不同、古今字不同、訓詁文字、改寫原文。歸氏的見解，已是今日研究者共同的體認，吳汝綸引用於此，應是贊同其說。《漢書》說司馬遷從孔安國問故，所以《史記》頗多古文說。於是吳汝綸將兩說結合起來，指出經說的不同，並非全是異文的問題，還有各家解釋的不同。因此，他在書中所錄之異文，不強分今古。如此做法，確如江瀚（1853～1935）所言：「是說一出，可省無數轇轕。」[27]

《史記》採用《尚書》所做的相關記載，除文字的出入外，也涉及解說的分歧，何字為今文？何字為古文？想要明確劃分，確實有其困難。何況同屬一派，有時也可能出現異文。這些都是前人議論紛紛，難以解決的問題。吳汝綸試圖跳脫文字的糾絆，單純地僅以解說來判別今古文家說，的確是一種較為簡便的做法。然而其實際運用的情形如何？請看以下的例子。

〈堯典〉「舜讓於德弗嗣」，《尚書故》曰：

> 《史記》：「舜讓於德不懌。」徐廣曰：「《今文尚書》作『不怡』。

---

26 見《尚書故》卷1，《吳汝綸全集》，第2冊，頁381～382。

27 見中國科學院圖書館整理：《續修四庫全書總目摘要．經部》（北京市：中華書局，1993年），頁262。

怡，懌也。」段玉裁云：「台聲、司聲，古音同部，故《公羊》『治兵』作『祠（兵）』，《韓詩》『嗣』音作『詒』。《史記索隱》：『懌，一作澤。』《說文》無懌，澤即懌也。」汝綸按：〈太史公自序〉云：「唐堯遜位，讓於舜不台。」《漢書》稱遷書載〈堯典〉諸篇多古文說，是經作「不台」，而訓為「不懌」者，古文說也。韋昭《漢書注》云「古文『台』為『嗣』」者，馬、鄭本古文，不必與史公同也。班固《典引》云：「有於德不台，淵穆之讓。」

《三國志注》載〈魏王上書〉云：「猶執謙讓，於德不嗣。」是古讀「舜讓」為句，「於德不台」為句。高誘《淮南注》：「志，德也。」是德、志同義。〈康誥〉：「朕心朕德。」謂朕心朕志也。「於德不台」者，於意不說也。志、意古通訓。[28]

「弗嗣」，《史記》作「不懌」，而徐廣所見《今文尚書》作「不怡」，謂二字同義。段玉裁引用《公羊》、《韓詩》、《史記索隱》等例，從音韻上「嗣」、「懌」、「怡」言其可通，所謂「弗嗣」即「弗懌」，也就是「不怡」。吳汝綸又據〈太史公自序〉，謂司馬遷所見本作「台」，「台」即「怡」，釋作「懌」，是「喜悅」之義。他採信《漢書》所稱，以《史記》於〈堯典〉乃多古文說，所以此處之「台」，是根據古文本。如依其說，今文作「怡」，古文「台」為其省文，兩字通用，則今古文字似無異，然韋昭謂古文作「嗣」，顯然兩家文字確實不同。《史記》既作「台」，並以詁訓字「懌」更釋之，故其所用當屬今文，且各家多持此意。吳汝綸囿於《漢書》馬遷〈堯典〉多古文說，遂謂史公所見為與馬融、鄭玄所見不同的別本古文。如果依據吳氏所主張，其實不必區分今古文字的差異，只需辨別今古文家的解說即可，此處卻又強作分別，謂《史記》所據乃別本古文。究其因，無非過尊《史記》和從《漢書》之說，以史公所採〈堯典〉必為古文，反而違背自定之原則，因而陷入文字的障礙。

又《偽孔傳》曰：「辭曰：於德不堪，不能嗣成帝位。」則釋「嗣」為

[28] 見《尚書故》卷1，《吳汝綸全集》，第2冊，頁403～404。

「繼嗣」，與「不怡」的意思異趣。這不僅是字辭釋義的不同，也是句讀的差異，如依其說，則經文「舜讓於德弗嗣」應作「舜讓，於德弗嗣」。吳汝綸根據《典引》、〈魏王上書〉所用文句，與《偽孔傳》斷法相同，此處他卻沒有另作說明，僅聊備異說，以供參考而已。

〈堯典〉「僉曰益哉」，《尚書故》曰：

> 《史記》：「皆曰：『益可。』」……汝綸按：馬、鄭、王本「僉曰」作「禹曰」，《史記》作「皆」，或後人所改。子雲〈羽獵賦〉云：「昔者禹任益虞。」是揚所據本亦作「禹曰」也。[29]

《史記》以「皆」釋《尚書》「僉」字，義本可通，然吳汝綸根據馬融、鄭玄、王肅（195～256）諸家之本均作「禹」，遂謂「僉」與「皆」都是「禹」之誤字，且舉揚雄（前53～18）〈羽獵賦〉之文為據。此處「僉」字、「禹」字之別，清儒多以今古文家之不同為說，然各家所解，互有參差，即是圍繞在今古文上打轉，而難獲一可令人信服之結論[30]。吳汝綸未陷入今古文之爭辯，避免了糾葛，然而卻忽略經文本作「僉」，司馬遷以「皆」為釋，正是訓詁其字，似乎不必依隨揚雄之文，強以《史記》為後人所改。

吳汝綸以《史記》為主，除了文字的抉擇外，還有解說的區分。《史記》採用《尚書》說時，究竟是從今文家？抑是從古文家？吳汝綸的判別，或有可議。如〈禹貢〉「五百里荒服」，《尚書故》曰：

> 《史記》：「要服外五百里荒服。」汝綸按：《五經異義》以五服方五千里為今文說，以五服相距萬里為《古尚書》說，非也。《史記》乃古文說，蓋歐陽、夏侯自同《史記》，而賈、馬乃為異說，非史公所問之「故」也。每二百、三百里，明自五百里言之，鄭謂每服之外，殊

---

[29] 見《尚書故》卷1，《吳汝綸全集》，第2冊，頁426。

[30] 清儒各家的說法及其得失，參見顧頡剛、劉起釪：《尚書校釋譯論》（北京市：中華書局，2005年），頁258～259。

誤。王肅駁賈、馬、鄭而依《史記》，其說甚辨。[31]

許慎（58？～147？）《五經異義》所記載的今古文說，由於《史記》之說同於歐陽、夏侯之今文家，吳汝綸受到司馬遷曾從孔安國問故的羈絆[32]，故謂《史記》所敘為古文說，而今文家說適與其同，至於真正的賈逵、馬融古文說，他只好當成古文家的另外一種說法。然而陳喬樅（1812～1868）的看法卻與之相反，《今文尚書經說考》曰：

《尚書正義》云：「賈逵、馬融以為甸服之外百里至五百里米，特有此數，去王城千里，其侯、綏、要、荒各五百里，是面三千里，相距為方六千里。鄭玄以為五服服別五百里，是堯之舊制。及禹弼之，每服之閒更增五百里，面別至於五千里，相距為方萬里。」是賈、馬雖治《古文尚書》，而其釋〈禹貢〉，皆從《今尚書》說，與歐陽、夏侯同。何以明之？歐陽、夏侯說中國方五千里，內以王畿千里言之，王城四面，面各五百里，數其一面為五百里，故曰五百里甸服，謂距王城五百里之外，名為甸服也。自甸至荒，皆數其一面，每服面各五百里，五服共為二千五百里，并王畿千里計之，面益五百里，是面三千里，相距為方六千里。要服之內，分布九州，謂之中國，是為中國方五千里。賈、馬所云方六千里者，併荒服數之。歐陽、夏侯所云方五千里者，就中國言之也。《史記・夏本紀》載〈禹貢〉文，而以訓詁增成之，曰：「今天子之國以外，五百里甸服。」天子之國即王畿之內方千里者。天子之國以外，五百里甸服，即甸服自「百里賦納總」至「五百里納米」，距王城千里者。是其說本《今文尚書》歐陽

[31] 見《尚書故》卷1，《吳汝綸全集》，第2冊，頁534。

[32] 吳汝綸曰：「《史記》：『與益予眾庶稻鮮食。』又云：『令益予眾庶稻可種卑濕。』孫星衍云：『「奏」為「予」者，鄭注此經，以「奏」為「授」，授即予也。』汝綸按：《周禮・稻人》：『掌稼下地。』《淮南子》：『稻生於水。』是稻可種卑濕也。馬注：『鮮，生也。』《荀子・禮論》：『飯以生稻。』生稻，即鮮也。經但云『鮮』，史公問故於安國，而知為稻也。」見《尚書故》卷1，《吳汝綸全集》，第2冊，頁447。

等義也。[33]

在嚴守家法、師法的西漢，立於學官的歐陽、夏侯《尚書》，應堅守其學，既然有自身的說法，必不致採用古文之說。而司馬遷雖於〈禹貢〉等篇「多採」古文說，也僅是相較而言，未必是「全採」，所以《史記》仍然可能採用〈禹貢〉的今文家說，似乎不必非以《史記》取古文說，反將真正的今文家說因與《史記》雷同，而當成古文說，果真如此，簡直是紊亂了家法，不太可能出現於西漢時期的官學。因此，吳汝綸為貫徹其「以《史記》為主」的說法，遂出此詭辯，似乎失其客觀公允之心。

五　結語

吳汝綸以一介文士，於撰文之餘，研治經書，著有兩部經說，咸以訓詁為基礎，再輔以己見，而創說迭現。其中《尚書故》一書，沿續清儒考據之成果，書中處處可以看到訓詁的例證，只是與考據學者的經注相較，並不繁冗。然而在資料的抉擇上，他的篩選標準，是透過與《史記》相較而檢擇的，因為他相信司馬遷的文章寫得好，一定能夠讀懂古書，再加上曾從孔安國問故，所以對《尚書》的今古文都能知曉，因而吳汝綸以為《史記》中引用的《尚書》材料，雖有異文異說，卻對後人的理解有極大的助益。只是吳汝綸過於倚賴《史記》，有時難免失於客觀，而導致誤解。總之，《尚書故》一書，以宗主《史記》來注解經書，乃得失互見，然仍有其可參考處，未可因其為文士之作而輕忽。

---

[33] 見陳喬樅：《今文尚書經說考》（臺北市：藝文印書館，1986年《皇清經解續編》本）卷3下，頁71下～72上。

〈小雅．都人士〉「綢直如髮」解

李雄溪*

一

〈小雅．都人士〉全詩五章，每章五句，茲列全詩如下：

> 彼都人士，狐裘黃黃。其容不改，出言有章。行歸于周，萬民所望。
> 彼都人士，臺笠緇撮。彼君子女，綢直如髮。我不見兮，我心不說。
> 彼都人士，充耳琇實。彼君子女，謂之尹吉。我不見兮，我心苑結。
> 彼都人士，垂帶而厲。彼君子女，卷髮如蠆。我不見兮，言從之邁。
> 匪伊垂之，帶則有餘 。匪伊卷之，髮則有旟。我不見兮，云何盱矣。

對「綢直如髮」一句，歷來說《詩》者的意見頗有分歧，以下舉出其中幾種主要的說法：

（一）鄭《箋》、孔《疏》說

《毛傳》釋此句說：「密直如髮也。」[1]鄭《箋》補充《毛傳》：「彼君子女者，謂都人之家女也。其性情密緻，操行正直，如髮之本末無隆殺也。」[2]孔《疏》曰：「彼都人君子之家女，其情性密緻，操行正直，如人之頭髮然。

* 香港嶺南大學中文系。

1 毛公傳、鄭玄箋、孔穎達正義：《毛詩正義》，收入十三經注疏編委會編：《十三經注疏》（北京市：北京大學出版社，2000年），冊5，頁1071。

2 《毛詩正義》，收入《十三經注疏》，冊5，頁1071。

本末無隆殺，言其性行終始不變也。」[3]鄭《箋》、孔《疏》的意見可謂一脈相承，謂此句乃讚美君子女的性情。日人竹添光鴻（1841/2～1917）申述這一說法，認為這是一個精妙的比喻。《毛詩會箋》曰：「天下之物無有密於髮者，性情之密緻，操行之正直，比之於髮，最為精妙。」[4]

這種訓釋以此句為比喻句，言「綢直」乃描寫君子女的「性情密緻，操行正直」，「如」是比喻詞，「髮」是喻體。整句是指君子女的性情像頭髮一般密緻正直。也就是說，這一句並不指髮之美，而寫君子女性情品德之美好。

（二）馬瑞辰說

馬瑞辰（1782～1853）反對《傳》和《箋》的講法。《毛詩傳箋通釋》：「《說文》：『髜，髮多也。』《詩》作『綢』，為叚借字，以四章『卷髮如蠆』，五章『髮則有旟』，皆極言髮之美，則知『綢直如髮』，亦謂髮美，『如髮』猶云『乃髮』，乃猶其也。即謂綢直其髮耳。《傳》、《箋》並讀如為『譬如』之『如』，失其義矣。」[5]馬氏以「綢」為「髜」的假借字，據《說文解字》訓作「髮多」，然馬說與《傳》、《箋》最大的分歧，乃在於對整句句意的理解。馬氏認為這並非比喻句，而跟第四章和第五章的內容有所呼應，皆指頭髮之美。正因如此，「如」並不訓作「譬如」，而訓作「乃」、「其」，作第三人稱代詞。整句的意思是「她（君子女）的頭髮多和直」。

（三）高本漢說

高本漢（Klas Bernhard Johannes Karlgren, 1889～1979）反對鄭《箋》

---

3 《毛詩正義》，收入《十三經注疏》，冊5，頁1071～1072。

4 竹添光鴻：《毛詩會箋》（臺北市：大通書局，1970年），冊4，頁1563。

5 馬瑞辰：《毛詩傳箋通釋》（臺北市：廣文書局有限公司，1980年），頁239下。

和馬瑞辰的訓釋，而認為陳奐（1786～1863）的意見可取。他說：「陳奐訓『如』為『而』（常有的）。我想，他訓『如』為『而』是用『然』的意思（常有的），『然』是副詞後的助詞。所以，『綢直如』連讀；這句詩是（他們的）頭髮多密且長。參看〈邶風．旄丘篇〉『褎如充耳』（褎如＝褎而＝褎然）；〈鄭風．野有蔓草〉『婉如清揚』（婉如＝婉而＝婉然）；〈召南．何彼襛矣〉『華如桃李』（華如＝華而＝華然）；……。或者有人反對，以為這一來『如』字和第四章『卷髮如蠆』的『如』就不一樣了。其實本篇各章用字本來就是不完全相應的，如第五章便是：『髮則有旟。』」[6]

高氏認為「如」與「而」、「然」同義。從他引的例子看來，是把「如」看作形容詞詞尾，而「綢直」是「髮」的形容詞。

二

「綢直如髮」一句，眾說紛紜，足見確實難解。朱熹（1130～1200）《詩集傳》：「綢直如髮，未詳其義。然以四章五章推之，亦言其髮之美耳。」[7]韋利（Arthur Waley, 1889～1966）亦指出：「This line is corrupt in the original and the sense can only be guessed at.」[8]此句之所以難解，除了古漢語本身一詞多義的特性外，大概還有兩個原因：第一、詩旨的不同理解，第二、關於逸詩的講法。

（一）詩旨的不同理解

眾所周知，詩旨不同理解，往往影響詩意的詮釋。本詩的詩旨，傳統

---

6 高本漢著、陳舜政譯：《高本漢詩經注釋》（臺北市：國立編譯館中華叢書編審委員會，1979年），冊下，頁700～701。

7 朱熹：《詩集傳》（香港：香港中華書局，1976年），頁169。

8 *The Book of Songs*（New York：Grove Press, 1988）p.52.

上有兩種不同的講法。《詩序》：「周人刺衣服無常也。」[9]《詩集傳》：「亂離之後，人不復見昔日都邑之盛，人物儀容之美，而作此詩嘆息之。」[10]《詩序》美刺之說，乃漢經生的看法，後世之學者，從此說者不多。朱熹之說，則為大多數學者所接受，如陳子展[11]、裴普賢[12]、馬盈持[13]、黃典誠[14]、劉精盛[15]、沈澤宜[16]，或同意朱說，或在朱說的基礎上再加申述。然亦有放棄兩種傳統看法而另出新見者，如袁梅：「似為憶念故人之詩。」[17]楊合鳴、李中華：「這是讚美王室子弟娶親的詩。」[18]屈萬里：「這是讚美某貴族之女出嫁於周的詩。」[19]程俊英、蔣見元：「這是一首憶念意中人的詩。」[20]

由於詩文簡約，詩旨的各種理解，都看似言之成理。然而，朱說根據一定的歷史背景，而且綜觀全詩，主要描寫男女儀容，並無愛情詩的細膩纏綿。在沒有堅實的證據之下，實不宜否定朱說。

---

9 《毛詩正義》，收入《十三經注疏》，冊5，頁1069。

10 《詩集傳》，頁169。

11 陳子展：「這是周室東遷以後，西周舊人物的悲哀，沒落貴族的悲哀，沒落階級的悲哀。」見《雅頌選譯》（上海市：上海古籍出版社，1986年），頁304。

12 裴普賢：「這是一篇懷念鎬京人物儀容的詩。」見《詩經評註讀本》（臺北市：三民書局，1987年），冊下，頁340。

13 馬盈持：「這是舊都人士於東遷亂離之後，懷念舊都之詩。」見《詩經今註今譯》（臺北市：臺灣商務印書館，1988年），頁416。

14 黃典誠：「這是東周代回憶西京人物的詩篇。詩人只扼要地描寫舊都盛時人物服飾儀容的具體形像，這樣令人看了就有不勝今昔盛衰之感了。」見《詩經通譯新銓》（上海市：華東師範大學出版社，1992年），頁334。

15 劉精盛：「詩可能作於平王東遷之後……詩云：『我不見兮，云何盱矣。』不勝今昔盛衰之感。」見《詩經通釋》（長沙市：湖南大學出版社，2007年），頁227。

16 沈澤宜：「這是一首西周遺民懷念舊都的詩。」見《詩經新解》（上海市：學林出版社，2000年），頁405。

17 楊合鳴、李中華：《詩經譯注》（濟南市：齊魯書社，1985年），頁685。

18 《詩經主題辨析》（南寧市：廣西教育出版社，1989年），冊下，頁245。

19 屈萬里：《詩經選注》（臺北市：正中書局，1989年），頁225。

20 程俊英、蔣見元：《詩經注析》（北京市：中華書局，1991年），冊下，頁716。

（二）關於逸詩的講法

王先謙《詩三家義集疏》提出這首詩第一章是逸詩的看法：「此詩毛氏五章，三家皆止四章。孔《疏》云：左襄十四年《傳》引此詩『行歸於周，萬民所望』二句，服虔曰：『逸詩也。〈都人士〉首章有之。』《禮·緇衣》鄭注云：『《毛詩》有之，三家則亡。』今《韓詩》實無此首章。細味全詩，二、三、四、五章士女對文，此章單言士，並不及女，其詞不類。且首章言『出言有章』，言『行歸於周，萬民所望』，後四章無一語照應，是明明逸詩孤章。毛以首二句相類，強裝篇首。觀其取〈緇衣〉作序，亦無謂甚矣。」[21]

王先謙逸詩的講法，理據有二：其一，第一章單言士，不及女，與第二、三、四、五章並言士女不類；其二，《韓詩》並無首章。不過，這兩點皆不足以證明首章為逸詩。

關於第一點，《詩經》同詩各章互相對應者甚多，然前後各章結構和內容相異者，亦不乏其例。如〈衡門〉的第一章就與第二、三章不類；〈菀柳〉的第三章與第一章、第二章不類；〈裳裳者華〉的第四章即與第一、二、三章不類。這樣的例子多不勝舉，可見《詩經》中各章並不一定整齊相對。況且，亦有學者從另一角度去分析，指出：「這首詩的結構相當嚴謹，第一節寫的是對『都人士』的總體印象，側於內在美德；以下分別寫男士、女士的優美外觀。整首詩渾然一體，決非錯簡。」[22]

至於第二點，清人早已提出反駁。胡承珙（1776～1832）《毛詩後箋》：「賈誼《新書·等齊篇》引《詩》云：『彼都人士，狐裘黃裳。行歸於周，萬民之望。』賈時《毛詩》未行，又所引字亦有小異，疑同於三家。然則三家無此首章，或後漢時逸之，亦未必本無也。」[23]魏源（1794～1857）與

---

[21] 王先謙：《詩三家義集疏》（臺北市：世界書局，1957年），冊下，頁279。

[22] 見沈澤宜：《詩經新解》，頁406。

[23] 胡承珙：《毛詩後箋》（合肥市：黃山書社，1999年），冊下，頁1184。

胡承珙的看法大同小異：「此首章惟《韓詩》無之，《魯詩》則未嘗無也。賈誼《新書·等齊篇》引《詩》云：『彼都人士，孤裘黃裳，行歸於周，萬民之望。』賈時《毛詩》未行，故《新書》多用《魯詩》，且所引字句與《毛》異，則《魯詩》有此首章之明證。鄭、服皆習《韓詩》，故云然歟？抑或三家之本，至後漢閒有脫佚歟？要非三家本無，可不必也。」[24]對王先謙逸詩之說，提出有力的懷疑。

我們相信逸詩之說並不成立，而《詩》中又有「行歸於周，萬民所望」句，那麼，懷念舊都之說就更為可信。

三

本句的難解，歸根究柢，還是古漢語一詞多義的特性。注家對句中的歧解，關鍵實在「如」字的訓釋。上文提各家的訓釋，就對「如」字有不同的理解：高本漢釋之為詞綴、馬瑞辰解之為第三人稱代詞、鄭《箋》、孔《疏》以之為比喻詞，義同「好像」。

高氏的訓釋最基本的問題是誤解陳奐的講法。陳奐《詩毛氏傳疏》的原文是：「《傳》讀『綢』為『周』，故釋『綢』為『密』。《說文》：『周，密也。』杜注《左傳·昭公二十年》：『周，密也。周謂之密。凡從周得聲字。皆可謂之密。』《說文》：『㐱，稠髮也。』『鬒，髮多也。』稠、竝有密義。密直如髮，言其髮之密直。如猶而也，與四章云『彼君子女，卷髮如蠆』意同。《箋》讀如為比方之詞。」[25]

陳氏明言「綢直如髮」和「卷髮如蠆」同。細心推敲，第四章的「卷髮如蠆」明顯是一句簡單的比喻句，「卷髮」是本體，「如」是比喻詞，「蠆」是喻體。這種理解，可謂怡然理順，根本並沒有爭議。換句話來說，陳奐並沒有把「如」看作詞綴。此外，〈鄘風·君子偕老〉：「胡然而天也，胡然

---

[24] 魏源：《魏源全集·古詩微》（長沙市：岳麓書社，1989年），頁633。

[25] 陳奐：《詩毛氏傳疏》（北京市：中國書店，1984年），冊中，卷22，頁13b。

而帝也。」《毛傳》:「尊之如天，審諦如帝。」陳奐曰:「古而、如通用。」[26] 可見陳奐雖以「如」和「而」通用，但並不把「如」視作形容詞詞綴，而把它視作動詞，作「好像」解。事實上，本篇有「垂帶而厲」、「卷髮如蠆」句，當中的「而」和「如」就可以通用。鄭《箋》亦謂:「而亦如也。」可見「而」和「如」兩者皆為比喻詞。

以詩論詩，把這句的「如」視作形容詞詞綴，本身也有問題，正如譯者董同龢（1911～1963）指出:「高氏常常注意節律，這裏為何不加考慮呢？下面引的例證，在『如』前面都只是一字，後面都是兩個字。」[27] 這就是說，從節律去看，高氏所引的例子根本與「綢直如髮」不同，故自然不能以此為確證。事實上，《詩經》並沒有詞綴在連讀形容詞之後的例子。其實「如」作「而」解，而又與「綢直如髮」節律相同者，還可以找到一些例子，像〈鄭風・羔裘〉「羔裘如濡」、〈小雅・車攻〉「舍矢如破」皆是，不過，再細心考察，這兩句的「如」字之後為「濡」和「破」，同屬為形容詞，跟「髮」為名詞不同，因此，這些例子的句式與「綢直如髮」亦並不能等而觀之。「羔裘如濡」和「舍矢如破」句中的「如」通作「而」，作連詞。而本句中的「如」作連詞解，亦明顯文理欠通。

馬瑞辰喜用假借說《詩》，而屢有創獲。然馬氏認為「綢」為「鬌」的假借，卻可以商榷。「鬌」和「綢」皆從「周」得聲，「鬌」字古音端紐幽部，「綢」字古音定紐幽部，兩字旁紐疊韻，音理上有通假的條件，不過，不少從「周」得聲的字都有密義，如「稠」、「鬌」、「綢」等。因此，我們可以視它們為一組同源詞，無需用假借來說明。王力就認為「綢」亦作「稠」，又以「鬌」和「稠」是分別字，同時也是同源詞:「《說文》:『稠，多也。』段《注》:『本謂禾也，引申為凡多之偁。』《玉篇》:『稠，密也。』《文選》束晳〈補亡詩〉:『黍發稠華。』《注》引《蒼頡》:『稠，眾也。』又引《廣雅》:『稠，概也。』《禮記・文王世子》『公與族燕』《注》:『親者

[26]《詩毛氏傳疏》，冊上卷4，頁7b。

[27]《高本漢詩經注釋》，冊下，頁700～701。

稠。』《釋文》:『稠，密也。』《戰國策・秦策一》:『書策稠濁。』《注》:『稠，多也。』《漢書・灌夫傳》:『稠人廣眾。』師古曰:『稠，多也。』字亦作『綢』。《詩・小雅・都人士》:『綢直如髮。』《傳》:『密直如髮也。』」[28] 近人劉運興喜用假借釋字，程度比諸馬氏，有過之而無不及。劉氏《詩義知新》曰:「直、如當讀繆、茹……《詩》曰『綢直（繆）如（茹）髮』，謂纏結柔髮以為髻結等髮飾。」[29]「直」和「繆」,「如」和「茹」在語音上自然可以有通假的條件，但訓詁學家認為不應輕言假借，否則便會眾說紛紜，變得氾濫而無指歸。王力指出以通假說《詩》，需要具備三個條件:「1. 凡是用本字可以講通，就不必講成通假字。」「2. 必須符合古音通假的原則，就是通假字和本字必須音同或音近。」「3. 通假字不僅語音上要說得通，還要有一定的歷史根據。」[30]

劉氏的理解並不符合王力所提出條件的第一項和第三項，同樣道理，馬氏以「綢」假借作「鬌」(《毛詩傳箋通釋》)」的看法，也不完全符合以上三個條件。另外，馬氏以「如」即「其」、「乃」解，從上下文去看，頗能言之成理，只可惜「如」作「其」、「乃」解，作第三人稱代詞，在先秦時並不見這種用法。胡承珙就把這樣的訓釋譏為「皆近於改經從我」[31]。

鄭《箋》、孔《疏》的講法，用「如」的最常見意義，可說是合理而可取的做法，只是他們把德行比喻為髮之綢直的講法，仍不能令人滿意。綜觀全詩，前後各章皆寫君子女之髮美，無一語及其德行，正如方玉潤《詩經原始》指出:「詩全篇只詠服飾之美，而其人之風度端凝、儀容秀美自見；即其人之品望優隆與世族之華貴，亦因之而見。」[32] 事實上，《毛傳》釋此句

---

[28] 王力:《同源字典》(北京市:商務印書館，1982年)，頁233。

[29]《詩義知新》(濟南市:山東教育出版社，1998年)，頁336。

[30] 王力:〈《詩經》裏的通假字〉，見《〈詩經〉語文論集》(成都市:四川民族出版社，2002年)，頁182～186。

[31]《毛詩後箋》，冊下，頁1185。

[32] 方玉潤:《詩經原始》，冊下，頁992。

曰：「密直如髮也。」[33]亦無及君子女的德行。

綜合以上所論，各家對「綢直如髮」的解釋皆有欠完備。總括而言，本詩的「綢直如髮」、「卷髮如蠆」、「髮則有旟」皆描寫君子女的頭髮。此句當中的「如」字與第四章的「垂帶而厲」、「卷髮如蠆」中的「而」、「如」一樣，皆為比喻詞。然而「綢直如髮」的句子結構實與「垂帶而厲」、「卷髮如蠆」卻有不同。後兩者的句意十分明顯：「垂帶」、「卷髮」是本體，「而」、「如」是比喻詞，「厲」、「蠆」是喻體，「綢直如髮」不能作如是觀，因為把這一句視作簡單的明喻，於理難通。其實，胡承珙就提出過很有見地的看法，《毛詩後箋》曰：「竊意《經》言其髮之密直如此，古文倒裝，故云其綢直者有如此之髮也。」《詩經》倒文以遷就押韻甚為常見，這首詩的每章第二、四、六句押韻。本章的「撮」、「髮」、「說」同為月部[34]。這種解釋，簡單地用「如」的常用意義，又切合上下各章文意，並注意《詩經》用韻的習慣，最得詩人之原意。

---

[33]《毛詩正義》，收入《十三經注疏》，冊5，頁1071。

[34] 見王力：《詩經韻讀》（上海市：上海古籍出版社，1980年），頁325。

現代學術獎勵機制觀照下的羅倬漢之經學成就

——以《詩樂論》為核心之探討

車行健*

一　前言

羅倬漢（1898～1985），原名偉勤，字孟韋，別名孟瑋、幹青。一八九八年十二月二十八日生於廣東省興寧縣大坪鎮，一九一九年考進北京大學哲學系，攻讀外國哲學。一九二五年畢業後，曾任教於北京、興寧、廣州諸中學。一九二七年曾短暫擔任興寧縣縣長。一九三三年，東渡日本，就讀日本東京帝國大學研究院，攻讀歷史和哲學。抗日戰爭爆發後回國，先後擔任桂林師專、雲南澂江中山大學師範學院、成都金陵大學、廣東省立文理學院等校教授。一九四九年後，任教於廣東省立文理學院、華南師範學院，擔任二級教授、歷史系主任，直至一九六〇年退休。一九八五年八月十二日病逝於廣州，享年八十七歲。羅氏的主要著作有早年所著之《詩樂論》、《史記十二諸侯年表考證》，晚年（1978）亦嘗收集他於一九三八年至一九四五年間發表在報章雜誌中的二十多首古體詩，名《青塘詩》，油印出版[1]。

---

* 政治大學中國文學系。

[1] 以上羅氏生平資料主要根據林鈞南：〈緬懷羅孟瑋教授〉（廣東省興寧縣政協文史委員會編：《興寧文史》第5輯，頁158～160）、何國華：〈正直愛國的學者羅倬漢教授〉（《興寧文史》第16輯，頁80～88）、廣東省立中山圖書館、香港大學馮平山圖書館編：《羅香林論學書札．附錄．書札相關人物小傳》（廣州市：廣東人民出版社，2009

羅氏所學及執教經歷，雖然主要集中在哲學與歷史二學門中，然其早年之學術表現及用心之所在，厥為經學，這可從其早年所著且也為其一生代表作──《詩樂論》與《史記十二諸侯年表考證》二書中看出。《詩樂論》之〈自跋〉敘述其寫作此書之宗旨，云：

> 禮以道行，樂以道和，曰禮樂。學詩以事君父，正樂以別雅頌，曰詩樂。興於詩，立於禮，成於樂，曰詩禮樂之通貫。舉數千年前之文物，措之行事，不敢以謬悠之說，荒唐之言，無端崖之辭，以求之無何有之鄉，廣莫之野，曰《詩樂論》。蓋以為《三百篇》者，發於孔子之前，民族情志之源泉也。自經學興而據之以言禮樂，其間蕃變之道，曲折深複而不能遽達，欲條而理之，以見仁心之寄，王跡之所存。[2]

《史記十二諸侯年表考證》雖名為《史記》，然其實際所考者卻在《左傳》，欲藉考證《史記．十二諸侯年表》與《左傳》之先後關係，來論證《左傳》早出，非劉歆偽作。其〈自序〉云：

> 溯《左氏》著錄，始於太史。〈十二諸侯年表〉明言《左氏春秋》，則〈表〉之所據，必有攸在。予於是校讀〈史表〉，得〈表〉之據《左》者數百條，視他書不啻倍蓰。而《春秋》編年，貽於《左氏》，《左氏》書法，□於馬遷，跌蕩昭彰，更無掩飾。此史公明見今本《左氏》，不可誣也。[3]

不過他所運用的研究方法還是從考證入手，其自云《史記十二諸侯年表考證》云：

> 這是考證，目的是證明《左傳》出於戰國的可靠，為古史根據地樹下

年，頁616～617），及戴偉華編：〈羅倬漢事蹟編年〉（未刊稿）。

2 羅倬漢：《詩樂論》（臺北市：正中書局，1970年），頁271。

3 羅倬漢：《史記十二諸侯年表考證》（重慶市：商務印書館，1943年），〈自序〉，頁1。

> 一點堅實基礎。其實古史考證是一件不容易得到一個結果的問題。[4]

而其對《詩樂論》亦有如下的自白：

> 仍是以考證為主的，是接著《年表考證》說下來的，不過目的更明確些。但此書在考證中卻談到經學思想問題，而此經學思想，是以「情理雙脩」的「仁」來貫串。……以為「仁」樹立生命，為經學樹立生命。[5]

由此可知，二書的趨向為由《左傳》而古史，再由古史而經學。因此若說他為一位具有史學意識的經史學家，或甚至是一位道地純正的經學家，應不為過。

羅倬漢雖有經史之學專著行世，然而其聲名卻頗不彰。事實上，他在當代學界中也並非沒沒無聞，與世獨立的學人。例如他在抗戰期間曾與錢穆（1895～1990）、顧頡剛（1893～1980）等知名學者皆有所交往，錢穆不但曾為《史記十二諸侯年表考證》寫過序，而且二人在成都時，過往還頗為密切，錢穆稱其為在蜀「所交益友之一」[6]。顧頡剛亦有跟他通信，其中一封信即登錄在《史記十二諸侯年表考證》一書中[7]。此外陸鍵東在《陳寅恪的最後

---

[4] 羅倬漢：《手稿》，原文未見，引自何國華：〈正直愛國的學者羅倬漢教授〉，頁83。

[5] 羅倬漢：《手稿》，原文未見，引自何國華：〈正直愛國的學者羅倬漢教授〉，頁83。

[6] 錢穆的序見羅倬漢：《史記十二諸侯年表考證》，頁1～3；又見於錢穆：《素書樓餘瀋》（收入《錢賓四先生全集》〔臺北市：聯經出版事業公司，1998年〕，第53冊），頁8～10。錢穆與羅倬漢的交往，參錢穆：《師友雜憶》（收入《錢賓四先生全集》，第51冊，《八十憶雙親師友雜憶合刊》），頁257～258。

[7] 顧頡剛致羅倬漢的信寫於1941年8月27日，收錄於羅倬漢：《史記十二諸侯年表考證》，頁1。案：顧頡剛1916年秋進入北京大學中國哲學門學習，1920年春天畢業，羅倬漢晚他三年入北大哲學系就讀，因而二人應當在學生時代就已結識。在顧頡剛的日記中首次記載他與羅倬漢的交往是始於1927年11月1日（顧頡剛：《顧頡剛日記》〔臺北市：聯經出版事業公司，2007年〕，第2卷，頁100），但二人頻繁往來還是在1940到1943年間，這段期間，他們不但有經常見面聚會的機會，而且顧頡剛還常與他通信。（參《顧頡剛日記》第4卷，頁441、452、460、473、490、495、497、506、541、564、569、572、575～579、599、635、644、650、697、708；第5卷，頁39、

二十年》在提及陳寅恪（1890～1969）晚年與羅倬漢的交遊情況時，則是如此評論他的：

> 羅氏在一九三〇年代曾留學日本東京帝國大學研究院，專攻歷史與哲學，嗜書如命，博覽廣採，一九五〇年代在廣東史界便以「博學」知名。羅倬漢一生惜墨如金，雖然從未停止過治學，但除早年有成名作《史記十二諸侯年表考證》及《詩樂記》（案：應為《詩樂論》）面世外，以後竟不屑再刊新著。[8]

60、74、137。）

[8] 陸鍵東：《陳寅恪的最後二十年》（臺北市：聯經出版事業公司，1997年），頁518。其他與羅倬漢有過學術交往的學者，就吾人掌握的資料所知者尚有楊樹達（1885～1956）、劉節（1901～1977）與羅香林（1906～1978）等人。楊逢彬整理的《積微居友朋書札》中，曾收錄了一封羅倬漢於1948年6月24日寄贈給楊樹達其所撰著之〈論經學〉一文，希望楊氏能加以裁正指教的信札。（參楊逢彬整理：《積微居友朋書札》〔長沙市：湖南教育出版社，1986年〕，頁196。）在楊樹達的回憶錄中也曾記載羅倬漢於1948年5月15日在廣州拜訪楊氏，並以其所著《史記十二諸侯年表考證》贈送楊氏，羅倬漢還恭維楊氏：「今日善說金文者惟先生與郭沫若耳。」此外，在1949年3月12日，楊氏停留廣州期間，羅倬漢又去拜訪楊氏，並以其所著《詩樂論》請其校閱。直至26日，羅倬漢復來拜訪，楊氏以讀該書之所見告之，楊氏稱此書「頗有見到處」。（以上參楊樹達：《積微翁回憶錄》〔北京市：北京大學出版社，2007年〕，頁193、203、204。）在現存的劉節日記中，亦可看到羅倬漢與任教廣州中山大學歷史系的劉節在1952～1953、1957～1958及1972～1977年間有著頻繁的接觸與書信往返。（參劉顯曾整理：《劉節日記》〔鄭州市：大象出版社，2009年〕，上冊，頁267、295、306、316、448、453、457、463、465；下冊，頁752、787～788、818、834～835、873、889、891～892、895、902～904、911～913、924、926、939～940、942、944～946、951。）而羅香林也曾於1930年5月5日寫給羅倬漢一封題為〈與宗人幹青論客家界說問題書〉的論學書信。（收錄於廣東省立中山圖書館、香港大學馮平山圖書館編：《羅香林論學書札》，頁20～22。）又羅常培（1899～1958）在成書於1942年的《蜀道難》遊記中，敘及他在1941年7月26日至四川成都考察華西、齊魯、金陵等大學時，他將這幾間大學中文系的師資陣容做了番比較，其中在金陵大學的部分，他也提到了羅倬漢，但並未做任何評論。（參氏撰：《蜀道難》，《羅常培文集》〔濟南市：山東教育出版社，2008年〕，第10卷，頁181。）案：羅常培記載羅倬漢為金陵大學教授，然而錢穆《師友雜憶》卻稱羅倬漢為金陵女子文理學院教授（頁

至於其著作之價值，亦並非無人知曉，如當代極負盛名的古史學者李學勤就曾在其著作中，對羅氏之《史記十二諸侯年表考證》有過正面評價[9]。

但這些少數的學術交遊與評價畢竟仍然改變不了羅氏學術成就及影響晦默無聞的事實，致使其在當代文史學界幾乎是一位被遺忘的人物。然而無人聞問知曉與遭人遺忘不意味著其人其書之學術成就一定低下拙劣，且學術影響之大小有無也不一定真實反映其人其書之客觀學術地位。重要的是，吾人是否有仔細地探查學術史的真實狀況與其中存在的種種細節，而這個工作對現代學術史的研究而言，尤其重要。民國以來的經學和經學家，雖然看似資料不少，相關論著亦甚豐富，但遺漏及未受正視的面向亦甚多，學界對羅倬漢之經學內容及成就之把握，幾乎呈現一片空白的窘狀，就是一個很好的例子。

羅倬漢之學術成就雖沉晦不彰，但這不意味著羅氏是個不問世務，完全脫離或自外於其所身處之主流學術氛圍的學者。相反地，在羅氏回國之後，雖然遭逢抗戰的亂世，但其時中國後方的學術機構還是不受炮火的影響，弦歌不輟，照樣在運轉著。從其生平經歷來看，羅倬漢當時是完全地投入及置身在這個機制中，擔任大學教職、從事學術研究、寫作及發表學術論著，以及參與學術獎勵的活動……等，與當時主流的學者沒有兩樣。在深受西方學術影響下的中國現代學術機制中，學術獎勵的制度應是比諸如學歷、職級、

257），二人所記不同。然而羅常培《蜀道難》撰作時間在1941至1942年間，見聞印象較新鮮真確，而錢穆《師友雜憶》所記為晚年追憶，難免失真，兩相比勘之下，羅常培的記載或許較得其實。

9 李學勤在《東周與秦代文明》的〈導論〉中，曾從司馬遷《史記》關於春秋史的敘述幾乎均出自《左傳》一書的角度，來證實《左傳》的史料價值，其印證的資料之一就是《史記十二諸侯年表考證》一書。（參氏撰：《東周與秦代文明》〔臺北市：駱駝出版社，1983年〕，頁13、頁16註6。）又其在《春秋左氏傳舊注疏證續．序》中評論《左傳》係劉歆偽作說時，如此說道：「一九四三年羅倬漢出版《史記十二諸侯年表考證》，說《史記》實據《左傳》，『司馬遷時，《左傳》本子即已如此』，這個問題的論爭應該說已告結束了。」（見吳靜安：《春秋左氏傳舊注疏證續》〔長春市：東北師範大學出版社，2005年〕，頁2。）

年資等更能客觀地反映或呈現學者實際學術成就的一項指標。因為獎勵制度施行的基礎就在於公正、客觀的審查機制，而透過客觀、公正的學術審查機制所施予的學術獎勵，理論上也應能在相當程度上保證被獎勵者之實際學術成就。羅倬漢在一九四〇年代就曾積極地參與由教育部所主導的學術獎勵活動，並且也獲得不錯的成績，當時相關的審查及獎勵資料猶有所存留。在當今學界仍然普遍欠缺對羅氏學術成就具體瞭解的狀況下，本文擬從現代學術獎勵機制的視角切入，嘗試直接利用這些一手文獻史料，希望能夠較為有效地呈現羅氏的客觀學術成就，並以此為基礎，再嘗試解答諸如羅氏之影響、名聲與評價之相關問題。

二　現代學術獎勵機制與羅倬漢學術成就之肯定

左玉河在《中國近代學術體制之創建》一書中指出「學術獎勵是現代學術體制運行之動力」，他觀察民國時期創建的學術獎勵機制，主要分為如下的三種類型：

> 一是現代大學設立的各項獎學金，旨在鼓勵和資助優秀學子從事學術研究，培養學術後備人才；二是民間新式學會及學術研究機構設立的各項獎勵金，對學術研究有突出成績者給予獎勵；三是政府設立各種獎勵金，對全國在學術研究有貢獻者給予獎勵。

他還進一步地肯定：

> 這三類獎勵金之設置及其相應的規章制度之制定及實施，成為中國現代學術獎勵體制初步建立之重要標志。[10]

在這三類獎勵金，羅倬漢所參與的正是由當時教育部所設立的獎勵機制，

---

[10] 以上皆見左玉河：《中國近代學術體制之創建》（成都市：四川出版集團．四川人民出版社，2008年），頁608。

而主導及負責執行的機構就是著名的「學術審議委員會」（以下簡稱「學審會」）。關於教育部學審會的成立過程，在一九四八年由教育部教育年鑑編纂委員會所編修的《第二次中國教育年鑑》（以下簡稱《教育年鑑》）有清楚完整的記載。以下根據《教育年鑑》之所記及左玉河《中國近代學術體制之創建》所敘及者，將學審會設立之過程、職掌及所辦理的學術獎勵做一概略的敘述。

一九三八年四月，中國國民黨臨時代表大會通過的〈戰時各級教育實施方案綱要〉，其中第十二項規定「全國最高學術審議機關應即設立，以提高學術標準」[11]，將學審會的成立正式提到全國教育與學術行政工作的日程表上。同年七月，國民參政會第一屆會議根據這項原則通過的〈各級教育實施方案〉，其中亦具體闡明了全國最高學術審議機構之任務。一九三九年七月，教育部即根據上述兩項文件之規定，制定了〈學術審議委員會章程〉，一九四〇年三月呈准行政院公佈施行。根據該章程，學審會的任務一共有八項，分別為：一、審議全國各大學之學術研究事項；二、建議學術研究之促進與獎勵事項；三、審核各研究院所之碩士學位授予，暨博士學位候選人之資格事項；四、審議專科以上學校重要改進事項；五、專科以上學校教員資格之審查事項；六、審議留學政策之改進事項；七、審議國際文化之合作事項；八、審議教育部部長交議事項[12]。

學術獎勵正是這八項職掌任務中的第二項，本此法源基礎，學審會遂於一九四〇年五月一日，於第一次大會中通過〈補助學術研究及獎勵著作發明〉一案，其中關於「獎勵著作發明」的部分，旋由教育部照原案頒行〈著作發明及美術獎勵規則〉，明確規定了獎勵之範圍。其中「著作」分一、文學，二、哲學，三、社會科學，四、古代經籍研究。「發明」分一、自然科

---

11 見《中國國民黨抗戰建國綱領、戰時各級教育實施方案綱要、各級教育實施方案》（教育部印，1938年7月），頁6；又見教育年鑑編纂委員會編：《第二次中國教育年鑑》（臺北市：文海出版社，1986年），第一編，《總述》，頁9。

12 以上參教育年鑑編纂委員會編：《第二次中國教育年鑑》，第六編，《學術文化》，頁72；左玉河：《中國近代學術體制之創建》，頁651～655。

學，二、應用科學，三、工藝製造。「美術」則分一、繪畫，二、雕塑，三、音樂，四、工藝美術。而此項獎勵每年舉辦一次，由教育部就本國學者之著作發明及美術製作中，按照以上各類選拔若干種，予以獎勵。參加獎勵者之作品應以最近三年內完成者為限，且特就著作獎勵之範圍而言，凡中小學教科用書、通俗讀物、紀錄表冊或報告說明、三人以上合編之著作、翻譯外國人之著作、編輯各家之著作而無特殊見解者、字典及辭書及講演集均不在著作獎勵之列。而著作獎勵之審查標準亦有明確規定，大致包括作者觀點或所代表之思想是否正確、參考材料是否詳贍、結構是否完美、有無特殊創建、是否有獨立體系或自成一家之說、是否為有系統之敘述或說明、整理前人學說有無改進之點或特殊貢獻、是否適合國情或對於我國社會經濟及農工業各方面之影響如何、是否有學理根據、是否確係發明或創作等。至於給獎之標準則分為三等，一、具有獨創性或發明性，對於學術確係特殊貢獻者，列為第一等；二、具有相當之獨創性或發明性而有學術價值，但不及第一等者，列為第二等；三、在學術上具有參考價值，或有裨實用，但不及第一等第二等者，列為第三等。雖分為三等，但一律嚴格審選，寧缺毋濫[13]。

在實際執行的過程中，這套獎勵機制也力求公正與客觀，教育部聘請參與評審的專家學者，不僅有學審會之聘任委員，還動員了全國研究該領域深孚眾望的學者，這些學者包括曾任或現任大學教授，擔任有關該項著作或發明之學科者；或研究院所之研究員，原係研究該項學科者；或對於該項學科確有研究已有重要著作者，在學術界有相當高的學術權威，具有高深學術造詣者。從今日可見的資料中可以看到，楊樹達、熊十力（1885～1968）、張

[13] 以上參教育年鑑編纂委員會編：《第二次中國教育年鑑》，第六編，《學術文化》，頁72～73；左玉河：《中國近代學術體制之創建》，頁636～640。案：根據1942年4月16、17日召開的學審會第三次大會（即全體委員會議）決審第一屆請獎作品時，會中決議第一等獎每類最多一名，每名獎金一萬元；第二等獎每類至多二名至四名，每名獎金五千元；第三等獎每類至多四名，每名獎金二千五百元。並且決議各類作品，一律嚴格審選，給獎名額，寧缺毋濫。（參教育部學術審議委員會：〈三年來學術審議工作概況〉，《高等教育季刊》第2卷第3期，頁121。）不過隨著通貨膨脹的加劇，獎金的金額也隨之劇增，對此問題的相關討論，請參註21。

君勱（1887～1969）、吳宓（1894～1978）、朱光潛（1897～1986）、朱自清（1898～1949）與唐君毅（1909～1978）等當時的一流學者都曾擔任過審查的工作[14]。而在實際操作中，審查標準亦不斷修改，以力求完善。例如第一屆學術獎勵標準採取「評分制」，即由審查人就審查作品之價值給予分數，並加上評語，最後核填總分及總評。但在第二屆時就改為審查人就有關

---

[14] 楊樹達就曾在回憶錄中屢次提及學術獎勵審查之事，如其於1946年12月18日的回憶錄中記道：「教育部學術審議會寄到徐復著《語言文字學論叢》請審查。」又於1947年9月11日記道：「為學術審議會審查劉詠溱著《說文廢字輯略》，擬三等獎。」又於1948年12月29日記道：「閱教育部委託審查某君著《文選註訂補》，給二等獎。」（以上分別見楊樹達：《積微翁回憶錄》，頁178、185、202）徐復後來獲得1946、47年度（第六屆）文學類三等獎（獲獎紀錄參附錄），可知楊氏應該是讓徐復通過獎勵，但劉詠溱及某氏的得獎紀錄則未見。熊十力參與審查事參註27。張君勱則曾審查唐君毅的《道德自我之建立》一書，審查意見表原稿複印及釋文見楊儒賓、馬淵昌也編：《中日陽明學者墨跡》（臺北市：國立臺灣大學出版中心，2008年），頁64、107。唐書獲得1943年度（第三屆）哲學類的三等獎。又據何兆武云：張君勱（1887～1969）亦是馮友蘭（1895～1990）於1941年參獎作品《新理學》一書的審查者。（參何兆武口述、文靜撰：《上學記》〔北京市：三聯書店，2008年〕，頁156。）吳宓參與審查事則見其1943年12月8日星期三日記中之所記：「晨，續撰〈審查朱光潛《詩論》意見書〉，完。即連同原書，以航空快信（＄33）郵寄教育部學術審議委員會。」（吳學昭整理：《吳宓日記》〔北京市：三聯書店，1998年〕，第9冊，頁160。）吳宓應該建議讓朱光潛獲獎，因為朱光潛就以《詩論》一書獲得1943年度（第三屆）文學類的二等獎。至於朱光潛則是擔任羅倬漢《詩樂論》的審查工作。（詳參第三節）而朱自清則曾審查洪深（1894～1955）的《戲的念詞與詩的朗誦》一書，並建議給予三等獎。審查原件見朱茂男、楊儒賓主編：《東亞朱子學者暨朱氏前賢墨跡》（臺北市：中華民國朱氏宗親文教基金會出版，2006年），頁51。此事在朱自清的日記中也有所反映，其於1943年11月12日星期五記道：「讀完洪深的《戲的念詞與詩的朗誦》。」又於同月28日星期日記道：「摘記《戲的念詞與詩的朗誦》一文要點。」30日星期二又記：「（赴）教育部。」（以上均見朱喬森編：《朱自清全集》〔南京市：江蘇教育出版社，1998年〕，第10卷，頁267、270。）朱自清在審查書上落款的時間正好是「（民國）卅二年十一月」，與日記正相胗合，而洪深的該部著作也獲得1943年度（第三屆）文學類的三等獎。唐君毅亦曾審查單宴一（1909～1989）的《莊子天下篇薈釋》，審查意見表原稿複印及釋文見楊儒賓、馬淵昌也編：《中日陽明學者墨跡》，頁65、108。）但此書未見得獎紀錄。（參附錄）

各項詳加評判填注意見，最後於總評一欄敘明應否給予獎勵及應予給獎之等第以作參考[15]。（具體的審查案例及表格形式可參下節）對於審查方式由簡略的評分改進為詳細的給獎理由之評語，左玉河認為這「無疑反映了審議標準之完善與進步」[16]。此外，審查程序也力求周延與嚴謹，以第一屆學術獎勵之辦理情形為例，在收到著作發明之申請案件後，學審會即先後送請專家二人分別初審及複審，經初審複審均認為及格並由學審會第七次常會甄審，方提至第三次大會決審。提至大會後，復由大會指定委員組織審查會嚴格審選，最後再由全體會議議決最後得獎結果[17]。審查標準與程序之不斷追求完善進步，正代表著學審會所主導的這套獎勵機制在追求學術公正與客觀上的努力與用心。

學審會所辦理的這項學術獎勵，從一九四一年度開始實施，一直到一九四七年度結束，總共舉辦了六屆，羅倬漢分別於一九四一年度（第一屆）及一九四二年度（第二屆）兩年獲得著作獎勵中的「古代經籍研究類」的獎勵肯定。第一年獲得的是三等獎，參獎著作是《史記十二諸侯年表考證》，第二年則得到了二等獎，參獎著作是《詩樂論》。從統計資料來看，一九四一年度申請「古代經籍研究類」的件數共有二十件[18]，獲得獎勵的有六件，通過率只有百分之三十，但比所有申請件數（共二三〇件）獲得獎勵（共三十件）的百分之十三，通過率還是高了些。不過到了一九四二年度，「古代經籍研究類」在總共有十一件申請的情況下，卻只有二件獲得獎勵，通過率銳減至百分之十八。而與此同時，總通過率卻在一六六件申請，四十八件獲獎的情況下，暴增至百分之二十八[19]。

---

15 以上敘述參左玉河：《中國近代學術體制之創建》，頁639。

16 左玉河：《中國近代學術體制之創建》，頁639。

17 教育部學術審議委員會：〈三年來學術審議工作概況〉，頁121～122。

18 教育部學術審議委員會：〈三年來學術審議工作概況〉，頁121。然《第二次中國教育年鑑》中的數據則是17件。（教育年鑑編纂委員會編：《第二次中國教育年鑑》，第十四編，《教育統計》，頁96。）前者於審議過程細節敘述較詳細，且亦撰作在前，因此其資料應較後者可靠。

19 參教育年鑑編纂委員會編：《第二次中國教育年鑑》，第十四編，《教育統計》，頁96。

不但通過比率偏低，而且與羅倬漢同年（1941及1942年度）得獎的學界名人與明星亦復不少，如一九四一年度獲哲學類一等獎的馮友蘭（獲獎作品為《新理學》）及二等獎的金岳霖（1895～1984，獲獎作品為《論道》）。同樣是古代經籍研究類，有獲二等獎的楊樹達（獲獎作品為《春秋大義述》）與陳啟天（1893～1984，獲獎作品為《韓非子校述》），獲三等獎的黎錦熙（1890～1978，獲獎作品為《方志今議》）、金景芳（1902～2001，獲獎作品為《易通》）等人。一九四二年度獲獎的人文領域知名學者有文學類三等獎的王力（1900～1986，獲獎作品為《中國語法理論》）、社會科學類二等獎的郭寶鈞（1893～1971，獲獎作品為《中國古銅器學大綱》）與胡厚宣（1911～1995，獲獎作品為《甲骨學商史論叢》）及三等獎的全漢昇（1912～，獲獎作品為《中國自然經濟》）、費孝通（1910～2005，獲獎作品為《祿村經濟》）與羅香林（《國父家世源流》）等人[20]。這些人或在當時，或在後世，或二者兼有，所享有的學術聲望與影響皆遠高過羅倬漢。更難能可貴的是，羅倬漢還不只一次獲得獎勵，而是連續兩年皆獲獎，這項殊榮在當時屬於人文學科諸領域的獲獎學者當中，也是不多見的。獲得三次的僅有名聲與影響比他大得多的楊樹達一人[21]，而同獲二次獎勵的也只有陸懋德（1888

---

[20] 獲獎名單見教育年鑑編纂委員會編：《第二次中國教育年鑑》，第六編，《學術文化》，頁73～78。

[21] 楊樹達獲得的是1941年度（第一屆）古代經籍研究類二等獎（得獎著作為《春秋大義述》）、1944年度（第四屆）工藝製造類下附此外獎助者（得獎著作為《積微居金文說》）、1946、47年度（第六屆）文學類二等獎（得獎著作為《造字時有通借證及古文字研究》）。又關於得獎狀況，楊樹達在回憶錄中亦有記載，如其於1942年4月19日記道：「報載教育部學術審議會獎勵著作名單：一等獎二人，為華羅庚、馮友蘭；二等十人，首金岳霖，次為余；三等十七人，有陳銓、黎錦熙、陸懋德、羅倬漢等。二十九人中屬文史科目者十一人。」（楊樹達：《積微翁回憶錄》，頁130。）楊氏此處所記為第一屆得獎情況。又其於1948年4月23日記云：「報載教育部學術審議會決定余古文字研究得二等獎。」（同上，頁192）此所記為第六屆得獎情況。甚至連獎勵金之數目亦有記錄，如1942年第一屆獲二等獎的獎勵金為五千元。（同上，頁131）根據同年獲得哲學類一等獎的馮友蘭的回憶，當時一等獎的獎金是一萬元，這筆錢在通貨膨脹還不十分厲害的當時，算是一個相當大的數目。（參氏撰：《三松堂自序》〔收

～1961？）、施之勉（1891～1987）、陳延傑（1888～1970）、徐復（1912～2006）與陰法魯（1915～2002）等五人而已[22]！（獲獎名單請參附錄）

這樣的獎勵對得獎者本人在學術界的地位與名望的提升是否有實質的作用？金景芳的自述或許就對這個問題提供了部分的解答：

> 一九三九年我在東北中學寫了一本小書，名為《易通》。它幫了我很大的忙。
>
> 第一，我依賴它獲得一九四一年教育部學術獎勵三等獎。
>
> 第二，一九四〇年我在東北中學任教務主任時，有人攻擊我沒有上過大學，不合格。我獲獎後，不但作中學教師合格，作大學教授也合格了。原因是，當時教育部新發文件規定，大學畢業可作助教。作助教四年，提出相當於碩士的論文，可作講師。作講師三年，提出相當於

入《三松堂全集》，鄭州市：河南人民出版社，2001年，第1卷〕，頁96～97。）不過到了國共內戰方殷的1948年，楊樹達雖亦獲得1946、1947年度第六屆的二等獎，但獎金金額卻暴增至二千萬元。根據當時擔任學審會委員且時任浙江大學校長竺可楨（1890～1974）的記載，他於1948年4月21日在南京教育部參加學審會第三屆委員第一次會議時，當天會議議決通過第六屆著作獎金計一等三千萬元，二等二千萬元，三等一千萬元。（參竺可楨：《竺可楨日記》〔上海市：上海科技教育出版社，2006年〕，第11卷，頁93。）但當時物價水準如何呢？竺可楨在同年4月30日，於杭州西湖的樓外樓宴請張伯苓（1876～1951）等人晚膳，一席十人左右的酒菜要價五百萬元，外帶小費、二成稅金、水果及車夫費用，共達八百萬元。（同上，頁100。）看來楊樹達領的獎金頂多只能在杭州吃兩、三桌酒席。

22 陸懋德獲得的是1941年度（第一屆）社會科學類三等獎（得獎著作為《中國上古史》）與1942年度（第二屆）社會科學類二等獎（得獎著作為《史學方法大綱》）；施之勉獲得的是1944年度（第四屆）社會科學類三等獎（得獎著作為《古史摭實》）與1946、47年度（第六屆）社會科學類二等獎（得獎著作為《漢史考》）；陳延傑獲得的是1944年度（第四屆）文學類三等獎（得獎著作為《晞陽詩》）與1945年度（第五屆）古代經籍研究類三等獎（得獎著作為《周易程傳參正》）；徐復獲得的是1944年度（第四屆）古代經籍研究類三等獎（得獎著作為《後讀書雜誌》）與1946、47年度（第六屆）文學類三等獎（得獎著作為《語言文字學論叢》）；陰法魯獲得的是1943年度（第三屆）美術類三等獎（得獎著作為《先漢樂律初探》）與1945年度（第五屆）音樂類獎助（得獎著作為《唐宋大曲之來源及其組織》）。

> 博士的論文，可作副教授。作副教授三年，提出相當於得學術獎勵的論文，可作教授。我已經獲得學術獎勵，當然作教授合格了。[23]

在這樣的學術機制與學術氛圍中，羅倬漢躋身其中，優而為之，用實際學術表現證明了自己的學術能力與成就。

三　朱光潛關於羅倬漢《詩樂論》之審查意見評析

在羅倬漢的兩次獲獎紀錄中，只有一九四二年度第二次參獎的《詩樂論》留有原始審查意見資料。此審查意見書是由當時任教於四川嘉定樂山武漢大學的朱光潛所撰，原件複印刊載於朱茂男、楊儒賓所主編之《東亞朱子學者暨朱氏前賢墨跡》中。且不只於此，此書還一併刊登了朱光潛寫給教育部審畢的覆函一通，此函的內容如下：

> 承命審查羅倬漢先生《詩樂論》，茲已竣事。此書對於《詩經》研究貢獻頗多，為近數年來不易多得之著作。惟文字似欠剪裁，辭有不達意處，不免為白壁微瑕。鄙意以為可給第二等獎，是否有當？尚聽卓裁　謹呈
>
> 教育部　　　　　　　　　　　　　　　　　　朱光潛
>
> 二月一日[24]

在這封覆函中，朱光潛言簡意賅地對羅氏此書的正面價值與缺失做了清楚地評判，最後還建議給予二等獎。

但覆函畢竟仍只是簡略地述及審查結果，比較詳細完整的審查意見還是寫在審查意見書中，這篇審查意見書的格式分為前後兩部分二個欄位，前半部分的欄位依第二節所述，審查人應就有關各項審查標準詳加評判，並填注

---

[23] 金景芳：〈金景芳自傳〉，收入陳恩林、舒大剛、康學偉主編：《金景芳學案》（北京市：線裝書局，2003年），上冊，頁27。

[24] 朱茂男、楊儒賓主編：《東亞朱子學者暨朱氏前賢墨跡》，頁47。

意見。後半部分就是總評一欄，在此欄內審查者敘明應否給予獎勵及應予給獎之等第以作參考。朱光潛在前後欄位中都填寫了密密麻麻，極為詳細的評語，錄之如下：

> 本書研究《詩經》，脫去章句訓詁窠臼，就全經要旨及其相關問題詳加考訂，頗多創見。舉其要義，略有三端。一、《詩經》編定寓有尊王之義，孔子正樂非刪《詩》，《詩》在孔子正樂前已有定本，惟孔子亦略有增益及更動。二、論《詩》與樂之關係，〈風〉、〈雅〉、〈頌〉不同。〈雅〉為樂曲，存於《詩》先；〈頌〉又為歌，聲為主而舞容次之；〈風〉之名起於編《詩》之後，其始僅為歌謠，後始入樂。三、禮樂起於生活而徵於宗教，極於政教一貫，情理雙融。詩與樂相通，亦與禮相會。此僅其粗略者，至於書中，因發揮要旨而涉及枝節問題，陳義甚多，茲難枚舉。
>
> 總評：
>
> 作者記問甚淵博，能貫通群經諸子，以自圓其說；不囿於漢、宋而兼有漢、宋之長。其意見頗新穎，而思想則甚平通達，無時下考據家穿鑿附會之病。本書為冥心孤往，慘澹經營之作，一望而可知。惟本書頗不易讀，其由有二：一、作者擅長在考訂而不在立論，其述考訂者尚能明白曉暢，而立論處則迷離恍惚，不易捉摸。二、全書文章組織似欠周密之斟酌，繁簡重輕未能安排適宜，例如論經今古文學及考訂《左傳》諸節本身雖多可取，而混入本書，不免令人易忘本題；第二篇第三章論封建諸節以及第四篇第二章論禮樂之情諸節，意本簡單而文則冗曼晦澀。
>
> 論內容，可列第一等；以文字稍遜，擬置第二等。
>
> 審查人朱光潛卅二年一月八日[25]

---

[25] 朱茂男、楊儒賓主編：《東亞朱子學者暨朱氏前賢墨跡》，頁47。

與此審查意見書相比較，原件同樣收錄於《東亞朱子學者暨朱氏前賢墨跡》一書中的朱自清評審洪深《戲的念詞與詩的朗誦》一書之審查意見書，其在總評一欄中的評語就簡單得多了，只有「擬給予三等獎」六個字[26]。但這並不意味著朱自清輕率馬虎，而是原來的評審辦法就是如此規定的。因此對於評審字數的多寡，只能說朱光潛太過認真，而不能說朱自清態度怠慢[27]。

綜合朱光潛的兩份材料，可知他對羅倬漢《詩樂論》一書的審查意見大致分為四個部分：一、全書主旨要義之撮述，二、該書之優點及價值，三、該書之缺失及值得改進之處，四、給獎等第之斟酌。第四部分是根據前面三部分的評審意見而來，所以前面三者才是朱氏評審的重點。朱光潛一開始先扼要地指出此書的要旨略有三端，包括：《詩經》與孔子的關係、《詩》與樂的關係，以及闡述詩樂相通、詩禮相會的道理。從其評語中亦可以看得出朱光潛對羅氏此書的研究是頗為稱許的，不但讚美此書的實質價值（「脫去章句訓詁窠臼，就全經要旨及其相關問題詳加考訂，頗多創見」、「意見頗新穎，而思想則甚平通達，無時下考據家穿鑿附會之病」。），而且也對羅倬漢的學問根柢（「作者記問甚淵博」）與治學方式（「能貫通群經諸子，以自圓其說」、「不囿於漢、宋而兼有漢、宋之長」等）均多所肯定。因此，就總體來看，無怪乎朱光潛對該書有如下的美評了：「此書對於《詩經》研究貢獻頗多，為近數年來不易多得之著作。」

但朱光潛也不是只會一味講好話，極力地吹捧此書，他畢竟是一位訓練有素且經驗老到的學者，他從文字表達及組織結構兩方面，對羅氏此書提出了較為嚴厲的批評。整體來看，他明確指出羅倬漢此書「頗不易讀」，造成

---

26 朱茂男、楊儒賓主編：《東亞朱子學者暨朱氏前賢墨跡》，頁51。

27 案：熊十力當時也參與學審會著作獎勵的審查，然而熊十力卻不願撰寫審查意見，為此，他還致函學審會大發牢騷，其云：「……可獎就獎他，認為不可獎，就另行包好寄還他了事，何必發下什麼評語。審查酬金，我尚未取。論看了，則可受；論未填表，則又似不好受，不填表可否受？還是請賜示便遵為要，表則絕不填也。我亦不願為今日這幾元得罪人也，老實話也。實則不必獎的，僅可寄還者，不須發什麼孜語與他。輕獎，也是於人心與學風有大害。……」（原件複印及釋文見楊儒賓、馬淵昌也編：《中日陽明學者墨跡》，頁67、108。）

讀者不易讀的原由有二，一在作者的文字表達欠清晰，二在全書文章之組織欠周密。就前者而言，朱氏直指羅倬漢長於考訂而不擅立論，故凡涉及立論的地方，皆不免給讀者「迷離恍惚，不易捉摸」的感覺。再就後者來說，朱光潛認為羅氏此書的章節結構存在著「繁簡重輕未能安排適宜」的問題，在全書的主幹脈胳外，混入太多枝節問題的討論。全書既以《詩》與樂為立論主軸，但朱氏指出「論經今古文學及考訂《左傳》諸節本身雖多可取，而混入本書，不免令人易忘本題」，又如「第二篇第三章論封建諸節以及第四篇第二章論禮樂之情諸節，意本簡單而文則冗曼晦澀」。這樣的寫作立論方式，讓一向注重表達的朱光潛也不得對其有「文字似欠剪裁，辭有不達意處，不免為白璧微瑕」的微詞。當然，這也無可避免地影響到了朱光潛對羅氏此書的總體評價，所以在給獎等第之斟酌上面，他才有如下的評語：「論內容，可列第一等；以文字稍遜，擬置第二等。」

專研文藝心理學的朱光潛對寫作表達之道的確是非常講究的，他在抗戰年間出版，且獲得一九四三年度文學類二等獎的《詩論》，其中第四章〈論表現〉就專門探討情感思想與語言文字的關係，他以自己的經驗現身說法道：

> 我作文常修改，每次修改，都發現在話沒有說清楚時，原因都在思想混亂，把思想條理弄清楚了，話自然會清楚。尋思必同時是尋言，尋言亦必同時是尋思。[28]

而同樣在抗戰期間寫成的《談文學》一書，其中〈作文與運思〉一篇亦有類似的觀點，其云：

> 思想不清楚的人做出來的文章決不會清楚。思想的毛病除了精神失常以外，都起於懶惰，遇著應該分析時不仔細分析，應該斟酌時不仔細

[28] 朱光潛：《詩論》，收入《朱光潛全集》（合肥市：安徽教育出版社，1996年），第3卷，頁102。

> 斟酌，只圖模糊敷衍，囫圇吞棗混將過去。[29]

朱光潛本人顯然能身體力行這點，所以他寫的書都以曉暢清晰出名，如朱自清在一九三二年為朱光潛的名著《文藝心理學》寫序時，就讚美此書：

> 全書文字象行雲流水，自在極了。他像談話似的，一層層領著你走進高深和複雜裏去。他這裏給你來一個比喻，那裏給你來一段故事，有時正經，有時詼諧，你不知不覺地跟著他走，不知不覺地「到了家」。他的句子，譯名，譯文都痛痛快快的，不扭捏一下子，也不盡繞彎兒。這種「能近取譬」、「深入顯出」的本領是孟實先生的特長。[30]

朱光潛所論原只是針對一般人作文章或作家創作詩文的狀況，但語文表達的道理其實都是相通的，學術作品的寫作更需要條理的表達，羅倬漢此書的表達方式顯然就不符合朱光潛的標準。不但行文出之以艱澀的文言文，而且篇章結構有欠缺周密的組織，時而在枝節問題上歧出或在某些細節地方做太過冗慢的討論，以致無法突顯全書的主要論旨，最終使讀者不易理解作者在該書中所欲傳達的訊息，如此一來，自然限制了該書的流傳與學術影響力。

四　結論

透過具公信力的現代學術獎勵機制來衡量羅倬漢的學術成就，自然有其一定的客觀性，因為這個獎勵機制畢竟是建立在嚴謹的學術審查制度的基礎上。但無論如何，僅憑一兩次的獲獎紀錄及少數同行專家學者的評審，還是無法充分有效地呈顯當事人的全幅學術成就。但這是所有評審及獎勵機制所共同存在的問題，要靠某一兩次的得獎紀錄或評審過程來證明某學者的實際學術成就，無異緣木求魚。因此若欲對羅倬漢的學術有更真實而準確地把握與評估，仍有待於學界持續地對其著作做更全面、更深入地探究。戰時學審

---

[29] 朱光潛：《談文學》，收入《朱光潛全集》，第4卷，頁206。

[30] 朱光潛：《文藝心理學》，收入《朱光潛全集》，第1卷，頁525。

會的獎勵制度及朱光潛對《詩樂論》的審查意見已經為吾人提供了很好的參考基點。

不過衡量學術成就是一回事，評估學術名聲與學術影響又是另外一回事。學術成就不等於學術聲望，而學術成就與聲望也不保證學術影響的廣大與否。縱使吾人能重新表彰羅倬漢的客觀學術成就，也能夠從當代學人的傳記資料中，勾稽出羅氏的交遊與時人的相關評價，從而多少還原羅氏在當代學界可能具有的學術名聲，但這依然無法改變羅氏在當時及後世影響俱不彰著的事實。更具體地來說，就是羅氏那兩本經學著作似乎根本不在當代學界發揮任何影響力的窘狀。分析其中可能的原因，或許這兩本書皆是出版於兵荒馬亂的抗戰時期，以至於流通不廣，再加上戰後乃至於新中國建立後，此二書皆未能再版（《詩樂論》有在臺灣再版過），所以使得許多人根本不知道有這兩本書的存在，或者即使知道，但也尋覓無門。此外，羅氏在一九四九年後又很少發表學術著作，也削弱了他在學界的實質影響力。但如果暫時撇開外在的因素不論，單從學術內部的角度，或許也能找出一些蛛絲馬跡。例如朱光潛所批評的「文字似欠剪裁，辭有不達意處」及「立論處則迷離恍 ，不易捉摸」的表達問題，使得讀者不易理解其論旨，自然也對其學說之推廣傳播造成不利的影響。又如他此二書所論者皆是道地而純正的經學課題，《史記十二諸侯年表考證》更是直接關涉到晚清民初以來的以《左傳》真偽為核心的今古文學之爭。但顧頡剛在一九三七年四月二十一日嘗寫下如下的一段話，頗發人深省，其云：

> 近來學者厭倦於經今古文學的爭論，相率閉口不談這個問題，但古史問題又是非談不可，於是牽纏於漢人的雜說，永遠弄不清楚。[31]

是否是因為經今古文學的問題已不再讓當時的學者感到興趣，因而連帶使得討論這一議題的著作皆不易獲得學界的共鳴，自然就造成羅氏此書無人聞問的情況？而與此同時，經學這門學問在當時也退出人文學術的主流中心地

---

[31] 見顧潮編著：《顧頡剛年譜》（北京市：中國社會科學出版社，1993年），頁271。

位，所以也不易使學界將目光聚焦於大談經學思想的《詩樂論》一書上[32]。

從羅倬漢的例子可知，民國年間所開始施行的現代學術獎勵與審查機制本身，確實可以對吾人在民國學術史的研究上提供不少的助益。而其中所存留下來的相關資料（尤其是審查意見書），更是蘊藏了許多正面的學術能量，有待開發。其中最著者當推陳寅恪與金岳霖（1895～1984）為馮友蘭《中國哲學史》所撰寫的審查報告[33]。而當代學人的日記及傳記資料中亦保留了不少有關這方面的記載，如楊樹達在回憶錄中就屢屢記載審查之事，如其於一九三四年十月十八日及一九三五年十一月二十二日就有他審查許維遹（1900～1950）送交清華大學出版之《呂氏春秋集釋》一書之記錄，他對許氏未盡照其意見修改，頗致不滿[34]。又如其於一九四六年十二月二十四日記道，他受教育部之請，審查張震澤所著《許慎年譜》一書，他對張氏考定許慎生於東漢明帝永平七年（64），不予苟同，認為「並無明據」[35]。又如錢穆在《師友雜憶》中亦提及他的《先秦諸子繫年》當年申請列入《清華叢書》中，但最終審查未過，反對者正是馮友蘭，他的意見是「主張此書當改變體裁便人閱讀」[36]。這方面的史料一方面可以讓吾人對學術審查機制的運作及在學人心理、學術社群及整個學術生態間所生發的作用與影響有更深入且親切地認識；另一方面也可略窺審查者的學術主張及其審查標準。這些不但深具學術史的價值，而且或許在某種程度上，更富含現實的意義。

---

32 關於此問題的討論，請參拙著：〈現代中國大學中的經學課程〉，《漢學研究通訊》第28卷第3期，頁21～35。

33 馮友蘭：《中國哲學史．上》，收入《三松堂全集》，第2卷，頁612～619；《中國哲學史．下》，收入《三松堂全集》，第3卷，頁460～462。

34 楊樹達：《積微翁回憶錄》，頁62、75～76。

35 楊樹達：《積微翁回憶錄》，頁178。

36 錢穆：《師友雜憶》，頁162。

附錄：1941年至1947年度學術審議委員會著作獎勵獲獎名單

1941年度（第一屆）

文學類

三等獎四名

邵祖平《培風樓詩續存》

盧前《中興鼓吹》

陳銓《野玫瑰》

曹禺《北京人》

哲學類

一等獎一名

馮友蘭《新理學》

二等獎一名

金岳霖《論道》

三等獎二名

李柏顯《朱子哲學》

王萬鍾《孫文學說疏證》

古代經籍研究類

二等獎二名

楊樹達《春秋大義述》

陳啟天《韓非子校述》

三等獎四名

黎錦熙《方志今議》

羅倬漢《史記十二諸侯年表考證》

賀楙慶《周易卦序研究》

金景芳《易通》

社會科學類

二等獎一名

胡煥庸《縮小省區方案研究》

三等獎一名

陸懋德《中國上古史》

1942年度（第二屆）

文學類

三等獎三人

王力《中國語法理論》

唐玉虬《國聲集及入蜀稿》

孫為霆《巴山樵唱》

哲學類

三等獎一人

劉奇《論理古例》

古代經籍研究類

二等獎一人

羅倬漢《詩樂論》

三等獎一人

丁超五《易理新詮》

社會科學類

二等獎四人

郭寶鈞《中國古銅器學大綱》

陸懋德《史學方法大綱》

胡厚宣《甲骨學商史論叢》

胡元義《破產法》

三等獎六人

全漢昇《中國自然經濟》

張印堂《滇緬鐵路沿線經濟地理》

吳文暉《中國土地問題及其對策》

費孝通《祿村經濟》

張金鑑《人事行政學》

羅香林《國父家世源流》

1943年度（第三屆）

文學類

二等獎一人

朱光潛《詩論》

三等獎五人

程伯臧《影史樓詩抄》

宗威《度遼吟草及劫餘吟》

洪深《戲的唸詞與詩的朗誦》

高華年《昆明核桃等村土語研究》

鄒質夫《斷藤記傳奇》

哲學類

一等獎一人

湯用彤《漢魏兩晉南北朝佛教史》

三等獎二人

唐君毅《道德自我之建立》

胡世華《方陣概念之分析》

古代經籍研究類

二等獎一人

聞一多《楚辭校補》

三等獎二人

王如心《孟子趙朱異注纂疏》

錢基博《增訂新戰史例孫子章句義》

社會科學類

一等獎二人

陳寅恪《唐代政治史述論稿》

劉節《中國古代宗族移殖史論》

三等獎十一人

曾資生《中國政治制度史》

1944年度（第四屆）

文學類

二等獎二人

羅根澤《周秦兩漢文學批評史》

李嘉言《賈島年譜》

三等獎八人

馮沅君《古優解》

李辰冬《紅樓夢研究》

方重《英國詩文研究》

祝文白《文選六臣註訂譌》

陳紀瀅《新中國幼苗的成長》

陳延傑《晞陽詩》

酈承銓《願堂詩錄》

繆鉞《杜牧之年譜》

哲學類

二等獎一人

黃建中《比較倫理學》

古代經籍研究類

一等獎一人

勞幹《居延漢簡攷釋》

二等獎一人

吳毓江《墨子校注》

三等獎三人

徐復《後讀書雜誌》

蔣禮鴻《商君書錐指》

張國銓《新序校注》

二等獎五人

蕭一山《清史大綱》

鄭天廷〈發羌之地望與對音〉等論文三篇
王煥鑣《曾南豐年譜》
（以下三人屬法律、經濟領域，茲不錄。）
鄧廣銘《宋史職官志考證》

簡又文《太平軍廣西首義史》
（以下皆屬法律、經濟、社會、教育等領域，茲不錄。）
三等獎十六人
藍文徵《中國通史》（上卷）
洪啟祥《古代中日關係之研究》
施之勉《古史摭實》
王伊同《五朝門第》
吳康《新人文教育論》
（以下皆屬政治、外交、社會、經濟等諸領域，茲不錄。）

1945年度（第五屆）

文學類

二等獎二人
柴德賡《鮚埼亭集謝三賓攷》
姚微元《鴉片戰爭史事攷》
三等獎七人
孫文青《南陽草店漢墓畫像集》
嚴濟寬《中國民族女英雄傳記》
李秀峰《成人教養之實驗》
王玉哲《鬼方攷》
許澄遠《魏晉南北朝教育史》
張德琇《語數位形測驗之編造與試用》
段青雲《選學叢說》
獎助者五人
許毓峰《周濂溪年譜》
朱謙之《哥倫布前一千年中國僧人發現美洲說》
李曼瑰《女畫家》
（餘二人屬教育領域，茲不錄）

哲學類

三等獎二人
崔書琴 《三民主義新論》

1946、47年度（第六屆）

文學類

二等獎一人
楊樹達《造字時有通借證及古文字研究》
三等獎一人
徐復《語言文字學論叢》

哲學類

二等獎一人
張西堂《顏習齋學譜》

社會科學類

二等獎三人
馬學良《撒尼倮語語法》
施之勉《漢史考》
劉銘恕《中外交通史論叢》
三等獎四人
曾仲謀《廣東經濟發展史》
張秀勤《日本史正名篇》
竇季良《同鄉組織之研究》
徐松石《奉族僮族粵族考》
受獎助者一人
黃貴祥《文盲字彙研究》

古代經籍研究類

金平歐 《心理建設論》

社會科學類

（得獎諸人純屬社會科學諸域，茲不錄。）

古代經籍研究類

三等獎二人

陳延傑《周易程傳參正》

蘇維嶽《詩經叢著》

三等獎二人

胡樸安《周易古史觀》

楊明照《漢書顏注發微》

案：1944年度（第四屆）在工藝製造類下附「此外獎助者八人」，與人文領域有關之名單如下：

楊樹達《積微居金文說》

楊蔭瀏《本國音樂史綱》

朱相顯《宋明哲學》

又案：在1943年度的美術類及1945年度的音樂類，亦均有與人文領域學者之學術著作獲獎，前者有張清常（獲獎作品為《中國上古音樂史論叢》）及陰法魯（獲獎作品為《先漢樂律初探》），後者則有陰法魯（獲獎作品為《唐宋大曲之來源及其組織》）。

古代尊師禮淺論

方向東*

中國自古以來就有尊師重道的傳統，其精神已深深地根植在人們的心靈中，但隨著社會的快速發展，古代文言文已退居於現代漢語和外語之後，人們對於古代尊師的禮儀和意義的認識已日漸模糊。本文擬就古代文獻資料對尊師禮儀的起源、流變以及對社會和個人的作用進行揭示，以便進一步弘揚尊師禮儀的社會意義。

一　尊師禮的起源

古代尊師禮，起源於尊賢，所謂以先師配先聖。《周禮·春官·大司樂》:「掌成均之法，以治建國之學政，而合國之子弟焉。凡有道者、有德者，使教焉。死則以為樂祖，祭於瞽宗。」《禮記·祭義》:「祀先賢於西學，所以教諸侯之德也。」可見道德乃為師者所必備，賢者，師與聖之統名，尊賢與尊師合而為一，尊賢的禮儀與尊師的禮儀並用。《禮記·祭義》:「凡始立學者，必釋奠於先聖先師。」「天子至，乃命有司行事，興秩節祭先師先聖焉。」三代之時，先聖與學校緊密聯繫在一起，虞庠以舜，夏學以禹，殷學以湯，周膠以文王。漢、魏以後，或以周公為先聖，孔子為先師；或以孔子為先聖，顏回為先師。誠如長孫無忌所云，顏回、夫子互作先師，宣公、周公迭為先聖者，至貞觀時始欲定以孔子為先聖，顏回為先師。雖一變於永徽，而旋復於顯慶，自此而後，千年莫改。《欽定禮記義疏》總

* 南京師範大學文學院。

結說：「唐、虞有夔、龍、伯夷，周有周公，魯有孔子，則所謂先聖先師，大約係能教之人，未必是帝王，且地異而時不同，未必定某為先聖某為先師。」

二　祭先聖先師的禮儀

祭先聖先師的禮儀有三種：釋奠，釋幣，釋菜。釋幣為告祭時所用，禮不常行。釋奠、釋菜為常行之禮，形式簡單易行。釋奠有樂無尸，釋菜無樂，比釋奠更簡單。釋奠禮重，而釋菜禮輕。《禮記‧文王世子》：「凡學，春夏釋奠於其先師，秋冬亦如之。」據《禮記‧王制》孔穎達疏：「〈文王世子〉又云：『始立學者，既釁器，用幣。』註云：『禮樂之器，成則釁之，又用幣告。』先聖先師以器成，此則徒用幣而無菜，亦無牲牢也。〈文王世子〉又云：『凡始立學者，必釋奠於先聖先師，及行事，必以幣。』是釋奠有牲牢，又有幣帛，無用菜之文。」釋菜的禮儀，所用僅蘋藻而已，無牲牢，無幣帛。《周禮‧春官‧大胥》：「春，入學，舍采合舞。」鄭註：「采，讀為菜。始入學必釋菜，禮先師也。菜，蘋蘩之屬。」〈學記〉：「大學始教，皮弁祭菜，示敬道也。」註：「祭菜，禮先聖先師。菜謂芹藻之屬。」據陳祥道《禮書》：「鄭氏謂婚禮奠菜，蓋用菫；入學釋菜，蘋藻之屬；始立學釋菜，芹藻之屬；蓋以泮宮有芹藻，子事父母有菫荁，故有是說也。」

三種禮儀的次數，據《禮記‧文王世子》孔穎達疏，釋奠六次，釋幣一次，釋菜三次。孔疏云：「凡釋奠有六：始立學釋奠，一也；四時釋奠有四，通前五也。〈王制〉師還釋奠於學，六也。釋菜有三：春入學釋菜合舞，一也；此釁器釋菜，二也；〈學記〉皮弁祭菜，三也。秋頒學合聲，無釋菜之文，則不釋菜也。釋幣惟一也，從釁器以來，皆據諸侯之禮，故云始立學。」

三　尊師禮祭祀用品

漢代以前祭祀先聖先師釋奠用牲牢，鄭玄注《禮記・文王世子》釋奠云設薦饌酌奠而已，但具體用何祭品及數量不詳。漢代開始，牲用犬。《漢書・禮儀志》:「明帝永平二年三月，郡縣行鄉飲酒禮於學校，皆祀聖師周公、孔子，牲以犬。」據《三國志・魏志・齊王紀》，正始中，用太牢祭孔子。據《南齊書・禮志》，齊武帝永明三年，從喻希議，用元嘉故事，設軒懸之樂、六佾之舞，牲牢器用悉依上公。

祭祀器物也由少至多。

祭祀器物有酒尊，犧尊、象尊、山尊、壺尊、著尊、太尊皆具，有爵、籩、豆、簋、簠、俎、罍、洗、篚、勺、冪、燭、祝版、陶器、瓶、香爐，分別見於下列文獻：

> 《宋史・禮志》記載：詔太常禮院定州縣釋奠器數，先聖先師每坐酒尊一，籩豆八，簋二，簠二，俎三，罍一，洗一，篚一，尊皆加勺冪，各置於坫，巾共二，燭二，爵共四，有坫。從祀之處，諸坐各籩二，豆二，簋一，簠一，俎一，燭一，爵一。
>
> 《金史・禮志》記載：大定十四年，禮官參酌《唐開元禮》，定擬釋奠儀數：文宣王、兗國公、鄒國公每位籩豆各十、犧尊一、象尊一、簠簋各二、俎二、祝版各一，皆設案。七十二賢、二十一先儒，每位各籩一、豆一、爵一，兩廡各設象尊二。總用籩、豆各二百二十三，簠簋各六，俎六，犧尊三，象尊七，爵九十四。其樽皆有坫。罍二，洗二，篚勺各二，冪六。正位並從祀籍尊、罍、俎、豆席，約用三十幅，尊席用葦，俎、豆席用莞。牲用羊、豕各三，酒二十瓶。禮行三獻，以祭酒、司業、博士充。分獻官二，讀祝官一，太官令一，捧祝官二，罍洗官一，爵洗官一，巾篚官二，禮直官十一，學生以儒服陪位。樂用登歌，大樂令一員，本署官充，樂工三十九人。

《闕里志》記載：大定十四年，釋奠先聖，詔依禮官議，依《開元禮》合行祭器禮料，羊二、豕三、酒二十瓶、奏登歌雅奏。

《明史·禮志》：宣宗遷汴，建廟會朝門內，歲祀如儀，宣聖、顏、孟各羊一、豕一，餘同小祀，共用羊八，無豕。其諸州釋奠並遵唐儀。其祝幣之式，祝版三，各一尺二寸，廣八寸，木用楸梓柏，文曰：「維年月日，皇帝敬遣某官等致祭於大成至聖文宣王。」先師曰：「維年月日，某官等致祭於某國公。」幣三，用絹，各長一丈八尺。(《明史·禮志》)

其牲齊器皿之數，牲用牛一、羊五、豕五。以犧尊實泛齊，象尊實醴齊，皆三，有上尊，加冪有杓，設堂上。太尊實泛齊，山罍實醴齊，有上尊。著尊實盎齊，犧尊實醴齊，象尊實沈齊，壺尊實三酒，皆有上尊，設堂下。盥洗位在阼階之東，以象尊實醴齊，有上尊，加冪有勺，設於兩廡近北。盥洗位在階下近南，籩十，豆十，簠二，簋二，登三，鉶三， 三，有毛血豆，正配位同。籩豆皆二，簋一，簠一， 一，從祀皆同。凡銅之器六百八十有一，宣和爵坫一，豆二百四十有八，簠簋各一百一十有五，登六，犧尊、象尊各六，山尊二，壺尊六，著尊、太尊各二，罍二，洗二，龍杓二十有七，坫二十有八，爵一百一十有八。竹木之器三百八十有四，籩二百四十有八，篚三， 百三十有三。陶器三，瓶二，香爐一，籩巾二百四十有八，簠簋巾二百四十有八， 巾百三十有三，黄巾蒙單十。

三代以前，祭祀先聖先師神主皆用木主。《闕里志》：洪武十五年，太學成，孔子以下去塑像，設木主，但未普遍實行。嘉靖年間，定木主形制。王圻《續通考》：嘉靖九年，釐正祀典，撤去塑像，至聖先師孔子神位木主高二尺三寸七分，闊四寸，厚七分，座高四寸，長七寸，厚三寸四分，朱地金書。四配神位木主各高一尺五寸，闊三寸二分，厚五分，座高四寸，長六寸，厚二寸八分。十哲以下凡及門弟子，皆止稱先賢某子，神位木主各高一尺四寸，闊二寸六分，厚五分，座高二寸六分，長四寸，厚二寸。左丘明以下稱先儒某子，神位木主各高一尺三寸四分，闊二寸三分，厚四分，座高二寸六分，長四寸，厚二寸，俱赤地黑書。

唐代開始，為先師畫像或塑像。《文獻通考》卷四十三記載唐開元八年李元瓘奏言「請命有司圖形於壁，兼為立贊，庶敦勸儒風，光崇聖烈」，是畫像之始。《文獻通考》卷四十三記載開元間：「又勅兩京及兗州舊宅廟像，宜改服袞冕。其諸州及縣廟宇既小，但移南面，不須改衣服。」應為塑像之始。此後或畫或塑不一。韓愈〈處州孔子廟碑〉：「既新作孔子廟，又令工改為顏子至子夏十人像，其餘六十子及後大儒公羊高、左丘明、孟軻、荀況、伏生、毛公、韓生、董生、高堂生、揚雄、鄭玄等數十人皆圖之壁。」《宋史．禮志》：「周顯德二年，別營國子監，置學舍，宋因增修之，塑先聖亞聖十哲像，畫七十二賢及先儒二十一人像於東西廡之木壁。太祖親撰先聖、亞聖贊，十哲以下，命文臣分贊之。」

尊師禮祭祀用樂舞，六朝之前沒有具體記載，六朝之後有了明確記載，並有登歌和祭文。《南齊書．禮志》：「尚書令王儉議：元嘉立學，裴松之議應舞六佾，以郊樂未具，故權奏登歌。今金石已備，宜設軒懸之樂，六佾之舞，牲牢器用，悉依上公。」梁元帝〈釋奠祭孔子文〉：「粵若宗師，猗歟乃聖。惟岳降神，惟天所命。上善如水，至人若鏡。」〈祭顏子文〉：「欽哉體一，亞彼至人。乍分介石，時知落鱗。不先稱寶，席上為珍。致虛守靜，曲巷安貧。欽風味道，其德有鄰。」隋牛弘〈先聖先師歌〉：「經國立訓，學重教先。《三墳》肇冊，《五典》留篇。開鑿理著，陶鑄功宣。東膠西序，春誦夏弦。芳塵載仰，祀典無愆。」唐貞觀祭祀有「皇太子親釋奠樂章」、「享孔廟樂章」（見《舊唐書．音樂志》）。開元中，釋奠文宣王，始用宮架之樂。宮架之樂為天子所用，說明尊師禮進一步強化。

禮先師由一年兩次增加到四次。《隋書．禮儀志》：「後齊制，新立學，必釋奠禮先聖先師，每歲春秋二仲，常行其禮。」「隋制，國子寺，每歲以四仲月上丁，釋奠於先聖先師。」宋神宗時期，詔太常寺修四孟釋菜儀。

四　孔子地位的提升

孔子的地位，由先師升為先聖，弟子顏回升為先師。唐代長孫無忌等奏云：「庠序置奠，本緣夫子，故晉、宋、梁、陳及隋大業故事，皆以孔子為先聖，顏回為先師，歷代所行，古今通允。」

為孔子立廟，自唐代開始。《新唐書．禮樂志》：「貞觀四年，詔州縣學皆作孔子廟。」廟中牌位，有左丘明、卜子夏、公羊高、穀梁赤、伏勝、高堂生、戴聖、毛萇、孔安國、劉向、鄭眾、杜子春、馬融、盧植、鄭玄、服虔、何休、王肅、王弼、杜預、范寧、賈逵二十二人。(《舊唐書．禮儀志》)唐高宗時期，又以周公為先聖，孔子為先師，開始追贈孔門弟子。《新唐書．高宗本紀》：「總章元年二月丁巳，皇太子釋奠於國學。四月乙卯，贈顏回為太子少師，曾參太子少保。」《新唐書．禮樂志》：「睿宗太極元年，加贈顏回太子太師，曾參太子太保，皆配享。」《春明夢餘錄》：「永樂元年八月，遣官釋奠，仍改稱國子監孔子廟，尋建新廟於故址中，為廟南向。東西兩廡，丹墀西為瘞所，正南為廟門，門東為宰牲亭，神廚西為神庫持敬門，門正南為外門。正殿初名大成殿。」

到宋代，廟中器物和先師的冕服也進一步升級。《玉海》：「大中祥符二年三月庚辰，詔文宣廟木圭易以玉，賜桓圭一。」《文獻通考》：「熙寧八年，判國子監常秩等言：『本監宣聖神像舊用冕服九旒，七十二賢二十一先儒並用朝服，檢會唐開元中，尊孔子為文宣王，內出王者袞冕之服以衣之，詳此，則孔子之冕宜用天子之制十二旒。孔子既用冕旒，則七十二賢二十一先儒各依本爵用冕服。今來所修殿屋已成，見裝飾塑像，欲乞改正，下太常禮院詳定。禮院檢會國朝文宣王廟自建隆三年詔廟門準儀制令，立戟十六枝，用正一品之禮。大中祥符二年，賜曲阜縣文宣王廟桓圭一，從上公之制，冕九旒，服九章。按衣服今王爵之服，春秋釋奠則用中祠，皆今朝之制也。其兗國公顏子等皆以本朝郡國縣封爵，緣古今禮制不一，難以追用周之冕服，宜如舊制，依官品衣服。今文宣王冕用九旒，顏子以下各依郡國縣公侯伯正一品至正四品冠服制度，庶合禮令。』從之。」

崇寧三年，國子監丞趙子櫟言：「考《周官》司服所掌，則公之冕，與王同；弁師所掌，則公之冕與王異。今既考正配享從祀之服，則宜考正先聖之冕服，於是增文宣王冕為十有二旒。」

孔子弟子的爵次，《新唐書‧禮樂志》有詳細記載：

> 貞觀中，廢周公祭而夫子位未改。至是，二京國子監天下州縣夫子始皆南向，以顏淵配，贈諸弟子爵公侯：子淵兗公，子騫費侯，伯牛鄆侯，仲弓薛侯，子有徐侯，子路衛侯，子我齊侯，子貢黎侯，子游吳侯，子夏魏侯；又贈曾參以降六十七人：參成伯，顓孫師陳伯，澹臺滅明江伯，宓子賤單伯，原憲原伯，公冶長莒伯，南宮适郯伯，公晳哀郳伯，曾點宿伯，顏路杞伯，商瞿蒙伯，高柴共伯，漆雕開滕伯，公伯寮任伯，司馬牛向伯，樊遲樊伯，有若卞伯，公西赤邵伯，巫馬期鄫伯，梁鱣梁伯，顏辛蕭伯，冉儒郜伯，曹卹豐伯，伯虔鄒伯，公孫龍黃伯，冉季產東平伯，秦子南少梁伯，漆雕斂武城伯，顏子驕瑯琊伯，漆雕徒父須句伯，壤駟赤北徵伯，商澤睢陽伯，石作蜀郈邑伯，任不齊任城伯，公夏首亢父伯，公良孺東牟伯，后處營丘伯，秦開彭衙伯，奚容蒧下邳伯，公肩定新田伯，顏襄臨沂伯，鄡單銅鞮伯，句井疆淇伯，罕父黑乘丘伯，秦商上洛伯，申黨召陵伯，公祖子之期思伯，榮子旗雩婁伯，縣城鉅野伯，左人郢臨淄伯，燕伋漁陽伯，鄭子徒滎陽伯，秦非汧陽伯，施常乘氏伯，顏噲朱虛伯，步叔乘淳于伯，顏之僕東武伯，原亢籍萊蕪伯，樂欬昌平伯，廉潔莒父伯，顏何開陽伯，叔仲會瑕丘伯，狄黑臨濟伯，邽巽平陸伯，孔忠汶陽伯，公西與如重丘伯，公西蒧祝阿伯。於是二京之祭，牲太牢，樂宮懸，舞六佾矣。州縣之牲，以少牢而無樂。

到宋代，孔門弟子地位由伯、侯進一步升級為侯、公。《文獻通考》記載大中祥符年間，詔追封孔子弟子，顏回為兗國公，費侯閔損琅琊公，鄆侯冉耕東平公，薛侯冉雍下邳公，齊侯宰予臨淄公，黎侯端木賜黎陽公，徐侯冉求彭城公，衛侯仲由河內公， 侯言偃丹陽公，魏侯卜商河東公，郕伯曾參瑕邱侯，陳伯顓孫師宛丘侯，江伯澹臺滅明金鄉侯，單伯宓不齊單父侯，原伯原憲任城侯，莒伯公冶長高密侯，郯伯南宮縚龔丘侯，郳伯公晳哀北海侯，宿伯曾點萊蕪侯，杞伯顏無繇曲阜侯，蒙伯商瞿須昌侯，共伯高柴共城侯，滕伯漆雕開平輿侯，任伯公伯寮壽張侯，向伯司馬耕楚丘侯，樊伯樊須益都侯，郜伯公西赤鉅野侯，卞伯有若平陰侯，鄫伯巫馬期東阿侯，潁伯陳亢南頓侯，梁伯梁鱣千乘侯，蕭伯顏辛陽穀侯，紀伯冉孺臨沂侯，東平伯冉季諸城侯，聊伯伯虔沭陽侯，黃伯公孫龍枝江侯，彭衙伯秦寧新息侯，少梁伯秦商鄄城侯，武城伯漆雕哆濮陽侯，琅琊伯顏驕雷澤侯，須句伯漆雕徒父高苑侯，北徵伯壤駟赤上邽侯，清河伯林放長山侯，睢陽伯商澤鄒平侯，石邑伯石作蜀成紀侯，任城伯任不齊當陽侯，魯伯申棖文登侯，東牟伯公良孺牟平侯，曹伯曹卹上蔡侯，下邳伯奚容蒧濟陽侯，淇陽伯句井疆滏陽侯，邵陵伯申黨淄川侯，期思伯公祖句茲即墨侯，雩婁伯榮期猒次侯，鉅野伯縣成武城侯，臨淄伯左人郢南華侯，漁陽伯燕伋汧源侯，滎陽伯鄭國朐山侯，汧陽伯秦非華亭侯，乘氏伯施之常臨濮侯，朱虛伯顏噲濟陰侯，淳于伯步叔乘博昌侯，東武伯顏之僕冤句侯，衛伯蘧瑗內黃侯，瑕丘伯叔仲會博平侯，開陽伯顏何堂邑侯，臨濟伯狄黑林慮侯，平陸伯邽巽高堂侯，汶陽伯孔忠鄆城侯，重丘伯公西輿如臨朐侯，祝阿伯公西蒧徐城侯，南陵伯琴張頓邱侯。

與唐代相比，孔子弟子公夏首、后處、公肩定、顏襄、鄡單、罕父黑、秦商、原亢籍、樂欬、廉潔十人取消了封爵，增加了陳亢、林放、申棖、蘧瑗、琴張五人。

又詔封元聖文宣王廟配饗，先魯史左丘明瑕丘伯，齊人公羊高臨淄伯，魯人穀梁赤龔丘伯，秦博士伏勝乘氏伯，漢博士高堂生萊蕪伯，九江太守戴聖楚丘伯，河間博士毛萇樂壽伯，臨淮太守孔安國曲阜伯，中壘校尉劉向彭城伯，後漢大司農鄭眾中牟伯，河南杜子春緱氏伯，南郡太守馬融扶風伯，北中郎將盧植良鄉伯，大司農鄭康成高密伯，九江太守服虔滎陽伯，侍中賈逵岐陽伯， 議大夫何休任城伯，魏衛將軍太常蘭陵亭侯王肅，贈司空尚書郎王弼封偃師伯，晉鎮南大將軍開府儀同三司當陽侯杜預，贈司徒豫章太守范寧封鉅野伯，一命三司使兩制待制館閣官作贊。

孟子配饗孔子。《宋史・神宗本紀》：元豐六年冬十月戊子，封孟軻為鄒國公。元豐七年五月壬戌，以孟軻配食文宣王，封荀況、揚雄、韓愈為伯並從祀。

加封孔子名號，或加封孔子前輩和後代，表明孔子地位進一步提升。

《漢書・平帝本紀》：「元始元年，封孔子後孔均為褒成侯，奉其祀，追諡孔子曰褒成宣尼公。」《史記・孔子世家》，《正義》：「《括地志》云：『漢封夫子十二代孫忠為褒成侯。生光為丞相，封侯。平帝封孔霸孫莽二千戶，為褒城侯。後漢封十七代孫志為褒成侯。魏封二十二代孫羨為崇聖侯。晉封二十三代孫震為奉聖亭侯。後魏封二十七代孫為崇聖大夫。孝文帝又封三十一代孫珍為崇聖侯。高齊改封珍為恭聖侯。周武帝改封鄒國公。隋文帝仍舊封鄒國公。煬帝改為紹聖侯。皇唐給復二千戶，封孔子裔孫孔德倫為褒聖侯也。』」

到宋代，為孔子加諡。《宋史・真宗本紀》：「大中祥符元年十一月戊午，加諡孔子曰元聖文宣王。大中祥符四年五月癸巳，詔州城置孔子廟。五年，改諡元聖文宣王曰至聖文宣王。」

王圻《續通考》：「大德十一年，詔曰：加號為大成至聖文宣王。」《明史・世宗本紀》：「嘉靖九年六月癸亥，立曲阜孔、顏、孟三氏學。冬十一月辛丑，更正孔廟祀典，定孔子諡號曰至聖先師孔子。」

元至順元年七月戊申，加封孔子父齊國公叔梁紇為啟聖王，母魯國太夫人顏氏為啟聖王夫人，至順三年春正月，封孔子妻鄆國夫人亓官氏為大成至聖文宣王夫人。五月，追封顏子父無繇為杞國公，諡文裕；母齊姜氏杞國夫人，諡端獻；妻宋戴氏兗國夫人，諡貞素。

尊師禮的範圍，宋代一度從儒學進一步擴大到算學。《禮志》：時又有算學。大觀三年，禮部太常寺請以文宣王為先師，兗、鄒、荊三國公配享，十哲從祀。自昔著名算數者，畫像兩廡，請加賜五等爵，隨所封以定其服。

於是中書舍人張邦昌定算學：封風后上谷公，箕子遼東公，周大夫商高郁夷公，大撓涿鹿公，商巫咸河東公，隸首陽城公（中華本《宋史》卷一百五〈禮八〉，頁2552「陽城公」作「陽周公」。），容成平都公，常儀原都公，鬼俞區宣都公，晉史蘇晉陽伯，秦卜徒父潁陽伯，晉卜偃平陽伯，魯梓慎汝陽伯，晉史趙高都伯，魯卜楚邱昌衍伯，鄭裨竈滎陽伯，趙史墨易陽伯，周榮方美陽伯，齊甘德淄川伯，魏石申隆慮伯，漢鮮于妄人清泉伯，耿壽昌安定伯，夏侯勝任城伯，京房樂平伯，翼奉良城伯，李尋平陵伯，張衡西鄂伯，周興慎陽伯，單颺湖陸伯，樊英魯陽伯，晉郭璞聞喜伯，宋何承天昌盧伯，北齊宋景業廣宗伯，隋蕭吉臨湘伯，臨孝恭新豐伯，張胄元東光伯，周王朴東平伯，漢鄧平新野子，劉洪蒙陰子，魏管輅平原子，吳趙逵穀城子，宋祖冲之范陽子，後魏商紹長樂子，北齊信都芳樂城子，許遵高陽子，隋耿詢湖孰子，劉焯昌亭子，劉炫景城子，唐傅仁均博平子，王孝通介休子，瞿曇羅居延子，李淳風昌樂子，王希明瑯琊子，李鼎祚贊皇子，邊岡成安子，漢郎顗觀陽子，襄楷隰陰子，司馬季主夏陽男，落下閎閬中男，嚴君平廣都男，魏劉徽淄鄉男，晉姜岌成紀男，張邱建信成男，夏侯陽平陸男，後周甄鸞無極男，隋盧大翼成平男。尋詔以黃帝為先師。

禮部員外郎吳時言：「書畫之學，教養生徒，使知以孔子為先師，此道德之所以一也。若每學建立殿宇，則配享、從祀，難於其人。請春秋釋奠，止令書畫博士量率執事生員，陪預執事，庶使知所宗師。醫學亦準此。」詔皆從之。

在中國傳統的學術中，經學佔據主導地位，算學及星卜藝術屬於小道，也加封爵從祀，雖有濫加之嫌，但也可說明宋代對學術的重視。

禮師之人，歷代有天子親行的，非常重視太子的祭祀先聖先生的禮儀，《唐開元禮》詳細地記載了皇太子祭祀孔子的禮儀，儀節大致與天子郊祭天地相似，體現出對師道的重視，詳見附錄。到宋代，禮師的學子由本土擴大到外邦。《玉海》：「政和六年閏正月二日，詔高麗受學者元日隨貢士釋菜。」元代，凡上任的官員要拜謁先聖廟，後世遵行之。《闕里志》記載：「大德初，勅到任先謁先聖廟拜謁，方許以次詣神廟著為令。」

為了方便省覽，把歷代先聖先師及從祀圖表如下：

歷代先聖先師從祀表

朝代	先聖	先師	配享從祀者	備註
三代以前	舜	夔、伯夷		3人
夏	禹			1人
商	湯			1人
周	文王			1人
漢	周公	孔子		2人
晉	孔子	顏回		2人
宋	孔子	顏回		2人
梁	孔子	顏回		2人
隋	孔子	顏回		2人
唐	孔子 周公	顏回 孔子	貞觀年間罷周公為先聖，立孔子廟。永徽年間又以周公為先聖，孔子為先師。	111人
唐貞觀	孔子 下同		左丘明、卜子夏、公羊高、穀梁赤、伏勝、高堂生、戴聖、毛萇、孔安國、劉向、鄭眾、杜子春、馬融、盧植、鄭玄、服虔、何休、王肅、王弼、杜預、范寧、賈逵共21人。	
唐高宗				
唐總章			顏回為太子少師，曾參太子少保。	
			顏子贈兗公，閔子騫贈費侯，冉伯牛贈鄆侯，冉仲弓贈薛侯，冉子有贈徐侯，仲子路贈衛侯，宰子我贈齊侯，端木子貢贈黎侯，言子游贈吳侯，卜子夏贈魏侯。共10人。	《舊唐書·禮儀志》
			公：子淵；侯：子騫、伯牛、仲弓、子有、子路、子我、子貢、子游、子夏；伯：曾參、顓孫師、澹臺滅明、宓子賤、原憲、公冶長、南宮适、公皙哀、曾點、顏路、商瞿、高柴、漆雕開、公伯寮、司馬牛、樊遲、有若、公西赤、巫馬期、梁鱣、顏辛、冉儒、曹卹、伯虔、公孫龍、冉季產、秦子南、漆雕歛、顏子驕、漆雕徒父、壤駟赤、商澤、石作蜀、任不齊、公夏首、公良孺、后處、秦開、奚容蒧、公肩定、顏襄、鄡單、句井疆、罕父黑、秦商、申黨、公祖子之、榮子旗、縣城、左人郢、燕伋、鄭子徒、秦非、施常、顏噲、步叔乘、顏之僕、原亢籍、樂欬、廉潔、顏何、叔仲會、狄黑、邽巽、孔忠、公西與如、公西蒧，共77人。	

朝代	先聖	先師	配享從祀者	備註
			公羊高、左丘明、孟軻、荀況、伏生、毛公、韓生、董生、高堂生、揚雄、鄭元，共10人。	韓愈〈處州孔子廟碑〉
宋	孔子下同		公：顏回、閔損、冉耕、冉雍、宰予、端木賜、冉求、仲由、言偃、卜商；伯：曾參、顓孫師、澹臺滅明、宓不齊、原憲、公冶長、南宮适、公晳哀、曾點、顏無繇、商瞿、高柴、漆雕開、公伯寮、司馬耕、樊須、公西赤、有若、巫馬期、陳亢、梁鱣、顏辛、冉孺、冉季、伯虔、公孫龍、秦寧、秦商、漆雕哆、顏驕、漆雕徒父、壤駟赤、林放、商澤、石作蜀、任不齊、申棖、公良孺、曹卹、奚容蒧、句井疆、申黨、公祖句茲、榮期、縣成、左人郢、燕伋、鄭國、秦非、施之常、顏噲、步叔乘、顏之僕、蘧瑗、叔仲會、顏何、狄黑、邽巽、孔忠、公西輿如、公西蒧、琴張，共72人。	125人另加算學67人
			伯：魯左丘明 、齊公羊高、魯穀梁赤、秦伏勝、漢高堂生、戴聖 、毛萇、孔安國、劉向、後漢鄭眾、杜子春、馬融、盧植、鄭康成、服虔、賈逵、何休、王肅、王弼、晉杜預、范寧，共21人。	《文獻通考》
宋元豐			荀況封蘭陵伯，揚雄封成都伯，韓愈封昌黎伯。	
宋崇寧			孔鯉為泗水侯，孔伋為沂水侯。	
宋大觀			黃帝，風后等八人配享。封公：風后、箕子、商高、大撓、巫咸、隸首、容成、常儀、鬼俞區。伯：晉史 、秦卜徒父、晉卜偃、魯梓慎、晉史趙、魯卜楚邱、鄭裨竈、趙史墨、周榮方、齊甘德、魏石申、漢鮮于妄人、耿壽昌、夏侯勝、京房、翼奉、李尋、張衡、周興、單颺、樊英、晉郭璞、宋何承天、北齊宋景業、隋蕭吉、臨孝恭、張冑元、周王朴；子：漢鄧平、劉洪、魏 管輅、吳 趙逵、宋祖冲之、後魏商紹、北齊信都芳、許遵、隋耿詢、劉焯、劉炫、唐傅仁均、王孝通、瞿曇羅、李淳風、王希明、李鼎祚、邊岡、漢郎顗、襄楷；男：司馬季主、落下閎、嚴君平、魏劉徽、晉姜岌、張邱建、夏侯陽、後周甄鸞、隋盧大翼；共67人。	
宋政和			王安石為舒王，子雱為臨川伯。	
			兗州鄒縣孟子廟，詔以樂正子配享，公孫丑以下從祀，皆擬定其封爵：樂正子克利國侯，公孫丑壽光伯，萬章博興伯，浩生（中華本《宋史》卷一百五〈禮八〉，頁2551「浩生」作「告子」。）不害東阿伯，孟仲子新泰伯，陳臻蓬萊伯，充虞昌樂伯，屋廬奉符伯，徐辟仙源伯，陳代沂水伯，彭更雷澤伯，公都子平陰伯，咸丘蒙須城伯，高子泗水伯，桃應膠水伯，盆成括萊陽伯，季孫豐城伯，子叔承陽伯，共20人。	
宋靖康			罷王安石配饗孔子廟庭。	
宋淳熙			罷臨川伯王雱從祀。	

朝代	先聖	先師	配享從祀者	備註
宋端平			胡瑗、孫明復、邵雍、歐陽修、周惇頤、司馬光、蘇軾、張載、程顥、程頤等十人從祀孔子廟庭，升孔伋於十哲。	
宋淳祐			封周惇頤為汝南伯，張載郿伯，程顥河南伯，程頤伊陽伯，朱熹從祀。	
宋景定			張栻為華陽伯，呂祖謙開封伯。	
宋咸淳			邵雍、司馬光列從祀曾參郕國公，孔伋沂國公配享先聖；封顓孫師陳國公，升十哲位；復以邵雍、司馬光列從祀。其序：兗國公、郕國公、沂國公、鄒國公居正位之東面，西向北上，為配位；費公閔損、薛公冉雍、黎公端木賜、衛公仲由、魏公卜商居殿上東面，西向北上；鄆公冉耕、齊公宰予、徐公冉求、吳公言偃、陳公顓孫師居殿上西面，東向北上，為從祀；東廡，金鄉侯澹臺滅明、任城侯原憲、汝陽侯南宮适、萊蕪侯曾點、須昌侯商瞿、平輿侯漆雕開、睢陽侯司馬耕、平陰侯有若、東阿侯巫馬施、陽穀侯顏辛、上蔡侯曹卹、枝江侯公孫龍、馮翊侯秦祖、雷澤侯顏高、上邽侯壤駟赤、成邑（一作紀）侯石作蜀、鉅平侯公夏首、膠東侯后處、濟陽侯奚容蒧、富陽侯顏祖、滏陽侯句井疆、鄄城侯秦商、即墨侯公祖句茲、武城侯縣成、汧源侯燕伋、宛句侯顏之僕、建成侯樂欬、堂邑侯顏何、林慮侯狄黑、鄆城侯孔忠、徐城侯公西點、臨濮侯施之常、華亭侯秦非、文登侯申棖、濟陰侯顏噲、泗水侯孔鯉、蘭陵伯荀況、睢陽伯穀梁赤、萊蕪伯高堂生、樂壽伯毛萇、彭城伯劉向、中牟伯鄭眾、緱氏伯杜子春、良鄉伯盧植、滎陽伯服虔、司空王肅、司徒杜預、昌黎伯韓愈、河南伯程顥、新安伯邵雍、溫國公司馬光、華陽伯張栻，凡五十二人，並西向；西廡，單父侯宓不齊、高密侯公冶長、北海侯公晳哀、曲阜侯顏無繇、共城侯高柴、壽張侯公伯寮、益都侯樊須、鉅野侯公西赤、千乘侯梁鱣、臨沂侯冉孺、沭陽侯伯虔、諸城侯冉季、濮陽侯漆雕哆、高苑侯漆雕徒父、鄒平侯商澤、當陽侯任不齊、牟平侯公良孺、新息侯秦冉、梁父侯公肩定、聊城侯鄡單、祁鄉侯罕父黑、淄川侯申黨、厭次侯榮旂、南華侯左人郢、朐山侯鄭國、樂平侯原亢、胙城侯廉潔、博平侯叔仲會、高堂侯邽巽、臨朐侯公西輿如、內黃侯蘧瑗、長山侯林放、南頓侯陳亢、陽平侯琴張、博昌侯步叔乘、中都伯左丘明、臨淄伯公羊高、乘氏伯伏勝、考城伯戴聖、曲阜伯孔安國、成都伯揚雄、岐陽伯賈逵、扶風伯馬融、高密伯鄭玄、任城伯何休、偃師伯王弼、新野伯范寧、汝南伯周敦頤、伊陽伯程頤、郿伯張載、徽國公朱熹、開封伯呂祖謙，凡五十二人，並東向。共114人。	
金大定	孔子		顏歆從祀。	
元皇慶	孔子 下同		以宋儒周敦頤、程顥、顥弟頤、張載、邵雍、司馬光、朱熹、張栻、呂祖謙及故中書左丞許衡從祀孔子廟庭，共10人。	44人

朝代	先聖	先師	配享從祀者	備註
元延祐			封孟軻父為邾國公，母為邾國宣獻夫人，追封周惇頤為道國公，又封蘧瑗為內黃侯，從祀孔子。	
元至順			加封孔子父齊國公叔梁紇為啟聖王，母魯國太夫人顏氏為啟聖王夫人，顏子兗國復聖公，曾子郕國宗聖公，子思沂國述聖公，孟子鄒國亞聖公，河南伯程顥豫國公，伊陽伯程頤洛國公。殿左東哲五位為費公閔損、薛公冉雍、黎公端木賜、衛公仲由、魏公卜商。殿右西哲五位為鄆公冉耕、齊公宰予、徐公冉求、吳公言偃、陳公顓孫師。以董仲舒從祀孔子廟，封孔子妻鄆國夫人亓官氏為大成至聖文宣王夫人。五月，追封顏子父無繇為杞國公，謚文裕；母齊姜氏杞國夫人，謚端獻；妻宋戴氏兗國夫人，謚貞素。共24人。	
元至正			贈太師楊時追封吳國公，李侗追封越國公，胡安國追封楚國公，蔡沈追封建國公，真德秀追封福國公。二十二年十二月，追謚朱熹父為獻靖。	
明正統		孔子，下同	追封元吳澄為臨川郡公，從祀。罷於嘉靖九年。	明代高達107人
成化			封董仲舒為廣川伯、胡安國建寧伯、蔡沈崇安伯、真德秀浦城伯。	
弘治			封宋儒楊時為將樂伯，從祀孔子廟庭。	
嘉靖	孔子至聖先師合一		后蒼、王通、歐陽修、胡瑗宜增入。進陸九淵從祀。 南京，祭酒於文廟，司業於啟聖祠。遂定制，殿中先師南向，四配東西向。稍後十哲：閔子損、冉子雍、端木子賜、仲子由、卜子商、冉子耕、宰子予、冉子求、言子偃、顓孫子師皆東西向。兩廡從祀：先賢澹臺滅明、宓不齊，原憲、公冶長、南宮适、高柴、漆雕開、樊須、司馬耕、公西赤、有若、琴張、申根、陳亢、巫馬施、梁鱣、公晳哀、商瞿、冉孺、顏辛、伯虔、曹卹、冉季、公孫龍、漆雕哆、秦商、漆雕徒父、顏高、商澤、壤駟赤、任不齊、石作蜀、公良孺、公夏首、公肩定、后處、鄡單、奚容蒧、罕父黑、顏祖、榮旂、秦祖、左人郢、句井疆、鄭國、公祖句茲、原亢、縣成、廉潔、燕伋、叔仲噲、顏之僕、邽巽、樂欬、公西輿如、狄黑、孔忠、公西蒧、步叔乘、施之常、秦非、顏噲，先儒左丘明、公羊高、穀梁赤、伏勝、高堂生、孔安國、毛萇、董仲舒、后蒼、杜子春、王通、韓愈、胡瑗、周敦頤、程顥、歐陽修、邵雍、張載、司馬光、程頤、楊時、胡安國、朱熹、張栻、陸九淵、呂祖謙、蔡沈、真德秀、許衡，凡91人。	
隆慶			以薛瑄從祀。	

朝代	先聖	先師	配享從祀者	備註
萬曆			以羅從彥、李侗從祀。十二年，又以陳獻章、胡居仁、王守仁從祀。 萬曆二十三年，以宋周敦頤父輔成從祀啟聖祠。 明會典：配哲從祀牌位，四配：復聖顏子、宗聖曾子、述聖子思子、亞聖孟子。十哲：先賢閔子、先賢冉子、先賢端木子、先賢仲子、先賢卜子、先賢冉子、先賢宰子、先賢冉子、先賢言子、先賢顓孫子。東廡先賢澹臺滅明、原憲、南宮适、商瞿、漆雕開、司馬耕、有若、巫馬施、顏辛、曹邺、公孫龍、秦商、顏高、壤駟赤、石作蜀、公夏首、后處、奚容蒧、顏祖、句井疆、秦祖、縣成、公祖句茲、燕伋、樂欬、狄黑、孔忠、公西蒧、顏之僕、施之常、秦非、申棖、顏噲，先儒穀梁赤、高堂生、毛萇、后蒼、杜子春、韓愈、程顥、邵雍、司馬光、胡安國、楊時、張栻、陸九淵、許衡。舊有堂邑侯顏何、蘭陵伯荀況、彭城伯劉向、司空王肅、司徒杜預，今黜。中牟伯鄭眾、良鄉伯盧植、滎陽伯服虔，今改祀於鄉。萊蕪侯曾點、泗水侯孔鯉，改入啟聖祠從祀。西廡：先賢宓不齊、公冶長、公晳哀、高柴、樊須、公西赤、梁鱣、冉孺、伯虔、冉季、漆雕徒父、漆雕哆、商澤、任不齊、公良孺、公肩定、鄡單、罕父黑、榮旂、左人郢、鄭國、原亢、廉潔、叔仲會、公西輿如、邽巽、陳亢、琴張、步叔乘，先儒左丘明、公羊高、伏勝、孔安國、董仲舒、王通、周敦頤、歐陽修、張載、程頤、胡瑗、朱熹、呂祖謙、蔡沈、真德秀、薛瑄、王守仁、陳獻章、胡居仁。舊有壽張侯公伯寮、新息侯秦冉、考城伯戴聖、岐陽伯賈逵、扶風伯馬融、任城伯何休、偃師伯王弼，今黜。內黃侯蘧伯玉、長山侯林放、高密侯鄭玄、新野伯范寧、臨川郡公吳澄，今改祀於鄉。曲阜侯顏無繇改入啟聖祠從祀。淄川侯申黨即申棖，今革，存棖。共107人。	
清崇德		孔子，下同	顏回、曾子、子思、孟子。	清代高達143人
順治			顏回、曾子、子思、孟子，十哲：閔子損、冉子雍、端木子賜、仲子由、卜子商、冉子耕、宰子予、冉子求、言子偃、顓孫子師。先賢：澹臺滅明、宓不齊、原憲、公冶長、南宮适、公晳哀、商瞿、高柴、漆雕開、樊須、司馬耕、商澤、有若、梁鱣、巫馬施、冉孺、顏辛、伯虔、曹卹、冉季、公孫龍、漆雕徒文、秦商、漆雕哆、顏高、公西赤、壤駟赤、任不齊、石作蜀、公良孺、公夏首、公肩定、后處、鄡單、奚容蒧、罕父黑、顏祖、榮旗、句井疆、左人郢、秦祖、鄭國、縣成、原亢、公祖句茲、廉潔、燕伋、叔仲會、樂欬、公西輿如、狄黑、邽巽、孔忠、陳亢、公西蒧、琴張、顏之僕、步叔乘、施之常、秦非、申棖、顏噲、左丘明、周敦頤、程顥、程頤、朱熹凡六十七人，先儒公羊高、穀梁赤、伏勝、孔安國、毛萇、后蒼、高堂生、董仲舒、王通、杜子春、韓愈、司馬光、歐陽修、胡安國、楊時、呂祖謙、羅從彥、蔡沈、李侗、陸九淵、張栻、許衡、真德秀、王守仁、陳獻章、薛瑄、胡居仁，共27人。（《清史稿》為「二十八人」，誤）	《清史稿》

朝代	先聖	先師	配享從祀者	備註
			啟聖祠陪顏無繇、曾點、孔鯉、孟孫氏，先儒周輔成、程璩、蔡元定、朱松。	五十一年朱子升為十哲，位次卜子，范仲淹從祀。
雍正二年			復祀六人：林放、蘧瑗、秦冉、顏何、鄭康成、范寧，增祀二十人：孔子弟子縣亶、牧皮，孟子弟子樂正字子、公都子、萬章、公孫丑，漢諸葛亮，宋尹焞、魏了翁、黃幹、陳淳、何基、王柏、趙復，元金履祥、許謙、陳澔，明羅欽順、蔡清，清陸隴其。宋張子迪入崇聖祠。	
乾隆二年			復祀元吳澄，升有若為十二哲，位次卜子商，移朱子次顓孫子師。	
道光十六年			以宋臣文天祥、宋儒謝良佐侑饗。	
咸豐初			增先賢公明儀，宋臣李綱、韓琦侑饗。	
同治二年			魯人毛亨，明呂柟、方孝孺並侑饗。更訂增祀位次，各按時代為序。乃定公羊高、伏勝、毛亨、孔安國、后蒼、鄭康成、范寧、陸贄、范仲淹、歐陽修、司馬光、謝良佐、羅從彥、李綱、張栻、陸九淵、陳淳、真德秀、何基、文天祥、趙復、金履祥、陳澔、方孝孺、薛瑄、胡居仁、羅欽順、呂柟、劉宗周、孫奇逢、陸隴其列東廡，穀梁赤、高堂生、董仲舒、毛萇、杜子春、諸葛亮、王通、韓愈、胡瑗、韓琦、楊時、尹焞、胡安國、李侗、呂祖謙、黃幹、蔡沈、魏了翁、王柏、陸秀夫、許衡、吳澄、許謙、曹端、陳獻章、蔡清、王守仁、呂坤、黃道周、湯斌。共63人。	
同治七年			以宋臣袁燮、先儒張履祥從祀。	
光緒初元			增先儒陸世儀，漢許慎、劉德，先儒張伯行，宋儒輔廣、游酢、呂大臨並祀。	

從上表可以看出，從唐代開始，孔子弟子被列入尊師祭祀之後，人數驟增；宋代範圍進一步擴大到算學，人數最多；除去算學67人，清代人數最多，從一個側面反映出尊師禮與學術的發展和對教育的重視成正比例關係。

在歷代被列入尊師祭祀的人中，除孔門弟子而外，有一些人是有爭議的。如馬端臨認為，唐貞觀時，遂以左丘明以下至賈逵二十二人為先師，配食孔聖。夫聖作之者也，師述之者也，述夫子之道，以親炙言之，則莫如十哲七十二賢；以傳授言之，則莫如子思、孟子，必是而後可以言先師，可以繼先聖。今捨是不錄，而皆取之於釋經之諸儒，姑以二十二子言之，獨子夏無以議焉。左丘明、公羊高、穀梁赤猶曰受經於聖人，而得其大義。至於高堂生以下，則謂之經師可矣，非人師也。如毛、鄭之釋經，於名物固為該洽，而義理間有差舛。至王輔嗣之宗旨老、莊，賈景伯之附會讖緯，則其所學已非聖人之學矣。又況戴聖、馬融之貪鄙，則其素履固當見擯於洙、泗，今乃俱在侑食之列，而高弟子除顏淵之外，反不得預。李元瓘雖懇言之，而僅能升十哲，曾子儕於二十二子之列，而七十二賢俱不霑享祀，蓋拘於康成之注，而以專門訓詁為盡得聖道之傳也。（《文獻通考》卷四十三）顧炎武認為，神宗元豐七年，始進荀況、揚雄、韓愈三人，此三人之書，雖有合於聖人，而無傳註之功，不當祀也。（《日知錄》卷十四）觀承案語云：「《日知錄》之論，雖亦有見，然荀況、揚雄之於韓子，可若是班乎？且但知貴詁經之力，而不知尊任道之功，所見膚矣。」宋代對王安石及其子王雱列祀的爭議也很大。《輟耕錄》記載宋黃震云：「熙、豐新經盛行，以王安石為聖人，沒而躋之配享，位顏子下，故左則顏子及安石，右則孟子。未幾，安石女婿蔡卞當國，謂安石不當在孟子下，遷安石於右，與顏子對，而移孟子位第三，次顏子之下，遂左列顏、孟而右列安石。又未幾，蔡卞再欲升安石，厭顏子漸次而升，為代先聖張本。」靖康元年，右諫議大夫楊時上言：「蔡京用事二十餘年，蠹國害民，幾危宗社，人所切齒，而論其罪者，莫知其所本也。蓋京以繼述神宗為名，實挾王安石以圖身利，故推尊安石，加以王爵，配饗孔子廟庭。今日之禍，實安石有以啟之。伏望追奪王爵，明詔中外，毀去配饗之像，使邪說淫辭不為學者之惑。」疏上，安石遂降從祀之列。（《宋史．楊時傳》）到淳熙時，連王雱從祀的地位也被罷免。可見能否列入從祀的地位，是公論所認可的。

五　祭先聖先師的意義

從歷代祭先聖先師的禮儀可以看出，尊師是為了崇尚聖賢，崇尚聖賢是為了培養德才，其根本目的是為了報本反始，崇德而勸學。宋代胡寅分析得非常透徹：「人為諂諛趨利而不顧義者也，孔子大聖，途之人猶知之，豈以位云乎？如以位，固異代之陪臣也；如以道，則配乎天地；如以功，則賢乎堯、舜卒伍，一旦為帝王，而以異代陪臣臨天下之大聖，豈特趨利導諛，又無是非之心矣。斯臣也，當周太祖時，以拜孔子為不可，則當石高祖時，必以拜契丹為可者。是故君子有言：天下國家所患，莫甚於在位者不知學，在位者不知學，則其君不得聞大道，則淺俗之論易入，理義之言難進。人主功德高下，一繫於此。然則學乎學乎，豈非君臣之急務哉？」隨著大清帝國的滅亡，尊師的禮儀已經不傳，僅保留對孔子像和對老師叩頭的禮節（見魯迅《從百草園到三味書屋》）據徐復師生前親口言，章黃學派入門拜師是要行叩頭禮的。當今社會，教育已從私授改為集體傳授，連簡單的尊師禮儀都不復存在。各個國家都重視教育，尊重知識，尊重人才，人們也都講尊師重道，但尊師的意義究竟何在，如何才算尊師，值得社會大眾進一步思考和探討。

附錄

《開元禮》：皇太子釋奠於孔宣父

齋戒

皇太子散齋三日於別殿，致齋二日於正殿。前致齋一日，典設郎設皇太子幄座於正殿東序及室內，俱西向；又張帷於前楹下。殿若無室，張帷為之。致齋之日，質明，諸衛率各勒所部屯門列仗如常。晝漏上水一刻，左庶子版奏「請中嚴」，近仗就陳於閤外，通事舍人引宮臣文武七品以上褲褶陪位如式。諸侍衛之官各服其器服，諸侍臣並結珮，俱詣閤奉迎。左庶子版奏「外辦」。上水三刻，皇太子服通天冠，絳紗袍，結珮以出，侍衛如常。皇太子即座，西向坐，侍臣夾侍如常。一刻頃，左庶子前跪奏稱「左庶子臣某言，請降就齋室」，俯伏興，還侍位。皇太子降座入室，文武侍臣各還本司，直衛者如常。典謁引陪位者以次出。凡應享之官，散齋三日，致齋二日。散齋皆於正寢，致齋一日於本司，一日於享所。其無本司者，皆於享所。近侍之官應從升者及從享群官、監官、學官、學生等，各於本司及學館俱清齋一宿，並如別儀。國學及齊太公廟將享，館司先申享日，本司諸下其禮所司，隨職供辦。凡應享之官，散齊三日，致齋二日，如別儀。無皇太子散齋以下儀。

陳設

前享三日，典設郎設皇太子便次於廟東，西向；又設便次於學堂之後，隨地之宜，守宮設文武侍臣次，各於便次之後，文左武右，設諸次享官於齋坊之內，從享之官於廟東門之外，隨地之宜。國學設獻官以下次於齋坊，太公儀同國學。前享二日，太樂令設軒懸之樂於廟庭東方，西方磬簴起北，鐘簴次之；北方磬簴起西，鐘簴次之。設三鎛鐘於編懸之間，各依辰位。樹路鼓於北懸之間道之左右，植建鼓於三隅，置柷敔於懸內，柷在左，敔在右。設歌鐘歌磬於廟堂之上前楹間，北向，磬簴在西，鐘簴在東；其匏竹者立於堂下階間，重行，北向相對為首。凡懸皆展而懸之。諸工人各位於懸後，右校掃除內外。又為瘞埳於院內堂之壬地，方深取足容物，南出陛。自設軒懸以下，國學太公儀並同。前享一日，奉禮設皇太子位於東陛東南，西向。國學設三獻位於東門之內道北，執事則近南，西向北上。太公儀同國學。又設望瘞位於廟堂東北，當埋埳，西向。望瘞與國學同，太公儀並同。設亞獻、終獻位於皇太子東南，執事者各位於後，俱重行，西向北上。國學無亞獻以下儀，太公並同。設御史位於廟堂之下西南，東向，令史陪其後；設奏禮位於樂懸東北，贊者二人在南，差退，俱西面；又設奉禮贊者位於埋埳東北，南面東上；設協律郎位於廟堂上前楹之間近西，東向；設太樂位於北懸之間，北向；自御史位以下與國學同，太公儀同國學。設從享官七品以上位國學則館官位，太公儀設廟官位。於樂懸之東，當執事西，南向；監官學官位於樂懸之西，當宮官，東向；國學則設學官位於懸西，當館官，東向；太公廟設廟官位同。設學生位於宮官、監官、學官之後，俱重行，北上；國學學生位於學官、館官後，有觀者於南門內道，左右相對為首。太公無學生。設門外位為亞獻、終獻位於東門之外道南，執事位於後，每等異位，俱北向，西上；國學設三獻門外位，如常儀。太公儀與國學同。監官、學官位於獻官之東南，國學則館官、學官位，太公儀廟官位。從享宮官位於學官之東，俱重行，北面，以西為上。設酒樽之位於廟堂之上，先聖犧樽二，象樽二，山罍二，在前楹間，北向；先師犧樽二，象樽二，山罍二，在先聖酒樽之東，俱西上。樽皆加勺冪，有坫以置爵。其先師爵同置於一坫。太公及留侯同上。洗設於東階東南，亞獻之洗又於東南，俱北向；罍水在洗東，篚在洗西，南肆。篚實以巾爵。執樽罍篚冪者各位於樽罍篚冪之後，設幣篚二，各於樽坫之所。典設郎設皇太子座於學堂之上東壁下，西向；監司設講榻於北壁下，南向；又設執讀者位於前楹間，當講榻，北向；守宮設太傅少傅座於皇太子西北，南面東上。若有令詹事以下坐，則設坐於皇太子西南，北向東上。侍講者座於執讀西北，執如意者一人，立於侍講之西。三館學官非侍講者座於侍講者之西，皆北面東上。若有上臺三品以上觀講者，設座於侍講之北，南面東上。設論議座於講榻之前近南，北面；設脫履席於西階之南，東向。掌儀設版位，宮官七品以上東階東南，西向北上；執經侍講等於西階西南，監官及學官非侍講者於侍講者之後，有上臺三品以上觀講者位於執經之北，少退，重行，皆東面北上。學生分位於宮官、學官之後，皆重行北上。又設掌儀位於宮官西北，贊者二人在南，皆西向。國學無設皇太子座下至此儀。晡後，郊社令帥齋郎以樽、坫、罍、洗、篚、冪入設於位。升堂者自東階。謁者引祭酒司業詣厨，視濯溉。凡導引者每一曲一逡巡。太公儀引三獻視濯溉。贊引引御史詣厨省饌具，司業以下每事訖，各還齋所。

享日未明十五刻，太官令帥宰人以鸞刀割牲，祝史以豆取毛血，置於饌所，遂烹牲。其牲用太牢二，正座及先師首俎皆升右胖十一體，左丘明以下折分餘體升之。國學太公並同。

未明五刻，郊社令帥其屬及廟司各服其服升，設先聖神座於堂上西楹間，東向；國學設神座於廟室內西楹間，東向。太公儀拂神幄。設先師神座於先聖神座東北，南向西上。若前堂不容，則又於堂外之東至陳而北，東向南上。席皆以莞，設神位各於座首。國學儀，其七十二弟子名以其歷代祀先儒篇。太公儀無先聖神座，以下至此。

出宮

前出宮二日，本司宣攝內外，各供其職，守宮設從享宮官次於東宮朝堂如常。其日未明，所司依鹵簿陳設於重明門外，奉禮設從享宮官位於東宮朝堂如常。文武宮臣七品以上依時刻俱集於次，各服公服，諸衛率各勒所部陳設如式。左庶子版奏「請中嚴」，典謁引宮臣各就位，諸侍衛官各服其器服，左庶子負璽如式。俱詣閤奉迎。僕進輅車於西閤外，南向。若須乘輦，則聽臨時進止。內率一人執刀立於車前，北向；中允一人在侍臣之前，贊者二人在中允之前，左庶子版奏「外辦」，僕奮衣而出，正立執轡。皇太子著具服，遠遊冠，乘輿以出。左右侍衛如常儀。內率前執轡，皇太子升車，僕立授綏，左庶子以下夾侍如常儀。中允進當車前，跪奏稱「請發引」，俛伏興，退復位。凡中允奏請皆當車前，跪奏稱「具官臣某言」，訖，俛伏興。車動，中允與贊者夾引以出，內率夾車而趨，出重明門，至侍臣上馬所。中允奏稱「請車權停，令侍臣上馬」，贊者承傳，文武侍臣皆上馬，庶子以下夾侍於車前，贊者在供奉官人內侍臣上馬，畢，中允奏稱「請令車右升」，左庶子前承令，退稱令曰「諾」，中允退，復位。內率升訖，中允奏稱「請發引」，退，復位。皇太子車動，太傅乘車訓導，少傅乘車訓從，出延喜門，不鳴鼓吹，從享宮臣乘馬陪從如常儀。

饋享

享日未明三刻，諸享官各服祭服，諸陪祭之官皆公服，學生青衿服。郊社令、良 令各帥其屬入實樽罍及幣。犧樽實以醴齊，象樽實以盎齊，山罍實以清酒，齊加明水，酒加元酒，各實於上樽。其幣以白，各長一丈八尺。太官令帥其屬，實諸籩豆簠簋俎等。未明二刻，奉禮帥贊者先入就位，贊引引御史太祝及令史祝史與執樽罍篚冪者入自東門，當階間，重行，北向西上，立定。奉禮曰「再拜」，贊者承傳，凡奉禮有辭，贊者皆承傳。御史以下皆再拜。訖，執樽罍篚冪者各就位，贊引引御史太祝詣東階升堂，行掃除於上，令史祝史行掃除於下。訖，引降，還齋所。國學掃除於下訖，引就位，謁者引享官以下俱就門外位，學生就門內位。太公儀無學生位，餘同國學。皇太子將至，謁者贊引各引享官及從享學官等俱就門外位，學生皆入就門內位。皇太子至廟門外，迴車南向，內率降立於車右，左庶子進當車前，跪奏稱：「左庶子臣某言，請降車。」俛伏興，還侍位。皇太子降車乘輿，之便次，侍衛如常。郊社令以祝版進，皇太子署訖，近臣奉出，郊社令受，各奠於坫。國學無皇太子將至以下至此儀，太公並同。

未明一刻，謁者贊引引享官宮官就門外位，奉禮帥贊者先入就位，贊引引御史以下就入位，國學無「謁者」以下儀，太公同。太常令帥工人二舞次入就位，文舞入陳於懸內，武舞立於懸南道西。其升堂坐者皆脫履於下，降納如常。謁者引祭酒入就位，立定，奉禮曰「再拜」，祭酒再拜。訖，謁者引祭酒詣東階升堂，行掃除於上，降行樂懸於下。訖，引還本位。初，祭酒行樂懸，謁者贊引各引祭官及陪祭之官次入就位。國學則謁者引司業，太公儀引亞獻。皇太子停便次半刻頃，率更令於便次門外東向，左庶子版奏「外辦」，皇太子出便次，侍衛如常儀。率更令引皇太子至廟東門，中允進笏，皇太子執笏，近侍者從入如常儀。皇太子至版位，西向立。每位定，率更令退立於左。率更令前啟「再拜」，退，復位。皇太子再拜，奉禮曰「眾官再拜」，眾官在位者及學生皆再拜。其先拜者不拜。率更令前啟：「有司謹具，請行事。」退，復位。國學初司業行掃除訖，謁者贊引各引享官以下學官以上次入就位，立定。奉禮曰「眾官再拜」，眾官及學生皆再拜。其先拜者不拜。謁者進祭酒之左，白「有司謹具，請行事」，退，復位。無「停便次」以下儀。太公儀亞獻掃除就位至入拜訖，謁者白初獻。協律郎跪，俛伏，舉麾，凡取物者皆跪，俛伏而取以興，奠物則奠訖，俛伏興。鼓柷奏永和之樂，以姑洗之均，自後堂上接神之樂皆奏姑洗。作文舞之舞。樂舞三成，偃麾，戛敔，樂止。凡樂皆協律郎舉麾，工鼓柷而後作；偃麾，戛敔而後止。率更令前啟「再拜」，退，復位。皇太子再拜。國學無「率更」下至「再拜」，太公儀並同。奉禮曰「眾官再拜」，在位者及學生皆再拜。太柷各跪取幣於篚，立於樽所。率更令引皇太子，永和之樂作，皇太子每行，皆作永和之樂。國學引祭酒升東階，無樂，下倣此。太公廟謁者引初獻官。皇太子自東階升，左庶子以下及左右侍衛量人從升。以下皆如之。皇太子升堂，進先聖神座前，西向立，樂止。太祝以幣授左庶子，左庶子奉幣，北向進，皇太子呪笏，受幣，每受物呪笏，奠訖，執笏，俛伏興。登歌作肅和之樂，以南呂之均。率更令引皇太子進，西面跪，奠於先聖神座前，俛伏興。率更令引皇太子少退，西向再拜。訖，率更令引皇太子進先師首座前，向北立。又太祝以幣授左庶子，左庶子奉幣，西向進，皇太子受幣，率更令引皇太子進，北向跪，奠於先師首座，俛伏興。率更令引皇太子少退，北向再拜，登歌止。率更令引皇太子，樂作，皇太子降自東階，還版位，西向立，樂止。初，群官拜訖，各奉毛血之豆立東門外，於登歌止，祝史奉毛血升自東階，太祝迎取於階上，進奠於先聖及先師首座前，太祝與祝史退，立於樽所。初，皇太子既奠幣，太官令出帥進饌者奉饌陳於東門之外。初，皇太子既至位，樂止，太官令引饌入俎。初入門，奏雍和之樂。自後酌獻皆奏雍和之樂。饌至階，樂止。祝史各進跪，徹毛血之豆，降自東階，以出饌升，太祝迎引於階上，各設於神座前。籩豆蓋羃，先徹乃升。簠簋既奠，卻其蓋於下。設訖，太官令以下降，復位。太祝還樽所，率更令引皇太子詣罍洗，樂作；皇太子至罍洗，樂止。左庶子跪取匜，盥沃水；又左庶子跪取盤盥承水，皇太子盥手，中允跪取巾於篚，興，進，皇太子帨手訖，中允受巾，跪奠於篚，遂取爵於篚，興，進，皇太子受爵，左庶子酌水，又左庶子奉盤，皇太子洗爵，中允又授巾，皆如初。皇太子拭爵訖，左庶子奠盤匜，中允受巾，奠於篚，皆如常。率更令引皇太子，樂作；皇太子升自東階，樂止。詣先聖酒樽所，執樽者舉冪，左庶子贊酌醴齊，訖，樂作。率更令引皇太子進先聖神座前，西向跪，奠爵，俛伏興。率更令引皇太子少退，西向立，樂止。太祝持板進於神座之右，北面跪，讀祝文曰：「維某年歲次月朔日，子皇太子某國學則云「開元神武皇帝，謹遣祭酒某封姓名」，下同。太公儀云「謹遣某官某封」。敢昭告於先聖孔宣父，惟夫子固天攸縱，誕降生知，經緯禮樂，闡揚文教，餘烈遺風，千載是仰，俾茲末學，依仁游藝。謹以制幣、犧齊、粢盛、庶品，祇奉舊章，式陳明薦，以先師顏子等配座，尚饗。」訖，興。太公祝云：「爰定六韜，載成七德，功業昭著，生靈攸仰，俾茲末學，克奉舊章，謹以張留侯等配。」皇太子再拜，讀祝文訖，樂作。太祝進跪奠版於神座，興，還樽所。皇太子拜訖，樂止。率更令引皇太子詣先師酒樽所，執樽者舉冪，左庶子取爵於坫，進，太子受爵，左庶子贊酌醴齊，樂作。率更令引皇太子，進先師首座前，北向跪，奠爵，俛伏興。率更令引皇太子少退，北向立，樂止。皇太子既奠首座爵，餘座皆齋郎助奠，引相次而畢，其亞獻、終獻，齋郎助奠亦如之。太祝持板進於先師神座之左，西面跪，讀祝文曰：「某年歲次月朔日，子皇太子某敢昭告於先師顏子等七十二賢，爰以仲春仲秋率遵故實，敬修釋奠於先聖孔宣父，惟子等或服膺聖教，德冠四科，或光闡儒風，貽範千載，謹以制幣、犧齊、粢盛、庶品，式陳明薦，從祀配神，尚饗。」訖，興，齊大公配座張留侯等祝云「惟子等宣揚武教，光贊韜鈐，大濟生靈，貽範千載」云云。皇太子再拜。初，讀祝文訖，樂作。太祝進跪奠板於神座，興，還樽所，皇太子拜，訖，樂止。率更令引皇太子詣東序，西向，樂作。太祝各以爵酌上樽福酒，合置一爵，一太祝持爵授左庶子，左庶子舉爵，北向進，皇太子再拜受爵，跪，祭酒，啐酒，奠爵興。太祝各帥齋郎進俎，太祝跪減先聖及先師首座前三牲胙肉皆取前腳第一骨。加於俎，又以籩豆取稷黍飯興，以胙肉各共置一俎上，又以飯共置一籩，太祝以飯籩授左庶子，左庶子奉飯，北向進，皇太子受，以授左右。太祝又以俎授左庶子，左庶子以次奉進，皇太子每受，以授左右，訖，皇太子跪取爵，遂飲，卒爵，左庶子進受爵，以授太祝，太祝受爵，復於坫。皇太子俛伏興，再拜，樂止。率更令引皇太子，樂作。皇太子降自東階，還板位，西向立，樂止。文舞出，鼓柷作舒和之樂，出訖，戛敔，樂止。武舞入，鼓柷作舒和之樂，立定，戛敔，樂止。初，皇太子將復位，謁者引國子祭酒國學謁者引司業，下倣此。太公儀引亞獻。詣罍洗，盥手洗爵訖，謁者引祭酒升自東階，詣先聖酒樽所，執爵者舉冪，祭酒酌盎齊訖，武舞作，謁者引祭酒進先聖神座前，西向跪，奠爵興，謁者引祭酒少退，西向再拜，謁者引祭酒詣先師酒樽所，取爵於坫，執樽者舉冪，祭酒酌盎齊，謁者引祭酒進先師首座前，北向跪，奠爵興。謁者引祭酒少退，北向再拜。訖，謁者引祭酒詣東序，西向立。太祝各以爵酌罍福酒，合置一爵，一太祝持爵進祭酒之左，北向立，祭酒再拜，受爵，跪，祭酒，遂飲，卒爵。太祝進受爵，復於坫。祭酒興，再拜。謁者引祭酒降，復位。初，祭酒獻將畢，謁者引司業國學謁者引博士下倣此。太公儀引終獻。罍洗，洗訖，升，酌盎齊，終獻如亞獻之儀。訖，謁者引司業降，復位。武舞止，太祝等各進，跪徹豆，興，還樽所。徹者籩豆各一，少移於故處。奉禮曰「賜胙」，贊者唱「眾官再拜」，在位者及學生皆再拜。已飲福者不拜。永和之樂作，率更令前啟「再拜」，退，復位。皇太子再拜，國學無「率更令」至「再拜」，太公儀同國學。奉禮曰「眾官再拜」，在位者及學生皆再拜，樂一成止。率更令前啟「請就望瘞位」，率更令引皇太子就望瘞位，西向立。國學謁者引祭酒，太公儀引初獻。奉禮帥贊者轉就瘞埳東，北向。初，在位者將拜，大祝各執篚進神座前，跪，以篚取幣，降自西階，詣瘞埳，以幣置於埳。訖，奉禮曰「可瘞埳」，東西廂各四人實土半埳，率更令前啟「禮畢」，國學、太公儀進初獻之左白云。率更令引皇太子出門，還便次，樂作；國學謁者遂引祭酒出，無「率更令」下至「樂作」，太公儀同。皇太子出門，樂止。中允進受笏，侍衛如常儀。國學無皇太子出門等儀，太公儀同。謁者贊引各引亞獻以下以次出。初，白「禮畢」，奉禮帥贊者還本位，贊引引御史太祝以下俱復執事位，立定，奉禮曰「再拜」，御史以下皆再拜。訖，贊引引出，學生以次出，其祝版燔於齋坊。

《禮記》喪服制度的人文意識

孔炳奭*

一　緒論

在儒家的經典中，有關禮的典籍很多，其中《周禮》、《儀禮》、《禮記》，合為「三禮」。在「三禮」中《儀禮》有〈士喪服〉、〈既夕禮〉兩篇專寫喪葬過程，〈喪服〉專寫服制，《周禮》中〈冢人〉、〈墓大夫〉、〈職喪〉、〈喪祝〉、〈夏采〉是專門治喪事之官。《禮記》中〈奔喪〉專寫使臣遇喪歸國過程，〈喪大記〉是對〈士喪禮〉的補充。其次如〈檀弓〉、〈曾子問〉、〈喪服小記〉、〈大傳〉、〈雜記〉、〈喪大記〉、〈問喪〉、〈服問〉、〈間傳〉、〈三年問〉、〈喪服四制〉都是專門關於喪禮的討論，它幾乎佔據了《禮記》四分之一篇章。由此可見，「三禮」中喪禮所佔有的比率頗大，也可知儒家重視喪禮的一斑。

在「三禮」中專門論述「禮」之思想本質的著作，則是以《禮記》為代表。因為它不僅概括了「禮」的思想內涵，而且進行了系統的理論總結，因此它足以代表有漢以前的古代儒家思想。且它不像《周禮》重在政治制度，也不像《儀禮》重在儀式節目，而是重在制度儀式之內的理論和思想的討論，又《禮記》則為最早的禮義記錄，更含有立體的樞紐和精義。

古代喪禮主要包括喪、葬、祭三大部分內容。通俗而言，「喪」是規定活人在喪期內的行為規範，即喪服制度，這是喪禮的核心內容，也是本論文的將要探討的範疇。「葬」是規定死者的應享待遇，大致可以分為葬式制度和墓式制度。「祭」是規定喪期內活人與死者間聯繫的仲介儀式。即喪期

* 韓國啟明大學校教養育大學。

內的祭祀（喪期結束後的祭祀屬於五禮中的吉禮範疇，在此是指喪祭而言的）。三者之中，「喪」是喪禮的核心內容。

所謂喪服，就是指為哀悼死者而穿戴的特殊衣帽和服飾。而喪服制度，則是依據生者與死者關係的親疏貴賤而制定一套嚴格的喪葬等級制度，這可說是依據中國古代等級制度的一個縮影，同時為儒家喪禮的重要組成部分。因此，本論文先行論述喪服制度的起源及其演變，然後探討喪服的精神與其等差，並提出與宗法制度的關係。

二　喪服制度的起源與其演變

（一）喪服制度的起源

死亡是亙古以來人類共同的課題，「處理死亡」的方法、程序及態度，則牽涉人們對於死亡的看法與生命的信仰，因此，當人們意識到死亡時，無論他所感受的是震驚、恐慌、畏懼，或者是悲傷、痛苦，都必定會衍生出一些相應的措施，以尋求自己與內外在環境的平衡，所以有關處理死亡和死人的風俗，或許就是一切風俗中最持久的；而每當社會環境、人類認知與信仰態度等有所改變時，這些風俗習慣也會跟著改變[1]。

風俗習慣的產生，是受到地理環境不同的影響，在各地形地物的憑藉與限制下[2]，於是世人紛紛採取不同的相應措施，以調和自己與環境的關係，藉此謀取更好的生活機能，並且形成不同的習俗，影響到人情欲求的反應有所不同，就各有不同的特質和偏好。早期初民服喪的動機與習俗，也不例外。

---

1 林素英：《喪服制度的文化意識》（臺北市：文津出版社，2000年），頁20。

2「風者，天氣有寒暖，地形有陰陽，水泉有美惡，草木有剛柔也。俗者，含血之流，像之而生，故言語歌謠異聲，鼓舞動作殊形，或直或邪，或善或淫也。」《風俗通義．序》，見於漢應劭撰，王利器注：《風俗通義校注》（臺北市：漢京文化事業有限公司，1983年），頁8。

根據社會學、人類學家的研究：在初民社會裏，人死之後，鬼魂存在不滅的觀念影響生人極大。初民對於部落的酋長或親人死亡，都認為死者的鬼魂一旦脫離軀殼，便能自由來往各處，比生時更有能力作福作禍。這些鬼魂，常常徘徊於生前所居住的地方，並在冥冥中視察其臣及子孫的行為，且降以福禍，因此他的子孫乃不敢不崇奉他，祖先崇拜遂由此發生[3]。

另外，林惠祥也以人類學的角度指出：「由於崇拜死人之故，對於其屍體的處置便生出許多儀式來。家有死人必定改變平時的形狀，如斷髮、繪身、或穿著特別的衣服等。其初大約不是為了紀念，而實是由於懼怕的心理。將明器納入墓內的風俗很普遍，兵器是供他去陰間爭鬥，器物則是給他生活，甚或奴僕從人都殉葬以侍他於幽冥。」[4]

又章景明先生還根據「卡布亞族在其酋長死去的時候，全部落的人都變成汙穢不淨之狀，他們的頭髮都不得剃去。……實際上：有些人類學者認為就世上已知者而言，喪服的第一主旨乃在於表示服喪者的禁忌狀態。典型的喪服與服喪者平常的服飾恰為顯著的對照。平常剃髮的人都任他們的頭髮伸長辮髮或結髮的人則改為散髮。阿依奴族的人在舉行葬式時便是把他們的外衣翻過一面來穿著的。像這一類的相反情形甚多，有些地方服喪中的親族，或將身上穿的儀物脫棄、改以紋身，有的切掉指上的關節，又有的用小刀割傷身體，將血流在墳墓上。他們或者絕食，或者在葬畢以前只吃很少的食物，在調理上往往又加以控制，家中不舉火，以防護某種不祥的事情發生」的民俗學資料清楚地說明這些服喪風俗，有些與中國相同，有些則甚近似。例如卡布亞族人的不能淨身，與中國人居喪不能沐浴相同；而居喪絕食、喪家舉火、控制飲食的習俗也近似。另外，舉行葬式時反穿外衣，則與〈喪服記〉的「凡衰、外削幅」相似。這些現象都顯示出喪服的典型正好與平常的服飾成為鮮明的對照，至於其所以如此之原因，則為了代表防護某種災禍發生的禁忌狀態，這正是基於恐懼鬼魂降禍作祟的心理所導致的一種迷信行

---

[3] 其詳參見章景明：《先秦喪服制度考》（臺北市：臺灣中華書局，1971年），頁1。

[4] 林惠祥：《文化人類學》（臺北市：臺灣商務印書館，1968年），頁307。

為，正可作為喪服起於祖先崇拜事實的憑證[5]。

由上述的內容來看，喪服禮俗的起源，與喪禮的產生一樣，它的出現也是源於祖先崇拜的一種宗教行為，其原始意義是基於對鬼神的恐懼心理，於是企圖以斷髮、繪身或穿著特別的衣服等反常的行為，進行祓除的巫術以躲避鬼魂的盯睄，因而衍生特殊的居喪生活以及異於平常的喪服形制。那麼為什麼到了後來被說成為「飾情之章表」呢？這可能是受了儒家的思想與態度所影響的緣故。儒家是人本主義者，其對於鬼神的存在已持懷疑的態度，存而不論，因此《論語》云：「子不語怪、力、亂、神。」[6]「敬鬼神而遠之。」[7]「祭如在，祭神如神在。」[8]「未能事人，焉能事鬼？」[9]

可見孔子對於喪祭的態度是不加宗教意味在內的。因此孔子一方面承襲了舊有習俗，一方面卻又賦予新的理論——情感的作用，說成「子生三年，然後免於父母之懷。……予也，亦有三年之愛於其父母乎」的報恩之義。這正是基於「孝」思想而發的理論，同時更把此禮俗作為發揚儒家思想的工具。

（二）喪服制度的演變

中國雖然在舊石器時代晚期出現了原始的喪葬禮俗，但喪服的出現遠比喪儀的產生遲得多。在當時，人們對死者的哀悼主要是心喪，也就是賈公彥所說的：「黃帝之時，朴略尚質，行心喪之禮。」[10]

賈公彥認為黃帝時期乃是人類接續伏羲時期茹毛飲血、穴居野處的原始社會生活而來，待聖人起，而漸有熟食、宮室、衣帛之制，由於此時的民風

---

5 其詳見章景明：《先秦喪服制度考》，頁2～3。

6《論語．述而》，《十三經注疏》（臺北市：藝文印書館，1985年），頁63。

7《論語．雍也》，《十三經注疏》，頁54。

8《論語．八佾》，《十三經注疏》，頁28。

9《論語．先進》，《十三經注疏》，頁97。

10《論語．喪服》，《十三經注疏》，頁337。

仍然樸質簡單，因此養生送死以事鬼神的方式還相當原始素樸[11]，因而對於親人之喪逕行心喪之禮，且終其身而不變；此正可以凸顯《易》之所謂「古之葬者，厚衣之以薪，葬之中野，不封不樹，喪期無數」[12]的特色。這是長期浸潤在這種樸質的氛圍中，相應產生最原始、最純真的心喪之禮，同時由於這是出乎自然之情，所以也無一定的喪期[13]。

從現有的文獻資料來看，喪服禮俗大約起源於西周春秋之際。與喪禮的產生一樣，它的出現也是源於祖先崇拜的一種宗教行為，其原始意義仍是基於對鬼魂的恐懼心理[14]。在遠古時期，人們對親人去世，只是極度悲哀，舉行一些簡單的喪葬儀式，還談不上使用喪服，史書無載。西周的早期和中期，只能看到喪禮的出現，但喪服的情況仍然非常模糊。這可以從《尚書．顧命》中記載周成王駕崩和周康王即位時的情況中看出。

> 乙丑，王崩。……太史秉書，由賓階隮，御王冊命。[15]

《尚書》是中國上古歷史文件和追述著作的匯編，它保存了商、周，特別是西周初期的一些重要史料。在上述的引用文字裏，有關周成王喪禮的那段文字，既沒有招魂之類的禮儀，也沒有涉及喪服。隨後進行的周康王即位大典上，周康王和大臣們身上穿的是行禮吉服。

春秋以後，生者為死者服喪的情形逐漸趨完備。《左傳．僖公三十三年》云：

---

[11]《禮記．禮運》：「昔者先王未有宮室，冬則居營窟，夏則居橧巢。未有化食草木之實，鳥獸之內，飲其血，茹其毛；未有麻絲，衣其羽皮。後聖有作，然後脩火之利，范金，合土，以為臺榭、宮室、牖戶。以炮以燔，以亨以炙，以為醴酪；治其麻絲以為布帛。以養生送死，以事鬼神上帝，皆從其朔。」《十三經注疏》（臺北市：藝文印書館，1985年），頁417。

[12]《易．繫辭下》，《十三經注疏》（臺北市：藝文印書館，1985年），頁168。

[13] 林素英：《喪服制度的文化意義》，頁49。

[14] 章景明：《先秦喪服制度考》，頁4。

[15]《尚書．顧命》，《十三經注疏》（臺北市：藝文印書館，1985年），頁277～281。

> 先軫曰：「秦不哀吾喪，而伐吾同姓，秦則無禮，何施之為？吾聞之：『一日縱敵，數世之患也。』謀及子孫，可謂死君乎！」遂發命，遽興姜戎。子墨衰絰，梁弘御戎，萊駒為右。夏四月辛巳，敗秦師于殽，獲百里孟明視、西乞術、白乙丙以歸。遂墨以葬文公，晉於是始墨。[16]

晉文公剛死而未葬，秦國此時便滅了晉的屬國滑。晉人認為秦國不但不哀悼晉的國殤，反而領兵攻伐晉同姓之國，這種舉動實為無禮，所以不可以放縱而應加以討伐。然而因為文公未葬，世子居喪未滿，若以凶服出征，不但不祥，而且有所不宜，因此便以「子墨衰絰」的方式興師伐秦，大敗秦師於殽，然後「墨以葬文公」。晉國開始是以黑色為兵戎之時的喪服，因大勝秦軍，感到黑色有某種神聖性，隨即把黑色作為正式的喪服，並穿著黑色喪服為晉文公舉行葬禮。自此以後，晉國常以黑色為俗。

這時期以麻束髮的服喪髮式已經產生。根據《左傳．襄公四年》載：

> 冬，十月，邾人、莒人伐鄫，臧紇救鄫侵邾，敗於狐駘。國人逆喪者皆髽，魯於是乎始髽。[17]

鄫國受侵犯，而鄫是魯國的屬國。魯國發兵救鄫，結果大敗而回。死亡士兵的親屬，都用麻束髮，前去迎喪。從此以後，魯國便把以麻束髮作為一種喪服形式實行開來。這種處理頭髮的模式，不但通行於魯，而且還成為後來喪服制度中婦女服喪的髮式。因此《禮記．檀弓上》說：

> 南宮縚之妻之姑之喪，夫子誨之髽，曰：「爾毋從從爾！爾毋扈扈爾！蓋榛以為笄，長尺，而總八寸。」[18]

《左傳．襄公四年》載：

16《左傳．僖公三十三年》，《十三經注疏》（臺北市：藝文印書館，1985年），頁290。

17《左傳．襄公四年》，《十三經注疏》，頁508。

18《禮記．檀弓上》，《十三經注疏》，頁119。

齊晏桓子卒，晏嬰麤縗斬，苴絰帶，杖，菅屨，鬻，居倚廬，寢苫，枕草，其老曰：「非大夫之禮也。」曰：「唯卿為大夫。」[19]

上述中晏嬰的喪服與居喪情形，已與《儀禮·喪服》中所說的大體相同[20]。由此可見斬衰之形制，至晏嬰之時，已近同於〈喪服〉的記載。

由上述的文獻資中，雖然無法明確的表現喪服禮俗演變的記錄，但卻可推知較具規模的喪服制度應當不可能早於西周。到了春秋戰國時期，各種形式的喪服，才逐漸地複雜和完善起來，形成典型的喪服制度。此外，經過不斷地總結經驗，統治階層意識到孝道的實施，對他們的統治極為有利，是行孝道的最好形式，因而重視喪禮和喪服。所以一些有遠見的政治家，開始刻意在喪服方面下工夫。而關於喪服的著作，也同時在儒家的積極努力下應運而生。

三　喪服的精神與其等差

喪服乃是在喪禮發展至相當規模以後，藉由服飾所蘊含的象徵意義，以特殊的服飾代表服喪，以象徵喪親者內心的哀痛的一種制度，隨著此制度的逐漸完備，遂使喪服的穿戴不但貫串整個服喪期間，而且成為喪禮中最精密的一部分。由於服制的規劃，乃配合彼此關係的親疏遠近、感情的深淺厚薄而有不同的差等，於是有服飾精粗輕重的差異，也有喪期短長不一的分殊[21]。

在儒家思想裏，貴賤親疏的分別，是倫理社會秩序的重要原則。因此〈曲禮上〉說：

---

[19]《左傳·襄公十七年》，《十三經注疏》，頁575～576。

[20] 其詳見：《儀禮·喪服》，《十三經注疏》（臺北市：藝文印書館，1985年），頁338～339。

[21] 其詳見林素英：〈先秦儒家的喪葬觀〉，《漢學研究》第19卷第2期（2001年12月），頁97。

夫禮者，所以定親疏，決嫌疑，別同異，明是非也。[22]

在〈喪服小記〉又說：

親親，尊尊，長長，男女之有別，人道之大者也。[23]

這種觀念，應用到喪服制度裏，便發展為喪服制度的原則和理論基礎。那麼，喪服之等差依據的原則或標準是什麼呢？〈大傳〉說：

服術有六：一曰親親，二曰尊尊，三曰名，四曰出入，五曰長幼，六曰從服。[24]

喪服制度中的五服輕重之分，就是依據這一原則而確定的。這六術之中，前兩項最重要，稱為經，後四項則稱為緯。可知親親與尊尊是為喪服中乃至整個周禮中的精髓[25]。茲分別闡述如下：

（一）親親

所謂「親親」是人類最原始也是最自然的感情，因而喪服制度的根本要義，就是依據血緣關係，以及人與人之間親情的濃密、深淺厚薄，而作為服喪輕重的標準，而制定出來的一個服喪等差原則。〈喪四服制〉云：

其恩厚者，其服重。故為父斬衰三年，以恩制者也。門內之治，恩揜義；門外之治，義斷恩。[26]

至於〈大傳〉說：

22《禮記．曲禮上》，《十三經注疏》，頁14。

23《禮記．喪服小記》，《十三經注疏》，頁594。

24《禮記．大傳》，《十三經注疏》，頁619。

25 康學偉：《先秦孝道研究》（臺北市：藝文印書館，1985年），頁1032。

26《禮記．喪服四制》，《十三經注疏》，頁1032。

自仁率親，等而上之，至於祖，名曰輕；自義率祖，順而下之，至於禰，名曰重。一輕一重，其義然也。[27]

又說：

四世而緦，服之窮也；五世袒免，殺同姓也；六世親屬竭矣。[28]

〈喪服小記〉則說：

親親，以三為五，以五為九，上殺、下殺、旁殺，而親畢矣。[29]

由這些理論我們可知，五服輕重之分，主要乃是依據關係的濃淡親疏、感情的深淺厚薄而定不同的等差。以自身為起點，無論往上數、往下數或橫向同輩之間，血緣關係愈近越親，越遠的則依次遞疏。將這段話的意思與喪服的制度聯繫起來，可圖示如下：

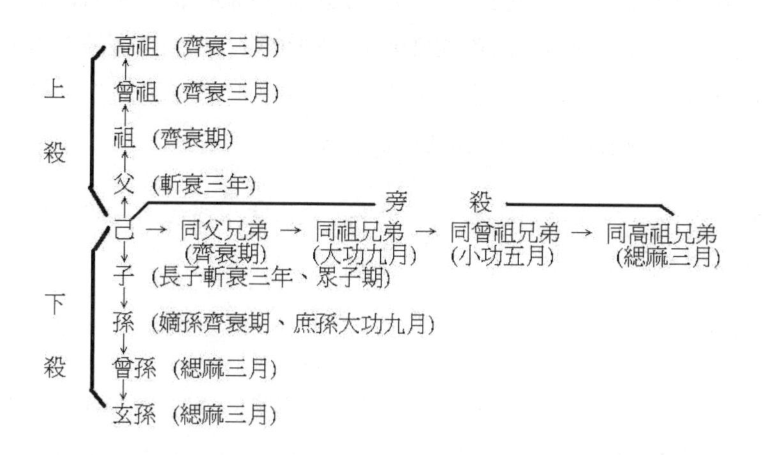

由此圖可瞭解，喪服制度完全是為了血緣關係的差等，實為親親觀念的

---

[27]《禮記・大傳》，《十三經注疏》，頁620。

[28] 鄭注云：「四世共高祖，五世共高祖昆弟，六世以外親盡，無屬名。」同前註，頁619。

[29]《禮記・喪服小記》，頁591，鄭注云：「己上親父，下親子，三也。以父親祖，以子親孫五也。以祖親高祖，以親玄孫，九也。殺謂親益疏者，服之則輕。」

產物。

喪禮制度的設計，為喪失親人者提供一個恰當的方式，透過儀節的施行過程調適哀程，學習從忍受分離、安於悽苦之中，將悲哀的情緒轉換成對於已逝親人永遠的懷念，進而將這分懷念轉化為對於周遭親朋好友的關懷，同時也更懂得珍惜人與人之間難得的親情與緣分。雖然為父母加隆服喪三年的喪期不短，但即使以現代身心醫學與精神醫學而論，對於喪失至親者所產生的創痛，以兩年的時間進行療傷止痛，並不算長[30]，所以制禮者把握此至親間濃厚的感情，希望能藉此伸張哀情而加厚人間之溫情，同時也考慮到服喪有節以維持社會之脈動，於是以三年為斷，這當是深思熟慮之計。

（二）尊尊

親親主要以血緣之親為基礎，然後旁及婚姻之親屬關係，屬於自然形成的親屬關係，不過為求群居生活順利發展，必須有賴君主高度發揮領導社會群體的功能。所謂「尊尊」，就是根據身分地位的尊卑貴賤高下作為標準，而定喪服輕重的一個服喪原則。〈喪服四制〉曰：

> 資於事父以事君而敬同。貴貴、尊尊，義之大者也，故為君亦斬衰三年，以義制者也。[31]

《荀子．禮論》篇說：

> 君之喪，所以取三年，何也？曰：君者，治辨之主也，文理之原也，情貌之盡也，相率而致隆之，不亦可乎？《詩》曰：「愷悌君子，民之父母。」彼君子者，固有為民父母之說焉。父能生之，不能養之；母能食之，不能教誨之；君者，已能食之矣，又善教誨之者也。三年

---

[30] 其詳見威廉．華爾頓（J. William, Worden）著，李開敏等譯：《悲傷輔導與悲傷治療》（*Grief Counseling & Grief Therapy*）（臺北市：心理出版社，1995年），頁8～23。

[31]《禮記．喪服四制》，《十三經注疏》，頁1032。

畢矣哉！[32]

從這理論中可以看出，在儒家的理論觀念裏，至少是把父子和君臣相提並論，而予以高度重視。這也是孟子所說的：「內則父子，外則君臣，人之大倫也。」

根據《儀禮・喪服》篇記載，為尊者所服的喪服有幾種，如：屬於政治性的喪服，有諸侯為天子、大夫為宗子等明文規定的喪服，就是將有限的親親之情擴大為注重社會整體尊尊大義的充分發揮；又如因本服的輕而加重者，如：〈喪服〉傳文曰：「外親之服，皆緦也。」[33]則為外祖父母，本是緦服，但〈喪服〉經文中則規定為外祖父母服小功[34]。〈喪服〉傳說：「何以小功也？以尊可也。」又〈喪服〉經文中規定為庶孫是大功，依服制降殺之等，則庶孫為祖父母也應該當服大功才是，然為祖父母因尊故卻服齊衰不杖期，〈喪服〉傳曰：「何以期也？至尊也。」[35]

尊者不僅可以因位尊而隆服，而且對位卑者也可以降服。如〈喪服〉經文中，大夫為伯父母、叔父母、子、昆弟、昆弟之子為士者這些人，本都在齊衰。而大夫為這些人之為士者，卻降服大功九月。〈喪服〉傳云：「何以大功也？尊不同也。尊同，則得服其親服。」[36]

從上面這些例子中可以看，身分地位的尊貴賤高下是服喪的重要原則之一。

（三）名

所謂「名」，就是指異姓女子嫁於己族男子而取得母、婦之「名義」。

---

[32]《荀子集解・禮論》（北京市：中華書局，1995年），頁386。

[33]《儀禮・喪服》，《十三經注疏》，頁386。

[34] 同前註。

[35] 同前註，頁355。

[36]《儀禮・喪服》，《十三經注疏》，頁378。

比如：伯母、叔母本非血親，不同宗，由與伯父、叔父的婚姻關係，而成為親屬。《禮記．大傳》鄭玄注云：

> 名，世母、叔母之屬也。[37]

又孔穎達曰：

> 名者，若伯叔母及子婦並弟婦、兄嫂之屬也。[38]

可見，名服是婦人之服。

伯母、叔母是以「母」名，因此〈喪服〉經文上規定其服制與伯父、叔父一樣，皆為齊衰期。〈喪服〉傳解釋曰：「世母、叔母，何以亦期也？以名服也。」張爾岐《句讀》說：

> 世、叔母曰「以名服」者，二母本是路人，牉合於世、叔父，故有母名，因而服之。即上所云夫婦一體也。[39]

可見，與本來沒有血緣關係的伯母、叔母，由於為伯父，叔父之妻，於是己才必須稱其為「母」，所以為之有服。此乃親親原則的擴大。

（四）出入

所謂「出入」，就是指己族女子已出嫁或尚未出嫁及出嫁後又返而歸還家中者，而確定喪服輕重的一個原則。女子未嫁及嫁而離婚在家者，是屬於同宗之人，所以服重；出嫁成為外姓之人，所以服輕。這符合「尊祖敬宗」的精神，是尊尊原則的延伸。鄭玄注《禮記．大傳》說：

---

[37]《禮記．大傳》，《十三經注疏》，頁619。

[38] 同上註，頁620。

[39]〔清〕張爾岐：《儀禮鄭注句讀》（臺北市：學海出版社，1997年），頁486。

出入，女子子嫁者及在室者。[40]

孔穎達疏云：

出入者，若女子子在室為入，適人為出，及出繼為人後者也。[41]

《儀禮・喪服》篇稱同族已婚女子為出，如姑、姊妹、女子子適人者。在古代女子以行笄禮為成人的標準，周代女子以十五為及笄，如〈內則〉曰：

十有五年而笄，二十而嫁，有故，二十三年而嫁。[42]

如果已及笄許嫁，但尚未成婚的稱「在室」。在室則屬於父宗，故為父服斬衰三年，父母則只為其服齊衰一年。《禮記・喪服》云：

女子子在室，布總，箭笄，髽，衰，三年。[43]

故周時有女子二十三歲才嫁者，出嫁女子如被丈夫逐出而回家則稱為「嫁反」，不能稱在室，但其服制與在室時相同[44]。其理由是：女子子雖已出嫁，或被出，或無子，而歸父家，則其仍屬於父宗，服也與未出嫁在室時的本服相同。這也是所謂的「入」。如女子在家從父，為父服子女服，出嫁從夫則為夫服妻服。為丈夫斬衰三年，但為父家成員之服卻都下降如為父母服降為齊衰服，當然其父母為其所服也降為大功九月了。此即所謂「出」。

《儀禮・喪服》傳曰：

婦人雖在外，必有歸宗，曰小宗。[45]

小宗以同居為親，故上至父之姑，下至孫，旁及從祖姊妹有服。其他女子適

---

[40]《禮記・大傳》，《十三經注疏》，頁619。

[41] 同前註，頁620。

[42]《禮記・內則》，《十三經注疏》，頁539。

[43]《儀禮・喪服》，《十三經注疏》，頁349。

[44]《儀禮・喪服》，頁349：「子嫁反在父之室為父三年。」

[45] 同前註，頁359。

人者雖在五服之內，亦不及服。又如為人後者，為所後之父斬衰，為本生父母也是服齊衰期。

這種同宗女子，在室與出嫁以後所用服制的不同，是為顯示親屬關係改變的一種表現。

（五）長幼

所謂「長幼」，是指已成年或未成年而死，作為服喪輕重的一個原則。簡言之，成人服重；未成年而死，服殤服輕。這也是符合親親原則。鄭玄解釋為：「成人及殤也。」[46]孔穎達疏云：「長謂成人，幼為諸殤。」[47]如子、女子之成人者，父母之斬衰（長子）或齊衰期（眾子），其長殤、中殤則降為大功九月、七月，下殤小功五月。這個原則見於〈喪服〉中甚多，如〈喪服〉經文：

> 大功布衰裳，牡麻絰，無受者，子、女子子之殤、中殤。[48]

〈喪服．大傳〉詮釋為：

> 何以功布也？未成人也。何以無受也？喪成人者，其文縟。喪未成人者，其文不縟。故殤之絰不樛垂，蓋未成人也。年十九至十六為長殤，十五至十二為中殤，十一至八歲為下殤，不滿八歲以下皆為無服之殤。無服之殤以日易月。以日易月之殤，殤而無服。故子生三月，則父名之，死則哭之；未名則不哭也。[49]

同樣是悼念未成年子女，但有長殤至無服的差異，此在於父子相處時日長短有別。從這點可以看出，儒家為人倫所定的親疏尊卑秩序，也反映了禮「稱

46《禮記．大傳》，《十三經注疏》，頁619。

47 同前註，頁620。

48《儀禮．喪服》，《十三經注疏》，頁370。

49 同前註。

情」的意義。

（六）從服

所謂「從服」，就是指本人與死者並無親屬或臣關係，而隨從有此關係者服喪的原則。換言之，所服之對象都是異姓，無血親關係。由於己之妻或己之夫而跟著有服，也是親親原則的擴大。〈大傳〉說：

> 從服有六：有屬從，有徒從，有從有服而無服，有從無服而有服，有從重而輕，有從輕而重。[50]

據此，可知從服共有六種情形。

1. 屬從

所謂「屬從」，是事主與死者有親屬關係，隨從者因與事主有夫婦、母子等關係而為死者服喪，如妻隨從其夫為夫家成員服，夫隨從妻為妻的父母服喪，子隨從母而為母親家族成員服喪等。《禮記・喪服小記》云：

> 從服者，所從亡，則已。屬從者，所從雖沒也，服。[51]

據此可見，不管所從之人存亡，只要有這個親屬關係存在，從服之應該為所從者之親服喪。另屬從的情形，於孔穎達疏云：

> 屬從一也。屬謂親屬，以其親屬，為其支黨。鄭云：「子為母之黨。」是也。鄭舉一條耳，妻從夫，夫從妻，並是也。[52]

據子而言，母黨本屬外族，但由於親於母的緣故，遂親其母黨。母為其父母

---

[50]《禮記・大傳》，《十三經注疏》，頁620。

[51]《禮記・喪服四制》，《十三經注疏》，頁594。

[52] 同前註，孔穎達疏。

服齊衰期，子從母而服，乃為外祖父母服小功五月。外親[53]之服本皆服緦，但由於外祖父母有祖名，為外親之首，所以從母加服小功五月[54]。又〈喪服〉經文規定母為其眾昆弟服大功，子從母服緦麻三月。〈喪服傳〉解釋為：「何以緦？從服也。」[55]這些都是子從母為母黨服的例子。

妻從夫為夫黨服喪，也依例比夫降低一等。如夫為父服斬衰三年，為母齊衰三年。而婦為公婆，則齊衰期[56]。〈喪服傳〉詮釋說：「何以期也？從服也。」[57]這就是妻從夫而服之例。

夫從妻而服，為妻之父母緦麻三月。〈喪服傳〉曰：「何以緦？從服也。」其疏又說：「傳發問者亦怪外親而有服，答云從服，故有此服。」[58]

2. 徒從

徒從，指隨者與死者無親屬或臣屬關係，而根據與事主的某種關係為死者服喪，如臣隨從國君而為國君家屬服喪，妻隨丈夫而為其國君服喪，庶子為父妻正室的父、母服喪等。孔穎達疏云：

> 徒，空也，與彼無親，空服彼之支黨。……妻為夫君、妾為女君之黨、庶子為君母之親、子為母之君母，並是也。[59]

徒從之服，如所徒者死亡，這種關係便不存在，即不再為所從者之黨服喪了。

53《儀禮．喪服》，頁386，孔疏云：「外親，異姓者，從母與姊妹子舅與外孫父母皆異姓，故總言外觀。」外親即異姓姻親，如妻、母族。

54《儀禮．喪服》，頁389：「何以小功也？以尊加也。」

55《儀禮．喪服》，《十三經注疏》，頁390。

56 同前註，頁365。

57 同前註。

58 同前註，頁390。

59《禮記．大傳》，《十三經注疏》，頁620。

3. 從有服而無服

有服而無服，指事主有喪服服，而隨從者因故而無喪服，如國君之子弟（公子）因其父為國君，故不得隨從其妻為妻之父、母服喪，其妻為有服，國君之子（公子）則無服。從〈喪服記〉來看，公子父在為其母、妻之服，不在五服之中[60]，〈喪服傳〉解釋說：

> 何以不在五服之中也？君之所不服，子亦不敢服。君之所為服，子亦不敢不服也。[61]

至於深究所謂「君之所不服」的內容，則知妾與庶婦皆包括在其中[62]，因而當諸侯在世之時，其妾之子不敢服其母、庶子不敢服其妻，這就是所謂的「從有服而無服」。

依據這一原則，「叔嫂無服」則也屬此例。夫為其昆弟齊衰期，妻從夫本應服大功才是，但〈喪服經〉規定妻於夫之昆弟無服。〈喪服傳〉解釋為：

> 夫之昆弟何以無服也？其夫屬乎父道者，妻皆母道也；其夫屬乎子道者，妻皆婦道也。謂弟之妻者，是嫂亦可謂之母乎？故名者，人治之大者也，可無慎乎？[63]

亦即從父母、兄弟、夫婦等人倫名分之義理而解釋，如果讓弟之妻為兄服，那就等於把弟妻看作兒媳；這樣的話，那麼嫂也可以看作母嗎？如此一來即打亂了人倫秩序。此外叔嫂之無服，事實上亦具有為了別嫌疑而將兩者關係推遠之用。《禮記．檀弓上》云：

60《儀禮．喪服》，頁 391：「公子為其母練冠麻、麻衣縓緣，為其妻縓冠、葛絰帶、麻衣縓緣，皆既葬除之。」

61 同前註。

62 其詳參見：《儀禮．喪服記》，頁 391，鄭玄注所錄。

63《儀禮．喪服》，《十三經注疏》，頁 377。

嫂叔之無服也，蓋推而遠之也。[64]

說明無服是為避男女嫌疑之用。這就凸顯當時嚴男女之防，不只在觀念上要求，同時還要求在生活上能徹底實踐。

4. 從無服而有服

加服之中，尚有原來並無服喪義務，卻以各種因素而特別設立服制者，如此謂之「從無服而有服」。如據《禮記・服問》記載：

有從無服而有服，公子之妻為公子之外兄弟。[65]

國君之子懼國君之厭，不為其舅、姑、姨表兄弟服喪，是為無服，但其妻卻因夫而為死者服喪，是為所從而有服。而鄭注云：

謂為公子之外祖父母、從母緦麻。[66]

孔穎達疏說：

經唯云「公子外兄弟」，知非公子姑之子者，以〈喪服小記〉云：「夫之所為兄弟服，妻皆降一等。」夫為姑之子緦麻，妻則無服。今公子之妻為之有服，故知「公子之外祖父母、從母」也。此等皆小功之服。凡小功者，謂為兄弟。若同宗，直稱兄弟。以外族故稱外兄弟也。[67]

根據鄭注、孔疏得知，國君之子不為己母之外家服，是為無服。其妻從公子而服公子之外祖父母、從母緦麻，這就是所謂的「從無服而有服」。至於依據這原則，叔嫂無服，而娣姒婦相為服小功，也屬於「從無服而有服」的範

64《禮記・檀弓上》，《十三經注疏》，頁144。

65《禮記・服問》，《十三經注疏》，頁951。

66 同前註。

67《禮記・服問》，《十三經注疏》，頁952。

圍[68]。

5. 從重而輕

此一大類的服制，由於人際關係的特殊因素，所以從原本所訂制的重服，依照一定的比例，降至等級較輕的服。如在夫為妻黨、子為母黨服喪之類別中，均有此現象發生。丈夫雖然跟從妻子而為妻之黨服喪，然而亦僅止於為妻為之父母而已，並且有別於平常的降一等而服，而是僅僅為之服緦麻[69]。另外，女子對於其父母，雖然因出降之緣故而為本生父母改服齊衰不杖期，其子雖然也從其母而對母之親黨有服，但是只有二世有服，而且僅僅對外祖父母與從母服小功，而對於其餘的母黨皆服緦麻而已[70]。這便是所說的「從重而輕」。

6. 從輕而重

此類服制，由於人際間具有某些複雜的關係，須必加以分殊，因而依照一定的比重，將原有的服制加重至重的等級。據《禮記．服問》記載：

> 有從輕而重，公子之妻為其皇姑。[71]

鄭玄注云：

> 皇，君也。諸侯妾子之妻，為其君姑齊衰，與為小君同，舅不厭婦也。[72]

公子為君所厭，父在為母無服，父死則服大功。但公子之妻為其姑，服齊衰

---

68 其詳參見章景明：《先秦喪服制度考》，頁36。

69《儀禮．喪服．緦麻》，頁390：「妻之父母。《傳》曰；何以緦？從服也。」

70《儀禮．喪服．小功》，頁386：「為外祖父母。《傳》曰：『何以小功？以尊加也。』從母。《傳》曰：『何以小功也？以名加也。外親之服皆緦也。』」

71《禮記．服問》，《十三經注疏》，頁951。

72 同前註。

不杖期[73]。

另外，天子與諸侯由於地位特別崇高尊貴，因而〈喪服小記〉記載：

> 與諸侯為兄弟者，服斬。[74]

因此鄭玄認為自卿大夫以下，凡是與諸侯為兄弟者，均不得以其本親之輕服諸侯，即使身在異國，仍須反而為之服斬三年，而熊安生更認為諸侯死，凡與諸侯有五屬之親者皆服斬[75]。既然為諸侯服斬，則為諸侯之夫人應服齊衰，至於為天子與王后更不在此下，諸如此類，即緣於天子、諸侯之尊位所厭而有所加服，這種現象，便是「從輕而重」。

以上所述的是服喪的基本精神和其等差原則。在儒家的觀念裏，貴賤、親疏、男女的分別，是樹立倫理社會秩序的重要原則。這種觀念，應用到喪服制度裏，乃發展成為服喪的原則的理倫基礎。喪服制度中的五服輕重之分，就是依據這六大原則而確定的。後來儒家又根據這一原則，確立了傳統倫理的重要表現形式，植根於民間，對社會生活產生了巨大的影響。

四　喪服制度與宗法制度關係

從上面的論述中,可以發現這一套嚴密而完整的喪服制度與宗法制度有著不可分割的關係，彼此密切配合而成。而喪服是建築在宗法制度基礎上的產物，也是從天子到庶民體現宗法觀念最廣泛、最深刻的一種制度。喪服是用特殊的服飾表示對死者的哀痛，又在不同的服飾中，反映親疏的宗法思想。因此，如果要對喪服制度的面目作進一步認識，便不能不對宗法制度作一深入的瞭解。

---

[73]《儀禮．喪服》，頁365：「婦為舅姑。」

[74]《禮記．喪服小記》，《十三經注疏》，頁607。

[75]《禮記．喪服小記》，頁607，並詳見鄭注、孔疏之說。

（一）宗法制度組織與精神

宗法是家族制度的一種，它是氏族社會的血緣關係在新的歷史條件下繼續存在和演化的反應。從文獻資料來看，宗法制度萌芽於原始時代的父家長制度。以父家長為核心的氏族到了周代，宗族和宗法的觀念逐漸完善[76]。

宗法制度是對人類社會中，如財產繼承、血緣親疏、等級秩序等等的系統總結，是為維護階級社會嫡長子繼承制的需要而產生的。嫡長子繼承制是宗法制度的一個核心。它的目的是：為了防止爭奪君位而發生內亂，從而維護鞏固其於宗族中的地位。嫡長子繼承制的原則外，同宗的大夫和士，亦納入宗法體系中[77]。

周代宗法制度的理論，先秦文獻中於《禮記》一書中的〈大傳〉與〈喪服小記〉兩篇中有較詳情的記載。〈大傳〉曰：

> 君有合族之道，族人不得以其戚戚君位也。庶子不祭，明其宗也。庶子不得為長子三年，不繼祖也。別子為祖，繼別為宗，繼禰者為小宗。有百世不遷之宗，有五世則遷之宗。百世不遷者，別子之後也。宗其繼別子之所自出者，百世不遷者也。宗其繼高祖者，五世則遷者也。尊祖故敬宗。敬宗，尊祖之義也。有小宗而無大宗者，有大宗而無小宗者，有無宗亦莫之宗者，公子是也。公子有宗道。公子之公為其士大夫之庶者宗其士大夫之適者，公子之宗道也。[78]

---

[76] 自夏代始，宗君合一（宗統乃「親之統」，即以宗主為核心的宗系的血緣統系，君統乃「尊之統」，即以國君為首的政治行政統系，宗君合一，即宗統和君統合二為一，以族內部的序列去組織國家。）的宗法制度就成了全社會的組織原則，但後起的周代之宗法形態比起夏代之宗法，更加嚴密和完善，所以，先秦之宗法社會形態以周代為最高峰。參見劉廣明：《宗法中國》（上海市：三聯書店，1993年），頁10。

[77] 王國維：〈殷周制度論〉中說：「周人嫡庶之制本為天子諸侯繼統法而說，復以此制通之大夫以下，則不為君統而為宗統，於是宗法生焉。」參見王國維：《觀堂集林》。

[78]《禮記・大傳》，《十三經注疏》，頁620～621。

又〈喪服小記〉曰：

> 別子為祖，繼別為宗，繼禰者為小宗。有五世而遷之宗，其繼高祖者也。是故，祖遷於上，宗易於下。尊祖故敬宗，敬宗所以尊祖禰也。[79]

所謂「別子」，即嫡長子以外之庶子，亦稱公子，以與作為君統的嫡長相區別。「別子為祖」，指的是周代各諸侯國繼承的情況。從原則上講，周天子的嫡長子繼承天子之位，其他的兒子——即「別子」被分封到各地建立諸侯國。被分封出去的周天子的「別子」，不僅是那個諸侯國的國君，而且是此國之宗的「祖」。鄭玄注云：

> 別子為祖謂公子，若始來在此國者，後世以為祖。[80]

其實〈喪服小記〉說的「別子為祖」具有兩種含義：一是「自卑別於尊」，二是「自尊別於卑」。《儀禮．喪服傳》曰：

> 諸侯之子稱公子，公子不得禰先君。公子之子稱公孫，公孫不得祖諸侯，此自卑別於尊者也。若公子之子孫有封為國君者，則世世祖是人也，不祖公子：此自尊別於卑者也。[81]

這就是同君統相區別的證明。具體而言，只有嫡長子才能繼承君位，成為國君。於是，其他兒子與繼承君位的國君，就產生了兄弟和君臣雙重關係。但宗法不行於諸侯，諸侯的嫡庶兄弟沒有繼承君位的，只能稱公子，不能稱公。公子對公，也要論君臣關係，不能講親屬關係。也就是說，血緣關係要從屬於政治關係，同樣宗統也要服從君統，不能同時又是宗統。庶子要同君統嚴格區別開來，另立宗統，這叫「別子為祖」。

所謂「繼別為宗」，就是繼承別子自成新宗。繼別就是繼承別子而自立

79《禮記．喪服小記》，《十三經注疏》，頁592。

80《禮記．大傳》，《十三經注疏》，頁620。

81《禮記．喪服》，《十三經注疏》，頁379。

宗統。這個繼承別子而自立宗統的人，根據周代的嫡長繼承制原則，為這個宗裏的後代——別子的嫡長子孫世代相襲的宗統，便是「百世不遷」的大宗。

「繼禰者為小宗」，所謂的「禰」，本指亡父在宗廟裏的神主。諸侯庶子的神主，經過五世以後要遷出宗廟，所以這裏的「禰」即指「別子之庶子」[82]。別子為宗統的正支，雖經百世仍然可以祭其始祖，是為大宗。而別子的繼承者以外的庶子屬於同一宗的旁支，他們只能繼禰。這種繼承關係傳至五代之後，與別子關係已超出同一高祖範圍，因此就不再祭別子的祖先，而另外祭祀本支的祖先，是為小宗。在小宗中，仍然實行嫡長子繼承制，嫡長子以外的庶子不能繼禰，他們奉尊繼禰的為宗子。而這個宗子又要尊奉繼別子者為宗子。為了區別這兩個宗子，人們將繼別的稱為大宗，而稱繼禰的為小宗。

宗法制度，是周代實行統治的重要支柱，不僅對於周代社會上互相幫助、互相關心的習俗的形成起了積極的推動作用，而且也是周王朝與各諸侯國，以及各諸侯國之間加強相互關係的重要措施。宗法關係的長期保持，對於社會民俗的影響可以說是相當巨大的。

那麼，周代宗法制度的具體精神是什麼呢？從上面所述的宗法制度來看，其基本的精神為親親之道。《禮記．大傳》曰：

> 自仁率親，等而上之，至於祖；自義率祖，順而下之，至於禰。是故，人道親親也。親親故尊祖，尊祖故敬宗，敬宗故收族，收族故宗廟嚴，宗廟嚴故重社稷，重社稷故愛百姓。[83]
>
> 太上以德撫民，其次親親，以相及也。……如是則兄弟雖有小忿，不廢懿親。今天子不忍小忿以棄鄭親，其若之何？庸勛親親，暱近尊賢，德之大者也。……周之有懿德也，猶曰「莫如兄弟」，故封建之。其懷柔天下也，猶懼有外侮，扞禦侮者，莫如親親，故以親屏

82《禮記．喪服小記》，《十三經注疏》，頁592，孔穎達疏。

83《禮記．大傳》，《十三經注疏》，頁622。

周。[84]

這裏所說的「兄弟鬩牆，外禦其侮」便是宗法制度中親親精神的寫照。

周代宗法制度中的這種親親的精神，不僅在家族兄弟之間實行，而在政治上也如此。周代統治者在分封異姓諸侯時，也是根據宗法制度中的親親之道加以擴大實施，這種意識形態成為官僚政治的一個組成部分。《周禮．大宰》曰：

以八統詔王馭萬民：一曰親親，二曰敬故，三曰進賢，四曰使能，五曰保庸，六曰尊貴，七曰達吏，八曰禮賓。[85]

將「親親」列為官僚政治的組成部分之首位。由此可見，周代宗法制度的基本精神是親親的精神根幹。

春秋時期的社會輿論依然重視宗法關係，把它作為諸侯之間交往的準則。宗法關係的長期保持，對於社會禮俗的影響，尤其是喪服制度影響，可以說是十分深遠。

（二）宗法制度與喪服制度的關係

上面論述了宗法制度的組織和精神，接下來便著重就宗法制度和喪服制度作一關係比較。

前述喪服的等級差別，清楚地顯示了如下特點：

第一是父系、母系有別。所謂「父系」，就是依據父親血統而計親屬，凡是與父親有血緣關係的都是自己的親屬。一個男子的親屬包括父親方面的父黨、母系方面的母黨和妻子方面的妻黨。父黨為宗族、宗親，母黨與妻黨為外親。在父權社會中，只重宗族、宗親，不重外親，血緣更是只論父系。在服喪制度下體現，就是對父系親屬的服喪範圍十分廣泛，直系親屬上至高

[84]《左傳．僖公二十四年》，《十三經注疏》，頁255～257。

[85]《周禮．大宰》，《十三經注疏》（臺北市：藝文印書館，1985年），頁29。

祖父母，下至玄孫，旁系包括高祖父所傳全體宗族成員，無不有服。母系卻只對外祖父母、舅父、姨母及姨表、舅表兄弟有服，而且服制比父系對等的親屬輕得多，如為祖父、伯叔父都是齊衰不杖期，而為外祖父僅是小功，對舅父僅是緦麻。這清楚表明，《儀禮・喪服》篇規定的喪服制度，所表現的是父系的宗法特徵。

第二是親疏有別。喪服制度偏重父系，五服的輕重也主要體現父系宗親之間親疏不等的血緣關係。血緣愈親的服制愈重，血緣愈疏的服制愈輕。如同父兄弟重於同祖的從父兄弟，從父兄弟重於同曾祖的從祖兄弟，從祖兄弟重於同高祖的族兄弟。根據五世親盡的原則，從本身算起，往上往下有服之親都只推到五代，高祖的兄弟及其子孫後代只是同姓之親，但已出五服範圍，就無需為之服喪了。

在同一血緣的宗族團體內，各成員之間的關係特別受人重視。五世之內無異一家。這種個人與族群成員間的關係在喪服制度中更是顯露無遺。如《禮記・喪服小記》曰：「親親以三為五，以五為九，上殺，下殺，旁殺，而親畢矣。」[86]在這裏，關係最密切的要算是與自已直接有關的父、己、子直系三代，從此長輩、晚輩、平輩依次推衍，遞疏遞減。父、己、子三代，加上祖父和孫子，合為五代。再從此擴大到曾祖、高祖和曾孫、玄孫，合為九代。旁系則向外推四等而至於族昆弟（及妻）姊妹，與己合算，其數為五等。這五服之內的成員便成為家族。家族以外，親盡無服。故《禮記・大傳》曰：「四世而緦，服之窮也。五世袒、免，殺同姓也。六世，親屬竭矣。」[87]在喪服制度中，四世屬五服最輕的一種，服緦麻三月之喪；五世成員繼高祖之父，不屬五世之內，臨喪只袒衣免冠而已，沒有其他的喪服；六世成員共繼高祖之祖，關係更加疏遠，按宗法制度規定，可以通過弔問，不算是親族。

第三是男女有別。喪服制度中男女的區別十分明顯。如夫妻之間，妻為

---

[86]《禮記・喪服小記》，《十三經注疏》，頁 591。

[87]《禮記・大傳》，《十三經注疏》，頁 619。

夫服最重之斬喪衰三年，夫為妻則只服齊衰杖期。同樣，妻為夫之父母所服之喪要大大重於夫為妻之父母。又如父母都是生身之親，但〈喪服〉規定為父斬衰三年，為母齊衰三年，如父親還在世，只能服齊衰杖期。另外，對本族中已經出嫁的女性成員，服制都較其他兄弟為輕。

第四是嫡庶有別。古代男子可以娶妾，但正妻只能一人，餘者皆為妾。妻、妾地位尊卑不同，有嚴格的區別。〈喪服〉規定妾為妻服齊衰不杖期，妻為妾則無服。妾之子以父之正妻為嫡母，要服三年重喪，而正妻所生的嫡子，若是大夫則為庶母無服；若是士則為庶母服緦麻三月，但假使其無生母，而是由庶母扶養成人時，為報其（慈母）養育之恩，須服小功五月。作為祖先繼體長子、嫡孫具有特殊地位，這在喪服制度中也反映，父為長子、祖先為嫡孫所服之喪都較被稱作庶子、庶孫的其他子孫重要。為宗子、宗婦服喪要重於同等之親，是為了表示對先祖正嫡的特殊尊重，這也是嫡庶之別的一種體現。

第五是外婚制，同姓不婚。周代規定族外婚制，《禮記・大傳》曰：「繫之以姓而不別，綴之以食而弗殊，雖百世而婚姻不通者，周道然也。」[88]又〈曲禮上〉云：「取妻不取同姓。故買妾不知其姓則卜之。」[89]從〈喪服〉篇中所規定的喪服制度來看，這一特點在喪服制度中也得到了充分的體現，如《儀禮・喪服・傳》曰：「婦人雖在外，必有歸宗。」[90]這裏所說的「在外」，便是指出嫁在外族的女子。

五　結論

綜上所述，可見喪服禮俗的起源，與喪禮的產生一樣，它的出現也是源於祖先崇拜的一種宗教行為，其原始意義是基於對鬼神的恐懼心理，於是企

[88]《禮記・大傳》，《十三經注疏》，頁619。

[89]《禮記・曲禮上》，《十三經注疏》，頁37。

[90]《儀禮・喪服》，《十三經注疏》，頁359。

圖以斷髮、繪身或穿著特別的衣服等反常的行為，進行祓除的巫術以躲避鬼魂的盯睄，因而衍生特殊的居喪生活以及異於平常的喪服形制。那麼為什麼到了後來被說成為「飾情之章表」呢？這可能是受了儒家的思想與態度所影響的緣故。

在儒家的觀念裏，貴賤、親疏、男女的分別，是樹立倫理社會的秩序的重要原則。這種觀念，應用到喪服制度裏，乃發展成為服喪的原則的理論基礎。喪服制度中的五服輕重之分，就是依據這六大原則而確定的。後來儒家又根據這一原則，確立了傳統倫理的重要表現形式，植根於民間，對社會生活產生了巨大的影響。

喪服制度，不僅與宗法關係極其密切，而且正是一套完整宗法制度的具體表現。喪服制度既是宗法制度的表現形式，又反過來使宗法制度更加嚴密，兩者之間有著不可分割的關係。宗法制度的形成不是一朝一夕之間，喪服在古代恐無定制，像《儀禮》上的這一套喪服制度，大約不會太早。而且自有服喪風俗的初民社會到喪服制度中表現的宗法社會，其間親屬關係的觀念，也非一朝一夕所能確定。親屬關係的觀念隨文明的程度而異。社會愈文明，則親屬關係的觀念愈擴大，喪服的範圍也就愈廣。因此可以說喪服制度，也是隨親屬關係的觀念的擴大而形成的。

戰國秦漢以後，西周春秋時的宗族組織漸次破壞，宗子之法不行，因此從《儀禮》中所看到的喪服制度，恐怕是後來的儒家根據他們組織嚴密的宗法親屬網，依其親疏遠近之別所制訂。但無論是封建社會前期的強大氏族門閥制度，還是封建社會後期以祠堂族權為特徵的家族制度，都帶有濃厚的宗法色彩。被儒家經典規範化、理想化的先秦喪服制度，在新的歷史條件下，仍得以長期維持，只在小範圍內有細節上的變動，其影響至今尚未完全消失。

本研究是2005年由啟明大學校飛獅（新進）研究基金贊助而寫成的。

《孔子三朝記》中之名

末永高康*

一

按照王應麟的說法，《大戴禮記》的〈千乘〉、〈四代〉、〈虞戴德〉、〈誥志〉、〈小辨〉、〈用兵〉、〈少間〉相當於《漢書・藝文志・六藝略・論語類》所載的《孔子三朝》七篇[1]。其中〈四代〉有如下記載：

> 子曰：食為味，味為氣，氣為志，發志為言，發言定名，名以出信，信載義而行之，祿不可後也。[2]

王聘珍注「發言定名、名以出信」云：

> 左氏昭九年《傳》曰：「味以行氣，氣以實志，志以定言，言以出令。」韋注〈周語〉云：「名，號令也。」[3]

所引的韋昭注是解釋下引《國語・周語下》之「名」的：

> 口內味而耳內聲，聲味生氣。氣在口為言，在目為明。言以信名，明

* 日本鹿兒島大學教育學部。

1 參看〔宋〕王應麟著，〔清〕翁元圻等注，欒保群等校點：《困學紀聞》（上海市：上海古籍出版社，2008年），卷5，頁690；〔宋〕王應麟：《漢書藝文志攷證》，收入《玉海》（上海市：江蘇古籍出版社、上海書店，1988年），第7冊，卷4，頁35上。

2 〔漢〕戴德撰，〔清〕王聘珍解詁：《大戴禮記解詁》（北京市：中華書局，1983年），頁171。

3 同前註。

以時動。名以成政，動以殖生。政成生殖，樂之至也。[4]

關於這些「名」，雖有孔廣森的別解：「名，謂貴賤之號。」[5]一般都從韋注[6]。但「名，號令」之訓，只有此韋注，沒有其他的例子[7]。韋昭很可能根據《左傳》的對應句作「言以出令」和下文的「出令不信」來解釋此「名」，甚有望文生義之嫌。韋昭的訓讀儘管文從字順，但不無可商榷之處。

那麼，我們應該怎麼解釋這些「名」呢？下面通過這些「名」的新解釋[8]，筆者試圖展示現代日本學者的解經方法之一。

二

解釋〈四代〉篇「發言定名」句的難處主要在於「名」和「言」的順序。《論語・子路》云：「名不正，則言不順。言不順，則事不成。」關於「名」和「言」的順序，像《論語》那樣，「名」先「言」後才對。組合「名」而構成「言」是我們素樸的語言觀。〈四代〉的「言」先「名」後的順序與此鮮明對立。

像〈四代〉那樣表示「言」先「名」後的傳世文獻非常罕見。但新出的上海博物館藏戰國楚竹書《恆先》有如下的說法，表示戰國時期確實有「言」先「名」後的語言觀。

---

[4]《國語》（上海市：上海古籍出版社，1983年）卷3，頁125。

[5] 黃懷信主撰：《大戴禮記彙校集注》（西安市：三秦出版社，2005年），頁1016。

[6] 比如，高明：《大戴禮記今註今譯》（臺北市：臺灣商務印書館，1984年），頁349：「名，是號令，解見《國語・周語》韋昭注。」、栗原圭介：《大戴禮記》（東京市：明治書院，新釋漢文大系113，1991年），頁395：「名は號令のこと（名，是號令）。」大野峻：《國語上》（東京市：明治書院，新釋漢文大系66，1975年），頁197：「名は號令（名，是號令）。」鄔國義等：《國語譯注》（上海市：上海古籍出版社，1994年），頁96把「言以信名」翻譯成「言語用來申明號令」

[7] 參看宗福邦等編：《故訓匯纂》（北京市：商務印書館，2003年），頁326～327。

[8] 關於這些「名」，筆者有過論述。參看〈「名出於言」考〉，《中國研究集刊》玉號（總50號，2010年）。

有出於或，生出於有，意出於生，言出於意，名出於言，事出於名。[9]

此後三句，季旭昇理解為：

人的言語出於「意」，事物的名稱出於「言」，人的活動職事出於「名」。[10]

按照季先生的理解，「言」是「言語」、「名」是「名稱」，「名稱」出於「言語」，所以「名稱」以前的「言語」裏應當沒有任何事物的名稱。可是，不含有任何事物的名稱的「言語」，換句話說，不含有任何名詞（term）的「言語」，究竟是什麼樣的「言語」呢？按照我們樸素的語言觀，「名」是構成語言的要素，有「名」才有語言。所以我們不能脫離這種樸素的語言觀，就不能合理地解釋《恆先》的這些句。

為了脫離我們素樸的語言觀，給我們啟示的是《韓非子．主道》的有關「形名參同」的說法：

道者，萬物之始，是非之紀也。是以明君守始以知萬物之源，治紀以知善敗之端。故虛靜以待，令名自命也，令事自定也。虛則知實之情，靜則知動者正。有言者自為名，有事者自為形。形名參同，君乃無事焉，歸之其情。[11]

這裏沒有像《恆先》那樣明確說「名出於言」的表現，不過，既然說「有言者自為名」，〈主道〉的作者應當有「言」先「名」後的語言觀。

---

[9] 《恆先》簡5、6，收入馬承源主編：《上海博物館藏戰國楚竹書（三）》（上海市：上海古籍出版社，2003年）。在這裏把假借字改成通行字。其中，兩「意」字原作「音」。關於此字的讀法，參看季旭昇：〈《上博三．恆先》「意出於生、言出於意」說〉，《中國文字》新30期（2005年）、同氏：〈恆先譯釋〉，收入同氏主編：《《上海博物館藏戰國楚竹書（三）》讀本》（臺北市：萬卷樓圖書公司，2005年），頁226。

[10] 季旭昇：〈恆先譯釋〉，頁202。

[11] 陳奇猷校注：《韓非子新校注》（上海市：上海古籍出版社，2000年），頁66。「虛靜以待」下原有「令」字，依片山世璠刪此字。

但對於〈主道〉的「言」先「名」後的順序，從來幾乎沒有人重視。是因為，以往的解釋者把這條文章和《韓非子・二柄》講述「形名參同」的部分連結來理解這裏的「言」和「名」。〈二柄〉云：

人主將欲禁姦，則審合刑名。刑名者，言與事也。[12]

按照〈二柄〉的說法，「名」和「刑（＝形）」等於「言」和「事」。因此，關於〈主道〉的「言」、「名」、「事」、「形」，也有如下的注釋：

事、名，即形名也。言者，名也。事者，形也。（蒲坂圓：《韓非子纂聞》[13]）

又：

「名」和「事」，也可以換句話說「言」和「事」、「名」和「形」。[14]

既然「言」與「名」相同，就不需要重視其先後。

但，雖然說「言」是「名」、「事」是「形」，實際翻譯〈主道〉時，他們也不能給「名」和「言」、「形」和「事」同樣的譯詞。比如，金谷治把「有言者自為名」以下翻譯成：

意見のある者は自分から進んで言論をのべ、仕事をしようとする者も自分から進んで實績をあらわすようになるから、そこでその實績と言論とをつきあわせて一致するかどうかを調べることにすれば、君主自身は格別なことをしないでいて、その實情にまかせていけるのである。

（有主張的人，主動地進言；想做工作的人，也主動地表現出其效

[12] 同前註，頁126。「與」原作「異」，依顧廣圻等改。

[13] 參看同前註，頁69，注〔七〕。

[14] 金谷治譯注：《韓非子【第一冊】》（東京市：岩波書店，1994年），頁79，注四。原文：「『名』と『事』は『言』と『事』、『名』と『形』とも言い換えられる。」

> 果。因此，君主拿他的進言和其效果互相比照，就無需做格外的事，能夠一任事情的進展。）

如此把「言」、「名」、「事」、「形」分別翻譯成「意見」、「言論」、「仕事」、「實績」。

參照《墨子．經說上》「所以謂，名也。所謂，實也[15]」的說法，可以說金谷把「言」當作「所謂」（表達的內容）、把「名」當作「所以謂」（表達的形式）。但下引的中文版翻譯，與此相反，把「言」當作表達的形式、把「名」當作表達的內容。

> 臣下進言，就表達了自己的主張。臣下辦事，自然表現出一定的效果，效果和主張經過驗證相符合，君主就無所事事，而使事物呈現出它們的真相。[16]

那麼，這裏的「名」究竟是內容呢，還是形式呢？當然，我們不能根據《墨經》的「所以謂，名也」而贊同把「名」當作「所以謂」的金谷。我們要討論的是，利用「所謂」和「所以謂」的框架來瞭解「形名參同」的「言」和「名」，這種理解方法的妥當性。暫時離開這種框架，下面我們將討論為什麼「形名參同」需要「言」和「名」的區別。

首先，我們再看〈二柄〉篇：

> 人主將欲禁姦，則審合刑名。刑名者，言與事也。為人臣者陳而言，君以其言授之事，專以其事責其功。功當其事、事當其言則賞。功不

15〔清〕孫詒讓：《墨子閒詁》（北京市：中華書局，1986年），上冊，頁317。

16《韓非子》校注組：《韓非子校注》（南京市：江蘇人民出版社，1982年），頁35，注11。

當其事、事不當其言則罰。故群臣其言大而功小者則罰，非罰小功也，罰功不當名也。群臣其言小而功大者亦罰，非不說於大功也，以為不當名也害甚於有大功，故罰。[17]

如上所說，〈二柄〉雖然講述「形名參同」，但已經取消「言」和「名」的區別，因此，我們覺得它的論述不太清晰。下引是中文版的部分翻譯。譯文中的括號是為了明確原文對照，筆者附加的。

做人臣的陳述他們的主張（=言），君主按照他們的主張授予任務（=事），根據其專門任務[18]來責求成績（=功）。成績符合任務的要求，任務符合他們的主張，就加以賞賜；成績不符合任務的要求，任務不符合他們的主張，就給予處罰。[19]

在這裏，直接互相對照的是「功」和「事」以及「事」和「言」，而不是「功」和「言」。但，很難瞭解為什麼需要這兩種對照。

按照譯文，君主按照臣下的「言」授予「事」，所以，若是臣下的「言」和所授予的「事」不一致，這是君主自己犯的錯誤。假如，對於鞋匠的「要做適於君王的鞋」之「言」，授予「那麼，要做適於朕的冠」之「事」，就根本不能期待其「功」。這就是君主的錯誤。同樣，按照譯文，君主根據授予臣下的「事」來責求其「功」，所以，若是臣下如實地做其「事」，反而不能實現所責求的「功」，這失敗的原因也在於君主本人。比如，授予臣下作為典冠的「事」，同時要求同一個臣下作為典衣的「功」，這不能說是實行「形名參同」的君主。因此，按照這裏的記載，臣下所說的「言」、君主責求的「事」和君主責求的「功」三者之間的一致，應該是實行「形名參同」的君主本人要考慮的。

另一方面，臣下所做的「事」伴隨著其必然的結果（=「功」），所以臣

---

[17] 同註12。〈主道〉也有同樣的文章。參看陳奇猷：《韓非子新校注》，頁81。

[18]「根據其專門任務」應該作「專門根據其任務」。

[19] 陳明、王青譯注：《韓非子全譯》（成都市：巴蜀書社，2008年），上冊，頁66。

下所做的「事」和臣下所立的「功」互相一致。用圖示之：

①【臣下所說的言】＝②【君主責求的事】＝③【君主責求的功】
④【臣下所做的事】＝⑤【臣下所立的功】

在這裏，只要拿臣下所說的「言」(＝①) 和臣下所做的「事」(＝④) 互相對照，就能瞭解其他部分是否一致，因此，君主不需要還拿君主責求的「事」(＝②) 和臣下所立的「功」(＝⑤)，或者拿臣下所做的「事」(＝④) 和君主責求的「功」(＝③) 來互相對照。所以，雖然這裏要求「功」和「事」以及「事」和「言」的兩種對比，實際上只需要「事」和「言」的對比而已。

但，這種理解有沒有問題呢？〈二柄〉篇要求「功」和「事」的對比，應該不是沒有意義的。為了這種對比具有意義，讓臣下不僅要說有關「事」的語言，還要說有關「功」的語言。

假如讓臣下不僅說他想做的事，還說通過其事想獲得什麼樣的成果，君主就能取得雙重諾言。如果臣下都說「事」和「功」，君主只要說「那麼，你做你說的『事』」、「而且通過做其『事』，來實現你說的『功』」，臣下就不得不只通過約定的「事」，來實現約定的「功」。在這種情況下，臣下不做其「事」，當然不行，做其「事」而不能實現其「功」也是君主所不允許的，並且做其「事」而實現約定之外的「功」也是所不允許的。不僅如此，不做其「事」而做約定之外的事，來實現約定的「功」也是所不允許的。在這種情況下，君主不僅有必要拿「言」和「事」互相對照，還有必要拿「事」和「功」互相對照，來監視臣下的行動。〈二柄〉篇的記述雖然不太清晰，既然說「言」和「事」、「事」和「功」的兩種對照，它所說的「形名參同」應該是如此取得双重諾言的。〈二柄〉不太清晰的原因是，因為〈二柄〉不把有關「事」的語言和有關「功」的語言徹底分開而論及「形名參同」。

筆者認為，這些有關「功」的語言，就是「名」。更正確地說，表明行為的語言(＝「言」) 裏所表示（不管明示或暗示）的有關其行為的結果 (＝

目的[20]）的部分，就是「形名參同」的「名」。

關於這些「名」，我們聽「要做適於君王的鞋」般的比較簡單的「言」時，不覺得把「言」和「名」分開的必要。是因為，一聽「言」就能瞭解其中的「名」(結果/目的)。但，所說的內容越複雜，越難把握「言」中的「名」。比如，在〈二柄〉篇子罕對宋君說：「夫慶賞賜予者，民之所喜也，君自行之；殺戮刑罰者，民之所惡也，臣請當之。」這一「言」，真的具有「使民親君」之「名」呢？宋君誤解此「言」中隱藏的「名」，故為子罕所威脅。充分考慮臣下進言所帶來的結果之前，換句話說，徹底看透進言的臣下所隱藏的目的之前，輕率地讓臣下做事的君主是危險的。為了避免這種危險，君子應該讓臣下說，說到他自己不能隱藏他真正的目的的程度，並且應該限制臣下的作為，讓他只做君主所允許的事，而且應該讓臣下只通過君子所允許的事來只實現所約定的成果。為此設備的「術」，就是「形名參同」。

如此理解「形名參同」後，才能容易瞭解〈主道〉的「令名自命也，令事自定也」、「有言者自為名，有事者自為形」句。「有言者自為名」，也就是說，進言的臣下不能把他的真正目的（=「名」）隱藏到底，所以對於臣下的進言，君主要耐心地傾聽著，等待臣下不打自招地說出其真正目的（「令名自命」），然後決定是否聽從。「有事者自為形」，也就是說，從事的臣下不能把其事的最終結果（=「形」）掩蓋到底，所以對於臣下的行為，君主要耐心地注視著，等待其行為所帶來的最終結果（「令事自定」），然後評價他的行為。否則君主陷入臣下所設的圈套。因此，為了避免陷入臣下的策略，君主需要不在「言」和「事」的層面，而在「名」和「形」的層面判斷臣下的語言和行為。

四

在這裏，簡單地整理一下「言」和「名」、「事」和「形」的關係。如

---

20 實行某種行為的人所預料的「結果」，就是他事先所懷有的「目的」。

上所說，「言」是有關「事」的語言，「名」是有關「功」的語言，但實際上這兩種語言不容易分開。如果有人明確說「為了實現××，實行○○」，我們可以瞭解「實現××」的部分就是「名」。但我們還是要懷疑此「名」是否對應「實行○○」的部分。是因為，想要陷害君主的臣下，表面上提出君主所願意的「名」，講述乍一看來會實現其「名」的「言」，而心中籌劃其他的事情。所以，我們要認為「名」不在「言」的表面，而隱藏在「言」的裏面。同樣，可以說「形」也隱藏在「事」的裏面。「事」已經完畢後，其結果的「形」才出現。「事」在進行的時候，全「形」還沒出現。雖然如此，我們不能說「事」在進行的時候，其「形」還不存在。是因為看透真實的人，在正在進行的「事」上，認清其「形」。因此，我們可以說「形」也隱藏在「事」的裏面。

這種「事」與「形」的關係，我們可以借用「動作」（或者組合幾個「動作」做成的「行動」）與「行為」的關係來代替。「動作」（「行動」）與「行為」的不同，主要在於是否包含其目的。比如，有人「在馬路上招右手」，如此記述此「事」，這只是「動作」或「行動」的記述。但，過一會兒，有計程車停在他旁邊（這是此「事」的結果，就是其「形」），我們就瞭解這「行動」就是「叫計程車」的「行為」。在這裏，他在舉行「在馬路上招右手」的「行動」的同時，還進行「叫計程車」的「行為」。因此，我們可以說「行動」和「行為」是一體的。但「行動」和「行為」截然不同。是因為，假如與此一樣的「行動」帶來「馬路對面的人也招著右手過去了」的結果，這「行動」就變成另一個「行為」——「告別」。每個「事」都等待其「形」出現後，才顯露其「行為」的面貌。當然，其最終的「形」出現前的「行動」也可以看作某種「行為」。比如，對招著右手的人，有人問：「幹什麼？」他回答其目的（=「名」）說：「叫計程車！」那麼我們可以理解這「行動」就是「叫計程車」的「行為」。但他不一定老實地回答。我們還是確認這個「行動」的結果後，才能真正瞭解這是什麼「行為」。

我們可以借用這些「動作」（「行動」）、「行為」來給「言」、「名」、「事」、「形」下定義。

「言」…把舉動看作「動作」或「行動」而表現的

「名」…把舉動看作「行為」而表現的

「事」…作為「動作」或「行動」的舉動

「形」…作為「行為」的舉動

用上面的例子來說，對於同樣的舉動，用「在馬路上招右手」來表現的就是「言」，而用「叫計程車」來表現的就是「名」。關於上面的子罕之「言」，很可能其本來的「名」就是「把政權收入自己的掌中」。

關於這種「名」，有的像「叫計程車」那樣，與價值判斷無關。但大多數的「名」，與價值判斷有密接的關係。比如，面對「某個集團給某政治家送不少金錢」這件「事」，給予「捐錢」之「名」與給予「行賄」之「名」，對此「事」的評價截然不同。其實，我們在日常生活中最關心的名，就是這種「名」。我們都知道表現「動作」的「走」和「跑」等等都是名，也知道「馬」和「牛」那樣的東西的名字也都是名，但語法學者和哲學者之外的普通人，不太關心這種名。但，我們不得不關心大家把我們個人的行動看作什麼樣的「行為」來給予什麼樣的「名」。是因為，這些「名」都離不開我們個人的「名譽」和「名聲」。

如此看來，我們很容易瞭解，說「形名」的人為何把行動看作「行為」的表現叫做「名」。比如，代替幼君執行政務時，誰都不得不關心此事獲得「補弼」之「名」，還是獲得「簒奪」之「名」。對說「形名」的人來說，可能這些「補弼」、「簒奪」之類的「名」，就是最典型的名。所以，在他們的意識上，「名」不是構成語言的要素，而是積累「言」（或者「事」）後才出現的東西。

說到這裏，我們就明白〈四代〉篇「發言定名」的意思。如果用「補弼」、「簒奪」之例來解釋，「發言定名」指的是，比如說，「說出代替幼君自己執行政務的方針，而自己說明這絕對不是簒奪而是補弼幼君」之類的事情。當然，他應該通過以後的實際行為來說明這是補弼，但他要事先只靠語言來獲得「補弼」之「名」，否則他不能獲得人家的「信」賴，也不能開始他的補弼之行。所以，〈四代〉說「發言定名，名以出信」。《國語》的「言以信名」可能就是這兩句的縮短表現。我們不必要按照舊注把這些「名」解釋為「號令」。

五

關於這些「名」，還要討論的是，發「言」以前的「意」或者「志」和「名」之間的關係。一般來說，把行動看作「行為」來表現，就是用表明其意圖的方式來表現其行動。所以，這些「名」和「意/志」有密切的關係。注意到這一點，我們卻覺得與其設想「意/志」→「言」→「名」→「事」的順序，不如設想「意／志」→「名」→「言」→「事」的順序。也就是說，我們覺得，人們開始行動的模式應該是：心中發生某種意圖後，用語言來認識到其意圖（=從「意/志」到「名」的階段），然後用語言來思考實現其意圖的方法（=從「名」到「言」的階段），然後開始具體行動（=從「言」到「事」的階段）。

在這裏應該考慮的是，主觀意圖和根據其意圖的行動帶來的結果常常不一致。以「為屨[21]」（編草鞋）為例，筆者不明白語言以前的「意/志」的具體情況，但在這裏暫且用語言把這「意/志」看作「編草鞋」的意圖。這「編草鞋」的意圖變成「言」的階段，應該就是用語言來想出編草鞋的具體工程的階段[22]。然後給這一系列的工程起「名」叫「編草鞋」而實際開始編草鞋。這時，按照此「言」而做「事」，如果能編成所期待的草鞋，那麼「意/志」

21 語見《孟子．告子上》第7章。下「為蕢」同。

22 講述「意/志」→「言」→「名」→「事」的過程時所設想的「事」，應當是比較複雜的行為。想喝水（＝意）而向眼前的杯子伸出手那樣的「事」，可能不包括在內。是因為，在這種場合，幾乎沒有語言介於「意」和「事」之間。但，同一個「想喝水」的「意」，如果在沙漠中手邊沒有飲料的情況下發出的話，我們先要在頭腦裏用語言想出實現其「意」的 法。從「意/志」到「事」的過程中所設想的「事」，應該是如此有「言」介入的行為。

和「名」之間就沒有分歧。在這個場合，不如把用語言表達的「意/志」看作「名」（意圖/目的），把為了實現其「名」（意圖/目的）而想出來的行動計劃看作「言」，而把「名」放在「言」前。

但也有另一種場合，就是，雖然按照其行動計劃（=「言」）來做「事」，編出來的東西卻與其說像個屨（草鞋），不如說更像個蕢（筐子）。粗心人做事往往如此。在這種場合，給予其行動計劃（=「言」）的「名」應當是「為蕢」（編筐子）而不是「為屨」（編草鞋）。在這裏，他的主觀意圖是「編草鞋」，但他想出來的行動計劃（=「言」）不符合「編草鞋」之「名」，結果也不能實現原先的主觀意圖。

考慮到這種場合，做「事」之前，我們要慎重地弄清自己制定的計劃具有什麼樣的「名」。「意/志」只能表現其主觀意圖，「名」則客觀地表現出根據其「言」而做「事」時所能期待的結果。所以，慎重的人先想出行動計劃（=「言」），然後弄清其「言」之「名」之後，才開始做「事」。因此，從「意/志」到「事」的過程中，也可以說「言」先「名」後。《恆先》等文獻給以「意/志」→「言」→「名」的順序的背後，應該有這種想法。

六

既然如此重新解釋〈四代〉篇「發言定名」句，我們就要弄清這裏的解釋方法和傳統的訓詁學的解釋方法之間的差異。

如果用傳統的訓詁，這裏重新解釋的「名」可能用《禮記．中庸》「必得其名」鄭注「名，令聞也」的訓詁來表現。假如「發言定名」的「言」內容不好，其「言」所定的「名」也應該是不好的「惡名」，但下面說「名以出信」，因此「發言定名」的「名」只限「令名」。所以，按照傳統的訓詁學的方式，只要給以「名，令聞也」之訓，此「名」的解釋就足夠了。

但我們懷疑，僅僅給以此訓來把「發言定名、名以出信」翻譯成「發出語言而獲得名聲，獲得名聲而取得信任」，還不能達到充分理解此「名」的境界。是因為，僅僅給以此訓此譯，還不能達到其背後的語言觀──「名」

總括「言」的語言觀。

我們用「名」來發出「言」，因此，從這種意義上來說，「名」是構成「言」的要素。但，對於某某人的發言，看透他的意圖而評價其「名」的時候，或者，對於耳聞目睹的事物，用語言來理解，奠定合適的「名」的時候[23]，這些「名」都是總括「言」的。〈四代〉、〈主道〉、《恆先》都注意到「名」的這一面，所以用「言」→「名」的順序來考察語言。我們理解到它們的這種思考方式，才能說充分理解〈四代〉篇等的「名」。

對傳統的訓詁學來說，這種思考方式的差異是比較難於弄清的。在傳統的訓詁學中，最後決定某某訓詁是否妥當的標準是句意文意的通順。但在這裏，判斷「文意的通順」的標準在於我們常識性的思考方式。關於本稿討論的「名」，大家都支持韋昭的「名，號令也」之訓的原因，也在於我們常識性的思考方式支持此訓的「文意的通順」。但我們常識性的思考方式不一定是古代人的思考方式。如果古代人用與我們的常識不一致的思考方式來寫文章，我們就不能按照我們常識性的思考方式來追求其「文意的通順」。這時，我們要做的是，為了滿足「文意的通順」，改變我們常識性的思考方式。

無疑，傳統的訓詁學仍然是有效的。但有時只靠傳統的訓詁學不能充分理解經典。我們認為，在充分利用傳統訓詁學的豐碩成果的同時，還要分析古代人和我們的思考方式的不同，來加深經典的理解，這可能是我們今後要選擇的解經方法之一。

七

最後附帶說有關〈四代〉篇之「名」的其他問題。不僅有上面討論的部分，另外〈四代〉篇的不少部分和《左傳》重複或類似[24]。

---

23 醫生看病而診斷病名，就是其典型的例子。

24 這也是《孔子三朝記》七篇的一個特徵。

1.水火金木土穀，此謂六府。廢一不可，進一不可，民並用之。

《左氏文公七年傳》:「水火金木土穀，謂之六府。」

《左氏襄公二十七年傳》:「天生五材，民並用之，廢一不可。」

2.嗇民執功。

《左氏襄公四年傳》:「穡人成功。」

3.燕食昭有慈愛。

《左氏成公十二年傳》:「於是乎有享宴之禮，享以訓共儉，宴以示慈惠。」

4.無廢甲冑之戒，昭果毅以聽。

《左氏宣公二年傳》:「戎昭果毅以聽之之謂禮。殺敵為果，致果為毅。」

5.是以父慈、子孝、兄愛、弟敬。

《左氏隱公三年傳》:「君義、臣行、父慈、子孝、兄愛、弟敬，所謂六順也。」

6.昔虞舜天德嗣堯，取相十有六人如此。

《左氏文公十八年傳》:「堯崩，天下如一，同心戴舜以為天子，以其舉十六相。」

7.義，利之本也。委利生孽。

《左氏昭公十年傳》:「義，利之本也。蘊利生孽。」

8.子曰：食為味，味為氣，氣為志，發志為言，發言定名，名以出信，

信載義而行之，祿不可後也。

《左氏昭公九年傳》:「味以行氣，氣以實志。志以定言，言以出令。」

《左氏襄公二十七年傳》:「志以發言，言以出信，信以立志，參以定之。」

《左氏宣公十五年傳》:「臣聞之，君能制命為義，臣能承命為信。信載義而行之為利，謀不失利，以衛社稷，民之主也。」

這些重複暗示著〈四代〉利用《左傳》或者《左傳》利用〈四代〉。按照在１）《左傳》省略以「進」為「益」義的「進一不可」[25]句，在４）《左傳》引「戎昭果毅以聽」而附加「之謂禮」，在８）《左傳》引「信載義而行」而附加「之為利」，很可能《左傳》利用〈四代〉。〈四代〉的「志」→「言」→「名」的順序，《左傳》改變為「志」→「言」→「令」的順序也可能表示〈四代〉篇的先行。

按照道家色彩濃厚的《恆先》和〈主道〉篇表示「言」→「名」的順序，很可能「言」先「名」後的語言觀來自道家。後來，表示這種語言觀的文章為〈四代〉和《國語》所採取，但《左傳》的編者不能理解這種語言觀，把「名」改為「令」。考察包括〈四代〉篇在內的《孔子三朝記》的成立時期時，這可能給我們一個很好的線索[26]。

---

[25] 王聘珍曰：「進，猶益也。」(《大戴禮記解詁》，頁165。)

[26] 關於《孔子三朝記》的成立時期，武內義雄：〈儒學史資料として見たる兩戴記〉(原載1926年)，《武內義雄全集》(東京市：角川書店，1979年)，第3卷，頁438，說：「孟子以後荀子以前。」但他在〈禮記の研究〉(原是1942年東北大學文學部的講義記)，《武內義雄全集》(東京市：角川書店，1979年)，第3卷，頁294，則說：「秦漢之際。」阮廷卓：《孔子三朝記解詁纂疏》(臺北市：嘉新水泥公司文化基金會，1964年)，序2，頁2，同意武內前說，更引《左傳》重複的部分說：「其書匪特不在荀卿後，而在《左氏傳》前。」

生命禮儀中的兩性位置：方苞禮學中的女性

丁亞傑*

一　前言

人類的生命是一成長、變化的歷程，生命禮儀就是為人類生命中的成長與變化所舉行的儀式，用以周知生命已邁入新的階段。其所預設的前提是人生於世，原初僅是自然的狀態，必須經歷「通道儀式」才能成為一真正的人，所以生命禮儀不全是宗教性質，更含有文化意涵[1]。準此以觀，生命禮儀的特色如下：一是每一階段必須確實呈現為生命歷程的段落，在進入這一階段之前與之後，有明顯的差異。二是必須舉行與之相應的各種儀式，以表示新的生命階段，此一表示，有象徵的性質。三是為此舉行的儀式，或有不同儀節，但必須公開向親友族人告知。因為生命不同的段落是以儀式表達，生命的差異在儀式過程中呈顯，所以儀式成為生命禮儀的核心。生命本身在儀式前後的變化不一定很明顯（死亡除外），變化既是在儀式中呈顯，遂使儀式成為象徵系統，含蓋儀節規範、儀節物品等。

經由儀式，生命進入了另一個層次，而且是垂直縱向的提升，非左右橫向的移動。儀式所以重要，在於社會現實一方面邪惡往往戰勝正直，真理又經常屈從謬見；另一方面人們又認為邪惡終將被清除，真理則是至高無上。

---

* 中央大學中國文學系。

[1] 參見〔羅馬尼亞〕伊利亞德（Eliade Mircea, 1907～1986）著，楊素娥譯：《聖與俗——宗教的本質》（*The Sacred & The Profane: The Nature of Religion*）（臺北市：桂冠出版社，2001年），頁225～226。但伊利亞德認為通道儀式不僅是成年禮，死亡禮也是通道儀式之一，因為死亡是人至另一個世界，需要被死者團體接納。

於是人在凡俗生活所經歷的現實世界之上，又設置了另一個世界，這個世界只在思想中存在，而且較現實世界更為高貴。這種精神只有借由聚合、聚集與聚會才能實現，於是產生各種儀式。儀式這一象徵系統表達的核心意義是從世俗到神聖，這是因為儀式本身即具有神聖性質，才具有讓人或物從凡到聖的功能。也就是透過各種儀式，整個社會才能朝向所希望的方向發展[2]。然而僅有儀式是不足的，缺乏神聖或超越的嚮往，儀式就只能是形式[3]。

若將宗教與中國傳統禮學對勘，兩者之間一是儀式的類同：宗教有各種儀式，禮學也有各種儀式。一是精神性的類同：宗教須有神聖的嚮往，禮學也須有意義的嚮往。一是超越世俗的類同：宗教追求神聖世界，禮學也崇敬天命。於是宗教與禮學，兩者有互通之處。禮學雖非宗教，卻有宗教的性質。尤其在生命禮儀中，更可以見出兩者的類同性。

儀式既是象徵系統，所有在此系統之內的人、物，就都是符號。此一象徵系統並非專屬某人或某一階層，而是所有隸屬某一團體的個人，都須在此象徵系統之下，經由此一象徵系統，獲得團體的承認、接納。團體也因象徵系統而內向凝聚，成為有意義、有組織的社群。至於符號的意義，則是在系統內展現。系統內的人物儀節成為符號，其所代表的意義，是相對而成，沒有單獨存在的人物、動作，任何一人物，牽動另一人物，任何一動作，也牽動另一動作。最後，整體儀式本身也已符號化。即儀式即符號，通過儀式，

---

[2] 參考〔法〕涂爾幹（Emile Durkheim, 1858～1917）著，渠東、汲喆譯：《宗教生活的基本形式》（上海市：上海人民出版社，2006年），頁32～37。

[3] 這可以孔子所說為證：「禮云禮云，玉帛云乎哉；樂云樂云，鐘鼓云乎哉。」禮樂自不只是玉帛鐘鼓，還要有意義的嚮往；但反過來說，也不能只有意義的嚮往，仍然要有儀式實踐此一意義，所以子貢欲去告朔之餼羊，孔子云：「爾愛其羊，我愛其禮。」引文分見《論語》〈陽貨〉、〈八佾〉。黃侃（1886～1935）云：「是則喪雖主哀，祭雖主敬，苟無禮物威儀以將之，哀敬之情亦無所顯示矣。……是則人而無儀，亦不可以行禮矣。」指出儀式的重要。說見《禮學略說》，黃延祖輯：《黃侃國學文集》（北京市：中華書局，2006年），頁363。陳戍國更直言儀式本身就是內容，見《中國禮制史・先秦卷》（長沙市：湖南教育出版社，2002年），頁21。

借由符號，人與社群才能體驗到自我的存在[4]。

象徵系統本身並不會改變，也不會形成另一個系統，系統由內部的要素構成，不同要素之間的差異，形成特徵，也造成價值。差異不來自所指示的事物，來自系統內的位置[5]。因此系統內部的某一要素改變，會影響其他要素，於是整個系統也因而改變，進而產生新的系統。所以不是研究單獨的要素，而是探討要素之間的關係[6]。造成改變的原因或是外在世界，但不必然會改變，改變必須從系統內部發出。這一系統是內心的呈現，表達對外在世界的看法。所以並非外在世界本來如此，而是我們以為如此，或我們以為應當如此。這是因為語言有兩種性質：一是指涉作用，為萬物命名，對應真實世界；一是作為系統，意義來自符號系統，每一概念並不對應真實事物，而是系統差異，前者是本質論，每一符號有不變的性質；後者是建構論，重視符號與其他符號的關係[7]。

中國傳統禮學，很早就有生命禮儀，體現在冠、昏、喪、祭的儀式中。這一系列的儀式嚴謹細密。儀式的背後，更存在各種價值，以為生命規範。更重要的是這些禮典牽涉世俗與神聖兩端：冠、昏偏重世俗之事，喪、祭則

---

4 義大利哲學家馬里奧．佩爾尼奧拉（Mario Perniola）就指出儀式從功用性與目的性解放出來，不是非理性的，而是一種思維方法、思考模式，有其哲學前提。見氏著，呂捷譯：《儀式思維——性、死亡和世界》（*Ritual Thinking: Sexuality, Death, World*）（北京市：商務印書館，2006年），頁38。馬氏並以為愛的藝術以符號、動作和運動組成，使外形消失在肉欲快感之中。又說經過死亡的儀式，隨之而來的重生。其意在說明不論是性愛抑或死亡，均須透過儀式才能獲得新的意義。

5 參考〔瑞士〕索緒爾（Ferdinand de Saussure, 1857～1913）著，高名凱（1911～1965）譯：《普通語言學教程》（*Cours de Linguistique Generale*）（臺北市：弘文館出版社，1985年），頁115～116，157～163。另氏著，屠友祥譯：《第三次普通語言學教程》（上海市：上海人民出版社，2002年），頁125～126。高譯本原為1980年北京商務印書館出版，索緒爾《普通語言學教程》的版本與源流、高譯本與屠譯本的差異，俱見屠友祥〈中譯本緒言〉。

6 參見趙毅衡：《文學符號學》（北京市：中國文聯出版公司，1990年），頁3；趙毅衡編選：《符號學文學論文集》（天津市：百花文藝出版社，2004年），頁6～7。

7 蔡英俊課堂筆記，2002年7月10日元培科學技術學院教師研究方法課程。

偏重非世俗之事。每一生命個體在經過這些儀式時，確實會有宗教性的感動，並聯結到非世俗的層面[8]。但這並非說禮等同於宗教，而是指出禮有類似宗教的超越意涵[9]，而以符號表出。此一符號體系，是指經典的文字記載與儀式制度等[10]。

《禮記．昏義》云：「夫禮始於冠，本於昏，重於喪祭，尊於朝聘，和於射鄉，此禮之大體也。」孔穎達（574～648）云：「此經因昏禮為諸禮之本，遂廣明禮之始終。始則在於冠昏，終則重於喪祭，其間有朝聘、鄉射，是禮之大體之事也。」[11]是禮之始終在冠昏、喪祭；朝聘、鄉射，則是貫穿於其中的政治、社會禮儀。《儀禮》冠、昏、喪、祭涉及女性較多，其餘則甚少。這或者反映女性在政治層面參與所受到的限制，但也可說明女性在生命

---

[8] 宗教意指信仰超自然的力量，並以儀式組織合理化這些力量，目的是解釋和控制人類所無法控制的面向。文化人類學討論儀式，多以為與宗教有關，或是認為儀式具有宗教性，在宗教活動中，有關鍵性的作用。生命禮儀就通常被認為是宗教性的儀式，標志個人生命中若干重要的階段，如出生、結婚或死亡。參考美．威廉．A.哈維蘭（William Haviland）著，瞿鐵鵬、張鈺譯：《文化人類學》（*Cultural Anthropology*）（上海市：上海社會科學院出版社，2006年），頁393，403。

[9] 禮的超越意涵，詳見龔鵬程：《飲食男女生活美學》（臺北市：立緒文化公司。1998年），頁14～28。龔鵬程從涂爾幹的儀式理論出發，析論儀式所構築的神聖空間，再對比道教科儀，並參照〔美〕蘇珊．朗格（Susanne. K. Langer）的虛幻空間理論，說明藝術形式與宗教儀式相同，也與中國傳統禮儀相同，行禮時所安排的空間，其實就具神聖性，從而也有超越性。蘇珊．朗格說見氏著，劉大基等譯：《情感與形式》（*Feeling and Form*）（北京市：中國社會科學出版社，1986年）。

[10] 經典的符號意義，參見黃亞平：《典籍符號與權力話語》（北京市：中國社會科學出版社，2004年），頁1～13。黃亞平指出在文化發展中，經典的能指的符號功能不斷加強，所指的意義性質逐漸減弱，參照黃侃、陳戍國所說儀式即內容，其說可能有待商榷。但黃亞平指出二十世紀後經典的工具論或載體論——指經典是記載古代先王先聖的言論或古代文化的承載者，逐漸取代了經典在古代的崇高地位，則甚為精確。

[11]〔唐〕孔穎達：《禮記正義》（臺北市：藝文印書館，影印嘉慶二十年南昌府學刊本，1985年）。諸禮精要的說明，可參考周何（1932～2003）：《古禮今談》（臺北市：萬卷樓圖書公司，1992年）。彭林：《中國古代禮儀文明》（北京市：中華書局，2005年）。

儀式中不可或缺的地位[12]。也形成在探討禮學時，對女性地位正反並見的論述：或是強調女性備受壓抑的情況；但有時又指出禮學中仍有尊重女性的思想存在[13]。而在研究上述問題時，又發現禮書所說與實際歷史狀況，或有不同，不完全是我們所想像的男尊女卑的結構[14]。這可以說明女性在兩性結構中，建構論與本質論的衝突。前者如周代立子立嫡之制，形成女性地位通過男性決定，而男性的身分又通過女性地位決定[15]。後者如女性因生理的因素，從事植物採集工作，男性則從事狩獵工作；浸假男性取代婦女也從事種殖工作，從男獵女耕轉為男耕女織[16]。或是綜合兩者，指出男女兩性的先天差異，潛藏兩性分工且不平等的因素，一旦條件成熟，原來潛在的不平等因素最終會發展並表現出來[17]。

方苞對待女性有極為特殊的觀點，對儒家的禮有生死以之的宗教精神，

---

[12] 王小健就指出《儀禮》的結構反映男女兩性不同的活動領域，社會是男子馳騁的天地，家庭是女子活動的舞臺。見〈從儀禮看性別的社會化〉，《婦女研究論叢》2004年9月第5期，頁42～47；又見《中國古代性別結構的文化學分析》（北京市：社會科學文獻出版社，2008年），頁258。

[13] 前者如劉弋濤、趙樹貴：〈試論禮教中女性地位的問題〉，《江西社會科學》1994年第9期，頁63～65；後者如王燦：〈被忽視的另一面——談三禮中尊重女性和子女的思想〉，《安徽廣播電視大學學報》2009年第3期，頁109～112。

[14] 羅曉蓉就說春秋時期的女性，並非永遠的服從者、卑下者，男女地位顛倒的現象，時有所見，制度化的社會模式，不完全等於實際生活。見〈雙重樣態：婚姻禮制和社會生活中的春秋婦女——以儀禮士昏禮與春秋經傳為中心的探討〉，《福建論壇（人文社會科學版）》2008年第9期，頁67～72。

[15] 丁聯：〈周代性別制度的確立及發展〉，《漳州師範學院學報（哲學社會科學版）》2009年第1期，頁133～136。

[16] 許倬雲：〈從周禮中推測遠古的婦女工作〉，《大陸雜誌》第8卷第7期（1954年4月），頁202～205。

[17] 葛志毅：〈男女性別分工與周禮父權宗法特質溯源〉，《學習與探索》2005年第5期，頁25～31。

其原因可能是受到桐城地區母教的影響[18]，且曾擔任三禮館副總裁[19]，女性禮學，是其關注的重點之一，在經典解釋中，經常出現。本文即以此為論題，以符號學為方法，以生命禮儀為範圍，分析方苞女性禮學的內涵，並延伸討論其女性禮學中，建構論與本質論的傾向。具體的研究對象是方苞《儀禮析疑》、《禮記析疑》兩部著作，該二書不是逐字逐句訓解文字、考證名物與辨析制度，而是針對經文提出質疑，並以己說解之。在質疑並解說經文之時，方苞個人見解就在其中顯現。

二　冠禮：女性與宗祊之重

《儀禮．士冠禮》冠者行三加禮之後：「冠者奠觶於薦東，降筵，北面坐，取脯，降自西階，適東壁，北面見於母。母拜受，子拜送，母又拜。」[20]《禮記．冠義》：「見於母，母拜之，見於兄弟，兄弟拜之，成人而與以為禮也。」至於「成人」其義涵是：「成人之者，將責成人禮焉也。責成人禮焉者，將責為人子、為人弟、為人臣、為人少者之禮行焉。」[21]即行禮後，冠者取脯出東壁闈門以拜母。未拜而母先拜之，兄弟亦然。此乃責其成人之道[22]。

見母在東壁闈門之外，鄭玄（127～200）、賈公彥等並未解釋原因，方苞云：

凡內事主婦位於房中，冠則受脯於東壁，何也？將冠者房中南面尊

---

[18] 可參考周婉窈：〈清代桐城學者與婦女的極端道德行為〉，《大陸雜誌》第87卷第4期（1993年10月），頁13～38。

[19] 清代三禮館的人事變遷，詳見林存陽：《三禮館：清代學術與政治互動的鏈環》（北京市：社會科學文獻出版社，2008年），頁63～103。

[20]〔唐〕賈公彥：《儀禮注疏》（臺北市：藝文印書館，影印嘉慶二十年南昌府學刊本，1985年）卷2，頁13～14。

[21] 引文俱見〔唐〕孔穎達：《禮記正義》卷61，頁2。

[22] 林素娟指出冠禮後男子已具客觀社會身分，母於此客觀身分亦須尊重。見《空間、身體與禮教規訓——探討秦漢之際的婦女禮儀教育》（臺北市：臺灣學生書局，2007年），頁118。

> 甒，服屨陳於西墉，贊者負東墉而立，則無地以位之。其不可待於北堂，何也？三加畢，贊者將入洗觶。……冠子而母與贊者數相面，則義無取，而禮與辭亦無所施，是以出待於闈門外也。其不於內寢，何也？母喪疾則使人受脯於西階，西階無受者，而母不在東壁，則疑於父存而母歿爾。[23]

行冠禮時，房中南面置尊甒，西墉陳服屨，東墉有贊者，房內無位置當母。北堂則贊者須協助行禮，數與母相見，不合乎禮。母遇喪疾才在西階遣人受脯，若西階無人，表示母已歿，所以才受脯於東壁。

胡培翬（1782～1849）云：「東壁，堂下東牆也。冠者降自西階，由西而東，折而北，乃得見母，故知適東壁者出闈門也。時母在闈門之外者，江氏筠云：惟房中乃婦人之位，今既因贊者在房，而不得位於此，則其不入闈門，明矣。」[24]很清楚的解釋冠者下西階後行進的動線，並指出先贊者在房，所以母不在房的緣故。江筠說與方苞同。黃以周（1828～1899）云：「冠禮無與婦人之事，其母不入廟，則冠者適東壁見母，為寢之東壁明矣。……時適東壁北面見母，則母在廟西之闈門外，正寢之北堂下也。」[25]認為婦女無與冠禮，所以不入廟。並說明東壁位於廟西闈門外，正寢北堂下。方苞避開了母不在廟的解釋，黃以周則補說母不在廟的原因。

見母而不見父，方苞認為這是：「冠者無見父之禮。」並分析原因：

> 冠者無見父之禮，何也？父為主而親臨之，故冠後無庸更見，即見贊

23〔清〕方苞：《儀禮析疑．士冠禮》，影印《文淵閣四庫全書．經部．禮類》（臺北市：臺灣商務印書館，1983年）第103冊，卷1，頁16～17。

24〔清〕胡培翬著，段熙仲（1897～1987）點校：《儀禮正義．士冠禮一》（南京市：江蘇古籍出版社，1993年）卷1，頁81～82。宮室的細部解說，詳見鄭良樹：《儀禮宮室考》（臺北市：臺灣中華書局，1971年）。林素娟從冠婚喪祭等禮制，較全面性的分析「婦女行禮空間」，見《空間、身體與禮教規訓——探討秦漢之際的婦女禮儀教育》，頁113～128。

25〔清〕黃以周著，王文錦點校：《禮書通故第五．冠禮通故》（北京市：中華書局，2007年），頁228。

者而不見賓之義也。凡以爵相授受必拜，父不可與子為賓主之禮，故藉手於賓。……父子主恩，自孩提以後，視其寒燠而加之衣，賜以餘瀝而使之飲，數數然矣。使親以冠加而醴之，則為故常，而無震動恪恭之義，不若使賢者臨之，有所感發而是則是效也。[26]

父主其事，賓主其禮，所以冠後無須正式拜見。其次，父子不行賓主之禮。第三，更重要的是父親親自照顧子女飲食衣著，如果主持冠禮，子女以為一如平日的生活關懷，反不能體會冠禮的重要，是以另請主賓主持。由是觀之，父也未必全然「馳騁於社會」，同時也「活動於家庭」。不但如此，父的功能反而類似母。

黃以周云：「父延賓親涖其事，已見之也。」[27]胡培翬引王士讓《儀禮紃解》：「父冠其子，延賓以重其事，父自為主而涖之，即是見也。賓既與冠者成禮於堂矣，亦不必更行見賓之禮。」[28]均可補方苞未解冠者不見賓之義，二說與方苞同，但黃以周、胡培翬依禮儀論其儀式，方苞則發揮父的家庭功能。

母拜受，方苞認為：「子未拜送而母先迎拜，何也？」

肅拜也，禮成廟中，故迎拜以示宗祊之重。而拜止於肅，則雖改俠拜之儀，而不為過禮也。[29]

---

[26] 引文俱見〔清〕方苞：《儀禮析疑．士冠禮》卷1，頁15～16。

[27]〔清〕黃以周著，王文錦點校：《禮書通故第五．冠禮通故》，頁229。

[28]〔清〕胡培翬著，段熙仲點校：《儀禮正義．士冠禮一》，頁82。

[29]〔清〕方苞：《儀禮析疑．士冠禮》卷1，頁16。肅拜，《禮記．少儀》鄭玄注：「肅拜，拜低頭也。」見〔唐〕孔穎達：《禮記正義》卷35，頁13。〔清〕段玉裁（1735～1815）〈釋拜〉：「肅拜者，何謂也？舉手下首之拜也。」見氏著，鍾敬華校點：《經韻樓集》（上海市：上海古籍出版社，2008年），頁141。錢玄（1910～1999）綜析諸家之說，以為婦女行肅拜，跪而頭略俯而已。見《三禮通論》（南京市：南京師範大學出版社，1996年），頁530～531。各種拜姿的圖示，見張光裕：《儀禮士昏禮、士相見禮儀節研究》（臺北市：臺灣中華書局，1971年），頁5～12。俠拜，〔清〕凌廷堪（1755～1809）〈凡婦人于丈夫皆俠拜〉：「俠拜者，丈夫拜一次，婦人則拜兩次也。」見氏著，彭林點校：《禮經釋例．通例》（臺北市：中央研究院中國文哲研究所，2002

前已解釋行冠禮時，母不在宗廟而在東壁闈門的原因；現則以「迎拜」說明其意義——示宗祊之重。惟《儀禮》之例，皆先拜受，後拜送。因送者手有所執，既授才便於拜。而受者必先拜，因受物之後即不便拜[30]。方苞不從禮例討論，其實是想要凸顯女性在冠禮的地位。又云：

> 平時子拜，母坐受之，或立受而不答，重冠禮，故肅拜以答也。[31]

平時自是母或坐或立受子拜，母不向子拜。冠禮中的母先拜子，並非以男子為重，而是重視冠禮。其次，父與母兩相對照：父不主冠禮，僅是免於故常之習，母拜受則是宗祊之重。第三，父母同時活動於家庭之中，家族的傳承似側重在母拜受顯現[32]。在家庭場域中觀察，依方苞的分析，母的地位，其實不遜於父。

從冠禮中的母拜子擴而大之，方苞以為古有長輩拜晚輩之禮：

> 古者君於臣、父於子、舅姑於婦，皆有拜禮。蓋責之也厚，望之也深，故禮之不得不重也，而各有節會焉。[33]

黃以周云：「古者君拜臣，父亦拜子，見於母，母拜之，成人而與為禮也。北面見其母，母南面拜，尊卑之等也。」[34]承《禮記．冠義》而說。

方苞也承《禮記．冠義》發揮，而類似符號學的「橫組合」與「縱聚合」。橫組合是一個系統各個因素在水平方向的展開，縱聚合是橫組合段上的每一個成分後面所隱藏的，未得到顯露的，可以在這個位置上替代它的

年）卷1，頁104。並參〔清〕胡培翬著，段熙仲點校：《儀禮正義．士冠禮一》，頁82～83。

30 見楊天宇：《儀禮譯注》（上海市：上海古籍出版社，2004年），頁11。

31〔清〕方苞：《禮記析疑．冠義》，影印《文淵閣四庫全書．經部．禮類》（臺北市：臺灣商務印書館，1983年）第122冊，卷42，頁3。

32 冠禮重生命的延續，詳見林素英：《古代生命禮儀中的生死觀：以禮記為主的現代詮釋》（臺北市：文津出版社，1997年），頁32。

33〔清〕方苞：《禮記析疑．冠義》卷42，頁2。

34〔清〕黃以周著，王文錦點校：《禮書通故第五．冠禮通故》，頁229。

一切成分[35]。君父臣子即橫組合，其所各自負擔的責任，即縱聚合。每一個體，均有其系統內的位置，每一位置，又各有應遵循的規範。位置與規範，構成了整個禮儀系統，《儀禮》詳述每一動作的行進路線、站立的位置、實施的儀節，就在表明系統的意義。此一系統是在相對情境下，適用於所有的人。君、父、舅姑與臣、子、婦就都處在禮這一系統之內，各自有其作為與限制，相對而成禮。未遵守系統的位置與規範者，就是非禮。長輩拜晚輩，則是禮之重者。意謂國與家的傳承，端在臣與子的擔負。冠禮，又不僅是「入社典禮」，接受子女為團體成員[36]；其次，也不僅是子女作為成人「獨立於世」；更重要的是將「託付傳承」的責任賦予子女。君父所以向臣子行拜禮，就是明示此一責任。上位者以禮表明託付，下位者則以禮表明承擔。女性，在此系統中，與其他人物相較，不僅是符號，因為就象徵傳承言之，更是符號的製造者[37]。

例如方苞指出明代：「女教之盛，前古所未有也。」[38]但在前此歷史中：「婦人守節死義者，秦、周以前可指計，自漢及唐，亦寥寥焉。」[39]女性守節

---

35 參見趙毅衡：《文學符號學》，頁50～57。

36 參見李安宅（1900～1985）：《儀禮與禮記之社會學的研究》（上海市：上海人民出版社，2005年5月），頁38。

37 女性為符號，並為符號的製造者，參考〔法〕克維德．列維～斯特勞斯（Claude Levi-Strauss）著，張祖建譯：《結構人類學》（*Anthropologie Structurale Deux*）（北京市：中國人民大學出版社，2006年），頁66。

38〔清〕方苞：〈書王氏三烈女傳後〉，劉季高（1911～2007）校點：《方苞集》（上海市：上海古籍出版社，1983年）卷5，頁127。

39〔清〕方苞：〈巖鎮曹氏女婦貞烈傳序〉，劉季高校點：《方苞集》卷4，頁105。案：〔宋〕程頤（1033～1107）云：「問：孀婦於理似不可取，如何？曰：然。凡取，以配身也。若取失節者以配身，是已失節也。又問：或有孤孀貧窮無託者，可再嫁否？曰：只是後世怕寒餓死，故有是說。然餓死事極小，失節事極大。」此為後世夫死守節之據。但程頤又云：「又問：再娶皆不合禮否？曰：大夫以上無再娶禮。凡人為夫婦時，豈有一人先死，一人再娶、一人再嫁之約？只約終身夫婦也。但自大夫以下有不得已再娶者，蓋緣奉公姑或主內事爾。如大夫以上至諸侯天子，自有嬪妃可以供祀禮，所以不許再娶也。」雖然仍未明說女性不得已可否再嫁，但男性不可再娶是基本原則，且再娶是奉翁姑、主祭祀，非為兩性之歡，終身夫婦是約束夫妻雙方。引文

死義，幾不存在。推原論始：「蓋夫婦之義，至程子然後大明。」[40]似乎在宋以前女德可資稱揚者極少，宋以後受程頤影響，女教才大彰，至明而極盛。可是方苞又說：「古之時，女教修明，婦人之有德者眾矣。」[41]顯然對女德質量的判斷前後不一。這固可說是行文需要，而有不同的論述；然而不是更可說明對女性的態度，是符號化的結果，而非本來如此。

方苞先從歷史興衰分析：「竊嘗歎自古亂亡之釁，不過數端，或以權姦，或以女寵，或以宦寺。」[42]國亡之亂，女寵三分其一，這或是方苞對女性態度嚴苛的原因之一。反過來講，女教彰顯，是國政清明之源：「周之初，后夫人之德著於詩者，皆女婦之常也。其所以傳者，蓋將用之閨門、鄉黨、邦國以化天下而為聲教焉。」[43]並以滿州為例：「始知滿州禮俗，兄弟姻親相依相恤，婦人勤女職，事舅姑，於古禮為近。……余嘗謂本朝勃興，眾皆以為武威無敵於天下，自君子觀之，則王業之本，受命之符，蓋於是乎在矣。……竊念人紀者，政教之本也；閨門者，人紀之源也。」[44]強調女性的政教功能，詳究其實，是與其歷史思考有關，再影響到對經典的解釋。

其次從地理環境的分析：「徽郡在群山中，土利不足以贍其人，故好賈而輕去其鄉，自通都大邑以及山陬海聚，凡便買之地即家焉。其俗男子受室後，尊者即督令行賈，無贏折皆不得速歸，久者數十年，近亦逾紀。用此居恆聚族，而嚴閨門之禮。故婦人以節著者，比戶多有之，蓋禮俗之所漸然也。」[45]由於徽州土地多山且貧瘠，男子須外出經商謀生；男子在婚後即離鄉背井，有數十年不歸者；親人聚族而居，女子須掌家事。這些都是實錄[46]。

俱見《二程遺書》卷22下，《二程集》（臺北市：漢京文化事業股份有限公司，1986年），頁301，303。

40〔清〕方苞：〈巖鎮曹氏女婦貞烈傳序〉，劉季高校點：《方苞集》，卷4，頁105。

41〔清〕方苞：〈李母馬孺人八十壽序〉，劉季高校點：《方苞集》卷7，頁207。

42〔清〕方苞：〈書王氏三烈女傳後〉，劉季高校點：《方苞集》卷5，頁127。

43〔清〕方苞：〈張母吳孺人七十壽序〉，劉季高校點：《方苞集》卷7，頁206。

44〔清〕方苞：〈書烈婦東鄂氏事略後〉，劉季高校點：《方苞集》卷5，頁130。

45〔清〕方苞：〈王彥孝妻金氏墓碣〉，劉季高校點：《方苞集》卷13，頁404。

46 徽州多山，可供耕作田地極少，糧食本就短缺，明清以來尤苦於此，所以男女十三四由於男性（丈夫）不在家中，女性（媳婦）居於家庭的關鍵地位，而此時最重要的是與公婆的關係。方苞即以此點分析：「古之時，女教修明，婦於舅姑，內誠則存乎其人，而無敢顯為悖者。……終其身榮辱去留，皆視其事舅姑之善否，而夫之宜不宜不與焉。」[47]此處所說並不是家庭的關係，而是這一關係的相互態度[48]。媳婦對舅姑的態度、舅姑對此態度的判斷，決定了婦的榮辱去留。這些態度系統，是通過禮儀表達，即方苞所稱的女教。再從此擴大：「余少讀《戴記》，見先王制禮，所以致厚於妻者，視諸父昆弟而每每隆焉，疑而不解也。既長受室，然後知父母之安否，家人之睽睦實由之。又見戚黨間或遭大故，遺孤襁褓，其宗祀與家聲，皆繫於女子之一身，而諸父昆弟有不可如何者。」[49]父母之安、家人之睦，皆繫於女性。尤其丈夫過世後，整個家族的生存與傳承，更繫於女性。

如此或可更理解下述話語：「昔聖人之制夫婦之禮也，其合離厚薄，一視其所以事父母，而己之私不與焉，故婦順成，內和而家理。」[50]女性處理家中具體的事務是照顧病夫、奉養舅姑、鞠育幼小、料理喪事、資助祭事、處

歲即結婚，十五六歲即出外經商。見王傳滿：〈徽州人文地理環境與明清徽州節烈現象〉，《青島大學師範學院學報》第25卷第3期（2008年9月），頁48～52。徽商常年在外經商，女性因而在家中承擔所有家務。見許周鶼：〈徽商與徽吳兩地的女性地位〉，《蘇州大學學報（哲學社會科學版）》2009年第2期，頁101～105。〔美〕韓書瑞（Susan Naquin）、羅友枝（Evelyn Rawski）指出十八世紀流民進入皖南山區定居，大片植被被破壞，水土流失。見氏著，陳仲丹譯：《十八世紀中國社會》（*Chinese Society in the Eighteenth Century*）（南京市：江蘇人民出版社，2008年），頁147。水土流失，自不利於耕種，這也是徽州貧瘠的原因之一。該書述說甚簡，較詳細的分析見陳瑞：〈清代中期徽州山區生態環境惡化狀況研究——以棚民營山活動為中心〉，《安徽史學》2003年第6期，頁75～83。棚民指外來人口在徽州山區搭棚居住之稱。影響所及，除水土流失外，水利設施也遭破壞。

47 〔清〕方苞：〈書孝婦魏氏詩後〉，劉季高校點：《方苞集》卷5，頁128。

48 親屬的稱謂語系統與態度系統，參考〔法〕克維德．列維～斯特勞斯（Claude Levi-Strauss）著，張祖建譯：《結構人類學》（*Anthropologie Structurale Deux*），頁41。

49 〔清〕方苞：〈蔣母七十壽序〉，劉季高校點：《方苞集》卷7，頁209。

50 〔清〕方苞：〈汪孺人六十壽序〉，劉季高校點：《方苞集》卷7，頁210。

理債務等[51]。「夫之宜不宜不與焉」、「己之私不與焉」則是男性長期離家的現實情境。

方苞就在此一歷史感知與現實情境中，重新理解並解釋經典中的女性，並賦予符號化的地位。

三　婚禮：女性與家國之本

《儀禮．士昏禮》：「主人拂几授校，拜送。賓以几辟，北面設于坐，左之，西階上答拜。」賈公彥云：「冠禮者，賓無几，冠禮比昏為輕，故無几。」[52]方苞駁：「疏謂冠賓輕，故無几，非也。冠賓與主人敵體，豈得反輕於昏賓？」續云：

> 蓋冠賓乃主人朋好，猶鄉飲、鄉射及燕賓，皆本國之人，故禮從簡略，而几可不設。昏賓則來自壻家，致舅姑之命，猶聘賓來自他邦，其君命，禮宜嚴重，而几不可不設也。[53]

《儀禮．士昏禮》「納采節」云：「主人筵於戶西，西上，右几。」[54]這是為神設席。本節則是「醴使者」，為人設席。方苞以為冠賓皆本國之人，故冠禮

---

[51] 參見王傳滿：〈明清徽州節烈婦女的家庭義務〉，《中共合肥市委黨校學報》2009年第3期，頁56～61。美．曼素恩（Susan Mann）則著重分析婦女養蠶紡織的經濟生產工作，見氏著，定宜莊、顏宜葳譯，《綴珍錄：十八世紀及其前後的中國婦女》（*Women in China's Long Eighteenth Century*）（南京市：江蘇人民出版社，2005年），頁183～224。美．白馥蘭（Francesca Bray）則指出紡織作為技術之後的道德（女德）意涵，見氏著，江湄、鄧京力譯，《技術與性別：晚期帝制中國的權力經緯》（*Technology and Gender:Fabrics of Power in Later Imoerial China*）（南京市：江蘇人民出版社，2006年），頁188～190。

[52]〔唐〕賈公彥：《儀禮注疏》卷4，頁5。

[53]〔清〕方苞：《儀禮析疑．士昏禮》卷2，頁4。

[54]〔唐〕賈公彥：《儀禮注疏》卷4，頁13。又婚禮的分節，依據張光裕：《儀禮士昏禮、士相見禮儀節研究》。

可從簡，不設几筵。婚禮則不然，婚賓來自壻家，几筵不可省[55]。方苞並以聘賓為相擬昏賓，如是，兩家結好，猶如兩國結盟。

胡培翬引吳廷華（1682～1755）：「案拜至特主人敬賓之意，無相親義。」[56]敬賓之說可與方苞所說互參。黃以周云：「聘禮亦賓主不敵，不云授校。」指出是「執校以授」[57]。名物考訂較方苞為精。

「親迎節」：「主人揖入，賓執鴈從，……賓升，北面，奠鴈，再拜稽首。」方苞云：

> 稽首，非君父無所施；以鴈授婦，曷為有此禮？娶婦以承宗祀、奉粢盛、供盥饋，祖宗、父母、子姓皆將託焉，故重為禮於其祖禰，以示待之厚、望之深也。[58]

所謂「祖宗、父母、子姓皆將託焉」，就是親人從生至死的託付，責任重大，所以婚禮也隆重。

胡培翬則云：「夫執摯以拜，而婦不答拜也。不還其摯者，鴈取有常節隨陽義。」[59]黃以周則考訂：「鴈明奠於西階上。」[60]方苞衍生禮意，胡培翬說明用鴈之意，黃以周考證用鴈之地。

「婦饋舅姑節」：「並南上。」鄭玄云：「並南上者，舅姑共席於奧，其饌各以南為上。」賈公彥云：「決同牢，男女東西相對，各上其右也。」方苞釋云：

> 婦見則舅姑別席，示男女正位之義也。婦饋則舅姑同席，循朝夕侍食

---

[55]〔清〕凌廷堪：〈凡賓至廟門，皆設几筵〉：「壻至女家，則為賓，女父為主人，故亦設几筵也。」至於〈士冠禮〉不設几筵，凌廷堪云：「此禮主於冠，故異於賓客之禮也。」見氏著，彭林點校：《禮經釋例》卷6，頁302～303。

[56]〔清〕胡培翬著，段熙仲點校：《儀禮正義．士昏禮》卷3，頁159。

[57]〔清〕黃以周著，王文錦點校：《禮書通故第六．昏禮通故》，頁250。

[58]〔唐〕賈公彥：《儀禮注疏》卷5，頁3。〔清〕方苞：《儀禮析疑．士昏禮》卷2，頁8。

[59]〔清〕胡培翬著，段熙仲點校：《儀禮正義．士昏禮》卷3，頁176。

[60]〔清〕黃以周著，王文錦點校：《禮書通故第六．昏禮通故》，頁256。

之儀也。[61]

婦見舅姑異席：舅席於阼，姑席於房外。方苞在此依文解義，仍重奉養舅姑之義。但是這一託付不止於此，而是呈現在整個生命的綿延的縱軸中，不僅是當下的生命。婦能為祖先所憑依，亦能為子孫所仰承。是因為傳遞先人的典範，以為子孫的儀式。宗族的傳統，寄託於婦。子孫有此模範，自內省於心，並發之於外，以無負於先人，如此才能維繫家族於不墜。

黃以周云：「厥明，婦見，舅姑異席。三月奠菜，舅席於廟奧，姑席於北方，亦異席，茲亦宜然。」指出舅、姑、婦三席非並設[62]。方苞所說席位不確。

正因妻居此重要地位，方苞解《禮記．哀公問》：「敬之至矣，大昏為大。」云：

> 君臣父子之敬，人所共知也。惟夫婦居室易狎而難敬，故必夫婦能敬而後為敬之至，君子之道，造端乎夫婦，蓋慎獨主敬，必始乎此始。[63]

又云：

> 不能順於舅姑，和於室人，而當於夫，則燕昵之私也。[64]

妻上承宗祊之重，傳遞家族風範，下為子孫所規仿。不識此義，夫妻自會僅止於狎昵。所以方苞又云：

> 不能敬妻子，以恆情觀之，過之小者耳。然究其本原，則為不能敬其身。不能敬其身則傷其親，而禍至於亡其身，乃理勢之相因而必至

[61]〔唐〕賈公彥：《儀禮注疏》卷5，頁11～12。〔清〕方苞：《儀禮析疑．士昏禮》卷2，頁17。

[62]〔清〕黃以周著，王文錦點校：《禮書通故第六．昏禮通故》，頁261～262。

[63]〔唐〕孔穎達：《禮記正義》卷50，頁9。〔清〕方苞：《禮記析疑．哀公問》卷28，頁2。

[64]〔清〕方苞：《禮記析疑．昏義》卷42，頁1。

者。[65]

慎獨主敬，自敬妻始；不能敬妻，尋本溯源，就是不能自敬；不能自敬，導致傷身亡親。所以能如此連鎖推論，是因妻是象徵家族傳承的文化符號，應為人所遵循，逸離了這一文化符號所包孕的內涵，則會引發價值危機，價值一旦崩潰，小則亡其身，大則傷其親。

再從家教擴充到國教，形塑文化儀軌，傳統就在此流衍不斷。君在外為國，在內為家，兩者互為主體，國教是家教的延伸，方苞盛讚后妃之德，其故須從此理解[66]。並據女德以觀國之盛衰，上溯三代固如此：

> 微獨士庶人之家必婦順備而後家可長久，三季以來，亂亡之禍，無不起於家不和理，家不和理，無不由於婦之不順，而欲婦順之成，必由身教。孔子告哀公自古明王必敬其妻子有道是也。[67]

下觀唐、宋亦然：

> 觀唐、宋之末，有劫於悍婦、溺於寵嬖，以悖父子之恩、失君臣之義者，然後知聖人告君以是為本，其義深、其慮切矣。[68]

本即是敬妻子有道及由此而來的婚姻的意義，至於「哀公以冕而親迎為已重，蓋視昏禮為男女燕昵之私」[69]，就是昧於上述之義。從方苞的經解，一可知婚姻非為男女歡好，二可知婚姻的文化——政教意義，三可知女性在家國

---

[65]〔清〕方苞：《禮記析疑．哀公問》卷28，頁4。

[66]〔日〕尾形勇指出中國古代帝國的基礎，與家的性質相同，並且無數的家是並存的。儒家思想力圖把家的秩序形態擴大到整個國家秩序中，以實現治國平天下的理想。見氏著，張鶴泉譯：《中國古代的「家」與國家》（北京市：中華書局，2010年），頁89，248。據此即可理解方苞所以如此解釋之故。

[67]〔清〕方苞：《禮記析疑．昏義》卷42，頁2。

[68]〔清〕方苞：《禮記析疑．哀公問》卷28，頁2。方苞以女教觀國家盛衰，見其《朱子詩義補正》，《續修四庫全書．經部．詩類》，第62冊（上海市：上海古籍出版社，影印乾隆三十二年刻本，1995年）。

[69]〔清〕方苞：《禮記析疑．哀公問》卷28，頁3。

系統中的重要。

方苞家法，也約略如是。方苞之母：「縫紝、浣濯、洒掃、炊汲，皆身執之。……十餘年無晷刻休暇。」[70]方苞嘗責讓其嫂：「自先君沒，冢婦持家。余以老母盥饋及家事數責讓，嫂常含怒。」[71]其妻蔡氏曾嘆夫妻之間歡聚時少：「自吾歸於君，吾兩人生辰及伏臘令節、春秋佳日，君常在外。其相聚，必以事故不得入室。或蒿目相對，無歡然握手一笑而為樂者，豈吾與君之結歡至淺邪？」[72]蔡氏的哀怨，其實正點出女性——不論是母、嫂、妻，在方苞的理念中，主要是置於家庭系統中評價，而不是放在夫妻關係中看待。蔡氏未理解於此，故生此嘆息。

康熙五十年（1711）方苞因《南山集》牽連繫獄，曾論其嫂：「及余遘難，盡室北遷，幼女復依嫂以居，撫之，不異於所生。吁！此雖嫂之明，抑吾母淳德及吾兄身教之所漸漬也。」[73]方苞經解中的女性，完全在其家庭中出現。而其所謂的女教，則是由其所規定的女性價值與男性身教而來。方苞在獄中仍潛心三禮，「切究陳澔《禮記集說》，著《禮記析疑》」，其時「同繫獄者皆惶懼，先生閱《禮經》自若」[74]。看來其存在感受影響經解，而經典也影響其存在感受，兩者互為因果。

四　喪服：女性以母為主的身分呈顯

上述女性所面臨的情境，方苞知之甚晰，是以嘗云：「居常者不覺，遭危變然後知婦人擔荷之重如此。先王制禮，妻之喪，居處飲食視伯叔父昆弟

[70]〔清〕方苞：〈先母行略〉，劉季高校點：《方苞集》卷17，頁494。

[71]〔清〕方苞：〈嫂張氏墓誌銘〉，劉季高校點：《方苞集》卷17，頁502。

[72]〔清〕方苞：〈亡妻蔡氏哀辭〉，劉季高校點：《方苞集》卷17，頁504。

[73]〔清〕方苞：〈嫂張氏墓誌銘〉，劉季高校點：《方苞集》卷17，頁502～503。

[74]〔清〕蘇惇元（1801～1857）：《望溪先生年譜》（臺北市：臺灣商務印書館，影印道光二十七年刊本，1981年），頁9，10。陳澔（1260～1341），字可大，號雲住。

而加隆焉，有以也夫。」[75]可據此檢視女性的喪服制度。

首先是母，方苞云：

> 父歿為母齊衰三年，何也？不貳斬者，原母之情而不敢並於父也。加以再期，原子之情而著其本不異於父也。……然則父在為母期，所以達父之情而非子之情有所殺，便父之事而於子之事無所變也，決矣。[76]

為父母服喪的儀制不同，是以父系社會結構為主的顯現[77]。但方苞的解釋，有意略去此一以男性、父系為主的文化現象。其解釋方向有二：一是原母之情，不欲與父並尊為二。這是假擬妻的立場發言，將儀制之異，歸導於妻本身的情志。二是原子之情，母與父其實無異。這是身為子的立場發言，說明儀制有異，但情志則同。夫妻雖是並列結構，但子服喪時，先考慮夫（父），再考慮妻（母）。

胡培翬就引吳廷華說：「父母，家之嚴君，而父又尊於母，故曰至尊。」[78]明白指出父尊於母，而無任何其他解釋。黃以周則引方苞：「然則父在為母期，所以達父之情而非子之情有所殺，便父之事而於子之事無所變也。」贊成其解說[79]。

方苞又云：

---

[75]〔清〕方苞：〈金陵近支二節婦傳〉，劉季高校點：《方苞集》卷8，頁226。

[76]〔清〕方苞：《儀禮析疑．喪服》卷11，頁8。

[77] 章景明指出〈喪服〉具有父系的宗法特徵，傳子以承宗廟之重的父權象徵，父至尊的父治制，父為長子的長子繼承制，見《先秦喪服制度考》（臺北市：臺灣中華書局，1971年），頁6～7。石磊指出〈喪服〉是從父居、男性傳遞、男性聯繫的父系體系。見〈儀禮喪服篇所表現的親屬結構〉，《中央研究院民族研究所集刊》第53期（1983年6月），頁1～43。林素英指出〈喪服〉所反映的是以男性為主的社會文化體系，以父系為本的宗族倫理體系。見《喪服制度的文化意義》（臺北市：文津出版社，2000年），頁267～300。丁鼎也指出周代喪服制度體現對父權的絕對尊崇。見《儀禮．喪服考論》（北京市：社會科學文獻出版社，2003年），頁189～191。

[78]〔清〕胡培翬著，段熙仲點校：《儀禮正義．喪服一》卷21，頁1364。

[79]〔清〕黃以周著，王文錦點校：《禮書通故第九．喪服通故一》，頁308。

父在為母齊衰期，何也？……古者大夫有出疆之政，則祭必攝，期之外，祭當攝而廢焉，是使父不得伸敬於祖父也。然則父歿為母三年，何以不慮祭之廢？子以哀而不得伸敬於祖父，情也；以子之哀而使父不得伸敬於祖父，是傷父之志也。[80]

這是從祖、父、子的關係立論。父在為母齊衰期，是因父有出外從政的可能，子在家須代父祭祀，若服喪三年，無法代行祭祀，於是有傷父之志。父歿為母三年，父既歿則已無傷於父之志。顯然仍著重於父系，且以祭祀為核心。為母服喪，縱向考量祖、父、子，橫向考量夫、妻，而有不同的規範。妻不敢與夫並，子不願傷父志。在這一系統中，「夫」的身分重於妻的身分，「妻」的身分重於「母」的身分。

胡培翬引朱子（1130～1200）：「父在為母期，非是薄於母，只為尊在其父，不可復尊在母，然亦須心喪三年。」[81]也很清楚指出此乃父尊於母的緣故。

至於慈母（父卒，服齊衰三年），方苞云：

慈母如母，何也？非天屬也。婦人同室，志常不相得，今使字他人之子，故重其義以生恩也，又緣其恩以起義也。[82]

慈母此指庶母，母子之間並無血緣關係。母能字子，所以是義，因為超越了常人所能做到的範圍；子服喪則是要回報母之義。母子恩情過於血緣。這是看重其母的身分。

方苞忽略母子之間的身分關係，胡培翬云：「命為母子，必母是妾，而子亦為妾子者。以母是適，則凡妾子皆其子，不須父命。而適妻之子，又不

80〔清〕方苞：《儀禮析疑．喪服》卷11，頁10～11。

81〔清〕胡培翬著，段熙仲點校：《儀禮正義．喪服二》卷22，頁1397。

82〔清〕方苞：《儀禮析疑．喪服》卷11，頁9。慈母地位較低，《禮記．喪服小記》：「慈母、妾母不世祭也。」方苞云：「庶子之子立禰廟，則可以祭父之生母矣。」見《禮記析疑．喪服小記》卷16，頁11。方苞之說，前提是庶子立為後，否則不可能立廟；二是並未處理慈母世祭的問題。

可命以為妾子，故也。」在此前提下，才能說：「云生養之終其身如母者，謂生則養之如親母也。死則喪之三年如母者，謂父卒而母死，則亦服三年如親母也。」[83]方苞是借此申說非血緣關係母子的情義。

繼母，方苞云：

> 繼母嫁，從，為之服期，何也？此以權制，使背死而棄孤者，無所逃其罪也。夫無大功之親相養，以生守死義也，而孤則無與立矣。嫁而以從，於死者猶有說焉，故母子之恩不可絕也。古者同財相養，何以不及小功之兄弟？聖人不以眾人之難者望人，蓋專其責於所親也。[84]

如無大功之親相養，孤子無所立；小功之親又難以相養；所以責望繼母嫁，仍能撫育子女，因為母子之恩不可絕。方苞有意忽略為繼母服喪，有從與不從之別。從為之服，不從則不為之服，與背死棄孤無涉。方苞此說，是要求繼母能撫養子女。服喪的背後，仍著重女性母的功能。

胡培翬就指出：「經但言繼母之嫁，而無父卒母嫁之文，蓋舉繼母以該親母。謂繼母嫁而子從，乃為之服，則母嫁而子不從者，皆不為服可知。謂繼母嫁而子從之者，必為之服，則親母嫁而子從之者，亦必為服可知。此省文以見義也。」[85]黃以周引萬斯大（1633～1683）說：「不從，又奚服哉。」[86]也指出為繼母服喪，有從與不從之別。

世母、叔母，方苞云：

> 父在為母期，而世母叔母亦期，……何也？……故非其母也而母之，

---

[83] 引文俱見〔清〕胡培翬著，段熙仲點校：《儀禮正義．喪服一》卷21，頁1388。

[84]〔清〕方苞：《儀禮析疑．喪服》卷11，頁13。

[85]〔清〕胡培翬著，段熙仲點校：《儀禮正義．喪服二》卷22，頁1406。周何申說此義，以為先言親母改嫁而子從有服，則繼母改嫁而子從者，恐有降服之嫌。有服無服，在其子之從與不從，關係母子恩情是否持續。見〈父卒繼母嫁從為之服報議〉，《禮學概論》（臺北市：三民書局，1998年），頁146～147。

[86]〔清〕黃以周著，王文錦點校：《禮書通故第九．喪服通故一》，頁311。

所以責母之義也。非其子而子之，所以責子之義也。[87]

世母、叔母與侄之間，並無血緣關係，但類母子系統。「非其母而母之」、「非其子而子之」，顯然是一相對關係，要求母能為母，子能為子。而非先後關係，母先為母，子才能為子。前者是彼此分應所為，後者則有條件前提。所以為之服喪，是凝聚家族內無血緣的成員，也是著重女性母的功能。

胡培翬引盛世佐說：「謂世叔母以配世叔父而有母名，故服亦與世叔父同。」而云：「其夫屬父道者，妻皆母道也。此所謂以名服也。」[88]方苞不從「名服」立論。

其餘無血緣關係，但均有類母子關係者，尚有「君子子為庶母慈己者」（服小功），方苞云：

三母有慈己之恩，故服加於庶母，不宜以父歿異。[89]

「士為庶母」（緦麻），方苞云：

庶母有所服，所以篤兄弟之恩義也，雖適長亦然。[90]

「乳母」（緦麻），方苞云：

大夫之子未必皆備三母，而必有食子者，此經所謂乳母是也。若士之妻，自食其子，而或死亡疾病，豈能不使人乳？至庶人之家，有故而代乳，則其恩倍篤，豈可不以服報乎？[91]

據《儀禮・喪服》原文：「（庶母）以慈己加也。」以慈己故加服小功，所

---

[87]〔清〕方苞：《儀禮析疑・喪服》卷11，頁14。

[88]〔清〕胡培翬著，段熙仲點校：《儀禮正義・喪服二》卷22，頁1411。

[89]〔清〕方苞：《儀禮析疑・喪服》卷11，頁44。三母，《禮記・內則》云是子師、慈母、保母。鄭玄云三母是眾妾中選擇。見〔唐〕孔穎達：《禮記正義》卷28，頁13。〔唐〕賈公彥云子師即傅母。見《儀禮注疏》卷33，頁4。

[90]〔清〕方苞：《儀禮析疑・喪服》卷11，頁45。

[91]〔清〕方苞：《儀禮析疑・喪服》卷11，頁46。

以鄭玄注云：「其不慈己，則緦可矣。」[92]「士為庶母」則是為了「篤兄弟之義」。乳母不在三母之內，但能乳子，子服喪以回報。女性在這一系統，完全是以「母」的身分呈現[93]。

胡培翬認為「君子子為庶母慈己者」是：「適妻之子無母，使妾養之，慈撫隆至，服以小功者。」[94]「士為庶母」是：「以有母名為之服緦也。」[95]「乳母」是：「乳母專以乳哺言，與慈母養己者異。」如為父妾：「命為母子，則服三年，不命為母子，則服小功。」[96]區別母的身分，而有不同的服制。黃以周則分別喪主身分不同，而有為諸母服與不服之異：「經言慈母三年，庶母慈己小功，並主大夫以下之庶母言。大夫以上為庶母無服，其有非庶母而慈己者，僅可比於〈緦麻章〉之乳母，大夫以上尤不為之服。」[97]

其次是妻，方苞云：

> 為妻齊衰期，何也？古之為夫婦者，嚴於始而厚於終，故三月而後反馬。微不當於舅姑，而遂出焉。其能成婦順，則父母得其養，兄弟姑姊妹得其親，三黨得其和，子姓得其式，夫苟亡，常以死責之，其擔負至死而後弛。故於其喪服以期，而非過也。[98]

92〔唐〕賈公彥：《儀禮注疏》卷33，頁3～4。

93 綜論各種喪期的精要說明，詳見章景明：《先秦喪服制度考》，頁49～177。有關諸母的範圍，林素英分為母（親母）、嫡母、繼母、所後母、本生母、出母、嫁母、慈母、庶母、乳母，並逐項分析為諸母服喪的意義，至為詳盡。見《喪服制度的文化意義》，頁311～322。

94〔清〕胡培翬著，段熙仲點校：《儀禮正義．喪服四》卷24，頁1553。

95〔清〕胡培翬著，段熙仲點校：《儀禮正義．喪服四》卷24，頁1561。

96 引文俱見〔清〕胡培翬著，段熙仲點校：《儀禮正義．喪服四》卷24，頁1563。

97〔清〕黃以周著，王文錦點校：《禮書通故第九．喪服通故三》，頁371～372。

98〔清〕方苞：《儀禮析疑．喪服》卷11，頁11。反馬，見《左傳．宣公五年》：「冬，（齊高固及子叔姬）來，反馬也。」孔穎達云：「禮，送女適於夫氏，留其所送之馬，謙不敢自安於夫，若被出棄，則將乘之以歸，故留之也。至三月廟見，夫婦之情既固，則夫家遣使反其所留之馬，以示與之偕老不復歸也。」見《左傳正義》（臺北市：藝文印書館，影印嘉慶二十年南昌府學刊本，1985年）卷22，頁2。留馬，新婦示自謙，以未必能長久居於夫家，或乘之以歸；反馬，則是夫表達對妻的情意。

如以妻為中心點，縱軸上是舅姑、下是子姓，橫軸是兄弟姑姊妹；其養、其親、其式，則是妻子以多重身分所完成的家族倫理目標。夫只是以這些家族倫理目標要求妻，其餘幾乎看不出夫在家族中有何重要且不可移易的地位。為妻服喪，與其說是基於夫妻之情，不如說是基於家族之義。

胡培翬云：「竊疑士卑，父在，適子庶子為妻皆得杖期。大夫尊，父在庶子為妻大功，其適子為妻雖不降其期服，而降在〈不杖章〉，……若父沒之後，大夫之適子庶子，為妻皆得杖期。」[99]黃以周也有此議，父在：「明為妻不杖期，自大夫適子始，其士固杖期也。」父沒：「為妻杖期，大夫之適庶子，士之適庶子皆同。」[100]為妻服喪，顯然還是與男性身分地位有關，包括父在父沒，夫的爵位，這些方苞均未進一步分析。

出妻，方苞云：

> 出妻之子為母與父在為母同，何也？父之匹敵，身之所自出也，雖去父之室，服不可降於期，然自是而終矣。[101]

母雖與父匹敵，但既已出，不論其出的原因為何，與父的關係斷絕，於是僅存身之所自出，即所著重者是出妻中母的身分。另一種情況是：「出妻之子為父後者，則為出母無服。」方苞云：

> 父沒無服，以有服則不可以祭。……而居處飲食，哭泣思慕猶三年。[102]

此時父子是一條線，母子是另一條線。子為父後，母又已出，前者顯現於父歿祭祀之中，後者只能隱藏於母歿無服之中。父子的關係顯然重於母子的關係。

胡培翬云：「父不為出妻服，則子於父在，自不為出母服，明矣。……

---

[99]〔清〕胡培翬著，段熙仲點校：《儀禮正義．喪服二》卷22，頁1400。

[100]引文見〔清〕黃以周著，王文錦點校：《禮書通故第九．喪服通故二》，頁347，348。

[101]〔清〕方苞：《儀禮析疑．喪服》卷11，頁12

[102]〔清〕方苞：《儀禮析疑．喪服》卷11，頁13。

為出母期者，必父沒乃伸。」[103]但黃以周云：「曰『出妻之子』，明非其所出之子不服，亦主父在為文也。但父在猶喪出母，則父沒可知。……出母者，出而未嫁者也。出母而嫁，謂之嫁母，無服。」[104]胡培翬考量的是父子關係，所以父在不為出母服。黃以周則著重母子關係，父在仍喪出母。證諸經文，黃以周說較合理。方苞仍承其一貫重視祭祀的態度，推論如為父後無服。

母、妻之外，還有娣姒婦（服小功），方苞云：

> 家之乖恆由婦人，嫂叔既無服，故緣弟長之義，而制娣姒之服，以教親睦，所以內和而家理也。[105]

娣姒之間，未必有血親關係[106]，所以互服，方苞認定家族失和，主因在女性，所以為之規定服制，以教導娣姒之間能相互親睦。最後達到內和家理的理想狀況。整個家族內部是由女性主導，方苞才會有此議。其次，娣姒既無血緣親情，彼此互服，就是以功能性為主，目的在聯結家族為一體。第三，由此而形塑共同的價值意識，內化於家族女性成員[107]。

103〔清〕胡培翬著，段熙仲點校：《儀禮正義·喪服二》卷22，頁1401。

104〔清〕黃以周著，王文錦點校：《禮書通故第九·喪服通故一》，頁310。

105〔清〕方苞：《儀禮析疑·喪服》卷11，頁41。嫂叔有服，始自唐代，至清代未變，但清儒對此有相當的爭議，一主無服，一主有服。詳見張壽安：《十八世紀禮學考證的思想活力——禮教論爭與禮秩重省》（臺北市：中央研究院近代史研究所，2001年），頁337～398。

106 娣姒有二義：一指兄弟之妻，兄婦為姒，弟婦為娣。一指姊妹共嫁一夫，姊為姒，妹為娣。前者未必有血緣關係，後者必有血緣關係。丁鼎認為娣姒的稱謂，反映古代從群婚制轉向個體婚制。先從一群姊妹共嫁一群兄弟，依據年齡大小，相互稱為娣姒。再來是一群姊妹共嫁一夫，姊妹之間仍保留此一名稱。其後兄弟之妻相沿不改。見《儀禮·喪服考論》，頁255～257。

107 不具血緣關係，但以功能性服喪者尚有《禮記·喪服小記》：「妾為君之長子與女君同。」〔唐〕孔穎達：《禮記正義》卷33，頁1。方苞云：「先王制禮，女君歿，妾猶服女君之黨，又為君之長子服，與女君同重，其分誼，以長恩愛，化嫉妒，所謂止邪於未形也。」妾為君之長子服、女君之黨服，目的在讓女君與妾和睦相處。見《禮記析疑·喪服小記》卷16，頁7。

胡培翬引敖繼公說：「以居室相親，不可無服故爾。」[108]與方苞說小同。但方苞更申說禮意。

依據方苞經解，女性喪服，似可分為三個系統：一是母，又可分為生母，在這一系統中，夫的身分重於妻的身分，妻的身分重於母的身分。其次是諸母，女性在這一系統，完全是以母的身分呈現。二是妻，又可分為妻，為妻服喪，與其說是基於夫妻之情，不如說是基於家族之義。其次是出妻，自是以母的身分為重。三是娣姒婦，彼此互服，以聯結家族，著重其功能性。大較言之，女性主要是以以母的身分出現[109]。

母的身分，是依夫而來，《儀禮．士喪禮》：「婦人髽於室。」方苞釋云：「婦人朝夕侍舅姑，雖父母之喪，卒哭後即易吉笄而以輕服，髽則道大悖矣。」[110]這是根據《儀禮．喪服》：「女子子適人者為其父母，婦為舅姑，惡笄有首以髽。卒哭，子折笄首以笄布總。」[111]出嫁女為舅姑、為父母，雖齊衰一年，但頭上服飾，仍有不同。方苞即據此說明侍舅姑與為父母有別，而以前者為要。

胡培翬認為：「舅姑之服雖期，而與他期服異。」並引吳澄（1249～1333）說：「期之後，夫未除服，婦已除服，而居喪之實如其夫。」其結論是：「舅姑之服期而實三年也。」[112]黃以周亦云：「人無二天，亦無二斬，故子非父不天，父在則母降矣。婦非夫不天，從夫則父母皆降矣。……以其父母之期服舅姑，亦云可矣。且夫以三年而復寢，婦亦俟夫終喪，不敢遽被綺

108〔清〕胡培翬著，段熙仲點校：《儀禮正義．喪服四》卷24，頁1452。

109 朱成實、伍純初認為宋以後內向自保型的宗族形態，最大特點是維護宗族、血緣的純潔性，前者體現在大量家譜，後者體現在要求女子的操守，突出母親的地位。見〈試論中國古代母親概念的異化——以服母喪的變化為視角〉，《中華女子學院山東分院學報》2004年第3期，頁30～34。

110〔唐〕賈公彥：《儀禮注疏》卷36，頁13。〔清〕方苞：《儀禮析疑．士喪禮》卷12，頁17。

111〔唐〕賈公彥：《儀禮注疏》卷34，頁7。

112 引文俱見〔清〕胡培翬著，段熙仲點校：《儀禮正義．喪服二》卷22，頁1442。

紈之飾……」[113]婦因從夫而降服父母，並以父母喪期服舅姑，但因夫服三年之喪，婦雖除服，實際上仍有三年喪期。至於「易吉笄」，胡培翬云：「至卒哭後，或有事於夫家，則易吉笄而折其首以著之。」[114]前者方苞未論，後者與方苞同。

喪服又不止於此。《儀禮・喪服》：「寢不說絰帶。」方苞云：「聖人依人性而作儀，莫著於喪禮，喪禮至切要者莫如男女各有次，不脫絰帶。所以清其內行，使邪慝無自而萌。廬堊室之中不與人坐，非喪事不言。所以絕其外緣，使哀痛不至有間。修身者能持此，則四端日以充長。治家者能謹此，則門內由此敦睦。為政者能以此防民，即孔子所謂齊之以禮之根源也。」[115]用外在的儀式──男女有次、不說絰帶、不與人坐、非喪事不言，以規範內在的情感，如同前述，而這些儀式本身就是情感的表現，即儀式、即內容。方苞在另一處的解說，即直言：「制於外以養其中也。」[116]外與中不是分離的狀況，外即是中，中即是外。「外」為儀式所制之時，「內」也因此處於理想的情境。更重要的是，喪服儀式成為符號系統，只要根據此一系統，即可達到修身、治家、為政的目的。此三者並非層遞漸進，從修身到治家再到為政，而是儀式可以同時籠罩此三者。

五　祭禮：女性母與婦的身分互轉

方苞解《儀禮・士虞禮》「特豕饋食」云：

> 昏禮，婦歸之明日以特豕饋，子婦忠養之始也；既葬而虞，以特豕饋食，追養之始也。此先王制禮，事死如生，事亡如存之義也。[117]

---

[113]〔清〕黃以周著，王文錦點校：《禮書通故第九・喪服通故二》，頁345。

[114]〔清〕胡培翬著，段熙仲點校：《儀禮正義・喪服五》卷25，頁1603。

[115]〔唐〕賈公彥：《儀禮注疏》卷28，頁5。〔清〕方苞：《儀禮析疑・喪服》卷11，頁4。

[116]〔清〕方苞：《儀禮析疑・既夕禮》卷13，頁32。

[117]〔清〕方苞：《儀禮析疑・士虞禮》卷14，頁1。

虞祭自不僅是主婦祭之，而是夫婦共祭，方苞連結婚禮子婦以特豕饋舅姑與虞祭之特豕饋食，並以特豕饋食舅姑專屬於主婦，這是因為方苞認為：「饋食之饌，惟主婦為最先，以生時饋盥，主婦職也。」[118]婚禮是生命之始，虞禮是生命之終，女性用特豕饋食貫穿了生命的開始與終結，也貫穿了家族的源始與延續。就個人與家族的生命開展而論，婚禮與虞禮實有暗合之處。胡培翬也引方苞此條，以申禮意[119]。

在喪禮特別強調男女之別，祭禮則特別強調夫婦之別，《儀禮・特牲饋食禮》「賓三獻禮」：「主婦洗爵，酌，致爵於主人。」方苞云：

> 凡事宜夫倡而婦隨，致爵則婦先而夫從，何也？承獻祝佐食之爵，又飲乃致養之事，不宜夫先於婦也。[120]

除儀節先後順序外，最重要的還是以食致養乃婦人之事。其後在「主婦答拜受爵，酌，醋」。方苞提出受爵、洗爵、易爵的區分，主婦受爵於主人：

> 惟主婦受主人之卒爵而自酢，無易爵、洗爵之文，蓋婦承其夫無所嫌。[121]

但主人致爵於主婦：

> 主人致爵於主婦，然後降、洗，以示女之不相瀆，雖夫之於婦，猶以敬彰別，此聖人因事制宜，以盡精微而各不可易也。[122]

118〔清〕方苞：《儀禮析疑・特牲饋食禮》卷15，頁11。

119〔清〕胡培翬著，段熙仲點校：《儀禮正義・士虞禮一》卷32，頁1975。

120〔唐〕賈公彥：《儀禮注疏》卷45，頁11。〔清〕方苞：《儀禮析疑・特牲饋食禮》卷15，頁20。《儀禮・特牲饋食禮》的分節，參考黃啟芳：《儀禮特牲饋食禮儀節研究》（臺北市：臺灣中華書局，1971年）。

121〔唐〕賈公彥：《儀禮注疏》卷45，頁12。〔清〕方苞：《儀禮析疑・特牲饋食禮》卷15，頁20～21。

122〔清〕方苞：《儀禮析疑・特牲饋食禮》卷15，頁21。《禮記・祭統》：「夫婦相授受，不相襲處，酢必易爵，明夫婦之別也。」〔唐〕孔穎達：《禮記正義》卷49，頁14。方苞解為：「謂此蓋授爵受爵易地不相襲耳。」增「易地」解「不相襲」，遂與原前條引文似表示婦的地位低於夫，但後條引文卻又說明夫應敬婦。婦承其夫無所嫌，應是指婦對夫的情感；女之不相瀆，則在指出夫婦之間雖親暱，夫仍應尊重婦。其解《儀禮．既夕禮》：「男子不絕於婦人之手，婦人不絕於男子之手。」說甚清晰：「凡人遘疾，以至於死，彌留之際，親身褻事，亦不能不假手於人。慮夫婦溺愛而不自嫌，故特設此禁，使毋相瀆以正其終。」[123]將原文男女易為夫婦，且說夫婦不相瀆，前後對照，對婦的敬重，實乃生死以之。

胡培翬則云：「〈祭統〉但言酢必易爵，明夫婦之別，不云婦酢不更爵。」[124]黃以周贊成胡培翬之說[125]，而與方苞明顯有異。方苞其實是據此論夫婦相處之道，胡培翬、黃以周則謹守禮學大略以論禮制。

夫婦相致爵先於致敬於賓，方苞云：

> 原主人之意，必急欲致敬於賓，而夫婦之致爵，乃先焉，何也？原祖考之意，惠之所加，莫先於主人主婦也。[126]

「賓三獻」節並無致敬於賓，方苞的解說其實是針對此點而發。其推論是主人之意是應先致敬於賓，但考慮祖考之心，以血緣親情為重，家族傳承為要，所以夫婦致爵在先，至「獻賓與兄弟」節方才敬賓。

胡培翬引高愈（1640～1717）說：「未獻賓而主人主婦親相致爵者，蓋夫婦和而後家道成，主人主婦親相致爵，則皇尸其樂矣。」[127]方苞重家族傳承，高愈則重夫婦和樂。

至於賓獻主人主婦，方苞云：

文義異。見《禮記析疑．祭統》卷26，頁11。

123〔唐〕賈公彥：《儀禮注疏》卷40，頁7。〔清〕方苞：《儀禮析疑．既夕禮》卷13，頁29。

124〔清〕胡培翬著，段熙仲點校：《儀禮正義．特牲饋食禮二》卷35，頁2153。

125〔清〕黃以周著，王文錦點校：《禮書通故第十七．肆獻饋食禮通故第四》，頁842。

126〔清〕方苞：《儀禮析疑．特牲饋食禮》卷15，頁23。

127〔清〕胡培翬著，段熙仲點校：《儀禮正義．特牲饋食禮二》卷35，頁2151。

> 賓有酌致於主人主婦，何也？賓長非祖考之至交，即鄉里之耆德也。喜姻親故舊，得良子婦以守宗祊，故於正獻之終，特酌以致慶焉。所以作主人主婦之孝恭而為兄弟子姓宗婦女賓所觀聽也。……。先王制禮所以陰感乎人心，而漸積為風教也。[128]

在「賓三獻」節有「更爵，酢于主人」。方苞釋云：「致爵雖兼主婦，而所酢惟主人，禮統於尊者。」[129]很明顯的是以主人為尊，但此處之賓獻主人主婦，方苞則解為以主婦為重心，有良子婦以守宗祊，所以致慶。冠禮，母以宗祊始；祭禮，婦以宗祊終。如逆推祭禮到冠禮，女性是從婦到母的身分轉變。

胡培翬也云：「賓致爵主人主婦，乃惟酢主人者，禮主於尊者，猶主人遍獻眾賓，而惟酢於賓長也。」[130]黃以周不同方苞、胡培翬兩家之說，認為是主人、主婦及賓皆自酢：「主人主婦交致自酢，無尊卑之不敵。」[131]而均無方苞重女德之說。

《儀禮．特牲饋食禮．記》：「主婦及內賓、宗婦亦旅，西面。」方苞云：

> 其長者於是毖禮儀，其少者於是觀奠贊，尊卑序列，獻酬相屬，女教因以明彰，睦婣由此深固矣。[132]

家族內的女性，藉由祭禮儀節，安排行禮秩序，從而彰顯女性從婦到母、女性親屬結構的女教。

胡培翬仍從禮制為解：「經但言主人洗獻內兄弟於房中，不及婦人旅酬

128〔清〕方苞：《儀禮析疑．特牲饋食禮》卷15，頁23～24。

129〔唐〕賈公彥：《儀禮注疏》卷45，頁12。〔清〕方苞：《儀禮析疑．特牲饋食禮》卷15，頁24。

130〔清〕胡培翬著，段熙仲點校：《儀禮正義．特牲饋食禮二》卷35，頁2155。

131〔清〕黃以周著，王文錦點校：《禮書通故第十七．肆獻饋食禮通故第四》，頁832。

132〔唐〕賈公彥：《儀禮注疏》卷46，頁12。〔清〕方苞：《儀禮析疑．特牲饋食禮》卷15，頁36。

之禮，故記補之。」[133]不同於方苞以此為女教之本。

六　結論

方苞《儀禮析疑》、《禮記析疑》，不同於傳統禮書注解，全面性的解說，而是有疑則析之，無疑則不論；其次，其書固然有典制考證、名物訓詁，但其最特殊之處，還是以義理解經[134]。第三，相較其他禮學學者，對女性禮儀，著墨甚多。

方苞認為冠禮不見父，是因父主其事，賓主其禮，所以冠後無須正式拜見。其次，父子不行賓主之禮。第三，更重要的是父親自照顧子女飲食衣著，如果主持冠禮，子女以為一如平日的生活關懷，反不能體會冠禮的重要，是以另請主賓主持。冠禮中的母先拜子，並非以男子為重，而是重視冠禮。其次，父與母兩相對照：父不主冠禮，僅是免於故常之習，母拜受則是宗祊之重。第三，父母同時活動於家庭之中，家族的傳承似側重在母拜受顯現。上位者以禮表明託付，下位者則以禮表明承擔。女性，在此系統中，與其他人物相較，不僅是符號，因為就象徵傳承言之，更是符號的製造者。

方苞指出婚禮就是親人從生至死的託付，責任重大，所以婚禮也隆重。但是這一託付不止於此，而是呈現在整個生命的綿延的縱軸中，不僅是當下的生命。婦能為祖先所憑依，亦能為子孫所仰承。是因為傳遞先人的典範，以為子孫的儀式。宗族的傳統，寄託於婦。子孫有此模範，自內省於心，並

133〔清〕胡培翬著，段熙仲點校：《儀禮正義．特牲饋食禮三》卷36，頁2213。

134 如林存陽即說方苞禮學特色之一是以義理說經。見《清初三禮學》（北京市：社會科學文獻出版社，2002年），頁259。鄧聲國也指出方苞《儀禮析疑》長於以義理說禮。見《清代儀禮文獻研究》（上海市：上海古籍出版社，2006年），頁95。鄧聲國又分析清代「五服」研究的詮釋方法，其中之一是「情義性詮禮法」，方苞即代表人物之一。見《清代五服文獻概論》（北京市：北京大學出版社，2005年），頁151。張壽安全面分析清儒研治《儀禮》學的方法：校勘、分節、釋例、名物度數，再由儀文器數以求禮意。見《十八世紀禮學考證的思想活力——禮教論爭與禮秩重省》，頁81，95。方苞則較著重禮意的推求，略缺之前的考證，所以為乾嘉學者輕視。

發之於外，以無負於先人，如此才能維繫家族於不墜。

依據方苞經解，女性喪服，似可分為三個系統：一是母，又可分為生母，在這一系統中，夫的身分重於妻的身分，妻的身分重於母的身分。其次是諸母，女性在這一系統，完全是以母的身分呈現。二是妻，又可分為妻，為妻服喪，與其說是基於夫妻之情，不如說是基於家族之義。其次是出妻，自是以母的身分為重。三是娣姒婦，彼此互服，以連結家族，著重其功能性。大較言之，女性主要是以母的身分出現。

方苞連結婚禮子婦以特豕饋舅姑與虞祭之特豕饋食，並以特豕饋食舅姑專屬於主婦，婚禮是生命之始，虞禮是生命之終，女性用特豕饋食貫穿了生命的開始與終結，也貫穿了家族的源始與延續。就個人與家族的生命開展而論，婚禮與虞禮實有暗合之處。冠禮，母以宗祊始；祭禮，婦以宗祊終。如逆推祭禮到冠禮，女性是從婦到母的身分轉變。

方苞對女性的規範雖甚為嚴厲，但從其禮學中對女性的解釋可得知，在兩性位置上，未必像後人所想像或論述，女性完全受到壓抑，居於配屬的地位。即使如此，仍要追問這一現象的原因為何，而不是以此為前提，研究中國女性，否則易形成循環論證。禮學符號化的結果，其中任何一方的動作，會牽動另一方的動作，兩性的絕對位置可能需要考慮，亦即兩性往往是相對成禮。兩性地位的尊卑異同，也需要從禮學作更細致的分析。方苞之後的學者，在探討此一問題時，也不能全以壓迫／被壓迫的簡化方式處理[135]。

而從方苞對冠、婚、喪、祭的解釋可知，女性的身分著重在母與婦，功能則集中在維持家族傳承。方苞的解說，並不具本質論的意涵，反而是從女

---

135 例如乾嘉學者對室女守節、婦女改嫁、出妻制度等，都有和以往不同的見解。見張壽安：《十八世紀禮學考證的思想活力——禮教論爭與禮秩重省》，頁399～459。林慶彰：〈清乾嘉考據學者對婦女問題的關懷〉，《清代經學研究論集》（臺北市：中央研究院中國文哲研究所，2002年），頁278～307。張晶萍：〈乾嘉考據學者的婦女觀——關於乾嘉考據學者義理觀的探討之二〉，《湖南師範大學社會科學學報》第33卷第2期（2004年3月），頁89～93。黃愛平：〈18世紀中國社會知識界對婦女問題的關注〉，《故宮博物院院刊》2001年第1期，頁36～46。該文雖以十八世紀知識界為範圍，但仍集中討論乾嘉學者的婦女觀點。

性處於舅姑、夫婦、母子、宗婦的結構辨析女性的意義。也就在這裏出現一個問題：女性不是以女子的身分出現，而是以姑、婦、母的身分出現。兩者大不相同，女子較有可能具獨立的自主性，姑、婦、母則相對於舅、夫、子，而有其被賦予的責任，且囿限在家族之中。這或是女性受拘束、限制的原因。

朝鮮禮圖的編製方法和標準

——金長生《家禮輯覽》婚圖研究

盧鳴東*

一　引言

中國傳統學者重視圖像的註釋作用，古籍每有圖、書兼備的情況。鄭樵（1104～1162）認為古籍常有左圖右書的版面設計，其在《通志・圖譜略・索象篇》中指出：

> 見書不見圖，聞其聲不見其形；見圖不見書，見其人不聞其語。圖至約也，書至博也，即圖而求易，即書而求難。古之學者為學，有要置圖於左，置書於右；索象於圖，索理於書。故人亦易為學，學亦易為功。[1]

書籍圖像所表現的是一種平面視覺，它透過視覺感官為媒介，給予人們一種視覺形象，利用線條、圖案給讀者傳達信息。在圖像和文字取得協調的情況下，彼此便起到互相註釋的作用，而圖像中具象性的視覺形象，往往能夠誘發起讀者的想像力，增添他們對文字內容的理解。若應用在中國古禮的註釋上，禮圖的形象性、直觀性有助禮儀內容的說明，使讀者在艱深的古籍文字中，得到一個易於掌握的治學途徑。

* 香港浸會大學中國語言文學系。

[1] 〔宋〕鄭樵：《通志》（北京市：中華書局，1987年），第1冊，頁837上。

朝鮮禮籍常附有禮圖，包括朝廷禮典和私人著述。在朝廷禮典上，有成宗5年（1474）的《國朝五禮序例》；英宗20年（1744）的《國朝續五禮儀》、27年（1751）的《國朝續五禮儀補》和《國朝喪禮補編圖說》等。在私人著述上，有申慶義《喪禮備要》、申湜《家禮諺解》、朴建中《喪禮備要補》、曹好益《家禮考證》、鄭逑《五服沿革圖》、李宜朝《家禮增解》、李縡《四禮便覽》、俞棨《家禮源流》、許傳《士儀》和洪養默《式禮會統》等。以上除了說明朝鮮禮儒重視禮圖的作用外，也反映出編製禮圖是他們註釋《家禮》的其中一門重要工作。

金長生（1548～1631），字希元，號沙溪，生於李朝明宗三年，卒於仁祖九年，其「尤精於禮學，節目該盡，巨細畢舉」[2]。《東儒學案》謂「蓋其為學於《六經》，無不貫通，性理亦然，而專門則禮學，所著有《疑禮問解》、《家禮輯覽》、《喪禮備要》，又有《經書辨疑》、《近思（錄）釋疑》」[3]。《家禮輯覽》於一五九九年成書，總結了金長生對朱熹《家禮》的研究成果，此書把《家禮》分為〈家禮圖〉、〈家禮序〉、〈通禮〉、〈冠禮〉、〈昏禮〉、〈喪禮〉和〈祭禮〉七篇，並加以闡釋，另附有《家禮輯覽圖說》（簡稱〈圖說〉）一篇；粗略統計，〈圖說〉中的禮圖超過三百幅，包含了《家禮》中各項禮儀器物圖像。本文集中討論〈圖說〉中的婚禮圖像，說明金長生編繪禮圖的目的，並通過禮文和禮圖的對照，分析朝鮮禮圖的編製方法和標準。

二　編製禮圖的目的

朱熹的禮學著述除了《家禮》外，晚年還寫了《儀禮經傳通解》，門人楊復曾為此書編製禮圖。明代劉績〈論楊復圖〉曰：「宋朱子為《通解》，

2〔韓〕金容瑁等編：《沙溪．慎獨齋全書》（首爾市：光山金氏文元公念修齋，1978年），下冊，《年譜》，頁776～777。

3〔韓〕權五煥等編：《東儒學案》（大邱市：東儒學案刊行所，1944年）卷1，頁11。

門人楊復為圖。」[4]清代盛世佐在《儀禮集編．論讀儀禮法》中，指出楊復編製禮圖的原因。楊復曰：

> 學者多苦《儀禮》難讀……雖然莫難明於《易》，可以象而求，莫難讀於《儀禮》，可以圖而見，圖亦象也。復曩時從先師朱文公讀《儀禮》，求其辭而不可得，則擬為圖以象之，圖成而義顯。凡位之先後秩序，物之輕重權衡，禮之恭遜文明，仁之忠厚懇至，義之時措從宜，智之文理密察，精粗本末，昭然可見。[5]

楊復跟隨朱熹學習《儀禮》時，已深感《儀禮》中的文字艱澀難懂，要藉此掌握禮制儀式殊不容易，後來，他編撰《儀禮圖》便是要通過禮圖像示禮器、儀式，並認為圖像可以顯示出行禮儀式的先後秩序，以及權衡禮器的運用是否得宜，使人明白恭遜、仁義等禮義內涵。同時，《儀禮集編》記載了明人對楊復禮圖的看法，曾棨曰：

> 楊復……因朱子之意，取《儀禮》十七篇，悉為之圖，制度名物粲然畢備，以圖考書，如指諸掌，西山真德秀稱為千古不刊之典焉。[6]

此外，《儀禮集編》記載了桂萼的評價：

> 《儀禮》經朱子考證已定，楊復圖尤為便其文，雖屬難讀，然因圖以指經，因經以求義，斯了然矣。[7]

楊復的《儀禮圖》為後學所肯定，足見在研讀古代禮籍上，「以圖考書」、「圖以指經」的圖、文互註方式的治學價值。

在朝鮮方面，金長生也持楊復的看法，認為禮圖有效地註釋禮儀內容。

---

4 〔清〕盛世佐：《儀禮集編》（臺北市：臺灣商務印書館，1983年），載《景印文淵閣四庫全書》，第110冊，頁62。

5 〔清〕盛世佐：《儀禮集編》，第110冊，頁63。

6 同上，第110冊，頁61。

7 同上，第110冊，頁62。

由於朱熹沒有為《家禮》編製禮圖，而現存明刻七卷本中的《家禮圖》又是後人所作，屢見錯誤，使人無法參考。因此，明代丘濬已指出《家禮圖》為「為後人贅入」，與「文公所作自相矛盾」[8]。而金長生復舉十三例證，認為「圖非朱子所為益明矣」[9]。此外，李瀷云：「《家禮圖》與《家禮》本文不合者甚多，其非朱子所作則較矣。」[10]金長生在〈家禮輯覽序〉中曰：

> 余自幼受讀《家禮》，嘗病其未能通曉，既而從友人申生義慶與之講學，論積有年紀，又正於師門，遂粗得其梗概。因共取諸家之說要，刪纂注於逐條之下，編為一書，名以《家禮輯覽》。又為〈圖說〉揭之卷首，然後此書名物俱舉，義意粗明，初學之士或有取焉，則亦不無小補云爾。[11]

金長生少讀朱熹《家禮》，初時未能通曉，後得名師指正，才得其梗概，於是，他遍尋諸家異說，對《家禮》和楊復註文逐句註釋，編成《家禮輯覽》一書。同時，金長生考慮到初學者入門的需要，避免他們因古禮文字艱深造成理解上的不便，便在《家禮輯覽》卷首另撰〈圖說〉一卷，通過圖像把《家禮》的禮器儀式繪畫出來，藉著圖、文互註所產生的作用，為他們提供研讀《家禮》的輔助方法。

在《家禮輯覽．後序》中，門人宋時烈說明其師撰作《家禮輯覽》及在卷首另置〈圖說〉的動機。宋時烈曰：

> 常以為朱夫子晚年所致意者，惟在禮書，則後學於此尤當盡心焉。既為《喪禮備要》、《疑禮問解》以盡其常變，又以為《家禮》之書出於草創亡失之餘，而其儀度名物之際，讀者猶有病焉者，遂逐條解釋

8〔明〕丘濬：《文公家禮儀節》，載《四庫全書存目叢書》（臺南市：莊嚴文化事業有限公司，1997年），第114冊，頁437。

9〔韓〕金容珵等編：《沙溪．慎獨齋全書》，頁415。

10〔韓〕李瀷：《禮說類編》，載《星湖全書》（首爾市：驪江出版社，1984年），第7冊，頁45。

11〔韓〕金容珵等編：《沙溪．慎獨齋全書》，頁78。

> 辨別其章句，填補其闕略，訛者正之，疑者闕之，既成，名以《家禮輯覽》。又為〈圖說〉一篇，寘在卷首，而凡古今儀物之可徵者，悉皆如指諸掌焉。自後《家禮》之書，人皆可讀焉，其功可謂盛矣。[12]

宋時烈指出《家禮輯覽》旨在補述《家禮》的不足，通過註釋古今名物禮儀制度，辨正真偽，並在卷首另置〈圖說〉一篇，利用圖像繪畫儀式禮器，使讀者有物可徵，容易掌握《家禮》中所述的禮制儀式。事實上，朝鮮時期《家禮》普遍流行，影響至巨，涉獵者有資深禮儒或一般儒門經生，而《家禮》記載的是日常生活儀式，人們可以仿照實行。因此，金長生匯流眾說，逐句註釋，既為立志研習《家禮》的禮儒提供方便，又以簡明直接、具體易明的禮圖繪製禮器，以及儀式的行禮情況，則儘管讀者不諳《家禮》的文字內容，也可以憑藉禮圖的輔助，致使《家禮》「人皆可讀」，兼且人皆可行。

三　編製禮圖的方法

禮圖雖然是一種繪畫形式，但又不單純是一般畫像，它除了有圖像本身的特點外，與它所要表達的文字內容也有緊密聯繫，有很強的附著性。圖、文互註的釋義作用，是繪畫師通過特定的圖像版式，為禮儀儀式的進行提供一個平面環境，並從人物動向，方位設定，時態轉移，給讀者傳達一個文字「圖像化」的視覺效果，藉此透視文本中所要表達的禮儀內容。

（一）圖版線條

在金長生的〈圖說〉中，婚圖共22幅，分別繪畫在11個圖版上[13]。圖版的大小以文字版面為標準，主要以半葉為分界。以下按照〈圖說〉中各圖版的次序，列表說明它們的版式和所要表示的婚禮內容：

---

[12]〔韓〕金容瑄等編：《沙溪．慎獨齋全書》，頁899。

[13]〔韓〕金容瑄等編：《沙溪．慎獨齋全書》，頁388～391。

《家禮輯覽．圖說》中婚圖的名稱和版式

圖版	圖名	版式	儀式說明
1	「昏禮納采具書式」、「昏禮納采復書式」、「員封面簽」	半葉，三者垂直分割，並為一圖。	納采
2	「女氏主人出見圖」、「幣圖」	半葉，兩者垂直分割，並為一圖。	納采 納幣
3	「昏禮納幣復書式」、「昏禮納幣復書式」、「員封面簽」	半葉，三者垂直分割，並為一圖。	納幣
4	「壻家設位於室中圖」、「醮仮圖」、「合巹」、「冠帔」和「生雁」	半葉，上下分割，並為一圖；右邊有垂直一行交代「合巹」、「冠帔」和「生雁」等禮器。	醮壻、夫婦交拜、同牢合巹
5	「壻親迎女家戒女圖」	全圖佔一葉	親迎、戒女
6	「壻婦入室交拜就坐飲食徹饌之圖」	全圖佔一葉	交拜、同牢
7	「婦見於舅姑圖」	半葉	婦見舅姑
8	「舅姑禮婦圖」	半葉	舅姑禮婦
9	「饋於舅姑圖」	半葉	饋於舅姑
10	「舅姑饗婦圖」	半葉	舅姑饗婦
11	「壻往見婦之父母圖」	半葉	壻見婦之父母

在〈圖說〉中，婚圖的版式有三種類型：（1）婚圖表達單一的婚禮儀式，並且在同一場合舉行，版式主要以半葉為主，例如圖版7至圖版11；（2）婚圖的版式橫跨一整葉，主要是婚禮儀式有連續性，需要較長的版面表達兩至三個婚禮場面。例如女家戒女以後，新郎要親自迎娶新娘到女家，圖版5的「壻親迎女家戒女圖」便貫串了這兩個儀式場面，以一整葉繪畫出新郎抵達女家大門及女家戒女的經過；（3）數幅禮圖平放在半葉同一個版面

上，並利用欄線把版面左右縱向平衡分割，如圖版2「女氏主人出見圖」和「幣圖」，或右圖圖版4「壻家設位于室中圖」諸圖，橫向縱向同時分割，則在同一版面上繪製出兩個婚儀場面和數幅獨立圖像。

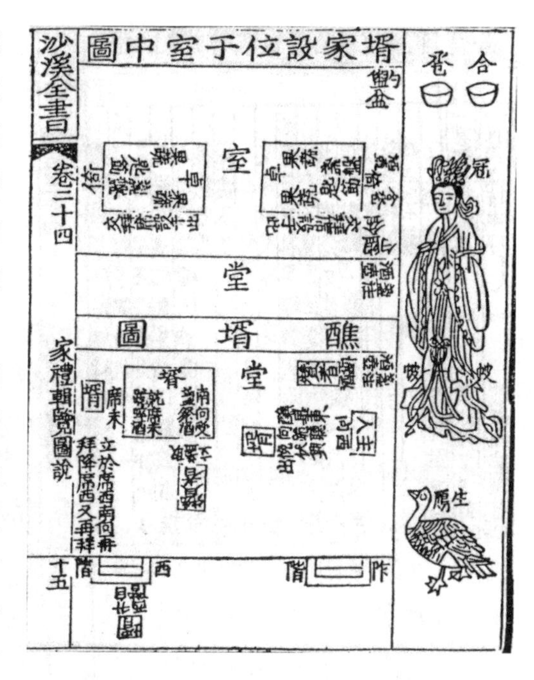

在線條的運用上，由於禮圖的版面是依據欄線來分割，因此，禮圖的名稱也順著欄框的邊線排列，字款用粗黑大字由右至左註明在禮圖的頂部，如上圖的「**壻家設位于室中圖**」和「**醮壻圖**」。至於直行的獨立圖像，即「合巹」、「冠帔」和「生鴈」因為沒有框線分隔，禮圖的名稱就只能不規則地順著圖像旁邊註明。此外，禮圖內場景的安排也利用了線條來劃分，上圖「壻家設位于室中圖」，「室」和「堂」的位置就以一橫線分開；「醮壻圖」中「堂」與堂下「阼階」和「西階」的位置也以橫線來標示。此外，禮圖為了突出行禮中的關鍵人物，也利用框線把他們括出，如上圖的壻和主人。

（二）時態方向

禮圖雖是平面視像，時間和場景靜止在同一畫面上，但禮儀舉行中的人物路線、時間流程和方向位置等動態成分也是能夠表現出來。根據時態來劃分，金長生在〈圖說〉中有表示靜態的婚圖，例如婚書中的文例行款，即圖版1的「納采書式」和圖版3的「納幣書式」，以及用來繪畫婚禮中的贄用、服飾和禮器等獨立圖像，見圖版2的「幣圖」和圖版5的「合巹」、「冠帔」和「生鴈」，這些圖像並不涉及時間因素。至於禮儀儀式則按照時間流程進行，它們是一個有秩序的動態過程，人物動向，方向位置會隨著時間的流動不斷變化。以下根據圖版5.「壻親迎女家戒女圖」，說明禮圖通過人物動向和文字方位表現出儀式中的動態成分。

1. 人物動向

「壻親迎女家戒女圖」的版面佔一葉，全圖貫連女方家長醮女儀式和女婿親迎的禮儀程序。右圖屬於全圖的左半葉，繪畫出新郎到女家親迎的經過。由於在「親迎」的婚儀中，新郎是關鍵人物，他的動向能夠表現出儀式舉行時的時間流程，因此，右圖利用框線把他括出來，稱為壻，這是為了標示出他的行禮路線，表現時間的過渡。

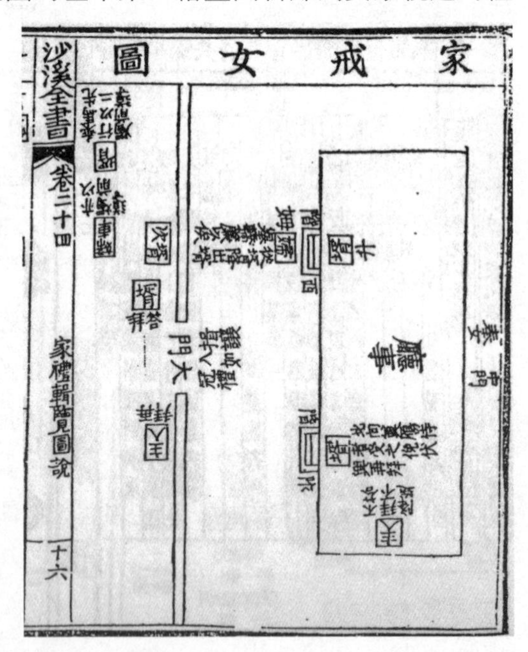

根據壻的動態流向，右圖導引出親迎的禮儀迭序，方法是通過人物在圖中出現的不同位置，令讀者的視點產生轉移，藉此瞭解儀式舉行的時間流程。根據《家禮》的親迎儀式，右圖繪畫出新郎親迎的過程。《家禮・親迎》曰：「婿出乘馬，至女家，俟於次。」楊復註曰：「以二燭前導。婿下馬於大門外，入俟於次。」[14]圖中標示出次壻，表示新郎已抵達女家大門，在休憩處等侍女家儐者傳達。《家禮》曰：「主人出迎，婿入奠雁。」楊復註曰：

14〔宋〕朱熹：《家禮》，載《朱子全書》（上海市：上海古籍出版社；合肥市：安徽教育出版社，2002年），第7冊，頁898。

> 主人迎婿於門外，揖讓以入，婿執雁以從，至於廳事。主人升自阼階，立西向，婿升自西階，北向跪，置雁於地，主人侍者受之。婿俛伏興，再拜，主人不答拜。[15]

當主人已出大門外，壻的路線則延至女家大門左邊，與主人行拜禮；之後，壻從西階登上廳事，當讀者的視點再延至東面時，壻已在東階上授雁給主人。《家禮》曰：「姆奉女出登車，婿乘馬先婦車。」最後，當新娘登車後，壻便引領婦車先行，離開女家。可見，壻在圖中先後出現了5次，俱在同一靜態圖版上，基於他分佈在次、大門、西階上、東階上和婦車前的不同位置中，故經過讀者的視點轉移，新郎行禮的路線便一目瞭然，由此顯示出儀式動態的時間流程，而配合圖中人物身旁的文字描述，親迎的內容則更見清晰。

2. 文字方位

方位是人們行禮時的座標，古禮對此有嚴格的規定。下頁左圖是「壻親迎女家戒女圖」的右半葉，繪畫出女方家長醮女的儀式，而人物所處的方位是根據《家禮》來確定。《家禮》曰：「遂醮其女而命之。」楊復註曰：「女盛飾，姆相之，立於室外，南向。父坐東序，西向；母坐西序，東向。設女席於母之東北，南向。贊者醮以酒，如婿禮。」[16]可見，在「醮女禮」的儀式中，新娘與保姆站立在室外，面向南面；父親坐在堂的東面，面向西；而母親則坐在堂的西面，面向東。

右圖各人行禮的方位，禮圖借用了圖版的四周邊界來標示：按照版面的右邊為北，下端為東，左端為南，上端為北，據此為禮圖確立出東、南、西、北四個方向。有了這個座標後，便能夠分辨出醮女席設在母席的東北面，註明《家禮》「設女席於母之東北」的文意。此外，圖中也有直接用文

---

[15]〔宋〕朱熹：《家禮》，載《朱子全書》，頁899。

[16]〔宋〕朱熹：《家禮》，載《朱子全書》，頁898。

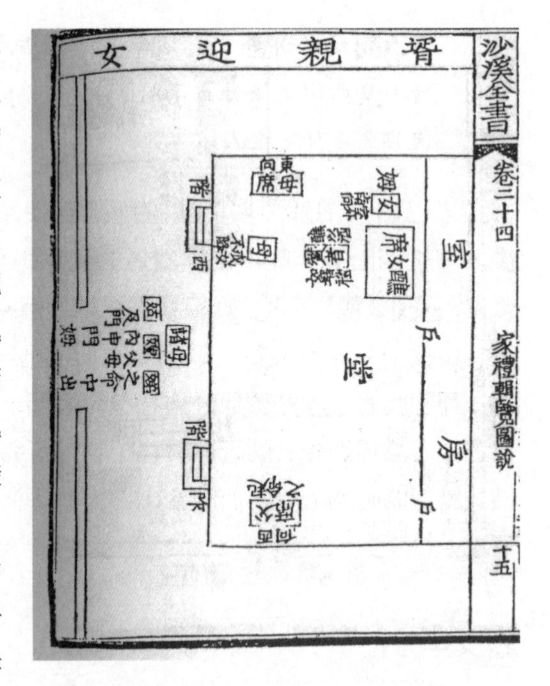

字來說明方位，「阼階」即東階，而父席在阼階上，便知道父親坐在堂的東面，「西向」兩字也標識出父親面向西面，註明「父坐東序，西向」的文意；而母席在「西階」上，即母親坐在堂的西面，「東向」兩字也指示出她面向東，註明「母坐西序，東向」的文意。至於女下也標示出「室外南向」四字，清楚說明新娘面向南方。

同時，我們也能夠按照圖中字形的形態方向，判斷出行禮者所在的位置。漢字由上至下書寫，文字底部指向的方向，也是人們行禮時面向的方位。例如圖中父席兩字的底部向西，即表示父親面部向西方；母席兩字的底部向東，則指母親面部向東方，而女字底部向南，則知新娘面部向南方。此外，圖中「房」、「室」、「堂」、「戶」、「阼階」和「西階」等字都根據古代「坐北向南」的建築規模，使字形的底部向南，由此標識出禮圖的方位。

四　編製禮圖的標準

禮有古今，有正俗，行禮者為了適應客觀環境，往往因時制宜，折衷變化。楊復謂：「《儀禮》存乎古，《家禮》通於今。」[17]由《三禮》發展至《家禮》，禮儀儀式已簡約了不少，而中、韓地域文化差異、朝鮮本土俗禮風尚，也成為金長生編製禮圖時所要考慮的問題。在文字的說明上，同一個禮

[17]〔宋〕楊復：《家禮附錄跋》，載《朱子全書》，頁948。

儀儀式可以兼容不同註釋，以備讀者參考，然則，圖像的情況就不一樣，同一個圖版只能夠呈現出單一圖貌；換言之，金長生只可以遵循一個標準，按照一種禮制儀式作為繪圖的藍本，因此，他在古禮、《家禮》和朝鮮俗禮三者之間，便要作出取捨。

1. 以《家禮》為本

在〈圖說〉中，婚圖的排列次序是按照《家禮》中儀式舉行的先後來決定。在《家禮》中，〈昏禮〉分為「議昏」、「納采」、「納幣」、「親迎」、「婦見舅姑」、「廟見」和「婿見婦之父母」七篇。除了「議昏」和「廟見」兩篇外，金長生都採用禮圖依序繪畫「納采」、「納幣」、「親迎」等各項禮儀，也用圖註標明儀式中的具體細節。例如在《家禮》「婦見舅姑」一項儀式中，他接連用了四幅禮圖，交代新娘拜見舅姑及舅姑答謝婦人的儀式。同時，「親迎」前後的「醮壻」、「戒女」、「交拜」、「同牢」和「合巹」等儀式，包括各人的位置、方位路線、所用器物，都有圖像清楚交代。基本上，〈圖說〉中的婚圖能夠標示《家禮》中的婚儀內容，收到圖、文互註的釋義作用。

金長生編製禮圖雖多以《家禮》為本，但也有使用《家禮》以外的材料。《家禮輯覽・凡例》曰：「〈圖說〉一依《家禮》次序，而間有補入者，故其序有不同者，覽者詳之。」[18]例如《家禮》「納采」條中記載男家「主人具書」及女家「出以復書」，「納幣」條中記載男家「具書」及「女氏受書復書禮賓」。由於朱熹沒有說明「納采書式」和「納幣書式」的行文內容和格式，所以，在《家禮輯覽》中，金長生利用明代丘濬《文公家禮儀節》中的書式內容加以補充[19]。

[18]〔韓〕金容琯等編：《沙溪・慎獨齋全書》，頁414。
[19]〔韓〕金容琯等編：《沙溪・慎獨齋全書》，頁441。

納采復書式（原文文字）

某郡姓某啟
某郡某官執事(稱呼隨宜) 伏承
尊慈不棄寒陋，過聽媒氏之言，擇僕
之第幾女某(若某親之幾女某)作配令似
(或作某親弟姪隨稱)，弱息惷愚，又不
能教，既辱采擇，敢不拜從。重蒙問
名，謹具所出，及其生年月日如別幅。
伏惟
尊慈俯賜
鑒念不宣
年　月　日某郡姓某啟

納采具書式（原文文字）

某郡某姓啟(不稱親者方議而未成也)某
郡某官執事(稱呼隨宜) 伏承
尊慈不鄙寒微，曲從媒議，許以令愛
貺室僕之男某(若某親之子某)，茲有先
人之禮，謹專人納采。因以問名，敢
請令愛為誰氏出，及其所生月日，將
以加諸卜筮。伏惟
尊慈俯賜
鑒念不宣
年　月　日某郡姓某啟

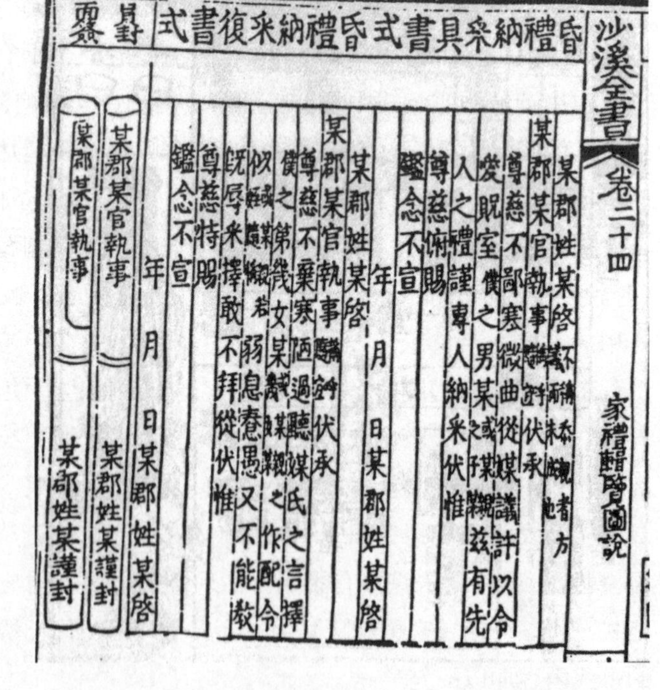
沙溪全書　卷二十四　家禮輯覽圖說
昏禮納采具書式　昏禮納采復書式
某郡姓某啓(不稱親者方議而未成也)
某郡某官執事(稱呼隨宜)伏承
尊慈不鄙寒微曲從媒議許以令
愛貺室僕之男某(或某親之子某)茲有先
人之禮謹專人納采伏惟
尊慈俯賜
鑑念不宣
年　月　日某郡姓某啓
某郡姓某啓
某郡某官執事(稱呼隨宜)伏承
尊慈不棄寒陋過聽媒氏之言擇
僕之第幾女某(或某親之幾女某)作配令
似(或作某親弟姪隨稱)弱息惷愚又不能教
既辱采擇敢不拜從伏惟
尊慈特賜
鑑念不宣
年　月　日某郡姓某啓
某郡某官執事　某郡姓某謹封
某郡某官執事　某郡姓某謹封

原則上，圖像是用來註明原文內容，金長生應該把《家禮輯覽》中徵引丘濬書式的內容全部輯錄在禮圖中，不得遺漏。但是，對照上述《家禮輯覽》中的原文文字和右圖圖版1「納采書式」的圖像文字，彼此的內容顯然有別；原文在書式內容上包含了「問名」的一項，即劃上間線的文字，說明男家要在「納采具書式」中向女家問及出嫁女的生母姓名和生辰，而女家回信時也要在「納采復書式」中向男家作出回覆，但右圖便沒有記載這些內容。本來，朱熹簡約古代婚禮後，六禮的「納采」、「問名」、「納吉」、「納幣」、「請期」和「親迎」，在《家禮》中僅保留「納采」、「納幣」和「親迎」三種。《家禮》載：「納幣。」楊復註云：「問名、納吉，今不能盡用。」[20]但是，從丘濬的「納采書式」來看，當中除了提及男家向女家提親的「納采」外，也加入了原來已被朱熹省略的「問名」。可見，在《家禮輯覽》的原文中便輯錄了丘濬書式的全部內容，而〈圖說〉中的圖像文字便刪去了「問名」的一項。

此外，在丘濬「納幣書式」中，也加入了被朱熹刪去「納吉」和「請期」兩項婚禮儀式[21]。

納幣復書式（原文文字）

忝親某郡姓某啟
某郡某官尊親家尊親家執事 伏承
嘉命委禽寒宗，顧惟弱息教訓無素，
切恐弗堪，卜既 吉。僕何敢辭。茲
又蒙順先典貺以重禮，辭既不獲，敢
不重拜，若夫昏期，惟
命是聽，敬備以須。伏惟
尊慈特賜
鑒念不宣
年 月 日忝親某再拜

納幣具書式（原文文字）

忝親某郡姓某啟
某郡某官尊親家尊親家執事 伏承
嘉命委禽寒宗，顧惟弱息教訓無素，
切恐弗堪，卜既 吉。僕何敢辭。茲
又蒙順先典貺以重禮，辭既不獲，敢
不重拜，若夫昏期，惟
命是聽，敬備以須。伏惟
尊慈特賜
鑒念不宣
年 月 日忝親某再拜

在《家禮輯覽》中，丘濬「納吉」和「請期」的文字內容同樣收錄在原文當中，並在「附註」中置有「請期」一項，說明古禮中「問名」、「納名」和「請期」的儀式。金長生曰：「按《丘儀》合請期一節於納幣，又以為未即親迎，則依附註別行請期一節。」[22]在「納幣具書式」和「納幣復書式」的原文文字中，載有男家向女家告吉和請期的文字，而女家也作出相對回應，即畫有間線的部分，但從右圖可見，〈圖說〉中的文字內容僅保留「告吉」字樣，「請期」已被刪去。

所以出現圖、文內容不符合的情況，是因為金長生要貼合《家禮》婚禮

20〔宋〕朱熹：《家禮》，載《朱子全書》，頁897。

21〔韓〕金容琯等編：《沙溪．慎獨齋全書》，頁442～443。

22〔韓〕金容琯等編：《沙溪．慎獨齋全書》，頁443。

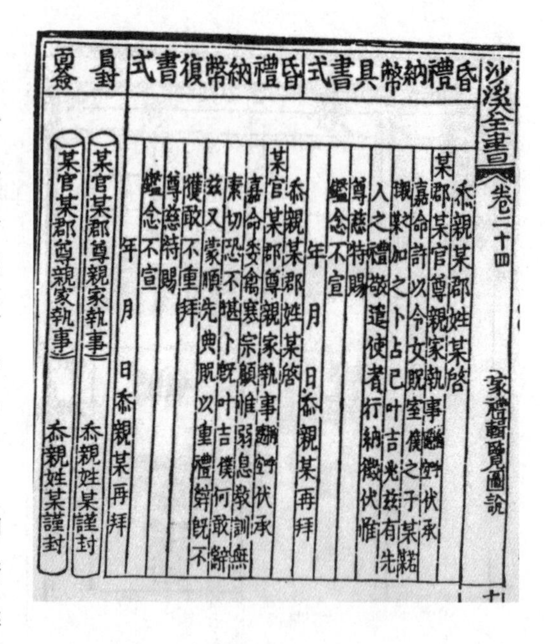

沙溪全書《卷二十四 家禮輯覽圖說》

昏禮納幣具書式

忝親某郡姓某啓
某郡某官尊親家執事伏承
嘉命許以令女貺室僕之子某
顧某加之卜占已叶吉兆茲有先
人之禮敬遣使者行納徵伏惟
尊慈特賜
鑑念不宣
年 月 日忝親某再拜

昏禮納幣復書式

忝親某郡姓某啓
某官某郡尊親家執事伏承
嘉命委禽寒宗顧惟弱息教訓無
素切恐不堪卜既叶吉僕何敢辭
茲又蒙順先典貺以重禮辭既不
獲敢不重拜
尊慈特賜
鑑念不宣
年 月 日忝親某再拜

具封

某官某郡尊親家執事
忝親姓某謹封

面簽

某官某郡尊親家執事
忝親姓某謹封

儀式的原貌。金長生引丘濬曰：

> 按古有六禮，《家禮》略去問名、納吉、請期，止用納采、納幣、親迎以從簡省，今擬以問名併入納采，而以納吉、請期併入納幣，以備六禮之目，然惟於書辭之間略及其名而已，其實無所增益也。[23]

丘濬書式把「問名」併入「納采」書式，而「納吉」和「請期」併入「納幣」書式，這純粹是為了保存古禮婚目，正如他說，這只是在書辭之間徒具婚儀名稱，實際上，婚禮儀式並沒有任何增益。金長生在《家禮輯覽》中輯錄丘濬書式，原意是為了彌補《家禮》的不足，而在原文中一字不漏地把丘濬書式全部納入，保留引文完整應是其中一個考慮，而兼且匯合諸說，詳盡註解也是《家禮輯覽》撰作的原意；相反，〈圖說〉中圖像旨在直接、簡明，以為讀者提供清晰的禮儀藍圖，而面對名存實亡的古禮婚儀，金長生便一以《家禮》作為繪圖標準，在盡量保留丘濬書式的原則下，把「問名」、「請期」等不必要的行文省略。

整體來說，金長生的〈圖說〉是以《家禮》作為繪圖根據，其中只有「議婚」和「廟見」兩項儀式沒有用圖標示。由於「議昏」僅說明男女適婚年齡，以及納采前媒人往來男女雙方約婚的經過，當中沒有記載具體的儀式，是以金長生不用圖示，這是可以理解。至於「廟見」，則婦人出嫁三個月以後，要前往宗廟裏助丈夫祭祀。《儀禮．士昏禮》載「婦人三月，然後

[23]〔韓〕金容珵等編：《沙溪．慎獨齋全書》，頁442。

祭行。」鄭玄註云：「入夫之室，三月之後，於祭乃行，謂助祭也。」[24]婦人在輔助丈夫舉行宗廟祭祀之禮後，才可以取得人婦名分。在《家禮》中，朱熹已把婦人廟見三月之期縮減為三日。《家禮》載：「三日，主人以婦見於祠堂。」楊復註曰：「古者三月而廟見，今以其太遠，改用三日。」[25]事實上，婦人廟見之禮在宋代已漸趨式微，而在《司馬氏書儀》中已省去這項禮儀。《四庫全書總目》曰：

> 後世於親迎之日，即事事成，其婦三月之內，設有乖忤，斷不能離婚而逐之。設有殀折，斷不能舉柩而返之也。何獨廟見之期，堅執古義乎？[26]

後世以男女親迎以後，夫婦關係已經確立，故不必以三月廟見為限。

在朝鮮，金長生指出時人對婦人廟見的看法。《疑禮問解．昏禮．成婚久後廟見》載曰：「姜碩期問曰：『若經年或踰時而後來，則見舅姑，即拜祠堂，後行見尊長饋舅姑之禮，未知如何？』鄭道可云：『以賤見思之，初歸入門，即詣祠堂，亦似太遽，入門而拜舅姑，宿齋而廟見，恐為穩當。』」[27]因為在朝鮮禮俗中，夫婦合巹交拜之禮行於女家，故常有婦人過了三月期限，也沒有到男家行見廟禮。許傳指出：「今俗則太簡，其禮昏日納采，遂合巹於女家，至或有經年未歸夫家者，則習之難變久矣。」[28]可見，三月廟見於當時並不能實行，而朝鮮禮儒認為婦人到了男家以後，只需要拜見舅姑，並於齋戒以後隔日見廟便可。李瀷在《星湖禮式》中曰：「廟見，退溪曰：『路遠者，齊齋而見，明日入廟。』」[29]許傳在《士儀》中曰：

---

[24]〔漢〕鄭玄注，〔唐〕賈公彥疏：《儀禮注疏》，載《十三經注疏》（臺北市：新文豐出版公司，1991年），第8冊，頁175。

[25]〔宋〕朱熹：《家禮》，載《朱子全書》，頁900。

[26]〔清〕紀昀：《四庫全書總目》（北京市：中華書局，1995年），上冊，頁180。

[27]〔韓〕金容琯等編：《沙溪．慎獨齋全書》，頁620。

[28]〔韓〕許傳：《士儀》（高宗7年，1870年刊，奎章閣韓國本圖書，4837號），〈正始篇第一〉，頁1。

[29]〔韓〕李瀷：《星湖禮式》，載《星湖全書》，第1冊，頁449。

> 溫公禮則當日廟見，朱子禮則三日廟見，蓋參酌之意也。我東則禮儀成俗，夫婦一與之醮，終身不改，事舅姑，奉祭祀，皆執婦道，則雖即日廟見可也，從《家禮》而三日亦可也。隨事勢而行之，未為不合也。[30]

古禮隨時變異，婦人嫁後即日見廟，抑或三日見廟，皆是折衷方法。許傳反映了朝鮮經儒對婦人廟見的看法，顯示出三月期限與當地禮俗不合，不必視為成婦的條件，而祭廟只是婦人的尋常職責，不屬於婚禮中必要的程序。由於婦人廟見已經不是常制，行與不行，抑或舉行時限的長短，並沒有古禮般有著強制性。因此，金長生僅在《家禮輯覽》內文中詳加註釋，交代「廟見」是古代婚禮的一個重要部分，而在貴乎簡明的禮圖中，就沒有圖示的必要。

2. 參酌古今

《家禮》對古禮有作出損益，也有保留當中若干禮儀成分。《家禮序》曰：「是以嘗獨究觀古今之籍，因其大體之不可變者而少加損益於其間，以為一家之書。」[31]在《家禮輯覽》的內文中，金長生旁徵博引，詳列古今禮儀異同，以合乎其撰作之旨。但是，在〈圖說〉中，圖像只能在古、今儀式的禮節內容上，兩者挑一，作為繪製的根本，並不能與原文註釋一樣，把古今異制同時展現於讀者眼前。

婚禮中有婦人拜見舅姑的儀式。《儀禮．士昏禮》記載婦人「執笲棗、栗」致舅，以及「受笲腶脩」予姑[32]。《家禮》則載：「婦見於舅姑。」楊復註

---

[30]〔韓〕許傳：《士儀》，頁21。

[31]〔宋〕朱熹：《家禮》，載《朱子全書》，頁873。

[32]〔漢〕鄭玄注，（唐）賈公彥疏：《儀禮注疏》，載《十三經注疏》，第8冊，頁151～152。

曰：「升奠贄幣。」[33]

由於《家禮》中「贄幣」所指何物，朱熹並沒有交代，故金長生參照古禮加以補述。《疑禮問解・贄幣》曰：

> 宋浚吉問：「婦奠贄幣，贄幣何物耶？」金長生答曰：「《禮經》諸說可考。〈曲禮〉：『婦人之摯，椺、栗、脯脩、棗、椇。』」[34]

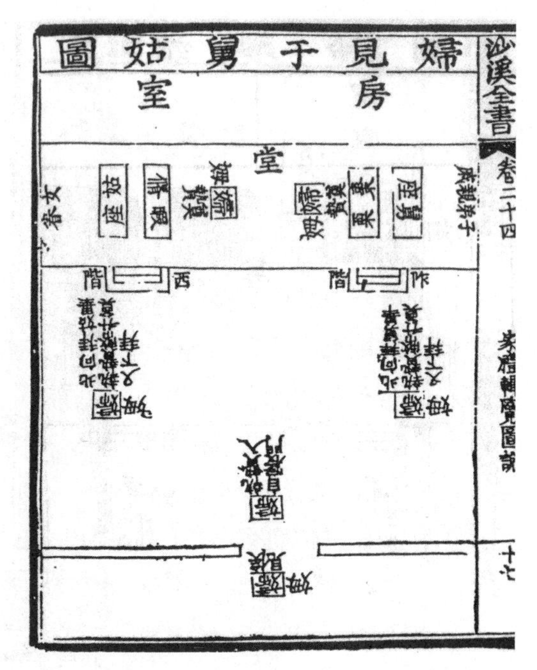

金長生根據《禮記・曲禮》指出婦人見舅姑的禮物可以是椺子、榛子、肉乾、棗子或栗子，在右圖「婦見于舅姑圖」中，金長生便參照古禮儀式，使婦人分別以栗棗和腶脩奉送給舅姑。

此外，在（下頁）「壻往見婦之父母圖」中，顯示出婦人拜見舅姑後，丈夫要到女家探望女家親人。《家禮》「婿見婦之父母」條載：「明日，婿往見婦之父母。」楊復註曰：「婿拜於門外，皆有幣。」[35]《家禮》雖記載新郎拜見婦人父母，並要奉送幣帛，卻沒有說明儀式的過程。金長生在《疑禮問解・壻見婦之父母有幣》中記載：「宋浚吉問：婦人贄幣，既聞命矣。壻見婦之父母，亦皆有幣，此禮可行否？」金長生答曰：

> 《家禮》有之，雖非古禮，行之無妨，古禮并附參考可也。〈士昏

---

[33]〔宋〕朱熹：《家禮》，載《朱子全書》，頁900。

[34]〔韓〕金容瑢等編：《沙溪・慎獨齋全書》，頁620。此外，《禮記・曲禮下》原文為「婦人之摯，椇榛、脯脩、棗栗。」載《十三經注疏》，第10冊，頁264。

[35]〔宋〕朱熹：《家禮》，載《朱子全書》，頁901。

禮〉：「壻入門，東面奠摯，再拜。」[36]

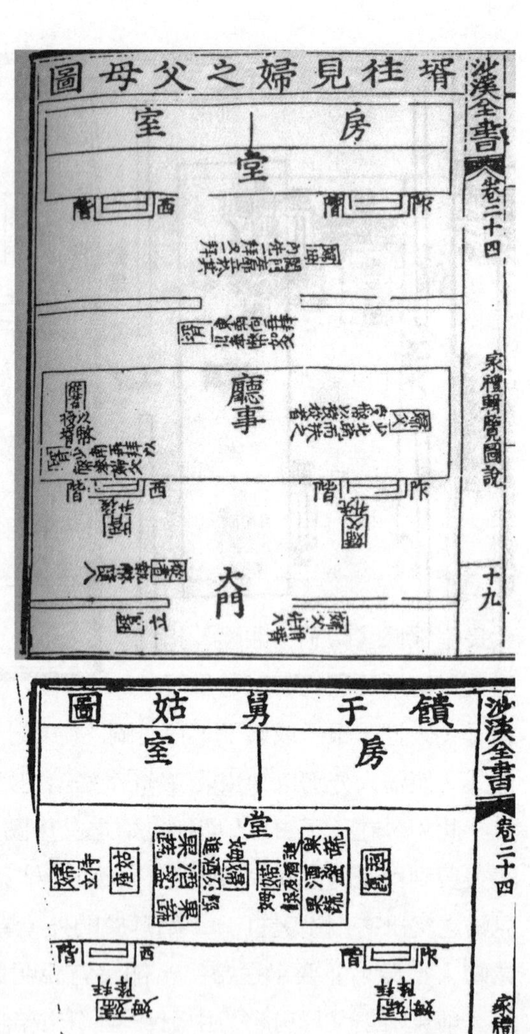

由於《家禮》僅存「壻見婦之父母」的禮目，卻沒有實在行禮的路線，於是金長生便參用《儀禮．士昏禮》中的路線圖。《儀禮．士昏禮》載：「若不親迎，則婦入三月，然後壻見……主人出門左，西面。壻入門，東面奠摯，再拜，出。擯者以摯出，請受……見主婦，主婦闔扉立于其內。壻立于門外，東面。主婦一拜，壻答拜，主婦又拜，壻出。」[37]這裏，〈士昏禮〉說明女婿若不行親迎禮，在婦人三月廟見以後，他便要往女家拜見婦人父母。此禮的內容雖與以上《家禮》所載略有差異，但婿拜見婦人之父母的方位路線，便可以借用為繪製禮圖的根據。在「壻往見婦之父母圖」中，婦父在大門外西面向婿，壻入大門，接過從者的帶來的禮物，再面向東奉送給婦父；接下來，婦母關上門的左扇，站在門內，壻則

36〔韓〕金容瑄等編：《沙溪．慎獨齋全書》，頁621。

37〔漢〕鄭玄注，（唐）賈公彥疏：《儀禮注疏》，載《十三經注疏》，第8冊，頁186～188。

站在門外，面朝東致幣；儀式進行的路線和各人的位置都是以古禮為根據。

以上的一種情況，由於《家禮》沒有記載相關的儀式內容，金長生便不必在古今婚制中二擇其一。但婦人拜見舅姑以後，在饋食禮中所用的食物，古今婚制都有記載，兼且禮數有別。《儀禮．士昏禮》載：「特豚，合升，側載。」鄭玄註曰：「右胖載之舅俎，左胖載之姑俎。」[38]可見，婦人用小豬作饋食禮的獻品。《家禮》載：「若冢婦，則饋於舅姑。」楊復註曰：「是日食時，婦家具盛饌、酒壺，婦從者設蔬果桌子於堂上。」[39]《家禮》不用小豬，改用蔬果、酒、飯或饅頭。金長生引丘濬曰：「（丘儀）從者以盤盛飯或饅頭。」[40]在《家禮輯覽》內文中，金長生雖在「附註」中註釋「特豚，合升，側載」作為饋食舅姑的食物，但在右圖「饋於舅姑圖」中，就僅註明用果疏、饌和酒來饋食舅姑，此與《家禮》合。

在夫婦合巹禮中，古禮中同牢的食物，包括小豬、魚、肉醬、腌菜和大羹等。《儀禮．士昏禮》曰：「贊者設醬于席前，菹、醢在其北。俎入設於于豆東，魚次，腊特于俎北。」[41]至於《家禮》僅有蔬果、酒、飯或饅頭之類。《家禮》曰：「厥明，婿家設位於室中。」楊復註曰：「設倚、卓子兩位，東西相向，蔬果、盤盞、匕筯如賓客之禮。」[42]在《家禮輯覽》內文中，金長生根據〈士昏禮〉註明同牢的食物，但在「壻家設位于室中圖」中則註明夫婦「同牢」的食物和器具是果疏、盞盤、匙筯。可見，

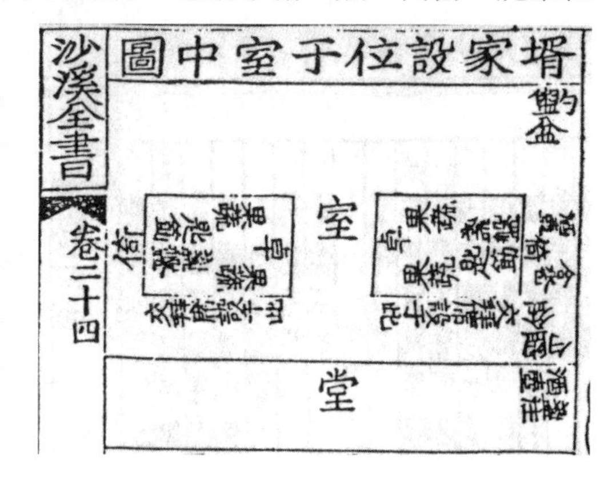

38〔漢〕鄭玄注，（唐）賈公彥疏：《儀禮注疏》，載《十三經注疏》，第8冊，頁154。

39〔宋〕朱熹：《家禮》，載《朱子全書》，頁900。

40〔韓〕金容瑄等編：《沙溪．慎獨齋全書》，頁448。

41〔漢〕鄭玄注，（唐）賈公彥疏：《儀禮注疏》，載《十三經注疏》，第8冊，頁141。

42〔宋〕朱熹：《家禮》，載《朱子全書》，頁898。

婚圖的內容依據《家禮》，而原文內容則按照古禮，圖、文彼此不同。

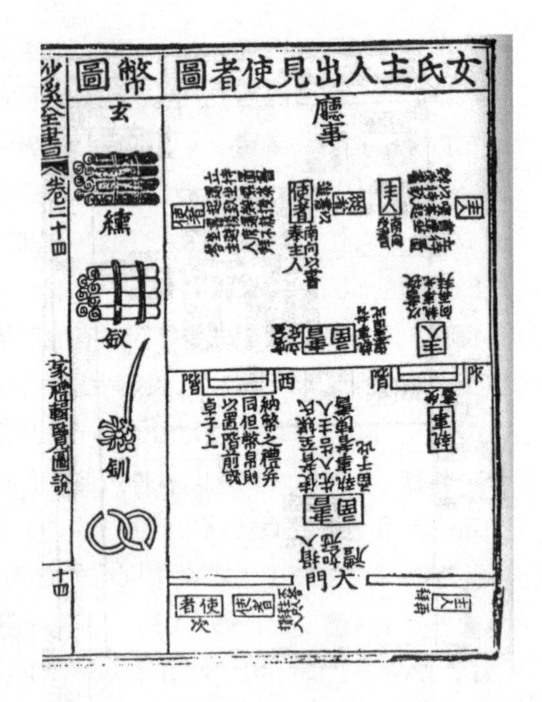

在作出選擇古今婚儀的決定時，金長生有考慮節儉的因素。在右圖「幣圖」中，他列出婚禮納幣時所用的禮物，包括玄、纁、釵、釧四種。玄、纁是古禮納徵用的禮物；「玄」是黑色布帛，「纁」是淺紅的。《儀禮．士昏禮》載：「納徵，玄纁束帛，儷皮。」《家禮》略作改變，稱用「色繒」。《家禮．納幣》曰：「納幣。」楊復註曰：「幣用色繒，貧富隨宜，少不過兩，多不踰十。今人更用釵釧、羊酒、果實之屬，亦可。」[43]《說文》曰：「繒，帛也。」[44]「色繒」是顏色絲織品的總稱。可見，右圖僅列出〈士昏禮〉的「玄」、「纁」與《家禮》的「釵」、「釧」，反映出古今婚儀雜用的情況，而圖中沒有「色繒」的圖像，原因是「色繒」包含範圍過廣，可以是單色，也可以是多色兼有花紋，避免時人因太過奢華，最終導致婚禮失時，便不以「色繒」作為納幣的禮物。許傳曰：

> 後世奢侈成習，必求綵繪紋錦，此古之王公所未有，而貧寠之家效之，則嫁娶失時多由於此。今宜從《五禮儀》，玄、纁各一，用紬或綿布，則實為合古遵今之道也。[45]

---

[43]〔宋〕朱熹：《家禮》，載《朱子全書》，頁897。

[44]〔漢〕許慎：《說文解字》（北京市：中華書局，1992年），頁273上。

[45]〔韓〕許傳：《士儀》，頁9。

朝鮮禮儒倡議節儉，反對時人不切實際，只追求儀式奢華。李瀷在《星湖禮式》中曰：「婚姻之禮，家之大事，或費財而慮居，或褻訨而失儀，非宜也。」[46]金長生參用古禮的「玄」、「纁」繪製出納幣圖像，統一了「納幣」時布帛所用的顏色，旨在禁止時人過於奢侈。

3. 不收俗禮

金長生經常引用丘濬《文公家禮儀節》，用來註釋《家禮》，除了「納采書式」和「納幣書式」外，還包括一些俗禮。在《家禮輯覽》中，一般都記錄丘濬所言的俗禮，而金長生也往往在註後用「愚」或「按」的字樣加入個人評論，其子金集謂「先君平日不事著述，而講讀之餘，隨手箚記者」[47]。例如：

> 舅姑東西相向。《丘儀》：「按《集禮》舅姑並南面坐當中，今人家多如此，或從俗亦可。」進立阼階下。《丘儀》：「舅姑坐定，壻婦並立兩階間，并四拜，拜畢，壻先退。《家禮》無壻拜之文，今從俗補之。」愚謂《丘儀》雖如此，當以《家禮》為正。[48]

按照俗禮，丘濬認為若然家人太多，則婦人拜見舅姑時，舅姑便不必按照《家禮》東西相向而坐，並排南向便可，而女婿可以與婦人一起拜見舅姑。就此，金長生認為此說不妥當，提出必須以《家禮》為正。因此，在「婦見于舅姑圖」中，舅座和姑座依然是東西相向，相配婦的是姆，也沒有女婿的圖示。

可見，在《家禮輯覽》原文中，即使《家禮》和俗禮同時輯錄，但在〈圖說〉中，俗禮不是編繪禮圖的根據。此外，在「婿見婦之父母」條中，金長生曰：

---

[46]〔韓〕李瀷：《星湖禮式》，載《星湖全書》，第1冊，頁446。

[47]〔韓〕金集：〈皇考沙溪先生家狀〉，載《沙溪・慎獨齋全書》，頁1063。

[48]〔韓〕金容瑄等編：《沙溪・慎獨齋全書》，頁447。

> 愚謂壻往婦家後，若富家當有「會親」一節，壻家主人先一日致書于婦父，至家以禮款之，男屬親皆至；主婦先一日致書于婦母，至家以禮款之，女屬親皆至，如俗稱為「坐筵」。[49]

「會親」和「坐筵」皆是俗禮，是指若男家經濟富裕，在拜見婦人父母後，便可以致函婦人父母，款待他們及親屬到男家。因為這是在《家禮》記載以外的俗禮，所以，金長生也沒有編製禮圖交代這些儀式。

五　結論

禮圖是禮儀儀式「圖像化」的表現，它為文字記錄增添了輔助性的說明，使讀者易於掌握儀式中的行禮過程和名物制度。在《家禮輯覽》中，金長生運用禮圖表示出行禮者的方位、路線，以及禮器、贄用、服飾和書信行款格式等。在禮圖版式上，婚圖的版面有佔半葉、一葉，或利用縱向和橫向的分割線，把半葉的版面分割成若干禮圖和獨立圖像；此外，禮圖名稱、圖內場景和行禮人物也用框線來界定，這是線條在禮圖編製上的運用。當線條勾勒出禮圖的平面場景後，圖中的時間流程和人物方位，便通過人物線路、字形方位和文字說明標示出來。歸納來說，這是朝鮮禮儒編製禮圖的慣常使用方法。

由於同一幅禮圖只能夠按照一個標準，繪畫出一種圖樣，它不像文字註釋般，可以兼備眾說，因此，金長生確立出三個繪圖標準：一、以《家禮》為本，二、參酌古今，三、不收俗禮。其中，金長生折衷古今，納入丘濬書式補充《家禮》內容，並以禮儀的實踐性為標準，刪去「納吉」、「請期」、「廟見」等僅存古禮名目的婚禮儀式，而他簡約夫婦同牢和饋食舅姑禮時所用的器具食物，旨在倡議儀式必以節儉為主，行禮者應量力而為；至於金長生沒有編製俗禮禮圖，也反映出他在處理禮、俗問題上所持的取捨態度。

---

[49]〔韓〕金容琯等編：《沙溪．愼獨齋全書》，頁449。

《春秋左氏傳》其構成與基軸

野間文史*著　金培懿**譯

各位與會學者、人士大家好，我是來自日本廣島大學的野間文史。此次承蒙「中日韓經學國際學術研討會」籌備委員會邀請與會，本人心中深感榮幸的同時，亦衷心表達誠摯之謝忱。另外，因為本人無法以中文進行演講，在此也向在座諸位表達十二萬分歉意。

今年（2010）三月十日，拙著《春秋左氏傳その構成と基軸》（《春秋左氏傳其構成與基軸》）出版刊行，故今天本人想藉由說明本書之概要，以為本次演講之內容，懇請諸位與會學者、人士見諒。

誠如眾所皆知的，《左傳》一書所記述之世界極為多元，內容多樣豐富。因此，若想一窺《左傳》之全體樣貌，或想掌握《左傳》之核心思想，實有其相當之困難，該書實在不是一本可以輕易掌握的難解經書。

其主要原因之一，首要就在其作為一本經書的份量非常之多。蓋《左傳》實在是本大部頭之著作，全書字數多達近二十萬字。

另外可以舉出的理由之一，而此問題也是中國古典共通的問題，那就是《左傳》並非一時、一人、一地之作，其成書之經過歷時相當長，經由多數編者之手，且由來源不同之複數資料所編輯而成。

此次演講本人將從《左傳》一書的多樣性、多元性，以及其重層性等側面來作一概觀，而來思考其重心之所在。以下將按資料頁一左上之目次，逐次說明，以為演講內容。

---

* 日本廣島大學大學院文學研究科。
** 臺灣師範大學國文學系。

一 《左傳》經文字數（《左傳》之多樣性）

蓋所謂一書之份量，因為就在其通書之字數，故本人擬從此點開始說起。請與會學者參看資料頁一中間部分。對各經書之字數統計，係依據「開成石經」，而《孟子》、《荀子》、《國語》則依照現行本來統計。

按此資料看來，我們可以瞭解經書中《左傳》字數壓倒性的非常之多，遠遠超過《公羊傳》與《穀梁傳》之字數的四倍。

附帶一提的是，《史記》中亦曾言及先秦典籍的字數，現將該部分文獻資料節錄出，呈現於資料頁一下半部分，請諸位學者參看。

其中，司馬遷所謂①《莊子》、②《韓非子》、③《鄒子》有「十餘萬言」的表現，雖然或許是意指大部分書籍之字數的慣用語，未必就是該書字數的實在數目，但是若從其所謂④《荀子》一數乃「數萬言」這一說法，與現行本《荀子》之字數有「七萬五千四百二十八」字對照看來，兩者之間實相去不遠，故我認為《史記》所言先秦典籍字數未必皆是虛數。

但是即便如此，無論何本先秦典籍，其字數皆不及《左傳》。全書字數總量能凌駕《左傳》者，唯獨《呂氏春秋》，其他皆無。故《史記．呂不韋列傳》中⑤的記載實屬有名。

由秦國宰相呂不韋策劃，以發揚秦國國威為目的所編纂而成的《呂氏春秋》，作者自豪地言道該書乃「備天地萬物古今之事」，其字數多達「二十餘萬言」，份量幾乎與《左傳》的「十九萬八千九百四十五」字相互匹敵。而《左傳》一書記述之多樣性，起因大致也就在這一份量非常之多這點。

而且時代下到西漢，明載著者、編者之名的各種書籍陸續登場。西漢中期，司馬遷之《史記》乃其中之代表性著作，⑥〈太史公自序〉中即言道：「凡百三十篇，五十二萬六千五百字，為太史公書。」

而我們不得不說《史記》全書字數總量，突顯出該書份量之大。因為我們必須注意的是：成書較《史記》稍前的《淮南子》，其字數據現行本看來僅「十三萬零九百一十七」字，故知《淮南子》之份量亦不及《左傳》。

因此我們可以設想得到：誠如《呂氏春秋》之成書一般，其後有著秦國厚實的國力為其背景，《左傳》成書之背景，或恐也存在著巨大的支持力量。

二　列國史記（《左傳》之多元性）

如上所述，《左傳》為極大部頭之典籍，而其成書經過幾乎不明。惟其成書之資料來源，據學界截至目前為止的研究，一般推測其乃列國代代相傳下來之史書、史記。

例如資料頁二上半附表①所示，其乃顧頡剛先生所研究考證出的《左傳》成書之流變。

據此附表所示，顧頡剛先生推測在《春秋左氏傳》成書之前，有一「原本左氏書」之底本，而此底本之資料來源係「晉史」、「楚史」、「列國史」。

又當今日本學界研究《左傳》之代表性學者小倉芳彥先生，在參考顧頡剛之先行研究成果的同時，其主張《左傳》的成書經過當如資料頁二②所示之附表。

如資料所示，顧頡剛與小倉芳彥二位先生，皆推定《左傳》成書之資料來源，係列國之史書。而《左傳》一經所以呈現出此種多元性，或許與其成書資料來自各國史書此點有著重大之關連。因為各國史書皆以其本國為歷史記錄、敘事之中心，因此依據各國史書以成的《左傳》一書，其所以會存在著多個不同的中心敘事點，實為必然之結果。

另外，顧頡剛與小倉芳彥二位先生皆認為：編年體史書的《左傳》之成書時間，當在西漢末期。

三　國別《左傳》之復原

自不待言地，現行本之《左傳》乃編年體史書，因其乃解釋編年體史書《春秋》經文之經義的注書，故其為編年體乃天經地義之事。但顧頡剛先生所謂的「原本左氏書」與小倉芳彥所謂的「古文左氏（傳）」，似乎皆不認為其乃編年體體裁，而推測其應該是如《國語》一般的史書體裁。

確實，吾人在閱讀《左傳》時，妨礙我們理解、掌握該書內容的原因之一，就是此「編年體」之體裁。與《左傳》之難以理解相對照的，就是《呂氏春秋》與《史記》相對較易於掌握理解。因為《呂氏春秋》具有明確的編輯意識，全書由各個主題所編成；另外如《史記》之「紀傳體」，則較具有體系性。

或許就因為《左傳》體裁相對難解，故在長遠的《左傳》學研究發展史中，遂有人試圖將《左傳》「編年體」所記載之每一事件，整理為「紀事本末體」，甚至進一步試圖將之按國別加以復原，編輯為「諸國別體」。

請各位與會學者參看資料頁二上半「3國別左傳之復原」。此種復原之試圖作業，最早出現於南宋時代，時入清朝，承繼此作業而問世之相關書籍為數頗多。而立足於前人研究成果，進而以「諸國別體」問世的韓席籌之《左傳分國集注》一書，是此類書籍中最為詳細之著作。

本人所以在此介紹「紀事本末體」與「諸國別體」等著述例證，自有其理由。因為截至目前為止，學界有關《左傳》之研究，在論及《左傳》編纂於何地時，多會將問題點聚焦於《左傳》究竟是將重點置於何國這一問題。

此類代表性研究，請諸位與會學者參看資料頁二下半部，可以舉出衛聚賢先生的〈左傳之研究〉一文。衛先生製作成「春秋國語左傳分國紀事詳簡統計圖」，並將之以圓形統計圖來表示。

衛聚賢在此統計圖的基礎上，進而在勘察諸多史實後，說道「《左傳》之作者『非齊、魯之人，似為晉人或衛人』」，其結論遂推測《左傳》作者可能為孔子門人「子夏」。亦即「分國紀事」之多寡，在吾人考慮《左傳》成書之地這一問題時，畢竟是一必須納入考量的觀點。

然話雖如此，在製作「統計圖」時，關於《左傳》中的某一記事究竟應該分屬於何國這一問題，雖說有容易判斷的足夠傳文，此乃不爭之事實，但諸國之相關記事錯綜複雜，總難免有不易判斷之文獻記載。關於此點，拙著《春秋左氏傳其構成與基軸》中曾舉出僖公四年的「召陵之盟」為例，探討了分屬錯誤的例證，此次且省略不提。

以上，從多樣性、多元性的觀點，簡單概述《左傳》一書之特質。關於《左傳》之多樣性，本人基本是從該書的份量，亦即「字數」多寡此點來立論；至於《左傳》之多元性，則從其集聚「列國史」的這一特點來加以考察。

四 《左傳》之重層性

另外，本人更從傳文的「重層性」，乃至「層累性」這一問題觀點，來剖析《左傳》一經之特質。關於此點，我們不得不舉出戰後日本學界，在《左傳》研究方面有著豐碩成果的小倉芳彥先生所提出的分析法來加以介紹。請諸位學者參看資料頁三上半部。在此舉出小倉先生所發表的一連串相關論文，但若只是說明其分析法之結論的話，就是《左傳》一書基本上可以分為三大層結構，並可利用其來從事歷史研究。

1. 比較忠實地陳述有關春秋時代之史傳等部分。
2. 以在某一事件中登場的某人的發言形式，而對史傳添加進思想性解說這部分。
3. 根據以上之內容，或將之與《春秋》經文作連結，或將之加進「君子」、「仲尼」之批評等部分。

再請諸位學者參看資料頁三中間部分。在此，且舉出與隱公元年經文「鄭伯克段于鄢」對應的傳文為例。惟小倉芳彥先生對此傳文的具體分析情形，此次因時間有限，姑且省略其說明。

又資料頁三最下面部分，此次更舉出平勢隆郎的分類加以介紹，請諸位學者參看。平勢隆郎現任東京大學東洋文化研究所教授，其於《左傳の史料批判的研究》一書中，批判性地承繼了小倉芳彥先生對《左傳》文章結構的分類，進而將項目更為細目化後，提出六種分類，並以《左傳》全書為例，明示此六種分類結構。該書出版發行後，平勢隆郎先生精力充沛地持續出版《左傳》相關研究專著。

在以春秋時代為對象的歷史研究中，相對完備的史料，除《左傳》、

《國語》之外無他，在此種情況之下，只能利用《左傳》，因而產生所謂無法迴避檢討《左傳》之史料性價值這一問題，此即何以歷史學領域的研究者所以多有研究《左傳》的原因所在。亦即，對歷史學而言，《左傳》一書的哪一部分，可以作為春秋時代之史料而被使用於歷史研究這一問題，實為一重大課題。

然我個人認為，雖然《左傳》確實可以看出存在著多重的重層結構，但若過於執著於文章結構形式上的分析，則無異於為活生生的混沌硬鑿七竅，則恐流於死物。由此又可見《左傳》實為難解之書。

五 《左傳》之重心（基軸）

演講最後，本人想藉由《左傳》全書之字數來進行俯瞰式的考察，藉此試圖摸索出解讀《左傳》的線索。前述衛聚賢先生雖曾製作有「統計圖」，本人亦逐一計算出《左傳》全書之字數，並試圖將之圖表化。請諸位學者參看資料頁四「左傳年次別字數圖表」。

依據此統計圖表，可以看出《左傳》根據不同年代，傳文字數多寡有著明顯的差異。自襄公後半至昭公前半，字數壓倒性的多。同時我們必須注意到的是，在此年代前後也可看到字數非常多而使得統計圖表顯得較為突出的年次。以下，且讓我們針對這些因字數多而使圖表顯得異常突出的年次，確認其傳文之內容。

首先讓我們從字數超過二千字的年次之傳文，舉出其中花費筆墨而來記述主要事件或人物的記載內容。資料頁四的右上部分即是，請諸位學者參看。

只要概觀此部分資料，就可發現資料頁上附有「＊」記號的有關戰爭的記載，字數頗多一事。

此外，當我們改變觀察的重點，進一步看到字數雖然未滿二千字，但相對於周圍前後年次，該年次之圖表相對比較突出，則其所記載描述之事件多與戰爭有關，故知《左傳》對戰爭皆以較多的字數來描述之。

特別是針對所謂春秋三大戰的「城濮之役」、「邲之役」、「鄢陵之役」，亦即當時晉、楚兩大國之間的戰爭衝突，形同異例一般，《左傳》皆以多數的字數來描述之。現於資料頁四右方最後一個方格中，將包含此春秋三大戰役在內的，僅用來描述記載各戰爭場面之字數，按時代先後逐次列舉以示。

如此看來，我們可以知道，《左傳》一書對戰爭抱持著極高度的關心。本人以為此點不就是從字數而可以指出的，屬於《左傳》的第一個特色。

只是關於此類大型戰役，若單純地以春秋時代之前期、中期、後期等三期來區分之的話，則可知其多偏於中期。而且值得注意的是：無論何者，其主人公皆為晉國。

當然，春秋各國之間的衝突並不侷限於春秋中期，誠如襄公二十七年的「弭兵之會」所象徵的，《左傳》有關春秋後期大型戰役的記載相對減少。而所謂「弭兵之會」，乃透過宋國向戌的仲介，晉、楚兩大國與中原諸侯為締結和平條約而相互會合。而《左傳》花費「一千五百二十三」字的筆墨來記述此事。

六　賢大夫之時代（春秋年表）

而《左傳》中有關春秋後期史事的特徵性記載，就在對諸國內亂的記述，以及將以鄭國子產為代表的賢人政治家們的言行加以記載。現就讓我們來看作為賢人之代表的魯之叔孫豹（穆叔）、鄭之子產、晉之叔向、齊之晏嬰等四人被記載的期間。請諸位學者參看資料頁五之「春秋年表」。標有★號者，即彼等在《左傳》中登場的年次。

應該注意的是，在資料頁四「逐年字數圖表」中，字數統計圖表出現高峰狀態的期間，恰與所謂賢人活動期間重疊。而這些賢人齊聚登場於襄公二十九年吳國季札的中國歷訪譚，《左傳》則用「八百四十三」字來記述之。

由此可知，與其說《左傳》記述的重點，是從戰爭轉移到賢人的言語行為上；毋寧說《左傳》記述史事的中心，或許就在賢人的言語行為。而我個人以為此點乃是藉由字數多寡，而來指出《左傳》的第二個特色。

另外，在計算賢人們的發言字數後，結果誠如資料頁五左上方所顯示出的，引人注意的是，鄭國子產與晉國叔向的發言字數壓倒性居多。

而進入春秋後期中晚，例如可以魯國昭公之亡命為代表的一樣，諸國內亂相繼而起。其中特別引人注目的是《左傳》對楚國內亂的記載。而其巔峰就是定公四年的「柏舉之役」，此中亦是嶄新大國吳國的登場。

而後無論是在何國，周初的體制皆陸續瓦解，該時期是必然會來臨的戰國時代的胎動時期。而孔子正是生存於該時期的賢人，故《左傳》亦對其加以記載描述。

然而若將時代往上追溯，資料頁四「逐年字數圖表」中或許看來有些吃力，其中便附帶提及對晉文公（公子重耳）的記載。自僖公二十三年到二十四年的傳文中，詳述了晉公子重耳流浪諸國，最後獲得秦穆公的援助而歸晉即位，其描述所用的字數總共「一千五百二十一」字。換言之，《左傳》用來描述晉文公流浪諸國的字數，其份量堪與前述所謂描述春秋大戰的字數匹敵。

以上主要是從記述字數之多寡來對《左傳》作一概觀。探討的結果就是──《左傳》記述的重心，在春秋前期是將之置於對齊桓公、晉文公稱霸中原建立體制的描述；進入春秋中期，亦即所謂中原盟主晉國與南方大國楚國之間的攻防時代，則以春秋三大戰為記述的中心；到了春秋末期，《左傳》詳述以鄭國子產為代表的賢人政治時代，並以之為史事記述的中心，此後，則展望即將到來的戰國時代，此堪稱是《左傳》一書大致的撰著結構。

七　賢大夫之時代（不朽傳聞）

拙著《春秋左氏傳其構成與基軸》中曾以鄭國子產、晉國叔向、齊國晏嬰、魯國叔孫豹（穆叔）為賢大夫之代表，並舉出吳國公子札對彼等有所期待批評的言行舉動來說明之。本次演講受限時間因素，雖然無法詳細介紹該部分，但彼等賢大夫彼此之間的關係，以及《左傳》中彼等所發揮的諸多效能等，本人皆將之加以圖表化，資料頁六左半邊的圖示即是，請諸位學者會後自行參看。

此次演講最後要介紹的，是魯國叔孫豹・穆叔的言論。在此所以要介紹叔孫豹之言論，乃因本人認為《左傳》作者藉由叔孫豹之言語來開陳其著書意圖。而見於襄公二十四年的著名「不朽」傳聞即是，詳見資料頁六右半邊上段文字所示。

此則記載乃魯國使者叔孫豹（穆叔）趕赴晉國，晉國由正卿范宣子擔任接待饗宴而出迎叔孫豹時，兩人之間你來我往所留下的關於何謂「不朽」之對話。

首先，范宣子對於自身家族自陶唐氏以來，綿延不絕，歷代皆為名家一事而深感自豪。針對范宣子對自家血統的豪誇，叔孫豹則明言此類名家無論何國皆有，並非所謂「不朽」，至多僅能稱之為「世祿」；所謂「不朽」者，我魯國先大夫臧文仲對「不朽」一詞曾有名言傳世，「不朽」意指如何如何，藉此還擊范宣子。

原本范宣子對「不朽」之理解與解釋，乃歷來「不朽」的傳統性意義，但叔孫豹在此卻賦予了「不朽」嶄新的意涵，且讓我們來思考其中之意義。

在此必須參考的文獻是與此段傳文幾乎內容一致的，《國語・晉語八》中的相關記載。請諸位學者參看資料頁六右半部分下段的文字。

《國語》此段文字記載所以值得注意，乃因《左傳》中所謂「豹聞之，大上有立德，其次有立功，其次有立言」該段文字，《國語》並無記載。也就是說，我們應該注意到：《國語》所載並無「立德」、「立功」，僅有「立言」此點。蓋作為此段傳聞的結構，因為主旨是在闡述臧文仲所立論的「不朽」之意涵，故我們可以將相對較為完備的《國語》之記載，理解為是較《左傳》所載更為古老的型態。

而此處可見的所謂「大上……其次……其次……」的這一句型表現，乃是依據下降史觀而有的表現。杜預則將「立德」對應到「黃帝、堯、舜」，將「立功」對應到「禹、稷」，將「立言」對應到周朝之「史佚、周任、臧文仲」。杜預此種對應作法，可說雖不中亦不遠矣。《左傳》中叔孫豹在揭舉「不朽」之例證時，卻舉出居於三不朽最後之「立言」的臧文仲為「不朽」之代表，作為史事的記述傳聞結構，難免給人不自然之感。所以還是

《國語》的記載較為合理不牽強。然而縱使如此，《左傳》為何還是加入了「立德」、「立功」之說呢？

在此我們自然會想起《論語・季氏篇》第二章的記載。資料頁六中間部分所引以「孔子曰『天下有道，則禮樂征伐自天子出』」一句開頭該章即是。

由《論語・季氏篇》該章記載，可以看出所謂：「時代是從天子掌握政治實權的天下有道時代，經由諸侯競爭稱霸的時代，再下降到大夫時代，甚至是陪臣時代的此種歷史演化認識觀點。」

而如果《論語》與《左傳》抱持著幾乎相同的歷史時代觀點，則從《左傳》作者的歷史觀而言，「立德」、「立功」的時代業已逝去，《左傳》作者所處當代已經是「立言」的時代，亦即「賢大夫之時代」。

而彼等賢大夫，超越了其自身所屬之某一家族族群，各自背負著自身各國之存亡命運而來從事外交行動，或進行發言。故其言行背後，無論是在何種場合，皆必須擔負起社稷存亡重責。也正因為如此，彼等大夫之言行舉動，特別是彼等曾說過留下之名言，對其各自該國人民而言，堪稱斯人雖逝，但賢者言語不朽，永世流傳。

本人在前一本《春秋》相關專著《春秋學——公羊傳と穀梁傳》一書中，將《春秋》經與「記言」性質的經書《尚書》對照比較，而得出《春秋》經文具有徹底性「記事」之書的特質。而若從「記言」與「記事」這一二分法而言，《左傳》一書的特質，便是在「記事」之書《春秋》這一「記事」特性上，同時也具備「記言」之書的特性。

惟相對於《尚書》乃記錄帝王言論之書，《左傳》則是記錄「賢大夫」言論之書。正因為如此，所以乍見之下顯得多餘的「立德」、「立功」之說，或許恰好可以窺探出《左傳》作者試圖表明出當時乃是「賢大夫」之「立言」時代的這一附加性撰作意圖。

根據如上之說明，本人以為《左傳》乃是一本以記錄賢大夫之言論為撰作目的之一的經書，而此點亦是今日演講之結論。本人演講到此結束，衷心感謝諸位與會學者、人士的傾聽，懇請不吝賜教。

春秋左氏傳　其構成與基軸

香港浸會大學中日韓經學國際學術研討會
廣島大學　　野間　文史

目次

1 左傳文字數

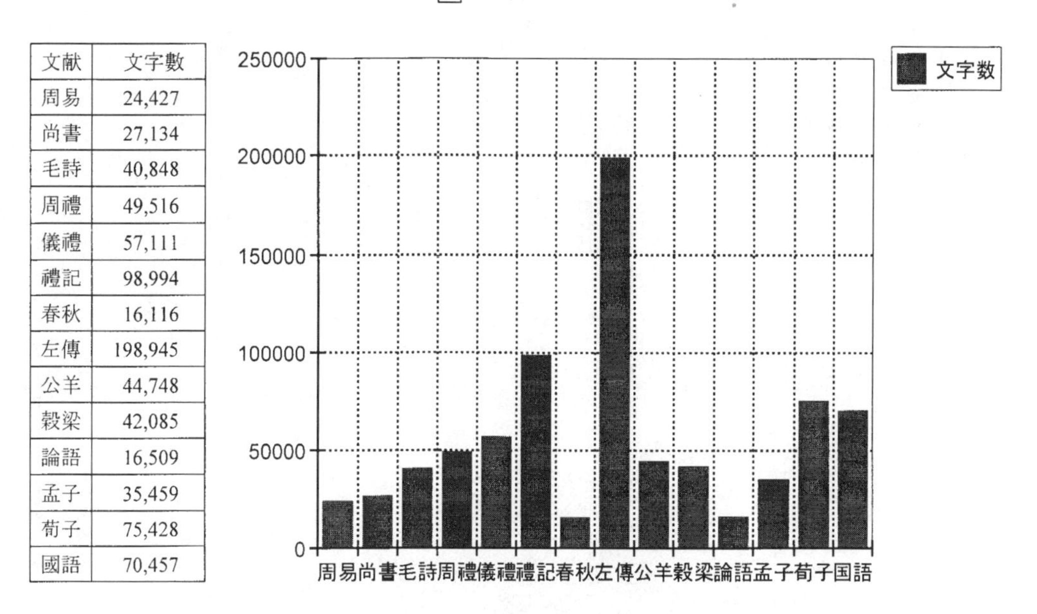

文献	文字數
周易	24,427
尚書	27,134
毛詩	40,848
周禮	49,516
儀禮	57,111
禮記	98,994
春秋	16,116
左傳	198,945
公羊	44,748
穀梁	42,085
論語	16,509
孟子	35,459
荀子	75,428
國語	70,457

① **莊子**者，蒙人也，名周。周嘗爲蒙漆園吏，與梁惠王，齊宣王同時。其學無所不闚，然其要本歸於老子之言。故其著書**十餘萬言**，大抵率寓言也。（『史記』老子韓非列伝）

② （**韓**）**非**見韓之削弱，數以書諫韓王，韓王不能用。……悲廉直不容於邪枉之臣，觀往者得失之變，故作孤憤，五蠹，内外儲，説林，説難**十餘萬言**。（『史記』老子韓非列伝）

③ 其次騶衍，後孟子。**騶衍**睹有國者益淫侈，不能尚德，若大雅整之於身，施及黎庶矣。乃深觀陰陽消息而作怪迂之變、終始、大聖之篇**十餘萬言**。（『史記』孟子荀卿列伝）

④ **荀卿**，趙人。……荀卿嫉濁世之政，亡國亂君相屬，不遂大道而營於巫祝，信禨祥，鄙儒小拘，如莊周等又猾稽亂俗，於是推儒墨道德之行事興壞，序列著**數萬言**而卒。因葬蘭陵。（孟子荀卿列伝）

⑤ 當是時，魏有信陵君，楚有春申君，趙有平原君，齊有孟嘗君，皆下士喜賓客以相傾。呂不韋以秦之彊，羞不如，亦招致士，厚遇之，至食客三千人。是時諸侯多辯士，如荀卿之徒，著書布天下。呂不韋乃使其客人人著所聞，集論以爲八覽、六論、十二紀，**二十餘萬言**。以爲備天地萬物古今之事，號曰**呂氏春秋**。布咸陽市門，懸千金其上，延諸侯游士賓客有能增損一字者予千金。（呂不韋列伝）

⑥ 凡百三十篇，**五十二萬六千五百字**，爲**太史公書**。（『史記』太史公自序）

2 列國史記（左傳之多元性）

①顧頡剛『春秋三傳及國語之綜合研究』（中華書局 一九八八）

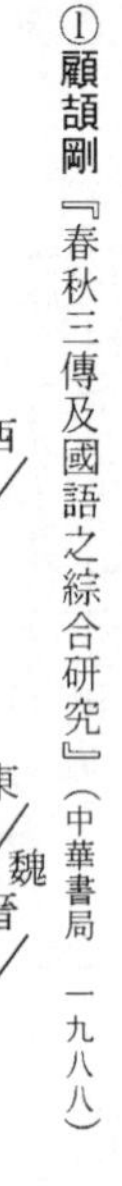

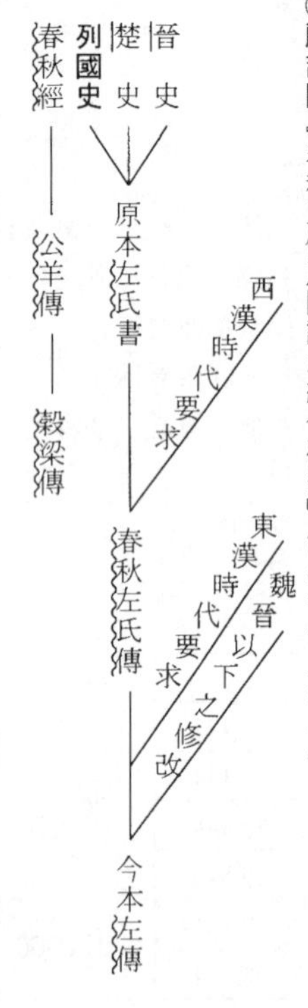

②小倉芳彦「左傳と史記」（『古事記年報』33 一九九一 『小倉芳彦著作選Ⅰ古代中國を讀む』論創社 二〇〇三）

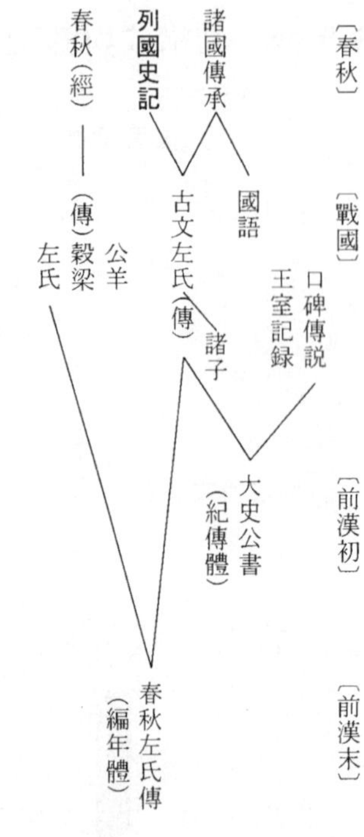

3 國別左傳之復元

○章沖『春秋左氏傳事類始末』五卷（四庫全書・通志堂經解）淳熙一二年刊

○程公說『春秋分紀』九〇卷（四庫全書）淳祐三年（一二四三）刊

○馬驌（1620–1673）『左傳事緯』一二卷・一〇八篇（四庫全書）『繹史』（四庫全書・國学基本叢書）

○高士奇（1645–1704）『左傳紀事本末』（四庫全書・中華書局 一九七九）

○陳厚耀（1648–1722）『春秋戰國異辭』（四庫全書・鼎文書局 一九七七）

○顧棟高（1679–1759）『春秋大事表』（四庫全書・皇清經解續編・中華書局）

○呉闓生（1877–1948）『左傳微』（文學社刊本 一九二三 新興書局 一九六九）

○韓席籌『左伝分國集注』（龍門書店 一九六三）

○衛聚賢（1898–1990）「左傳之研究」『國学論叢』第一卷第一・二號 一九二七）

春秋国語左伝分国紀事詳簡統計図

春秋國語左傳

分國紀事詳簡統計圖

十五年十一月二十一日　衛聚賢製

圖例

1周, 2晉, 3齊, 4魯, 5鄭, 6楚, 7吳

以上三書同

8秦, 9宋, 10衛, 11陳, 12曹,

以上春左二書同

13越, 14蔡, 15邾, 16滕, 17許,

18薛, 19杞, 20小邾

4 左傳之重層性

小倉芳彦（1927～）

○「『左傳』における霸と德—「德」概念の形成と展開—」（『中國古代史研究』吉川弘文館　1960）
○「『左傳』における賂について」（『和田博士古稀記念東洋史論叢』講談社　1961）
○「中國古代の「質」—その機能の變化を中心として—」（『歴史学研究』266　1962）
○「裔夷の俘—『左傳』の華夷観念—」（『中國古代史研究　第二』吉川弘文館　1965）
○「貳と二心—『左傳』の「貳」の分析—」（『中國古代史研究　第三』吉川弘文館　1969）
○「陽虎と公山不狃—春秋末期の「叛」—」（『東京大学東洋文化研究所紀要』49　1969）

（Ⅰ）比較忠實地談有關春秋時代的史傳的部分。
（Ⅱ）以在事件裡登場的人物的發言的形式，加以了史傳思想性的解説的部分。
（Ⅲ）踏以上的內容，到『春秋』經文系結那個的部分，添寫「君子」「仲尼」的批評的部分。

隱公元年經文「鄭伯克段于鄢」

初，鄭武公娶于申，曰武姜，生莊公及共叔段。莊公寤生，驚姜氏，故名曰寤生，遂惡之。
愛共叔段，欲立之。亟請於武公，公弗許。及莊公即位，爲之請制。
公曰「制，巖邑也，虢叔死焉。佗邑唯命」。請京，使居之，謂之京城大叔。　…………〔Ⅰ〕
祭仲曰「都，城過百雉，國之害也。先王之制，大都，不過參國之一。中，五之一。小，九之一。
今京不度，非制也，君將不堪」。
公曰「姜氏欲之，焉辟害」。
對曰「姜氏何厭之有。不如早爲之所，無使滋蔓。蔓，難圖也。蔓草猶不可除，況君之寵弟乎」。
公曰「多行不義，必自斃，子姑待之」。　………………〔Ⅱ〕
既而大叔命西鄙・北鄙貳於己。　………………〔Ⅰ〕
公子呂曰「國不堪貳，君將若之何。欲與大叔，臣請事之。若弗與，則請除之，無生民心」。
公曰「無庸，將自及」。　………………〔Ⅱ〕
大叔又收貳以爲己邑，至于廩延。　………………〔Ⅰ〕
子封曰「可矣。厚將得衆」。
公曰「不義，不暱。厚將崩」。　………………〔Ⅱ〕
大叔完聚，繕甲兵，具卒乘，將襲鄭，夫人將啓之。公聞其期，曰「可矣」。命子封帥車二百乘以伐京。
京叛大叔段。段入于鄢。公伐諸鄢。五月辛丑，大叔出奔共。　………………〔Ⅰ〕
書曰「鄭伯克段于鄢」。段不弟，故不言弟。如二君，故曰克。稱鄭伯，譏失教也，謂之鄭志。不言出奔，
難之也。　………………〔Ⅲ〕
遂置姜氏于城潁，而誓之曰「不及黃泉，無相見也」。既而悔之。
潁考叔爲潁穀封人，聞之，有獻於公。公賜之食。食舍肉。公問之。
對曰「小人有母，皆嘗小人之食矣。未嘗君之羹，請以遺之」。
公曰「爾有母遺，繄我獨無」。
潁考叔曰「敢問何謂也」。公語之故，且告之悔。
對曰「君何患焉。若闕地及泉，隧而相見，其誰曰不然」。公從之。
公入而賦「大隧之中，其樂也融融」。姜出而賦「大隧之外，其樂也泄泄」。遂爲母子如初。
君子曰「潁考叔，純孝也，愛其母，施及莊公。詩曰『孝子不匱，永錫爾類』，其是之謂乎」。

平勢隆郎『左傳の史料批判的研究』（汲古書院　1998）

1　經文引用
2　經文換言・説話
3　經解
4　説話（分開會話部分論述）
5　説解
6　凡例・君子曰

○『中國古代の予言書』（講談社現代新書　2000）
○『よみがえる文字と呪術の帝國』（中公新書　2001）
○『「春秋」と「左傳」』（中央公論新社　2003）

5 左傳之重心・基軸（左傳年次別文字數）

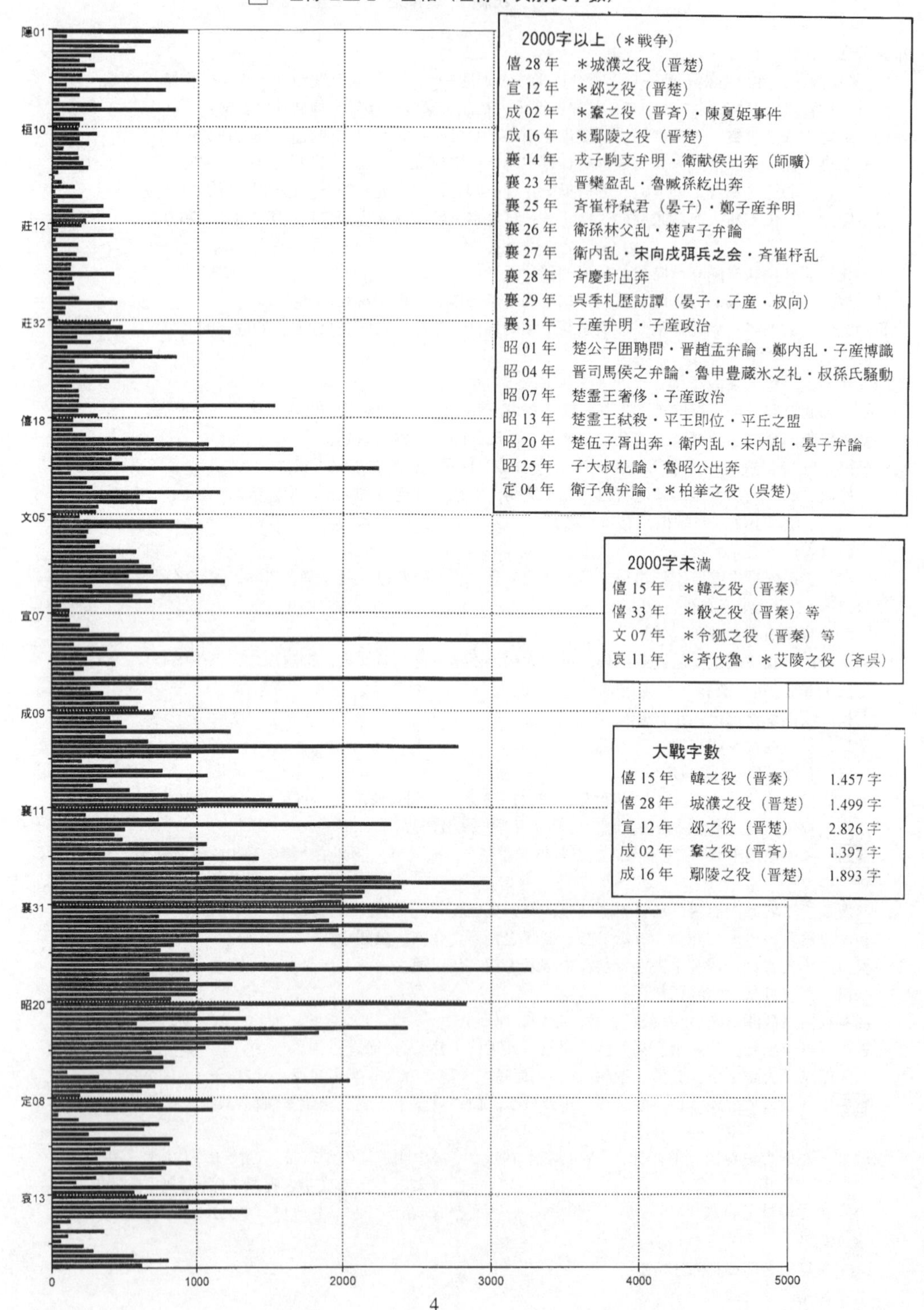

6 賢大夫之時代（春秋年表）

賢人之言
子產 4,522字
叔向 3,046字
晏嬰 1,821字
叔孫豹 879字
公子札 686字

弭兵之会 1,523字
季札歴訪譚 843字
重耳放浪譚 1,521字

隱	1	1					
隱	2	2					
隱	3	3					
隱	4	4					
隱	5	5					
隱	6	6					
隱	7	7					
隱	8	8					
隱	9	9					
隱	10	10					
隱	11	11					
桓	1	12					
桓	2	13					
桓	3	14					
桓	4	15					
桓	5	16					
桓	6	17					
桓	7	18					
桓	8	19					
桓	9	20					
桓	10	21					
桓	11	22					
桓	12	23					
桓	13	24					
桓	14	25					
桓	15	26					
桓	16	27					
桓	17	28					
桓	18	29					
莊	1	30					
莊	2	31					
莊	3	32					
莊	4	33					
莊	5	34					
莊	6	35					
莊	7	36					
莊	8	37					
莊	9	38					
莊	10	39					
莊	11	40					
莊	12	41					
莊	13	42					
莊	14	43					
莊	15	44					
莊	16	45					
莊	17	46					
莊	18	47					
莊	19	48					
莊	20	49					
莊	21	50					
莊	22	51					
莊	23	52					
莊	24	53					
莊	25	54					
莊	26	55					
莊	27	56					
莊	28	57					
莊	29	58					
莊	30	59					
莊	31	60					
莊	32	61					
閔	1	62					
閔	2	63					
僖	1	64					
僖	2	65					
僖	3	66					
僖	4	67					
僖	5	68					
僖	6	69					
僖	7	70					
僖	8	71					
僖	9	72					
僖	10	73					
僖	11	74					
僖	12	75					
僖	13	76					
僖	14	77					
僖	15	78					韓之役
僖	16	79					
僖	17	80					
僖	18	81					
僖	19	82					
僖	20	83					
僖	21	84					
僖	22	85					

僖	23	86					
僖	24	87					
僖	25	88					
僖	26	89					
僖	27	90					
僖	28	91					城濮之役
僖	29	92					
僖	30	93					
僖	31	94					
僖	32	95					
僖	33	96					殽之役
文	1	97					
文	2	98					
文	3	99					
文	4	100					
文	5	101					
文	6	102					
文	7	103					令狐之役
文	8	104					
文	9	105					
文	10	106					
文	11	107					
文	12	108					
文	13	109					
文	14	110					
文	15	111					
文	16	112					
文	17	113					
文	18	114					
宣	1	115					
宣	2	116					
宣	3	117					
宣	4	118					
宣	5	119					
宣	6	120					
宣	7	121					
宣	8	122					
宣	9	123					
宣	10	124					
宣	11	125					
宣	12	126					邲之役
宣	13	127					
宣	14	128					
宣	15	129					
宣	16	130					
宣	17	131					
宣	18	132					
成	1	133					
成	2	134					鞌之役
成	3	135					
成	4	136					
成	5	137					
成	6	138					
成	7	139					
成	8	140					
成	9	141					
成	10	142					
成	11	143					
成	12	144					
成	13	145					
成	14	146					
成	15	147	穆叔				
成	16	148	★				鄢陵之役
成	17	149					
成	18	150					
襄	1	151					
襄	2	152	★				
襄	3	153	★				
襄	4	154	★				
襄	5	155	★				
襄	6	156	★				
襄	7	157	★	子產			
襄	8	158		★			
襄	9	159					
襄	10	160		★	叔向		
襄	11	161	★		★		
襄	12	162					
襄	13	163					
襄	14	164	★		★		
襄	15	165	☆	★			
襄	16	166	★			晏嬰	
襄	17	167				★	
襄	18	168			★	★	
襄	19	169	★	★	★		
襄	20	170					

襄	21	171			★		
襄	22	172	★	★		★	
襄	23	173	★			★	
襄	24	174	★	★			
襄	25	175	★	★	★	★	
襄	26	176		★	★	★	
襄	27	177	★		★		弭兵之會
襄	28	178	★	★		★	
襄	29	179	★	★	★	★	季札之聘
襄	30	180	★	★	★		
襄	31	181	★	★	★		
昭	1	182	★	★	★		
昭	2	183		★	★	★	
昭	3	184	★		★	★	
昭	4	185	穆叔卒	★	★		
昭	5	186			★	★	
昭	6	187		★	★	★	
昭	7	188		★			
昭	8	189			★		
昭	9	190		★	★		
昭	10	191		★	★	★	
昭	11	192		★	★		
昭	12	193		★			
昭	13	194		★	★		
昭	14	195			★		
昭	15	196			叔向		
昭	16	197		★			
昭	17	198		★			
昭	18	199		★			
昭	19	200		★			
昭	20	201		子產沒		★	
昭	21	202					
昭	22	203					
昭	23	204					
昭	24	205					
昭	25	206		◎			
昭	26	207				晏嬰	
昭	27	208			◎		
昭	28	209					
昭	29	210					
昭	30	211					
昭	31	212					
昭	32	213					
定	1	214					
定	2	215					
定	3	216					
定	4	217					
定	5	218					柏擧之役
定	6	219					
定	7	220					
定	8	221					
定	9	222					
定	10	223					
定	11	224					
定	12	225					
定	13	226					
定	14	227					
定	15	228					
哀	1	229					
哀	2	230					
哀	3	231					
哀	4	232					
哀	5	233					
哀	6	234					
哀	7	235					
哀	8	236					
哀	9	237					
哀	10	238					
哀	11	239					
哀	12	240					
哀	13	241					
哀	14	242					
哀	15	243					
哀	16	244					
哀	17	245			◎		
哀	18	246					
哀	19	247					
哀	20	248					
哀	21	249					
哀	22	250					
哀	23	251					
哀	24	252					
哀	25	253					
哀	26	254					
哀	27	255					

6 賢大夫之時代（不朽說話）

『左伝』襄公二十四年

春，穆叔如晉。
范宣子逆之，問焉曰，
「古人有言曰『死而不朽』，何謂也」。
穆叔未對。
宣子曰「昔匄之祖，自虞以上爲陶唐氏，
在夏爲御龍氏，
在商爲豕韋氏，
在周爲唐杜氏，
晉主夏盟爲范氏，
其是之謂乎」。
穆叔曰「以豹所聞，此之謂世祿，非不朽也。
魯有先大夫曰臧文仲，既沒，其言立，
其是之謂乎。
豹聞之，大上有立德，其次有立功，其次有立言。
雖久不廢，此之謂不朽。
若夫保姓受氏，以守宗祊，世不絕祀，無國無之。
祿之大者，不可謂不朽」。

『國語』晉語八

魯襄公使叔孫穆子來聘。
范宣子問焉，曰，
「人有言曰『死而不朽』，何謂也」。
穆子未對。
宣子曰「昔匄之祖，自虞以上爲陶唐氏，
在夏爲御龍氏，
在商爲豕韋氏，
在周爲唐杜氏，
周卑，晉繼之，爲范氏，
其此之謂也」。
對曰「以豹所聞，此之謂世祿，非不朽也。
魯先大夫臧文仲，其身歿矣，其言立于後世，
此之謂死而不朽」。

杜預：大上有立德。〔黄帝，堯，舜。〕其次有立功。〔禹，稷。〕其次有立言。〔史佚，周任，臧文仲。〕

『論語』季氏篇

孔子曰，天下有道，則禮樂征伐自天子出。天下無道，則禮樂征伐自諸侯出。自諸侯出，蓋十世希不失矣。自大夫出，五世希不失矣。陪臣執國命，三世希不失矣。天下有道，則政不在大夫。天下有道，則庶人不議。

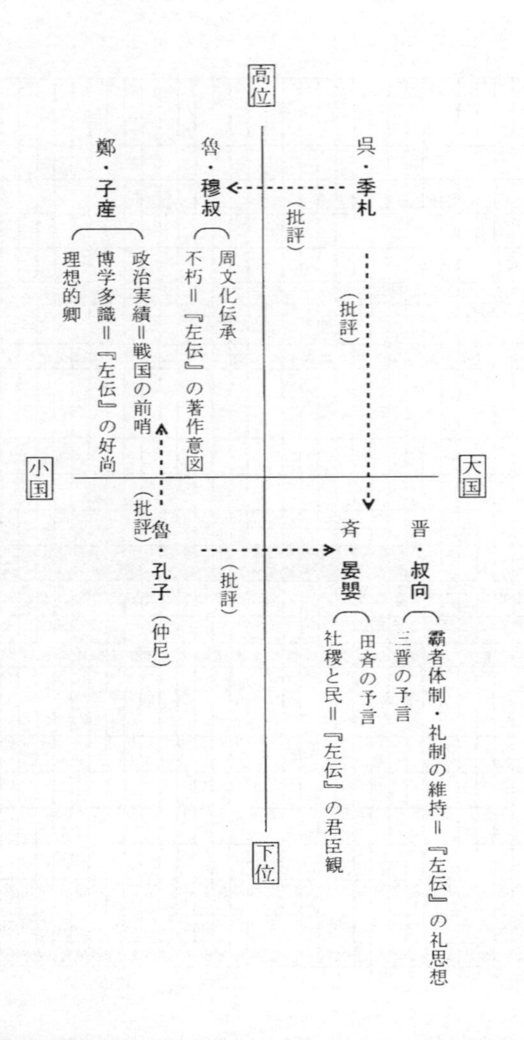

《左傳》校讀箚記

趙生群*

近年應陝西人民出版社之約，為《左傳》作一新注，因參考各家之說，商榷疑義，以求折中。間或有一得之見，未敢敝帚自珍，願公諸同好以請益。此文所列，為尚未發表之部分條目。

義以出禮

> 桓公二年：「夫名以制義，義以出禮，禮以體政，政以正民。」杜預曰：「禮從義出。」[1]林堯叟曰：「得其宜則禮敬生，故義所以出禮。」[2]

按：出，生也。《大戴禮記．四代》：「陽德出禮，禮出刑，刑出慮。」王聘珍《解詁》：「出，猶生也。」

成公二年《傳》：「義以出利。」《國語．晉語一》：「義以生利。」「義以出利」與「義以生義」同意。

成公二年《傳》：「名以出信。」謂名以生信。

---

* 南京師範大學文學院。

[1] 〔晉〕杜預：《春秋經傳集解》，《春秋左傳正義》（北京市：中華書局，1985年影印阮元校刻本《十三經注疏》，下冊卷5，頁1743。

[2] 林堯叟：《左傳句讀直解》（上海市：上海古籍出版社影印本《續修四庫全書》第118冊）卷3，頁444。

王師敗不書

桓公四年《經》:「秋，蔡人、衛人、陳人從王伐鄭。」

杜預曰:「王師敗不書，不以告。」[3]顧炎武曰:「王師敗不書，不可書也。為尊者諱。」[4]

按:王師敗績，《經》、《傳》俱有明文。莊公十一年《傳》:「凡師，敵未陳曰敗某師，皆陳曰戰，大崩曰敗績……京師敗曰王師敗績於某。」成公元年《經》曰:「秋，王師敗績於茅戎。」

張吾三軍

桓公六年:「我張吾三軍，而被吾甲兵，以武臨之，彼則懼，而協以謀我，故難間也。」

杜預曰:「張，自侈大也。」[5]洪亮吉曰:「《詩》毛《傳》:『張，大也。』」[6]

按:張，施也，設也。謂陳列。張吾三軍，猶陳吾三軍。

《九歌・湘夫人》:「與佳期兮夕張。」王逸《注》:「張，施也。」洪興祖《補注》:「張……陳設也。」

《管子・七法》:「是故張軍而不能戰，圍邑而不能攻，得地而不能實。」《韓非子・初見秦》:「今天下之府庫不盈，囷倉空虛，悉其士民，張軍數十

---

3 《春秋左傳正義》卷6，頁1747。

4 顧炎武:《左傳杜解補證》(南京市:鳳凰出版社，2005年，影印本《清經解》壹)卷1，頁1。

5 《春秋左傳正義》卷6，頁1749。

6 洪亮吉:《春秋左傳詁》(《續修四庫全書》第124冊)卷5，頁64。

百萬。」

妖

莊公十四年：「妖由人興也。人無釁焉，妖不自作。人棄常，則妖興，故有妖。」

按：妖，異也，怪也，與「常」相對。凡異常、反常之事物，皆可謂之妖，故曰「人棄常，則妖興」。

蔡出

莊公二十二年：「陳厲公，蔡出也，故蔡人殺五父而立之。」
杜預曰：「姊妹之子曰出。」[7]孔穎達曰：「〈釋親〉云：『男子謂姊妹之子為出，言姊妹出嫁而生子也。』」[8]

按：出，生也。蔡出，謂蔡國女子所生。僖公二十三年《傳》：「晉公子，姬出也。」謂重耳乃姬姓（同姓）女子所生。文公十四年《傳》：「齊出貜且長。」謂齊女所生之子年長。成公二年《傳》：「名以出信。」謂威信由名號而生。

《傳》言「申出」、「杞出」、「齊出」、「吳出」，皆謂某國女子所生耳。

天策

僖公五年：「丙之晨，龍尾伏辰，均服振振，取虢之旂。鶉之賁賁，

---

7 《春秋左傳正義》卷9，頁1775。

8 孔穎達：《春秋左傳正義》卷9，頁1795。

天策焞焞，火中成軍，虢公其奔。」

杜預曰：「天策，傅說星。」沈欽韓曰：「《晉書・天文志》王良五星在奎北，居河中。前一星曰策星，王良之禦策也，主天子之僕……又云傅說一星在尾後。傅說主章祝巫官也。《傳》所云天策者，策星也。」[9]竹添光鴻曰：「杜云『天策，傅說星』，謬。」[10]

按：《補注》、《會箋》俱以天策為策星，與杜《注》不同，學者取捨不同，疑不能決。2005年，臺灣佛光大學主辦「第一屆世界漢學中的春秋學學術研討會」，余與南京紫金山天文臺張培瑜先生相遇，得向先生當面請益，先生出示僖公五年天文圖，慨以相贈，乃知天策確為傅說星也。

阻隘

僖公二十二年：「古之為軍也，不以阻隘也。寡人雖亡國之餘，不鼓不成列。」

杜預曰：「不因阻隘以求勝。」[11]俞樾曰：「阻者，扼也。」[12]

按：《說文・阜部》：「阻，險也。」不以阻隘，謂不以險阻取勝也。下文「隘而不列」，謂處於險阻之地而不能成列；「阻而鼓之」，謂迫敵於險而攻之；「利而用之，阻隘可也」，謂雖憑險阻勝敵，亦無不可。「隘」、「阻」、「阻隘」皆名詞用作動詞。

9 《春秋左氏傳補注》三，《清經解續編》拾壹，頁2952。

10 竹添光鴻：《左傳會箋》第五（臺北市：天工書局，1998年），頁356。

11 《春秋左傳正義》卷15，頁1814。

12 俞樾：《群經平議・春秋左傳一》，《清經解續編》（南京市：鳳凰出版社，2005年影印本），冊13，頁6949。

扞禦侮者

僖公二十四年：「周之有懿德也，猶曰『莫如兄弟』，故封建之。其懷柔天下也，猶懼有外侮。扞禦侮者，莫如親親，故以親屏周。召穆公亦云。」

按：「扞」通「攼」，止也，禦也。《說文．攴部》：「攼，止也。」徐鍇《繫傳》：「攼，今《尚書》借扞字。」

《史記．韓長孺列傳》：「吳、楚反時，孝王使安國及張羽為將，扞吳兵於東界。」《漢書．鄒陽傳》：「此四分五裂之國，權不足以自守，勁不足以扞寇。」顏師古《注》：「扞，禦也。」

扞，字或作「捍」。《國語．魯語上》：「能禦大災則祀之，能扞大患則祀之。」《禮記．祭法》「扞」作「捍」。

以綏四方

僖公二十八年：「君子謂文公其能刑矣，三罪而民服。《詩》云：『惠此中國，以綏四方。』不失賞刑之謂也。」

杜預曰：「言刑賞不失，則中國受惠，四方安靖。」[13]

按：方，邦也，國也。四方，謂諸侯各國。《詩．大雅．韓奕》：「榦不庭方。」朱熹《集傳》：「不庭方，不來庭之國也。」〈大雅．常武〉：「如雷如霆，徐方震驚。」徐方謂徐國。

本年《傳》曰：「王謂叔父，敬服王命，以綏四國。」《文選》卷四六載王元長〈三月三日曲水詩序〉：「勤恤民隱，糾逖王慝。」李善《注》：「《左

[13]《春秋左傳正義》卷16，頁1827。

氏傳》曰：『王謂晉文侯曰：「以綏四方，糾逖王慝。」』」可證「四國」與「四方」同義。《詩．大雅．抑》：「無競維人，四方其訓之。有覺德行，四國順之。」「四方其訓之」與「四國順之」同義。

《尚書．湯誥》：「凡我造邦，無從匪彝……其爾萬方有罪，在予一人；予一人有罪，無以爾萬方。」「萬方」即指上文之「造邦」，謂周所建之諸侯。〈太甲上〉：「撫綏萬方。」謂安定萬邦。〈泰誓下〉：「惟我有周誕受多方。」「多方」謂眾多諸侯。

《詩．大雅．常武》：「徐方繹騷。」高亨《注》：「徐方，徐邦。」

《易．既濟》：「高宗伐鬼方，三年克之。」《詩．大雅．蕩》：「內奰於中國，覃及鬼方。」朱熹《集傳》：「鬼方，遠夷之國也。」

《山海經．海內北經》：「林氏國有珍獸，大若虎，五采畢具，尾長於身，名曰騶吾，乘之日行千里。」劉桓曰：「第五期卜辭有林方，其伯長稱為白（伯）……林方與林氏國是一非二。」[14]

戒之用休

> 文公七年：「《夏書》曰：『戒之用休，董之用威，勸之以《九歌》，勿使壞。」
>
> 杜預曰：「有休則戒之以勿休。」[15]林堯叟曰：「休，美也。人有美德，則以休美警戒之。」[16]陸粲曰：「民之為善者則休美其事而戒諭之，使勉而勿怠也。」[17]

按：休，懈也，怠也。戒之用休，告誡其人不應懈怠也。

昭公五年《傳》：「君若驩焉好逆使臣，滋敝邑休怠而忘其死，亡無日

[14] 劉桓：《說林方》，《殷契存稿》（哈爾濱市：黑龍江教育出版社，2004年），頁103。

[15]《春秋左傳正義》卷19，頁1846。

[16]《左傳句讀直解》卷18，頁514。

[17] 陸粲：《左傳附註》卷1，《四庫全書》第167冊，頁694。

矣。」杜《注》:「休怠猶言休怠。」

休、怠二字義通。休有怠義，怠亦有休義。僖公十三年《傳》:「齊侯使仲孫湫聘於周，且言王子帶。事畢，不與王言。歸，復命曰:『未可。王怒未怠。其十年乎！不十年，王弗召也。』」王怒未怠，謂王怒未息也。

蔡侯入於敝邑以行

> 文公十七年:「寡君即位三年，召蔡侯而與之事君。九月，蔡侯入於敝邑以行。」
>
> 杜預曰:「行，朝晉也。」[18]

按:《廣雅・釋詁上》:「行……往也。」《廣韻・庚韻》:「行，適也，往也。」蔡侯入於敝邑以行，謂蔡侯入於鄭而往朝於晉。下文「十五年五月，陳侯自敝邑往朝於君」文義相近。

自封

> 襄公十年:「向戌辭曰:『君若猶辱鎮撫宋國，而以偪陽光啟寡君，群臣安矣，其何貺如之？若專賜臣，是臣興諸侯以自封也，其何罪大焉。敢以死請。』」
>
> 竹添光鴻曰:「自封，言封己身也。」[19]

按:封，厚也。「興諸侯以自封」，猶言「興諸侯以自肥」也。《國語・楚語上》:「若於目觀則美，縮於財用則匱，是聚民利以自封而瘠民也，胡美之為？」韋昭《注》:「封，厚也。」〈楚語下〉:「民多曠者，而我取富焉，

18《春秋左傳正義》卷20，頁1860。

19《左傳會箋》第15，頁1033。

是勤民以自封也。」韋昭《注》:「封，厚也。」

勇爵

襄公二十一年：「莊公為勇爵。殖綽、郭最欲與焉。州綽曰：『東閭之役，臣左驂迫，還於門中，識其枚數，其可以與於此乎？』公曰：『子為晉君也。』對曰：『臣為隸新。然二子者，譬於禽獸，臣食其肉而寢處其皮矣。』」

杜預曰：「設爵位以命勇士。」[20]陸粲曰：「爵，飲酒器。設之以觴勇士，因名勇爵，非爵位也。」[21]

按：桂馥曰：「勇爵，以爵酒獎勵勇士，如二桃也。」[22]《晏子春秋·內篇諫下·景公養勇士三人無君臣之義》載晏嬰使公孫接、田開疆、古冶子三人計功食桃事絕相類。殖綽、郭最、州綽皆欲與者，以勇欲飲此酒也。

啓胠

襄公二十三年：「秋，齊侯伐衛。先驅：穀榮御王孫揮，召揚為右。申驅：成秩御莒恒，申鮮虞之傅摯為右……啟：牢成御襄罷師，狼蘧疏為右。胠：商子車御侯朝，桓跳為右。大殿：商子游御夏之禦寇，崔如為右。」

杜預曰：「左翼曰啟，右翼曰胠。」[23]孔穎達曰：「左翼曰啟，右翼曰胠，賈逵以為此言或當有成文也。且此傳上下先驅、申驅是前軍也，

[20]《春秋左傳正義》卷34，頁1972。

[21]《左傳附註》卷2，《四庫全書》第167冊，頁705。

[22] 桂馥：《札樸》（北京市：中華書局，1992年）卷2，頁69。

[23]《春秋左傳正義》卷35，頁1976。

> 大殿是後軍也，明啟、胠是在旁之軍。《說文》云：『胠，掖下也。』胠是在旁明矣。凡言左右以左為先，知啟是左也。」[24]

按：孔氏言胠有「在旁」之義，是也。啟亦有旁側之意。《爾雅・釋畜》：「前右足白，啟。左白，踦。」啟、踦皆有旁側之義。昭公二十九年《傳》：「衛侯來獻其乘馬，曰啟服。」「啟服」蓋由此而得名。疑啟當為右翼，胠乃為左翼也。

孔氏以「凡言左右以左為先」推言啟是左，胠是右，乃想當然之辭。桓公五年《傳》曰：「王為中軍；虢公林父將右軍，蔡人、衛人屬焉；周公黑肩將左軍，陳人屬焉。」又曰：「鄭子元請為左拒，以當蔡人、衛人，為右拒，以當陳人。」又曰：「曼伯為右拒，祭仲足為左拒，原繁、高渠彌以中軍奉公。」僖公二十五年《傳》：「右師圍溫，左師逆王。」僖公二十八年《傳》：「荀林父將中行，屠擊將右行，先蔑將左行。」昭公二十三年《傳》：「中軍從王，光帥右，掩餘帥左。」哀公十一年《傳》：「孟孺子洩帥右師……冉求帥左師。」此數例，皆先言右，後言左。

宣公十二年《傳》：「軍行，右轅，左追蓐，前茅慮無，中權，後勁。」昭西元年《傳》：「為五陳以相離，兩於前，伍於後，專為右角，參為左角，偏為前拒，以誘之。」此二例言軍陣之前後左右，皆右在前，左在後。

參以《左傳》行文之例，左翼曰啟，右翼曰胠，抑或右翼曰啟，左翼曰胠，未可遽斷也。

魯實受之

> 昭公七年：「夏四月甲辰朔，日有食之。晉侯問於士文伯曰：『誰將當日食？』對曰：『魯、衛惡之。衛大，魯小。』公曰：『何故？』對曰：『去衛地，如魯地，於是有災，魯實受之。其大咎，其衛君乎！魯將上卿。』」

---

[24]《春秋左傳正義》卷35，頁1976。

杜預曰：「魯受其餘禍。」[25]

按：受，當也。「魯實受之」，承上「誰將當日食」而作答，謂魯將當其災禍。

襄公十年《傳》：「荀偃、士匄帥卒攻偪陽，親受矢石。」《漢書．終軍傳》：「臣宜被堅執銳，當矢石，啟前行。」「親受矢石」即身當矢石。

《國語．周語上》：「有神降於莘……王曰：『其誰受之？』對曰：『在虢土。』」「其誰受之」，問誰將當之也。

哀公六年《傳》：「是歲也，有雲如眾赤鳥，夾日以飛三日。楚子使問諸周大史。周大史曰：『其當王身乎！若禜之，可移於令尹、司馬。』」

《晏子春秋．內篇諫上．景公異熒惑守虛而不去》：「景公之時，熒惑守於虛，朞年不去。公異之，召晏子而問之曰：『吾聞之，人行善者，天賞之；行不善者，天殃之。熒惑，天罰也，今留虛，其孰當之？』晏子曰：『齊當之。』公不說，曰：『天下大國十二，皆曰諸侯，齊獨何以當？』」

赤雲、熒惑之事，皆可與昭公七年傳文參看。

齊侯疥遂痁

昭公二十年：「齊侯疥遂痁，期而不瘳。」

按：遂，且也。《上海博物館藏戰國楚竹書．競公瘧》載此事，第一簡、第二簡「遂」皆作「㫐」，《釋文》曰：「『㫐』，讀為『且』。」[26]《晏子春秋．內篇諫上．景公病久不愈欲誅祝史以謝》：「景公疥且痁，期年不已。」

[25]《春秋左傳正義》卷44，頁2048。

[26]《上海博物館藏戰國楚竹書》（上海市：上海古籍出版社，2007年），頁163。

舟鮫

昭公二十年：「山林之木，衡鹿守之；澤之萑蒲，舟鮫守之；藪之薪蒸，虞候守之；海之鹽蜃，祈望守之。」

杜預曰：「衡鹿、舟鮫、虞候、祈望皆官名也。」[27]孔穎達曰：「舟是行水之器，鮫是大魚之名，澤中有水有魚，故以舟鮫為官名也。」[28]莊述祖曰：「鮫，海魚名，非澤中所生。《說文》：『篽，禁苑也。《春秋傳》曰：澤之舟篽。』字又作魰。《周禮・𢿵人》，《音義》云：『𢿵，音魚。本又作魚，亦作䱷，同。又音御。』」[29]

按：「鮫」當為「魰」之形訛。《戰國楚竹書・競公瘧》正作「魰」。《玉篇・魚部》：「魰，同𢿵。」張衡〈西京賦〉：「逞欲畋魰。」李善《注》：「《說文》曰：『魰，捕魚也。』」《說文》作「魰」，義同。

「舟鮫守之」《戰國楚竹書》作「吏魰守之」。《釋文》曰：「『魰』，當為官名。」疑《左傳》之「舟魰」乃「舟虞」之異名。《尚書・舜典》：「咨！益，汝作朕虞。」孔《傳》：「虞，掌山澤之官。」《國語・魯語下》：「叔向退，召舟虞與司馬，曰：『夫苦匏不材於人，共濟而已……具舟除隧，不共有法。」韋昭《注》：「舟虞掌舟。」《呂氏春秋・士容論・上農》：「澤非舟虞不敢緣名，為害其時也。」高誘《注》：「舟虞，主舟官。」

稱主君

昭公二十九年：「春，公至自乾侯，處於鄆。齊侯使高張來唁公，稱

27《春秋左傳正義》卷49，頁2093。

28《春秋左傳正義》卷49，頁2093。

29 莊述祖：《五經小學述》一，《清經解續編》冊9，頁1135。

主君。子家子曰：『齊卑君矣，君祇辱焉。』公如乾侯。」

杜預曰：「比公於大夫。」[30]

按：此主君當指齊侯。《史記．魯周公世家》：「二十九年，昭公如鄆。齊景公使人賜昭公書，自謂『主君』。昭公恥之。」《左傳》載諸侯應對之辭，稱本國之君曰寡君，國君自稱曰寡人。今齊侯稱主君，而不用謙辭，故子家子以為齊卑魯君也。

春秋、戰國之時，君主、卿大夫皆稱主君。如：《說苑．正諫》咎犯稱晉平公、《墨子．魯問》墨子對魯君、《戰國策．秦策二》樂羊對魏文侯、〈魏策二〉魯君對梁惠王皆稱主君；《戰國策》、《史記》載蘇秦說六國之君，齊、楚、魏、韓、燕皆稱蘇秦為主君。

[30]《春秋左傳正義》卷53，頁2122。

《左傳》「公喪之如稅服終身」解

許子濱*

一　緒言

《春秋》襄公二十七年記「衛殺其大夫寧喜」及「衛侯之弟鱄出奔晉」。《左傳》詳述其事，敘及衛侯（獻公）母弟鱄（子魚）奔晉之始末云：

> 子鮮曰：「逐我者出，納我者死。賞罰無章，何以沮勸？君失其信，而國無刑，不亦難乎？且鱄實使之。」遂出奔晉。公使止之，不可。及河，又使止之，止使者而盟於河。託於木門，不鄉衛國而坐。木門大夫勸之仕，不可，曰：「仕而廢其事，罪也；從之，昭吾所以出也。將誰愬乎？吾不可以立於人之朝矣。」終身不仕。公喪之如稅服終身。

對於「公喪之如稅服終身」一語，古今注家看法迥異，迄無定論。就句子組合而言，「公喪之如稅服終身」可分成「公喪之」、「如」、「稅服」、「終身」四部分。古今注家主要圍繞「稅服」展開爭辯，對其他部分，尤其是「如」的討論，卻很不足夠。假如撇除其間的細微差別，單從訓詁的角度看，前人訓釋「稅」字之異說，大抵可歸納為兩大類：第一類，「稅」按本字解，此大類中可再分出兩說，一說引《禮記》追服之「稅」[1]為證，解作「追服」，服虔、于鬯（1854～1910）、竹添光鴻（1841/2～1917）主之，另一說引

* 香港嶺南大學中文系。

[1] 「稅」音他外反。見《禮記正義》（上海市：上海古籍出版社，2008年），頁268。

《禮記》變服之「稅」[2]為證，解作「變服」，陳立（1809～1869）主之；第二類，將「稅」看成通假字，讀為「繐」[3]，杜預（222～284）、孔穎達（574～648）、胡培翬（1782～1849）、朱駿聲（1788～1858）等主之。這種異說對立的局面，一直延續至今。現當代注家，大多簡單地襲用其中一種舊說，要嘛支持服說，要嘛主張杜《注》，並沒有提出多少新的論證，對陳立說的討論，更是闕然無聞。今不揣謭陋，綜論古今異說之優劣異同，試為此語找出一種合理的解釋，以就正於大雅方家。

二 「稅」按本字解，即《禮記》之「追服」

1.服虔之說

目前所見，最早訓釋「稅服」的是服虔，其說僅存於孔穎達《左傳疏》之中，服氏云：

> 衰麻已除，日月已過，乃聞喪而服，是為稅服。服之輕者。[4]

《禮記》所言喪服之制中有所謂「稅」，如《禮記‧檀弓上》云：

> 曾子曰：「小功不稅，則是遠兄弟，終無服也，而可乎？」

鄭玄（127～200）《注》云：

> 據禮而言也。日月已過，乃聞喪而服，曰稅。大功以上然。小功輕，

[2] 「稅」音吐外反。見《禮記正義》，頁2161。中古音，他、吐皆透母，是吐外反同他外反。

[3] 「稅」同繐，音歲。見《儀禮正義》（上海市：上海古籍出版社，2008年），頁975。

[4] 《十三經注疏‧左傳注疏》（臺北市：藝文印書館，1988年），頁644。

不服。[5]

〈喪服小記〉曰：

生不及祖父母、諸父、昆弟，而父稅喪，己則否。

又曰：

為君之父母、妻、長子，君已除喪而后聞喪，則不稅。降而在緦、小功者，則稅之。近臣，君服斯服矣，其餘從而服，不從而稅。

鄭玄《注》云：

謂正親在齊衰、大功者。正親緦、小功，不稅矣。[6]

鄭玄訓「稅」為追服，同服虔[7]。由於鄭玄沒有提及《左傳》這裏的「稅服」，未知他的看法是否與服虔一致。曾子以為，相隔遠地的族親[8]，聞喪之時，往往已過喪期，未能依時服喪，若規定小功之服毋須追服，則竟致無服。鄭玄謂曾子「小功不稅」是「據禮而言」，其依據已不可考。陳克炯《左傳詳解詞典》於「稅」下引《左傳》及服虔說，並云：「動詞。稅服。服之輕者。」[9]除截取服氏「服之輕者」及點明「稅」作動詞用外，別無補充。

---

5 《禮記正義》，頁268。

6 《禮記正義》，頁1315。

7 黃以周《禮書通故》（北京市：中華書局，2007年）云：「鄭注稅訓為追服。盧植注《禮》、服虔注《左傳》並同。……唐韓退之申言小功不追服之不可，而疑稅非稅服之名，乃傳注失其宗。朱仲鈞申韓意，以為稅即〈服問〉『有本為稅』之稅，稅，變易也。前喪未畢，復遭後喪，以後喪之麻變前喪之葛，是謂之稅。小功不稅與小功無變義同。其說本之林氏《求義》。但據〈小記〉『已除喪而後聞喪則不稅』，『從而服，不從而稅』及〈檀弓〉『小功不稅，是遠兄弟終無服』諸文，稅為追服之名，其義甚顯。」（頁428）

8 孫希旦《禮記集解》（北京市：中華書局，1989年）云：「愚謂兄弟，謂族親也。〈喪服〉從祖祖父母、從祖父母、從祖兄弟為三小功。」（頁190）

9 陳克炯：《左傳詳解詞典》（鄭州市：中州古籍出版社，2004年），頁898。

陳氏也許沒有注意到，服說之中，為後人所攻訐者，正在於「服之輕者」一語。其實，鄭玄講得很清楚，「據禮而言」，稅僅適用於大功以上之服。服虔所言與此不合。孔穎達《左傳疏》在引述服說後，就說：「案《禮記》，過而追服，實名為稅，以聞凶之日為服喪之始。其服追過而服之，衰麻不為有異，何云服之輕者？」孔氏指出，依《禮記》追服之制，喪期過而追服，仍舊服原來的喪服，即「衰麻不異」，獻公果真追服，也該服為昆弟之期服（即齊衰不杖期服），斷非「服之輕者」。孔《疏》還揭示了服說的另一個漏洞：「公若依彼稅服法，其兄弟之服，則還是齊衰期耳，何以得云『如』也？」也就是說，依服虔之說，解「稅服」為追服，衛獻公當服齊衰不杖期，又怎能說是如同呢？簡言之，依服說，將稅看成追服，「如」字便不可解。孔氏對服說的這兩點質疑，確鑿有力，辯駁不易。

在服虔看來，諸侯要為旁系親屬服喪。除了「公喪之如稅服終身」，他的想法還呈現在昭公九年「王有姻喪」的解讀上。《左傳》昭公九年云：

> 王有姻喪，使趙成如周弔，且致閻田與襚，反潁俘。

杜《注》云：「外親之喪。」孔《疏》云：

> 隱元年《傳》云：「士踰月，外姻至。」姻是外親，故杜云外親之喪也。服虔云：「婦之父曰姻，王之后喪父，於王亦有服。義故往弔。」[10]

楊伯峻先生（1909～1992）《春秋左傳注》（以下凡引此書，皆簡稱「楊《注》」）云：

> 《通典》引馬融說，「壻從妻而服緦」，則王亦服緦麻。然古禮，天子無服緦麻之文，服說未必可信。[11]

[10]《十三經注疏．左傳注疏》，頁779。

[11] 楊伯峻：《春秋左傳注》（北京市：中華書局，2000年），頁1310。馬融僅說「壻從妻而服緦」（見《通典》〔北京市：中華書局，1988年〕，頁2513），楊《注》原有標點

服虔以為「婦之父曰姻」，不必與《左傳》文例相合。《左傳》記杞孝公卒，亦云「公有姻喪」，「姻」指晉平公之舅杞孝公，也就是杜預說的「外親」。然則，此處所謂「王有姻喪」，雖「不知外親喪是誰死」[12]，但不能坐實此「姻」為王后之父。這點可從上述《左傳》中「姻」的另一用例看出來。

《左傳》襄公二十三年記：

> 春，杞孝公卒，晉悼夫人喪之。平公不徹樂，非禮也。禮，為鄰國闕。

隨後又說：「公有姻喪。」這裏所說的「公有姻喪」，顯然不意味平公服喪。兩相比照，可知「王有姻喪」，也不意味王有服。服氏所謂「王亦有服」，亦未必合乎《左傳》本義。將服虔對「公喪之如稅服終身」及此事的看法結合起來，顯見服虔不認為諸侯絕旁期。

稅喪之事，《左傳》未見一例。綜合考察禮書及《左傳》所記春秋諸侯喪服，有助於判斷其時是否存在稅喪的可能。《儀禮．喪服》除了列明「君為姑、姊妹、女子子嫁于國君者」服大功，沒有說國君於旁親有服。《白虎通．喪服》明言「天子諸侯絕期」[13]，自此以降，形成了相沿既久的成說。丁鼎《《儀禮．喪服》考論》專闢一個章節討論這種說法，並對其內容作了一個簡括的說明：

> 所謂「天子諸侯絕期」與「諸侯絕旁期」就是說天子與諸侯一般只為高曾祖父母、父母及妻、世子等直系親屬同士人一樣有服，而於伯、叔、兄弟、姑、姊妹及其他旁系親屬無服，與士人不同。這裏之所以以「一般」著明，是由於天子、諸侯在特定情況下為某些旁親也須有服。如君為姑、姊妹本來無服，但如果此二者所嫁者為國君，那麼由於彼此身分相等（尊同），便僅以出降，而不以尊降，因而君仍需為

易生誤會，今正。

[12] 孔《疏》語。見《十三經注疏．左傳注疏》，頁779。

[13] 陳立：《白虎通疏證》（北京市：中華書局，1994年）頁505～506，對此考論極詳。

之服大功，與士人為出嫁之姑、姊妹所服相同。再如始封之君為伯叔、兄弟也須有服，其原因就是上引《傳》文所謂「始封之君，不臣諸父昆弟」。[14]

君為姑、姊妹之嫁於國君者服大功，可以魯莊公為齊襄公夫人（王姬）服大功之事為證[15]。至於諸侯絕旁期，上文引述過的晉平公不為杞孝公服喪可充當例證。據楊《注》，晉悼公夫人為杞孝公幼妹，又為晉平公之母。悼夫人為兄服喪，所服喪服包括《左傳》後文的「墨縗、冒、絰」[16]。晉平公不徹樂，自亦不為舅服喪。「禮，為鄰國闕」，闕即徹樂，意謂鄰國有喪，諸侯亦徹樂。《左傳》譏貶平公，只是針對他不徹樂，而不是因為他不為舅服喪，楊《注》揭櫫《左傳》之意云：「杞孝公於晉平公雖為舅甥，但於古禮，諸侯于朞年之喪不服，故以鄰國責之。」[17]由此可見，在《左傳》作者看來，諸侯於期年之喪不服。

諸侯於妾是否有服，也牽涉到諸侯是否絕旁期的問題。《禮記・檀弓下》云：「悼公之母死，哀公為之齊衰。有若曰：『為妾齊衰，禮與？』公曰：『吾得已乎哉！魯人以妻我。』」悼公之母為哀公之妾。鄭《注》云：「譏而問之。妾之貴者，為之緦耳。」又云：「言國人皆名之為我妻。重服嬖妾，文過，非也。」孔《疏》云：「天子諸侯絕旁期，於妾無服，唯大夫貴妾緦。以哀公為妾著齊衰服，故舉大夫貴妾緦以對之耳。」「公以有若之譏，遂文其過云：吾豈得休已而不服之乎！所以不得休已者，雖是其妾，魯

14 丁鼎：《《儀禮・喪服》考論》（北京市：社會科學文獻出版社，2003年），頁273。

15《禮記・檀弓下》云：「齊穀王姬之喪，魯莊公為之大功。或曰：『由魯嫁，故為之服姊妹之服。』或曰：『外祖母也，故為之服。』」鄭玄《注》云：「穀當為告，聲之誤也。王姬，周女，齊襄公之夫人。春秋周女由魯嫁，卒，服之如內女服姊妹是也。天子為之無服。嫁於王者之後，乃服之。莊公，齊襄公女弟文姜之子，當為舅之妻，非外祖母也。外祖母又小功也。」（《禮記正義》，頁358）

16 詳楊伯峻《春秋左傳注》所引沈欽韓之說。（頁1075）

17 楊伯峻：《春秋左傳注》，頁1072。

人以我無夫人，皆以為我妻，故不得不服。」[18]〈喪服〉於成人緦麻三月下列有「貴臣、貴妾」，按照鄭玄的理解，只限於「公士、大夫之君」[19]，孔《疏》更直言「天子諸侯絕旁期，於妾無服」。正如章景明先生所言，諸侯於妾無服之說，大抵從〈喪服〉推知。〈喪服〉云：「公子為其母，練冠，麻，麻衣縓緣；為其妻，縓冠，葛絰帶，麻衣縓緣，皆既葬除之。」〈喪服〉傳解云：「何以不在五服之中也？君之所不服，子亦不敢服也。君之所為服，子亦不敢不服。」據此，諸侯為妾無服，其妾子也因此於母、妻只有象徵性的服制[20]。魯悼公之母是哀公之妾，哀公為之服齊衰，受到有若的質疑，悼公自辯說，這樣做是因為國人皆視之為己妻的緣故。「得已乎」，意謂不得不如此[21]。春秋之時，天子、諸侯為妻齊衰三年，《左傳》實有其說[22]。有若的質疑，乃針對哀公為妾齊衰。至於君為妾是否有服，則是另一回事，很難從他的話裏找到判斷的依據[23]。

《左傳》還記載另一則諸侯為妾服喪的事例。昭公二年，晉侯之妾少姜卒；昭公三年，齊侯使晏嬰請繼室於晉，韓宣子使叔向對晏嬰曰：「寡君不能獨任其社稷之事，未有伉儷，在縗絰之中。」「在縗絰之中」，即在喪服

---

[18]《禮記正義》，頁416。

[19]《儀禮正義》，頁998。

[20] 章景明：《先秦喪服制度考》（臺北市：臺灣中華書局，1986年），頁128。

[21]《左傳》昭公三年，鄭卿游吉如晉送少姜之葬，晉大夫梁丙見之曰：「甚矣哉，子之為此來也！」游吉曰：「將得已乎！」楊伯峻《注》云：「言不得不如此。」（頁1232）

[22] 從《左傳》以至其他現存文獻，無法找到夫為妻服三年喪的例證，雖然如此，《左傳》昭公十六年記周景王為太子壽及穆后服喪，叔向謂「王一歲而有三年之喪二焉」，叔向既然針對而言，就必定有確鑿的證據。詳拙著：〈從《左傳》看《儀禮》的成書及其反映的時代〉，見《春秋三傳與經學文化》（長春市：長春出版社，2009年），頁192～193。

[23] 章景明云：「悼公之母是哀公之妾，哀公為之齊衰，有若也只是懷疑為妾齊衰是否合禮，並未懷疑諸侯是否為妾應該有服。《左傳》昭公二年，晉平公為其妾少姜亦有『在縗絰之中』的記載，由此二證，則春秋時，諸侯為妾有服乃是事實。因此為貴妾服緦者，至少也當包括諸侯在內，非僅公大夫等人而已。」（《先秦喪服制度考》，頁129）魯哀公為服齊衰，以及晉平公為妾服縗絰，固為事實，但事實背後，各有因由，不能斷定當時之禮本就如此。

中[24]。只是無法確定屬於哪一服。但必須辨明的是，晉侯為妾服喪，只是出於寵愛有加，情況特殊，不能視為常禮。《左傳》明言：「少姜有寵於晉侯，晉侯謂之少齊。」婦人依禮當稱母家之姓，今不稱其母家姓（姜）而以其國名（齊）為稱，其寵異少姜之甚，彰彰明矣。據鄭卿游吉所言，依當時之禮：「君薨，大夫弔，卿共葬事；夫人，士弔，大夫送葬。」但基於少姜為晉侯寵姬，魯、鄭二國為少姜所行弔喪送葬之禮，皆過於常禮，鄭使卿游吉弔喪送葬，其禮數已過於嫡夫人，魯昭公甚至親往弔喪，過禮更甚。魯、鄭這樣對待晉侯的「嬖寵之喪」[25]，無非是為了討好大國而已。

根據《禮記》與《左傳》的記載，諸侯為妾服喪無疑是事實，可是，這兩個事例各有特殊的原因，不能因此得出諸侯為妾有服的結論。與此相反，晉平公不為其舅杞孝公服喪，是諸侯絕旁期的明證。《左傳》立例說「禮，為鄰國闕」，對晉平公的批評，也只是著眼於他不為鄰國徹樂而已。

2. 于鬯之說

于鬯《香草校書》云：

> 玩一「如」字，則所謂喪之者，非謂子鮮卒而喪之也。且使因子鮮卒而喪之，則上文必應明敘子鮮卒事。今上文止及子鮮出奔、終身不仕之說。「終身」云者，不得即謂敘其卒事也。則公喪之，當即因其出奔而喪之。蓋古出奔亦在喪禮。觀宣十八年《傳》：「公孫歸父袒、括髮，即位哭，三踊而出，遂奔齊。」可見臣既以喪禮自處，則君亦必以喪亂處己矣。故曰「公喪之如稅服終身」也。杜解云：「痛愍子鮮。」固未言子鮮之卒，然亦不言子鮮出奔。而第云：「痛愍之。」至

---

24 楊伯峻《春秋左傳注》云：「古制，為妻齊衰杖期，貴賤同之，或晉侯以正夫人之禮禮少姜之喪，或僅外交辭令耳。」（頁1234）春秋之時，為妻服喪不都是齊衰杖期。叔向所言，當為事實的陳述。

25《左傳》語，見楊伯峻：《春秋左傳注》，頁1232。

孔義乃直云：「獻公以二十九年夏卒，其子鮮之卒蓋差在獻公之前，故公喪服以終身。」則其誤始著矣。且如其說，則公不及終子鮮之服，又何終身之足云。是不過因一喪字以為其義必如是，而於如字之義有不暇顧及。鬯謂其於喪字之義亦殊未審也。今案：《儀禮．喪服》賈釋兩引鄭《目錄》云：「不忍言死而言喪。喪者，棄亡之辭。若全存於彼焉，已棄亡之耳。」據是則喪之本義原謂喪奔，非謂喪死，故其字從哭亡，不從哭死。蓋喪死之喪反是轉義，他經傳凡言喪，多指喪死者，用其轉義，而此喪字用其本義也。出奔之在喪禮，更何疑哉。（自注：陳澧《東塾讀書記》言《禮記．檀弓》每一節皆言死、言殺、言哭、言弔、言葬、言祔，至狗馬亦言死，惟衛獻公出奔一節不然，然古人以出奔亦為凶禮也。此亦一證。）由是言之，稅服之說正與《禮記》不必異解，孔義引服虔謂日月已過，聞喪而服，是為稅服。此禮家稅服之義，即此文稅服之義矣。蓋稅服者已在不必服之時而服之，其服必與在喪而服有別。（自注：服云：「稅服，服之輕者。」小戴〈喪服小記〉孔義亦云：「稅是輕稅。」而此乃斥服伸杜，疏體固爾。）今人未死而喪之，喪之必服之，故止得如稅服也。云如稅服終身，此轉可以見子鮮之死，實在公卒之後，焉得謂差在公前，誠在公前，則竟以兄弟之服服之矣。（自注：《儀禮．喪服》云「君為姑姊妹女子子嫁於國君者」，彼因嫁於國君，而仍服大功，則諸侯絕期之說不必執也。公如欲服兄弟之服，亦竟服之。）何言如稅服哉。即依杜解改舊義以稅服為繐衰，繐衰非兄弟之服，亦不可通也。（自注：一說讀如為而，謂公既服子鮮期年之服，服除之後，又為稅服以終其身，如此則子鮮之卒必在公卒一歲之前，亦不得云差在公前。於上文不明敘子鮮卒事，亦嫌沓出。今姑附存之。）[26]

表面看來，于氏的析論，具體而周詳，但仔細推敲起來，卻不難發現其中多有疑點，經不起驗證，立說雖巧，而實不可從。于氏立說的根本在於認定衛

[26] 于鬯：《香草校書》（北京市：中華書局，1984年），頁831～832。

獻公不是喪其母弟鱄之死，而是喪其出奔，甚至認為鱄之死，實在獻公卒後。我們知道，《左傳》敘事體例中包括「終言之」[27]或「探後言之」一例，即在敘事之末附記時間跨度大的後事，如記述獻公故事中，襄公十四年，「齊人以郲寄衛侯。及其復也，以郲糧歸」。衛獻公返國復位在十二年之後，楊《注》云：「此探後言之。」[28]就是其中一例。《左傳》詳記鱄之事，而以「終身不仕」終結，此「終身」顯然是說終其餘生[29]。「終身」一詞，《左傳》凡五見，除兩見於此處外，還見於「文子聞之，終身不聽琴瑟」（襄公二十九年[30]）、「鞅也，請終身守此言也」（昭公二十五年趙簡子語[31]）、「一慙之不忍，而終身慙乎」（昭公三十一年子家子語[32]），一概表示終其身，也就是直到一輩子終了之意。緊接此語後，《左傳》說「公喪之如稅服終身」，同樣是用「終言之」的敘事方式，前後兩個「終身」的意思不應有異。而且，禮書裏為人服喪而稱「喪之」，屢見不鮮[33]，即在《左傳》中，「服喪者+喪之如+……」這種句式還見於《左傳》襄公二十九年的「楚屈建卒，趙文子喪之如同盟，禮也」。宋之盟見襄公二十七年，當時晉以趙武為主，而楚以屈建為主，故屈建死的時候，趙武就為之服喪。這個「喪之」指服喪是毫無疑問的。「如」作動詞用，即像、若。姑勿論「公喪之如稅服終身」與「趙文子喪之如同盟」前後兩個「如」字用法是否相同，兩個句子差可互相證明。《左傳》雖然沒有交代鱄死於何時，但「明敘子鮮卒事」，這點是毋庸置疑

27 杜預語，見《春秋左傳正義》，頁855。

28 楊伯峻：《春秋左傳注》，頁1015。

29 其他文獻的用例，詳參張新武：〈「樂歲終身飽」的「終身」用的是引申義〉，《新疆大學語言文化國際學術研討會論文集》（烏魯木齊市：新疆大學出版社，2002年），頁66。

30 楊伯峻：《春秋左傳注》，頁1167。

31 楊伯峻：《春秋左傳注》，頁1459。

32 楊伯峻：《春秋左傳注》，頁1511。

33 其見於《禮記》者，如〈曾子問〉記孔子曰：「昔者魯昭公少喪其母，有慈母良，及其死也，公弗忍也，欲喪之。」又，〈檀弓上〉記子上之母死而不喪。門人問諸子思曰：「子之不使白也喪之，何也？」

的。那麼，說獻公為之服喪直至去世，也就不成問題了。于氏為了遷就己說，置「終身」的慣常用法於不顧，反而是治絲而棼之。

古禮確有非喪之喪，顧炎武（1613～1682）《日知錄．凶禮》云：

> 〈大宗伯〉以凶禮哀邦國之憂，其別有五，曰：「死亡、凶札、禍災、圍敗、寇亂。」是古之所謂凶禮者，不但於死亡，而五服之外有非喪之喪者，緣是而起也。《記》曰：「年不順成，天子素服，乘素車，食無樂。」又曰：「年不順成，君衣布搢本。」《周書》曰：「大荒，王麻衣以朝，朝中無采衣。」此凶札之服也。〈司服〉大札、大荒、大災素服，《注》曰：「大災，水火為害，君臣素服縞冠，若晉伯宗哭梁山之崩，《春秋》新宮災三日哭。此禍災之服也。」《記》曰：「國亡大縣邑，公、卿、大夫、士厭冠哭於太廟。」又曰：「軍有憂，則素服哭於庫門之外。」〈大司馬〉：「若師不功，則厭而奉主車。」《春秋傳》：「秦穆公敗於殽，素服郊次，鄉師而哭。」此圍敗之服也。若夫〈曲禮〉言大夫、士去國，素衣、素裳、素冠，徹緣，鞮屨，素簚，乘髦馬。《孟子》言三月無君則弔。而季孫之會荀躒，練冠麻衣。此君臣之不幸而哀之者矣。秦穆姬之逆晉侯，免服衰絰，衛侯之念子鮮，稅服終身，此兄弟之不幸而哀之者矣。楚滅江而秦伯降服出次，越圍吳而趙孟降於喪食，此與國之不幸而哀之者矣。先王制服之方，固非一端而已。《記》有之曰：「無服之喪，以蓄萬邦。」[34]

顧氏這段考述，詳贍明晰，涵蓋了非喪之喪的各種情況。文中將衛獻公為子鮮稅服與秦穆姬以喪服逆晉侯相提並論，同樣認為子鮮未死，恐怕也不足信據。

于氏根據「古出奔在喪禮」來解讀「公喪之」，也值得商榷。今考《左

---

[34] 顧炎武著，黃汝成集釋，欒保群、呂宗力校點：《日知錄集釋》（石家莊市：花山文藝出版社，1990年），頁224～225。

傳》所載，人臣去國之禮包括：（1）告廟[35]，（2）哭墓[36]，（3）鄉國而哭。于鬯引以為據的《左傳》宣公十八年所記公孫歸父「袒、括髮，即位哭，三踊而出，遂奔齊」，就牽涉到鄉國而哭之禮。《左傳》記公孫歸父聘晉還，「及笙，壇帷，復命於介。既復命，袒、括髮，即位哭，三踊而出。遂奔齊。書曰『歸父還自晉』，善之也」[37]。事情的原委是這樣的：公孫歸父聘晉，返國途中到達笙地，聞知魯宣公已薨，己家為季孫行父所逐，於是決定不返國，行聘還復命、喪君與去國之禮後，便出奔到齊國去。「壇帷」，與《禮記·曲禮下》所說印合，其文云：「大夫、士去國，祭器不踰竟。」又：「大夫、士去國，踰竟為壇位，鄉國而哭。素衣、素裳、素冠，徹緣，鞮屨，素簚，乘髦馬；不蚤鬋，不祭食，不說人以無罪，婦人不當御。三月而復服。」是知公孫歸父之「壇帷」，行的是去國之禮。依〈聘禮〉所記出聘後本國君薨之禮：「歸，執圭復命於殯，升自西階，不升堂。子即位不哭。辯復命如聘。子臣皆哭。與介入，北鄉哭，出袒，括髮，入門右，即位，踊。」是知公孫歸父「復命於介。既復命，袒、括髮，即位哭，三踊而出」，正是行使臣喪君之禮。公孫歸父雖不能返國，仍依禮而行，只是權宜行事，改「復命於殯」為「復命於介」而已。于氏誤將公孫歸父喪君之禮當作出奔之喪禮，其誤是顯而易見的。于氏援引事例雖然有誤，但謂出奔為喪禮卻確然有據，上引〈曲禮下〉為壇位鄉國而哭云云，鄭玄《注》說得非常清楚：「言以喪禮自處也。」[38]足為明證。

大夫、士去國固有以喪禮自處之事，問題是，國君是否也行喪禮呢？從禮書及《左傳》裏，我們可以找到一點國君如何對待人臣去國的紀錄。〈喪服〉有為舊君服之文。齊宣王問孟子：「按禮為甚麼要為舊君服？」孟子曰：「諫行言聽，膏澤下於民，有故而去，則君使人導之出疆，又先於其所往，去三年，不反，然後收其田里。」這證明了孟子時〈喪服〉已經著於

---

[35] 楊伯峻：《春秋左傳注》，頁 1570。

[36] 楊伯峻：《春秋左傳注》，頁 1464～1465。

[37] 楊伯峻：《春秋左傳注》，頁 779～780。

[38]《禮記正義》，頁 155。

竹帛。從孟子之言可知，人臣去國，君使人引導他出國，而且還先派人到大夫所去之國，為他做好安排。三年後，大夫如果真的不回國，才收回他的田里。這說明君臣之情殊深。以《左傳》記載大夫去國之事來看，除「君使人導之出疆」外，其餘兩禮都可以從《左傳》裏找到實例。《左傳》宣公十年曰：

> 書曰「崔氏」，非其罪也；且告以族，不以名。凡諸侯之大夫違，告於諸侯曰：「某氏之守臣某，失守宗廟，敢告。」所有玉帛之使者則告；不然，則否。[39]

說明當大夫離開一個國家到別的國家去時，舊國君就會先派人通告別國。《左傳》所立這條凡例，有事實根據，襄公三十年記：

> 豐卷將祭，請田焉。弗許，曰：「唯君用鮮，眾給而已。」……豐卷奔晉，子產請其田里，三年而復之，反其田里及其入焉。[40]

楊《注》因此就說《孟子・離婁下》所言「或是古禮」[41]。問題是，就現存文獻所見，從這種古禮的內含裏，卻沒法找到國君為出奔之臣服喪的任何線索。于氏之說恐無實據。

值得注意的是，于氏在自注中說：「服云：『稅服，服之輕者。』小戴〈喪服小記〉孔義亦云：『稅是輕稅。』而此乃斥服伸杜，疏體固爾。」于氏援引孔穎達《禮記疏》「稅是輕稅」之文，試圖證明服虔「稅服，服之輕者」無可疑。今案：《禮記・喪服小記》：「生不及祖父母、諸父、昆弟，而父稅喪，已則否。」鄭玄《注》訓釋「稅」字云：「稅，讀如『無禮則稅』之稅。稅喪者，喪與服不相當之言。」孔《疏》交代了「無禮則稅」的出處

---

39 楊伯峻：《春秋左傳注》，頁 706～707。

40 楊伯峻：《春秋左傳注》，頁 1181～1182。

41 楊伯峻：《春秋左傳注》，頁 1182。

（語出《左傳》僖公三十三年）[42]，並明言鄭引此語，旨在說明「今讀從之」[43]，即不過為了注明「稅喪」之「稅」的讀音罷了。在用字上，《禮記》與《左傳》都存在版本差異。「稅喪」，或作「說喪」；「無禮則稅」，《左傳》作「無禮則脫」。就這個問題，楊天宇先生有非常精當的分析，他在《鄭玄三禮注研究》考察鄭玄「讀如」的條例，就談及這個問題：

> 按稅與說古音雙聲疊韻，都是審母月部，聲調亦同；脫則透母月部，透母與審母為準雙聲。是此三字實皆因音同或音近而通用。此經所謂稅喪，據鄭《注》，是說喪期已過而為死者追服，孔《疏》云：「稅之，謂追服也。」此稅字音他活切，讀《左傳》「無禮則稅」之稅。然「無禮則稅」之稅，其義為簡慢，彼杜《注》云：「脫（稅），易也。」與此經「稅喪」義無涉，故鄭玄此注之讀如，擬音也，為恐人誤讀此經之稅為賦稅字也。[44]

杜《注》以「易」訓「脫」，「易」通「傷」，《廣雅．釋詁》云：「蠻、苗、憍、怚、倨、傲、侮，慢也。」[45]「無禮則稅」之「稅」，即「脫」，意謂簡慢，不能與服虔說的「輕」混為一談。孔《疏》所言「稅是輕稅」，蓋由《左傳》「輕則寡謀，無禮則脫」之語縮略而成，斷斷不能作為「稅」為輕服的憑據。

附帶一提，楊《注》未曾提及于鬯之說。後來，陳戍國的《春秋左傳校注》才引用了于說。陳先生將此句讀作「公喪之，如稅服，終身」。注中先引杜《注》、孔《疏》，再具錄于鬯《香草校書》之文，然後說：

> 因為《左氏》上文實未曾言及「子鮮之卒」，杜《注》所謂「痛愍子

---

42 楊伯峻：《春秋左傳注》，頁494。

43《禮記正義》，頁1311。

44 楊天宇：《鄭玄三禮注研究》（天津市：天津人民出版社，2007年），頁657。

45 王念孫：《廣雅疏證》（北京市：中華書局，1983年），頁97。《說文》云：「傷，輕也。」據段玉裁《注》，「傷」通作易，用為輕易、輕慢之意。（頁380）

> 鮮」，實在只能像孔《疏》那樣理解，或者如于醴尊先生理解的那樣，唯孔《疏》所謂「追服」，則與本年《左傳》不合。我們認為于醴尊先生重視「如稅服」的「如」是對的，他的解說是對的。楊《注》謂「子鮮或死于其稍前」，實襲用孔《疏》的說法。「或」者蓋然之疑詞，想當然耳。[46]

陳先生這段注文，語焉不詳，除了肯定于氏重視「如」字及其說正確外，別無申述。

3. 竹添光鴻之說

竹添光鴻《左傳會箋》云：

> 〈喪服〉「繐衰裳，牡麻絰，既葬除之」，〈檀弓〉「請繐衰而環絰」，則繐衰，服之至輕者，同於弔服，故鄭《注》云：「繐衰，小功之縷而四升半之衰，環絰，弔服之絰。」又注〈喪服〉云：「凡布細而疏者謂之繐。」繐，諸侯大夫為天子之服，衛侯無為其弟服之之理。杜說非也。服虔曰：「衰麻已除，日月已過，乃聞喪而服，是為稅服。」《禮記》過而追服，實名為稅，則服說可從。但服以稅為服之輕者，則未確。稅以聞凶之日為服喪之始，其服追過而服之，衰麻不為有異，何云服之輕者？兄弟之服則是齊衰期，公於子鮮之喪，為之服兄弟之服，既過而猶不除，故曰如稅服也。諸侯絕期，無兄弟之服，今衛侯痛愍子鮮，故如此。獻公卒在二十九年五月，子鮮之卒，蓋差在獻公之前耳，《傳》終言之。[47]

竹添光鴻此段考述，可注意的有幾點：（1）服虔以稅為服之輕者，不確；（2）諸侯絕期，於兄弟本無服；（3）鱄卒於獻公之前，《左傳》「終言之」。

---

[46] 陳戍國：《春秋左傳校注》（長沙市：岳麓書社，2006年），頁711～712。

[47]〔日〕竹添光鴻：《左傳會箋》（臺北市：廣文書局，1963年）卷18，頁29。

其可商之處亦可得而說焉。竹添光鴻執著於〈喪服〉所言，故謂繐為諸侯大夫為天子之服，衛侯無為弟服之之理，與春秋實況不符。至謂「如稅服」，即既過而猶不除，亦違背稅喪的本義。

三 「稅」按本字解，即《禮記》之變服

陳立曾撰寫專文探討「公喪之如稅服終身」這句話，文章題為「稅服解」，大概由於此文收錄於他的文集《句溪雜箸》中，所以不為人注意，至今未見學者提及其說。在〈稅服解〉中，陳立將服虔和杜預之說一併推倒，提出了一種嶄新的看法，其文云：

> 案：繐衰為諸侯之大夫為天子之服，見於〈喪服〉所謂「繐衰裳，牡麻絰，既葬，除之者」是也。不在五服之中。獻公既痛愍子鮮，子鮮未死而忽為之制服，愍之歟？抑憤恨之歟？且服之以陪臣為天子之服，亦太輕重失倫。而稅之作繐，於他《經》別無所見。服虔云：「衰麻已除，日月已過，乃聞喪而服，是為稅，服之輕者。」則解如小功不稅之稅。案：《禮經》之稅，謂過而追服者，以聞喪之日為成服之始，與本服之衰麻無異，不得謂之輕者。若獻公與子鮮為昆弟，宜服齊衰期，然諸侯絕旁期，於禮無服，則無所謂稅服，何如之有？案：稅者，變也。〈服問〉：「大功之葛以有本為稅。」《注》：「稅，變易也。」《詩．碩人》：「說於農郊。」《釋文》：「說本作稅。」謂莊姜至近郊，變易其衣服也。則此之稅服，亦謂獻公因子鮮出亡，留之不可，特為變其常服，以示不忍耳。喪宜解如喪人無寶之喪，如宜解如而，謂公痛其亡而亡之，變服終身也。又二十八年《傳》：「陳須無以公歸，稅服而如內宮。」亦謂變其祭服也。杜氏亦知彼之不能作繐服解也，故解為脫服。何同一稅服而說之兩岐乎？[48]

---

[48] 陳立：《句溪雜箸》（廣雅書局，光緒十四年〔1888〕十二月刻）卷5，頁12a～12b。

陳氏反駁服氏之說，不為無理，只是所持論點與孔穎達其實沒有多大的分別。他一併否定杜預的繐服說，卻沒能提出具說服力的論據，比如說他質疑杜說的其中兩點是：子鮮未死，怎麼忽然為之制服？再者，要是真的為之制服，也不應該用陪臣為天子之服。其實，像上文所說，按〈喪服〉的規定，繐服的確只是陪臣為天子之服，不過，從《禮記》的記載，我們知道繐服也用在其他場合。而且，陳氏謂子鮮未死，亦無實據。至於陳氏的立論：「獻公因子鮮出亡，留之不可，特為變其常服，以示不忍耳。」「稅」謂「變易」，無論從《左傳》本文，還是其他文獻如《禮記・服問》及《詩》都可以找到這種用法。《左傳》襄公二十八年十一月乙亥（七日），齊侯在太公之廟舉行嘗祭，慶舍涖事，盧蒲癸、王何擊殺慶舍及其黨羽於廟中，齊景公懼，鮑國謂此舉為尊公室，而後「陳須無以公歸，稅服而如內宮」。所稅之服無疑是祭服[49]，景公脫下祭服，自當換上常服。此《左傳》本文之「稅服」可作「變服」解之確證。「稅」的這種用法兩見於《禮記・服問》，文中辨明遭喪而變易喪服之法有云：「緦之麻不變小功之葛，小功之麻不變大功之葛，以有本為稅。殤長、中，變三年之葛，終殤之月筭，而反三年之葛。是非重麻，為其無卒哭之稅。下殤則否。」鄭玄《注》云：「稅亦變易也。」[50]又《儀禮・士虞禮》記「大夫說絰帶於廟門外」，鄭玄《注》云：「既卒哭，當變麻，受之以葛也。今文說為稅。」此即指去麻服葛之禮。《毛詩・衛風・碩人》「說於農郊」，據《經典釋文》：「說，本作稅。」鄭《箋》云：「說當作襚。」《禮》、《春秋》之襚，讀皆宜同。衣服曰襚，今俗語然。此言莊姜始來，更正衣服於衛近郊。馬瑞辰（1777～1853）《毛詩傳箋通釋》證成鄭說云：「《箋》讀說為襚者，襚古通作稅，段玉裁（1735～1815）謂稅即襚之或體。稅與說、稅皆从兌聲，故讀同，亦通用。〈喪服〉『大功之葛，以有本為稅』，鄭《注》：『稅，變易也。』古者襚為贈死之衣，以易其

---

49 楊伯峻《春秋左傳注》云：「稅，音義同脫。服，祭服。」（頁1148）釋「稅」為脫，不夠準確。

50《禮記正義》，頁2161。喪服變易之法，詳孫希旦：《禮記集解》，頁1356～1360。

生時之服，蓋亦取變易之義，故鄭讀說如襚。」[51]凡此皆「稅」為變服之證。

變易吉服而穿上喪服，《左傳》未見稱「稅服」之例。反之，由常服改著喪服，即降於吉服而穿凶服，《左傳》一概稱「降服」。《左傳》文公四年：「楚人滅江，秦伯為之降服，出次，不舉，過數。」此為哀悼他國被滅之禮數。降服，素服[52]。成公五年記晉重人曰：「山崩川竭，君為之不舉，降服，乘縵，徹樂，出次，祝幣，史辭以禮焉。其如此而已。」楊《注》云：「杜《注》云『損盛服』，即不著平常華麗衣服。據《周禮・春官・司服》：『大災素服。』鄭玄《注》『降服』為『素服縞冠』，即著白色衣、戴白絹帽。《穀梁傳》作『君親素縞』是也。」[53]「降」的這種用法還見於「降於喪食」一語，哀公二十年十一月，「越圍吳，趙孟降於喪食。楚隆曰：『三年之喪，親暱之極也，主又降之，無乃有故乎？』趙孟曰：『黃池之役，先主與吳王有質，曰：「好惡同之。」今越圍吳，嗣子不廢舊業而敵之，非晉之所能及也，吾是以為降。』」趙孟為其父趙鞅服喪，值越圍吳，吳行將被滅，趙孟自言欲敵越救吳而不能，只好「降於喪食」。哀悼他國之被滅，有一定禮數，趙孟依禮而行[54]。楊《注》云：「簡子趙鞅當死於此年，無恤繼承卿位。在父喪中，古禮，食品必須減殺，今因吳被圍，有滅亡之勢，而已不能救助，又降等於喪父之食。」[55]以減殺釋「降」，確當無疑，「降於喪食」，即減殺其居喪食品之差等。

「稅」與「降」分別甚明，言「稅」重點在於說明變易，言「降」則突顯減損之意，二者終究不同，只有言「降」才表示由常服改穿喪服。「稅」是變易，「降」是減損，不能混為一談。

---

[51] 馬瑞辰：《毛詩傳箋通釋》（北京市：中華書局，1989年），頁206～207。

[52] 楊伯峻：《春秋左傳注》，頁534。

[53] 楊伯峻：《春秋左傳注》，頁823。

[54] 楊伯峻：《春秋左傳注》云：「哀悼他國之被滅，至於他國被滅，哀悼之禮數如何，雖不可知，據《傳》，秦穆公『降服，出次，不舉』，則過甚矣。哀二十年《傳》，越圍吳，吳被滅之勢已成，趙孟亦『降於喪食』而已。」（頁534）

[55] 楊伯峻：《春秋左傳注》，頁1716。

四　「稅」讀為「繐」，即《儀禮．喪服》之繐

1.「稅」為「繐」說

杜預首倡其說，孔穎達為之疏通證明，朱駿聲[56]、胡培翬、楊伯峻、趙生群皆襲用杜說。杜《注》云：

> 稅即繐也。喪服繐衰裳，縷細而希，非五服之常，本無月數。痛憫子鮮，故特為此服。此服無月數，而獻公尋薨，故言終身。[57]

孔《疏》云：

> 《傳》云「公喪之者」，言公為之服喪服也。禮，無稅服之名，如稅服者，不知何服也？（子濱按：此下引述並質疑服虔之說，茲不贅）……杜以其義不通，故云稅即繐也，當是聲相近而字改易耳。〈喪服〉有「繐衰裳，牡麻絰，既葬除之」，其章唯有諸侯大夫為天子，以外無人服此服也。〈喪服傳〉曰：「繐裳者，小功之繐也。」鄭玄云：「治繐如小功，而成布四升半，細其縷者，以恩輕，升數少者，以服至尊，凡布細而疏者，謂之繐。」是繐者縷細而希疏也。〈喪服〉之文在大功之下，小功之上，是非五服之常也。既葬除之，是本無月數也。禮，天子諸侯絕旁期，計公於子鮮不應為之服，獻公痛愍子鮮，特為服此服也。此服既無月數，獻公服之，不自云幾月當止，獻公尋自身薨，至死未釋此服，故云「終身」也。兄弟之服，本服期耳，獻公驕淫之君，不應過其常月。杜言獻公尋薨，謂此子鮮之

56 朱駿聲《說文通訓定聲》云：「稅又為繐，左襄廿七《傳》：『如稅服終身。』」見丁福保編纂：《說文解字詁林》（北京市：中華書局，1982年），頁7217。

57《春秋左傳正義》，頁644。

卒，差在獻公前耳。[58]

按〈喪服〉的規定，喪服於兄弟行遞降一等，故為昆弟期，為從父昆弟大功，為父之從父昆弟及祖之昆弟則遞降至小功。衛獻公本應為子鮮（昆弟）服期服，如諸侯絕旁期確為當時的喪制，則獻公無須服喪。古有所謂追服之制，已如上述。但如孔氏所說，獻公果真追服子鮮，也該服為昆弟之期服（齊衰不杖期服），但如此一來「如稅服」便不可解，可見服虔之說是不能成立的。杜預也許看出了服說的漏洞，故不取其說，因「稅」、「繐」同音，便把「稅」看成是「繐」的借字，首倡「稅服」為〈喪服〉之繐服之說。

〈喪服〉所列服繐服者僅有「諸侯之大夫為天子」，可見這種繐服是諸侯的臣子為天子所服。至於繐服之制，〈喪服〉云：

繐衰裳，牡麻絰，既葬除之者。

〈喪服〉傳云：

繐衰者何？以小功之繐也。

鄭《注》云：「治其縷如小功，而成布四升半，細其縷者，以恩輕也。升數少者，以服至尊也。凡布細而疏者謂之繐。今南陽有鄧繐。」[59]據鄭意，「繐」是一種質料細而疏的布的名稱，鄭玄更舉漢時南陽郡鄧縣所造之繐布為證[60]。《說文》說「繐」云「細疏布也」，也是這個意思。其用於喪服者，因亦稱「繐」，並不是凡繐皆用作喪服[61]。

58《春秋左傳正義》，頁644。

59 胡培翬：《儀禮正義》（南京市：江蘇古籍出版社，1993年），頁1520。

60 詳參劉善澤：《三禮注漢制疏證》（長沙市：岳麓書社，1997年），頁415～416。

61 詳段玉裁：《說文解字注》（上海市：上海古籍出版社，1988年），頁661。丁凌華：《中國喪服制度史》（上海市：上海人民出版社，2000年）說：「改成喪服用布，區別也許就在於吉服染色而喪服本色而已。」（頁68）這種推測需要更多的證明。此外，《禮記》中有「稅衣」，〈雜記上〉云：「夫人稅衣、揄狄，狄、稅素沙。」素沙，孫希旦說是「若今紗穀之帛」（《禮記集解》，頁1051）。「稅衣」即「褖衣」，為王后燕我們知道，古人制定喪服，以服喪者與服喪對象關係的親疏遠近為原則，關係越是親近，喪服越重，越是疏遠，則其服越輕。喪服的輕重，主要體現在衰裳用布的精粗上，而衰裳的精粗則以升數計量。一升八十縷（經線），即布幅寬二尺二寸，由八十條經線編織而成。按此標準，布的精粗程度，視乎升數多少而定。五等服制主要以升數為劃分標準。根據後儒的詮釋，五服的區分標準，還牽涉到縷之精粗。五服之內最輕的是「緦服」，《儀禮・喪服》傳云：「緦者，十五升抽其半，有事其縷，無事其布，曰緦。」《禮記・雜記上》云：「朝服十五升去其半而緦，加灰錫也。」鄭《注》云：「緦，精麄與朝服同。去其半，則六百縷而疏也。」[62]朝服十五升，即一千二百縷；緦麻服減半，即六百縷[63]。緦麻服升數少，而縷之精細與朝服同，如此則密度大，故言疏。敖繼公《儀禮集說》云：

> 抽其半，則成布七升有半也。乃在小功之下者，以其縷細也。凡五服之布，皆以縷之麤細為序。其麤者則重，細者則輕，故升數雖多而縷麤，猶居於前。如大功在繐衰之上，是也。升數雖少而縷細，猶居於後，如緦麻在小功之下，是也。[64]

總括而言，升數之多少和縷之精粗是區分五服的標準。繐服雖然不在五服之內，但其制服之義同樣不離這個標準。根據鄭玄的描述，其縷如小功，即其縷像小功般幼細，幼細則輕，表示陪臣與天子恩情較輕；其升數同齊衰，均為四升半，升數少則疏，表示尊尊之意。

春秋之時，繐服並不限於諸侯陪臣為天子所服。《禮記・檀弓上》記

居之服，諸侯之夫人至士之妻均得服之，以為禮服。詳參錢玄、錢興奇編著：《三禮辭典》（南京市：江蘇古籍出版社，1993年），頁848～849；朱駿聲：《說文通訓定聲》，見丁福保編纂：《說文解字詁林》，頁7217。

62《十三經注疏・禮記注疏》（臺北市：藝文印書館，1988年），頁723。

63 如錢玄：《三禮通論》（南京市：南京師範大學出版社，1996年），頁79。所說，以前學者對「十五升抽其半」的解釋有三種：一說七升半（源自鄭玄），又一說十四升半，又一說十五升。

64 胡培翬：《儀禮正義》，頁1554～1555。

縣子曰：「綌衰繐裳，非古也。」鄭玄《注》云：「非時尚輕涼慢禮。」孔《疏》云：「此以下論縣子非當時人尚輕涼慢禮之事。綌，葛也。繐，布疏者，漢時南陽鄧縣能作之。當記時失禮，多尚輕細，故有喪者不服麤衰，但疏葛為衰，繐布為裳，故云『非古也』。古，謂周初制禮時也。」[65]縣子，魯穆公時人，魯穆公為魯哀公之曾孫。縣子所說，到底是反映當時，還是此前很長一段時間的情況，並不好說。要是對這個問題存疑的話，再看《禮記》所載春秋時人服繐衰的實例，便可以釋疑。〈檀弓下〉云：「叔仲皮學子柳。叔仲皮死，其妻魯人也，衣衰而繆絰。叔仲衍以告，請繐衰而環絰，曰：『昔者吾喪姑、姊妹亦如斯，末吾禁也。』退，使其妻繐衰而環絰。」鄭《注》云：「繐衰，小功之縷而四升半之衰。環絰，弔服之絰。時婦人好輕細而多服此者，衍既不知禮之本，子柳亦以為然，而請於衍，使其妻為舅服之。」「姑、姊妹在室齊衰，與婦為舅姑同。末，無也。言無禁我，欲其言行。」「婦人以諸侯之大夫為天子之衰、弔服之絰服其舅，非。」[66]叔仲皮為魯叔孫氏之族[67]，子柳為其子。叔仲皮死，子柳之妻雖是魯鈍婦人，卻懂得為舅（夫之父）服齊衰，而首服繆絰，合乎〈喪服〉婦為舅姑齊衰的要求。子柳反不知禮。通過叔仲衍（子柳之叔）的描述，不特當時婦人因尚輕細而繐衰環絰，即其自身，亦曾為姑、姊妹服此服，他人亦未嘗以為非是而禁止他這樣做。胡培翬《儀禮正義》據此兩事云：

> 是繐衰，《禮經》特制以為諸侯之大夫服天子之服，而春秋時，凡期功之喪皆服之，則失禮甚矣。《左傳》襄二十七年，衛獻公喪，弟鱄如稅服終身。杜《注》：「稅即繐也。」[68]

從這些事例，可知春秋之時，繐服並無定制，或為裳，或為衰，皆取其輕

---

[65]《禮記正義》，頁320。

[66]《禮記正義》，頁440。

[67] 孔《疏》引《世本》云：「桓公生僖叔牙，叔牙生武仲林，休生惠伯彭，彭生皮，為叔仲氏。」見《禮記正義》，頁441。

[68] 胡培翬：《儀禮正義》，頁1521。

細。如果叔仲衍和縣子的話如實反映實況的話，那麼，當時繐服沒有特定的服喪對象，適用範圍還頗為廣泛。由是而知，晉獻公為鱄服繐服，也就不足為奇了。但這樣做是否失禮，便難以論斷了。至於胡氏敘述的衛獻公之事，則是誤記。

在「公喪之如稅服終身」裏，「稅服」意謂穿著繐服，情況就像《左傳》昭公八年所記「游服而逆之」的「游服」那樣[69]。

2. 繐服月數

按照〈喪服〉的規定，繐服是諸侯大夫為天子所服的喪服。而天子七月而葬，這在《左傳》及禮書裏都有明文，如《左傳》隱公元年云：「天子七月而葬。」按理，繐服的喪期也應該是七月。對此，漢、唐諸儒的認識是一致的。杜佑《通典》引戴德語云：「繐衰七月之服。」馬融也說：「既葬除其服，天子七月葬，不言七月者，言同時而除也。」[70]賈公彥《儀禮疏》也說：

> 此繐衰是諸侯之臣為天子在大功下小功上者，以其天子七月葬，既葬除，故在大功九月下，小功五月上。[71]

後世禮家一直沿用這種看法，堪稱是一種共識，如章景明先生說：

> 繐衰既是諸侯之大夫為天子的喪服，而喪服又說「既葬除之」，則其喪期可知。案：〈王制〉：「天子，七日而殯，七月而葬。」〈禮器〉云：「天子崩，七月而葬。」是諸侯之大夫為天子繐衰，應服七月的喪期。[72]

---

[69] 楊伯峻《春秋左傳注》云：「脫去戎衣，改著游服以迎接子旗。游服，燕游之服，玄端深衣之類。說見沈欽韓《補注》。」（頁1303）

[70] 張錫恭：《喪服鄭氏學》（北京市：文物出版社，1987年）卷11，頁2b～3a。

[71] 轉引張錫恭：《喪服鄭氏學》卷11，頁1b。

[72] 章景明先生：《先秦喪服制度研究》，頁139。

杜預不取漢儒緦服七月之說，而說「本無月數」，即沒有固定的月數，大概是考慮到在常禮之外，還存在不少特殊的情況。春秋之時盛行短喪，即如諸侯本五月而葬，但以三月葬為常[73]。緦服所服對象不一，適用範圍甚廣，故其月數實難確知[74]。衛獻公服喪多久，同樣是疑不能定。

附帶一提，楊伯峻先生雖贊成杜氏的緦服說，但斷言：「緦服不過小功五月。」「緦服五月」，前此未聞，為楊先生所獨創。這是由於楊先生看到緦服縷數如小功，而〈喪服〉云：「小功布衰裳，牡麻絰，即葛，五月者。……從祖昆弟。」楊先生只看到緦服縷如小功，卻忽略了其成布四升半，同乎齊衰[75]，所以出現這個誤解[76]。

3.「如」當讀作「而」

陳戍國先生強調于鬯重視「如」字是對的，無疑切中肯綮。歷代注家大多把精力集中在「稅服」的釋讀上，對「如」字卻都不甚措意。根據杜預的注文，似乎也無法看出他如何理解句中的這個「如」字。此後襲用杜說的注家，也沒有補足杜《注》的這個空白。如果把「稅服」讀為「緦服」，前面這個「如」字應當讀成「而」，作連詞用。「如」通作「而」，可從《左傳》找到內證。《左傳》隱公七年：「陳及鄭平。陳五父如鄭涖盟。及鄭伯盟，歃如忘。」《說文》引「如」作「而」，楊《注》云：「如、而兩字古多通用。」歃而忘，謂臨歃而意不在盟[77]。

---

[73] 詳參拙著：〈論杜預《春秋經傳集解》中的「既葬除喪」說〉，發表於中央研究院中國文哲研究所主辦之「魏晉南北朝經學國際研討會」，2008年11月26～28日。

[74] 楊伯峻：《春秋左傳注》，頁1128。

[75] 楊伯峻：《春秋左傳注》，頁1128。

[76] 承楊伯峻之誤者，如王貴民、楊志清編著：《春秋會要》（北京市：中華書局，2009年），頁502。

[77] 楊伯峻：《春秋左傳注》，頁55。《左傳》中「如」、「而」相通的其他例子，如昭公十二年記鄭子太叔語曰「子產過女，而問何故不毀」云云，楊《注》云：「而，猶如，假設連詞。」（頁1331）

4.「公喪之如稅服終身」的句法分析

以句法論，「公喪之如稅服終身」，是由「喪」和「稅服」組成的連用動詞結構，「稅服」在「喪」之後，對「喪」起修飾、補充的作用，表示服喪的方式[78]。

五 結論

考索字詞之義，必須盡可能按本字訓釋，不能輕言通假[79]。倘若本字講不通，也只能謹慎地判斷通假的可能[80]。前人對「稅服」的解讀，出現按本字解與讀為通假字的對立。綜上所論，「稅」讀如字，解為追服也好，說是變服也好，都不能使人愜意。相反，從通假的角度，再顧及句法，並證以春秋時期流行的喪服之制，讀「稅」為「繐」、「如」為「而」，即將此句讀成「公喪之而繐服終身」，則怡然理順，無不可解者。在眾多《左傳》今注中，對這句話的解讀，以趙生群先生《春秋左傳新注》最為穩當。按趙先生正文，此句連讀，中間不加停頓，注云：「如：『而。』稅服：『繐服，縷細而布疏之服，常用作喪服。諸侯本不為兄弟服喪，獻公哀痛子鮮，特為此服。獻公

---

78 管燮初：《左傳句法研究》（合肥市：安徽教育出版社，1994年）列「公喪之如稅服終身」於「連用動詞結構表示對象」類的「由動詞組成的連用動詞結構」，以「如」為主要動詞，而「喪」為連用動詞。（頁111）今不從其說。

79 黄侃云：「讀古書當潛心考索文義，不必驟言通假。」王力亦云：「凡是不該認為通假也能講得通的話，就應該依照平常的講法，不要再講甚麼通假。」轉引自張新武：〈「樂歲終身飽」的「終身」用的是引申義〉，《新疆大學語言文化國際學術研討會論文集》，頁66。

80 王引之《經義述聞．序》引述王念孫之語曰：「字之聲同聲近者，經傳往往假借，學者以聲求義，破其假借之字，而讀其本字，則渙然冰釋；如其假借之字，而強為之解，則詰為病矣。」於〈經文假借〉又云：「至於經典古字，聲近而通，……往往本字見存，而古本則不用本字而用同聲之字。學者改本字讀之，則怡然理順；依借字解之，則以文害辭。」見《經義述聞》（揚州市：江蘇古籍出版社，1985年），頁59。

卒於魯襄公二十九年夏，子鮮之死或稍前，故喪之終身。』」[81] 此段注文案斷精切。趙先生或許對這個問題作過詳細的析論，只是限於體例，故未能暢言其意。簡言之，「公喪之如稅服終身」，可語譯為「衛獻公為䌷服喪而穿著繐服直到一輩子的終了」。

[81] 趙生群：《春秋左傳新注》（西安市：陝西人民出版社，2008年），頁655。

《春秋》與「素王」

——漢代「經學義理」旨釋

鄧國光*

一　前言

秦、漢之後思想的主軸是「經學」。「經學」的精神定調於兩漢，名實與時俱進，不斷發展，誘發的奮進意志與經世精神，透過客觀化的禮、樂、刑、政的政教制度轉化負能量的私欲為正面的文明力量，實現「王道」公義，發展成意識型態，為二千年來政教智慧之所繫。

經學是一個開放性的思想系統，呼應所處的學術生態。不同時期有不同的表現，一方面顯示適時的特色，另方面又稟賦超越功利考量的道義精神，意義性與工具性的觀念互存，超越原則跟應用的意識並重，實踐與冥思無分彼此。說義理不廢考據，談訓故則思想存乎其中，只有進路先後的差異，而沒有非此則彼的優劣。從目的性的層面而言，實現「王道」的「經世」道術，是「六藝」的「終極關懷」。從工具性意義說，「守文」與開宗立戶是實施「經術」的有效途徑。兩者各是經學義理的「體用」的一面。

追蹤漢儒經術的施展，便顯示一個苦難的民族如何在戰火餘生之後再造文明的艱辛歷程。

* 澳門大學人文學院中國語言文學系。

二　孔子與經藝

儒家「經世致用」，推尊孔子，推衍《五經》義理，建立理想的生活世界，是為經學。《五經》之足以成學，乃本儒家的仁義之道以啟文武之政，支撐二千年中國的文明。經學建築在孔子的理想之上，不但成為意識型態，也是根植民間的思想力量。經學的義理以之感化社會，訓詁以之彰明經義。經學義理與人生社會結為一體，運用以建設文明，稱為「經術」。經術與先秦諸子的道術，氣脈相通，導引統治者履行化成天下的「王道」，以實現公義，疏離野蠻。

以「經」名書，不專儒家。經字本義指織造物的縱行線，相輔的橫織則稱緯，經和緯二字縱橫義相待，經含綱領義。《左傳・昭公二十五年》謂：「禮，上下之紀，天地之經緯也，民之所以生也。」《左傳・昭公二十八年》謂：「經緯天地曰文。」《左傳・昭公二十九年》載孔子語「以經緯其民」，皆經傳中皆「經緯」並稱；也見《周禮・考工記》「國中九經九緯」，指國中道路設計的原則，屬引申義。大凡具綱領的事情皆可引申為經[1]。東周時代已有一批稱為「經」的著作。如墨子有《墨經》，道家黃帝學有《道經》，為荀子所曾引用，醫家有《黃帝內經》，史官有《星經》，馴馬有《相馬經》，說部有《山海經》；馬王堆漢墓出土西漢初年帛書有《經法》和《十六經》，屬黃帝治術，都屬綱領性質，經字見其本義。章太炎謂「經」依據竹簡長度而定。但戰國的《經法》和《十六經》是用帛書書寫，長短沒有必然的規範。此說義在沖淡清人尊經的風氣，乃有為而論，不是考實。「經」之取義，於實於理都不決定於書寫材料的範圍。事實上，東周時代通稱「經」

[1] 楊樹達《造字時有通借證》否定《說文》解「經」字為「織從（縱）絲」之說，認為經傳皆指自殺的「自經」。並謂「經緯」罕見經傳，《大戴禮》始見。載《積微居小學述林全編》（上海市：上海古籍出版社，2007年），頁167。龍宇純〈《造字時有通借證》辨惑〉糾楊說，載《絲竹軒小學論集》（北京市：中華書局，2009年），頁24～25。龍說有據。

的著述都具綱領意義，綱領意義是在內容的重要性說的。對於百工，技術度數是一生經驗心血，是其生命的綱領，意義重大。對於秦漢之際的儒者，傳世的《詩》、《書》、《禮》、《樂》，原本是三代屬於「王官之學」承傳下來的文獻，世胄所習；因孔子所極重視，詮以仁義，成為理解及實踐王道公義的綱領，教化的大源，因此尊此批文獻為「經」，進一步強化原本的綱領意義。

漢儒稱經過孔子的轉化「王官之學」的六種典籍為「六藝」，又稱「經藝」。《漢書・藝文志》的「六藝略」說的「六藝」，都是指經書。「藝」指培養作物成長的過程。成長不但指生理上的發育，同時是德性的不斷提昇。德性提昇的內涵稱為義理，以成就全幅而暢順的人生。經之成藝，關鍵是教化。《論語・泰伯》謂「興於《詩》，立於禮，成於樂」，便是本經藝成就教化的具體節目。孔子行教，賦予了《書》、《詩》、禮、樂等典藏以崇高的目標與意義，「藝」字透露此一轉化的生氣。儒家以立人極、贊化育。教化便是拒絕野蠻而走向文明的總綱。漢儒從教化的「綱領」之義規定《五經》，為的是在秦漢之際的毀滅性破壞之後重塑文明，這是時代給予的責任。《禮記・經解》從「教」義解釋經典的功能，謂：

> 孔子曰：「入其國，其教可知也。其為人也，溫柔敦厚，《詩》教也；疏通知遠，《書》教也；廣博易良，《樂》教也；潔淨精微，《易》教也；恭儉莊敬，《禮》教也；屬辭比事，《春秋》教也。」

以教化功能解說各經，是典型的說法。《易》本屬周人卜筮之書，孔子以周流不息的生命觀闡釋《易》旨，轉化為義理之學；孔子撰《十翼》，又稱《易傳》，為《易》學的基礎，儒家義理的淵藪。《禮》是孔門弟子根據儒家義理整輯而成。《春秋》則是孔子親自「筆削」東周以來二百四十年的大事，寄寓了孔子的為政理想。《書》、《詩》經過孔子整理，為儒門必讀。

現存文獻稱《詩》、《書》為經，時代最早的見《莊子・天下篇》，稱述「六經」之名。湖北荊門出土的戰國楚簡亦稱《書》、《詩》，楚簡寫定於戰國中葉。《莊子・天運》又假借孔子之言，謂孔子作《六經》：《詩》、

《書》、《禮》、《樂》、《易》、《春秋》。《莊子》乃戰國書，雖欲超越孔子，從未輕侮孔子，則所說的孔子作《詩》、《書》六經，儘管不是實錄，也非妄生穿鑿，卻反映經過孔子的詮釋與運用，透過《詩》、《書》、《禮》、《樂》、《易》、《春秋》，開發了豐富的義理世界，《詩》、《書》等文獻成為儒家王道仁政義理的綱領。此綱領還顯示文明史的歷程，本孔子之道一以貫之，溝通古今，縱貫而下及百世，所以稱之為經。經之義至此無以復加矣，其義界必須從儒道自身處通解。稱《書》、《詩》為經，流行於戰國時代，正是諸子橫議，激烈交鋒的時刻。後於《莊子》的《荀子．勸學》論為學次序謂：「其數則始乎誦《經》，而終乎學禮。」接著講到《詩》、《書》和禮，謂：「故《書》者，政事之紀也。《詩》者，中聲之所止也。禮者，法之大分，類之綱紀也。」《荀子》以經概括《詩》和《書》，又連類提及《春秋》，卻未用以稱其書，還是沿用《詩》、《書》等本名。顯示先秦儒家未曾獨霸「經」之一名。於學術史上，荀子「傳經」，上繼子夏。經歷秦火仍保存下來的《書》、《詩》等舊籍，為秦博士浮丘伯所傳，浮丘伯是荀子的學生。

儒者獨尊「經」的一名，是在秦、漢獨裁的時代發展出來，與意識型態相呼應。於此時代情境中塑造出至道的原則性符號，以指導倫理與政治。奠定漢初儒家地位的陸賈，原是秦博士，於所著《新語．道基》中謂：

> 禮義不行，綱紀不立，後世衰廢；於是後聖乃定《五經》，明六藝；承天統地，窮事察微，原情立本，以緒人倫。

稱說《五經》之名，以陸賈為先，尊《五經》之用為極至。後來漢武帝置《五經》博士，遂為定名。陸賈賦予《五經》經天緯地的意義，視為重樹「綱紀」的法則，以維繫人倫的關係。《新語》這段話足以見儒家尊經的意義。荀子至陸賈，尊《詩》、《書》為經，取義於經字所蘊的綱紀義。孔子、儒學、經學三者關係密切；講儒學不能抽離孔子。

經學不是孔子自造，而是漢儒推本孔子的仁道的學理，構成了意識型態。沒有孔子的義理，則無所謂《五經》。《五經》是因為孔子申說義理而受尊；否則《書》、《詩》、禮、樂亦不外是王室貴族子弟的識字讀本，猶如百工的專業技術經書而已。但因為孔子以《書》、《詩》、禮、樂教書，開放了「王官之學」，注入豐富的義理內涵，以展示「王道」的可能。經過兩漢儒學於意識型態的強化流程，「經」之一名更在獨尊的基礎上衍出永恆不易的義涵。劉勰《文心雕龍．宗經》說：

三極彝訓，其書言經。經也者，恆久之至道，不刊之鴻教也。

「經」的極至義極度膨漲，是中國思想史流程中製造出來的現象。單尊一部為經如《書經》、《詩經》等名謂，遲至漢代才出現。這是經學出現專家門戶方發生的現象。經學不專家，則《五經》俱是經緯天地的綱領。門戶家法立，推尊所專為綱領，於是《書》稱《書經》，其餘推類而及。

三 《春秋》與孔子

兩漢經學的核心是《春秋》學，《春秋》學體現的是孔子「王道」，展示大公精神所塑造的王道秩序，唯私欲是求的現實世界差距鉅大。

《春秋》學向來專屬孔、孟，支配了學術思想的進路。東漢以後，有關《三傳》是否傳經的問題，波蕩不息。大抵以《左傳》述事，《公羊》、《穀梁》釋義，兩全其美而各為取捨。宋以後，《春秋》作者受質疑，意氣相攻。清代以來，經學上「古」、「今」的流派意識專斷學術，《三傳》之學於此門戶的成見中分途，互不相屬，各自逆溯孔子的道術。唯專門之學日甚，《春秋》與「王道」之義，因「專屬」的思維定勢，遮斷更全面的智性理解；「王道」的觀念則專屬《孟子》，推衍為東亞治國觀念的理想。至今《左傳》、《孟子》獨尊。復原真實的歷史，勢不能不破「專屬」《春秋》於孔子之蔽，而解一尊「王道」於孟子之惑。

孟子說孔子作《春秋》以行「王道」，作《春秋》是行天子之事。現存先秦文獻，包括孟子對手的荀子，以及儒家的對立者的著述，於如此重大的描述，俱未有一字懷疑或質詢。則孟子之說，未為無稽，亦斷不能虛造，否則先秦諸子不能無所譏彈。《論語》明載左丘明，則左氏傳《春秋》，亦未可謂誣。孔子作《春秋》，左丘明傳《春秋》，皆未可否認。蔽障在「專屬」。《春秋》非獨孔子作，其傳亦非獨一人。

東周時代《春秋》非專屬於孔子。《墨子》比孟子更早提及《春秋》，謂見百國《春秋》。晉、楚雖然亦自有稱謂，《春秋》之為東周諸國王官著作的通用名稱，則不能否定。西晉出土而號為《竹書紀年》的魏國編年史、睡虎地秦墓出土的《編年記》[2]、今傳聞類似的《清華簡》之中的楚國編年史書，都是屬於《春秋》的諸侯官修史。《太史公書》稱《晏子》為《晏子春秋》。太史公極尊崇孔子《春秋》，假如《晏子春秋》不是本名，則斷難相信為附益。晏子與孔子同時，為齊國之相，著書稱《春秋》，以記敘輔政諍言，則《春秋》不單純記錄史事，其必然包含經世的主張，與《書》體不侔。戰國後期尚有《李氏春秋》二篇及《虞氏春秋》十五篇，《漢書·藝文志》著錄於「諸子略」的「儒家」類之內[3]。《太史公書》謂《虞氏春秋》八篇乃趙國上卿上採《春秋》，下觀近世，以刺譏國家得失，也是統治階層的重要人物修史以宣治的作品。虞卿又有《虞氏微傳》二篇，著錄於《漢書·藝文志》「六藝略」的《春秋》類。明言二篇，則非八篇或十五篇的《虞氏春秋》。完整傳世的《呂氏春秋》是為典要，《太史公書》稱呂不韋是秦莊襄王相，亦上觀尚古，刪捨《春秋》，集六國時事；《漢書·藝文志》著錄於「諸子略」的「雜家」類之內，謂此類著作兼儒、墨，合名、法，治國體之有此，見王治之無不貫[4]。則《呂氏春秋》更融通先秦諸子論「治」的精神，也是左右政情的人物的作品。綜觀東周至秦統一之前，號為《春秋》著作，皆成重臣，而內容包括古今歷史與治國理念，論「治」的成分越來越多，越往後治國理念越周至，顯示結合一種系統的因果的德性判斷與時空中邏輯演繹的訊息。

---

2 睡虎地秦墓竹簡整理小組：《睡虎地秦墓竹簡》（北京市：文物出版社，1978年），頁1～13。

3 張舜徽：《漢書藝文志通釋》（武漢市：湖北教育出版社，1990年），頁113。

4 張舜徽：《漢書藝文志通釋》，頁190。

孔子曾任魯司寇，位大夫之列，情繫公天下的王道，修史以論治，亦理所當然。孔子作《春秋》的事實，非孟子所能虛構。作《春秋》，非獨孔子，東周諸侯的卿相大夫各自述作，因王道之義與道術的實現方式各有所偏重，因時代的自由而得以自由的表達。後世把通名的《春秋》「專屬」孔子的《春秋》，乃是後來思想史對應於一統政權的必然進路；正視歷史，自應清楚時世轉變之範限思想的型態。孟子以來皆說孔子作《春秋》以當「王道」。「王道」源於箕子〈洪範〉，揭示君德，緣於箕子對自身身分及論說對象的自覺，而其中充滿興亡盛衰的歷史情懷，這是先秦諸子百家立說經世的重要特徵。

諸子立論主為人君而發，憑匹夫德性與智慧，提出統治策略。這種天下大事非我其誰的時代關懷，以「德」導「勢」，不異箕子之立義，構成諸子與〈洪範〉之間的精神紐帶。論說「王道」，因此理必自箕子〈洪範〉始。但思想自身的異化力量亦從之而生，「王道」的公正義亦同時扭向人君統治的心術論，瓦解觀念自身，而更強化獨夫政治，破壞共治天下的期盼。《春秋》中含「王道」的意識，是先秦思想的必然進路。先秦的《春秋》與「王道」，綻放於思想自由的時代，不曾定於一尊，亦不曾範限為「一王之法」。

物歸其所，今傳世的《春秋》及《春秋三傳》，歸孔子《春秋》門下，不違事實。儒門不斷分合壯大，孔子《春秋》的「王道」意識亦隨著世變而流衍，萬變而不離仁道。把孔子《春秋》及其後繼詮釋納進完整的「學術生命」之中，視後世的傳注，為此一「學術生命」體在不同時代與環境的「學術生態」的反應，則一種學術的力量方才顯見。任何具有生命力的「學術生態」均不可能一物獨生獨長。東周時代思想為至活躍，於至關重要的「王道」意識上，學術焦點如果只集中在儒門《春秋》一系，未免偏頗。本「王道」讀《春秋》，則聖賢經世之志大顯。因《春秋》以說情事，則人各異致，而終莫能究竟。若以復原歷史，不事軒輊，說「王道」不必限一家，作《春秋》不必限一人。不論任何一家的《春秋》，「王道」都是核心。

孔子作《春秋》的說法，唐以前沒有人懷疑，懷疑是宋代以後的事。從《孟子》到《太史公書》，都記載孔子作《春秋》。《孟子・滕文公》謂：

> 世衰道微，邪說暴行有作，臣弒其君者有之，子弒其父者有之。孔子懼，作《春秋》。《春秋》天子之事也，是故孔子曰：「知我者其惟《春秋》乎！罪我者其惟《春秋》乎！」

孟子生於孔子百年之後，私淑孔子，不會杜撰和臆造事實。孔子作《春秋》，是無容置疑的。孟子所載孔子「知我罪我」之歎，說的是孔子心事所在：孔子關懷的是周代的制度崩潰以後而導致政局的混亂，希望透過聖人和君子人格的體現，從根本之處建立更合乎人性的王道政治，徹底恢復天下的秩序。這「王道政治」是對治時代問題的理想，不是修補現行制度的填漏工程。

但整頓混亂的政治秩序屬「天子」份內的事，孔子非處其位，卻為此而焦慮，為的是天下後世蒼生的福祉。這樣的心事，不是一般人所可以理解。而這種越俎代庖的做法，更不是權力意志所可以接受。所謂「知我罪我」是，指以一己之力代替天子的權力，執行王者之事，整頓崩潰的政治秩序，而可能受到的種種責難。這種隱微的心事，無王者之位而行王者之政，為後世立法，等待來者實踐王道，至死不渝，是孔子作《春秋》所以感動後世的內在力量。孔子寫《春秋》，為了避免歪曲，親自處理，全不假手弟子，極為謹慎。《太史公書．孔子世家》載孔子筆削《春秋》的情況說：

> 孔子在位聽訟，文辭有可與人共者，弗獨有也。至於為《春秋》，筆則筆，削則削，子夏之徒不能贊一辭。弟子受《春秋》，孔子曰：「後世知丘者以《春秋》，而罪丘者亦以《春秋》。」

孔子斷定後世必以《春秋》論定自己。司馬遷於《太史公書．太史公自序》明確說是「王道之大者」，體現古代聖王的為治原則。這「王道之大者」便是一種超越目前功利的意義考量。孔子以此「王道」的理想權衡東周二百四十年的歷史，嚴正批判道德的敗壞。《春秋》「褒貶」的論定，孔子以簡潔的筆墨表達，勾勒出春秋時期「弒君三十六，亡國五十二」的亂局。《春秋》記錄魯隱公元年（西元前722）至魯哀公十四年（西元前481）凡二百四十二年的興廢和大事。根據《公羊傳》的說法，孔子撰《春秋》，至哀公十四年春為止，是因為及見樵夫誤殺感應太平祥瑞的麒麟。麒麟是「仁獸，有王者則至」，而狩殺麒麟，顯示王道至衰。身處無望的敗壞時代，孔子自歎「吾道窮矣」，於是絕筆。「西狩獲麟」的說法，雖具有緯學的意味，卻反映了孔子在《春秋》之中關懷時代的衷情。《春秋》「善善惡惡，賢賢賤不肖」，是「褒貶」道德世界，透過嚴謹的遣詞用字，論定道德世界的真實狀態，揭露邪惡、險詐、貪婪等種種腐化的內在元素，顯示周代之所以禮崩樂壞的根源，完全是人心的陷溺和道德的敗壞做成的惡果。

《春秋》「比於王事」，精簡的表達方式，留下大量的理解縫隙。後人解讀及發揮孔子《春秋》，還原孔子的政治理念，解讀寄寓於字裏行間的「微言大義」，出現了專門的《春秋》之學，以填補這理解縫隙。《左氏傳》鋪開史實，「以史傳經」。闡發《春秋》義理的，漢初流行有三家的口說，於學團之中流行，武帝之後寫定成書，分別是《公羊傳》、《穀梁傳》和《鄒氏傳》。三家述說《春秋》的微言大義，努力營構孔子的王道思想。同時，把孔子的表述方式和背後的相應理念，歸納為種種「條例」；強調「條例」是解讀孔子《春秋》的門徑。三家各建立「條例」，成為兩漢《春秋》學的大宗。其中《公羊》家的構想比較系統和周密，吸引好學深思之士，成為「今文經學」的代表，一直至清末還發揮著支配時務方向的作用。「條例」之學之所以分歧不一致，正是《春秋》大量的理解縫隙所導致的必然結果。

四　孔子與素王

《春秋》主在提挈「王道」的意識，本身不是觀念，而是思想的介面，誘導更周至與深刻的遠見高識，所以文本的表達方式或文字多寡，無甚影響終趣的把握。畢竟天下為公的共識已經沈澱成思想的內核，偏離或乖違必受公議的裁判。公道在人的自身，不假外求。漢人於孔子，還能夠注意到政治理念的超越性，並加以發揚光大。孔子的形象，漢代的看法跟唐、宋大不同。漢人講孔子，歸到「為漢立法」的說法上，高度重視孔子的政治實踐。

而後人講孔子，則在性命之學上，開拓義理的世界。漢人視孔子為「王」，孔子有王者的材質和德性，而不為世所用，有德無位，空懷素志，因此推尊為「素王」[5]。漢人相信孔子雖不能得志於當世，但對後世還懷極大的期盼，相信「王道」的理想可以在後世實現。則孔子不啻是「為漢制法」。這非說孔子能未卜先知，而是表明孔子的主張是可以實現的實理，不會因時移勢易而失效。「為漢制法」顯示孔子的政治理念屬於永恆的真理。唐以後以「萬世師表」論定孔子，視孔子為教育家；這是不錯的。但把孔子鎖定於學府之中，所謂「以師範聖」，於師道低陷的時代，足以遏止道統人物運用德性的王道論抵斂統治意志的道義勁力。如果師之義非獨限於士庶的文字師，而兼王者道術之師，「王道」存乎其中，意義便大不相同。

「素王」一詞始見《莊子》及《伊尹書》，具有超越世俗王者之義的根本性意義，不專指孔子，義為原來的王，是從道的層次推出的根本之王。先秦儒家也未見用「素王」。「聖王」義普遍流行之際，超越式的思維亦同時萌生，從而構作較「聖王」更為本原與優越的「素王」。事物生成過程中，總出現共時的迎拒，甚至反逆式的對極批判。「聖王」蘊含先王這後出歷史的存在意義，而「素王」賦予了王義原生的根本意義，在「理」的層面顯示「素」義的根本意義，猶如《禮記・禮器》所強調的「以素為貴」的「反本修古，不忘其初」的深意[6]，超越「聖王」而透露反逆主流思潮的對極意識。這是戰國晚期思想爭鳴的表現，「素王」還未歸屬指定的歷史人物。

明確稱孔子為「素王」，考察傳世及出土文獻，以漢初宗室劉安《鴻烈》為首，而不是董仲舒。董仲舒提出的是「素王之業」，是指王者的基本法則，而不是形容孔子的地位。劉安《鴻烈》運用的是黃老道術，是王者之書，不同尋常，引出「素王」，自然合理，非常明確說孔子以其道而成「素王」。《淮南鴻烈集解・主術訓》：

> 孔子之道，智過於萇弘，勇服於孟賁，足躡郊菟，力招城關，能亦多

5 羅夢冊：《孔子未王而王論》（臺北市：臺灣學生書局，1982年）。

6 龍宇純：《絲竹軒小學論集》，頁83。

> 矣。然而勇力不聞，伎巧不知，專行教道，以成素王，事亦鮮矣。春秋二百四十二年，亡國五十二，弒君三十六，採善鉏醜，以成王道，論亦博矣。然而圍於匡，顏色不變，絃歌不輟，臨死亡之地，犯患難之危，據義行理而志不懾，分亦明矣。然為魯司寇，聽獄必為斷，作為《春秋》，不道鬼神，不敢專己。聖人之智，固已多矣，其所守者有約，故舉而必榮。[7]

《淮南鴻烈集解・泰族訓》謂「孔子欲行王道」[8]，《淮南鴻烈集解・氾論訓》主張「聖王賢相」為治，「得王道者，雖小必大」[9]。《淮南鴻烈集解・主術訓》便以孔子及墨子為例，說：

> 孔丘、墨翟，修先聖之術，通六藝之論，口道其言，身行其志，慕義從風，而為之服役者不過數十人。使居天子之位，則天下徧為儒、墨矣。[10]

於《淮南鴻烈集解・道應訓》亦說孔、墨為王：

> 孔丘、墨翟，無地而為君，無官而為長，天下丈夫女子莫不延頸舉踵而願安利之者。[11]

盛稱孔、墨無位而王。「聖王」因民之情而為治，無所勞情，至於賢相，則須如周公之事文王，「行無專制，事無由己」[12]。「聖王」之制禮作樂，乃因時變而通宜。劉安要求：

---

7 劉文典：《淮南鴻烈集解・主術訓》（合肥市：安徽大學出版社；昆明市：雲南大學出版社，1998年）卷9，頁312～313。

8 劉文典：《淮南鴻烈集解》卷20，頁701。

9 劉文典：《淮南鴻烈集解》卷13，頁446。

10 劉文典：《淮南鴻烈集解》卷9，頁303。

11 劉文典：《淮南鴻烈集解》卷12，頁392。

12 劉文典：《淮南鴻烈集解》卷13〈氾論訓〉，頁434。

> 聖王布德施惠，非求其報於百姓也。[13]

施恩不求報，是謂有陰德，「有陰德必有陽報，有陰行者必有昭名」，禹、契、后稷是謂有陰德，皆施功於百姓，惠留後世，所以他們的後代，能夠統治天下，這就是一種回報，不必當下要獲取。孔子「以三代之道教導於世」，雖不能得位，但他的後代至今「不絕」，是隱行而得回報的典範。這說法明顯是針對邀取時譽的人君而發。劉安既主張王者不妄作為，以心推心，謂聖人「懷天氣，抱天心」[14]，以「至誠」而「養心」[15]，得出：

> 聖王在上，（中略）官府若無事，朝廷若無人，無隱士，無軼民，無勞役，無冤刑，（中略）非戶辯而家說之也，推其誠心，施之天下而已矣。[16]

劉安所主張的推心而治，與其「原心反本」的思想是一致的[17]。

漢人既推尊孔子為「素王」，「為漢制法」，則孔子的思想和言論，便可成為現實政治的指導方針和基礎。一切政令及法律，如果關係天下的大政，如制定禮、樂，訂定法規，訂立影響民生的方針，如果要求以「仁」作為實踐的方向，都須以孔子的思想為之折衷和定奪。於是，《論語》、《孝經》、《五經》等尊為《七經》的經典，便成為指導現實政治操作的大經大法。這「大經大法」是謂「王道」、「王法」。《五經》之中，又以《春秋》為核心。因為《春秋》是孔子的手筆，親自「筆削」東周以來二百四十年的大事，寄寓了孔子經世的政治理想，體現「素王」為後世制法的具體要求。漢人之尊孔子為「素王」，乃強調其「素王」之法。以此「王法」為行政施法的根據，這是漢代經學所以為「經世之學」的中心。「經世」即陸賈《新

---

13 劉文典：《淮南鴻烈集解》卷18〈人間訓〉，頁613。

14 劉文典：《淮南鴻烈集解》卷20〈泰族〉，頁683。

15 劉文典：《淮南鴻烈集解》卷20〈泰族〉，頁686。

16 同上。按：「聖主」，《群書治要》作「聖王」，此據劉文典校語用「聖王」。

17 劉文典：《淮南鴻烈集解》卷7〈精神訓〉，頁239。

語》所謂「承天統地，窮事察微，原情立本，以緒人倫」，乃經天緯地的偉大事業。不論後世如何評價漢儒，但漢代之為偉大的時代，中國人所以值得自豪，其中重要的動力，應是與儒家經學這種承天負地的積極精神有關。而「經世之學」的「素王」之義，據孔子的《春秋》理解和演繹，突出的是孔子積極的期盼。

漢人「素王」之義，從孔子為政的用世角度說，《春秋》成為經學文本的中心，兩漢四百年的經學，是圍繞「素王」之義法的《春秋》學起伏發展的。《春秋》綰合「素王」而重組的「王道」義，取代匹夫成帝業的公天下的觀念，王道已經不再是匹夫布衣的淑世意念，而一切盡攝於「素王」孔子的《春秋》的名下，「儒術」獨尊的範限作用可見一斑。尊封孔子「素王」，乃以申論「王道」。至是而旁落〈洪範〉「皇極」的王道大公義，而流入〈洪範〉五行義，標榜「素王」承天意而制定平治天下的大法，則「王道」義轉落於《春秋》的微言大義之中，人各言殊。

五 《春秋》當王法

兩漢的經學圍繞《春秋》開展，《春秋》學是漢代經學義理的核心。《春秋》之所以受重視，是因為漢人確信出自孔子，以及寄託了孔子的政治理想，是孔子治道所在。司馬遷《太史公書．儒林列傳》明確說：

> 自衛返魯，然後樂正，〈雅〉、〈頌〉各得其所。世以混濁莫能用，是以仲尼干七十餘君無所遇，曰「苟有用我者，期月而已矣」。西狩獲麟，曰「吾道窮矣」。故因史記作《春秋》，以當王法，其辭微而指博，後世學者多錄焉。

司馬遷筆下的「吾道窮矣」的道，是一「超越原則」，而非為現世政權修補及粉飾的技術性工程。儘管是及門弟子，也不一訂定能領會。《太史公書．孔子世家》謂：

> 孔子在位聽訟，文辭有可與人共者，弗獨有也。至於為《春秋》，筆則筆，削則削，子夏之徒不能贊一辭。弟子受《春秋》，孔子曰：「後世知丘者以《春秋》，而罪丘者亦以《春秋》。」

「聽訟」乃主持公道的事，多一人的審斷，則少一分誤斷，所以孔子必須與其他人共同研究案情，避免獨斷。但《春秋》不是技巧性的導引，而是一套完整的政治原則，施諸萬世而皆可，行之當時而不惑，乃屬「超越原則」。孔子於自已的主張有絕對的信心，亦可肯定自己的理想在後世有同情和誤讀。同情為之「知丘」，誤讀則「罪丘」。《後漢書．儒林列傳》說：

> 故先師垂典文，褒勵學者之功，篤矣切矣。不循《春秋》，至乃比於殺逆，其將有意乎！

孔子作《春秋》「以當王法」，這一觀念是漢人對《春秋》的基本看法。這套「王法」關係天下的治亂興衰。於其中所含的「王法」，以應用於當世事務，意義至為重大。在解讀的過程之中，因為已先入為主地確定其神聖立場，解讀的方向集中一途，便是說明孔子「王法」所在。但出於理解的分歧，自然引出門戶。《春秋》學的承傳和流變，於「王法」的解讀分歧關係密切。對《春秋》的解讀，於經學上稱之為「傳」。漢代的《春秋》學，乃謂不同門戶《春秋》「傳」之學。不同的《春秋》「傳」，以各自的方式解讀「王法」。所運用的解讀方式，漢儒標榜為「例」。各家各自有所謂《春秋》之「例」，企圖亦此樹立客觀的解讀原則，以「例」掩飾解讀的隨意性和主觀性。「傳」、「例」其實都是門戶的產物，分解孔子「道術」的完整性。

從「聖王」遞衍至「素王」，顯示先秦兩漢「王道」義的起伏，展現了中國學術思想變化的轉折。「素王」義流行的時代，學術主力集中於經傳解注。於說經或議政的過程中，義理專屬孔子，解散先秦諸子立說橫議的強大張力，削弱思想的經世力量。秦、漢以後，世襲的統治延續，天下復為一家私有，以匹夫實現平治天下的大業的聖王義，漸漸熄滅，先秦士人開啟的主人翁式德性自覺，至此游移於建制上的晉身與自適自存的選擇之中，權勢與地位成為尊崇的對象，乃如班固所概括的利祿。無論如何抉擇，政情的發展，已經不能容忍立論的主體抱持以「德」臨「勢」的傲骨。東漢以後，新的時代思潮支配下的聖人義，從玄學開出，漸成主流，取代了「王道」義為本的「聖王」和「素王」;「素王」義亦僅存於文字論撰的尾閭餘波，大義息微；「聖王」則歸屬當世「聖上」。「王道」義失落，士人生存態度與人生理想日益疏遠以至背離先秦漢初的情態，中國思想從坦途拐往另一幽徑之中。

中唐《春秋》義例學的特點

劉寧*

義例學是作為經學的《春秋》學的核心內容，在經學史上頗具創新意味的中唐《春秋》學，也對義例的總結傾注了巨大的熱情，《春秋集傳纂例》（以下簡稱《纂例》）即是這方面的代表作。宋、元以後言義例者，多標舉啖、趙等人之意見，其義例學上的成就，很值得分析。同樣值得關注的是，中唐《春秋》學包含著複雜的內涵，而這種複雜性，正是在圍繞義例的討論中，得到集中呈現，因此，不關注啖、趙等人的義例學思想，也難以對中唐《春秋》學的整體面貌，獲得更為清晰的認識。本文即試圖以《纂例》為中心，對中唐《春秋》義例學之特點，做出一些分析。

一　義例與學派思想的會通：《春秋集傳纂例》是中唐《春秋》學的集成之作

據史志記載，啖助、趙匡、陸淳有多種《春秋》學著作，但今天傳世較為完整的，只有《春秋集傳纂例》、《春秋集傳辯疑》（以下簡稱《辯疑》）、《春秋微旨》（以下簡稱《微旨》）三種[1]。如果將三部著作的內容進行對比，

---

* 中國社會科學院文學研究所。

[1] 關於啖助、趙匡、陸淳等人的著作，張穩蘋、戶崎哲彥有細緻的鉤稽考辨，參見張穩蘋：《啖、趙、陸三家之春秋學研究》（臺北市：東吳大學中國文學研究所碩士論文，2000年），頁78～88；戶崎哲彥：〈關於中唐的新春秋學派〉，林慶彰、蔣秋華主編：《啖助新春秋學派研究論集》（臺北市：中央研究院中國文哲研究所，2002年），頁462～482。

就會發現，《辯疑》與《微旨》各有其側重，前者突出了「考經推理」的疑辨學風，而後者則側重「立忠為教，原情為本」、推重「堯、舜之道」，這固然是中唐《春秋》學的核心要旨，但並不能賅備其完整內涵，只有《纂例》一書，在包容《辯疑》與《微旨》之思想內涵的同時，又加入對「常典」與「權變」的複雜思考，對「尊王室」、「正陵僭」的提倡，而成為中唐《春秋》學的集成性表達。

陸淳所纂《春秋微旨》是中唐《春秋》學研究最受關注的作品，在歷史上，此書也被視為中唐《春秋》學的代表作。柳宗元在〈答元饒州論春秋書〉中所提到的那些令其深受震動的新《春秋》學觀點，大多可以在《微旨》一書中看到。而通觀全書，會發現此書有很鮮明的傾向，就是推重堯、舜至公之道，講求「立忠為教，原情為本」、「變不失正」。

《微旨》十分鮮明地提倡「責君」、「正君」之義，儆懲人君之言，所在多有，例如桓公「十五年五月鄭伯突出奔蔡」：「淳聞於師曰：祭仲逐君，其惡大矣；沒而不書，其義可也；曰：逐君之臣，其罪易知也，君而見逐，其惡甚矣，聖人之教，在乎端本清源，故凡諸侯之奔，皆不書所逐之臣，而以自奔為名，所以儆乎人君也。」[2]這裏，陸淳等人將貶責的鋒芒避開逐君之臣，而指向被逐之君。類似責君甚於責臣之意見，又見於閔公二年「十有二月，鄭棄其師」，這裏，鄭帥高克棄師而逃，其罪顯而易見，但陸淳等人的意見則認為：「夫人臣之義，可則竭節而進，否則奉身而退，高克進退違義，見惡於君，罪亦大矣，不書其奔，其意何也？曰：『高克見惡於君，其罪易知也，鄭伯惡其卿，而不能退之以禮，兼棄其人，失君之道矣。故聖人異其文，而深譏焉。』」[3]這裏，將高克棄師的罪責，又推本到鄭伯失為君之道。

類似的「責君」之義，還表現為針對周天子的「正王」之旨，例如：

---

[2] 陸淳纂：《春秋集傳微旨》（北京市：中華書局，1991年，《叢書集成初編》本），卷上，頁10。

[3] 同前註，卷中，頁28。

「成公十六年，曹伯歸自京師」，陸淳等認為：「曹伯之簒，罪莫大焉，晉侯討而執之，其事當矣，王不能定其罪，失政刑也，書曰『歸自京師』而不名『曹伯』，以深譏王，而不罪負芻也。」[4]《微旨》所發明的「責君」之義，多是自我作古而為三傳所無，例如桓公五年：「秋，蔡人、衛人、陳人從王伐鄭。」《左傳》：「秋，王以諸侯伐鄭，鄭伯禦之，戰于繻葛，王卒大敗，祝聃射王中肩，王亦能軍。」《公羊傳》：「其言從王伐鄭何？從王，正也。」《穀梁傳》：「舉從者之辭也，其舉從者之辭，何也？曰，為之辭伐鄭也，鄭，同姓之國也，在乎冀州，於是不服，為天子病矣。」三傳皆無「責王」之義，《公羊》甚至以「從王」為正。陸淳等人則又認為，聖心所貶，乃在「王之失政」，所謂：「三國之軍不行，而使微者從王，不待貶絕而罪見者也，陳佗殺太子而立，王不能討，又許其以師從，王之失政，亦可知矣。」[5]

「責君」、「正君」之辭，在《微旨》中大量出現，成為其討論褒貶的核心主題，而強調「尊君」的意見，則遠未有如此鮮明與顯著。這樣的褒貶傾向，與《微旨》所推重的「公天下」之義，顯然有值得注意的聯繫。《微旨》認為，人君當以「公天下」為心，而不應以名位土地人民為私有，而行「家天下」之私。對「紀侯大去其國」褒貶之旨的分析，則於此有精采的發明：

> 淳聞於師曰：「國君死社稷，先王之制也，紀侯進不能死難，退不能事齊，失為邦之道矣，春秋不罪，其意何也？」曰：「天生民而樹之君，所以司牧之，故堯禪舜，舜禪禹，非賢非德，莫敢居之，若捐軀以守位，殘民以守國，斯皆三代以降家天下之意也。故語曰：『唯天為大，唯堯則之。』『〈韶〉盡美矣，又盡善也。〈武〉盡美矣，未盡善也。』『禹，吾無間然矣。』達斯語者，其知《春秋》之旨乎！」[6]

這樣的「公天下」之義，構成了《微旨》的核心精神，陸淳《微旨・序》即

---

[4] 同前註，卷下，頁58。

[5] 同前註，卷上，頁8。

[6] 同前註，卷上，頁15。

云：「《傳》曰：『唯天為大，唯堯則之，〈韶〉盡美矣，又盡善也。〈武〉盡美矣，未盡善也。禹，吾無間然矣。』推此而言，宣尼之心，堯、舜之心也；宣尼之道，三王之道也。故《春秋》之文，通於禮經者，斯皆憲章周典，可得而知矣。其有事或反經而志協乎道，跡雖近義而意實蘊奸，……則表之聖心，酌乎皇極，是生人以來，未有臻斯理也。」[7]可見，在陸淳等人看來，《春秋》憲章周典之處，並非其真正的精微所在，聖心的深遠微妙，在於以堯、舜之道，變通周典，而酌乎皇極。

《微旨》於「公天下」之義中所體現的對至公之道的推重，體現在許多問題上，例如，《微旨》於「莊公二年，夫人姜氏會齊侯於」論孝之大端，在正親以大義，而非徇家人之私愛，所謂「姜氏、齊侯之惡著矣，亦所以病公也。曰：『子可得制母乎？夫死從子，通乎其下，況國君乎？君者，人神之主也，風教之本也，不能正家，如正國何？若莊公哀痛以思父，誠敬以事母，威刑以督下，車馬僕從，莫不俟命，夫人徒往乎？夫人之往，則公威命之不行，而哀戚不至爾。』」[8]

對徇私忘公之「孝」的否定，在《微旨》中還有一個很值得關注的體現，就是對《公羊》學極為推重的「復仇」之義的完全迴避。《公羊》學之注重「復仇」，前人已多有論及[9]，例如前舉「莊四年，紀侯大去其國」，《公羊》即發明榮復仇之義：「大去者何？滅也。孰滅之？齊滅之。曷為不言齊滅之？為襄公諱也。《春秋》為賢者諱，何賢乎襄公？復仇也。何仇爾？遠祖也。哀公亨乎周，紀侯譖之。以襄公之為於此焉者，事祖禰之心盡矣。」[10]類似這樣的「榮復仇」褒貶之旨，在《微旨》中已完全不復可見。

《微旨》認為《春秋》褒貶，能變化周典，而得「變之正」，例如「桓

---

7 同前註，頁1。

8 同前註，卷上，頁14。

9 關於《公羊傳》榮復仇之義，段熙仲有深入的分析，參見所著：《春秋公羊學講疏》（南京市：南京師範大學出版社，2002年），頁552～558。

10〔漢〕何休解詁、〔唐〕徐彥疏：《春秋公羊傳注疏》，李學勤主編：《十三經注疏》本（北京市：北京大學出版社，1999年）卷6，頁122。

公六年，蔡人殺陳佗」，陸淳等認為：「臣弒其君，子弒其父，凡在官者，殺無赦。陳佗，殺太子之賊也。蔡雖鄰國，以義殺之，亦變之正也，故書曰蔡人。」[11]蔡殺陳佗，所以得到寬宥，是因為「以義殺之」，而《微旨》屢屢指出，變化周典而得「變之正」的「義」，是「安社稷」、「保天下」的至公之義。「四年十二月，衛人立晉」，啖助云：「言立，明非正也，稱人，眾詞也。所以明石碏之貴忠，而善其義也。此言以常法言之，則石碏立晉，非正也，蓋當時次，當立者不賢，石碏不得已而立晉，以安社稷也。故書衛人立晉。……即原情之義，而得變之正也。」[12]

《微旨》所強調的「變之正」，與《公羊》學所說的「權」有所不同。《公羊傳》有大量以「權」說經的內容，但《微旨》則更傾向使用「變之正」的說法，這一說法出自《穀梁傳》。其間的區別，可通過何休《解詁》對執鄭祭仲之傳以為知權的解釋來理解，桓十一年九月，「宋人執鄭祭仲」，《公羊傳》：「祭仲者何？鄭相也。何以不名？賢也。何賢乎祭仲？以為知權也。其為知權奈何？古者鄭國處於留，先鄭伯有善於鄶公者，通乎夫人，以取其國而遷鄭焉，而野留，莊公死已葬，祭仲將往省於留，塗出於宋，宋人執之，謂之曰：『為我出忽而立突。』祭仲不從其言，則君必死，國必亡；從其言，則君可以生易死，國可以存易亡，少遼緩之，則突可故出，而忽可故反，是不可得則病，然後有鄭國。古人之有權者，祭仲之權是也。權者何？權者反於經，然後有善者也。權之所設，舍死亡無所設，行權有道，自貶損以行權，不害人以行權，殺人以自生，亡人以自存，君子不為也。」[13]何休解詁「權者，稱也，所以別輕重。喻祭仲知國重君輕，君子以存國除逐君之罪，雖不能防其難，罪不足而功有餘，故得為賢也。」[14]段熙仲《春秋公羊學講疏》引陳人卓：「此《公羊》精義也，逐君罪重，存國功尤重，存國

---

11 陸淳纂：《春秋集傳微旨意》卷上，頁8。

12 同前註，卷上，頁4。

13《春秋公羊傳注疏》卷5，頁97～98。

14 同前註，卷5，頁97。

之功除逐君之罪，所以為別輕重也。」[15]可見，《公羊》學的「權」是以「輕重」為核心，以功與過的對比來得出褒貶之義，祭仲所以受到褒揚，是因為「功」大於「過」。這種「功」、「過」權衡、以功覆過的思路，在《公羊傳》中相當常見，例如：僖公十七年，「夏，滅項」，《公羊傳》：「齊滅之也，不言齊，為桓公諱也。……桓公嘗有繼絕存亡之功，故君子為之諱。」徐彥解曰：「言滅國例書月者，惡其篡而罪之，今桓公功足除其滅，是以不月。」[16]這種功過相除的思路，強調的是對行為功過的輕重考量[17]。

《微旨》所謂「變之正」，則認為合乎「大義」、「公義」的行為，雖不合周典，但猶得其「正」，這是對「皇極」、「大中」之道的追求。陸淳認為《春秋》精義在於「酌乎皇極」，這裏的「皇極」，語出《尚書．洪範》，孔穎達《正義》將「皇極」訓為「大中」。通觀《微旨》的思想傾向，可知「大中」是以「堯、舜之道」變化周典的結果，並非憲章周典、權衡事功所得。例如：「宣公十有一年，冬十月，楚人殺陳夏徵舒，丁亥，楚子入陳，納公孫寧、儀行父于陳。」陸淳等認為：「楚子之討徵舒，正也。故書曰人，許其行義也；入人之國，又納淫亂之臣，邪也。故明書其爵，以示非正。《春秋》之義，彰善癉惡，纖介無遺，指事原情，瑕瑜不掩，斯之謂也。」此處的「瑕瑜不掩」，與「功過相除」的原則即有所不同。

《微旨》論「變之正」，往往與其所標舉的「原情為本」聯繫起來。「原情」是強調從動機出發，善善惡惡，例如：「鄭伯克段於鄢」，啖助云：「不稱段出奔，言鄭伯志存乎殺也；此言若云鄭段出奔，則鄭伯但有逐弟之名，而無殺弟之志也。」[18]這與漢代《公羊》學「原心定罪」的主張非常接近，《公羊傳》隱元年論及《春秋》書法之「及」與「暨」之區別：「及，猶汲汲

15《春秋公羊學講疏》，頁559。

16《春秋公羊傳注疏》卷11，頁236～237。

17 關於公羊學「以功覆過」原則，高恆有細緻的討論，參見所著：〈公羊春秋學與中國傳統法制〉，覲柳立言主編：《傳統中國法律的理念與實踐》（臺北市：中央研究院歷史語言研究所，2008年），頁21～22。

18《春秋集傳微旨》卷上，頁3。

也；暨，猶暨暨也。及，我欲之；暨，不得已也。」何休《解詁》：「舉及、暨者，明當隨意善惡而原之。欲之者，善重惡深；不得已者，善輕惡淺，所以原心定罪。」[19]董仲舒《春秋繁露·精華》：「《春秋》之聽獄也，必本其事而原其志，志邪者不待成，首惡者罪特重，本直者其論輕。」[20]《公羊》學從「原心」出發而特重「首惡」，而對「首惡」的強調，在《微旨》中是多次可見的。

值得注意的是，「原情」在《微旨》的褒貶體系裏，其意義與「原心定罪」之於《公羊》學並不相同。《公羊》學的「原心」，是與權衡功過之輕重的原則相聯繫，「原心」影響到對功過的輕重考量。《微旨》之論「原情」則是推重「至公」，講求「變之正」，而以「至公之道」變化周典而得「變之正」，此「變之正」所以受到褒揚，並非以功覆過，而是合於「公義」、「大義」而為正，此「變之正」，往往基於內心之志，因此「原情」是「以誠斷禮」的體現。《微旨》將《公羊》「原心定罪」的事功權衡，轉向了推重至公，以誠為本的原則。這是中唐儒學變化中很值得注意的現象。

《微旨》議論褒貶的原則傾向，和啖助的「《春秋》學觀點有著極為密切的聯繫，啖助論《春秋》宗旨：《春秋》以權輔正，以誠斷禮，正以忠道，原情為本，不拘浮名，不尚狷介，從宜救亂，因時黜陟。」（〈春秋宗指議第一〉）[21]其核心，即是以堯、舜至公之道，行「變周」之義，而「變」的基礎，在於「以誠斷禮」、「立忠為教，原情為本」。

但是，啖助的觀點，並不能賅備啖、趙這一學派的全部意見，趙匡雖然和啖助「深話經意，事多響合」，但彼此也有值得注意的分歧，如果說啖助之論，突出「變周」之義，趙匡則堅持以「從周」為前提，他批評啖助之論；「經之大義，或未標題；傳之取捨，或有過差」；而其不當之處，在於「依《公羊》家舊說云《春秋》變周之文，從夏之質」（〈趙氏損益義第

19《春秋公羊傳注疏》卷1，頁14。

20 董仲舒：《春秋繁露》（北京市：中華書局，1996年），頁92。

21 陸淳纂：《春秋集傳纂例》（北京市：中華書局，1985年，《叢書集成初編》本）卷1，頁2。

五〉）[22]。趙匡認為：「《春秋》因史制經，以明王道，其指大要，二端而已，興常典，著權制也。」[23]所謂「興常典」即是「從周」之義，而「權變」則是服務於「從周」之旨[24]。

從「從周」之義出發，趙匡認為，《春秋》救世之宗旨，在於「尊王室，正陵替，舉三綱，提五常，彰善癉惡，不失纖芥」[25]，其義在於充分標舉周典所樹立的綱常名分，由此出發，「尊王」、「尊君」顯然是第一要義。《微旨》所不太著墨的「尊王」之義，在《纂例》中則得到更豐富的表達，例如天子是否親迎的問題，《纂例》明確提出，天子不當親迎，所謂「考之大體，固無自逆之道，王者之尊，海內莫敵。故嫁女即使諸侯主之，適諸侯，諸侯莫敢有其室，若屈萬乘之尊而行親迎之禮，即何莫敵之有乎？」[26]有關研究所關注的啖、趙學派的「尊王」之論，基本上是出於《纂例》[27]。

與《微旨》重「變之正」不同的是，趙匡將「權」推為《春秋》之核心宗旨，認為《春秋》之大要在於：「興常典，著權制，蒐狩昏取，皆違禮則譏之，是興常典也；非常之事，典禮所不及，則裁之聖心，以定褒貶，所以窮精理也。精理者，非權無以及之。故曰：『可與適道，未可與立，可與立，未可以權。』是以游、夏之徒不能贊一辭。然則聖人當機發斷，以定厥中，辨惑質疑，為後王法。何必從夏乎？」這裏所謂「權」，是對「非常之事」、周典「所不及」者，進行裁斷，聖心之智慧，在於如何將周典之原則，貫徹於典制所未嘗規定的複雜現實之中，而並非如啖助所論，是以

---

22 同前註，卷1，頁6。

23 同前註，卷1，頁6。

24 關於啖、趙思想的分歧，參見〔日〕吉原文昭：〈關於唐代春秋三子的異同〉，林慶彰、蔣秋華主編：《啖助新春秋學派研究論集》，頁339～397；拙作〈啖、趙春秋學的分歧與會通——「變周」、「從周」與中唐思想變化〉，《中國經學》第4輯（2009年）頁177～190。

25《春秋集傳纂例》卷1，頁6。

26 同前註，卷2，頁34。

27 張穩蘋對中唐《春秋》學尊王思想有細緻的分析，其中舉出的例證，多出自《纂例》，參見所著：《啖、趙、陸三家之春秋學研究》，頁128～133。

至公之道，變化周禮，而得「變之正」。在《公羊》學傳統中，「權」意味著對事功的權衡考量，是「知」的體現，而非「誠」的運用，趙匡之所以以「權」而為其《春秋》之論的核心，就在於他所理解的《春秋》宗旨，是「知」而非「誠」，是聖人合理恰當地貫徹典制的智慧，是對褒貶分寸的恰當掌握。他所提出的「聖人當機發斷，以定厥中」之「中」，並非啖助所謂聖心「酌乎皇極」之「皇極」。前者出於「知」，後者本乎「誠」。

《纂例》相對於《微旨》，更充分地體現了《春秋》所呈現的聖慮深微的一面。例如：《纂例．喪禮總論》：「凡諸侯在喪，而有竟外之事，以喪行者稱子；以吉行者稱爵，志惡淺深也。」[28]又如趙匡論用兵之例，十分詳密，體現了《春秋》著權制之義：

> 「《春秋》紀兵曷無曲直之辭與？」曰：「兵者，殘殺之道，滅亡之由也，故王者制之，王政既替，諸侯專恣，於是仇黨構而戰爭興矣。為利、為怨，王度滅矣。故《春秋》紀師無曲直之異，一其罪也，不一之，則禍亂之門辟矣。其差者、甚者，則存乎其文矣。」又曰：「兵出殊稱，何也？」「正名位也，王命之大夫曰某，君命之大夫曰某人，不稱帥師，避不成辭也。年遠人多難詳，下大夫稱師，譏委重於卑也，內之師少，則但稱伐，或稱及，詳內以異外也。大夫書帥師，紀其為將也，不書帥師，不成師也。外則一之，莫能詳也，君不稱師，重君也；戎狄舉號，賤之也。」[29]

《春秋》諸侯相征伐，是周典常制所不及，故趙匡以為聖人當機發斷，以定褒貶，其論精密，義理深微。類似這樣的意見，在《微旨》中呈現較少，而是《纂例》之主要內容。

當然，作為一個學派，啖、趙之間有明顯的會通之處，因此，《纂例》中許多出自啖助的對於例法的討論，也與趙匡頗為接近。同時《微旨》所

28《春秋集傳纂例》卷3，頁63。

29 同前註，卷5，頁95。

看重的責王正君之義、以誠斷禮的裁斷，也可以見諸《纂例》，例如「諸侯本例」，啖助曰：「凡人君奔者，例書名者，罪其失地，言非復諸侯也。或曰：『臣出其君，非至公而罪不彰，無乃掩奸乎？』答曰：『出君之罪，史氏知之也，《春秋》舉王綱，正君則而治道洽矣，不善之，莫非己招也。』」[30]這與《微旨》常見的正君之論，如出一轍。

因此，在反映中唐《春秋》學之倫常觀念方面，《纂例》一書是更為集成的體現，它融合了啖、趙之間不無分歧的意見。

至於《纂例》與《春秋集傳辯疑》，後者則是對《纂例》所不及備載的疑辯三傳的內容進行匯輯，陸淳於《辯疑・凡例》云：「《集傳》取捨三傳之義，可入條例者，於《纂例》諸篇言之備矣，其有隨文解釋，非例可舉者，恐有疑難，故纂啖、趙之說著《辯疑》。」[31]其下所列凡例，則概括了取捨三傳的標準，這些標準也貫穿在《纂例》疑辨三傳的內容之中。

綜觀《纂例》、《微旨》、《辯疑》三書，可以看出，《纂例》是對中唐《春秋》學內涵最全面的反應。陸淳述《纂例》之成書過程云：「啖子所撰《統例》三卷，皆分別條流，通會其義；趙子損益，多所發揮，今故纂而合之，有辭義難解者，亦隨加注釋，兼備載經文於本條之內，使學者以類求義，昭然易知。其三傳義例，可取可捨，啖、趙具已分析，亦隨條編附，以祛疑滯，名《春秋集傳纂例》，凡四十篇，分為十卷云。」[32]可見，《纂例》匯總了啖、趙、陸三人對義例的思考，是一部集中反映三人思想分歧與會通的作品，全面完整地理解中唐《春秋》學，應當對其義例之作《纂例》給以充分的關注。

---

30 同前註，卷7，頁156。

31 陸淳纂：《春秋集傳辯疑》。

32 同前註，目錄，頁1。

二　中唐《春秋》義例學的基本宗旨與方法

中唐以後，言《春秋》義例者，多稱道啖、趙等人言例之成就，在《春秋》義例學史上，啖、趙等人的貢獻，值得深入的分析。

啖、趙等人之言例，最顯而易見的特色，是要擺脫三傳之義例傳統的束縛。趙匡嚴厲批評三傳：「其宏意大旨，多未之知，褒貶差品，所中無幾。……至於分析名目，以示懲勸，乖經失指，多非少是。」如此悖謬錯亂，遂使「聖典翳霾千數百年」[33]，所以要擺脫三傳，直接發明聖經義例。當然，所謂擺脫三傳，其實是依據自身的原則而對三傳進行取捨，是融合三傳義例而言例。自漢代以來，言義例者，多拘守一傳，例如，劉歆《春秋左氏傳條例》、杜預《春秋釋例》即專據《左傳》言例，何休《文謚例》專據《公羊傳》，范寧《春秋穀梁傳例》專據《穀梁傳》[34]。啖、趙等人則融合三傳之例，對三傳義例的取捨標準有兩個主要內容：其一，在基本宗旨上，以「興常典，著權制」的原則，反對《公羊》的改制之論，提倡憲章周典而「明常著變」；其二，在方法上，以「考經推理」的原則，駁斥三傳言例之不合經、悖於理的地方。這使得啖、趙等人之言例，反對以史例說經、注重褒貶之義，同時也增加了強調義例內在貫通一致，立論有據的學術化色彩。

《纂例》一書的基本格局，是由趙匡「興常典，著權制」這一宗旨所奠定的，因此，《纂例》對義例的分析，尤其關注「常典」與「權變」的關係。《公羊傳》提出「常事不書」的原則，其立意之重點，乃在於發明孔子聖心獨運之智慧，側重乃在孔子「作」《春秋》之「作」意，而《公羊》所理解之「作」，乃包含了鮮明的改制創法之思想。趙匡雖然也強調孔子聖心製作，但認為其核心宗旨，乃在於憲章周典，補常法所不及，其立足點，仍

33 同前註，卷1，頁7。

34 關於漢代《春秋》義例學撰作情況，王葆玹做了詳細的梳理，參見所著：《今古文經學新論》（北京市：中國社會科學出版社，1997年），頁114～119，頁184～191。

在周典之常制，因此，他雖然接續了《公羊》家「常事不書」之說法，但其用意則側重「常事」與「權變」之關係。他對於《春秋》綴述之體的概括，就鮮明地體現出著眼於「常」、「變」之間的特點：

> 故褒貶之指在乎例，綴敘之意在乎體，所以體者，其大概有三，……所謂三者，凡即位、崩薨、卒葬、朝聘、盟會，此常典所當載也，故悉書之，隨其邪正而加褒貶，此其一也；祭祀、婚姻、賦稅、軍旅、蒐狩，皆國之大事，亦所當載也，其合禮者，夫子修經之時，悉皆不取，故《公》、《穀》云常事不書，是也。其非者，及合於變之正者，乃取書之，而增損其文，以寄褒貶之意，此其二也；慶瑞、災異、及君被殺、被執及奔放逃叛、歸入納立，如此並非常之事，亦史冊所當載，夫子因之加褒貶焉，此其三也。此述作之大凡也。[35]

通觀《纂例》一書，其中討論「常典」即周典禮制的內容，十分豐富，如「王臣來聘」例，啖助云：「《周禮》云天子時聘以結諸侯之好，人君亦有聘士之禮。《穀梁》曰：『聘諸侯，非正也，言天子不當聘諸侯，殊誤矣。』」[36]此處以《周禮》駁《穀梁》之非。又如對告月視朔例、郊廟雩社例等的討論，更有許多考求周禮典制之語。又如「朝」例，論及諸侯相朝之義，則云：「據《周禮》五等之制，以牧伯帥之，則必令相朝，但不知令幾年一行耳，其正禮不可得而尋也。」[37]雖然「正禮不可得而尋」，但據「常典」以論《春秋》述作之義的用心，還是顯然可見。

在關注「常典」這個問題上，啖、趙與杜預據《左傳》而言例的特點，多有接近之處。杜預將義例區分為正例、變例、非例，正例是史書之舊章，反映了周公垂法；變例則是孔子新意。其〈春秋經傳集解序〉云：「其發凡以言例，皆經國之常制，周公之垂法，史書之舊章，仲尼從而修之，以

[35] 同前註，卷1，頁7。

[36] 同前註，卷4，頁68。

[37] 同前註，卷4，頁66。

成一經之通體。……諸稱『書』、『不書』、『先書』、『故書』、『不言』、『不稱』、『書曰』之類，皆所以起新舊，發大義，謂之變例。然亦有史所不書，即以為義者，此蓋《春秋》新意，故傳不言『凡』，曲而暢之也。」[38]杜預認為，《春秋》是孔子依據魯國國史所修，魯國舊史秉承周公遺制，孔子作《春秋》「因魯史策書成文，考其真偽，而志其典禮，上以遵周公之遺制，下以明將來之法」[39]。杜預非常關注對「正例」的探討。《釋例》中有不少內容是在綜輯墳典，探究古禮，以明周公遺制，以此為基礎，分析《春秋》褒貶之旨意。例如：《釋例》分析「即位例」，則云：

> 凡有國有家者，必審別嫡庶以明正統，君薨之日，嗣子之位已定也。《尚書・顧命》即是天子在殯之遺制也，推此亦足以准諸侯之禮矣。天子諸侯喪制與士不同，國史每備而錄其得失，嗣子位定於初喪而改元必須逾年者，繼父之業，成父之志，不忍有變於中年也，遭喪繼立者，每新年正月必改元，正位百官以序，故國史皆書即位於策以表之。隱既繼室之子，於第應立，而尋父娶仲子之意，委位以讓桓。天子既已定之，諸侯既已正之，國人既已君之，而隱終有讓國授桓之心，所以不行即位之禮也。[40]

這裏，《釋例》先以大量篇幅分析「典策之正文」，根據《尚書》等文獻記載加以推度考訂所謂「即位」之禮制，再以此為基礎，對比分析隱公何以不行即位之禮。

杜預對「經國之常制」的關注，與啖、趙等考求「常典」的追求，頗多近似。這裏需要特別說明的是，趙匡曾經明確批評杜預以「五十凡」為周公遺制的說法，所謂：

---

[38]〔晉〕杜預注、〔唐〕孔穎達正義：《春秋左傳正義》，李學勤主編：《十三經注疏》本（北京市：北京大學出版社，1999年），頁14～17。

[39] 同前註，頁11。

[40]〔晉〕杜預撰：《春秋釋例》（臺北市：臺灣商務印書館，影印《文淵閣四庫全書》本，1986年）卷1，頁6。

> 杜預云：「凡例皆周公之舊典禮經，按其傳例云，弒君稱君，君無道也；稱臣，臣之罪也，然則周公先設弒君之義乎？又云大用師曰滅，弗地曰入，又周公先設相滅之義乎？又云諸侯同盟，薨則赴以名，又是周公稱先君之名以告鄰國乎？雖夷狄之人，不應至此也。」[41]

趙匡並非否定《春秋》包含周公舊典之義，只是不同意從經文之「凡」來簡單化地推度。趙匡所概括的綴敘三體，與杜預三體五情之「三體」，其著眼「常」、「變」的特點，是非常接近的。需要說明的是，杜預言義例，不無史學化的色彩，但啖、趙對此多致不滿。例如：「公即位」例，啖助就取《穀梁》「繼弒君不書即位，正也」這一包含鮮明褒貶之旨的意見，而不同意《左傳》史學化的解釋，《左傳》認為莊公、閔公、僖公之不書即位，是由於特殊原因而未行即位之禮，啖助認為此說「妄也」[42]。

啖、趙等人言例，對《公羊》義例中一切改制的因素，都完全迴避，或襲其貌而略其神，例如《公羊》言例特重內外，趙匡所論綴敘之體之一，也是「詳內而略外」，但《公羊傳》認為，詳內的宗旨，在於自近者始，正人先正己。隱十年「六月，辛未，取郜，辛巳，取防。……內大惡諱，此其言甚之何？《春秋》錄內而略外，於外大惡書，小惡不書；於內大惡諱，小惡書。」何休《解詁》：「於內大惡諱，於外大惡書者，明王者起，當先自正，內無大惡，然後乃可治諸夏大惡，因見臣子之義，當先為君父諱大惡也。內小惡書，外小惡不書者，內有小惡，適可治諸夏大惡，未可治諸夏小惡，明當先自正，然後正人。」[43]

啖、趙等人也強調內外之別，《纂例》所討論的例法，多區分內外，如「內逆女」、「外逆女」、「內大夫卒」、「外大夫卒」、「內伐」、「外伐」等。但對內外的理解，與《公羊傳》多不同，《春秋》何以詳內？原因在於記本

---

[41]《春秋集傳纂例》卷1，頁8～9。

[42] 同前註，卷2，頁20。

[43]《春秋公羊傳注疏》卷3，頁63。

國事，自然較他國為詳細，「凡內災皆書日，內事自詳也」[44]。而至於惡行，無論內外，皆當書之：「《公羊》曰：『外大惡書，小惡不書，內大惡不書，小惡書。』殊非也。立教之體，事無巨細，皆論其可否，何得論其小大乎？且外事於例合書即書，小小侵伐等及大夫出奔，已來悉書之，何名小惡不書乎？內惡如弒君等，俱隱避其文，以示臣禮，然而不地不葬，以見事實，至於諸惡，無不書者，何言大惡不書乎？」[45]啖、趙等人駁斥了《公羊》對內外書法的解釋，此外，啖、趙等人對於《公羊》、《穀梁》的日月例，也指為「穿鑿妄說」而一切不取，認為「凡用日月，史體當耳，非褒貶之意」[46]。就《公羊》而言，內外例與日月例都和其改制說有一定聯繫。啖、趙的意見，雖從穿鑿處立論，但與其反對改制之說的思想傾向不無關係。他們曾多次指出，三傳言義，以《穀梁》最精，其原因就在於，《穀梁》既無《左傳》以史說經之傾向，也不似《公羊》立意改制而多「非常異議可怪之論」。

啖、趙等人言例之又一顯著特色，是以「考經推理」之方式，取捨三傳，樹立己意。所謂「考經」，包含兩層含義，一是綜考《春秋》經文，屬辭比事以得其義。例如趙匡據《春秋》經文，考證四時之祭，皆用夏時，其文云：「周雖以建子為正，至於祭祀，則用夏時本月以行四時之祭，故桓公八年正月烝，則夏之仲冬也；閔二年，五月……此事理制都無定證，今考經推理，宜爾故也。」[47]又如對於趙匡所言用兵之例，人或疑之，質之陸淳：「今用趙氏之例，何知必然？」陸淳云：「據《春秋》書侵者，凡五十有七，無事蹟者莫知，其可驗者，亦可略舉。」[48]其下據《春秋》書侵之經文佐證趙氏之說。屬辭比事以求義例，本是義例學的核心，而在《春秋》義例學史上，今天所知極為注重通貫全經以說明義例的，杜預《春秋釋例》是較早的代表。啖、趙等人「考經」以言例，與杜預頗多近似。

44《春秋集傳纂例》卷9，頁195。
45 同前註，卷9，頁190。
46 同前註，卷9，頁197。
47 同前註，卷2，頁26。
48 同前註，卷5，頁96～97。

「考經」的另一含義，是將《春秋》與其他儒家經典旁通綜觀，例如，對禘義之討論，則考究《禮記》之文以立論。這主要是為了考訂所謂「常典」。這些「考經」之論，強調經文之佐證，經文內在事理的一致，這使啖、趙等人對義例的探求，有了很強的學術化色彩。在「考經」的這兩層含義中，前者是主要的，《春秋》義例主要還是需據《春秋》經文本身屬辭比事以定，《纂例》論《春秋》之省文，就指出：「此等皆以示譏耳，此止施於《春秋》義例之內，不可遍求於五經也。」[49]這說明，啖、趙等人之考經還是服務於褒貶大義的經學追求，並未充分實證化。

啖、趙等人雖重經文之佐證，但同時也講求「推理」，即在考經的基礎上，斷之以「理」，這在駁斥三傳時，時能揭示其錯訛悖謬，但仍包含很多主觀臆測的成分。前人批評啖、趙陷於穿鑿，即是針對這種「推理」的弊端而言。中唐《春秋》學疑辨學風之侷限與成就，也多由此體現出。對此，有關的研究多有討論，此處不再贅述。

總之，中唐《春秋》學之言例，是以「明常典，著權制」為基本框架，吸納「立忠為教，原情為本」、以誠斷禮之因素，在方法上，提倡「考經推理」，其精神宗旨與「考經推理」的方法之間，有相互增強的作用，因此，它在很大程度上，接續和深化了杜預義例學的學術化特點，宋、元以下，言義例者不乏其人，觀點言人人殊，但由於啖、趙之論，能立足考經推理之詳密推求，因此，其觀點仍然很受重視，從中唐思想史環境來看，啖、趙等人的義例學對「變周」、「從周」的複雜思考，以及透過具體義例的總結所表達的用心和其現實關懷，亦是理解中唐儒學制度思考的重要切入點，此一研究需聯繫中唐思想史環境綜合討論，非本文所能容納，還需俟諸新的討論。

---

[49]《春秋集傳纂例》卷8，頁187。

傳遜《春秋左傳註解辨誤》述評

張曉生*

一　前言

《四庫全書總目》在宋胡安國《春秋傳》的提要中說：「明初定科舉之制，大略承元舊式，宗法程、朱，而程子《春秋傳》僅成二卷，闕略太甚，朱子亦無成書。以安國之學出程氏，張洽之學出朱氏，故《春秋》定用二家。蓋重其淵源，不必定以其書也。後洽《傳》漸不行用，遂獨用安國書，漸乃棄經不讀，惟以安國之《傳》為主。當時所謂經義者，實安國之《傳》義而已。故有明一代，《春秋》之學為最弊。」[1]這樣的說法，當然是在於強調明代以胡安國《春秋傳》作為科舉標準，對於《春秋》學術的影響。至於明代《春秋》學是不是真的「最弊」？這當然要經過實際的考察才能論斷。近兩年筆者主要的研究方向一直放在對於明代《春秋》學的觀察，在筆者可及的閱讀與考察經驗中，發現明代的《春秋》學面貌多元，且其學術性格表現出一種「轉變」的性質。舉例來說，前引《四庫全書總目》的批評說胡安國《春秋傳》對明代《春秋》學術負面影響甚大，根據觀察，胡安國《春秋傳》在明代的影響的確深刻，馮夢龍曾說：「諸儒議論，盡有勝胡氏者。然業已尊胡，自難並收以亂耳目。」[2]但是同時也出現反省與批判的聲音[3]；又如明儒

* 臺北市立教育大學中國語文學系。

[1] 〔清〕紀昀等撰，四庫全書研究所整理：《欽定四庫全書總目》（整理本）（北京市：中華書局，1997年），〈春秋傳提要〉，頁345。

[2] 同註2。

[3] 例如陸粲有《春秋胡傳辨疑》，指謫胡《傳》疑誤。他在〈自序〉中明白表示：「吾為此，非敢異於胡氏也，實不敢異於孔子耳。」便表現初回歸孔子本意以批判胡《傳》

解釋《春秋》常以「心學」的思想滲入其中，但是如果凡事以「我心印聖人之心」，則幾乎等於沒有《春秋》之義，這種會造成《春秋》大義失落的解釋方法，明代中葉以後明白的顯露出困境而不得不變[4]。除此之外，我們也觀察到明代有一類「補正杜注」的著作持續有學者參與撰作。這種專門針對杜預《春秋經傳集解》進行辯證的著作，在明代出現是值得注意的。因為明代學者所作的「杜注補正」彼此間有明顯的承續關係，如果學者接二連三的對於杜注進行補正研究，其間的原因與意義為何？這些對杜預註解的辨正，對於釐清杜氏之誤，得到什麼具體的成果？而這些在明代的補正杜注之作，與清顧炎武《左傳杜解補正》、惠棟《春秋左傳補注》的關係如何？這些問題，都與我們對於明代《春秋》學發展的觀察與關切有所牽連。因此我們選擇傅遜《春秋左傳註解辨誤》作為觀察的基礎，分析其內容，掌握其特質，嘗試以傅氏的「杜注補正」作為一個起點，回答上述的問題，也藉此思考這類著作的學術史意義。

二　傅遜其人及著作概述

傅遜，字士凱，明江蘇太倉人，嘗遊歸有光之門，困頓場屋，晚歲乃以歲薦任嵊縣訓導，遷建昌縣教諭，選傅河南王，終老於家。著有《春秋左傳屬事》20卷、《春秋左傳注解辨誤》2卷[5]。

在現存的傅遜傳記資料中，並沒有清楚記載其生卒年，但是他曾師

的企圖。引自〔清〕朱彝尊原著，張廣慶等點校：《經義考》（臺北市：中研院中國文哲研究所，1997年）卷201《春秋》34，第6冊，「陸粲《春秋胡傳辨疑》」條，頁367。

[4] 請參張曉生：〈郝敬《春秋直解》中「《春秋》直其事而是非自見」說探析〉，銘傳大學應用中國文學系：《銘傳大學中華文化的傳承與拓新——經學的流衍與應用國際學術研討會論文集》（桃園市：銘傳大學，2009年），頁67～92。

[5] 據〔清〕紀昀等撰，四庫全書研究所整理：《欽定四庫全書總目》（整理本）〈春秋左傳屬事提要〉，頁365；〔明〕張大復：〈傅遜傳〉，在《吳郡人物志》（臺北市：明文書局《明代傳記叢刊》影印本，1991年），冊149，頁213～214；〔清〕張廷玉等：《明史》（北京市：中華書局標點本，1974年）卷96，〈藝文志一〉，頁2364。

事歸有光（1506～1571），也曾與徐學謨（1522～1593）、王世懋（1536～1588）詩文及書信唱和往來[6]，其《春秋左傳屬事》有王世貞（1526～1590）、王錫爵（1534～1610）之序[7]，可知其主要在明世宗嘉靖（1522～1565）至神宗萬曆年間（1573～1619）活動。

傅氏《春秋左傳屬事》之編纂實倡自其友王執禮，由士凱續成。全書二十卷，不錄《春秋》經文，而以國為序：首「周」，次「伯」[8]，再次魯、晉、齊、宋、衛、鄭、秦、楚、吳楚、楚吳、越諸國，各國之下以事為綱，編排《左傳》內容，凡九十二目。傅遜於各目敘事之段落間，皆疏通文義，於杜注未安之處，亦頗有更定，每事之末均檃括大意而論之。傅氏此書雖為重編《左傳》之作，由於其中訓詁、考證及文義乃以杜預為基礎，傅氏嘗自云：「元凱無漢儒不能為《集解》，遜無元凱不能為此注。」[9]而王世貞之〈序〉中亦稱「夫傅氏者，左氏之慈孫，而杜氏之諍臣也」[10]，故其書與《左傳》之經註性質保持較接近的關係。本書日殖齋刊本的目錄之後尚有三部文獻，其一是《春秋左傳屬事古字奇字音釋》專釋《左傳》中難讀的字音，內容分成兩部，前半段是說明「轉聲通假通用」的字音，後半段則釋難字字音。觀其命名，應該是《春秋左傳屬事》的附錄；其二是《春秋左傳註解辨誤》，下文將作較詳細的說明；其三則是《古器圖》，繪製《左傳》中冠、衣裳、佩用等器物圖像，據其編末題識，這是由傅遜之孫凝之所編，《四庫

---

6 見〔明〕徐學謨：〈酌傅士凱博士時自建昌掌教移傅周藩〉，《歸有園集》（臺南縣：莊嚴出版社，《四庫全書存目叢書》影印明萬曆二十一年張汝濟刻、萬曆四十年徐元嘏重修本，1997年），〈詩編〉，卷之二，頁7下～8上；〔明〕王氏懋：〈答傅士凱〉，《王奉常集》（臺南縣：莊嚴出版社，《四庫全書存目叢書》影印明萬曆刻本，1997年）卷45，頁17下～18上。

7 見〔明〕王世貞：〈春秋左傳屬事序〉，〔明〕傅遜：《春秋左傳屬事》（明萬曆間〔1573～1626〕日殖齋刊本），卷1，頁1上～3下；〔明〕王錫爵：〈春秋左傳屬事序〉，《春秋左傳屬事》卷1，頁4上～6下。

8 傅氏於「伯」下繫屬齊桓公、宋襄公、晉文公、晉靈公、楚莊王、晉景公、晉悼公、晉平公等諸侯事。

9〔明〕傅遜：《春秋左傳屬事》卷末，〈後序〉，頁6上～6下。

10〔明〕王世貞：〈春秋左傳屬事序〉，見《春秋左傳屬事》卷1，頁3上。

全書總目》認為其內容取自楊甲《六經圖》而缺乏考訂[11]。

《春秋左傳屬事》之初刻在萬曆十三年（1585），根據傅氏在書中所題的牌記，此書可能續有補刻[12]。目前有明萬曆年間遞修之日殖齋刊本、《四庫全書》本[13]、日本桃園天皇寶曆十二年（1762）菊池武慎刻本、日本后櫻町天皇明和二年（1765）江戶溫故堂栗原喜三郎等據明萬曆年間遞修之日殖齋本重刊本、日本光格天皇文化九年（1812）大阪加賀屋彌助刊本傳世[14]。

傅遜的另一部《左傳》研究著作是《春秋左傳註解辨誤》。這部書在萬曆十三年日殖齋刊本中是放在第一卷之前，並有獨立的序文。據傅遜〈春秋左傳註解辨誤序〉稱，本書是在編纂《春秋左傳屬事》時需要杜注幫助疏解文意，卻發現杜注「疵纇頗多」，即依陸粲《左傳附註》為基礎，對杜注進行全面補正與辨誤，本書共計上下兩卷、補遺一卷，共四百五十七條。其辨議為顧炎武引用甚多，明清兩代自邵寶、陸粲下至顧炎武的「杜注補正」專著發展，傅遜實居於承先與開新的關轉地位。傅遜之序作於明萬曆癸未（十一年，1583），書後其學生顧天埈及外甥金兆登兩篇後序則作於萬曆甲申（十二年，1584），可知此書可能與《春秋左傳屬事》同時進行而先成。以筆者調查，本書現有明萬曆年間遞修之日殖齋本[15]、抄本、日本櫻町天皇延享三

---

[11]〔清〕紀昀等：《欽定四庫全書總目》（整理本）卷30，〈春秋類存目一〉，《春秋左傳註解辨誤》提要，頁388。惟摘要中以傅遜之孫名「熙之」，實為「凝之」。

[12] 在日本桃園天皇寶曆十二年（1762）由菊池武慎所刻《春秋左傳屬事》之王錫爵序後有傅遜所題牌記曰：「公自甲申年（1584）許作序，洎辛卯（1591）秋予告歸始獲賜焉。遜誌。」又，菊池武慎本中有一篇「萬曆間日殖齋本」所無之王錫爵〈題左傳屬事近註〉，署年為萬曆戊戌（萬曆二十六年，1598）。這些文字在日殖齋本中均無，可見為後來所加，而為時代較後的菊池武慎本錄入。

[13] 根據臺灣國家圖書館古籍文獻資訊網（網址：http://rarebook.ncl.edu.tw/rbookod/）及中國國家圖書館善本古籍導航系統（網址：http://202.96.31.45/shanBenDir.do?method=goToIndex）檢索結果整理。

[14] 以上四種日本刊本，據日本京都大學人文科學研究所附屬漢字情報研究センター「全國漢籍データベース」（網址：http://kanji.zinbun.kyoto-u.ac.jp/kanseki/）檢索結果整理。

[15]〔明〕傅遜：《春秋左傳屬事》。

年（1746）江戶前川六左衛門、江戶太田庄右衛門同刊本及京都中山久四郎據明萬曆間日殖齋刊本重刊本、日本光格天皇寬政五年（1793）尚絅館據萬曆日殖齋刊本重刊本傳世[16]。

三 《左傳注解辨誤》內容析論

傅遜的《左傳》研究以其《春秋左傳屬事》最著，其中敘事編排雖離析《左傳》原有編年體式，改編為國別、事件導向的「紀事本末體」，然在史事解義方面，卻仍有賴杜預《春秋經傳集解》提供的解釋，作為其重編史事的釋義基礎。杜預《集解》雖以簡直著稱，但自其書成之後，即有許多「規杜」、「補杜」之作，針對杜預在字義、文義、經義、名物考據及禮制各方面的缺失，提出補充與辨正[17]，傅遜在其《春秋左傳屬事．序》中也說：

> 以其文古，須註可讀，元凱好之，自謂成癖。而其《集解》乃多紕謬疏略，或傳文未斷而裂其句以為之註，如防川介山，失其奇勝，且意義亦難於會解。[18]

傅氏於此則是對於杜注所解《左傳》文義提出批評。因此他在編輯《春秋左

16〔明〕傅遜：《春秋左傳屬事》。其中「抄本」檢索結果中，現藏於「龍野歷史文化資料館」，至於是和抄本還是漢抄本則未知。

17 關於杜解之失，古今學者均有議論，晁公武曰：「晉杜預元凱集劉子駿、賈景伯父子、許惠卿、潁子嚴之注，分經之年與傳之年相附，故題曰『經傳集解』，其發明甚多，古今稱之。然其弊則棄經信傳，……於《左傳》之例皆不合，不曰傳之謬，而猥稱經文闕漏，其尤甚者至如此。」是對杜預「棄經從傳」的批評。引自〔清〕朱彝尊原著，張廣慶等點校：《經義考》（臺北市：中研院中國文哲研究所，1997年），卷173，〈春秋六〉，「杜預《春秋經傳集解》」條，頁614～615。惠棟曰：「自杜元凱為《春秋集解》，雖根本前修而不著其說，又持論閎與諸儒相違，於是樂遜《序義》、劉炫《規過》之書出焉。」引自〔清〕惠棟：《春秋左傳補註》（臺北市：臺灣商務印書館影印《文淵閣四庫全書》本，1986年），〈序〉，卷1，頁1下。

18〔明〕傅遜：《春秋左傳屬事》，〈序〉，頁4上～4下。

傳屬事》的同時，也進行了對於杜預義註解的辨誤與補正[19]。他在序中對於《春秋左傳註解辨誤》之作意及修正杜注的呈現型態，有相當清楚的說明[20]：

> 及編《左傳屬事》，以不可無註，雅愛杜注古簡，謂註書者莫是過矣。至舉筆錄之，乃覺有未然。既得吾郡先達陸貞山《附註》，皆正杜誤，與鄙意多會，因據以咀味，亦未為盡得，於是迸註而唯傳之讀，則大義益明。先儒雖宏深贍博，非遜所能企其百一，而疵纇頗多，始猥會眾說而折衷之。有未經辨議者，亦創以己意而為之釐革焉，猶自為妄出胸臆。後博參之群籍，得有徵據，爰以自愜。間有一二可以意求者，則亦自明著，不必於他考焉者也。遜於古人皆極崇仰，元凱資兼文武，尤深敬慕，嘗更賤名以志效法之意，豈樂輕用其訾毀哉？實於心有不安，敢為其忠臣於千載之下耳。[21]

在這段序文中，我們可以看到傅遜《辨誤》之作乃基於編輯《屬事》之需要，本於作「杜預之忠臣」的心態，對於杜注提出辨正。至於其辨議之所本及呈現型態，據其上文所述，約可歸納為以下三類：

（一）承繼自陸粲《左傳附注》的考辨成果。

（二）陸粲之辨議而未愜傅氏之意而加以辨正者。

（三）前儒未有辨議，傅氏自出胸臆而考辨者。

我們將傅氏如此的分類與其書中內容相對照，可知其相當符合實際情形。以下即據傅氏所分，整理呈現：

（一）承繼自陸粲《左傳附注》的考辨成果：

---

[19] 傅遜在《春秋左傳屬事》的〈凡例〉中說：「凡註，或仍或革，於必然無疑者，則直解其中，不復致辨；其有疑似難析、古制難辨，必須詳考乃定、深思方得者，則於去取創見之際，俱不敢苟，故另為《辨誤》二卷，以求正於博雅。」可見《辨誤》是與《屬事》同時進行，而針對杜注辨駁補正的專門之作。見〔明〕傅遜：《春秋左傳屬事》（明萬曆間日殖齋刊本），〈凡例〉，頁2上。

[20] 以下行文中，除特別辨識之需要外，傅遜《春秋左傳屬事》簡稱「《屬事》」、《春秋左傳註解辨誤》簡稱「《辨誤》」，以避冗複。

[21]〔明〕傅遜：《春秋左傳註解辨誤》（明萬曆間日殖齋刊本），〈序〉，頁1上～2上。

《左傳》在流傳的過程中，以其多古音古字，故學者多傳訓詁而已，至劉歆而取傳文與經相附，轉相發明，「由是章句義理備焉」，東漢以後，《左傳》大行於世，為之章句、條例、訓詁者甚多[22]。然「晉、宋以來，鄭、賈之學漸微，而服、杜盛行，及孔穎達奉敕為《春秋正義》，又專為杜氏一家之學，值五代之亂，服氏遂亡」[23]。至唐代中葉，啖助、趙匡等人主張「《春秋》三傳束高閣，獨抱遺經究終始」的「新《春秋》學」風氣愈行愈盛，宋代承繼此風，而為《春秋》製作新傳新注，不只幾乎無人提及賈、服、劉炫，對於杜預《集解》也僅將它視為讀《左傳》的媒介，並不看重其在經學上的價值。直至明代，始逐漸出現專門研究杜注的著作，在傅遜之前，補正杜注最著者為邵寶《左觽》與陸粲《左傳補注》[24]。邵寶《左觽》僅有一卷，共一百五十七條[25]。《四庫總目》以《左觽》「是編乃其讀《左傳》所記，雜論書法及注解。然寥寥無多，蓋隨意標識於傳文之上，亦其《簡端錄》之類也。其中精確者數條，顧炎武《左傳補註》已採之，所遺者其糟粕矣」[26]。全書篇幅不大，所考正辨議亦多簡略，或許因為是草創時期之作，故多有未備

22 例如孔嘉《左氏說》、鄭興《春秋條例章句訓詁》、鄭眾《春秋難記條例》、賈逵《左氏傳解詁》、服虔《春秋左氏傳解義》、潁容《春秋釋例》等。見〔清〕朱彝尊原著，張廣慶等點校：《經義考》，頁565～598。

23〔清〕惠棟：《春秋左傳補註・序》（臺北市：臺灣商務印書館影印《文淵閣四庫全書》，1986年）卷1，頁1上～1下。

24 邵寶（1460～1527），字國賢，諡文莊，無錫人，生於明英宗天順四年，卒於明世宗嘉靖六年，成化二十年（1484）進士。宦履事蹟具《明史˙儒林傳》。邵寶學宗閩洛，嘗言：「吾願為真士大夫，不願為假道學。」又取程子「今日格一物，明日格一物」之義，名之曰「日格子」，學者稱「二泉先生」。著有《學史錄》、《簡端錄》、《定性書說》、《漕政舉要》、《左觽》等。陸粲（1494～1551），字子餘，長洲人，生於明孝宗弘治七年，卒於明世宗嘉靖三十年，嘉靖五年（1526）進士，宦履事蹟具《明史》卷206本傳。著有《春秋鐫》、《左傳附註》、《春秋胡傳辨疑》、《煙霞山房文集》、《庚己編》、《見聞隨筆》等書。

25 據〔明〕邵寶：《左觽》，《四庫全書存目叢書》（臺南縣：莊嚴出版社影印崇禎4年曹荃刻《邵文莊公經史全書》本，1997年）。

26〔清〕紀昀等：《欽定四庫全書總目》（整理本）卷30，〈春秋類存目一〉，〈《左觽》提要〉，頁722。

處。陸粲的《左傳附注》五卷則是明代駁正杜注孔疏的重要著作，其書前三卷駁正杜注，第四卷駁正孔穎達《左傳正義》，第五卷駁正陸德明《左傳釋文》。陸氏此書除採用部分邵寶的意見外，所引用前儒之說，還及於賈逵、鄭玄、潁容、服虔、韋昭、劉炫、陸德明、孔穎達、趙匡、劉敞、王若虛等人，其所論辨，亦較邵寶深入詳明，對於傅遜的《辨誤》，有深刻的影響[27]。傅氏《辨誤》各條大致的著作體例為先著傳文，領起各條，附以杜注，續引陸粲意見，再引諸家對杜注的駁辨及論據，最後以「愚按」或「愚謂」提出自己的論斷，可見陸書是傅遜此作的重要基礎。以下略舉數例以明之：

1.《左傳．隱公三年》：「且夫賤妨貴，少陵長，遠間親，新間舊，小加大，淫破義，所謂六逆也。」傅遜曰：「杜云：『小國而加兵於大國，如息侯伐鄭之比。』陸云：『此亦以班位上下言之，不必專謂用兵。』其說為長。」[28]

《左傳》原文是衛大夫石碏諫衛莊公應裁抑公子州吁，勿使侵淩太子，則文中的「貴賤」、「少長」、「大小」諸稱均指班位長幼之序，實與國之大小無涉，傅遜引陸粲說以規杜注。

2.《左傳．閔公二年》：「昔辛伯諗周桓公云：『內寵並后，外寵二政，嬖子配嫡，大都耦國——亂之本也。』」傅遜曰：「杜以驪姬為內寵，二五為外寵，奚齊為嬖子，曲沃為大都，劉炫譏之，固當。又陸云：『今按古人援證前聞，皆取其大致，不必事事符同，杜誠大拘。』此誠知言矣。」[29]

《左傳》中狐突所引「辛伯諗周桓公」之說，是前人成說，用以取戒，既是前人之說，當然不可能是為晉國目前的政局而發，則杜預一定要以晉國中的

---

[27] 據〔明〕陸粲：《左傳附注》（臺北市：臺灣商務印書館影印《文淵閣四庫全書》，1986年）。

[28]〔明〕傅遜：《春秋左傳註解辨誤》卷之上，頁2下。

[29]〔明〕傅遜：《春秋左傳註解辨誤》卷之上，頁10上。

人事一一比附，的確是有所拘執，故傅遜引陸粲辨解而贊其為「知言」。

> 3.《左傳·成公十六年》：「民生敦厖，和同以聽，莫不盡力以從上命，致死以補其闕，此戰之所由克也。」傅遜曰：「杜注：『闕，死者。』拘矣。陸謂：『軍國之事有所闕乏。』於義為當。」[30]

《左傳》中這段話是在晉、楚鄢陵之戰初期，鄭因晉之侵伐，遣使告於楚，楚國出兵救之，途中過申，楚公子子反與申叔時討論戰爭情勢的對話。其中「致死以補其闕」一句，杜注釋「闕」專指「戰死之人」，則此句理解為「致死盡力補足戰死者所遺留之空闕」，傅遜則引陸粲之說，認為此「闕」字如果只限定解為戰死者，則意義太過偏狹，應該理解為較大範圍的「軍國之事有所闕乏」，於文義才較為穩妥。

以上所引三例均是傅遜引用並完全接受陸粲之說的例子。然而如同許多學說與典籍流衍傳承的情形一樣，往往出現「前修未密，後出轉精」的情形，傅遜《辨誤》之作縱然引用相當數量的陸粲意見，但是傅遜對於陸粲之說在引用贊同之餘，也對於陸氏意見進行一些在詮釋、敘述或論據方面的補充，使陸粲對於杜注的補正更加完備。以下亦舉例加以說明：

> 1.《左傳·文公六年》：「有此四德者，難必抒矣。」傅遜曰：「杜云：『抒，除也。』陸以『《說文》抒，挹也，不得為除，當從服虔作紓，紓緩也』。愚按班固〈兩都賦序〉『抒下情』、〈劉向傳〉『抒愚意』、〈王褒傳〉『略陳愚而抒衷』，《韻會》云：『抒，引而泄之也。』今從。」[31]

《左傳》原文是關於晉靈公卒，晉國大夫議論立君之事，因晉國連年與秦、狄有衝突，故群臣「以難故，欲立長君」，趙孟欲立公子雍，以其有「固、順、孝、安」四德，「難」必可「抒」。杜注「抒」為「除」，也就是說，趙

30〔明〕傅遜：《春秋左傳註解辨誤》卷之上，頁43上。

31〔明〕傅遜：《春秋左傳註解辨誤》卷之上，頁3下～4上。

孟以為公子蕹有此四德，便可去除與他國的衝突。陸粲以為不安，乃引《說文》及服虔之說，訓「抒」為「緩」。傅遜從其釋義，並補充班固〈兩都賦序〉、〈劉向傳〉、〈王褒傳〉中同用「抒」字之例，而總以《韻會》之訓詁，補證陸粲的判斷。

2.《左傳·襄公二十九年》：「先君若有知也，不尚取之……且先君而有知也，毋寧夫人，而焉用老臣？」傅遜曰：「杜云：『言先君毋寧怪夫人之所為，無用責我。』服虔曰：『不尚，尚也，言尚當取女叔侯殺之；毋寧，寧也，言寧自取夫人，將焉用老臣乎？』蓋杜以叔侯之言太不敬，不應如此，故改之。今觀其語意，本如服說。古時君臣尚質，不為避諱，且夫人慍而出詞，其言當悖，故因其言而反之耳。」[32]

傅氏此處所用服虔之說，實是取自陸粲所引《左傳正義》[33]，陸粲於其書中僅以「其說是也」同意服虔，而傅遜則於此，從當時情景推敲語意，再衡諸春秋時代君臣關係，認為杜注顧忌君臣尊卑而誤解叔侯語意，實則叔侯的確是憤於晉悼夫人的責難，從而同樣以情緒之言反之，服虔之注合情合理，當從。傅氏於此，從情理推論的角度，補充了陸粲未能申述明白之處。

3.《左傳·昭公十三年》：「司鐸射懷錦，奉壺飲冰，以蒲伏焉。」傅遜曰：「杜云：『蒲伏，竊往飲季孫。冰，箭筩蓋，可以取飲。』陸以為非，引〈鄭風〉『抑釋掤忌』，《毛傳》云：『掤以覆矢。』先儒相傳為冰與掤通，故此年及二十五年註皆訓為箭筩，蓋彼云『釋甲執冰』，或當如杜義。此言飲水即是冰耳，飲水以壺藏于冰也，猶飲羽之飲。愚思而考之，時意如執以七月之下旬，蓋今五六月之交，天氣

32〔明〕傅遜：《春秋左傳註解辨誤》卷之下，頁9下。

33 陸粲於《左傳附注》的原文：「《疏》引服虔曰：『不尚，尚也，言尚當取女叔侯殺之；毋寧，寧也，言寧自取夫人，將焉用老臣乎？』此說是也。」見〔明〕陸粲：《左傳附注》卷2，頁24上。

> 炎熱，被蒙以幕，當不勝其焦渴，故以壺漿藏于冰，使之涼而可飲，以解渴耳。當如陸說無疑也。且非戰爭倥偬之時，何緣特取矢箙而用之乎？」[34]

《左傳》此文關於本年晉、鄭等國同盟，而晉因邾、莒之愬，遂不使魯昭公與盟，並執魯臣季孫意如，拘於幕蒙之中，魯司鐸射匍匐前往奉壺飲冰。杜注釋「冰」字為「箭筩蓋」，即箭袋，認為司鐸射用箭袋裝水給意如飲用。陸粲認為這個「冰」字之意即是本字，「奉壺飲冰」即是藏冰於壺而飲之。並推斷杜氏所以致誤，乃是根據《毛傳》釋《詩・鄭風・大叔于田》「抑釋掤忌」，以掤通冰，義為箭筩，杜預便用以釋《左傳》文。不只在此以「箭筩蓋」釋「冰」，在昭公二十五年傳文「公徒釋甲執冰而踞」中的釋義亦同。不過觀兩文所指，昭公二十五年的「釋甲執冰」的確指盛箭的箭袋，而此處則與之不同。傅遜同意陸氏之推論，並從天氣環境的因素加以補充，認為當時天氣炎熱，司鐸射是怕意如焦渴難耐，故以壺盛冰以飲之，合於情理，而杜預說司鐸射用箭筩蓋盛水以飲意如，在並非戰爭混亂而不得不從權的環境中，反而顯得唐突。

上文所引六例，均是傅遜引用並同意陸粲之說的典型例證，我們從其中可以看到明代學者辨正杜注的發展過程中的「承繼」面相，以及在承繼的基礎上，力求精進完備的用意。

（二）陸粲之辨議而未愜傅氏之意而加以辨正者。

清代學者在敘述自明以來的「杜注補正」學術發展時，幾乎一致的是以「邵寶、陸粲、傅遜」為脈絡，在實際的文獻考察上，也確實反映了這樣的敘述：邵寶開啟了明代「杜注補正」的學術型態與著作形式，陸粲繼承了這樣的學術型態與著作形式而加以發揮，傅遜則是在前人的基礎上，轉求邃密與深沉。上文所論偏重在傅遜「承繼」前人的成果，以下則論傅遜在反省前人成果與開創新議題方面的工作。

傅遜在其《春秋左傳杜注辨誤・序》中明白表示，其「杜注補正」的起

---

[34]〔明〕傅遜：《春秋左傳註解辨誤》卷之下，頁30上～30下。

點就是陸粲的《左傳附注》，傅遜在《辨誤》所辨各條中，絕大部分是先引杜注、陸說，再引其他辨說，即可反映了他以陸粲為基礎的態度。然而如此以陸氏為「基礎」的意義，一方面是繼承如此學術型態的意義，另一方面也有在陸粲辨說的基礎上，為「杜注補正」建構更穩實基礎的意義。傅遜書中大量引用並贊同陸粲意見的現象中，也同時存在著相當數量反省、檢討，甚至批評陸粲的辨論。而這些反省檢討陸粲的辨說，大部分的內容是檢討陸粲批評杜注意見的正確性，其目的即在於貫徹其著作《辨誤》之初衷——為杜預之忠臣，期使在全面檢討杜注之誤的預設目的下，亦不能由此掩蓋杜注嘉善之處。以下舉數例說明：

1.《左傳·僖公二十二年》：「楚人伐宋以救鄭。宋公將戰，大司馬固諫曰：『天之棄商久矣，君將興之，弗可赦也已。』」傅遜曰：「杜云：『大司馬固，莊公之孫公孫固也。言君興天所棄，必不可，不如赦楚勿與戰。』愚素以大司馬即司馬子魚，陸亦以為然，又引《史記·宋世家》以為子魚之言：『〈晉語〉雖云文公過宋，與司馬公孫固相善，考〈世家〉，猶在戰泓之後，此為子魚無疑。固諫猶固請也，弗可赦也已，言違天舉事，必將獲罪，勿可赦宥也。』今味之，則『勿可赦也』句，固如陸所云，與鄙意雅合。若云大司馬即子魚，有未必然者。子魚累見，或稱名，或稱字，或稱官，皆未有言『大』者，此獨言『大』，必有所別也。若《史記》，疏略多矣，豈可以為據？又何由而知固為司馬在戰泓之後也？〈世家〉內亦未曾言某年以固為司馬，因記事及之，故在戰泓後耳。故今從杜稱公孫固。」[35]

關於《左傳·僖公二十二年》中在宋、楚泓之戰前，向宋襄公進諫的「大司馬固」是「公子目夷（子魚）」，還是「公孫固」，是一個爭議已久的問題。杜預以為是「公孫固」，陸粲以為是「子魚」，傅遜初贊同陸說，後則質疑陸說，轉而支持杜說。他認為陸氏說法的問題有三點：首先是在《左傳》中

[35]〔明〕傅遜：《春秋左傳註解辨誤》卷之上，頁17下～18上。

公子目夷多次出現，其間或有「司馬子魚」之稱（《左傳．僖公十九年》），但從未有「大司馬」之職稱，此云「大司馬」，必然有所區別；其次，陸氏引用《史記．宋世家》中同將此言歸之於子魚為證，傅遜認為《史記》疏略之處頗多，不可即以為論據；再者，陸氏論說雖及於《國語．晉語》中「晉文公過宋與司馬公孫固相善」之事，但又據《史記．宋世家》中記司馬公孫固事在泓之戰後，從而排除此處的「大司馬固」為公孫固。但傅遜則認為公孫固何時為司馬，史無明言，不可輕易排除，至於《史記》中公孫固之名出現在泓之戰後，則因為那是記事及之，或在後事之中提及前人之名，亦不可以此為據而否定「大司馬固」是公孫固，故以從杜說為結論。

> 2.《左傳．文公十二年》：「秦伯使西乞術來聘，且言將伐晉。襄仲辭玉，曰：『君不忘先君之好，照臨魯國，鎮撫其社稷，重之以大器，寡君敢辭玉。』」傅遜曰：「杜云：『不欲與秦為好故辭玉。』趙子常曰：『〈聘義〉云：以圭璋聘，重禮也；已聘而還圭璋，此輕財重禮之義也。然則聘禮終當還玉，而秦人必欲致之，故襄仲以禮辭之，非不欲與秦人為好也。』陸是其說。愚按〈聘義〉重禮輕財固矣，然使聘而自宜還玉，則秦使者何為違禮而必致之魯乎？若爾，則西乞術不知禮甚矣！襄仲何緣以君子與之？蓋聘終則還玉，禮之常，今於聘禮方行，而襄仲辭之，是不欲與秦為好也。緣此時晉主夏盟，魯事晉方謹，術言將伐晉，故襄仲畏晉而拒之，理必然矣。杜注大省略，陸亦好用異說以短杜，而不考其細故，從杜而加詳焉。」[36]

在對這一段「辭玉」傳文意義的解釋中，杜預認為襄仲辭玉是為避免與秦交好；陸粲引趙匡之說，認為辭玉本是聘禮之常儀，但秦人必欲致玉於魯，故襄仲以其不合於禮而辭之，非不欲與秦交好；傅遜則是從杜而駁陸，其理由為：辭玉固然是聘禮之常儀，若是如此，則聘禮之終還玉於秦，襄仲守禮；西乞術必欲襄仲受玉，是違禮。但是為何襄仲以「君子」稱呼西乞術？適當

---

[36]〔明〕傅遜：《春秋左傳註解辨誤》卷之上，頁30上～30下。

的解釋則是襄仲在聘禮始行即表示辭玉，其用意即在不欲與秦交好，其原因在於晉為中原諸侯盟主，而西乞術來聘而告以伐晉之圖，襄仲不願開罪晉國，故堅辭玉，是以傅遜取杜注而不與陸粲之說。

> 3.《左傳．昭公三十年》：「以敝邑居大國之間，共其職貢，與其備御不虞之患，豈忘共命？」傅遜曰：「杜云：『言不敢忘恭命，以所備御者多，不及辦之。』陸云：『不虞之患，若軍旅喪葬之類，出于意外者，言此等皆不敢忘恭命，非謂不及辦也。』初觀之，若陸是者，既又讀，則知杜非註其不虞之患，蓋會其意而補其所不及言耳。若軍旅喪葬之類，皆鄭事晉之所宜者，何不虞之有？故杜云所備御者多，則不虞之意足矣。言不及辦，非敢忘恭命也。此杜為善註，陸乃未悟其意而改之。」[37]

《左傳》原文之本事為晉頃公卒，鄭使游吉弔且送葬，晉魏獻子使士景伯質問游吉：「前於悼公之喪，鄭使子西弔、子蟜送葬，為何於頃公之喪僅遣一人弔且送葬？」游吉答之如此。杜預釋此段之文意，似乎並未貼緊傳文作註，故陸氏便專注在解釋「不虞之患」的意義。傅氏則認為杜預之註的確沒有專為「不虞之患」作註，但杜預是體會游吉之語意，而把游吉語中未明之意道出。傅遜認為游吉是為了向晉臣解釋鄭國派遣自己一人前來弔喪、送葬並非不恭，而以「小國事奉大國，備御之事眾多，或未及備辦，非不恭命」作為說明，因此這段語義重點在於「豈忘恭命」，而非「不虞之患」究何所指。傅遜因此認為杜預之註能得游吉語義，而陸粲之說實不能及。

在以上所舉的例證，我們在第一及第三例中，可以看到傅氏在杜注、陸說來往反覆思辨的現象，這一點就是我們在本節引論中所欲呈現的觀察——傅遜雖然以陸粲之說為杜注補正的重要基礎，但是其補正杜注的初衷不是在於「攻擊」或「取代」杜注，使杜注更加完備才是其真正的目的。

（三）前儒未有辨議，傅氏自出胸臆而考辨者。

---

[37]〔明〕傅遜：《春秋左傳註解辨誤》卷之下，頁41上～41下。

傅遜《辨誤》在繼承前人辨說之餘，亦有大量未經前人辨議，而為傅氏抉發的新義。根據筆者初步統計，傅遜書中對杜注辨正的條文共四百五十七條，傅遜新出的辨議為一百二十二條，清顧炎武引用傅遜八十五條中，為傅氏新出的辨議者五十六條。在這些數字中，我們約略可以看到傅遜在明、清「杜注補正」的學術發展中的「開展」身影，以及他可能產生的影響。以下亦將舉例詳論之。

> 1.《左傳・僖公六年》「夏，諸侯伐鄭，以其逃首止之盟故也。圍新密，鄭所以不時城也。」傅遜曰：「杜云：『實新密而經言新城者，鄭以非時興土功，齊桓聲其罪以告諸候。』愚謂桓於此本責鄭之從楚，何暇責其以不時興役？」[38]

《左傳・僖公五年》齊桓會諸侯於首止，謀定王子鄭之位，周惠王召鄭伯使其背齊從楚，故鄭伯棄盟逃歸。六年，齊率諸侯伐鄭，以討其逃盟之罪。杜預對於傳文中的「圍新密，鄭所以不時城也」的解釋是：齊圍新密而本年經文書「圍新城」，是因為齊桓公以鄭「非土功之時而興民築城」作為罪狀，告於諸侯，以此作為討伐的理由。但傅遜則認為齊桓率諸侯討伐鄭國的原因，是鄭國背中原而親楚，這是夷夏大防之義，名正言順，不應該用「非土功之時而興民築城」作為討伐的藉口。對於這一點，顧炎武也說：「實密而經云新城，故傳釋之，以為鄭懼齊而築新城，因謂之新城也。《解》云：『鄭以非時興土功，齊桓聲其罪以告諸侯。』夫罪孰大於逃盟者，而更責其非時興土功，不亦細乎？」[39]顧氏主張齊桓討鄭之主要原因是「逃盟」，與傅氏所主張的「親楚」稍異，但批評杜注之方向則同。

> 2.《左傳・僖公二十四年》：「秦伯送衛於晉三千人，實紀綱之僕。」傅遜曰：「杜云：『諸門戶僕隸之事，皆秦卒共之，為之紀綱。』愚謂文公已君晉，國人必有為之用者，傳又云欒、郤為之內主，豈皆無

---

[38]〔明〕傅遜：《春秋左傳註解辨誤》卷之上，頁13上～13下。

[39]〔清〕顧炎武：《左傳杜解補正》卷上，頁15下～16上。

人，而皆用秦卒任其門戶之事耶？蓋但言其可任耳。」[40]

《左傳》這段文字是在敘述秦穆公助重耳返國，並為除去呂甥、郤芮，且「送衛於晉三千人」。對於這三千「紀綱之僕」的解釋，杜預是認為：「新有呂、郤之難，國未輯睦，故以兵衛文公。諸門戶僕隸之事，皆秦卒共之，為之紀綱。」[41]將「紀綱之僕」的範圍限定在「門戶僕隸之事」。傅遜則認為「紀綱之僕」是指此三千人皆可任可用之人，並非只限定在為門戶僕隸之事。

3.《左傳・僖公二十八年》：「晉侯圍曹，門焉，多死。曹人尸諸城上，晉侯患之。」傅遜曰：「杜云：『磔晉死人於城上。』愚以為曹弱小，何敢磔其尸以取怒於晉？蓋即以所死者陳於城上，則晉師自為寒心矣。且磔乃支解，與尸字自別。蓋尸，陳其尸也。」[42]

重耳出奔時，曹共公無禮於重耳，晉於此年伐曹。攻伐過程中，晉人攻曹城門而多死，曹人乃「尸」晉之死者於城上。杜預解「尸諸城上」意為「磔晉死人於城上」，而傅遜則認為「尸」就是「陳晉人之尸」，如此是為使晉人寒心恐懼，杜預之解，於情理不合。

4.《左傳・文公七年》：「義而行之，謂之德、禮。」傅遜曰：「杜云：『德，正德也。禮以制財用之節，又以厚生民之命。』愚謂此郤缺以衛既服，欲趙孟以德懷之。引《夏書》數言，意重於『戒之用休』句，言九功只重一歌字耳，其云義而行之，云行賞罰合其宜也，賞合其宜，則人樂而歌之。下文無禮不樂，言有善而不之賞，則無禮而人不樂。賞罰有章，禮也。此與財用之節、生民之命何與乎？郤缺意在綏懷諸侯，而杜以富殖人民為言；缺欲施恩慶賞，而杜以節財厚生為言，不大悖也乎？」

40〔明〕傅遜：《春秋左傳註解辨誤》卷之上，頁20上。

41〔晉〕杜預集解，〔唐〕孔穎達正義：《春秋左傳正義》（整理本）（臺北市：臺灣古籍出版社，2001年），頁478。

42〔明〕傅遜：《春秋左傳註解辨誤》卷之上，頁22上。

文公七年，晉、郤缺以晉、衛關係改善，希望執政趙盾可以同意返還昔日侵衛所得之地，因而對他有一番勸說。杜預在解釋這段文字時，是連結前文「正德、利用、厚生，謂之三事」，而以下文「義而行之，謂之德、禮」中的「德」便是指「正德」，「禮」則是對應「利用、厚生」。傅遜則以杜預未解文義。傅氏認為郤缺在這一段論說中有一個主題，那便是「賞罰合宜，以德懷之」。在「義而行之」之前的論說，重在「戒之用休」——以慶喜命之告之，使人悅服，能行於此，則其功可為人歌頌。「義而行之」之後，則在說如果為政者能夠賞罰合「宜」（義），則有德有禮，人可樂而歌之，若否，則造成無禮而人民不樂不歌。所以傅遜認為郤缺論說中的「義而行之，謂之德、禮」，是說明所以行此「戒之用休」之道，以及行之所可以達成的效果，它是關聯全文大義，非僅僅聯繫「正德、利用、厚生」而已。

> 5.《左傳．昭公十年》：「子皮盡用其幣。歸，謂子羽曰：『非知之實難，將在行之。夫子知之矣，我則不足。』」傅遜曰：「杜云：『言不患不知，患不能行已。由子產之戒，既知其不可而遂行之，是我之不足。』愚讀此解雖無他謬，實未得傳意。夫『不患不知，患不能行』者，此吾人論一己之難易耳，今知在子產，不能行在子皮，則知未可輕也。其所謂難者，蓋歸重于行，以責己耳；下云：『夫子知之，我則不足。』其意可見。註乃云：『既知其不可而遂行之。』則又以知屬己矣，此豈子皮歸美子產而重責己之意耶？」[43]

《左傳》這段原文是在晉平公卒後，各國遣使弔唁、送葬，鄭國大夫子皮欲攜幣前往，以為見新君之禮，鄭子產反對，認為喪事不用幣，且用幣的花費太過於龐大，影響國家甚鉅，子皮不聽，堅持攜幣前往。晉平公葬畢，諸侯大夫請見新君，晉叔向辭之，各國遣使不再堅持，但子皮仍然在晉用盡了幣禮之財帛，回國之後，頗為後悔，乃告子羽如此。杜預的解釋將語中的「知之」、「行之」全指子皮而言，但傅遜則認為原文中的「知之」是指子產

---

[43]〔明〕傅遜：《春秋左傳註解辨誤》卷之下，頁25上～25下。

「已知」喪不用幣、用幣之害，而「行之」則是指子皮執意用幣的行為，這樣的分屬之義，在「夫子知之矣，我則不足」一語中明白可見。

以上所舉五例，均是在邵寶《左觿》、陸粲《左傳附注》中未曾出現，而由傅遜提出的討論。在這些討論中，我們可以發現其中大部分的內容在於細細分疏傳文的文義、語義，涉及考證或訓詁的部分很少，如果回到傅遜本書中全面檢視其他的新創之見，可以發現也是這種情形，其原因，除了他在《春秋左傳屬事・序》中所表示的，他對於杜注造成的文義理解障礙特別在意，因而多正杜注中文義、語義含混之處，另一方面，亦可能由於訓詁考證非其所長使然，關於這一點，我們將在下一節對於傅氏《辨誤》的檢討中，嘗試提出觀察與解釋。

四　對傅遜《春秋左傳註解辨誤》檢討

通過前節對於傅遜《辨誤》在辨議之所本及呈現型態方面的分析，我們應已可以掌握傅氏在「補正杜注」學術發展上繼承前賢及開展新說的工作成果。本節則將針對傅氏《辨誤》中所呈現的學術特質，進行觀察與分析。

（一）傅氏《辨誤》對杜注文義語義糾正多，對訓詁考據的糾正少

《四庫全書總目》在經部春秋類存目中，對於傅遜《春秋左傳註解辨誤》的內容特色，有如是的批評：

> 是編皆駁正杜預之解，間有考證，而以意推求者多。視後來顧炎武、惠棟所訂，未堪方駕。[44]

四庫館臣所說的「間有考證，而以意推求者多」，似乎是對於傅氏辨正方法

---

[44]〔清〕紀昀等撰，四庫全書研究所整理：《欽定四庫全書總目》（整理本），〈春秋左傳註解辨誤摘要〉，頁388。

的評論，然而對照傅氏本書的實際內容，可以發現這似乎也是其內容的特質——推求文義多而考證少。前文提及，傅氏對於杜預註解的需求，是基於閱讀其《春秋左傳屬事》重編史事的需要，而在《屬事》編輯過程中，發現杜注有問題，也是偏重在杜預對傳文的理解，因此著手《辨誤》的編寫。從如此的過程來看，傅氏所辨杜注之誤，多糾其解釋文義之失，本有其預設目的的原因；不過我們如果仔細檢視傅遜在《辨誤》中各條的意見，又可以發現他似乎不擅長考證。例如《左傳・桓公二年》師服在論述國家宗族中長幼嫡庶應各有其位，國家才能安固之理時，有「卿置側室，大夫有貳宗」之語，杜《注》:「側室，眾子也，得立此一官。適子為小宗，次子為貳宗，以相輔貳。」[45]孔穎達在《正義》中以杜注解「側室」為官名，便將「貳宗」也解成官名[46]。陸粲質疑「側室」、「貳宗」皆非官名，卻沒有積極證據，無法確論，只能說「今皆未有考也」[47]。傅遜《辨誤》中也有此一條，他的意見是：

> 竊謂「側室」、「貳宗」固應請於君，於其中立官以統之，而即以側室、貳宗為官，必非。何也。以其不似官名也。[48]

傅氏質疑杜注的態度與立場，和陸粲一致，但是同樣不能提出積極的論據推翻杜、孔之說，不過傅遜居然以「側室」、「貳宗」「不似官名」作為支持其「必非」之論的根據，這就一方面印證了四庫館臣「間有考證，而以意推求者多」的觀察，另一方面也顯現了他在用考證解決問題的能力限制。

我們可以再舉一例。《左傳・昭公五年》，叔孫昭子討豎牛之罪曰：「豎牛禍叔孫氏，使亂大從。殺適立庶，又披其邑。」杜《注》「使亂大從」謂「使從於亂」，孔穎達《正義》則引服虔說：「使亂大和順之道也。」[49]陸粲也

---

[45]〔晉〕杜預集解，〔唐〕孔穎達正義：《春秋左傳正義》（整理本），頁177。

[46]〔晉〕杜預集解，〔唐〕孔穎達正義：《春秋左傳正義》（整理本），頁177～178。

[47]〔明〕陸粲：《左傳附注》卷1，頁5下。

[48]〔明〕傅遜：《春秋左傳註解辨誤》卷之上，頁7上。

[49]〔晉〕杜預集解，〔唐〕孔穎達正義：《春秋左傳正義》（整理本），頁1395。

認為服義為勝，但是傅遜卻認為《左傳》於此是「倒用字」，「大從」應釋為「大作」[50]，即「使暴亂大起」。我們如果要解決這個問題，客觀論證的角度可以從三個方向檢討：一是《左傳》中「從」字的意義是否有「作」、「興起」之義，二是檢視字書韻書中「從」字之古今意義，三是連結《左傳》上下文以體察其語義。若依此三事進行，則檢《左傳》中「從」字為「依順」、「跟從」或「追逐」義，並無「作」、「興起」之義；其次，《說文》：「从，相聽也，从二人。」本義亦無「作」及「興起」義；至於從上下文來看，叔孫昭子討豎牛之罪之昭著者，為「禍叔孫氏，使亂大從」，其後指出其罪行為「殺適立庶，又披其邑」。若依此敘述順序來看，豎牛之「禍」即在「殺適立庶」，此於宗法制度而言，正是亂上下和順之道。經過這樣的考察，即可確認服虔所解「從」義最合《左傳》文義。傅氏的解釋依據，其實是相當主觀的對文章「章法」、「鍛字」的體認，他不從文獻徵實的方法入手，而是先預設了對於傳文意義的看法，再據以訓釋文字，其結論當然難以承受「證據」的檢驗。而我們使用這種多方向的考察手段來解決訓詁的問題的研究方法，正是四庫館臣所說的「考證」，傅遜不能使用這種方法，當然是因為其所處時代及學術發展尚不及於此，這固然是四庫館臣不以為然的缺點，但也是他的特點。也就是說，四庫館臣將傅遜《辨誤》與顧炎武《左傳杜解補正》以及惠棟《春秋左傳補注》比較，我們不宜只是從「並列」的視角評騭其工作成果的優劣，還應將傅氏的工作從「縱列」的發展視角看待他的學術特點、限制及其意義，才是比較全面的觀察。

（二）傅氏在《辨誤》中最常用的辨正方法——以理推之

前文中我們討論了傅氏《辨誤》最主要的表現在於辨正杜注對《左傳》文義的理解及其在方法上的限制。如果他在辨正杜注時，無法運用有效的考證手段，那麼他如何提出自己的論點？我們檢視傅氏在書中論事最常用的

---

[50]〔明〕傅遜：《春秋左傳註解辨誤》卷之下，頁21上。

方法即是「以理推之」。依照一般的觀點，所謂「理」應該是「客觀」、「普遍」的，但是傅遜所謂的「理」卻是由自己內心判斷而出的「理」。以下即舉例說明：

《左傳．宣公十二年》：「晉人或以廣隊不能進，楚人惎之脫扃。少進，馬還，又惎之拔旆投衡，乃出。顧曰：『吾不如大國之數奔也。』」這是在晉、楚交戰時發生的事。杜《注》「惎」為「教」[51]，則此事即成為晉、楚作戰時，晉人部隊墜入坑陷不能出，楚人教以脫出之法，晉人逃出後還諷刺的說「我們比不上你們經常逃命（的經驗）」，陸粲則以《說文》引此傳文中「惎」作「畀」，是「舉」之義，而疑今本《左傳》文字有誤[52]。傅遜則說：

> 愚謂以「惎」為「教」者固謬，而以為「舉」者尤謬。夫兩敵交戰，既敗而乘敵之困，執俘獻馘，其常也，豈有敵車既陷，而顧教之使脫乎？教之已過，況從而舉之乎？教之舉之，一為已甚，豈有見其馬旋而復教之乎？脫扃、拔旆、投衡，凡在車者皆能，何晉人獨愚，而待楚人之教耶？若果爾，則晉人方荷德無量，豈敢復以「數奔」戲之？此寧不激楚人之怒，以授之首乎？此楚人之仁過於宋襄，而晉人騃痴不解事之甚矣！古今寧有是耶？蓋楚人見晉隊不能進，即惎毒而殺害之，故晉人脫扃以免；馬旋，楚又欲害之，晉人拔旆投衡乃出；既出而乃敢云：吾軍止此偶敗耳，非如大國之數奔也。此於事理並明，並無教人語也。杜仍漢儒之謬，相因以為固然，而不求之心，並合之事理人情，以訛傳訛，更千載而未之正也。[53]

從傅氏大段質疑杜預、陸粲的論說來看，他的挑戰依據僅是：楚人在交戰時幫助晉人脫困，「不合戰爭的事理」，而他「求之於心並合之事理人情」之後的解釋：惎是「毒害」的意思，則此段傳文在記述楚人兩度企圖殺害困陷

---

[51]〔晉〕杜預集解，〔唐〕孔穎達正義：《春秋左傳正義》（整理本），頁748。

[52]〔明〕陸粲：《左傳附注》卷2，頁4上。

[53]〔明〕傅遜：《春秋左傳註解辨誤》卷之上，頁36上～36下。

的晉軍。如此的解釋，從客觀的角度來檢視思考，亦不能服識者之心。惠棟在《春秋左傳補注》中釋《左傳・定公四年》「管、蔡啟商，惎間王室」時，引張衡〈兩京賦〉：「天啟其心，人惎之謀。」認為與《左傳》文同訓為「教」[54]，這才算是解決了問題。

在前一例中，我們看到了傅氏依其心之理來衡斷《左傳》文義所造成的問題，但是這樣的解讀方法在考證無所用之、文義含混不明處，若能依循事理思考，反而可能有正本清源、別開生面的突破。例如《左傳・襄公二十四年》：「將及楚師，而後從之乘，皆踞轉而鼓琴。」杜《注》「轉」為「衣裝」，傅遜曰：

> 竊謂轉字從車，與衣裝何與？不知先儒何故而以為訓？此必「軫」字之訛。《詩》云「小戎俴收」，《注》云：「收，軫也。」謂車前後兩端橫木，所以收斂所載者，踞之可以鼓琴。如果衣裝，何可踞之而琴乎？且下文云「取胄于櫜而胄」，則櫜固為衣裝矣，又何衣裝之有？讀者毋泥成說而試思之。[55]

傅遜在這一段的辨論中，有兩點值得我們注意，首先是他從「轉」字從車不從衣，懷疑轉字之義是指車之軫木，並引《詩經・秦風・小戎》文及註支持其說，這是他的卓識，只是他不能深入考察「轉」和「軫」之間更多的關聯，而逕以傳文有誤為結論，是其不足處。第二點我們可以注意的是，他為什麼如此肯定「轉」不當釋為衣裝？他在文中指出兩個「不合理」的地方，一是傳文言「踞轉而鼓琴」，如果轉為衣裝，如何可「踞而鼓琴」？二是下文中有「取胄于櫜而胄」，櫜即是衣裝，則此處的「轉」不應再是衣裝。從思考的邏輯來看，傅氏思考這個問題的順序，應是先看到杜解在「事理」、「文理」上的不合理處，再思考「轉」字在此的適當解釋。如此的思考雖然仍不是以考據手段解決問題，但是他根據事理，在不合理處置疑，即是開

---

[54]〔清〕惠棟：《春秋左傳補註》卷6，頁17上～17下。

[55]〔明〕傅遜：《春秋左傳註解辨誤》卷之下，頁3下～4上。

啟了一個新的問題，以及思考方向。因此顧炎武在《左傳杜解補正》中，直接引用傳遜之說[56]；而惠棟《春秋左傳補註》此條則以傳遜之說引起，再補充《文選》引許慎《淮南子注》：「軫，轉也。」從而推論古「軫」字或有作「轉」者[57]；胡玉縉《許廎學林》卷四「《左傳》皆踞轉而鼓琴」條中，以「傅氏謂轉當為軫，其識甚卓」，並詳加考證，得出「轉即是車軫」之結論，也糾正了阮元在〈校勘記〉中以「轉縛通假」之失[58]。我們從這個問題的發展過程來看，傳遜的起點就是「以理推考」，他發現了一個新問題，也為後人在解決問題的持續努力上，引導了正確的方向。

（三）傳遜《春秋左傳註解辨誤》的價值

經過前面對於傳遜《辨誤》在內容及其學術特質方面的分析，我們接下來想從兩方面來探討傳氏此書的價值。

1.傳氏此書在明清「杜注補正」類型著作中的價值

前文在呈現傳氏《辨誤》與其前輩陸粲《左傳附注》的關係時，我們曾就「繼承」與「開展」兩個面相呈現傳氏在「杜注補正」上的工作成果，在這裏則想補充清初學者引用傳氏此書的情況，作為觀察他的「影響」面相。清初學者中，補正杜注最力者為顧炎武，其《左傳杜解補正》中引用傳書甚多，且以傳氏新出之辨議為主，同時也引用傳遜為陸粲所補充的意見[59]；朱鶴齡《讀左日鈔》中亦引用傳遜補正杜注之意見70條[60]，及至乾隆時期的惠棟，崇尚漢儒經學古義，本於宋、元、明三代之經註不以為然，其《春秋

56〔清〕顧炎武：《左傳杜解補正》卷中，頁31下。

57〔清〕惠棟：《春秋左傳補註》卷4，頁4下。

58 胡玉縉：《許廎學林》（臺北市：世界書局排印本，1964年），頁90～91。

59 請參本文第二節「（三）前儒未有辨議，傳氏自出胸臆而考辨者」的討論。

60 據〔清〕朱鶴齡：《讀左日鈔》（臺北市：臺灣商務印書館影印《文淵閣四庫全書》本，1986年）統計。

左傳補註》中未引任何邵寶之說，提及陸粲意見一次，但是批評其釋傳文有誤[61]，引及傅遜之說計四次，其中三次是批評其說為非[62]，一次是接受傅氏對於「踞轉而鼓琴」中「轉」當為「軫」的看法。從這些引述現象中，我們可以看到清初儒者將傅遜《辨誤》的工作成果，視為邵寶、陸粲之後有價值的進展，其間贊同者如顧炎武、朱鶴齡，均大量採用，即使是不重視明人經注的惠棟，也不能全然忽視其價值，由此可見傅氏在明、清「杜注補正」學術發展中，經由「繼承」、「開展」，形成了新的研究高度，從而為其後儒者所取資，對於推進《左傳》研究，尤其在解讀文義方面，有積極的價值。

2. 明清學者對「杜注補正」的學術史意義

觀察明代學者在進行專門而深入的《左傳》杜注研究的「動機」，邵寶在他的《左觿・序》中說：

> 予昔讀《左傳》，蓋志於求經，故於其辭不求甚解，非不欲解也，思之不得，故遂已之。……壬千夏仲，暑雨連月，齋居無事，乃屬塾師高子明取而讀焉。予隱几聽之，遇難解處，則稽之疏義，而參諸他書，縱横推度，往往有得，得輒呼筆，記之於簡。是秋讀畢，敘錄成帙，凡若干條，疏陋之見，不知於丘明之意果有得歟否？[63]

這段話裏，有些訊息值得注意：首先，讀《左傳》的目的是「求經」，這本無可異者，但是宋代以來的《春秋》學觀念是——三傳不能適當解讀孔子之義，故需另作新傳，但《春秋》簡約，若不用《左傳》之「事」，則新傳之義亦無從獲得，故有「《左傳》傳事不傳義」之說。邵寶所謂「讀《左傳》蓋志於求經」，卻於其辭不求甚解的態度，應可放在宋代以來的《春秋》學發展脈絡中理解。其次，孔穎達修《春秋左傳正義》以後，使杜預《春秋經

---

61 見〔清〕惠棟：《春秋左傳補註》卷3，頁6下「忠為令德非其人猶不可況不令乎」條。

62 見〔清〕惠棟：《春秋左傳補註》卷2，頁33上「楚人惎之注惎教」條，卷4，頁20下「或教于宋大廟曰譆譆出出」條，卷6，頁22上「晳幘」條。

63〔明〕邵寶：《左觿》，〈序〉，頁1上。

傳集解》獨尊，漢、魏以下的諸家《左傳》註解漸次散佚，若要詳究《左傳》而由事求義，必須參讀杜注孔疏，若仍有未得，則需參之他書，以得丘明之意。可以這麼說：讀《左傳》是為了藉事求義，事有不明則需求之於杜注孔疏，杜注孔疏若有礙誤，則當更求他書以得究竟，如此，則「補正杜注」便成為必要之事。前文所述傅遜編輯《春秋左傳屬事》必須使用杜注，以為解讀傳文之助，但發現杜注有誤，使得傳文亦難解，即有必要補正杜注，使文理暢達。邵、傅二人的思考方向，可謂一致。不過在這長期的「杜注補正」研究發展過程中，「參諸他書，縱橫推度」是必要手段，然而參考既多，則杜注之疏誤似乎旋掃旋生，不免引人反省：有沒有可能超越杜注，有更接近《左傳》原意的解釋？其實我們檢視邵、陸、傅諸人在補正杜注的引用文獻上，往往引述賈逵、服虔等人解釋以正杜注，有愈來愈重視「古義」的傾向，傅遜更曾說：

> 因慨經學之晦久矣！多以一時有為之言，而遂為千載不易之訓，隱大道而誤後學。自唐貞觀間命諸儒粹章句為義疏，以定南北之異，時議者已病其非宏博之規。至宋儒之訓詁出，而我朝遂著之以為令，列于學宮，並昔人註疏而俱廢之，益使陷于孤陋而莫知廣石渠、白虎之異義，豈特此一事而已哉？[64]

傅遜這段議論在討論《左傳．僖公四年》傳文「筮短龜長」時有感而發。他認為「筮龜」本無短長，傳文中晉卜人之意也僅在於勸阻獻公立驪姬為夫人，並不是真心分判「筮、龜」孰短孰長，杜注不加深究而為遷就傳文，引僖公十五年韓簡之說：「龜，象也；筮，數也。物生而後有象，象而後有滋，滋而後有數。」支持「筮短龜長」之說，至宋蔡沈在注《尚書．洪範》「龜從、筮逆、卿士逆、庶民逆：作內，吉；作外，凶」經文時，也引用杜注及《左傳》而以「筮短龜長」釋之，從而使誤解流傳，影響深遠[65]。他認為

---

[64]〔明〕傅遜：《春秋左傳註解辨誤》卷之上，頁12下～13上。

[65]〔明〕傅遜：《春秋左傳註解辨誤》卷之上，頁11上下～12下。

這個問題的根本即在唐代的官方義疏已使經說狹隘，而明代又以宋人經解制為功令，再使前代注疏因此而廢，這樣使學者陷於孤陋，經學將因此而晦。在語末他突然感嘆漢之石渠奏議及白虎觀會議中對於五經異義的討論，似乎頗有盛況難再的遺憾。如此的意見，很明顯的表達了對唐、宋經解的不滿，以及對漢學經說的忻慕。除此之外，他在〈春秋左傳屬事後序〉中也表達過類似的意見：

> 元凱無漢儒不能為《集解》，遜無元凱亦不能為此註。今於元凱既有加焉，後人欲因此而更正之，當益易矣。歐陽子曰：「六經非一世之書，其將與天地無終極而存也。」夫既非一世之書，則豈一世之人所能定乎？今學校科舉皆習宋儒一人一時之見為著令，遜雖不敢輕議，而中耿耿者難自泯也。則此書之隃望隃天下後世者誠殷矣！[66]

這段話中，他同樣表達了對於宋人經說不以為然，以及重視漢儒經說的態度。雖然我們不能就因此驟定他已經主張崇揚漢學，但是他至少看到了早於杜注之漢儒《左傳》註解有廣開視聽的優點，而且認為這些註解對於正確理解《左傳》有實質之助益。

從邵氏和傅氏所表現的意見與態度，以及陸粲《左傳附註》中的補杜、正杜之舉來觀察，儘管杜注有許多不足，他們也看到了漢儒傳註的價值，但是維持杜注的有效性，仍然是他們的主要目標。如此的思考，至少到清初的顧炎武，大致沒有太大的改變[67]。

到了乾嘉時期的惠棟，他對於《左傳》杜注的態度以及駁辨的目的，便較顧炎武以前的學者更為積極。他在《春秋左傳補註・序》中說

---

[66]〔清〕紀昀等撰，四庫全書研究所整理：《欽定四庫全書總目》（整理本），〈春秋左傳屬事後序〉。

[67] 古偉瀛認為顧炎武對於《左傳》的歷史價值相當肯定，卻不願意承認其解經的妥適性；《左傳杜解補正》之用意乃在補充杜注之所未備，故其中對於杜注之糾正，多用「補云」、「改云」。見古偉瀛：〈顧炎武對春秋及左傳的詮釋〉，《臺大歷史學報》第28期（2001年12月），頁78。

竊謂《春秋》三傳，《左氏》先著竹帛，名為古學，故所載古文為多。晉、宋以來，鄭、賈之學漸微，而服、杜盛行。及孔穎達奉勅為《春秋正義》，又專為杜氏一家之學，值五代之亂，服氏遂亡。嘗見鄭康成之《周禮》、韋宏嗣之《國語》，純採先儒之說，末乃下以己意，令讀者可以考得失而審異同，自杜元凱為《春秋集解》，雖根本前修，而不著其說，又持論間與諸儒相違，於是樂遜《序義》、劉炫《規過》之書出焉。棟少習是書，長聞庭訓，每謂杜氏解經頗多違誤，因刺取經傳，附以先世遺聞，廣為《補註》六卷，用以博異說、祛俗議。宗韋、鄭之遺，前修不揜；校樂、劉之意，有失必規。其中於古今文之異同者，尤悉焉。[68]

首先，他承認《左傳》是《春秋》三傳中的「古學」，這便重新回復了《左傳》的解經地位。其次，他認為在杜預之前，《左傳》有鄭、賈之學，與杜預同時還有服虔之學，因此，杜預之注僅是諸家《左傳》註解之一，是孔穎達修《春秋正義》取用杜說，而使《左傳》成為僅杜氏一家之學。第三，杜氏《集解》本身在態度上有「根本前修，而不著其說」之過，在學術上也有「持論間與諸儒相違」之失，早有規正之作。這樣的三點意見可以表現出這樣的思考：《左傳》為《春秋》古學，但是杜注不足以適當解釋《左傳》，所以必須另作註解。惠棟之書雖名為「補註」，但是其撰述方式，是仿效鄭玄之註《周禮》及韋昭之註《國語》，在各條經文與傳文之下，博引先儒古訓，末乃下己意論斷，在形式上已經將杜注排除在外，直接以漢儒古義註解經傳文字。這就把從明代以來在「杜注補正」學術發展中作為輔證而逐漸被重視的漢儒古義，正式提到主流的地位，杜注則在這樣的情況下，被超越而取代。前文所提及如傅遜之明代學者，對於漢儒經說的忻慕，在此時完成，而在宋、明時期被認為「傳世不傳義」的《左傳》，也在此時與漢儒古義復盛，同時恢復了它的《春秋》古學的地位。接下來的發展，就要交棒給如劉文淇《春秋左氏傳舊註疏證》，這樣不只是專尊漢儒古義，更為之撰作新

---

[68]〔清〕惠棟：《春秋左傳補註》，〈序〉，卷1，頁1上～1下。

疏，完成清代《春秋左傳》漢學典範的工作。我們在這一段討論中，希望呈現的一個學術史觀察是：從明代開始的《左傳》「杜注補正」的專門研究，一開始是為了正確掌握《左傳》史事而進行對杜預《集解》的修正與補充，但是在此一研究的持續發展過程中，學者發現了漢儒古義的價值，不只在補正杜注時多加引用，更因此表現出對於漢儒古義的嚮往之情，這樣「由杜注而上溯漢儒」的意念雖然在明儒的觀念中隱而未發，但確實存在，入清之後，經過顧炎武至惠棟的持續發展，正式做到「揚漢抑杜」，建立了以《左傳》為中心的《春秋》古學典範。我們這樣的一段學術史的描述的目的，不是在建構一個因果，而是尋繹一條線索，一條由邵寶、而陸粲、而傅遜、而顧炎武、而惠棟、而劉文淇，從「補正杜注」到「超越杜注」，一路上溯的發展線索，其中有學術發展需要的內部驅動力量，至少對於《春秋左傳》古義的發揚而言，它應該是一個有意義而值得重視的因素。這樣的觀察與解釋或許還很粗疏，我們希望能在未來進行更深刻的探索與思考。

五　結論

通過以上的分析討論，我們可以將傅遜《春秋左傳註解辨誤》一書的內容及其學術價值與影響，歸納若干結論於下：

（一）傅遜《春秋左傳註解辨誤》之作，是他編輯《春秋左傳屬事》時，為了閱讀重編為紀事本末體的傳文，需要借助杜預《春秋經傳集解》對《左傳》文義語義的註解，但期間發現杜注頗多礙誤，乃著手撰作《辨誤》，以修正杜注。

（二）傅遜辨正杜注的基礎是陸粲《左傳附注》，他將《辨誤》之所本及呈現型態分為1.承繼自陸粲《左傳附注》的考辨成果：除引用陸粲意見外，同時也對陸粲未暢之旨進行補充或申述。2.陸粲之辨議而未愜傅氏之意而加以辨正者：傅氏在杜注、陸說中來往反覆思辨，表現出傅氏補正杜注的初衷不是在於「攻擊」或「取代」杜注，而使杜注更加完備才是其真正的目的。3.前儒未有辨議，傅氏自出胸臆而考辨者：則是對陸粲所未及辨議的杜注之誤進行辨正，且頗多勝意。

（三）傅遜《辨誤》內容呈現「對杜注文義語義糾正多，對訓詁考據的糾正少」的現象，其原因一方面是由於補正杜注乃為了閱讀傳文之需，故側重對杜注在文義語義方面的修正，另一方面則是可能因為傅氏不擅長考證。而其提出自己的論點，最常用的方法則是「以理推之」，這種方法雖難免有主觀武斷之失，但是尋事理而推，亦可能發現新問題，也為後人在解決問題的持續努力上，引導正確的方向。

（四）關於傅遜此書的價值，我們從兩方面探討：在「明、清『杜注補正』類型著作中的價值」方面，傅氏在明、清「杜注補正」學術發展中，經由「繼承」、「開展」，形成了新的研究高度，從而為其後儒者所取資，對於推進《左傳》研究，尤其在解讀文義方面，有積極的價值。至於傅遜《辨誤》及其同類型著作在學術史上的意義，則在於由邵寶、而陸粲、而傅遜、而顧炎武、而惠棟，明、清「杜注補正」學術從「補正杜注」到「超越杜注」的內在驅力，對清代漢學中《春秋》的古學建立，應有相當正面的影響。

竹添光鴻《左氏會箋》論五情說管窺

單周堯*

一　緒言

杜預（222～284）〈春秋經傳集解序〉（簡稱〈春秋序〉）有「五情」說，杜氏云：

> ……故發傳之體有三，而為例之情有五：一曰「微而顯」，文見於此，而起義在彼，「稱族尊君命、舍族尊夫人」、「梁亡」、「城緣陵」之類是也；二曰「志而晦」，約言示制，推以知例，「參會不地」、「與謀曰及」之類是也；三曰「婉而成章」，曲從義訓，以示大順，「諸所諱辟」、「璧假許田」之類是也；四曰「盡而不汙」，直書其事，具文見意，「丹楹刻桷」、「天王求車」、「齊侯獻捷」之類是也；五曰「懲惡而勸善」，求名而亡，欲蓋而章，「書齊豹盜」、「三叛人名」之類是也。[1]

杜氏蓋謂《左傳》為《春秋經》發例，其為例之情有五，即「微而顯」、「志而晦」、「婉而成章」、「盡而不汙」、「懲惡而勸善」云云。竹添光鴻（1842～1917）《左氏會箋》於「五情」說，所見與杜氏不盡相同，謹述評如下。

---

* 香港能仁書院。

[1]〔周〕左丘明傳、〔晉〕杜預注、〔唐〕孔穎達等正義：《春秋左傳正義》，《十三經注疏》（臺北市：藝文印書館，1973年，影印清嘉慶二十年〔1815〕南昌府學重刊本）卷1，頁16～17。

二　微而顯

「五情」者，殆出自成公十四年九月《左傳》：

> ……故君子曰：「《春秋》之稱，微而顯，志而晦，婉而成章，盡而不汙，懲惡而勸善，非聖人誰能脩之！」[2]

《左氏會箋》釋「《春秋》之稱，微而顯」曰：

> 「稱」……言其屬文。《易》曰：「其稱辭也小，其取類也大。」此為的證。「微」者，文字希少之謂也。「微而顯」，蓋指「書齊豹盜」，一字而義著。如「稱族」、「舍族」，亦一字、二字而義則廣涉，故曰「微而顯」。「與謀曰及」、「參會不地」，亦當是例。[3]

案：《左氏會箋》所引《周易》，蓋出自〈繫辭〉，原文作「其稱名也小，其取類也大」[4]，與竹添光鴻所引者小異。韓康伯（332～380）注曰：「託象以明義，因小以喻大。」[5]《正義》曰：「其稱名也小者，言《易》辭所稱物，名多細小，若『見豕負塗』、『噬腊肉』之屬，是其辭碎小也；其取類也大者，言雖是小物，而比喻大事，是所取義類而廣大也。」[6]是《周易》《注》、《疏》皆不以「文字希少」釋「微」[7]。竹添氏之釋，亦與《左傳》杜《注》、

---

2 同前註，卷27，頁19。

3 竹添光鴻：《左氏會箋》（臺北市：古亭書屋，1969年）卷13，頁22。

4 〔魏〕王弼、〔晉〕韓康伯注、〔唐〕孔穎達等正義：《周易正義》，《十三經注疏》（臺北市：藝文印書館，1973年影印清嘉慶20年〔1815〕南昌府學重刊本）卷8，頁16。

5 同前註。

6 同前註。

7 高本漢（1889～1978）、楊伯峻（1909～1992）說則與竹添氏略同。高本漢釋「微而顯」曰：「（微－微小＝）簡潔但是卻明白。」楊伯峻曰：「言辭不多而意義顯豁。」參高本漢《高本漢左傳注釋》（臺北市：中華叢書編審委員會，1972年），頁340及楊伯峻《春秋左傳注》修訂本（以下簡稱楊《注》）（北京市：中華書局，1990年），頁

孔《疏》異，杜《注》釋「微而顯」曰：「辭微而義顯。」[8]《左傳》昭公三十一年孔《疏》申之曰：「微而顯者，據文雖微隱，而義理顯著。」[9]皆以「微隱」釋「微」。案《說文·彳部》：「微，隱行也」[10]雷浚（1814～1893）《說文引經例釋》於「隱行也」下曰：「引申為凡隱匿之稱。」[11]又《說文·人部》有「敚」字，段玉裁（1735～1815）《說文解字注》曰：「敚，眇也。」又云：「眇，各本作妙。……凡古言眇者，即今之微妙字。眇者，小也。引申為凡細之偁。」[12]細小，故微隱，其義相因。上引《左傳》昭公三十一年孔《疏》以「微隱」釋「微」，可謂得之。董仲舒（前176～104）《春秋繁露》云：「《春秋》記天下之得失，而見所以然之故，甚幽而明。」[13]「幽而明」，殆即「微而顯」之意。「幽」、「微」未必與「文字希少」全同也。

至於「微而顯」之例，竹添氏所舉者，亦與杜預〈春秋序〉大異。杜預所舉者，為「稱族尊君命、舍族尊夫人」、「梁亡」、「城緣陵」[14]；竹添氏所舉者，為「稱族尊君命、舍族尊夫人」、「書齊豹盜」、「與謀曰及」、「參會不地」，所同者僅「稱族尊君命、舍族尊夫人」而已。

（一）稱族尊君命，舍族尊夫人

「稱族尊君命，舍族尊夫人」一例，蓋出自《春秋》成公十四年，其

870。

8 《春秋左傳注疏》，卷27，頁19。

9 同前註，卷53，頁20。

10 見《說文解字詁林》（臺北市：臺灣商務印書館，1970年），頁816a。

11 同前註，頁816b。

12 同前註，頁3548b。

13 董仲舒：《春秋繁露》，影印《文淵閣四庫全書》（臺北市：臺灣商務印書館，1983年），第181冊卷2，頁5。

14 詳參拙著：〈論《春秋》「五情」──兼論「五情」與詩學之關係〉，《2008年中國古典文學國際學術研討會論文集》（馬來西亞：新紀元學院中國語言文學系，2009年），頁136～147。

文曰：「秋，叔孫僑如如齊逆女。」[15]又曰：「九月，僑如以夫人婦姜氏至自齊。」[16]《左傳》曰：「秋，宣伯如齊逆女，稱族，尊君命也。」[17]又曰：「九月，僑如以夫人婦姜氏至自齊，舍族，尊夫人也。」[18]杜《注》曰：「舍族，謂不稱叔孫。」[19]〈集解序〉孔《疏》曰：

> 叔孫，是其族也。褒賞稱其族，貶責去其氏。銜君命出使，稱其族，所以為榮；與夫人俱還，去其氏，所以為辱。出稱叔孫，舉其榮名，所以尊君命也；入舍叔孫，替其尊稱，所以尊夫人也。族自卿家之族，稱舍別有所尊，是文見於此，而起義在彼。[20]

「文見於此，而起義在彼」，故孔《疏》認為「據文雖微隱，而義理顯著」[21]。

堯案：宣公元年《春秋》曰：「公子遂如齊逆女。三月，遂以夫人婦姜至自齊。」[22]《左傳》曰：「春，王正月，公子遂如齊逆女，尊君命也。三月，遂以夫人婦姜至自齊，尊夫人也。」[23]此與「叔孫僑如如齊逆女」、「僑如以夫人婦姜氏至自齊」同例，孔《疏》：「公子亦是寵號，其事與族相似。」[24]，是也。惟《公羊傳》及何休（129～182）則以此為省文，《公羊傳》曰：「遂以夫人婦姜至自齊，遂何以不稱公子？一事而再見者，卒名也。」[25]何休《注》云：「卒，竟也；竟但舉名者，省文。」[26]後世學者，贊同《公羊傳》而

15《春秋左傳注疏》卷27，頁17。

16 同前註，頁18。

17 同前註，頁19。

18 同前註。

19 同前註。

20 同前註，卷1，頁16。

21 同前註，卷53，頁20。

22 同前註，卷21，頁1。

23 同前註，頁3。

24 同前註。

25《春秋公羊傳注疏》，《十三經注疏》（臺北市：藝文印書館，1973年影印清嘉慶20年〔1815〕南昌府學重刊本）卷15，頁1。

26 同前註。

懷疑《左傳》說者甚夥，如劉敞（1019～1068）《春秋權衡》云：

> 十四年，叔孫僑如如齊逆女，九月，僑如以夫人婦姜氏至自齊。《左氏》曰「稱族，尊君命也」；「舍族，尊夫人也」，非也，一事而再見者，卒名之，此《春秋》之常耳，非為尊君命，故舉氏，尊夫人，故舍族也。[27]

胡安國（1074～1138）[28]、葉夢得（1077～1148）[29]、戴溪（宋人，生卒年不詳，淳熙十六年〔1215〕任浙江湖州府學教授）[30]、馬永卿（1109年進士）[31]、張洽（1161～1237）[32]、黃仲炎（宋人，生卒年不詳，《春秋通說》成於紹定三年〔1230〕）[33]、黃震（1213～1280）[34]、趙鵬飛（宋人，生卒年不詳，其所著《經筌》刊於度宗咸淳八年壬申〔1272〕）[35]、呂大圭（1227～1275）[36]、俞皐（南宋進士，入元不仕，生卒年不詳）[37]、吳澄（1249～1333）[38]、程端學（1278～1334）[39]、陳深（1293～1362）[40]、汪克寬（1304～1372）[41]、熊過（明世宗嘉靖〔1522～1566〕時人，生卒年不詳）[42]、高攀龍（1562～1626）[43]、卓爾

---

[27] 劉敞：《春秋權衡》（《四庫全書》，第147冊）卷6，頁1。
[28] 胡安國：《胡氏春秋傳》（《四庫全書》，第151冊）卷20，頁10。
[29] 葉夢得：《葉氏春秋傳》（《四庫全書》，第149冊）卷14，頁20。
[30] 戴溪：《春秋講義》（《四庫全書》，第155冊）卷3上，頁57。
[31] 馬永卿：《嬾真子》（《四庫全書》，第863冊）卷4，頁10。
[32] 張洽：《張氏春秋集注》（《四庫全書》，第156冊）卷7，頁20。
[33] 黃仲炎：《春秋通說》（《四庫全書》，第156冊）卷9，頁15。
[34] 黃震：《黃氏日抄》（《四庫全書》，第707～708冊）卷11，頁26。
[35] 趙鵬飛：《春秋經筌》（《四庫全書》，第157冊）卷10，頁65。
[36] 呂大圭：《呂氏春秋或問》（《四庫全書》，第157冊）卷16，頁14。
[37] 俞臯：《春秋集傳釋義大成》（《四庫全書》，第159冊）卷8，頁33。
[38] 吳澄：《春秋纂言》（《四庫全書》，第159冊）卷8，頁36。
[39] 程端學：《三傳辨疑》（《四庫全書》，第161冊）卷14，頁12。
[40] 陳深：《讀春秋編》（《四庫全書》，第158冊）卷8。頁20。
[41] 汪克寬：《春秋胡傳附錄纂疏》（《四庫全書》，第165冊），卷20，頁31～32。
[42] 熊過：《春秋明志錄》（《四庫全書》，第168冊）卷8，頁37。
[43] 高攀龍：《春秋孔義》（《四庫全書》，第170冊）卷8，頁18。

康（1570～1644）[44]、顧炎武（1613～1682）[45]、張尚瑗（1688年進士）[46]、何焯（1661～1722）[47]、嚴啟隆（清人，生卒年不詳）[48]、傅恆（?～1770）[49]、劉文淇（1789～1854）[50]等，亦贊同何休、劉敞之說。陳澧（1810～1882）更謂：「此乃文法必當如此耳，左氏豈不知文法者乎！」[51]陳槃（1905～1999）《左氏春秋義例辨》於此有詳細辨析，可參[52]。是《左傳》「稱族，尊君命」、「舍族，尊夫人」云云，未必即書《經》之意。竹添光鴻以此為「微而顯」之例，則仍本《左傳》。

（二）書齊豹盜

杜預〈春秋序〉以「書齊豹盜」為「懲惡而勸善」之例，竹添光鴻則以之為「微而顯」之例。案：《左傳》所載昭公二十年《春秋》曰：「秋，盜殺衛侯之兄縶。」[53]《左傳》曰：

> 衛公孟縶狎齊豹[54]，奪之司寇與鄄[55]。有役則反之[56]，無則取之。公孟惡北宮喜、褚師圃，欲去之。公子朝通於襄夫人宣姜，懼，而欲以作

44 卓爾康：《春秋辯義》（《四庫全書》，第170冊）卷19，頁12。
45 顧炎武：《日知錄》（《四庫全書》，第858冊）卷4，頁31。
46 張尚瑗：《三傳折諸．左傳折諸》（《四庫全書》，第177冊）卷13，頁10。
47 何焯：《義門讀書記》（《四庫全書》，第860冊）卷10，頁3。
48 嚴啟隆：《春秋傳注》（上海市：上海古籍出版社，1995年，《續修四庫全書》，第138冊）卷20，頁14～17。
49 傅恆：《御纂春秋直解》（《四庫全書》，第174冊）卷8，頁30。
50 劉文淇：《春秋左氏傳舊注疏證》（香港：太平書局，1966年），頁903。
51 陳澧：《東塾讀書記》（上海市：世界書局，1936年），頁109。
52 參陳槃《左氏春秋義例辨》（上海市：商務印書館，1947年）卷1，頁30～34及《綱要》頁61～62。
53《春秋左傳正義》卷49，頁1。
54 杜《注》：「公孟，靈公兄也。齊豹，齊惡之子，為衛司寇。狎，輕也。」
55 杜《注》：「鄄，豹邑。」
56 杜《注》：「縶足不良，故有役則以官邑還豹使行。」

> 亂。故齊豹、北宮喜、褚師圃、公子朝作亂。……公孟有事於蓋獲之門外[57]，齊子氏帷於門外，而伏甲焉。使祝鼃寘戈於車薪以當門，使一乘從公孟以出，使[58]華齊御公孟，宗魯驂乘。及閎中[59]，齊氏用戈擊公孟，宗魯以背蔽之，斷肱，以中公孟之肩。皆殺之。[60]

〈集解序〉孔《疏》曰：「齊豹，衛國之卿。《春秋》之例，卿皆書其名氏。齊豹忿衛侯之兄，起而殺之，欲求不畏彊禦之名。《春秋》抑之，書曰『盜』。盜者，賤人有罪之稱也。」[61]案孔《疏》所言，蓋釋「求名而亡」。「書齊豹盜」，固為「懲惡而勸善」之例；惟竹添光鴻以之為「微而顯」之例，亦未嘗無理，竹添氏云：

> 「微而顯」，蓋指「書齊豹盜」，一字而義著。[62]

余嘗於〈論《春秋》「五情」——兼論「五情」與詩學之關係〉一文曰：

> 竊以為「微而顯」等五者可分三層看，「微而顯，志而晦」，主要謂字面之效果；「婉而成章、盡而不汙」，主要謂書寫之態度；「懲惡而勸善」，主要謂記載之作用，三者不必互相排斥，如「書齊豹盜」，既可歸「微而顯」(詞微而義顯)，亦可歸「盡而不汙」及「懲惡而勸善」。[63]

---

57 杜《注》：「有事，祭也。蓋獲，衛郭門。」

58 孔《疏》：「諸本皆『華』上有『使』字，計華齊是公孟之臣，自為公孟之御，非齊氏所當使，必不得有使字。學者以上文有『使祝鼃』、『使一乘』，下有『使華寅乘貳車』、『使華寅執蓋』，以此妄加『使』字。今定本有『使』，非也。」

59 楊《注》：「杜《注》謂：『閎，曲門中。』蓋祝鼃以薪車當門，故從曲門出。」

60《春秋左傳注疏》卷49，頁5～6。

61 同前註，卷1，頁18。

62《左氏會箋》卷13，頁22。

63《2008年中國古典文學國際學術研討會論文集》，頁176。

（三）與謀曰及

杜預〈春秋序〉以「與謀曰及」為「志而晦」之例，竹添光鴻則以之為「微而顯」之例。案：「志而晦」，杜《注》釋之云：「志，記也。晦，亦微也。謂約言以記事，事敘而文微。」[64]「與謀曰及」者，宣公七年《春秋》曰：「夏，公會齊侯伐萊。」[65]《左傳》曰：「夏，公會齊侯伐萊，不與謀也。凡師出，與謀曰『及』，不與謀曰『會』。」[66]杜《注》云：

> 與謀者，謂同志之國，相與講議利害，計成而行之，故以相連及為文。若不獲已，應命而出，則以外合為文。[67]

〈集解序〉孔《疏》曰：

> 義之所異，在於一字。約少其言，以示法制；推尋其事，以知其例。是所記事有敘，而其文晦微也。[68]

考《左傳》之說，前人頗有疑之者，如王晢（宋人，生卒年不詳）《春秋皇綱論》云：

> 《左氏》曰：「凡師出，與謀曰及，不與謀曰會。」而桓十六年，春，魯、宋、蔡、衛會于曹；夏，伐鄭，言會不言及，杜氏遂以為諱，納不正故，從不與之例。又見伯主侵伐，亦有與謀而書會者，遂以為盟主之命，則上行乎下，雖或先謀，皆從不與之例，此蓋傅會《傳》文，實非通論。案《經》稱「會」、「及」，則其與謀也，

64《春秋左傳注疏》卷27，頁19。

65 同前註，卷22，頁4。

66 同前註。

67 同前註。

68 同前註，卷1，頁17。

從可知矣，豈有不與乎？果若本非期約，則當書曰：某侯來會公，如定十四年，邾子來會公，此例是也。《公羊》曰：「會，猶聚也；及，我欲之也。」又曰：「汲汲也。」《穀梁》曰：「會者，外為主；及者，內為主也。」二傳文雖不同，義亦相近。案：僖四年，及江人、黃人伐陳，是時齊桓帥諸侯伐楚，執袁濤塗，遂命魯伐陳，豈是我欲之乎？又桓十七年，公與邾儀父盟，至秋，及宋人、衛人伐邾，此乃宋志，豈是內為乎？ 八年，夏，師及齊師圍郕，郕降于齊師，又豈是內為主，而我欲之乎？由是觀之，則三傳之說，俱不通矣。杜氏又曰：「《傳》唯以師出為例，而劉、賈、許、潁濫以《經》諸『及』字為義，欲以彊合，所以多錯亂也。」愚案：《經》凡盟會戰伐俱言「會」、「及」，而《左氏》唯以師為義，則仲尼何故於盟會亦分「會」、「及」乎？諸儒自不通《春秋》制文之體，遂紛亂爾。謹詳此「會」、「及」之例，凡盟與伐並皆通用。蓋「及」者，魯先至；「會」者，彼先至，而魯往會爾。何者？若首止之會，公已先至，諸侯在後，即不可以言公會諸侯，故以公及之。若諸侯有一人先至，即公在後，不可言公及諸侯，故以公會之。又以公之寡，則公先至者少，故書及者少也。以諸侯之眾，則公後至者多，故書會者多也。義既當然，仍有明據，若雉門及兩觀災，亦以先後而言，與此同也。況凡及盟、及伐之類，諸侯一心，善惡同之，故止以先後為義，唯戰及則異於是，以兩相仇敵，須分曲直輕重，故變其例，以直及不直，以罪輕及罪重，若以先及後，則當以客及主，蓋不可通之於《經》，況此義亦有據焉，若宋督弒其君與夷及其大夫孔父，是以尊及卑也，尊卑曲直之義，亦相類也。其有已書會例于上，下欲明魯與諸侯盟，則但書「及」，以我及外且不嫌也，若定四年，公會諸侯于召陵，書公及諸侯盟于皐鼬，襄三年，公會諸侯同盟于雞澤，書叔孫豹及諸侯之大夫及陳袁僑盟是也，義例昭然，無足疑矣。[69]

---

[69] 王晢：《春秋皇綱論》（《文淵閣四庫全書》，第147冊）卷4，頁3～5。

劉敞《春秋權衡》亦云：

> 七年，公會齊侯伐萊，《左氏》曰：凡師出與謀曰及，不與謀曰會，非也。古者行師，非無奇術秘策以給人者也，諸侯相率而討罪伐畔，則是與謀已，焉有連兵合眾，人君親將，而曰不與謀者哉？且用《左氏》考之，凡先謀而後伐者，稱會多矣，不必云及也，此其自相反者，吾既言之矣。[70]

又葉夢得《春秋三傳讞．春秋左傳讞》云：

> 霸主徵兵於諸侯，而相與應命，不過曰：以某事討某人，此即謀也，何「與」、「不與」之有？使不與謀，則何名為會乎？凡言會者，以會禮合諸侯也，此蓋與會盟、及盟同義。《左氏》既不得於盟，故併伐失之，而妄為此義。[71]

郝敬（1558～1639）《春秋非左》曰：

> 《經》書「會」多矣，同伐、同盟皆稱「會」。是役也，公夏往秋歸，焉得不與謀！凡《傳》例之無端，類此。[72]

徐庭垣（清人，生卒年不詳）《春秋管窺》曰：

> 愚謂師出，必先要約，而後舉兵會之，安有不與謀者！非主兵，而又分與謀、不與謀，書法不已瑣乎！按桓十七年，《經》書及宋人、衛人伐邾。《傳》曰：「宋志也。」既曰宋志，明非魯謀矣，何以書「及」？哀十一年，《經》書公會吳子伐齊，明魯志也。既為魯志，豈不與謀乎？何以書「會」？《左氏》不且自為矛盾乎？歷觀《春秋》，師出，書「會」，必稱公與大夫；書「及」，皆不言公與大夫。是

---

[70]《春秋權衡》卷5，頁14。

[71] 葉夢得：《春秋三傳讞．春秋左傳讞》（《四庫全書》，第149冊）卷4，頁5。

[72] 郝敬：《春秋非左》（光緒辛卯〔1891〕三餘艸堂藏板），頁28～29。

> 「會」與「及」，乃公與大夫書不書之分，非與謀不與謀之謂也。[73]

是諸家皆以《左傳》之說為非，「會」、「及」之別，殆與「與謀」、「不與謀」無涉。所異者為何，諸家說各不同，其義不顯，似不宜以之為「微而顯」之例，竹添光鴻之說殆非。

（四）參會不地

杜預〈春秋序〉以「參會不地」為「志而晦」之例，竹添光鴻則以之為「微而顯」之例。案：桓公二年《春秋》曰：「公及戎盟於唐。冬，公至自唐。」[74]《左傳》曰：「特相會，往來稱地，讓事也。自參以上，則往稱地，來稱會，成事也。」[75]杜《注》云：

> 特相會，公與一國相會也。會必有主，二人獨會，則莫肯為主，兩讓，會事不成，故但書地。[76]

〈集解序〉孔《疏》曰：

> 其意言會必有主，二人共會，則莫肯為主，兩相推讓，會事不成，故以地致。三國以上，則一人為主，二人聽命，會事有成，故以會致。[77]

歷來言《春秋》所記魯桓公與戎盟事，專論稱地、不地者尟。《左傳》之說，陸淳（?～805）引趙匡之言非之，其《春秋集傳辨疑》云：

> 趙子曰：「按成會而歸，即非止於讓；以會告廟，有何不可？此不達內外異辭之例，妄為異說爾。且諸書至自會者，所會悉非魯地，故知

73 徐庭垣：《春秋管窺》（《四庫全書》，第176冊）卷7，頁7。

74《春秋左傳注疏》卷5，頁5。

75 同前註，頁18。

76 同前註。

77 同前註，卷1，頁17。

四處至稱地，皆魯地故也。」[78]

呂本中（1136年進士）《呂氏春秋集解》亦引孫覺之言補充曰：

> 高郵孫氏曰：「《春秋》書至者，皆志其所出之事，以地至者四而已，此年公至自唐，文十七年公至自穀，定八年公至自瓦，十年夏公至自夾谷，四處爾。趙子以為魯地，則至自地，此說是也。」[79]

家鉉翁（1213～？）[80]、王樵（1521～1599）[81]亦贊同是說。至於《左傳》謂「特相會，往來稱地，讓事也」，則贊同者寡，似為非是。

「參會不地」，即如趙匡之說，亦與孔《疏》所謂「義理顯著」[82]無關，竹添光鴻以之為「微而顯」之例，似非的論。

三　志而晦

五情之二為「志而晦」，杜《注》釋之云：「志，記也。晦，亦微也。謂約言以記事，事敘而文微。」[83]竹添光鴻則曰：「志者，微之反，具其辭也；晦者，顯之反，言義不可以辭而已矣。」[84]案：竹添氏以「文字希少」釋「微」[85]，則「微之反」，殆謂文字不尠也。惟「志」但當訓「記」，文字不必多也。姚文田（1758～1827）、嚴可均（1762～1843）所著《說文校議》曰：「志，大徐新修十九文也。《周禮．保章氏》：『以志星辰。』鄭云：

78《春秋集傳辨疑》卷2，頁5。

79 呂本中：《呂氏春秋集解》（《四庫全書》，第150冊）卷3，頁19～20。案：孫覺所論，未見所著《孫氏春秋經解》，呂氏所引，未知所本。

80《春秋集傳詳說》卷3，頁15。

81《春秋輯傳》卷2，頁14。

82《春秋左傳注疏》卷53，頁20。

83 同前註，卷27，頁19。

84《左氏會箋》卷13，頁22～23。

85 同前註，頁22。

『志，古文識。識，記也。』」[86]杜《注》但訓「志」為「記」，似勝於竹添氏。

至於「志而晦」之例，竹添光鴻曰：

> 如「鄭伯克段于鄢」、「會于稷以成宋亂」、「晉趙盾弒其君夷皋」之類是也。「梁亡」、「城緣陵」亦當是例。[87]

（一）鄭伯克段于鄢

竹添光鴻以「鄭伯克段于鄢」為「志而晦」之例。案：隱公元年《春秋》曰：「夏五月，鄭伯克段于鄢。」段欲謀反，舉國皆欲討之，何以不稱國討而言鄭伯[88]？段既為鄭莊公同母之弟，何以不言弟[89]？以君討臣，何以用二君之例而曰「克」[90]？段實出奔共，何以不言「出奔」？凡此皆晦而不明，故竹添光鴻以之為「志而晦」之例。

惟「微而顯」之「微」，亦有「微隱」、「晦微」之意。孔《疏》釋「微而顯」曰：「據文雖微隱，而義理顯著。」[91]《左傳》釋「鄭伯克段于鄢」曰：

86《說文解字詁林》，頁4652b。

87《左氏會箋》卷13，頁23。

88 案：《春秋》莊公二十二年：「陳人殺其公子御寇。」杜《注》於「公子御寇」下云：「宣公太子也。陳人惡其殺太子之名，故不稱君父，以國討公子告。」（《春秋左傳注疏》，卷9，頁22）以此例之，若《春秋》隱公元年用國討例，則不稱「鄭伯」而曰「鄭人」。

89 案：《左傳》宣公十七年：「冬，公弟叔肸卒，公母弟也。……凡稱弟，皆母弟也。」（《春秋左傳注疏》卷24，頁18）又昭公元年《春秋》曰：「夏，秦伯之弟鍼出奔晉。」（《春秋左傳注疏》卷41，頁2）以此例之，若《春秋》隱公元年用母弟例，則當言「鄭伯之弟段出奔共」。

90 案：《左傳》莊公十一年：「得儁曰克。」杜《注》：「謂若大叔段之比，才力足以服眾，威權足以自固，進不成為外寇強敵，退復狡壯，有二君之難，而實非二君，克而勝之，則不言彼敗績，但書所克之名。」（《春秋左傳注疏》卷9，頁2）曰「鄭伯克段于鄢」，即用「如二君」之得儁例。

91《春秋左傳注疏》卷53，頁20。

書曰：「鄭伯克段于鄢。」段不弟，故不言弟；如二君，故曰克；稱鄭伯，譏失教也；謂之鄭志，不言出奔，難之也。[92]

其非「據文雖微隱，而義理顯著」邪？以之為「微而顯」之例，不亦勝於以之為「志而晦」之例邪？且「鄭伯克段于鄢」之「辭微而義顯」，與「盜殺衛侯之兄縶」無異。竹添光鴻以「鄭伯克段于鄢」為「志而晦」之例，則又為何以「書齊豹盜」為「微而顯」之例邪？

（二）會于稷以成宋亂

竹添光鴻《左氏會箋》「志而晦」之次例為「會于稷以成宋亂」。案：桓公二年《春秋》曰：「三月，公會齊侯、陳侯、鄭伯于稷，以成宋亂。」杜《注》：「成，平也。宋有弒君之亂，故為會欲以平之。」[93]桓公二年《左傳》曰：「會于稷以成宋亂，為賂故，立華氏也。」杜《注》：

經稱平宋亂者，蓋以魯君受賂立華氏，貪縱之甚，惡其指斥，故遠言始與齊、陳、鄭為會之本意也。傳言「為賂故，立華氏」，明經本書平宋亂，為公諱，諱在受賂立華氏也。猶璧假許田為周公祊故。所謂婉而成章。[94]

杜《注》謂此處經文書平宋亂，乃為魯桓公諱，此五情之「婉而成章」。竹添光鴻以此為「志而晦」之例，似不如杜《注》合理。

（三）晉趙盾弒其君夷皋

竹添光鴻《左氏會箋》「志而晦」之第三例為「晉趙盾弒其君夷皋」。

---

[92] 同前註，卷2，頁18～19。

[93] 同前註，卷5，頁4。

[94] 同前註，頁6。

案：宣公二年《春秋》曰：「秋，九月，乙丑，晉趙盾弒其君夷皐。」杜《注》：「靈公不君，而稱臣以弒者，以示良史之法，深責執政之臣。」[95]《左傳》言晉靈公不君及被弒事甚詳，茲引述靈公被弒《左傳》之記載如下：

> 乙丑，趙穿攻靈公於桃園。宣子未出山而復。大史書曰：「趙盾弒其君。」以示於朝。宣子曰：「不然。」對曰：「子為正卿，亡不越竟，反不討賊，非子而誰？」宣子曰：「嗚呼！『我之懷矣，自詒伊慼。』其我之謂矣。」孔子曰：「董狐，古之良史也，書法不隱。趙宣子，古之良大夫也，為法受惡。惜也，越竟乃免。」[96]

是弒晉靈公者，為趙穿而非趙盾。太史書「趙盾弒其君」，蓋因趙盾為執政之正卿，出亡未越晉境，君臣之義未絕，返國又不討弒君之賊，故《春秋》本良史之意，不赦其罪，不言趙穿弒其君，而曰「晉趙盾弒其君夷皐」，深責執政大臣，似與「志而晦」無涉。

（四）梁亡

竹添光鴻《左氏會箋》「志而晦」之第四例為「梁亡」。案僖公十九年《春秋》載：「梁亡。」《左傳》云：

> 梁亡，不書其主，自取之也。初，梁伯好土功，亟城而弗處。民罷而弗堪，則曰：「某寇將至。」乃溝公宮，曰：「秦將襲我。」民懼而潰，秦遂取梁。[97]

杜《注》釋「不書其主」曰：「不書取梁者主名。」[98]僖公十九年孔《疏》曰：「不書所取之國，以為梁國自亡，非復取者之罪，所以深惡梁耳，非言

---

[95] 同前註，卷21，頁6。

[96] 同前註，頁11～12。

[97] 同前註，卷14，頁23。

[98] 同前註，卷14，頁23。

秦得滅人國也。」[99]又《公羊傳》云：

此未有伐者，其言梁亡何？自亡也。其自亡奈何？魚爛而亡也。[100]

《穀梁傳》曰：

自亡也。湎於酒，淫於色，心昏，耳目塞。上無正長之治，大臣背叛，民為寇盜。梁亡，自亡也。如加力役焉，湎不足道也。梁亡，鄭棄其師，我無加損焉，正名而已矣。梁亡，出惡正也。鄭棄其師，惡其長也。[101]

是三《傳》皆云梁自取滅亡，故不言秦人滅梁，而以自亡為文。

〈集解序〉孔《疏》曰：「秦人滅梁，而曰『梁亡』，文見於此。梁亡，見取者之無罪。」[102]此〈春秋序〉所謂「文見於此，而起義在彼」也，故當屬「微而顯」之條，而非「志而晦」之例。

（五）城緣陵

竹添光鴻《左氏會箋》「志而晦」之第五例為「城緣陵」。案僖公十四年《春秋》曰：「諸侯城緣陵。」[103]《左傳》曰：「春，諸侯城緣陵而遷杞焉。不書其人，有闕也。」[104]杜《注》：「緣陵、杞邑。辟淮夷，遷都於緣陵。」[105]又曰：「闕，謂器用不具，城池未固而去，為惠不終也。」[106]案僖公元年《春

---

99 同前註。

100《春秋公羊傳注疏》卷11，頁19。

101《春秋穀梁傳注疏》（臺北市：藝文印書館，1973年，影印清嘉慶二十年〔1815〕南昌府學重刊本《十三經注疏》）卷9，頁1～2。

102《春秋左傳注疏》卷1，頁16。

103 同前註，卷13，頁21。

104 同前註。

105 同前註。

106 同前註。

秋》曰：「齊師、宋師、曹師城邢。」[107]僖公十四年孔《疏》曰：

> 元年：「齊師、宋師、曹師城邢。」《傳》稱「具邢器用而遷之，師無私焉」，是器用具而城池固，故具列三國之師，詳其文以美之也。今此云「諸侯城緣陵」，不言某侯、某侯，與「城邢」文異；不具書其所城之人，為其有闕也。[108]

〈集解序〉孔《疏》曰：

> 齊桓城杞，而書「諸侯城緣陵」，文見於此。城緣陵，見諸侯之有闕，亦是文見於此，而起義在彼。皆是辭微而義顯。[109]

是據《左傳》之說[110]，「城緣陵」亦當屬「微而顯」之條，而非「志而晦」之例。

四　婉而成章

五情之三為「婉而成章」，杜《注》釋之曰：「婉，曲也。謂屈曲其辭，有所辟諱，以示大順，而成篇章。」[111]竹添光鴻《左氏會箋》謂「章」非「篇章」，其言曰：

> 「成章」，言文章順序也，曰「斐然成章」，曰「不成章不達一意」。「諸所諱避」、「璧假許田」之類是也，非「篇章」之謂也。昭三十一年所謂「婉而辨」者，成辭婉而義卻判然有別也，與「微而顯」對；「而」者，反應之辭也。此則與「盡而不汙」對，「而」字順應，不可

107 同前註，卷12，頁1。

108 同前註，卷13，頁22。

109 同前註，卷1，頁16。

110 其他說法請參拙著：〈論《春秋》「五情」——兼論「五情」與詩學之關係〉，《2008年中國古典文學國際學術研討會論文集》，頁145～147。

111《春秋左傳注疏》卷27，頁19。

牽合。[112]

竹添氏所舉「諸所諱避」、「璧假許田」二例[113]，與杜預〈春秋序〉同。

五　盡而不汙

五情之四為「盡而不汙」，杜《注》釋之曰：「謂直言其事，盡其事實，無所汙曲。」[114]竹添光鴻則曰：

> 汙，穢也。洒濯其事，無所隱諱，故曰不汙。「丹楹刻桷」、「天王求車」、「齊侯獻捷」之類是也。杜以曲解汙，則讀汙為迂，恐非。[115]

案：杜以曲解汙，謂其讀汙為迂，或讀汙為紆，均可。《說文》：「迂，避也。」[116]段《注》：「迂曲、回避，其義一也。」[117]又「紆」字，《說文》云：「紆，詘也。」[118]段《注》：「詘者，詰詘也。今人同屈曲字，古人用詰詘，亦單用詘字。……亦或叚汙為之，《左傳》曰：『盡而不汙。』」[119]竹添氏之意，殆以「汙」為「污穢」字。「汙」，今或書作「污」。竹添氏蓋謂洒濯其事，使之不污穢也。高本漢說與竹添氏略同，高本漢曰：

> 杜預是把「汙」字講成「汙曲」。好像他把「汙」看作「迂」（或「紆」）（*·i̯wo）的假借字。「迂」（紆）的意思是「彎曲」、「曲折」、「偏歪」，而陸德明也就把「汙」字讀成「憂于反」（*·

112《左氏會箋》卷13，頁23。

113 參拙著：〈論《春秋》「五情」——兼論「五情」與詩學之關係〉，《2008年中國古典文學國際學術研討會論文集》，頁151～156。

114《春秋左傳注疏》卷27，頁19。

115《左氏會箋》卷13，頁23。

116《說文解字詁林》，頁797b。

117 同前註。

118 同前註，頁5812a。

119 同前註。

> i̭wo）。顧偉Couvreur以為，杜注說：「謂直言其事，盡其事實，無所汙曲。」那麼杜氏的意思是要把這句話講成：「它是詳盡不遺的（說出了所有的事實），是沒有（偏差的）遁辭的（謂沒有委婉曲折的說法）。」但是，這種理論絕無成立之可能，因為如果這樣講，在「盡」與「不汙」之間就必須要形成意義上的對比才可以（就像「微而顯、志而晦」那句話裏「微」與「顯」；「志」與「晦」之間的那種關係）。……其實「汙」字並不需要用假借來講。「汙」字另外有一個讀法作「乂」（*．i̭wo）。這一讀的基本意思是「不純」、「骯髒」、「污穢」，如：宣公十五年《左傳》云：「川澤納汙。」也時常與其他的字構成複詞，如：「汙濊」（見《韓非子》），「汙垢」（見《儀禮》）；又可以當動詞來用，如：《荀子．儒效篇》云：「行不免於汙漫。」所以，這句話就是說：「它是詳盡的（記載了所有的細節），但是卻不（玷污）毀損（人的名譽）。」[120]

堯案：「微而顯」與「志而晦」，句意相反；「婉而成章」與「盡而不汙」，句意亦相反。故杜預以「曲」訓「汙」，蓋以「汙」為「紆」或「迂」之假借。「盡而不曲」，句意與「曲而成章」正好相反。竹添光鴻與高本漢以「汙」為「污穢」字，殆非。至於竹添氏所舉「丹楹刻桷」、「天王求車」、「齊侯獻捷」三例[121]，則與杜預〈春秋序〉相同。

六　懲惡而勸善

竹添光鴻說「懲惡而勸善」曰：「此總上四者言之。杜〈序〉以為五體，非矣。上四者此所以懲惡而勸善也。……《春秋》外上四者，而別有

120 《高本漢左傳注釋》，頁341。

121 參拙著：〈論《春秋》「五情」——兼論「五情」與詩學之關係〉，《2008年中國古典文學國際學術研討會論文集》，頁158～165。

勸懲之書法乎？」[122]其說是也。錢鍾書先生（1910～1998）謂「『五例』之一、二、三、四示載筆之體，而其五示載筆之用」[123]，與竹添氏說略同。杜預〈春秋序〉將「微而顯」、「志而晦」、「婉而成章」、「盡而不汙」、「懲惡而勸善」平列為五項，似有可商。竊以為「微而顯」等五者可分三層看，「微而顯，志而晦」，主要謂字面之效果；「婉而成章、盡而不汙」，主要謂書寫之態度；「懲惡而勸善」，主要謂記載之作用，三者不必互相排斥，如「書齊豹盜」，既可歸「微而顯」（詞微而義顯），亦可歸「盡而不汙」及「懲惡而勸善」。

七　結論

竹添光鴻《左氏會箋》於「五情」說，其最大之貢獻，在指出「微而顯」、「志而晦」、「婉而成章」、「盡而不汙」四者，均所以「懲惡而勸善」。其餘則多有可商，如論「微而顯」、「志而晦」、「盡而不汙」，以及所舉「微而顯」、「志而晦」諸例，其異於杜預者，多有待斟酌，上文論之已詳，茲不贅。

122《左氏會箋》卷13，頁23。

123錢鍾書：《管錐編》（北京市：中華書局，1979年），頁162。

《史記》詮釋《論語》考

何志華*

司馬遷《史記》多用《論語》，其時《論語》版本有三，即為《魯論》、《齊論》、《古論》。《漢書・藝文志》記：「《論語》古二十一篇，出孔子壁中；《齊》二十二篇；《魯》二十篇。」可見漢時《魯論》、《齊論》、《古論》並傳。《漢書・劉歆傳》又記云：

> 及魯恭王壞孔子宅，欲以為宮，而得古文於壞壁之中，《逸禮》有三十九，《書》十六篇。天漢之後，孔安國獻之，遭巫蠱倉卒之難，未及施行。及《春秋》左氏丘明所修，皆古文舊書，多者二十餘通，臧於祕府，伏而未發。[1]

可見景帝時魯恭王壞孔子宅而得《古論》，孔安國獻諸漢武帝。又何晏〈論語集解序〉曾記孔安國注《古論》，何晏云：

> 《古論》唯博士孔安國為之訓解，而世不傳。至順帝時，南郡太守馬融亦為之訓說。漢末，大司農鄭玄就《魯論》篇章，考之《齊》、《古》為之註。[2]

史遷於〈太史公自序〉嘗云：「年十歲，則誦古文。」[3]學者因以為司馬遷既從

---

* 香港中文大學中文系、中國文化研究所中國古籍研究中心。

[1] 〔漢〕班固：《漢書》（北京市：中華書局，1997年），頁1969～1970。

[2] 劉寶楠撰、高流水點校：《論語正義》（北京市：中華書局，1990年，收入《十三經清人注疏》系列），頁781。

[3] 司馬遷：《史記・太史公自序第七十》（北京市：中華書局，1982年），頁3293。

孔安國學古文《尚書》，則當亦曾從孔氏學《古論》，因以為《史記》所引《論語》皆屬《古論》。至於今本《論語》，學者多以為出自鄭玄本與《張侯論》，黃懷信《論語彙校集釋》云：

> 今本既出自鄭本與《張侯論》，而鄭本出自《魯論》、《古論》、《齊論》，篇章基本從《魯論》；《張侯論》又出《魯論》、《齊論》，篇章亦從《魯論》；《魯論》，又為較原始之本；那麼，今本《論語》就應基本保留較為原始的《論語》篇章之舊。[4]

既知今本《論語》出自鄭玄本與《張侯論》，而鄭玄又曾參之《古論》，其源或與司馬遷所據者無別。然則司馬遷《史記》所引《論語》有與今本不同者，固或出於司馬遷所據版本有別使然，亦可能源於司馬遷之改寫、詮釋《論語》[5]。考司馬遷《史記》既有直引《論語》以證成史事者，亦有暗用《論語》以貶抑歷史人物者，亦有改易《論語》原文以訓解經義者，更有史遷依據己意詮釋《論語》經義者，其所用之方法不一而足。今試臚列相關例證，以見司馬遷詮釋《論語》條文如何有助後世學者理解經義。

一　司馬遷《史記》引用《論語》以證成史事

考《史記》全書，以〈孔子世家〉、〈仲尼弟子列傳〉二篇引用《論語》最多；〈孔子世家〉乃史遷依據《論語》、《禮記》、《左傳》、《國語》等文獻資料編排而成，當中引用《論語》最多，其原始材料雖源出舊籍，然而譜

---

4 黃懷信主撰，周海生、孔德立參撰：《論語彙校集釋》（上海市：上海古籍出版社，2008年），頁29。

5 司馬遷《史記．五帝本紀》、〈殷本紀〉、〈周本紀〉諸篇，亦曾參諸《尚書》，並加改易、詮釋，可參拙著：〈《尚書》偽孔《傳》因襲史遷證〉，《中國文化研究所學報》新第9期（香港，2000年），頁333～362，後收入拙著：《經史考據：從〈詩〉〈書〉到〈史記〉》（香港：香港中文大學中國文化研究所，中國古籍研究中心出版，2007年，《漢達叢書》）。

列之過程，則屬史遷創作，其中有按《論語》原來編排順序記寫，例如記夫子被困，則據《論語．衛靈公》依次順記，《論語．衛靈公》云：

> 在陳絕糧，從者病，莫能興。子路慍見曰：「君子亦有窮乎？」子曰：「君子固窮，小人窮斯濫矣。」（見〈衛靈公〉15.2）子曰：「賜也，女以予為多學而識之者與？」對曰：「然，非與？」曰：「非也，予一以貫之。」（見：〈衛靈公〉15.3）

再考《史記．孔子世家》云：

> 絕糧。從者病，莫能興。孔子講誦弦歌不衰。子路慍見曰：「君子亦有窮乎？」孔子曰：「君子固窮，小人窮斯濫矣。」子貢色作。孔子曰：「賜，爾以予為多學而識之者與？」曰：「然。非與？」孔子曰：「非也。予一以貫之。」[6]

可見兩書內容編排相近，司馬遷蓋直引《論語》，並按原來篇章次序，順記夫子生平。至於《史記》引用《論語》評騭歷史人物者，其例亦多，今舉其中顯例如下：

二　《史記》引用《論語》論評歷史人物

> 1.《論語．學而》記子禽問於子貢曰：「夫子至於是邦也，必聞其政，求之與？抑與之與？」子貢曰：「夫子溫、良、恭、儉、讓以得之。夫子之求之也，其諸異乎人之求之與？」（1.10/1/27）[7]

---

[6] 《史記》，頁1930。

[7] 本文引用《論語》，並據劉殿爵、陳方正主編、何志華執行編輯：《論語逐字索引》（香港：香港商務印書館出版，1995年），收入《先秦兩漢古籍逐字索引叢刊》（香港：香港中文大學中國文化研究所）。本文在引文後顯示《論語逐字索引》章次／頁數／行數。

考《史記・田叔列傳》記太史公論評田叔，則曰：「孔子稱曰『居是國必聞其政』，田叔之謂乎！」[8]亦據《論語・學而》經義以稱述田叔。

2.《論語・八佾》記季氏旅於泰山。子謂冉有曰：「女弗能救與？」對曰：「不能。」子曰：「嗚呼！曾謂泰山不如林放乎？」（3.6/5/6）

考《史記・封禪書》云：「及後陪臣執政，季氏旅於泰山，仲尼譏之。」[9]蓋依據《論語・八佾》此文所記，痛詆陪臣僭禮之事。《漢書・郊祀志》亦云：「是時，季氏專魯，旅於泰山，仲尼譏之。」顏師古《注》：「陪臣祭泰山，僭諸侯之禮。孔子非之曰：『嗚乎，曾謂泰山不如林放乎！』事見《論語》。」[10]

3.《論語・八佾》記子曰：「管仲之器小哉！」或曰：「管仲儉乎？」曰：「管氏有三歸，官事不攝，焉得儉？」「然則管仲知禮乎？」曰：「邦君樹塞門，管氏亦樹塞門。邦君為兩君之好，有反坫，管氏亦有反坫。管氏而知禮，孰不知禮？」（3.22/6/18）

考《史記・管晏列傳》云：「管仲富擬於公室，有三歸、反坫。」[11]蓋約《論語・八佾》此文以記管仲富擬於公室。

4.《論語・里仁》記子曰：「不仁者不可以久處約，不可以長處樂。仁者安仁，知者利仁。」（4.2/7/7）

《史記・刺客列傳》謂：「高漸離念久隱畏約無窮時。」司馬貞《索隱》引《論語》：「不可以久處約。」[12]可見司馬遷借用《論語・里仁》「不仁者不可以久處約」之義，以記述高漸離不能久隱畏約。《孔子家語・屈節解》：

---

8 《史記》，頁2779。

9 《史記》，頁1364。

10《漢書》，頁1199。

11《史記》，頁2134。

12《史記》，頁2537。

「仁者不窮約。」又《鹽鐵論・地廣》:「故惟仁者能處約樂貧。」皆與《論語・里仁》此文經義相關。

5.《論語・公冶長》記子曰:「巧言、令色、足恭,左丘明恥之,丘亦恥之。匿怨而友其人,左丘明恥之,丘亦恥之。」(5.25/11/15)

考《史記・五宗世家》:「彭祖為人巧佞卑諂,足恭而心刻深。」[13]即取《論語・公冶長》之意以貶抑彭祖。又《大戴禮記・文王官人》:「巧言、令色、足恭,一也。」《春秋繁露・五行相勝》:「足恭小謹,巧言令色。」均源出《論語》此文。

6.《論語・雍也》記子游為武城宰。子曰:「女得人焉耳乎?」曰:「有澹臺滅明者,行不由徑,非公事,未嘗至於偃之室也。」(6.14/13/11)

考《史記・伯夷列傳》謂:「或擇地而蹈之,時然後出言,行不由徑,非公正不發憤,而遇禍災者,不可勝數也。」[14]其謂「行不由徑」者,即典出《論語・雍也》此文。

7.《論語・述而》記子曰:「飯疏食,飲水,曲肱而枕之,樂亦在其中矣。不義而富且貴,於我如浮雲。」(7.16/16/5)

考《史記・蔡澤列傳》記蔡澤勸戒應侯,以為應侯「祿位貴盛,私家之富過於三子。」因言:「不義而富且貴,於我如浮雲。」[15]其實語出《論語》。

8.《論語・泰伯》記子曰:「泰伯,其可謂至德也已矣。三以天下讓,民無得而稱焉。」(8.1/18/9)

---

[13]《史記》,頁2098。

[14]《史記》,頁2125。

[15]《史記》,頁2422。

考《史記．吳太伯世家》篇末記太史公曰：「孔子言：『太伯可謂至德矣，三以天下讓，民無得而稱焉。』」[16]董仲舒《春秋繁露．觀德》亦云：「泰伯至德之侔天地也。」其實兩文皆典出《論語》。

> 9.《論語．顏淵》子張問：「士何如斯可謂之達矣？」子曰：「何哉，爾所謂達者？」子張對曰：「在邦必聞，在家必聞。」子曰：「是聞也，非達也。夫達也者，質直而好義，察言而觀色，慮以下人。在邦必達，在家必達。夫聞也者，色取仁而行違，居之不疑。在邦必聞，在家必聞。」（12.20/32/26）

考《史記．呂不韋列傳》：「孔子之所謂『聞』者，其呂子乎？」裴駰《集解》引《論語》云：「夫聞也者，色取仁而行違，居之不疑，在邦必聞，在家必聞。」[17]可見司馬遷引用《論語．顏淵》此文以刺譏呂不韋。

三　《史記》所據《論語》與今本有別

司馬遷所據《論語》與今傳世本有別，其流傳途徑亦復不同，此可從兩本避諱情況清楚考見，其中顯例有如下述：

（一）《史記》所據《論語》不避漢高祖名諱：

> 1.《論語．學而》記子禽問於子貢曰：「夫子至於是邦也，必聞其政，求之與？抑與之與？」子貢曰：「夫子溫、良、恭、儉、讓以得之。夫子之求之也，其諸異乎人之求之與？」（1.10/1/27）

考《史記．仲尼弟子列傳》云：「又問曰：『孔子適是國必聞其政。求之與？抑與之與？』子貢曰：『夫子溫良恭儉讓以得之。夫子之求之也，其

[16]《史記》，頁1475。
[17]《史記》，頁2514。

諸異乎人之求之也。』」[18]其作「是國」，與今本《論語》作「是邦」者不同，蓋司馬遷所見《論語》不避漢高祖劉邦名諱使然。再考《史記．伯夷列傳》又引孔子云：「居是國必聞其政。」[19]可見司馬遷所引《論語》兩文皆避高祖名諱，故兩文皆作「國」。

2.《論語．公冶長》記子謂南容「邦有道，不廢；邦無道，免於刑戮」。以其兄之子妻之。(5.2/9/7)

考《史記．仲尼弟子列傳》引孔子云：「國有道，不廢；國無道，免於刑戮。」[20]其作「國有道」、「國無道」者，與今本《論語》作「邦有道」、「邦無道」者不同，蓋司馬遷所見《論語》不避漢高祖劉邦名諱使然。再考《論衡．問孔》謂：「誠似妻南容云：『國有道、不廢，國無道、免於刑戮。』」[21]亦作「國有道」、「國無道」，推知王充所見《論語》亦與司馬遷所據本類近。

3.《論語．顏淵》記子張問：「士何如斯可謂之達矣？」子曰：「何哉，爾所謂達者？」子張對曰：「在邦必聞，在家必聞。」子曰：「是聞也，非達也。夫達也者，質直而好義，察言而觀色，慮以下人。在邦必達，在家必達。夫聞也者，色取仁而行違，居之不疑。在邦必聞，在家必聞。」(12.20/32/26)

考《史記．仲尼弟子列傳》：「子張問：『士何如斯可謂之達矣？』孔子曰：『何哉，爾所謂達者？』子張對曰：『在國必聞，在家必聞。』孔子曰：『是聞也，非達也。夫達者，質直而好義，察言而觀色，慮以下人，在

---

[18]《史記》，頁2196。

[19]《史記》，頁2779。

[20]《史記》，頁2209。

[21] 劉殿爵、陳方正主編，何志華執行編輯：《論衡逐字索引》(香港：香港商務印書館，1996年) 卷28，頁124。

國及家必達。夫聞也者，色取仁而行違，居之不疑，在國及家必聞。』」[22]其作「在國必聞」、「在國及家必達」者，亦與今本《論語》作「在邦必聞」、「在邦必達」者不同，可證司馬遷所見《論語》不避漢高祖名諱。

4.《論語．子路》記子曰：「『善人為邦百年，亦可以勝殘去殺矣。』誠哉是言也！」（13.11/34/28）

考《史記．孝文本紀贊》引孔子云：「善人之治國百年，亦可以勝殘去殺。」[23]其作「善人之治國百年」，與今本《論語》作「善人為邦百年」者不同，再證司馬遷所見《論語》不避高祖名諱。班固《漢書．刑法志》引孔子亦曰：「善人為國百年，可以勝殘去殺矣。」[24]或即本《史記》為說，因亦避劉邦名諱。

5.《論語．憲問》記憲問恥，子曰：「邦有道，穀；邦無道，穀，恥也。」「克、伐、怨、欲不行焉，可以為仁矣？」子曰：「可以為難矣，仁則吾不知也。」（14.1/37/3）

考《史記．仲尼弟子列傳》記：「子思問恥。孔子曰：『國有道，穀。國無道，穀，恥也。』子思曰：『克伐怨欲不行焉，可以為仁乎？』孔子曰：『可以為難矣，仁則吾弗知也。』」[25]其作「國有道」、「國無道」者，亦與今本《論語》作「邦有道」、「邦無道」者不同，可證司馬遷所見《論語》不避高祖名諱。另今本《論語》作「仁則吾不知也」，《史記》則作「仁則吾弗知也」，又可見司馬遷所見《論語》版本不避漢昭帝劉弗陵名諱。

（二）《史記》所據《論語》不避漢昭帝名諱：

1.《論語．公冶長》記子貢曰：「夫子之文章，可得而聞也；夫子之言

---

[22]《史記》，頁2204。

[23]《史記》，頁437。

[24]《漢書》，頁1108。

[25]《史記》，頁2207。

性與天道，不可得而聞也。」（5.13/10/10）

考《史記・孔子世家》引子貢云：「夫子之文章，可得聞也。夫子言天道與性命，弗可得聞也已。」[26]其作「弗」，與今本《論語》作「不」者相異，蓋司馬遷所見《論語》版本不避漢昭帝劉弗陵名諱使然。再考《漢書・眭兩夏侯京翼李傳贊》引子贛云：「夫子之文章可得而聞，夫子之言性與天道不可得而聞。」[27]是東漢班固所據《論語》已避漢昭帝名諱，故改作「不」，復與今傳世本《論語》相同。

2.《論語・述而》記子曰：「不憤不啟，不悱不發。舉一隅不以三隅反，則不復也。」（7.8/15/7）

考《史記・孔子世家》云：「不憤不啟，舉一隅不以三隅反，則弗復也。」[28]其作「則弗復也」，與今本《論語》作「則不復也」者相異，蓋司馬遷所見《論語》版本不避昭帝名諱使然。

3.《論語・微子》記齊景公待孔子事，景公曰：「吾老矣，不能用也。」（18.3/51/10）

考《史記・孔子世家》記此文則云：「景公曰：『吾老矣，弗能用也。』」[29]其作「弗」，與今本《論語》作「不」者不同，可再證司馬遷所見《論語》實不避漢昭帝劉弗陵名諱。

（三）《史記》所據《論語》用字與今本不同：

1.《論語・顏淵》記齊景公問政於孔子。孔子對曰：「君君，臣臣，父父，子子。」公曰：「善哉！信如君不君，臣不臣，父不父，子不子，雖有粟，吾得而食諸？」（12.11/32/3）

---

[26]《史記》，頁1941。

[27]《漢書》，頁3194。

[28]《史記》，頁1938。

[29]《史記》，頁1911。

考《史記．孔子世家》亦記景公問政於孔子，孔子曰：「『君君，臣臣，父父，子子。』景公曰：『善哉！信如君不君，臣不臣，父不父，子不子，雖有粟，吾豈得而食諸！』」[30]是亦引用《論語》以記孔子生平事跡。司馬遷引《論語》與今本相同，惟末句作「吾豈得而食諸」，「吾」下有「豈」字，與今本異。考《漢書．戾太子劉據傳》亦云：「故父不父則子不子，君不君則臣不臣，雖有粟，吾豈得而食諸！」則班固所據《論語》此文「吾」下亦有「豈」字。再考顏師古《注》云：「《論語》云齊景公問政於孔子，孔子對曰：『君君，臣臣，父父，子子。』公曰：『善哉！信如君不君，臣不臣，父不父，子不子，雖有粟，吾豈得而食諸！』」[31]可見唐顏師古所據《論語》「吾」下亦有「豈」字。隋陸德明《經典釋文》記「本亦作『吾焉得而食諸』」，其「吾」下有「焉」字，亦與今本《論語》不同，而類近司馬遷所見本。另阮元《十三經校勘記》亦云：「皇本、高麗本『吾』下有『豈』字。」復與司馬遷所據本相同。

四　司馬遷詮釋《論語》字詞句讀

1.《論語．述而》：「子與人歌而善，必使反之，而後和之。」(7.32/17/21)

按《論語》「必使反之」，邢昺《疏》云：「此章明孔子重於正音也。反，猶重也。」[32]朱熹《四書集注》則云：「反，復也。必使復歌者，欲得其詳而取其善也。」[33]考《史記．孔子世家》：「使人歌，善，則使復之，然后和

30《史記》，頁1911。

31《漢書》，頁2744。

32〔魏〕何晏注、邢昺疏，朱漢民整理，張豈之審定：《論語注疏》(北京市：北京大學出版社，2000年，收入《十三經注疏》系列)，頁108。

33 朱熹：《四書章句集注》(北京市：中華書局，1983年，收入《新編諸子集成》系列)，頁101。

之。」[34]可見司馬遷以「復」訓「反」，朱子所言近是。

2.《論語·泰伯》記子曰：「禹，吾無間然矣。菲飲食而致孝乎鬼神，惡衣服而致美乎黻冕，卑宮室而盡力乎溝洫。禹，吾無間然矣。」（8.21/19/29）

考皇侃《義疏》云：「禹自所居土階三尺，茅茨不翦，是卑宮室也，而通達畎畝，以利田農，是盡力溝洫也。」[35]意謂禹卑下其所居之宮室，以利通達於田間溝洫。邢昺《疏》亦云：「言禹卑下所居之宮室，而盡力以治田間之溝洫。」[36]亦以為禹卑下宮室以利農事工作。然考《史記·夏本紀》云：「薄衣食，致孝于鬼神。卑宮室，致費於溝淢。」[37]可見司馬遷以為禹卑宮室，意在克儉蓄積，俾能「致費於溝淢」。再考《尚書·大禹謨》亦云：「克勤于邦，克儉于家，不自滿假，惟汝賢。」孔安國《傳》云：「言禹惡衣薄食，卑其宮室，而盡力為民，執心謙沖，不自盈大。」孔穎達《疏》即引《論語》云：「惡衣服，菲飲食，卑宮室，而盡力乎溝洫。」可見偽孔《傳》、孔穎達《疏》皆以《論語》此章在於言明夏禹「克儉于家」，而與《尚書》文義相合，亦可證司馬遷「致費」之義，言而有據，彌足徵信。

3.《論語·衛靈公》記子曰：「直哉史魚！邦有道，如矢；邦無道，如矢。君子哉蘧伯玉！邦有道，則仕；邦無道，則可卷而懷之。」（15.7/42/15）

考何晏《論語集解》引包咸云：「卷而懷，謂不與時政，柔順不忤於人。」[38]意謂國無道，則君子柔順，不逆人意。邢昺《論語注疏》亦從包咸

---

[34]《史記》，頁1940。

[35] 黃懷信主撰，周海生、孔德立參撰：《論語彙校集釋》，頁737。

[36]〔魏〕何晏注、邢昺疏，朱漢民整理，張豈之審定：《論語注疏》，頁122。

[37]《史記》，頁51。

[38] 黃懷信主撰，周海生、孔德立參撰：《論語彙校集釋》，頁1377。

說，因謂：「國若無道，則韜光晦知，不與時政，亦常柔順不忤逆校人。」[39]今按《史記．蔡澤列傳》云：「國有道則仕，國無道則隱。」[40]可見司馬遷以為「卷而懷之」者，乃歸隱之義。再考《孔子家語．三恕》引孔子之言曰：「國無道，隱之可也。」亦與《史記》義同。又《孔子家語．正論解》引孔子之言曰：「古之士者，國有道則盡忠以輔之，無道則退身以避之。」亦取歸隱義。考皇侃《論語義疏》注解「卷而懷之」，亦云：「國若無道則韜光匿智而懷藏，以避世之害也。」[41]至於朱子《四書集注》亦云：「卷，收也。懷，藏也。」[42]是亦取歸隱之義，而與《史記》詮釋義理相合。

> 4.《論語．子罕》記孔子見齊衰者、冕衣裳者與瞽者，見之，雖少，必作；過之，必趨。（9.10/20/31）

考邢昺《論語注疏》云：

> 言夫子見此三種之人，雖少，坐則必起，行則必趨。[43]

案此可見邢昺讀「少」為「多少」之義，因謂：「三種之人，雖少。」然考《史記．孔子世家》云：「見齊衰、瞽者，雖童子必變。」[44]則可見司馬遷讀「少」為「年少」之義，因而詮釋原文義訓為：「雖童子必變。」翟灝《四書考異》云：

> 邢氏讀「少」為上聲，嫌文未足，乃以意增「坐」字解之。據皇本作「少」者，而《史記》以「童子」代「少」字，則「少」當去聲無疑。[45]

39〔魏〕何晏注、邢昺疏，朱漢民整理，張豈之審定：《論語注疏》，頁238。

40《史記》，頁2422。

41 黄懷信主撰，周海生、孔德立參撰：《論語彙校集釋》，頁1377。

42 朱熹：《四書章句集注》，頁163。

43〔魏〕何晏注、邢昺疏，朱漢民整理，張豈之審定：《論語注疏》，頁130。

44《史記》，頁1940。

45 黄懷信主撰，周海生、孔德立參撰：《論語彙校集釋》，頁780。

此翟灝據司馬遷詮釋《論語》所得，修訂邢昺《疏》之義訓，可謂言之有據，信而有徵。至於司馬遷將《論語・子罕》原文「雖少，必作」詮釋為「雖童子必變」，其作「變」者，乃據《論語》原書為訓，考《論語・鄉黨》云：

> 見齊衰者，雖狎，必變。見冕者與瞽者，雖褻，必以貌。（10.25/25/24）

〈鄉黨〉亦並舉夫子見「齊衰者」、「冕者」與「瞽者」必據禮改容事，以示夫子哀喪憐憫之意。其旨意與《論語・子罕》此文固可並觀。〈鄉黨〉既作「雖狎必變」，司馬遷據之詮釋〈子罕〉「雖少必作」為「雖童子必變」，此司馬氏通讀《論語》，採用互文見義之詮譯方法，較之邢昺《疏》所謂「雖少，坐則必起」，更能切合《論語》原文義訓。邢昺疏解《論語》，似未參考司馬遷相關詮釋，因讀「少」為上聲，又增「坐」字為釋，強為曲說。翟灝《四書考異》因以為邢氏以意增字為解，而未敢遽信。

> 5.《論語・述而》云：「陳司敗問昭公知禮乎？孔子曰：『知禮。』孔子退，揖巫馬期而進之，曰：『吾聞君子不黨，君子亦黨乎？君取於吳，為同姓，謂之吳孟子。君而知禮，孰不知禮？』巫馬期以告。子曰：『丘也幸，苟有過，人必知之。』」（7.31/17/14）

考楊伯峻《論語譯注》將原文首句作一句讀，因而標點為：「陳司敗問昭公知禮乎？」並翻譯原文為：「陳司敗向孔子問魯昭公懂不懂禮？」[46]又高流水點校《論語正義》此文，亦點作：「陳司敗問昭公知禮乎？」[47]又北京中華書局編輯部點校朱熹《四書章句集注》，亦作一句讀[48]。據此可知，三書點校者皆以《論語》「問昭公知禮乎」一語乃記述者之言，而非直接引用陳司敗語，因作一句讀。然而，《史記・仲尼弟子列傳》云：

---

46 楊伯峻：《論語譯注》（北京市：中華書局，1980年），頁74。

47 劉寶楠撰、高流水點校：《論語正義》，頁279。

48 朱熹：《四書章句集注》，頁100。

陳司敗問孔子曰：「魯昭公知禮乎？」孔子曰：「知禮。」[49]

司馬遷據《論語》改寫原文，於「陳司敗問」下加「孔子曰」，可見司馬遷以為「魯昭公知禮乎」一語，乃陳司敗所言，是為直接引語。司馬遷詮釋經文，觀察細微。今考程俊英、蔣見元點校程樹德《論語集釋》，此文正作：

陳司敗問：「昭公知禮乎？」孔子曰：「知禮。」[50]

如此標點，乃與司馬遷詮釋《論語》此文句讀相合，實可徵信。

五　司馬遷詮釋《論語》文義

1.《論語．八佾》：「子曰：『夏禮，吾能言之，杞不足徵也；殷禮，吾能言之，宋不足徵也。文獻不足故也。足，則吾能徵之矣。』」（3.9/5/16）

又《論語．為政》：「子張問：『十世可知也？』子曰：『殷因於夏禮，所損益，可知也；周因於殷禮，所損益，可知也。其或繼周者，雖百世可知也。』」（2.23/4/18）

又《論語．八佾》：「子曰：周監於二代，郁郁乎文哉！吾從周。」（3.14/5/29）

考《史記．孔子世家》云：

追跡三代之禮，序《書傳》，上紀唐虞之際，下至秦繆，編次其事。曰：「夏禮吾能言之，杞不足徵也。殷禮吾能言之，宋不足徵也。

---

[49]《史記》，頁2218。

[50] 程樹德撰，程俊英、蔣見元點校：《論語集釋》（北京市：中華書局，1990年，收入《新編諸子集成》系列），頁495。

足，則吾能徵之矣。」觀殷夏所損益，曰：「後雖百世可知也，以一文一質。周監二代，郁郁乎文哉。吾從周。」[51]

由此可見，司馬遷結合《論語》三章以記孔子編次史事之方法，其謂：「夏禮吾能言之，杞不足徵也。殷禮吾能言之，宋不足徵也。足，則吾能徵之矣。」乃據《論語．八佾》第九章立論。至於《史記》記述孔子之言，其謂：「觀殷夏所損益，曰：『後雖百世可知也。』」則明顯據《論語．為政》第二十三章為說。《史記》後文復記夫子之言，其謂：「周監二代，郁郁乎文哉。吾從周。」則又明顯依據《論語．八佾》第十四章為說。由此可見，司馬遷結合《論語》不同篇章，取其內容義理相近者，重新剪裁，可謂去取有道，言皆有據。然而，《史記》兩記孔子之言，中間夾雜「一文一質」句，則不見今本《論語》。考司馬遷《史記．平準書》云：「是以物盛則衰，時極而轉，一質一文，終始之變也。」可知「一文一質」者，語出司馬遷。司馬遷蓋以己意詮釋《論語》，以為「殷、夏所損益」，乃以文質更迭進行。按司馬遷所言，固亦有據。考董仲舒《春秋繁露．三代改制質文》云：「王者以制，一商一夏，一質一文。商質者主天，夏文者主地。」亦以商、夏二代，文質更迭，是為司馬遷此文詮釋《論語》所本。然而，司馬遷雖稱有據，惟其混董生及一己之言於夫子話語之中，似可商榷。

2.《論語．子罕》首章即云：子罕言利與命與仁。（9.1/20/5）

考皇《疏》云：「『言』者，說也。」[52]程樹德案語云：

竊謂解此章者多未瞭解「言」字之義。蓋「言」者，自言也。記者旁窺已久，知夫子於此三者皆罕自言，非謂以此立教也。說者徒見弟子問答多問「仁」，遂疑「命」、「仁」為夫子所常言，實則皆非此章之義也。《論語》中如「小人喻於利」、「放於利而行」、「君子畏天

---

[51]《史記》，頁1936。

[52] 程樹德撰，程俊英、蔣見元點校：《論語集釋》，頁565。

> 命」、「不知命無以為君子」、「我欲仁而仁至」、「當仁不讓於師」之類，出於夫子自言者實屬無幾。[53]

案程氏以「言」為「自言」之義，亦增字為釋。今案《史記・外戚世家》云：「孔子罕稱命，蓋難言之也。非通幽明之變，惡能識乎性命哉？」[54]可見司馬遷以為「言」當訓「稱」，蓋以為「稱述」之意。

六　結論

一、司馬遷《史記・孔子世家》云：「余讀孔氏書，想見其為人。適魯，觀仲尼廟堂車服禮器，諸生以時習禮其家，余祗迴留之不能去云。」可見司馬遷敬重孔夫子。由此可知，舉凡《史記》稱引《論語》，司馬遷必當細心引錄，又或用心詮釋，其相關之引文，又或所詮釋之義訓，皆當有據，非憑臆造。學者倘能細意分析相關引文，以及其詮譯之義訓，於《論語》、《史記》兩書之研究，均當有所裨益。

二、古人以經證經，多所發明。西漢司馬遷與《論語》成書年代相距未遠，其撰作《史記》援引《論語》，於《論語》經義之闡明，裨益良多，彌足珍貴。《史記・五帝本紀》、〈殷本紀〉等篇章，司馬遷襲用《尚書》者多，近人古國順《史記述尚書研究》專就相關重文進行比對研究，以見司馬遷襲用《尚書》之方法，多有創見。今既知《史記》多有引用《論語》者，則亦當全面蒐集相關例證，以見司馬遷如何詮釋《論語》，並據此比對《論語》諸家舊說，參伍比度，考其異同，信能釐清舊說，闡明經義。

本論文為香港研究資助局資助之「先秦兩漢詞彙綜合研究」部分研究成果，謹向該局致謝。

---

[53] 同上，頁568。

[54]《史記》，頁1967。

Huang Kan’s Lunyu yishu and Qing scho’rship (Part One)

Bernhard Fuehrer 傅熊 *

WORK IN PROGRESS – NOT FOR CITATION

In addition to the information transmitted in bibliographical chapters of dynastic histories, library catalogues and book lists provide hints for an investigation into the fate of Huang Kan’s 皇侃（488～545）*Lunyu yishu*（《論語義疏》）but opinion remains divided as to when exactly the book was originally lost in China. The book is recorded, under slightly different titles, in the *Chongwen zongmu*（《崇文總目》）, the *Zhongxing guange shumu*（《中興舘閣書目》）, the *Junzhai dushuzhi*（《郡齋讀書志》）and the *Suichutang shumu*（《遂初堂書目》）. Whether the *Lunyu yishu* was still available in the vaste library of the official and book-collector Chen Zhensun 陳振孫（*c*.1190–after 1249）is uncertain.[1]In his exposé on *Lunyu* commentaries dating from the Liang dynasty Wang Yinglin 王應麟（1223–1296）mentionned the titles *Lunyu shu* and *Lunyu yishu* for Huang Kan’s work.[2]Later bibliographies no longer list the *Lunyu yishu*, and a number of

---

* School of Oriental and African Studies（London）倫敦大學亞非學院。

1 The original version of his descriptive catalogue did not survive, and the present version of the *Zhizh aishulu jieti*（《直齋書錄解題》）which does not list the *Lunyu yishu*, stems from as late as the year 1773 when it was recompiled from the *Yongle dadian*（《永樂大典》）and the *Wenxian tongkao*（《文獻通考》）.

2 See Wang Yinglin: *Yuhai*, 41: 18a–18b [p. 809]. However, the material presented in this encyclopaedia derives from bibliographical reference material and its author has not commented on whether Huang Kan’s work was available to him.

classicists including celebrities such as Zhu Yizun 朱彝尊（1629–1709）noted that they were unable to locate a copy of it. As far as the entry in his *Jingyikao*（《經義考》）is concerned, Zhu Yizun simply stated he "had not seen it"（*wei jian* 未見）rather than describing it as "lost"（*yi* 佚）.[3]

Form these bibliographical traces it is thus deduced that as its relevance and pertinence to current intellectual trends diminished and some of its views had become incompatible with the new intellectual pursuits, the *Lunyu yishu* had finally lost its readership and ceased to exist physically in China by the end of the Northern Song（960–1127）or during the change from Northern to Southern Song（1127–1279）.[4] In a short article on the *Lunyu yishu*, Sun Zhizu 孫志祖（1736–1800）stated the text "was already lost during the Southern Song."[5] Liang Zhangju 梁章鉅（1775–1849）believed the *Lunyu yishu* "already ceased to be transmitted when the Song moved to the south" in 1127.[6] And the *Siku quanshu* bibliographers held the book "was lost during the Southern Song," a view shared also by Gui Wencan 桂文燦（1823–1884）.[7]

---

3 See Zhu Yizun: *Jingyikao*, *fasc.* 212, p. 1091.

4 See *Zhizhaishulu jieti*, 3: 26b–33a [p. 572–575].

5 Sun Zhizu: "Lunyu yishu", in: *Dushu cuolu*, 2: 15b: 南宋時已佚.

6 Liang Zhangju: *Lunyu pangzheng*, 11: 8b.

7 Yong Rong: *Siku quanshu zongmu*, *fasc.* 35, p. 290. Gui Wencan: *Lunyu Huang shu kaozheng*, 10: 2b. As for more recent scholarship, Liang Qixiong 梁啓雄（1900–1965）gathered the book was lost during the Southern Song, probably sometime between the beginning of the reign of Zhao Shen 趙眘（1127–1194; Emperor Xiaozong 孝宗, r. 1162–1189）and the third or fourth decade of the reign of Zhao Yun 趙昀（1205–1264; Emperor Lizong 理宗, r. 1224–1264）, i.e. between the 1160s and around 1260; See Liang Qixiong: "Lunyu zhushu huikao", p.217. Following the abridged *Siku quanshu* catalogue, Jian Boxian 簡博賢 held it to be lost during the Southern Song. See Yong Rong: *Siku quanshu jianming mulu*, p. 135; Jian Boxian: *Jincun Nanbeichao jingxue yiji kao*, p. 240. According to Chang Bide 昌彼得: "*Lunyu* banben yuanliu kaoxi", p. 145, it was probably lost at the time of the takeover from Northern to Southern Song. And finally, Chen Jinmu 陳金木 argued that the listing of Huang Kan's *Lunyu shu*（10 scrolls）in the bibliographical chapter of the

In his study notes *Dushu cuolu*（《讀書脞錄》）（1809）, Sun Zhizu 孫志祖（1736–1800）, a dedicated follower of the so～called Han learning movement and bibliophile who specialised in textual criticism, submitted that the *Lunyu yishu* "was already lost during the Southern Song [1127–1279]" and that "Zhu Xi had therefore definitely not seen it." [8] With reference to You Mao 尤袤（1127–1193）reportedly possessing a copy of the *Lunyu yishu*, and in view of textual parallels in the *Lunyu yishu* and the *Lunyu jizhu*（《論語集註》）（1177）, Zou Boqi 鄒伯奇（1819–1869）assumed Huang Kan's "subcommentary was not yet lost at the time of Zhu Xi" [9] and that Zhu Xi 朱熹（1130～1200）had consulted the *Lunyu yishu* when compiling his *Lunyu jizhu*. This view was challenged by Chen Li 陳澧（1810–1882）, a superintendent at the Xuehaitang 學海堂 academy and the first director of the Jupo jingshe 菊坡精舍 academy established by Fang Junyi 方濬頤（1815–1889）in 1867.[10] In a somewhat polemic statement Chen Li referred to the annotations on LY 15.4 where He Yan 何晏（190～249）and Zhu Xi both follow Wang Su's 王肅（195–256）explanation of the passage *zhi de zhe xian yi* 知德者鮮矣（indeed, few are those who understand virtue）and related it to LY 15.2, the famous conversation between the Master and his distressed pupil Zilu 子路 on the accomplished person's behaviour in adversity when the Master and his followers came under siege in Chen and their provisions were running out.[11] Huang Kan

---

history of the Song which was compiled between 1343 and 1345, is likely to be copied from earlier source material and does therefore not indicate that the Yuan dynasty bibliographers had actually access to a copy of Huang Kan's book. See *Songshi*, 202: 5067; Chen Jinmu: *Huang Kan zhi jingxue*, 151. Although it seems impossible to pinpoint exactly when the *Lunyu yishu* was lost in China, it emerges that from the time of Zhu Xi up to the Qianlong period we find no commentator who referred to Huang Kan's book.

8 See Sun Zhizu: "*Lunyu yishu*," in: *Dushu cuolu*, 2: 15b.

9 See Zou Boqi: "Huang Kan *Lunyu yishu* ba（yi）," in: *Xuehaitang san ji*, 13: 2a [p. 173].

10 See Chen Li: *Dongshu dushuji*, 2: 13b–14a [p. 365].

11 See *LYYS*, 8: 3a [LY 15.4] where Huang Kan stated that following Wang Su's explanation,

rejected Wang Su's reading, took LY 15.4 as not related to LY 15.2 and perceived it "as a general statement about the moral quality of Confucius' contemporaries." [12] With the reading tradition of this passage divided up to the present day, Chen Li favoured Huang Kan's interpretation and concluded that Zhu Xi was probably unaware of this — in Chen Li's view — more suitable interpretation. On account of this single evidence he thus surmised that Zhu Xi "probably never saw Huang's sub～commentary" (*gai wei jian Huang shu* 蓋未見皇疏) and queried whether You Mao "perhaps never lend [him his copy of the *Lunyu yishu*]" (*gai wei jie yue yu* 蓋未借閱歟). [13] Although his rationale displays a common figure in Qing scholarship, Chen Li's argument can hardly be described as persuasive. Given the complex history of different responses to the interpretative challenges of the *Lunyu*, Chen Li presented a generalization based on one isolated reading, which rests on the presumption that an interpretation that he considered superior would also be identified as such by Zhu Xi. This false analogy which may well be rooted in Chen Li's conviction of having fully "understood" Zhu Xi's reasoning, but it remains, nevertheless, unplausible.

As far as the *Lunyu yishu*'s re～introduction to China is concerened, we know that shortly after its publication in 1731 Yamanoi Kanae's 山井鼎 (Koron 昆崙; 1681–1728) study on the Seven Classics and the *Mengzi* was shipped to China where wealthy book～collectors and scholars had created a bibliophilic atmosphere and leisurely life～style in the Jiangsu and Zhejiang area. The copy was purchased by Wang Qishu 汪啟淑 (1728–1799), a salt merchant who had accumulated enormous financial means and built up an enormous private library. Wang Qishu lacked academic credentials and acquired a reputation for his illiberal

the Master's words relate to the shortage of provisions. See also *LYJZ*, p. 160.

[12] Slingerland: *Analects*, p. 175.

[13] See Chen Li: *Dongshu dushuji*, 2: 13b–14a [p. 365].

attitude towards loaning books, but his library held copies of a number of works imported from Japan for nearly thirty years without putting them to good use. It was only at the occasion of a visit by Hang Shijun 杭世駿（1696–1773）and Zhai Hao 翟灝（1736–1788）to Wang Qishu's library in 1761, that the real value of these copies from Japan was discovered. Among the copies in Wang Qishu's collection, the two scholars discovered the *Shichikei Mōshi kōbun* / *Qijing Mengzi kaowen*（《七經孟子考文》）which confirmed to them that Huang Kan's *Lunyu yishu* had survived in Japan.[14] Having gained access to Yamanoi's extensive notes on textual discrepancies, Zhai Hao became the first scholar in China to gain insights into the textual features exhibited in Japanese manuscript copies of the *Lunyu yishu*.[15] As he first had to work with a secondary source, his research made the urgent need for copies of Huang Kan's sub～commentary even more manifest.[16]

Wang Qishu's copy of the *Shichikei Mōshi kōbun* / *Qijing Mengzi kaowen* as well as a copy of Huang Kan's *Lunyu yishu* were purchased in Japan by Wang Peng 汪鵬（style: Yicang 翼滄）who had continuously made business trips to Japan and brought back copies of books lost in China. In his preface to the *Lunyu yishu* the bibliophile Lu Wenchao 盧文弨（1717–1796）reported in 1788 that Wang Peng had obtained a copy of Huang Kan's*Lunyu yishu* from the Ashikaga College in Shimotsuke sometime between 1761 and 1764.[17] The manuscript purchased was a copy of the so～called Kan～en 寛延（1750）redaction collated

---

[14] See Zhai Hao: *Sishu kaoyi*.

[15] See Zhai Hao's notes on the *Lunyu* in his *Sishu kaoyi* and the in Takeuchi Yoshio: *Rongo no kenkyū*.

[16] Bao Tingbo later made available to him a copy of the *Lunyu* [*jijie*] *yishu*; see Zhai Hao: *Sishu kaoyi*.

[17] See Lu Wenchao: "Huang Kan *Lunyu yishu* xu", in: *Lunyu jijie yishu* [ZBZZCS rpt. 1921], 1a–1b. As Wang Peng's notes on his trip to Japan are dated 1764, this year can serve as *ante quem* for his acquisition of this manuscript copy.

by Nemoto Sonshi 根本遜志 (1699–1764), a junior colleague of Yamanoi Kanae at the Ashikaga College. Following the nationwide search for rare editions and valuable copies from private and local collections for the *Siku quanshu* enterprise, the copy was presented to the Board of Lost Books (*yishuju* 遺書局) in or around 1772 by either Wang Peng or Wang Danwang 王亶望 (d. 1781), the Provincial Administration Commissioner (*buzhengshi* 布政使) in Zhejiang between 1777 and 1780.[18] In addition he latter prepared the first reproduction of the *Lunyu [jijie] yishu* (論語〔集解〕義疏) in China, a pocked～sized edition (*jinxiang ben* 巾箱本) published in 1775, which was shortly to be followed by the Wenyuange 文淵閣 version (1781), the other subsequent instalments of the *Siku quanshu* and the Wuyingdian 武英殿 redaction (1787).[19]

Whereas scholars like Yu Xiaoke 余蕭客 (1729–1777) and Wang Mo 王謨 (1731–1817) went to considerable efforts to re～establish the text of the *Lunyu [jijie] yishu* so as to improve access to previously lost books through attempts to collecting textual fragments and therewith to re～compile lost books, a rather different approach was shown by Bao Tingbo 鮑廷博 (1728–1814).[20] As a celebrated bibliophile and owner of an enormous collection of rare editions and fragments in Hangzhou, Bao Tingbo had handed in 626 titles from his private

---

[18] See Zhai Hao: *Sishu kaoyi* and Takeuchi Yoshio: *Rongo no kenkyū*, p. 427. On Wang Danwang see *Qingshigao*, 339: 11073–11076. Note that Wu Weizu: *Siku caijin shumu* has no record of him handing the *Lunyu [jijie] yishu* over to the *Siku quanshu* commission; see also Takeuchi Yoshio: *Rongo no kenkyū*. *Siku quanshu zongmu*, vol. 1, p. 290 notes that the *Lunyu yishu* was handed in by the governor (*xunfu* 巡撫) of Zhejiang province.

[19] For more detail see my "'The Text of the Classic and of the Commentary Differ Considerably From Recent Editions.' A Case Study on the *Siku quanshu* Edition of Huang Kan's (488–545) Subcommentary to the *Lunyu*".

[20] The results of their work can be found in compilations such as the *Gujingjie gouchen* (《古經解鉤沉》) (*Old explanations on the classics fished out from the deep* [*of oblivion*]; finished around 1762) and the *Han Wei yishuchao* (《漢魏遺書鈔》) (*Copies from lost books from the Han and Wei* [*periods*]; 1789).

collection to the *Siku quanshu* commission and therewith made a substantial contribution to the establishment of the imperial library. It is not entirely clear when and how Bao Tingbo gained access to the *Lunyu jijie yishu* but the sources seem to suggest that he received a copy probably during the 1770s either from Wang Danwang or, as Wu Qian 吳騫（1733–1813）suggests, directly from Wang Peng.[21] However, we do know that by 1780 Bao Tingbo had made Huang Kan's work available to a number of scholars including Zhai Hao, Wu Qian, Lu Wenchao, and Chen Zhan 陳鱣（1753–1817）.[22] All the copies accessed by these scholars as well as later generations of Qing scholars show the altered sub～commentary on LY 3.5. This to say that although the *Lunyu yishu* circulated again in China, the original Huang Kan sub～commentary on LY 3.5 remined inaccessible and a good deal of scholarship on LY 3.5 is mislead by the censorship that took place shortly after the Lunyu yishu had returned to China again.[23]

In co-operation with his elder son, Bao Tingbo reproduced some of the rarest

---

[21] See his preface to the *Huangshi Lunyu yishu canding*, 1a. [p. 507].

[22] Wu Qian, the bibliophile editor of the *Baijinglou congshu*（《拜經樓叢書》）from Haining, and compiled a comprehensive textual study of the *Lunyu yishu* and Yamanoi Kanae's notes on textual discrepancies in his *Shichikei Mōshi kōbun* or *Qijing Mengzi kaowen*. See the appendix to his *Huangshi Lunyu yishu canding*, p. 980. Lu Wenchao used it in his research on the *Jingdian shiwen*; see his *Jingdian shiwen kaozheng*. Wu Qian's *Huang shu canding*（皇疏參訂）or *Huang Kan Lunyu yishu canding*（《皇氏論語義疏參訂》）(10 scrolls）remained unfinished, and although it was never officially published, draft versions with additional notes by numerous scholars were in circulation. A Baijinglou 拜經樓 manuscript copy preserved at Ky　to University with a preface dated 1781was reproduced in the *Xuxiu Siku quanshu*（《續修四庫全書》）series. Chen Zhan, one of the former assistants to Ruan Yuan during the compilation of the *Jingji zuangu*（《經籍纂詁》）, integrated the *Lunyu jijie yishu* into his *Lunyu guxun*（《論語古訓》）, a study of old glosses and explanations of the *Lunyu*.

[23] See also *Xuxiu Siku quanshu zongmu tiyao. Jing bu*, vol. 2, p. 860, and my "The Text of the Classic and the Commentaries Deviates Greatly from Current Editions'. A Case Study of the *Siku quanshu* Version of Huang Kan's *Lunyu yishu*."

and most valuable redactions and copies held in their private library and therewith made them widely available to scholars. These reset movable type reprints were compiled between 1769 and 1814, and issued in various instalments between 1776 and 1823 under the collective title *Zhibuzuzhai congshu*（《知不足齋叢書》）（*Collectanea of the Studio of Knowing–one's–insufficiency*）.[24] This copy of the *Lunyu jijie yishu* was subsequently re-issued by the eminent academician Chen Li 陳澧（1810–1882）in his collection of classics and commentaries prior to the Song period who reprinted the *Zhibuzuzhai congshu* version with the altered sub-commentary on LY 3.5.[25] Together with the reprint in Chen Li's *Gu jingjie huihan*（《古經解彙函》）（1873）, the *Zhibuzuzhai congshu* edition was the most widely circulated version of the *Lunyu jijie yishu* in China until 1921 when the Gushu liutongchu（古書通流處）in Shanghai reproduced the *Zhibuzuzhai congshu* with textual amendments including substitution of the pseudo-Huang Kan by the original sub～commentary on LY 3.5.[26]

---

[24] The undated reprint of Huang Kan's work in section（*ji* 集）seven of this collection is entitled *Lunyu jijie yishu*（10 *juan*）. Its colophon names He Yan as compiler of the *jijie* commentary and Huang Kan as compiler of the *yishu* sub-commentary. It has He Yan's preface to the *Lunyu jijie*（with the sub-commentary by Huang Kan）, Huang Kan's preface to the *Lunyu yishu*, and an additional preface by Lu Wenchao（dated 1788 QL 53）. Asc this version incorporates the revised wording of the sub-commentary on *Lunyu* 3.5, Wu Chengshi: "*Lunyu Huang shu* jiaoben xu," p. 267 suggested that Bao Tingbo amended the original text in order to bring it in line with the censored version in the SKQS.

[25] See *Lunyu jijie yishu*（*Zhibuzuzhi congshu* red., 1776–1823）, 2:4b–5a, Chen Li: *Gu jingjie huihan*（12 cases; Canton: Yuedong shuju, 1873）, *Lunyu jijie yishu*, 2:4a.

[26] Since the original plates were in poor conditions, new plates needed to be cut and a number of textual amendments were made. Among other changes, the amended sub–commentary on LY 3.5 was changed back to its original wording. The Gushu tongliuchu reproduction has the prefaces by Lu Wenchao, Huang Kan, He Yan, and the additional preface（dated 1750）which also appears in the Genji 元治（1864）reprint of the Kan-en 寬延（1750）collation but is absent from the earlier *Zhibuzuzhai congshu*（1776–1823）version. The *Zhibuzuzhai congshu*（12 vols.; Taibei: Xingzhong shuju, 1964）and the *Zhibuzuzhai* version of the *Lunyu*

The *Siku quanshu* catalogue undoubtedly refers to a reproduction of the 1750 Japanese copy, closely associates the *Lunyu yishu* with the Bao family and describes the text reproduced in the *Zhibuzuzhai congshu* as "authentic" (*xin yiwen zhen* 信以為真).[27] And in his preface (1797) to the reprint of Yamanoi's work in China, Ruan Yuan 阮元 (1764–1849) stated that the manuscripts of "Huang Kan's [*Lunyu*] *yishu*" used by Yamanoi which had caused a massive quantity of notes on textual differences, "truly represented [the text of] the original copy from the Six Dynasties [220–589]" (*xun wei liuchao zhenben* 洵為六朝真本).[28] A few years later Ruan Yuan used a copy of Nemoto Sonshi's version with the additional preface dated 1750 in preparing his notes on textual discrepancies in the thirteen classics completed in 1805 and first published in 1806.[29] As noted by

---

jijie yishu in LYJC are both reprints of the 1921 Gushu tongliuchu version. The colophon of the Gushu tongliuchu reproduction names He Yan as compiler of the *jijie* and Huang Kan as the compiler of the *yishu* commentaries, and Wang Danwang as the person responsible for the re-set (*congkan* 重刊) of this redaction. Like in Wang Danwang's pocket–sized edition, Wang Danwang's name appears exactly at the same place where the Genji redaction names Nemoto Sonshi as its collator (*jiaozheng* / *kōsei* 校正). In addition, the 1921 version also names proof-readers (*jiaozi* 校字) at the end of each scroll (*juan*). See e.g. *Lunyu jijie yishu* (*Zhibuzuzhai congshu*; 1921), 1: 33b where Wang Peng, i.e. Wang Yicang, is named as proofreader of the first scroll; the proofreader of the second scroll is given as Fan Shijian 樊士鑑, a native of Linfen 臨汾 (2: 35a), and so forth. No such information is encountered in the original *Zhibuzuzhai congshu* (1776–1823) version where no reference to Wang Danwang or to Nemoto Sonshi is given. The textual arrangement in Bao Tingbo's version does however give rise to the suspicion that the third column – i.e. the reference to Wang Danwang or Nemoto Sonshi – was taken out after the print had already been set.

[27] See *Siku quanshu zongmu*, vol. 1, p. 290 and note that Wu Weizu: *Siku caijin shumu*, pp. 88–96 does not list the *Lunyu* [*jijie*] *yishu* among the books handed in by the Bao family.

[28] Ruan Yuan: "Xu" 序, in: Yamanoi Kanae: *Shichikei Mōshi kōbun* [*ho-i*] / *Qijing Mengzi kaowen* [*buyi*], vol. 1, p. 2.

[29] For a detailed description see his list of editions used in *Lunyu zhushu*, "Jiaokanji" : 1: 1b [p. 9].

Wang Mingsheng 王鳴盛（1722–1798）in his critical study of seventeen dynastic histories first printed in 1787, Bao Tingbo had rendered an invaluable service to the scholarly community by again making available the *Lunyu yishu* in his *Zhibuzuzhai congshu*.[30] Subsequently the main text as well as the previously lost explanations transmitted in Huang Kan became an integral part of the research on the *Lunyu*. In the context of the disputed veracity of the *Lunyu yishu*, referred to the *Siku quanshu* bibliographers' statement regarding the textual discrepancies in the main, Qian Daxin 錢大昕（1728–1804）suspected the passage in LY 14.27 to be corrupt.[31] Whereas the *Lunyu zhushu* has *junzi chi qi yan er guo qi xing* 君子恥其言而過其行（The accomplished person is modest in his speech but surpasses in his actions）, Huang Kan has *junzi chi qi yan zhi guo qi xing* 君子恥其言之過其行（The accomplished person is ashamed to let his words exceed his actions）.[32] Since Xing Bing read the connective *er* 而 in the sense of the subordination marker *zhi* 之 in his sub-commentary, Qian Daxin suspected the *Lunyu zhushu* originally had the wording as shown in the *Lunyu yishu*, i.e. 君子恥其言之過其行. The main text in the current versions of *Lunyu zhushu* is thus deemed to result from textual amendments made in an attempt to harmonizing it with the main text in Zhu Xi's *Lunyu jizhu*.[33] His argument in support of the wording transmitted in the *Lunyu yishu* and against more recent text versions was also supported by Ruan Yuan who underpinned this view by reference to a similar passage in Wang Fu's 王符（*fl. c.* 150）*Qianfulun*（《潛夫論》）.[34] The *Lunyu yishu* was thus

---

30 See Wang Mingsheng: *Shiqi shi shangque* where he mentions the re-discovery of Huang Kan's work.

31 See Qian Daxin: *Qianyantang wenji*, 9: 9b [p. 81].

32 See *LYZS*, 14: 12b [p. 128] and *LYYS*, 7: 35.

33 See Qian Daxin: *Qianyantang wenji*, 9: 9b–10a [pp. 81–82] and *LYJZ*, fasc. 7, p. 155.

34 See *LYZS*, "Jiaokanji" : 7a [p. 135]. *Qianfulun*, fasc. 8, p. 93 has 若夫言過其行者 and note Wang Jipei's 汪繼培（b.1775）commentary which refers explicitely to the wording in Huang Kan's *LYYS* as 君子恥其言之過其行.

seen as a window into the pre-Song tradition, an early textual witness to support reconstructions of pre-Song readings of the *Lunyu*.

As the diffusion of Huang Kan's previously lost sub-commentary in China was facilitated during the second half of the 18th century, the textual reliability of the copies preserved abroad became topical. Scholars like Jiang Fan 江藩（1761–1831）and Ding Yan 丁晏（1794–1875）challenged their veracity and advised against using this material which they considered doubtful. Without any further arguments but with reference to the fake tripot presented once to the duke of Qi, Jiang Fan 江藩（1761–1831）described the Ashikaga College version as "counterfeit"（*yanding* 贗鼎; lit.: fake tripot）.[35] As we are told in the old story the duke of Lu later replaced the fake tripot by the real one, we might assume that Jiang Fan hoped for an "authentic version" of Huang Kan's work to emerge from oblivion. And in his account on the academic achievements of his teacher Yu Xiaoke, Jiang Fan refuted Dai Zhen's 戴震（1724–1777）criticism on the *Gujingjie gouchen* with a reference to Huang Kan's *Lunyu yishu*. In his view, the fragments collected by Yu Xiaoke offer glimpses into the authentic *Lunyu yishu* whereas the redaction circulated again during the Qing period is taken to be a "forgery produced at the Ashikaga College"（*Zuli yanding* 足利贗鼎）.[36] In a treatise on how to study and to read the classics, Ding Yan 丁晏（1794–1875）also challenged the veracity of the *Lunyu* [*jijie*] *yishu* and advised against relying on this material.[37] Talking about commentarial literature of questionable provenience and forgeries, he states that "for the *Lunyu*, [we] have the pseudo Kong Anguo

---

[35] See Jiang Fan: "*Lijing wen*", in: Xu Shichang: *Qing ru xue'an*, 118: 12a. For the story about the tripot see Wang Xianshen: *Han Feizi jishi*, fasc. 23, p. 144; Gao You: *Lüshi Chunqiu zhu*, fasc. 9, p. 90–91; and Liu Xiang: *Xinxu*, 7: 7b [p. 41].

[36] See Jiang Fan: *Hanxue shichengji*, fasc. 2, p. 32.

[37] See Ding Yan: "*Du jing shuo*", in: Xu Shichang: *Qing ru xue'an*, 160: 32b.

commentary and the pseudo Huang Kan sub-commentary." [38] Together with other dubious material they should "all be discarded and never be used" (*jie bing er bu qu* 皆屏而不取). [39]

Sun Zhizu 孫志祖 (1736–1800) who took "Huang Kan's sub-commentary as apparently authentic " (*Huang shu si zhen ye* 皇疏似真也) was among the most outspoken scholars who argued against the perception of the *Lunyu yishu* as a forgery. [40] In his view curious passages like the story about Gongye Chang understanding the language of birds (LY 5.1), the identification of the name of the head of the Bo clan from whom Guan Zhong 管仲 confiscated his fiefdom as Yan 偃 (LY 14.9), and the anecdote about Zhang Shihu 張石虎 questioning Boyi's 伯夷 and Shuqi's 叔齊 decision to refuse millet (*su* 粟) of the Zhou and therewith causing their starvation (LY 16.12) attest to Huang Kan's familiarity with a wide range of sources transmitting otherwise lost material. [41] Together with the explanations of some dozens of commentators which have only survived in the *Lunyu yishu*, Sun Zhizu put forward the view that "people after the Tang period would have been unable to make them up" (*fei Tang yihou ren suo neng weizhuan* 非唐以後人所能偽撰). [42] As for textual discrepancies between the *Lunyu yishu* and other redactions of the *Lunyu*, he held that the text transmitted in Huang Kan's version frequently corresponds to quotes from the *Lunyu* in other sources. Further to this, he identified a few passages where the different wording is the result of

---

[38] Ding Yan: "*Du jing shuo*" , in: Xu Shichang: *Qing ru xue'an*, 160: 32b:《論語》有孔安國偽注,皇侃偽疏.

[39] Ding Yan: "*Du jing shuo*" , in: Xu Shichang: *Qing ru xue'an*, 160: 32b.

[40] See his "Lunyu yishu ba," in: *Dushu cuolu*, 2: 15b.

[41] See *LYYS*, 3:1b–2a (5.1): 冶長解鳥語; *LYYS*, 7: 23a (14.9): 伯氏名偃; *LYYS*, 8: 29a (16.12): 張石虎往蒲坂採材。謂夷齊曰：汝不食周粟，何食周草木？夷齊聞言，即遂不食七日餓死。

[42] Sun Zhizu: "Lunyu yishu," in: *Dushu cuolu*, 2: 15b.

the "Japanese tempering with the text"（*biguoren zhi cuangai* 彼國人之竄改）.[43] One of the passage he believed to be amended is found in the sub–commentary on the phrase *zi xing san jun ze shei yu* 子行三軍則誰與（If you, Master, had to conduct the three armies, who would you have with you?）in LY 7.11. In the current versions Huang Kan's paraphrase reads as *bi dang yu ji* 必當與己（must be like myself）and therewith indicates that he perceived *yu* 與 in the sense of *ru* 如（like）.[44] This reading does however not correspond to the *Jingdian shiwen*《經典釋文》where Huang Kan is quoted as describing the pronunciation of 與 as *yu* 餘（E. jiă; L. jiă/jyă）and thus taking it as a final question particle.[45] Whereas the *Jingdian shiwen* noted that the passage *zi wen er li* 子溫而厲 in LY 7.38 appears in the Huang Kan version as *junzi wen er li* 君子溫而厲（The accomplished person is warm, and yet strict）, the current redactions of the *Lunyu yishu* show the text as *zi wen er li* 子溫而厲（The Master was warm, and yet strict）.[46] However, the reference to this passage as *junzi wen er li* 君子溫而厲 in Huang Kan's sub-commentary on LY 19.9 may serve as further evidence for reading Huang Kan's original text in the wording indicated by Lu Deming陸德明（550–630）.[47] In his preface to the *Lunyu yishu*, Sun Zhizu stated that he "was not without doubt"

---

43 Sun Zhizu: "Lunyu yishu," in: *Dushu cuolu*, 2: 15b.

44 See *LYYS*, 4: 4b–5a and Sun Zhizu: "Lunyu yishu," in *Dushu cuolu*, 2: 15b for *yu* 與 as *ru* 如.

45 See *JDSW*, 24: 8a [p. 1363]: [與] 皇音餘（[與] is pronounced '*yu*（E. jiă / L. jiă/jyă）' by Huang [Kan]）and note that this gloss is not transmitted in the *LYYS*. Reconstructions follow Pulleyblank: *Lexicon of Reconstructed Pronunciations*, p. 380. Baxter, p. 85 has 餘 as yo <*lja.

46 See *LYYS*, 4:20a and JDSW, 24: b8 [p. 1364]: 皇本作君子. Lu Deming believed *zi wen er li* 子溫而厲 to be the more accurate text version. Compare Ruan Yuan's collation note in *LYZS*: "Jiaokanji" 7: 7b–8a [p. 69] who suspects an omission in the current redactions of Huang Kan's version. Gui Wencan: *Lunyu* Huang *shu kaozheng*, 4: 2b held the wording in the current versions was caused by copyist's mistake rather than an intentional textual amendment.

47 See *LYYS*, 10: 4b: 所以前卷云君子溫而厲是也。

about these passages and urged the readers to rather look at these instances carefully than just to be stunned about the Japanese scribes. Sun Zhizu's doubts regarding these two passages were shared by Chen Li（1810–1882）who believed the textual discrepancies to be caused by erroneous amendments made at the Ashikaga College.[48]

Inspired and encouraged by Ruan Yuan and his interest in the *Lunyu yishu*, a number of scholars at the Xuehaitang Academy devoted considerable efforts to the study of the *Lunyu yishu* including Chen Li, Zou Boqi, Gui Wencan 桂文燦（1823–1884）, Zhang Fenghan 章鳳翰（?）and Pan Jili 潘繼李（1807–?）.[49] In the *Dongshu dushuji*（《東塾讀書記》）（preface 1871）, a work originally inspired by Gu Yanwu's 顧炎武（1613–1682）*Rizhilu*（《日知錄》）（*Knowledge Daily Recorded*）and finished only shortly prior to his death, Chen Li presented his insights into remarks on the *Lunyu yishu* within the wider context of reading notes on the *Lunyu*, thus treating Huang Kan's sub-commentary like all the other transmitted interpretations of the *Lunyu* discussed there.[50] Chen Li commended Huang Kan for offering accurate readings where earlier commentators failed to do so. Although he felt some interpretations were difficult to fully comprehend or simply inaccurate, Chen Li regarded the old and otherwise lost readings transmitted in the *Lunyu yishu* a laudable feature of Huang Kan's work.

In his preface to the *Lunyu yishu*, Zhang Fenghan drew attention to the issue of conflicting readings suggested on different commentarial levels; he reckoned that where their readings conflict with earlier interpretations, Tang sub-commentaries would rather distort and bend the commentary or even eliminate parts in order to harmonize the commentary with their readings

---

48 See Chen Li: *Dongshu dushuzhi*, 2: 14b–15a: 足利人妄補也.

49 The third series of the *Xuehaitang ji* records prefaces to the *LYYS* by Zou Boqi, Gui Wencan, Zhang Hanfang and Pan Jili.

50 For his reading notes on the *LY* see *Dongshu dushiji*, 2: 1a–20b [p. 359–368].

than openly challenge the venerated authorities.[51] In Zhang Fenghan's view Huang Kan showed a different attitude and occasionally even clarified the relation between the interpretation in the commentary and that put forward in the sub-commentary in short notes in his sub～commentary. As it may indeed have been more problematic to openly disagree with transmitted readings for a commission set up by the highest state authority than for an individual compiling lecture notes for classroom purposes during a period which celebrated individuality, the two approaches do however not only reflect the *Zeitgeist* or one individual commentaror's approach towards textual openness but also the wider environments in which those sub-commentaries were produced.

Gui Wencan's *Lunyu Huang shu kaozheng*（《論語皇疏考證》）（10 scrolls; preface 1845）is a detailed and critical investigation and evaluation of Huang Kan's readings.[52] As a short monograph on Huang Kan's work Gui Wencan's research on the readings transmitted in the *Lunyu yishu* arguably presents the most comprehensive study of the *Lunyu yishu* by this group of scholars. Later another group of Cantonese scholars including Gui Dian 桂坫（1865–1958）, Qi Yongying 祁永膺（?）and Fu Weisen 傅維森（1864–1902）produced substantial contributions to the study of the *Lunyu yishu*. These three scholars stood in the tradition of Chen Li's scholarship; their works bear the same title: *Huang shi Lunyu yishu zhenwei kao*（《皇氏論語義疏真偽考》）. They focused on textual criticism and aimed not only at the identification of problematic textual passages but also at the restauration of the "original" textual condition of the main text of the *Lunyu* and Huang Kan's sub-commentary.

---

51 See Zhang Fenghan: "Huang Kan *Lunyu yishu* ba," in: *Xuehaitang san ji*, 13: 7a–8a [p. 176].

52 His *Lunyu Huang shu kaozheng*（《論語皇疏考證》）was published in the *Gengzhen congbian*《庚辰叢編》and in [*Guishi*] *Jingxue congshu* [桂氏]《經學叢書》or *Guishi yishu*《桂氏遺書》and is reproduced in the LYJC.

Bibliography

Bao Tingbo 鮑廷博 : the *Zhibuzuzhai congshu*（《知不足齋叢書》）. 1776～1823 / 12 vols.; Taibei: Xingzhong shuju, 1964 / 10 vols.; Beijing: Zhonghua shuju, 1999.

Chang Bide 昌彼得 : "*Lunyu* banben yuanliu kaoxi"《論語版本源流考析》, in: *Gugong xueshu jikan*《故宮學術季刊》12.1（1994）, 141～152.

Chao Wugong 晁公武 : *Junzhai dushuzhi*《郡齋讀書志》. 4 vols.; Taibei: Taiwan Shangwu yinshuguan, 1978.

Chen Jinmu 陳金木 : *Huang Kan zhi jingxue*《皇侃之經學》. Taibei: Guoli Bianyiguan, 1995.

Chen Kui 陳騤 : *Zhongxing guange shumu jikao*《中興館閣書目輯考》. [Rpt. of the *Guyi shulu congji*《古佚書錄叢輯》ed.], in: Xu Yimin / Chang Zhenguo: *Zhongguo lidai shumu congkan*《中國歷代書目叢刊》, vol. 1.1, 361～444.

Chen Li 陳澧 : *Dongshu dushuji*《東塾讀書記》. Taibei: Shijie shuju, 31975.

Chen Li 陳澧（comp.）: *Gujingjie huihan*《古經解彙函》. [12 cases; Canton: Yuedong shuju, 1873] Rpt: Tokyo: Ch　bun shuppansha, 1998.

Chen Zhan 陳鱣（1753～1817）: *Lunyu guxun*《論語古訓》. LYJC.

Chen Zhensun 陳振孫 : *Zhizhai s hulu jieti*《直齋書錄解題》. SKQS vol. 674, 525～904.

Cheng Shude 程樹德 : *Lunyu jishi*《論語集釋》. [1939] 4 vols.; Beijing: Zhonghua shuju, [1990] 1996.

Dai Wang 戴望 : *Guanzi jiaozheng*《管子校正》. ZZJC.

Ding Yan 丁晏 : "Du jing shuo"《讀經說》, in: Xu Shichang: *Qing ru xue'an*《清儒學案》, 160: 31a～33a.

Duan Yucai 段玉裁 : *Shuowen jiezi zhu*《說文解字注》. Shanghai: Shanghai Guji chubanshe, 1981.

Erya zhushu《爾雅注疏》. SSJZS.

Fu Chenjun 傅澂鈞（comp.）: *Quezhai yigao*《缺齋遺稿》. Peking, 1922.

Fu Weisen 傅維森: *Huang shi Lunyu yishu zhenwei kao*《皇氏論語義疏真偽考》, in Fu Chenjun: *Quezhai yigao*《缺齋遺稿》, 1: 23b-25a.

Führer, Bernhard: " 'The Text of the Classic and the Commentaries Deviates Greatly from Current Editions'.A Case Study of the *Siku quanshu* Version of Huang Kan's *Lunyu yishu*," in Führer: *Zensur. Text und Autorität in China in Geschichte und Gegenwart*, 19～38.

Führer, Bernhard（ed.）: *Zensur. Text und Autorität in China in Geschichte und Gegenwart*. Wiesbaden: Harrassowitz, 2003.

Fuehrer, Bernhard: "Did the Master Instruct his Followers to Attack Heretics? A Note on Readings of *Lunyu* 2.16," in: Hockx / Smits: *Reading East Asian Writing. The Limits of Literary Theory*, 117～158.

Gao You 高誘: *Lüshi Chunqiu zhu*《呂氏春秋注》. ZZJC.

Gui Dian 桂坫: *Huang shi Lunyu yishu zhenwei kao*《皇氏論語義疏真偽考》, in: Gui Dian: *Jinzhuansongwashi leigao*《晉磚宋瓦室類藁》. 12 *juan*（5 remaining）, 1898.

Gui Wencan 桂文燦: *Lunyu Huang shu kaozheng*《論語皇疏考證》. 10 *juan*; preface 1845; *LYJC*.

Gui Wencan 桂文燦: "Huang Kan Lunyu yishu ba"〈皇侃論語義疏跋〉, in: Zhang Weiping 張維屏: *Xuehaitang san ji*《學海堂三集》, 174-175.

Hayashi Taisuke 林泰輔: *Rongo nenpu*《論語年譜》. Tokyo: Taisō Shoten, 1916.

Hockx, Michel, Ivo Smiths（eds.）: *Reading East Asian Writing: The Limits of Literary Theory*. London: RoutledgeCurzon, 2003.

Jia Gongyan 賈公彥: *Zhouli zhushu*《周禮注疏》. SSJZS.

Jia Gongyan 賈公彥: *Yili zhushu*《儀禮注疏》. SSJZS.

Jian Boxian 簡博賢: *Jincun Nanbeichao jingxue yiji kao*《今存南北朝經學遺籍考》. Taibei: Liming wenhua shiye, 1975.

Jiang Fan 江藩: *Hanxue shichengji*《漢學師承記》. Taibei: Taiwan Shangwu yinshuguan, [1970] 1977.

Jiang Fan 江藩: "*Lijing wen*" 經文, in: Xu Shichang: *Qing ru xue'an*《清儒學案》, 118: 7a～12b.

Jiang Xia'an 江俠菴（ed.）: *Xian Qin jingji kao*《先秦經籍考》. 3 vols.（bound in 1）; Taibei: Heluo tushu chubanshe, 1975, vol. 2, 69-98.

Kong Yingda 孔穎達: *Liji zhushu*《禮記注疏》. SSJZS.

Li Jingde 黎靖德（ed.）: *Zhuzi yulei*《朱子語類》. 4 vols.; Changsha: Yue Lu shushe, 1997.

Li Shuchang 黎庶昌: *Guyi congshu*《古逸叢書》. Tokyo: published by the compiler, 1882-1884.

Liang Zhangju 梁章鉅: *Lunyu jizhu pangzheng*《論語集注旁證》. LYJC.

Liu Baonan 劉寶楠: *Lunyu zhengyi*《論語正義》. ZZJC.

Lu Deming 陸德明: *Jingdian shiwen*《經典釋文》. 3 vols.; Shanghai: Shanghai Guji chubanshe, 1985.

Lunyu jizhu《論語集註》, see *Sishu jizhu*《四書集註》.

Ma Guohan 馬國翰: *Yuhan shanfang jiyishu*《玉函山房輯佚書》. Changsha: Langhuanguan, 1883.

Most, Glenn W.（ed.）: *Collecting Fragments. Fragmente sammeln*（Göttingen: Vandenhoeck & Ruprecht, 1997.

Qi Yongying 祁永膺: " Huang shi Lunyu yishu zhenwei kao"《皇氏論語義疏真偽考》, in: Qi Yongying: *Mianmianchushi leigao*《勉勉鉏室類藁》. Longxi: 1905.

Pan Jili 潘繼李: "Huang Kan Lunyu yishu ba"〈皇侃論語義疏跋〉, in: Zhang Weiping 張維屏: *Xuehaitang san ji*《學海堂三集》, 177.

Pan Yantong 潘衍桐: *Lunyu jizhu xungu kao*《論語集注訓詁考》. Taibei: Shijie shuju, 1961.

Pulleyblank: *Lexicon of Reconstructed Pronunciations*.

Qian Daxin 錢大昕 : *Jinshiwen bawei*《金石文跋尾》.

Ruan Yuan 阮元（comp.）: *Shisan jing zhushu [fu jiaokan ji]*《十三經注疏》[附校勘記]. [1815/16] 8 vols.; Taibei: Yiwen yinshuguan, [1955] 101984.

Ruan Yuan 阮元 *et al.*（comp.）: *Huang Qing jingjie*《皇清經解》. Guangzhou: Xuehaitang, 1829.

Shisan jing zhushu《十三經注疏》; see Ruan Yuan 阮元.

Siku quanshu zongmu《四庫全書總目》; see Yong Rong 永瑢.

Siku quanshu jianming mulu《四庫全書簡明目錄》; see Yong Rong 永瑢.

Sima Qian 司馬遷: *Shiji*《史記》. 10 vols.; Beijing: Zhonghua shuju, [1959] 1982.

Sishu jizhu《四書集註》; see Zhu Xi 朱熹.

Slingerland, Edward: *Confucius: Analects with Selections from Traditional Commentaries*. Indianapolis: Hackett Publishing, 2003.

Sun Zhizu 孫志祖: *Dushu cuolu*《讀書脞錄》. Taibei: Guangwen shuju, 1963.

Takeuchi Yoshio 武內義雄: *Lunyu yishu jiaokanji / Rongo giso kōkan ki*《論語義疏校勘記》. LYJC.

Takeuchi Yoshio 武內義雄: *Rongo no kenkyū*《論語的研究》[Tokyo: Iwanami, 1939]. Rpt. as first volume of *Takeuchi Yoshio zenshū*《武內義雄全書》. 10 vols.; Tokyo: Kadokawa Shoten, [1965～66] 1978～79.

Tuo Tuo 脫脫: *Songshi*《宋史》. 40 vols.; Beijing: Zhonghua shuju, 1985.

Wang Chong 王充: *Lunheng*《論衡》. ZZJC.

Wang Fu 王符: *Qianfulun*《潛夫論》. SBBY.

Wang Mingsheng 王鳴盛: *Shiqi shi shangque*《十七史商榷》; CSJC.

Wang Xianshen 王先慎: *Han Feizi jijie*《韓非子集解》. ZZJC.

Wang Yinglin 王應麟: *Yuhai*《玉海》. [Rpt. of 1337 ed.] 6 vols.; Taibei: Taiwan Huawen shuju, 1964.

Wang Yaochen 王堯臣: *Chongwen zongmu*《崇文總目》. 2 vols.; Shanghai: Shangwu yinshuguan, 1939 [GXJBCS].

Wei Zheng 魏徵 *et al.*: *Suishu*《隋書》. 6 vols.; Beijing: Zhonghua shuju, [1973] 1987.

Wu Qian 吳騫: *Huang shi Lunyu yishu canding*《皇氏論語義疏參訂》. 10+ 1 *juan* 卷; *Xuxiu Siku quanshu*.

Wu Weizu 吳慰祖: *Siku caijin shumu*《四庫採進書目》. Beijing: Shangwu yinshuguan, 1960.

Xiao Zixian 蕭子顯: *Nan Qishu*《南齊書》. 3 vols.; Beijing: Zhonghua shuju, [1972] 1987.

Xing Bing 邢昺: *Lunyu zhushu*《論語注疏》. SSJZS.

Xing Bing 邢昺: *Xiaojing zhushu*《孝經注疏》. SSJZS.

Xu Shichang 徐世昌: *Qing ru xue'an*《清儒學案》. 100 vols.; Beijing: Xiugengtang shudian, 1939.

Xuxiu Siku quanshu《續修四庫全書》. Shanghai : Shanghai Guji chubanshe, 1995.

Xuxiu Siku quanshu zongmu tiyao. Jing bu《續修四庫全書總目提要・經部》. 2 vols.; Beijing: Zhonghua shuju, 1993.

Yamanoi Kanae山井鼎: *Shichikei Mōshi kōbun* [*ho-i*]/ *Qijing Mengzi kaowen*[*buyi*]《七經孟子考文》[補遺]. [Rpt. of the *CSJC* ed.] 10 vols.; Shanghai: Shangwu yinshuguan, 1936.

Yan Lingfeng 嚴靈峰(ed.): *Wuqiubeizhai Lunyu jicheng*《無求備齋論語集成》. 30 cases; Taibei: Yiwen yinshuguan, 1966.

Yao Cha姚察, Yao Silian 姚思廉: *Liangshu*《梁書》. 3 vols.; Beijing: Zhonghua shuju, [1973] 1987.

Yong Rong 永瑢 *et al.*: *Siku quanshu zongmu*《四庫全書總目》. 2 vols.; Beijing: Zhonghua shuju, [1965] 1987.

Yong Rong 永瑢 *et al.*: *Siku quanshu jianming mulu*《四庫全書簡明目錄》. Shanghai: Shanghai Guji chubanshe, 1985.

You Mao 尤袤: *Suichutang shumu*《遂初堂書目》, in: Xu Yimin / Chang

Zhenguo: *Zhongguo lidai shumu congkan*《中國歷代書目叢刊》, vol. 1.2, 1127-1156.

Yu Xiaoke 余蕭客: *Gujingjie gouchen*《古經解鉤沉》. c.1762.

Yu Xiaoke 余蕭客: *Lunyu gouchen*《論語解鉤沉》[rpt. from *Gujingjie gouchen*]. LYJC.

Zeng Xiujing 曾秀景: *Lunyu guzhu jikao*《論語古注輯考》. Taibei: Xuehai chubanshe, 1991.

Zhai Hao 翟灝: *Sishu kaoyi*《四書考異》. XXSKQS

Zhang Fenghan 章鳳翰: "Huang Kan Lunyu yishu ba"〈皇侃論語義疏跋〉, in: Zhang Weiping: *Xuehaitang san ji*, 176

Zhang Weiping 張維屏（comp.）: *Xuehaitang san ji*《學海堂三集》, in: Zhao Suosheng, Xue Zhengxing: *Zhongguo lidai shuyuan zhi*.

Zhao Erxun 趙爾巽 *et al*.: *Qingshigao*《清史稿》. 48 vols.; Beijing: Zhonghua shuju, [1977] 1996.

Zhao Suosheng 趙所生, Xue Zhengxing 薛正興（main eds.）: *Zhongguo lidai shuyuan zhi*《中國歷代書院志》. 14 vols.; Nanjing: Jiangsu Jiaoyu chubanshe, 1995.

Zou Boqi 鄒伯奇: "Huang Kan *Lunyu yishu* ba（yi）"〈皇侃論語義疏跋〉（一）, in: Zhang Weiping: *Xuehaitang san ji*, 13: 1a～2a [173].

Zou Boqi 鄒伯奇: "Huang Kan *Lunyu yishu* ba（er）"〈皇侃論語義疏跋〉（二）, in: Zhang Weiping: *Xuehaitang san ji*, 13: 3a～3b [174].

Zhu Xi 朱熹: *Sishu jizhu*《四書集註》[Rpt. of a Song blockprint]. Taibei: Xuehai chubanshe, 1984.

Zhu Xi 朱熹: *Zhuzi daquan*《朱子大全》. SBBY.

Zhu Xinyi 朱一新: *Wuxietang dawen*《無邪堂答問》. Beijing: Zhonghua shuju, 2000.

Zhu Yizun 朱彝尊: *Jingyi kao*《經義考》. [Rpt. of the SBBY ed.] Beijing: Zhonghua shuju, 1998.

作為道德／語文教育教材的《論語》

——以近代日本中學校教科書／漢文學參考書所作的考察*

金培懿**

一 前言

日本進入明治時代後，隨著維新政策的開展，無論政治、軍事乃至教育等方面，基本上皆以模仿西方、加速西化為其主要之重大改革目標。甚至為求快速躋身進西方列強的行伍中，明治新政府當局與民間人士或團體，不惜採取割裂近代與傳統、日本與中國之間的文化關聯，試圖藉由向歐美文明看齊與全盤西化來達成其國族全體的近代化。但《論語》作為日本代表性的傳統之一，其並未在日本舉國追求近代化的政策維新、文明開化中消失，相反地，明治時代以還，日本國內《論語》相關論著魚貫問世。出版界或重刊江戶儒者訓點朱熹《論語集注》者，或重新「標注」（於書頁天頭下注解）《論語集注》，或再度刊行江戶時代代表性之《論語》注釋名著，因而近代日人重新注解、講說、標注、翻譯、研究《論語》等相關論著，就筆者管見所

* 本文係筆者執行國科會專題研究計畫「經筵講義中的《論語》帝王學—中日帝王的經典學習比較（II）（NSC96-2411-H-194-013-MY3）」之部分研究成果，感謝該會補助。又初稿發表於2009年5月30日，由香港嶺南大學中文系所舉辦之「經學研究國際學術研討會」，會中承蒙評論人蔡長林教授，與會學者鄭吉雄、勞悅強、張曉生、馮曉庭等教授惠賜寶貴意見。日後投稿至《成大中文學報》，更有賴兩位匿名審查委員不辭辛勞、不吝賜正，使本文有機會修訂誤漏之處，今謹一併深致謝忱。

** 臺灣師範大學國文學系。

及，其數量多達五百數十種。

而截至1945年終戰為止，這些日本國內刊行問世的數百種《論語》相關著作，不少是日本自明治五年（1872）施行西方學制後，因為《論語》係中、高等學校「漢文」科目之必選漢文教材[1]，故作為漢文教育與漢文學習之教科書、參考書的《論語》注解、講說、標注、翻譯、研究書遂相繼問世。又因為近代日本在施行西化，亦即近代化的過程中，與西化、近代化之目的乃重在習得「洋才」這一技術層面相對的，漢學或漢文學習則幾乎皆被定位在「和魂」這一所謂日本固有、傳統之精神、道德層面的涵養。換言之，其所謂的近代化，其實呈現出一種傳統與現代性並存的雙重構造。

本文因此以明治以還至終戰為止，作為漢文科教材、參考書的《論語》相關著作為研究考察對象，試圖探討在近代日本的中學漢文教育中，《論語》這部傳統的儒家經典是如何被重新接受涵容，是以何種形態在近代日本的中學教育體制內被教授、傳播，並藉此究明日本漢文教育由近世過渡轉變到近代的實相。首先說明此類著作所以出版問世的時代意義，並為其在近代日本《論語》相關論著出版史中作一定位。繼而將此類著作加以分類，並實際說明其著作內容、特色為何？又此種特色具有何種意涵在其中？進而分析其作為漢文教材所欲達成的道德、語文教育目的為何？同時反映出何種日人漢文素養的變化與轉向。最後則從日本近代漢學發展史的脈絡，說明此類作為中學校教科書與漢文學參考書的《論語》相關著作，究竟突顯出何種日本漢學近代化的時代意義。

二　近代日本《論語》相關論著之類型區分與特色說明

如前言所述，明治時代以還至終戰為止，日本國內刊行問世之《論語》

---

[1] 例如井原正平講述、飯島忠夫監修：《新撰漢文叢書 論語新講》（東京市：三省堂，1933年）之〈緒言〉第三條便言及：「歷來，上級學校之入學考試題目，選自此書（《論語》）者，不遑枚舉。」（頁1）又本書以及後文所引日人著書之中譯引文，皆為筆者所譯。

相關著作，據筆者調查，總數約有五百數十種，然其大致可分為以下四大類型：1、訓點、校注朱熹《論語集注》者，2、江戶代表性《論語》注解名著的刊行，3、漢文教學用書、漢文讀本、漢文參考用書《論語》的發行，4、近代日人的《論語》新解書。其中除了第二類型的江戶代表性《論語》注解名著之外，其他三大類型的《論語》相關論著，都曾作為日本戰前中學校的漢文教科用書或漢文學習參考書。下文將按上述各類型《論語》相關論著之內容性質，依序說明其特色與意義。

（一）訓點《論語集注》與刊行江戶《論語》注解名著

1.訓點、校注《論語集注》

首先，關於明治10年代以還訓點式《論語》講解書為何會大量刊行問世，此問題一言以蔽之，其實是延續江戶初期以來的《四書》、《論語》傳統學習法[2]。至明治30年代中期為止，重刊江戶儒者訓點《論語集注》之著作

---

[2] 江戶初期日本儒者對朱子學的吸收涵化，例如林羅山與貝原益軒等，基本上是以明代為科舉應試所出版的標準「四書學」，亦即《四書大全》類的學習書為憑藉，而來理解朱子學。因此江戶儒者必須在面對《四書集註》的同時，一併學習明人繁瑣的《四書集注》注疏。如此一來，江戶儒者必須在選取明末各種《四書集注》注疏本後，才能有所依循方向地誦讀《四書》和《四書集注》。故江戶初期的儒者的朱子學學習，例如林羅山並不是直接對《四書集注》進行再詮釋，而是致力於對陸續傳來日本的明代《四書》讀本添附「訓點」（亦即漢文訓讀標點，包含讀音順序、符號和讀音假名），以利當時日人誦讀《四書集注》。林羅山加附訓點的《四書集注》等漢籍，就在日本以和刻本形式陸續出版，因為是羅山所訓點，而其號曰道春，故名曰「道春點本」。

又江戶時期的和刻本一般皆附上和文訓點後才出版，為的是方便時人誦讀漢籍，當時羅山因為貴為幕府儒官，故其「道春點」最具權威。而與其立場對立的，則是京都朱子學者山崎闇齋的「嘉點本」，而京都另一朱子學者中村惕齋的點本，則稱「惕齋點」。又九州地區的朱子學者貝原益軒之訓點，因為平易近人而流傳到江戶，人稱「貝原點」。其後又有後藤芝山的「後藤點」，以及江戶中期以後普及各地的佐藤一齋的「一齋點」等。

和刻本自寬永年間（1624-1643）由坊間書肆開始印行，至元祿時期（1688-1703）以

的這一風氣相當流行，其中最具代表性者，當推當時日本各地出版社頻繁重刊後藤芝山訓點的《論語集注》。據筆者查閱，至明治33年（1900）為止，該書至少重刊過10次。其中自明治15年（1882）至明治17年（1884）三年間，該書分別由東京的山中孝之助等人，以及水野幸、福岡的磊落堂、東京的中外堂等前後重刊過四次。由此亦可窺知，即使時入近代，以漢文訓讀來教授初學者的漢文學習途徑依舊不變。而除了後藤芝山所訓點的《論語集注》外，陸續於明治年間問世的他家訓點《論語集注》亦不少[3]。當然由此點亦可看出朱熹《論語集注》歷久不衰的「代表性經注」地位。

其實近代日本中、高等學校漢文教科用教材中所收《論語》部分，也都以朱注為準據。而到了明治45年，早稻田出版的《漢籍國字解全書：先哲遺著》叢書問世，第一卷中便收入了中村惕齋的《論語訓蒙句解》。足見以

還，與日俱增，進入大量出版盛行期。而隨著民間儒學學習階層的擴大，更加刺激了「四書」相關習書、啟蒙書的出版，此類和刻本當中，除了加附訓點的《四書大全》本等明代四書學的和刻本之外，同時也包含了明代四書學的注疏本。也就是在此種風潮中，進而出版了更為平易的《四書集注》學習、啟蒙書，例如於享保4年（1719）刊行的中村惕齋《四書示蒙句解》28卷14冊即是。該書設定的讀者是當時無法直接誦讀以漢文寫成的《四書集注》，但又試圖誦讀學習《集註》的初學者。而與《四書示蒙句解》相較，正德5年（1715）刊印的毛利貞齋《四書集註俚諺鈔》50卷50冊，雖同樣以當時片假名間雜的平易日語來標注解說文，但該書會適時引用以漢文寫成的明代《四書》學的注疏類文獻，明示其解說之根據，故學術性較高，也較具難度，而該書堪稱是江戶人從入門初學者過渡到專業漢學者的《四書》銜接讀物。據以上說明，明治時代《四書》或《論語》訓點本的流行，其實正是日本江戶以來學習朱子學、四書學乃至《論語》的傳統。

[3] 例如至明治10年代中期為止，就陸續有芝田好章點、太山東嶽校訂：《四書集注》（京都市：永田調兵衛，1873年）；橫尾謙點：《四書集注》（大阪市：田中太右衛門，1876年）；瀧澤清點：《四書集注》（東京市：安藤橘緣，1879年）；後藤松陰點：《論語集注》（浪花：清玉堂，1881年）；蒲池彌太郎點：《四書集注》（盛岡市：藝香閣，1881年）；內村友輔點：《論語正文：音訓附》（松江市：石原光璋，1882年）；內村友輔點：《鼇頭論》（松江市：大蘆利七等，1882年）；後藤嘉平點：《改正訓點四書集注》（大阪市：青木嵩山堂，1883年）；田中宗確點：《論語集注》（東京市：丸家善七，1883年）等書相繼問世。

訓點文來啟蒙、引導初學者的漢文學習，始終是明治時代的主要學習方法。甚至在明治41年，依田喜一郎還訓點了李雅各（James Legge）的英譯《論語》，而若據大正5年（1916）問世的林泰輔《論語年譜》中的載錄情形看來，日本自明治40年代以還至大正5年左右的10年中，近代日本學界已經非常關注西方世界的《論語》譯注作品，而此事由當時澀澤榮一亦蒐集到李雅各與朝鮮時代的《論語》、《四書》相關論著看來[4]，不僅可再度獲得證明，同時也可窺知日本對東亞整體的關心。

而在一片重刊、新刊訓點本《論語集注》的風潮中，要到明治末年日本地方上才有重刻何晏《論語集解》者，亦即《論語集解：模刻古本》（津：豐住書店，1910年）的刊刻問世。又此種重新印行出版江戶《四書》或《論語》「訓解」、「訓蒙」代表性書籍的現象，還反映在明治時期大阪與東京兩地之出版社，皆曾分別重新印行出版溪百年的《經典余師 四書之部》[5]，足見以「獨學」、「自修」、「自習」方式學習漢籍的風潮流行全國。

2. 刊行江戶《論語》注解名著

其次，關於江戶《論語》注解名著被重新刊行問世的，首先當推安井息軒《論語集說》，自明治5年（1872）至明治7年（1874）三年間，該書分別由東京的稻田左兵衛等人與伊東祐歸刊行過3次，日後更於明治42年（1909）收錄進《漢文大系》第一卷。其理由除了因《論語集說》乃結合清朝考證學與江戶諸學派之《論語》注解成果的這一學術理由之外，還因息軒乃幕末官學昌平黌的儒官之一，且其門生多有位居明治政府要職或為學界要

---

4 詳參東京都立日比谷圖書館編：《青淵論語文庫目錄》（東京市：東京都立日比谷圖書館，1965年）。

5 溪百年編注之《經典余師》，收錄有各種漢籍入門書，乃江戶天明年間（1781-1788）以還日本庶民獨學儒家典籍的主要讀本、自修參考書。該書當時在日本各地流通、普及，不僅持續流行到幕府末年，書中所收錄之部分入門書，甚至在明治時代，仍是暢銷的漢文學習參考書。例如明治年間就曾先後由大阪同盟社刊行《經典余師 四書之部》（刊行年不詳）；東京日吉丸書房刊行《論語經典余師》、《大學余師》、《中庸余師》（1909年，皆由宮崎璋藏校）；東京寶文館刊行《論語國字解》（溪百年述，深井鑑一郎校，1910年）三度出版該書。

角者[6]。除了安井息軒之外，龜井南冥、昭陽父子之《論語語由》、《語由述志》二書，相較於其先前在江戶時代受到特意的打壓，《論語語由》於明治12年（1879）、13年（1880）相繼由大阪的桑林堂與華井聚文堂分別刊行，後因澀澤榮一非常推崇南冥的《論語》義理解釋，除了於二松學舍的課堂中大力讚揚外，澀澤榮一更以個人名義出資，於大正8年（1919）複製了附有昭陽親自朱筆傍注的玻璃版《論語語由》，並將之分送親友與學界人士，而昭陽的《語由述志》手稿本也於大正11年（1922），同樣由澀澤榮一自費影印刊行[7]。

另外，同樣是古學派的伊藤仁齋之《論語古義》，經佐藤正範校訂，於明治42年（1909）由東京六盟館刊行。荻生徂徠之《論語辨》，則經樋口酬藏、祥雲碓悟補校後，分別於明治43年（1910）、大正9年（1920），由東京天書閣、國華堂刊行，惟國華堂刊行時將之更名為《掌中論語》。古學派之外，懷德堂儒者的《論語》注解書也自明治44年（1911）以還，重刊陸續問世，其中的代表作則首推中井履軒《論語逢原》。例如，該書首先被收入懷德堂記念會所編纂的《懷德堂遺書》（大阪：松村文海堂，1911年）第6-第9冊中，隔年的1912年又再次由東京東陽堂刊行問世，而懷德堂記念出版會也同樣於該年，以活字版分三冊重刊該書。

而此種印行出版江戶代表性《論語》注釋書的作法，特別是以叢書形式刊行江戶邦儒之《論語》相關著作的，早在明治16年（1883）由甫喜山景雄編的《典籍考叢：我自刊我》（東京：甫喜山景雄，1883年）第2集中，就已經收錄有栗原柳庵的《論語考》。以叢書形態刊行江戶代表性漢籍注解書的作法，到了明治末年大為流行，自明治40年代以還至大正初年為止，以出版叢書的方式集體呈現江戶漢學研究成果的，首先有服部宇之吉所領

6 關於此點，詳參町田三郎：〈安井息軒研究〉，《江戶の漢學者たち》（東京市：研文出版，1998年）。

7 有關澀澤對龜井《論語》學的推崇，詳參金培懿：〈旁白敘事．聲音傳達．意象建構──澀澤榮一《論語講義》研究〉，《中正大學中文學術年刊》第8期（2006年12月），頁31-80。

衛編輯之《漢文大系》（東京：富山房，1909-1912年）全12卷，繼而有早稻田大學出版部所籌劃的《漢籍國字解叢書》（東京：早稻田大學出版部，1909-1917）全45冊，此兩部叢書皆由當時春秋鼎盛之錚錚學者，在原著上加註新解，所收錄之江戶漢學名著之範圍也不再侷限於《論語》，舉凡江戶先儒之各種代表性著作皆收錄其中。

除此之外，明治末年尚有《漢文叢書》與《國譯漢文大成》兩部叢書問世，到了昭和初年，則有崇文院編輯之《崇文叢書》第1、2輯（東京：崇文院，1927-1935）問世。與此一潮流相呼應的，有關江戶儒者《論語》相關注解書的集結出版，則是自大正11年（1922）至大正15年（1926），由關儀一郎編輯、服部宇之吉等人校訂，五年間陸續出版問世的《日本名家四書註釋全書》（東京：東洋圖書刊行會）全10卷，日後更再次出版續集《續日本名家四書註釋全書》（東京：東洋圖書刊行會，1927-1930年）全3卷[8]。此部叢書所收錄之江戶《論語》注解名著，宛若日本注解《論語》的代言人，日後也成為日本各級學校之《論語》教科書、參考書中，用來與朱熹《論語集注》對話的主要參考值。

例如從所謂「鼇頭注釋」、「頭書略解」、「頭書插畫」，或是由書商編纂之少年叢書中之「漢文學講義」、「漢文叢書」等此類中學生《四書》學習參考書，到明治10年代中期以還陸續出現的所謂「論語講義」此類各級學校的《論語》講義錄，或是坊間出版的少年「論語讀本」與「全譯」、「詳解」等此類漢文學習教科、參考用書，乃至標榜以鍛鍊青少年、國民之「精神」，作為「修養」、「教養」用書的「論語講話」等此類《論語》注解、講解書，無不以朱熹《論語集注》為依據。而在上述各類型的《論語》教科、

[8] 《日本名家四書註釋全書》所收江戶儒者之《論語》注解書，第3卷收錄伊藤仁齋《論語古義》、佐藤一齋《論語欄外書》。第4卷收錄龜井南冥《論語語由》、豬飼彥博《論語考文》、市野光彥《正平本論語札記》。第5卷收錄皆川淇園《論語繹解》、吉田篁墩《論語集解攷異》。第6卷收錄中井履軒《論語逢原》、廣瀨淡窗《讀論語》。第7卷收錄荻生徂徠《論語徵》、豐島豐洲《論語新註》。第8卷收錄東條一堂《論語知言》。而《續日本名家四書註釋全書》第2卷則收錄照井全都《論語解》。

參考用書中，若有提及朱注以外的江戶先儒參考注解，大致不出《日本名家四書註釋全書》與《續日本名家四書註釋全書》中所收錄之江戶各家《論語》注解書，並以之與朱注進行《論語》考證、義理等方面之對話。而在近代日本《論語》相關教科、參考用書中，最能突顯此一特色者，主要以瀧川龜太郎《教科用 纂標論語集注》（東京：金港堂，1912年）、島田鈞一《論語全解》（東京：有精堂書店，1928年）、諸橋轍次《標注論語講本》（東京：目黒書店，1943年）三書為代表。

由上文對第一、第二類近代《論語》相關論著的說明看來，可知時代、政權或可一夕改朝換代，然學術的發展卻有其連續性脈絡發展，無法斷然割裂。江戶人雖然在一夕之間跨入明治這一「近代」，但學問性質與型態卻仍舊不免充滿「江戶漢學」式的色彩。換言之，明治維新以還，日本曾試圖割捨掉其國族發展至江戶時代的漢文化傳統，積極攝取西洋文明，闊步邁向近代化路途。但是，在明治以還的近代化過程中，《論語》作為日本的傳統漢文化代表之一，這部經典不僅從未自近代日本社會中消失，在近代日本的《論語》注解、講釋史中，朱子《論語集注》始終是一與江戶先儒之《論語》注釋書相互參照的主要對象，《論語集注》仍是任何試圖憑藉《論語》以入漢文學海、聖學堂奧的後人，必經的重要門徑。另外，我們不妨將延續訓點式的漢文學習法，以及參照江戶先儒之漢籍注解成果的這一近代日本的《論語》學習、研讀現象，視為江戶漢學過渡到近代「支那學」、「中國學」的必經過程。

三　作為中學校漢文教科、參考用書的《論語》講解書

第三類所謂漢文教學用書、漢文讀本、漢文參考用書《論語》的發行，基本上又可分為兩種基本型態：一是作為漢文自修學習參考用書的「頭書、鼇頭《論語》注解書」與「插畫《論語》注解書」。二是作為漢文科授課、學習、自修用教材的「論語講義錄」或「論語教本」、「論語讀本」。此類書

籍主要皆以中學生為對象，而來編纂漢籍學習的入門參考書，其中「講義錄」的《論語》教科、參考用書型態更是廣佈各級學校[9]。

蓋明治維新的重要政策之一，就在教育改革。然明治5年（1872）新學制施行時，卻產生新式教材嚴重缺乏的問題，該年編制的課程表中，仍有「句讀」科目，初階仍用《論語》、《孟子》、《孝經》；高階則用當時有名之洋學家箕作麟祥於明治4年（1871）編譯的《泰西勸善訓蒙》[10]。文部省於是根據既定政策理念，著手編纂或翻譯教科書，並普及之，形成了所謂「翻譯教科書時代」。據說新學制公布時，由於沒有適宜教材，連當時剛出版的福澤諭吉《學問のすすめ》（勸學）一書，也被作為代用教科書[11]。此時明治政府並未禁止民間編纂、出版教科書，事實上學校在選取教科書方面也是自由的，正因如此，所以傳統漢學／漢籍也就順勢獲得其生存延續發展空間。

又因教科書嚴重短缺，所以新學制施行隔年的1873年4月，明治政府遂決定採用三本傳統道德修身專著作為教科書之補充，即江戶時代無名上人譯《和語陰騭錄》、上羽勝衛《勸孝邇言》[12]、石井光致《修身談》[13]三書。由

---

9 以「論語講義」為名之漢文教科、參考用書，明治10年代中期以還相繼問世一事，詳參金培懿：〈轉型期《論語》研究之主旋律──近代日本《論語講義》研究〉，彰化師範大學國文系編：《臺灣學術新視野──經學之部》（臺北市：五南圖書出版社，2007年），頁335-392。金培懿：〈近代日本《論語》研究之轉折──安井小太郎《論語講義》析論〉，《國文學報》，第40期（2006年12月），頁19-73。

10 詳見海後宗臣、仲新：《近代日本教科書總說──解說編》（東京市：講談社，1969年），頁48。

11 詳參紀田順一郎著、廖為智譯：《日本現代化物語》（臺北市：一方出版，2002年），〈教科書〉，頁70。

12 上羽勝衛《勸孝邇言》（東京市：惺惺軒，1873年）作於1873年，書分上、下兩篇，上篇取江戶時代以來一直用於幼童道德教育啟蒙的，由儒者室鳩巢以和文翻譯的《六諭衍義大意》中關於「孝道」之部分；下篇則記述歷史人物的孝行事蹟。

13 石井光致《修身談》（東京市：千鍾房，出版年不詳）為幕末1830年刊行之作，分上、中、下三冊，其編纂方式主要選取中國典籍中具有訓示意涵的文句，附以實例說明。當時其他「修身」相關的教科書尚有：1874年根據《六諭衍義》而編纂的石村貞一《修身要訣》（大阪市：松田正助等，1874年），以及同年編纂成的土屋弘《人之基：修身》（大阪市：鹿田靜七，1874年），該書以「嘉言」與「人物事蹟」方式，分

此可看出明治政府所編纂、選定之教科書，非常著重「道德修身」，而且特重「孝道」。而此種沿用《四書》作為新式學校高年級教科書[14]，並且重視道德、修身的教育特色，不僅依然充滿著江戶漢學的舊色彩，也成為明治以還《論語》相關論著的兩大特色，亦即作為漢文科教材的《論語》，其不僅是漢文科的「語文」教育教材，同時也是人格修身之「道德」教育教材。

(一)「頭書」、「鼇頭」、「插畫」《論語》注解書

近代日本《論語》相關論著中，作為中學校漢文教科、參考用書的《論語》講解、注解書，除了名為「教科用」或「讀本」的《論語》講解書外，明治時代主要有以「頭書」、「鼇頭」注解《論語集注》，再輔以插畫等型態者；還有以「漢文學講義」、「和漢文學講習」等型態出現的《論語講義》類；以及將朱注與江戶儒者之注解並列比較的所謂「纂標」、「標注」《論語集注》者等三大類型。

首先，此類於書本天頭處或略解字義，或加入插圖以說明禮器名物等所謂「頭書」、「鼇頭注解」形式來解說《論語》的注解書，最早當推重田蘭溪的《頭書圖解四書略解》(東京：篠崎才助，1875年)，繼而則有大賀富二編輯的《頭書插畫四書字類大全》(東京：同盟書房，1881年)。該書依據朱熹《論語集註》，僅解釋各章經文字詞，突顯出《論語》作為漢語語文教材這一特色。而天頭冠解部分，則同樣有人名、地名以及天文地理、名數器物，和該章重要經句的簡要說明，同時還加入插圖，幫助學生理解。接著又有宮島純熙編纂的《頭書略解四書字類大全 論語》(東京：文求堂，1884年)。該書與大賀富二《頭書插畫四書字類大全》性質類似，同樣依據《論語集註》，也僅解釋各章經文字詞，同樣著重在透過《論語》這部漢籍來學

〈孝行〉和〈兄弟友愛〉兩章；另外還有匯集中、日兩國之禮法與道德，於1873年編纂成的西坂成一《訓蒙軌範》(東京市：山本良齋，1873年)。

14 海後宗臣、仲新：《近代日本教科書總說——解說編》，頁16。

習漢語語彙。體例上也同樣在天頭冠解部分，對重要人名、地名以及天文地理名數器物和該章重要經句加注解釋，同時加入插圖，幫助理解。

此類書籍基本上都在解釋《論語》各章字詞意義，故全書正文的主要內容並非逐篇逐章羅列《論語》原文，而是以「詞語」解釋為主來羅列辭條，各辭條下則以漢文訓讀形式標示讀法、讀音與詞義。因此其所設定的讀者群，顯然就是漢文初學者，大賀富二言：

> 凡古書之文，古今有異，文字難解。此編固為便於初學者，故務用切近字義之國字，因而敢忌高尚，更不擇雅俗。[15]

到了明治20年代後期，榊原英吉編輯的《鼇頭註釋四書自學自在》（東京：求光閣，1892年）一書，在篇名與各章經文原文旁標示「訓點」與「漢字讀音」；天頭所書者除了字詞解釋之外，更適時附上插圖作解。但即使仍採天頭注解方式，其正文卻是按照《論語》篇章次第順序臚列出標示訓點的原文，而天頭處所謂的「鼇頭」注釋，則是詞條的字詞解釋以及插圖。而值得注意的是：與明治20年代中期以前刊行的此類書籍相比，榊原英吉該書不只是禮器名物，其甚至連文章「意義」也都試圖以「圖畫」來說明之[16]。此種以「插圖」來說明專有名詞或是輔助理解《論語》經義的作法，時入昭和仍舊蔚為風潮[17]。

---

[15] 大賀富二編：《頭書插畫四書字類大全》（東京市：同盟書房，1881），〈凡例〉，頁1下。

[16] 該書在解說〈學而・貧而無諂富而無驕〉章時，於天頭處以插畫形式來說明「貧而樂」、「富而好禮」二話之意義。該幅插圖畫著某位穿著華服戴洋帽的富人，來到一位居宅簡陋破舊的學者家，該位學者衣衫襤褸、家徒四壁，不僅宅壁斑駁剝落，紙糊門窗也破洞無數，但學者跪坐的背後屏風上，則寫有「貧而樂」三個大字，圖畫左下方的榻榻米上又再次標明「貧而樂」，說明這是該位學者的境界。而富人脫帽於旁、置扇於前，跪拜在學者面前，畫面右邊牆上則寫有「富而好禮」，說明富人之態度。詳參榊原英吉編輯：《鼇頭註釋四書自學自在》（東京市：求光閣，明治25年〔1892〕），頁5上。

[17] 例如為記念昭和天皇登基大禮，當時弘道館籌編了一套《昭和漢文叢書》，書中收有宇野哲人撰著之《論語新釋》（東京市：弘道館，1927年）。兩年後的昭和4年

（二）「論語講義錄」

另外，明治20年代以還，某些以「論語講義」為名的《論語》注解書，則不再加入插圖，也不以「頭書」、「鼇頭」或「標注」形式來解說《論語》，而是延續江戶以來主流的講說經義方式，亦即所謂的「講義」形式而來講解《論語》經義。例如鈴木無隱《論語講義》（京都：1887年）、稻垣真久章《少年叢書漢文學講義 論語講義》（東京：興文社，1891年）、花輪時之輔《中等教育和漢文講習書 論語講義》（東京：誠之堂書店，1893年）等書即是。惟此類書籍中的「講義」部分，多是附在標有訓點的原文後，且幾乎都是以當時淺白易懂的白話日語書寫。

例如稻垣真久章《少年叢書漢文學講義 論語講義》該書構成為：篇名「題意」、「原文」標「訓點」、字詞「解釋」、各章「講義」，但全書無一插圖，且本書前後曾數次出版。而引起人注意的是，據該書文後所附興文社出版社的廣告看來，稻垣真久章在興文社所出版發行的《學生必讀漢文學全書》八冊系列中，還有《標注四書讀本》一書，而且該書還獲得10家報社的大力推薦。

在明治年間由坊間書肆出版，提供中學少年學習漢文科參考用的叢書、全書系列的《論語》參考書中，稻垣真久章的《四書講義》堪稱是最受歡迎的。而其《標註四書講義》所以獲得好評的原因，除了《朝野新聞》所謂：「修漢文學者當以經學為基礎，而其第一步在取《學》、《庸》、《論》、

(1929) 該書重新出版，除了附上〈緒言〉、〈目次〉之外，更於內文中附上禮器名物制度的「插圖」，宇野本人更於〈緒言〉中說明因為發行本書的書肆希望能附上插圖，而插圖有助於學生理解本文（頁1）。另外，岡泰彥編：《新選論語 高學年用》（東京市：標準教科書出版協會，1933年）該書書前，先附有一幅「先師孔子行教像」，其後就有3頁附圖，前兩頁附圖所畫之內容，皆是《論語》中出現的禮器名物等，第3頁則是「春秋戰國圖」。足見附圖說明《論語》的這一講解方式非常流行且符合市場需求。

《孟》，此古今一致。」「《大學》、《中庸》、《論語》、《孟子》之為教育書，或為文學書，我社界之所以一顧不能免，在其所謂載道之文也。」[18]這一理由外，誠如《東京朝日新聞》所評斷的，主要乃是稻垣真久章的漢文訓點雅正、句讀分明，而且「為了不妨礙誦讀，其還刪去各家注解，又另外標注或隨時於本文中針對經文難解之字詞加以注釋說明」。

針對刪去各家注解，《國會新聞》也稱讚稻垣個人講義解釋「簡而明」，《國會新聞》更呼籲日本的漢文初學者：「千萬要依據此書以求入德之階梯。」《改進新聞》也評其：「訓點正確，注釋簡明。」《國民之友》則稱讚其：「標注至極簡明，刻點頗為妥當，作為《四書》之讀本，今日之際，堪稱最上乘者。」《朝野新聞》則評其：「合《四書》為本，傍加標注，頗便於攜帶。」此一評價也獲得《國民新聞》的認可。又《中央新聞》評論說：「《大學》、《中庸》、《論語》、《孟子》藏於一冊中，和裝鐫活版，鼇頭添略註，宜也。」《寸鐵新聞》評其：「注解簡而訓點正，句讀文明，加之其釋文法，見意匠嶄新，特別是正文以三號活字排植，印刷頗鮮麗，而定價又廉，僅二拾餘錢也。」關於印刷優美此點，《國會新聞》稱讚道該書：「本文都用三號活字，故用之為讀本，不勞視力，不若其他活版印刷物品，有製造近視眼者之憂慮。」《改進新聞》也說該書：「製本極古雅堅牢，印刷鮮明。」另外，關於將《四書》合為一冊的作法，《日本新聞》也說：「實為便於攜帶、便於『通覽』之讀本，故可課於學童，而且價亦廉。」而值得注意的是，《郵便報知新聞》的評論說道：「對於以知曉漢字為目的的兒童而言，在教授其《四書》句讀時，如所謂注釋者，殆為無用也。此書由稻垣真衣白氏添加簡明標注，收浩瀚《四書》於一冊之中，不獨為一童子之便。」

由當時十家報社的評論看來，明治20年代中期以還的中學生，其在新式學校教育體制中面對漢文科，其學習方法顯然並非直接閱讀漢文，而是要

---

[18] 詳見稻垣真久章：《少年叢書漢文學講義 論語講義》（東京市：興文社，1891年）書後所附「學生必讀漢文學全書」廣告，頁6。以下有關各家報社評論該書之語，出處皆同，為清耳目，不再明注所出。

憑藉標注在漢文原文旁的訓點來協助其進行閱讀，事實上學生們也無法自行句讀，甚至對於難解之經文字句，坊間參考書也都為其加上注解。換言之，所謂修習漢文學一事，其實其目的也只是在知曉字詞、理解文義，談不上辨析經注何者為是、為善，更遑論義理如何。故刪去歷代注釋的作法，反而有利中學生直接面對本文。或者說作為學校國語教育之一環的「漢文」學習，學生修習漢文科的目的已不是注解、析論經義，何況明治20年代中期的中學生，乃明治10年以後出生的「近代」新生代學生，其成長過程中，已無鄉先生或漢塾師帶領其「素讀吟味」《四書》等基礎漢籍，故當其自小學校畢業，進入中學校修習漢文時，其確實就是一位「漢文初學者」，亦即其學習漢文的目的，顯然是比較傾向語言工具性質的，故目標主要在識字、翻譯、理解層次，相當於是一種外國語言的學習；而非義理、思想、文化、生命層次的，以漢文來自我開啟或藉之參與世界的學習目的。

又從所謂合《大學》、《中庸》、《論語》、《孟子》四書為一冊乃方便學童攜帶閱讀，是便利的漢文讀本這一觀點看來，雖說是朱子《四書集注》以還所謂《四書》乃是一完整學問體系的看法，但其中恐怕還包含著課堂上學習查閱與應付考試上的方便，甚至從所謂以三號活字排印、印刷鮮麗、製本古雅等皆為該本參考書之優點的說法看來，與其說這是對教本版本品質的要求，毋寧說在中學生的漢文科學習過程中，在攸關「漢文力」的養成這一讀物內容之外，諸如排版精美與否關係到學生的視力保健乃至購買意願，甚至物美價廉的精打細算也成了漢文學修習過程中的重要考量因素[19]。也就是說，此種選擇漢文學習參考書的條件評斷，亦即漢文學習途徑的選擇考量，其實

[19] 關於價錢也是發行、購買教科書、參考書時的重要考量因素此點，由明治時代因為僅東京上野有圖書館，而學術參考書專門的租書店也僅有幾家座落在神田本鄉一帶，故明治20、30年代學生想借閱此類教科、參考用書時，只要交付若干保證金，待還書時扣除借閱費用後餘額便可退還的簡易圖書館，或是同類租書店大為繁榮這一事實看來，當時購買得起或是願意掏錢購買教科、參考書的情形也許並不普遍。詳參山本笑月：〈オツな商賣貸本屋〉，《明治世相百話》（東京市：有峰書店，1971年），頁24-25。

充滿著漢文學習就只是外文學習，漢文學習就是一種消費財的教養。故我們不難想見，在此群中學生世代成長成為青壯輩後，亦即在明治末年，或者說當日本進入大正時代後，那將是一個可預期的漢文「衰退時代」。事實上，近代日本新聞報紙上「漢詩欄」的取消，正是在大正時代中期[20]。

除了稻垣真久章該書外，花輪時之輔的《中等教育和漢文講習書 論語講義》（東京：誠之堂書店，1893年），亦堪稱此類書籍代表之一。該書分上、下兩冊，全書附插圖，到明治31年（1898）為止，前後共印行八版，在明治中期堪稱是一本暢銷熱賣的《論語》參考書。稻垣與花輪二書的解釋與講義，皆以漢文訓讀體來書寫，其間所蘊含的意義，除了是參考書的非學術性質外，同時也突顯出明治20年代中期以還，面對明治10年代以後出生的近代日本新生代中學生，其受教過程已是新式教育培養出的明治人第三代，彼等已經不像江戶幕末到明治初年出生的世代，自小就受到「漢文」或「素讀」的薰陶，所以不再具備所謂的漢文「素養」，故必須藉由教育體制的漢文教科來形成其漢文「教養」。

然而，即使一目了然地，以稻垣真久章該書為代表的此類書籍，就是以學習「外國語」的漢文，進而通過高等學校入學考試為其目的，但就如日後昭和初年擔任第一高等學校教授的島田鈞一，在其著書《論語全解》中說明道的：

> 《論語》與我國體一致合和，對我國民性影響感化巨大，至今日，孔子之道乃我國修身道德之標準。[21]

島田鈞一清楚道出：當時日本中學校的《論語》學習，除了其作為漢文科教材內容，不可避免的語言工具學習目的之外，其更大的目標，就在以之為國民修身道德之準據，以形塑近代日本之「國民道德」。島田鈞一此種觀念

---

[20] 大正中期漢詩欄被取消一事，詳參村山吉廣：《漢學者はいかに生きたか——近代日本と漢學》，頁12。

[21] 島田鈞一：《論語全解》（東京市：有精堂書店，1928年），〈題言〉，頁1。

其來有自，例如明治末年一戶隆次郎的《論語講義》（東京：大成社，1910年），就與島田抱持相同觀點。一戶隆次郎此書所採用的講解法，則是由「字義」→「注釋」→「解釋」→「應用」。書前〈序〉文提及所謂：

> 素讀《論語》不難，但解釋《論語》不易。解釋《論語》不難，惟獲得解釋之法為難。[22]

一戶隆次郎還強調不知孔子人格，則不知《論語》之價值，進而論及大日本帝國之政教，提出《論語》「一經」乃教育敕語之注解。一戶隆次郎顯然也是將《論語》作為道德教育教材，進而以之來支撐日本近代的皇國軍國主義體制。

而同時期以「論語講義」為名的代表性漢文學習參考書，還有和田銳夫《新譯論語講義》（神戶：熊谷久榮堂，1912年）、井原正平講述、飯島忠夫監修《新撰漢文叢書 論語新講》（東京：三省堂，1933年）二書。和田銳夫《新譯論語講義》一書之體例，是在附有訓點的《論語》原文後，進而附上漢文訓讀文與讀音的「讀方」，此舉無非昭告了大正時代以還，成長於明治時代後期的中學生，其漢文原文的解讀力可能又比明治中期時更為衰退，所以僅在原文旁標示訓點的作法似乎還無法協助學生閱讀、理解原文，而必須將漢文訓讀文與讀音完全標出，亦即同時解決「讀音」、「文法」與「義理」的問題，才可進行閱讀與理解。而該書天頭則特別標出《論語》中的「成語」或「格言」式原文，由此舉亦可看出當時中學生的《論語》學習可能已從長篇原文、或者說按篇章次第順序逐次理解的閱讀習慣，轉向精華短句、名句的記誦學習方式。若如是，則中學生的《論語》學習，某種程度上似乎也向思想之「標語化」、「口號化」的面向傾斜。

事實上，除了漢文教科、學習、參考用書類的「論語講義」必須在應考功用外負起「思想善導」的責任，明治10年代中期以還陸續問世的，在各級學校、各機關團體講授，乃至私人講論的「論語講義錄」中，強調以《論

---

[22] 一戶隆次郎：《論語講義》（東京市：大成社，1910年），〈序〉，頁1。

語》來涵養國民道德精神的主張比比皆是。其中，細川潤次郎、南摩綱紀著、行道學會事務所編的《論語講義》（東京：吉川弘文館，1919年）。由細川潤次郎、南摩綱紀合講的《論語講義》該書，最能突顯即使時入近代，日本政府實行明治維新，但上自天皇與上流階級到販夫走卒，都應藉由《論語》來涵養道德的這一讀《論語》，或者說是讀漢籍的手段，進而達成輔翼天皇，建設日本之宏大目標。細川潤次郎言：

> 《論語講義錄》者，余之所為行道會員講《論語》之筆記也。明治之初時侍從諸員每月數回相見於侍讀元田永孚宅，聽其講經書，其意蓋謂凡官吏奉職諸省者，勤敏執事而足矣。若夫奉仕宮廷者，常在天威咫尺之地，視聽言動必要中禮，其久而不倦者，非有存養工夫，不可得而望。而存養工夫莫學問若焉。因此有此事。……伏惟明治天皇以天縱之聖，建中興之業，在宮廷者奉命兼順，以全忠良臣民之本分，而猶未自安，用官暇聽講經為存養，夙夜匪懈，以分聖天子宵肝之勞，則於國家治教之盛，不無所少補焉。[23]

而此一宏大目的，自不待言地，當然也與日本戰時的向外「侵略」企圖有著深刻的關聯。

至於井原正平講述、飯島忠夫監修的《新撰漢文叢書 論語新講》一書，引人注意的是如前所述，其於〈緒言〉中強調：中、高等學校的入學考試問題多出自《論語》，加上若能熟讀此參考書則可養成漢文「解釋力」，養成漢文「解釋力」也易於突破入學考試難關。井原所謂培養「解釋力」的說法，恰與前述一戶隆次郎《論語講義》中所謂：「素讀」《論語》不難，「解釋」《論語》不易的說法不謀而合。又為了達成中學生自修磨練以通過高等學校或專門學校入學考試的目的，該書只精選輯錄《論語》全書中「妥當適切」的原文材料，此舉又與前述和田銳夫《新譯論語講義》特

---

[23] 細川潤次郎、南摩綱紀著，行道學會事務所編：《論語講義》（東京市：吉川弘文館，1919年），〈序〉，頁1-4。

別將《論語》中的「格言」、「名句」標舉於天頭上這一作法，頗有異曲同工之妙。因為就如井原正平是為了使讀者通過入學考試而精選出「妥當適切」的材料，和田鋭夫也是為了使學生「便於記憶」[24]。而無論是「妥當適切」或是「便於記憶」，其最大目的都是在「考試」。此種追求「適切」解釋以為應考良方的講解《論語》現象，其實早在明治末年就已出現。明治43年（1910），當時東京以出版漢文參考書而富有盛名的誠之堂，就出版發行了所謂《適解正義 錦囊論語》一書，望文生義，書名便充滿應考色彩。

（三）「論語教本」、「論語讀本」

近代日本《論語》相關論著中，以「教本」、「讀本」為名或其他性質相近之《論語》教科、參考用書，基本上無論是在書本內容、體例或是在編纂目的方面，皆與上述各類《論語》論著有著重疊相似性。例如在體例上可能也都採取「頭書」、「鼇頭」此種標注詞語解釋於書本天頭的作法[25]，以及加入「插圖」輔助經義理解[26]；或者在《論語》經文原文旁添加訓點，甚至直接標出「讀方」（漢文訓讀全文的讀法與讀音）；繼而附上各章經義講解的「講義」、「譯解」、「通釋」或「解說」；有的則在各章經義講解之前，先附有該章經義之「要旨」、「大旨」；最後在經義解說後，有的則會附上朱熹《論語集注》之外的他家說法或江戶先儒各家經注以為「參考」、「異說」。

---

24 和田鋭夫：《新譯論語講義》（神戶市：熊谷久榮堂，1912年），〈附言〉，頁1。

25 例如中等國語漢文研究會編，本田成之加校：《論語新釋》（大阪市：湯川弘文社，1940年）一書構成體例為：「例言」→「目次」→「論語經文」→「添加訓點之經文」→「讀方」→「要旨」→「通釋」。但其天頭處則附有「語釋」，此如同所謂「頭書」或「鼇頭」注解。

26 例如古谷義德：《少年論語讀本》（東京市：大同館書店，1927年）一書構成體例為：「序」→「例言」→「插圖」→「目次」→「論語について」→「孔子の人格」→「論語の內容」→「論語經文」→「讀方」→「語句の意味」→「話」→「例話」。該書插圖不像上述他書一般是將插圖置於內文的天頭處，而是在書前便附有曲阜孔廟大成殿、孔子像、孔墓、孔子故宅等圖。

綜言之，書本體例大同小異，然吾人也可從此些微變化，窺知近代日人之漢文、漢籍學習的改變軌跡以及其中意涵。而除了體例的高度相似之外，彼等之著書目的以及漢文學習動機，也與上述他類《論語》論著無異，但隨著時代逐漸下移至大正、昭和，其中「道德涵養」、「忠孝人格之養成」，進而試圖以之進行「精神善導」，或提倡忠君愛國的色彩就越趨濃厚。關於此點，下文且舉數例以證。

古谷義德《少年論語讀本》於昭和2年（1927）出版後，昭和11年（1936）、17年（1942）又分別再次出版。該書〈第一章 論語について〉說道：「勉勵學子活用《論語》以培養真道德。」此處所謂「真道德」，指的是日本人之主體意識，還包括個人的主體意識。但日本人的主體意識究竟為何？古谷義德如下言及：

> 日本人身為日本人，要考量時空因素而行動，此中有善、有道德。蓋菅原道真所謂「和魂洋才」，以及山崎闇齋雖尊崇孔、孟，但其言：「若萬一孔、孟來侵犯我國，則無論其為孔子或是孟子，皆將執劍擊之。」此二者無非是所謂立足於身為日本人這一大自覺上而來活用《論語》的精神。[27]

古谷義德所以試圖以「論語讀本」來形塑中學生作為日本人的精神意識，乃因其認為中學階段正是學生心思徬徨、易受外界環境思潮影響的時期，所以必須盡快以《論語》等「良善知識」、「純正思想」之漢籍來對中學生進行「思想善導」[28]，其中當然存在著濃厚的日本政府試圖統合國民意識的政治目標。其言：

---

[27] 古谷義德：《少年論語讀本》，〈第一章論語について〉，頁24。

[28] 以《論語》等漢籍為導正人民思想、涵養國民道德精神的主張，在明治10年代初期，由元田永孚所擬之《教育議附議》中便說道：「所謂良善之讀本，西洋修身學中雖有之，但終不能出《孝經》、《論》、《孟》、《學》、《庸》、《詩》、《書》之上。」主張修身教科書應以四書五經為主。詳參教學局編：《教育に關する勅語渙發五十年記念資料展覽圖錄》（東京市：內閣印刷局，1941年），頁91-93。

近來各種不善思想，恰如仲夏之積雨雲，風起雲湧，在其欲迷惑清純少年心之際，首先我們至少應該相信此種不善思想，將會融匯進健全思想中，融匯進流淌於《論語》中的大精神中。……然為何是《論語》？乃因《論語》作為儒教之經典，數千年之間教導了數億人，故雖然世間多少有些異論，但此書乃吾人生命之糧食。[29]

自由民主主義在大正時代昂揚發展後，大正末年至昭和時期日本軍國主義採取強勢態度，對昭和初期日本受到各種外來思潮影響後，所謂「世風日下」、「人心不古」的社會現象，採取法西斯式的鎮壓，在此風氣之下，《論語》從具備「思想善導」功能的漢籍，演變成具有濃厚帝國軍部打手的色彩。田中貢太郎《漢籍を語る叢書 論語・大學・中庸》（東京：大東出版社，1935年）該書便提及世風日下世局中的「道德修養」問題。其言：

沒有任何時代像現代這般世相混淆。不僅赤化問題或右傾問題雜亂無章，男女貞操問題亦糾紛不已。另一方面，被敬仰為一世之師表的帝國大學教授，卻其言誇誇發表忘卻國體之言論，遭受世人彈劾。又，自身兼國務要職之大臣，到官吏公吏、政治家、教育家之徒，相繼出現收賄問題，引發世人議論，舉世化為罪惡之淵藪，要之，皆肇因於個人怠乎為人之修養。吾為無學之人，今雖不自量力講說《論語》、《學》、《庸》，但本一片耿耿衷心，望現代人們一讀《論語》，其一以資為人之修養，其二以之為國民修養之糧食。[30]

---

[29] 古谷義德：《少年論語讀本》，〈序〉，頁2-4。

[30] 田中貢太郎：《漢籍を語る叢書 論語・大學・中庸》（東京市：大東出版社，1935年），〈晁言〉，頁1。田中貢太郎所描述的昭和初年的紛亂世相，基本上是大正以來的世局，蓋大正時代大臣品質的低落，以及吉野造作等教授積極主張民本主義與學問自由，或許都堪稱是「世風日下」的表現，但時入昭和10年代，其實不用等到田中來大聲疾呼，例如蓑田胸喜之類的大學教授，就已主動成為軍部打手，迫害打擊美濃部達吉等主張自由主義之教授。詳參紀田順一郎著、廖為智譯：《日本現代化物語》，

另外，大木陽堂《生活と教養論語讀本》（東京：教材社，1937年）一書，其將《論語》各章經文直接以「訓讀文」呈現，其後則直接進行解說。書前之〈序言〉提及東洋文化、精神與個人道德、社會正義。大木認為：

> 《論語》所言者皆為「道」與「德」，此所謂「道」者、「德」者，為人論之根本，人格之細胞，若無此「道」、「德」，則個人之完成無望，社會之進展不可期。故所謂「道」與「德」，乃基督教所謂之「地鹽」，亦近於我國之「かんながらの道」（神道）。其乃促進個人進步的進軍喇叭，亦是推進社會正義之戰車的前進聲響。[31]

大木陽堂將《論語》與西方基督教、日本神道教進行連結的作法，無非將《論語》納入日本固有的傳統之中，同時也將《論語》與外來的宗教作了連繫，使得《論語》可以無分本土、非本土，東方或西方，對任何民族與任何地域、時代的人而言，《論語》具有無地域界限的合適性。

而同樣具有「教本」、「讀本」性質的「全解」、「詳解」或是「義解」類《論語》，基本上也同樣具有上述各類《論語》講解書的諸多特質。例如有關語文教育這點，前文所述島田鈞一《論語全解》，自昭和3年（1928）2月20日出版發行以來，至昭和6（1931）年3月10日，共發行18版。該書所以成為如此暢銷的《論語》學習參考書，除了因為該書作為考試參考書，作者十分明白著書性質，島田鈞一說道：

> 本書因為是為初學所輯集，故主要從古人之說以解釋文章，思想之研究、文字之考證略之，又著者之私說一切省之。[32]

亦即，島田深知該書目的不在著者闡述己意或追求經義發明，而在藉由《論語》，培育學子的漢文「教養」。又因朱熹《論語集注》乃當時學校標準的

〈大學教授〉，頁186-187；〈大臣〉，頁188-189。

[31] 大木陽堂：《生活と教養論語讀本》（東京市：教材社，1937年），〈序〉，頁1。

[32] 島田鈞一：《論語全解》，〈題言〉，頁1。

《論語》教材，故島田在書中的字義解釋「皆從朱子之說解之，異說之重要者，收於參考欄，使通其大旨」[33]。這是為使學生迅速求得《論語》這一門漢文科教材之「教養」的有效安排，因為先把握住標準解釋，行有餘力再「參閱」其他重要「異說」，既保住基本盤分數，也保留了加分可能。

另外，該書在體例安排方面也非常完備，例如二十篇篇題各有解，各章經文原文旁皆附上訓點，經文原文後再附上「讀方」，亦即「漢文訓讀」讀法，繼而有解釋字詞意義的「字義」部分，接著則是白話日文翻譯經義的「釋義」。最後，若有與朱子說法有異的重要前人注解，或是江戶邦儒之漢文訓讀與島田自己之讀法有異者，也特別說明之，以為「參考」部分。例如〈學而・吾日三省吾身〉章中，伊藤仁齋《論語古義》對「三省吾身」的訓讀法為何不符漢文中以「三」字為句首的讀法，皆舉出以為學子「參考」[34]，頗有在考試目的之外，鼓勵積極學習的用意。而且該書最後除了附有「索引」外，還附上「白文練習」，亦即羅列出《論語》各章原文，以為學生自修、複習、練習、測驗自身「漢文力」用，堪稱考慮周全。不過該書如此暢銷的理由之一，或許還因島田鈞一貴為當時第一高等學校教授，明星高中的漢文科名師出參考書，中學生豈有不趨之若鶩者。

又關於道德教育方面，例如倉田熱血《論語義解》（大阪：文進堂，1932年），該書前有兩篇〈序言〉，前篇序言除說明《論語》如何有效地活用於現實生活，且可適用「現時」日本的各個階層，更進而舉出作者自身罹病經驗，證明《論語》的修養功效。由倉田的自身經驗之說明看來，《論語》幾乎等同「醫書」、「聖書」，讀經之效用，或者說道德踐履之效用超乎理性想像。後篇序言中則提出所謂「論語教」一詞，堪稱特殊。書後附有〈附錄 現代紳士の論語觀〉一文，由此文除可窺見近代日人如何尊崇《論語》，其更提出所謂「論語教」來涵養讀者之道德人格，充分反映出《論語》作為「道德教育教材」這一面向之特色，同時也可說明近代日本雖然一意模仿西

---

33 島田鈞一：《論語全解》，〈題言〉，頁2。

34 島田鈞一：《論語全解》，〈學而第一・吾日三省吾身〉章，頁5。

洋，但《論語》卻是其無法割捨的「傳統」。

而關於《論語》乃日本千古以來之傳統一事，大町桂月則有精彩的譬喻，其言：

> 大體上，儒教多被侷限於所謂老舊思想這一見解之中。然時經千年、萬年，儒教決不為人所廢，是為聖人之教也。而聖人之教非一時之物。日本國民自數千年前以米為日常食品，食米一事雖甚古老，但若廢除之，無人不笑其愚。然世有美食家者，唯求珍物，可謂食物上之亡者也。思想上亦有唯求珍物之亡者，亡者已矣，實無可奈何，然天下豈可全為亡者乎？孔子雖為二千年前之人，然其教皆適切於今日也，請試讀《論語》便可知。不讀《論語》，或讀之誤解而譏之，其愚甚矣。[35]

大町桂月此種《論語》宛若日本人的米食飲食文化傳統的譬喻，指出了以《論語》為代表的漢籍／漢文化傳統，正是日本人自古以來的精神糧食。大町桂月此一觀點即使在21世紀的今天，仍有學者深表贊同而大聲疾呼[36]。

（四）「新譯」、「新講」、「新釋」《論語》書

如同上述第三類近代日本《論語》相關論著，多指向語文與道德兩大面向，第四類所謂近代日人的《論語》新解書，如前述和田銳夫《新譯論語講義》與大町桂月《新譯論語》等，皆以「新譯」一詞來標榜其講解《論語》

---

35 幸田露伴監修、大町桂月譯：《詳解全釋論語》（東京市：雙葉書房，1938年），〈論語を讀む者に告ぐ〉，頁21。

36 加藤徹：《漢文の素養　誰が日本文化をつくったのか？》（東京市：光文社，2006年）一書中也主張：「過去之文明國家，無不擁有所謂全國國民必讀之『數本典籍』。……過去在西方諸國，《舊約聖經》、《新約聖經》即是此『數本典籍』；在幕末之日本，此所謂『數本典籍』，指的即是《論語》和《日本外史》等漢籍。」〈おわりに〉，頁234-235。

的特色，就在方法、內容上的「新」。此處所謂的「新譯」或是「新注」、「新講」、「新解」，其實都不外指向兩個層面，一是強調在漢文「語文教育」層面，有關漢文之語法、義解，乃至訓讀之讀音、讀法、訓義等的新說法、新解釋；一是強調藉由理解、涵容《論語》這一傳統漢籍義理，進而使讀者達到人格陶冶的「精神涵養」與「道德教育」。

首先關於語文教育層面，誠如前述井原正平講述、飯島忠夫監修《新撰漢文叢書 論語新講》該書，因有鑒於中、高等學校的入學考試問題多出自《論語》，故作者從《論語》選出妥切原文以為教材，僅就朱注進行簡易解說，古來眾多注解僅以附錄形式提供參考，明示應考學習內容的輕重緩急。著書目的就在使學子熟讀此一參考書，藉此養成漢文「解釋力」，目標在於突破入學考試難關。因此本書的「新講」之「新」，指的無非是培養中學生之漢文「解釋力」的嶄新講解方式，或者說是應考妙方。另外前述和田銳夫《新譯論語講義》特別將《論語》中的「格言」、「名句」標舉於天頭上這一作法，雖說是為了使學生「便於記憶」[37]，卻同樣也可窺知其「應考」訴求。

又如大町桂月《新譯論語》（東京：至誠堂，1912年），大町於該書前〈論語を讀む者に告ぐ〉（告《論語》讀者）一文中指出：「己所不欲，勿施於人」的「施」字不應如歷來一般讀為「ほどこす」（施加、施行）；而應該讀為「うつす」（轉移），大町並進一步將之與戰爭時，士官不將懼怕死亡這一心理恐懼「轉移」給士兵，仍以身先士卒為要的這一解釋相連結。接著又說明孔子所以會說出所謂「民可使由之，不可使知之」，乃因中國歷來不乏邪惡政治家的緣故[38]。本書自明治45年6月15日初版至大正9年8月30日，已印達23版，足見其受歡迎以及普及之程度。而與他書相異的是：該書反而將《論語》原文列於天頭，卻將訓讀文列於其下正文處，之後則是大町桂月對各章經文的譯解。由此可見，時入大正之際，訓讀文顯然已經超越漢文

---

37 和田銳夫：《新譯論語講義》，〈附言〉，頁1。

38 詳參大町桂月：《新譯論語》（東京市：至誠堂，1912年），〈論語を讀む者に告ぐ六〉，頁25-27。

原文而取得其在漢文學習過程中的主要正統地位，漢文原文反而淪為配角。而該書在附有訓點的《論語》各章經文後隨即附上「讀方」看來，這顯然是顧慮到中學生未必能誦讀僅加標「訓點」的漢文。

另外，該書後面附有按照50音順的〈新譯論語索引〉，大町於該篇索引之〈例言〉中主張：索引便於只記得佳句名言的《論語》讀者查閱出處及全文，也可就人名與專有名詞、概念來獲得綜合性知識。足見其試圖以「索引」、「目錄」等類似工具書性質的手段，而來輔助漢籍、漢文學習的語文教學方法。

其他如中等國語漢文研究會編、本田成之校《論語新釋》（大阪：湯川弘文社，1940年），該書體例先是《論語》經文原文，而原文標有「訓點」，但後又有「讀方」，由此再次證明進入昭和10年代中期，對中學生而言，彼等未必能誦讀僅標有訓點的漢文，而由前述明治45年出版的和田銳夫《新譯論語講義》書中，在附有訓點的《論語》各章經文後隨即再附上「讀方」看來，此種中學生無法直接藉由訓點以讀出漢文訓讀的情形，堪稱是大正以來的常態。

如上所述，此類漢文學習參考書的「語文教育」，或說「應考」功能非常明顯，但「道德涵養」、「精神鍛鍊」仍是此類應考參考書的重要主張，此點即使是在近代日本專業漢語學界亦不例外[39]。

四　結論——古／今．雅／俗．語文／道德相融的漢文教育

據本文之考察，我們藉由對近代日本《論語》教科、參考用書的分析研究，可以觀察出以下幾個日本近代漢學與漢文教育發展的特點。

---

[39] 日本近代漢語名師宮島大八創立漢語、漢學學校「善鄰書院」，其於明治31年（1898）9月落款的〈善鄰書院主意書〉中主張：日本亦亞洲之一員，道德之根底實存於儒教。而道德的涵養不能離孔子之教而求其他。亦即漢語學習的終極目標，仍在「人格陶冶」。詳參村山吉廣：《漢學者はいかに生きたか－近代日本と漢學》，頁187-190。

（一）非學院派漢文教科、參考用書作者群的出現

倉田熱血《論語義解》批評當時學者乃「在某種意義上只是一位藝人」[40]的說法，指出了近代有一群非學院派漢學者／學者的人士參與近代《論語》類漢文教科、學習參考書的編纂，而倉田正是其中一員。此事無非再次證明所謂「明治初年，一般人們都具有漢學素養」[41]的這一事實。也因為近代日本各類型的《論語》教科、參考用書的編纂，有著各種領域、出身背景的人士參與，故能掙脫學術藩籬與家派侷限，而呈現出百家爭鳴的盛況。雖然大部分書籍未必具有學術性，卻也可將之視為：江戶時代由於漢學教育普及，武士和百姓（農民）、町人（工匠、商人）等中產階級皆可學習漢文，漢學普及後的一種漢學素養的開花結果。

若從這一角度來看，則明治時代的《論語》相關教科、參考書類論著，堪稱是江戶漢學的餘韻。而此點由朱子《論語集注》仍是近代日人學習漢文的必經門徑，且多舉出江戶先儒代表性的《論語》注解與之參照看來，江戶漢學者的《論語》研究成果，與朱注同時成為近代日人讀《論語》的對照參考值。

（二）漢文／漢籍學習的主流方法

自江戶中期以還，即使荻生徂徠不斷抨擊「漢文訓讀」是種錯誤的漢文學習方式，易使人產生「卑劣心」，而大正時期青木正兒也重提徂徠的此一呼聲，但若從本文的考察來看，即使時入近代，日本新式教育中的漢文科學習，「漢文訓讀」法堪稱是始終不變的主流學習法。而如果從江戶時代公家機關或個人之間，彼此往來之公文與書信皆以「候文」（夾雜假名與漢字的

---

40 倉田熱血：《論語義解》，〈序文第二本著ある所以を告ぐ〉，頁9。

41 三浦叶：《明治の漢學》（東京市：汲古書院，1998年），頁15。

變體漢文）書寫；然明治時代無論官員、軍人、學生、記者卻皆以漢文訓讀式的文體日文來書寫文章，甚至由明治天皇所頒布的《教育勅語》亦以訓讀文書寫看來，我們可以說漢文訓讀在近代日本社會中，完全取得其在公／私・雅／俗各層面的主流表述語言地位。而此點在近代日本各類型的《論語》教科、參考用書中亦不例外。

（三）漢文力的轉變

近世到近代的轉變，就是日人的「漢文力」從「素養」轉為「教養」，從「自然而然的薰陶」轉為「有意識的學習」。而如果從近代《論語》教科、參考用書的體例內容發展來看，明治時代由於教育體制的變革，所以漢文學習逐漸喪失其自然學習環境，轉變成在教學體制內意識到入學考試，為應考而被迫學習。

因此，近代日本的中學生們並非藉由「漢文」學習來獲得一個整體的知性世界，而多是在集聚片段知識，因此會出現所謂選取重要、適切原文教材，或是背誦佳句、名言的方式來學習《論語》。然而問題是：知識的獲得未必保證能轉化為教養。由此可見，大正時代顯然是日人漢文力從「素養」轉為「教養」的關鍵轉換時期，江戶以來日本蓄積二百七十年左右漢學素養，到幕末堪稱是日本的漢文力巔峰黃金時期，而此一臻至巔峰的漢文知識力，卻因一夕的政權轉換而被迫淪為過時、無用之術；但此種漢文素養的力道，卻延續到明治時代，但也由此一路下滑，進入大正時代後則急轉直下，快速衰退[42]。

---

[42] 日語學專家大野晉（1919-）曾提及其自身的漢文素養，與其高等學校年長自己11歲的老師五味智英相比；五味智英老師再與其長自己12歲的老師麻生磯次相比；麻生磯次老師再與其長自己10歲的老師安倍能成相比，約每隔10年一代，漢文素養就每下愈況地不斷衰退。所以安倍老師能作漢詩；麻生老師卻不擅長作漢詩，但能流利朗誦江戶時代的題畫詩文；五味老師無法流利朗誦詩文，卻像本活字典一樣，大野需要查閱《漢和辭典》的字彙、詞條，五味老師卻可隨口說出。大野的此番感嘆恰好說明了

（四）雅／俗合一的語文教育功能

中學時代讀《論語》等漢籍的近代日本中學生，其日後不再侷限於「漢文」、「漢學」領域，彼等或從事日語語文教育，或從事漢語語文教育，前者如大野晉（1919-），後者如安藤彥太郎（1917-），彼等都是1910年代後期出生的人，都深受其中學時代漢文科教育的影響。但其學術路徑的發展卻是從漢學到日語；以及從漢學／漢文到漢語，但無論其日後發展為何，其間卻都是透過「漢文訓讀」，而獲得「目讀」方面的文義理解能力；但並非同時擁有現當代中國時文「音讀」方面的發音能力[43]。但若從近代漢文教育的結果論而言，其使得江戶時代代表「高雅」學問世界的「訓讀」，與代表「卑俗」實用世界的「唐話」／「漢語」，逐漸融合成一體。

（五）「經義」獨大的道德教育功能

江戶人學習漢文，是試圖獲得一種人格學問力，但近代日本自從西村茂樹、元田永孚於明治10年代提倡以孔子之教資之的道德教育，到明治天皇頒布《教學大旨》，就已確立所謂：

> 教學之要，在明仁義忠孝，究智識才藝，以盡人道。此我祖訓國典之大旨、上下一般之教也。……故自今以往，本祖宗之訓典，專明仁義忠孝；道德之學，以孔子為主。[44]

故近代的漢文學習遂將此種人格道德連結到「精神」層次，強調此乃日本固

明治到大正，日人漢學素養的急劇衰退情形。詳參大野晉：《日本語の練習帳》（東京市：岩波書店，1999年），頁41-42。

[43] 有關此點詳參倉石武次郎：《支那語教育の理論と實際》（東京市：岩波書店，1941年）。

[44] 教學局編：《教育に關する勅語渙發五十年記念資料展覽圖錄》，頁4-7圖版四。

有之傳統精神。然而若從江戶漢學的發展實況而論，以《論語》為代表的典籍「經義」的讀取，在語文教育功能之外，其主要功能則是出處時經世濟民的政治指針。但退隱時的人格涵養、精神生命貞定力，乃至表述政治抱負，則詩文亦有其相當之功效。但兩者若要作一區隔，則「經義」傾向於「機能性」，「詩文」傾向於「精神性」，此由所謂：「蓋徂徠歿後，物門之學分為二。經義推春台，詩文推南郭。」[45]這一二分法亦可窺知一斑。而相對於春台曾言：「聖人之道者，自治天下國家外別無所用，……捨是而不學，徒事詩文著述而過一生者，非真學者，無異於琴棋書畫等曲藝之輩。」（太宰春台：《經濟錄》卷1）服部南郭則說：「予決不云經濟之事。」[46]

足見江戶中期以還，習讀漢籍、取其「經義」以經世，漢籍學習其實是極具社會現實功能的機能性。而原本屬於個人精神世界之風雅、趣味層面的「詩文」，同時也可通行於「公領域」。然若就近代日本《論語》相關論著之特質而言，則明治漢學的發展，基本上可以說是割捨掉「詩文」這一關乎個人私密生命精神情感的「無用術」，而卻試圖以「經義」中諸如忠孝等攸關國族發展存亡的德目，來取代「詩文」背後所代表的個人私密精神情感。透過提昇個人對國家的「公共」意識，否定、批判個人耽溺於私人情意世界，以統合整體國民意識，達成對國家、天皇盡其忠孝之本分，護翼日本之「國體」[47]。

---

45 江村北海：《日本詩史》（收入清水茂等校：《新日本古典文學大系65 日本詩史 五山堂詩話》，東京市：岩波書店，1995年），卷4，頁509。

46 湯淺常山：《文會雜記》，（收入《日本隨筆大成》第7卷，東京市：吉川弘文館，1927年），卷1上，頁575。

47 日本學者安藤彥太郎就說：其當初所以會選擇修讀中國語，又中國研究者新島淳良所以對中國大陸有所憧憬，其實都是深受山中峰太郎《敵中横斷三百里》、《亞細亞之曙》等少年愛國小說之影響。詳見安藤彥太郎：《中國語と近代日本》（東京市：岩波書店，1988年），頁79。足見戰前漢文教育受忠孝仁義精神善導以及護翼國體思想影響之深。

（六）近代日本中國認識與漢文教育的雙重結構

近代日本藉由模仿西洋的「文明開化」政策，試圖藉由拋棄漢文、漢籍所代表的漢文化，結果卻走向專業的「漢語」學習，或是在蔑視「現實」中國的同時，卻又試圖藉由崇敬中國典籍所代表的「古典」中國價值，並以之為日本傳統價值、精神，進而建構現代「新」日本。本文透過對近代日本《論語》教科、參考用書，以及漢文學習、參考用書的考察分析，我們看到近代日本一面與中國交戰的同時，卻又不斷積極學習《四書》或《論語》等漢籍，其蔑視「現實」中國甚至侵略中國的同時，其卻又崇敬「古典」中國，試圖找出挽救、圖強日本國族的元素，而《論語》正是此「古典」中國的主要代表。但也因此一「古典」可能是非「現實」的、非「具體」的，是紙本「符號」的存在，故可以允許近代日本人在其國族、文化發展脈絡中，建構諸多非《論語》「文本」原義的可能意義，亦即包括作為戰爭時期鼓吹、約束人民的「思想善導」教材，說服人民或者使人民相信，以其為「日本固有精神」之根源、傳統，藉此來涵養日本國民之道德精神。

換言之，在近代日本的「當代支那」理解與「古典中國」理解之間，以及「傳統漢文」學習與「現代漢語」學習之間，乃至傳統「江戶漢學」研究與近代「支那學」、「中國學」研究之間，其開展過程恰好表現出近代日本人的中國認識乃是一種雙重結構的存在。而近代日本《論語》教科、參考用書所展現的漢文、漢籍教育發展史，正是日本由近世發展到近代的古／今．雅／俗．語文／道德等雙重結構並存相融的經典教育。

真德秀《大學衍義》的「齊家」思想

許振興*

一　導言

《大學衍義》是南宋真德秀（1178～1235）晚年編成的一部帝王學著述[1]。它自明、清以來一直備受中外學者的重視[2]。後世不單肯定真德秀廣徵經

---

* 香港大學中文學院。

[1] 高明士〈隋唐的帝王學〉一文解釋「帝王學是以皇帝、太子、諸王為中心的教育」（載中央研究院《第二屆國際漢學會議論文集》編輯委員會編：《第二屆國際漢學會議論文集（歷史與考古組）》，臺北市：中央研究院，1989年，頁631）。雷紹鋒、邱躍康撰寫的《濟世經邦的寶典——貞觀政要》則認為「帝王學屬於政治文化的範疇，它所研究以及闡釋的重點為最高統治者的『治國御人』之術」（昆明市：雲南人民出版社，2001年，頁217）。歷代君主對嗣君的教育多未敢掉以輕心，個中梗概，可參看朱鴻〈君儲聖王，以道正格——歷代的君主教育〉（載鄭欽仁編：《中國文化新論．制度篇——立國的宏規》，臺北市：聯經出版事業公司，1982年，頁413～464）一文。宋朝君主對嗣君的教育與栽培尤為重視，是以宋代帝王學的發展遠超前代。相關的研究，可參看許振興〈論宋代帝王學的發展〉（載《東方文化》第29卷第1期，1993年，頁54～83）與王德毅〈宋代的帝王學〉（載《新中華》第27期，2008年9月，頁11～24；又載鄧小南主編：《宋史研究論文集》（2008）（昆明市：雲南大學出版社，2009年12月，頁1～21）兩文。這直接促使宋代經筵制度的日趨完備。朱瑞熙〈宋朝經筵制度〉（載第二屆宋史學術研討會秘書處編：《第二屆宋史學術研討會論文集》，臺北市：中國文化大學史學研究所、史學系，1996年，頁229～265；又載《中華文史論叢》第55輯，1996年12月，頁1～52）一文論析詳盡，頗便參考。

[2] 參看 Wm. Theodore de Bary: *Neo-Confucian orthodoxy and the learning of the mind-and-heat*（NewYork: Columbia University Press, 1981）, pp. 67～131; JaHyun Kim Haboush: “The education of the Yi Crown Prince: A Study in Confucian Pedagogy”, in Wm. Theodore de Bary & JaHyun Kim Haboush（eds.）: *The rise of Neo-Confucianism in Korea*（New York: Columbia University Press, 1985）, pp. 161～222；王連冬：〈《大學衍義》的歷

籍與史籍以闡釋《大學》要義，俾求為統治者提供治國藍圖的用心[3]，更刻意標示他藉此書為經典詮釋者樹立「衍義體」典範的功績[4]。由於真德秀只在書中推衍《大學》「八條目」的「格物」、「致知」、「誠意」、「正心」、「修身」、「齊家」六條目，不少論者自然關注他置「治國」與「平天下」兩條目於度外的原因[5]。但真正重視真德秀闡釋的「齊家」思想，並藉此探求他何以在推衍「齊家」要義後戛然而止的論著，迄今實未或見。因此，本文即擬依據搜集的資料，嘗試為此「真德秀研究」與「《大學衍義》研究」的空白處略作填充，俾求就正於各方學者。

二 真德秀與《大學衍義》

南宋孝宗（趙昚，1127～1194，1162～1189在位）淳熙五年（1178）九月出生於建寧浦城縣僊陽鎮的真德秀（別字景元，後改為希元）是朱熹（1130～1200）的再傳弟子，學者一向尊稱他為「西山先生」[6]。他自慶元五

代評價與真德秀從祀孔廟〉，見《南京理工大學學報（社會科學版）》2009年第1期（2009年1月），頁50～54。

3 參看李焯然：〈從真德秀的《大學衍義》到丘濬的《大學衍義補》〉，載葛榮晉主編：《中國實學思想史》（北京市：首都師範大學出版社，1994年），頁637。

4 參看康世統：《真德秀大學衍義思想體系》（臺北市：國立臺灣師範大學國文研究所博士論文，1988年4月），頁916～930；向鴻全：《真德秀及其「大學衍義」之研究》（新北市：花木蘭文化出版社，2008年），頁111～134；朱人求：〈衍義體：經典詮釋的新模式——以《大學衍義》為中心〉，載《哲學動態》2008年第4期，2008年4月，頁65～70；孫先英：《真德秀學術思想研究》（上海市：上海人民出版社，2008年），頁175～179。

5 參看李焯然：〈從真德秀的《大學衍義》到丘濬的《大學衍義補》〉，頁642；李焯然：《丘濬評傳》（南京市：南京大學出版社，2005年），頁154～155；朱鴻林：〈理論型的經世之學——真德秀《大學衍義》之用意及其著作背景〉（載氏撰：《中國近世儒學實質的思辨與習學》，北京市：北京大學出版社，2005年），頁2；《真德秀及其「大學衍義」之研究》，頁35；《真德秀學術思想研究》，頁175。

6 黃宗羲原著，全祖望補修，陳金生、梁運華點校：《宋元學案》（北京市：中華書局，1989年7月）卷81〈西山真氏學案〉，頁2693～2708。

年（1199）登進士第後，便長期任官州郡，熟於地方政務。他更曾先後被召出任中書舍人、禮部侍郎、戶部尚書、翰林學士、參知政事等朝官，「望之者無不以公輔期之，立朝不滿十年，奏疏無慮數十萬言，皆切當世要務，直聲震朝廷。四方人士誦其文，想見其風采。及宦遊所至，惠政深洽，不愧其言，由是中外交頌」[7]。他的傳世著述為數不少，而以晚年成書的《大學衍義》最受後世重視[8]。

《大學衍義》是真德秀於宋寧宗（趙擴，1168～1224，1194～1224在位）時得罪權臣史彌遠（1164～1233），遭到御史彈劾後，「退屏田園，一意纂輯，粵九載其書粗成」[9]，以便隨時伺機奏獻於朝廷的帝王學作品。學者雖曾就此書的確切成書時間展開爭議[10]，真德秀於史彌遠逝世後，在端平元年（1234）九月成功將它奏呈親政的宋理宗（趙昀，1205～1264，1224～1264在位），卻是千真萬確的事實[11]。因此，是書自奏進朝廷始，已被認定是真德秀為正式親掌政權的宋理宗量體裁製的治國指南[12]。

---

7 脫脫（1314～1355）等：《宋史》（北京市：中華書局，1977年）卷437〈儒林傳．七．真德秀〉，頁12964。

8 除《大學衍義》外，真德秀其他傳世著述的簡介，可參看《真德秀學術思想研究》，頁179～186。

9 真德秀撰、陳仁錫評閱：《大學衍義》（清同治十三年〔1874〕金陵書局刊本），真德秀〈跋〉，頁6上。

10 康世統認為真德秀於嘉定十五年（1222）編成《大學衍義》一書（參看《真德秀大學衍義思想體系》，頁179～191），而李焯然以該書「大抵嘉定年間全書草定，其後續有修正，至紹定二年（1229）序文寫就，才大功告成」（〈從真德秀的《大學衍義》到丘濬的《大學衍義補》，頁637）。孫先英認為《大學衍義》本是紹定二年草定、紹定五年（1232）完成的《西山先生讀書記》「乙集．上」，端平元年真德秀被召入朝時，才從《西山先生讀書記》析出，命名為《大學衍義》，進獻於朝（參看《真德秀學術思想研究》，頁162～164）。

11 參看《大學衍義》，真德秀〈進大學衍義表〉，頁1上～3上；〈尚書省劄子〉，頁7上～9下。

12 真德秀自稱「仰惟陛下（宋理宗）稽古好學，敻出百王之表。臣之此書，雖未足上裨聰明萬一，然聖賢理義之訓，古今成敗之.，大略具是。惟萬幾之暇，特賜覽觀，推而見之於行事之實，其於聖治或庶幾少補云」（同上書，真德秀〈跋〉，頁6下）。相關真德秀編纂《大學衍義》四十三卷[13]，目的本在填實和發揮《大學》從格物、致知到治國、平天下等八條目的深意，藉以賦予全書一定的實用意義，[14]使人君得以明確認識修己、治人的要項。他在〈大學衍義序〉裏說：

> 臣始讀《大學》一書，見其自格物、致知、誠意、正心、修身、齊家，至於治國、平天下，其本末有序，其先後有倫，蓋嘗撫卷三歎，曰：「為人君者，不可以不知《大學》；為人臣者，不可以不知《大學》。為人君而不知《大學》，無以清出治之源，為人臣而不知《大學》，無以盡正君之法。」既又考觀帝王之治，未有不本諸身而達之天下者，然後知此書所陳實百聖傳心之要典，而非孔氏（孔丘，前551～前479）之言也。三代而下，此學失傳。其書雖存，概以傳記目之而已。求治者既莫之或考，言治者亦不以望其君。獨唐韓愈（768～824）、李翺（772～841）嘗舉其說，見於〈原道〉、〈復性〉之篇，而立朝論議，曾弗之及。蓋自秦、漢以後，尊信此書者，惟愈及翺，而亦不知為聖學之淵源，治道之根柢也。況其他乎？臣嘗妄謂《大學》一書，君天下者之律、令、格、例也。本之則必治，違之則必亂。[15]

他清楚指出「惟《大學》設八條之教，為人君立萬世之程。首之以格物、致

的研究，另可參看朱鴻：〈真德秀及其對時政的認識〉，載《食貨月刊》復刊第9卷第5、6期（1979年9月），頁49～56。

13 《大學衍義》四十三卷，在源頭上存在單集本與合刊本兩系統，個中情況，參看《真德秀學術思想研究》，頁165～168。《大學衍義》不同版本的介紹，另可參看《真德秀大學衍義思想體系》，頁205～251。

14 明代楊廉（1452～1525）在進呈明世宗（朱厚熜，1507～1566，1521～1566在位）的〈奏表〉指出「帝王之學，不出乎《大學》，而《衍義》所以填實乎《大學》者也」（《大學衍義》，楊廉〈奏表〉，頁1上）。另可參看朱鴻林：〈理論型的經世之學——真德秀大學衍義之用意及其著作背景〉，頁2。

15 《大學衍義》，真德秀〈大學衍義序〉，頁1上～2下。

知，示窮理乃正心之本；推之以齊家、治國，見修己為及物之原」[16]，是人君不可忽視的「南面臨民之要道」[17]。他遂以《大學》作全書的骨幹，利用二綱（帝王為治之序、帝王為學之本）、四目（格物致知之要、誠意正心之要、修身之要、齊家之要），目下再分細目、細目再析為條目的編排方式，逐一鋪陳資料、縷析己見。他曾上奏宋理宗介紹是書的體例，稱：

> 每條之中，首之以聖賢之典訓，次之以古今之事蹟。諸儒之釋經論史、有所發明者，錄之。臣愚一得之見，亦竊附焉。雖其銓次無法，議論無取，然人君所當知之理、所當為之事，粗見於此。[18]

由於論者認為「《大學衍義》的章目及其所佔篇幅很可以反映真德秀的方法與思想」[19]，是以根據該書書首的〈大學衍義目錄〉將全書的編次表列[20]如下：

結構	標目		卷次
綱	帝王為治之序		卷 1
	帝王為學之本	堯、舜、禹、湯、文、武之學	卷 2
		商高宗、周成王之學	卷 3
		漢高、文、武、宣之學	卷 3
		漢光武、明帝、唐三宗之學	卷 4
		漢、魏、陳、隋、唐數君之學	卷 4

[16] 同上書，真德秀：〈進大學衍義表〉，頁1上～1下。

[17] 同上書，真德秀：〈進大學衍義表〉，頁1下。

[18] 同上書，〈尚書省箚子〉錄真德秀奏，頁8上～8下。

[19] 何俊：《南宋儒學建構》（上海市：上海人民出版社，2004年），頁344；何俊、范立舟：《南宋思想史》（上海市：上海古籍出版社，2008年），頁224。

[20] 本表參考何俊於《南宋儒學建構》（頁344）與《南宋思想史》（頁224）兩書內容完全相同的《大學衍義》章目表。

結構	標目				卷次
目	格物致知之要	明道術	天性人心之善		卷 5
			天理人倫之正	三綱五常之大倫[21]	卷 6
				通言人子之孝	卷 6
				帝王事親之孝	卷 7
				長幼之敘	卷 8
				夫婦之別	卷 9
				君使臣之禮	卷 9
				臣事君之忠	卷 10
				朋友之交	卷 10
			吾道源流之正	吾道源流之正	卷 11
				誠道德智仁勇	卷 12
			異端學術之差		卷 13
			王道霸術之異		卷 14
		辨人才	聖賢觀人之法		卷 15
			帝王知人之事		卷 16
			姦雄竊國之術	簒臣	卷 17
			憸邪罔上之情	姦臣	卷 18～20
				讒臣	卷 21～23
				佞幸之臣	卷 24
				聚斂之臣	卷 24
		審治體	德刑先後之分		卷 25
			義利重輕之別		卷 26
		察民情	生靈嚮背之由		卷 27
			田里戚休之實		卷 27
	誠意正心之要	崇敬畏	修己之敬		卷 28
			事天之敬		卷 28
			遇災之敬		卷 29
			臨民之敬		卷 29

[21] 書的正文標題作「兼言五者大倫」（同上書卷6，頁1上、5上）。

結構	標目			卷次
			臨民之敬	卷 29
			治事之敬	卷 29
			操存省察之功	卷 29
			規警箴戒之助	卷 30
		戒逸欲	總論逸欲之戒[22]	卷 31
			沈湎之戒	卷 32
			荒淫之戒	卷 33
			盤游之戒	卷 34
			奢侈之戒[23]	卷 34
	修身之要	謹言行	慎思修己之戒[24]	卷 35
		正威儀	端躬肅容之則[25]	卷 35
	齊家之要	重妃匹	謹選立之道	卷 36
			賴規警之益	卷 37
			明嫡媵之辨	卷 37
			懲廢奪之失	卷 37
		嚴內治	宮闈內外之分	卷 38
			宮闈預政之禍[26]	卷 38
			內臣忠謹之福	卷 39
			內臣預政之禍	卷 39～40
		定國本	建立之計宜蚤	卷 41
			諭教之法宜豫[27]	卷 41
			嫡庶之分宜辨	卷 42

---

22 書的正文標題作「逸欲之戒」（同上書卷31，頁1上）。

23 何俊於《南宋儒學建構》（頁344）與《南宋思想史》（頁224）兩書所列表均失載此項。

24 書的正文標題〈謹言行〉下缺「慎思修己之戒」六字（同上書卷35，頁1上）。

25 書的正文標題〈正威儀〉下缺「端躬肅容之則」六字（同上書卷35，頁6上）。

26 書的正文標題作「宮闈預政之戒」（同上書卷38，頁2上）。

27 何俊於《南宋儒學建構》（頁344）與《南宋思想史》（頁224）所列表均誤作「論教之法宜豫」。

結構	標目			卷次
			廢奪之失宜監	卷42
		教戚屬	外家謙謹之福	卷43
			外家驕溢之禍	卷43

真德秀曾上奏概括介紹全書的內容與編纂思想：

首之以帝王為治之序者，見堯、舜、禹、湯、文（周文王，姬昌）、武（周武王，姬發，前1046～1043在位）之為治，莫不自心、身始也；次之以帝王為學之本者，見堯、舜、禹、湯、文、武之為學，亦莫不自心、身始也。此所謂綱也。首之以明道術、辨人材、審治體、察民情者，格物、致知之要也；次之以崇敬畏、戒逸欲者，誠意、正心之要也；又次之以重妃匹、嚴內治、定國本、教戚屬者，齊家之要也。此所謂目也，而目之中，又有細目焉。[28]

「二綱」、「四目」的劃分，實在於涵括《大學》的三綱領（明明德、新民與止於至善）與八條目，以求更全面闡釋它的「體」與「用」。真德秀的上奏稱：

臣聞聖人之道，有體有用。本之一身者，體也。達之天下者，用也。堯、舜、三王之為治，六經、《語》、《孟》之為教，不出乎此，而《大學》一書，繇體而用，本末先後，尤明且備，故先儒謂於今可見古人為學次第者，獨賴此篇之存，而《論》、《孟》次之。蓋其所謂格物、致知、誠意、正心、修身者，體也；其所謂齊家、治國、平天下者，用也。人主之學，必以此為據依，然後體用之全，可以默識矣。[29]

全書四十三卷，除〈帝王為治之序〉一卷與〈帝王為學之本〉三卷外，〈格

[28] 見《大學衍義》，〈尚書省劄子〉錄真德秀奏，頁8上。

[29] 同上書，〈尚書省劄子〉錄真德秀奏，頁7上。

物致知之要〉二十三卷、〈誠意正心之要〉七卷與〈修身之要〉一卷均著力於闡釋「體」的重要，而〈齊家之要〉八卷是唯一關於「用」的剖析。這說明真德秀既特別著重四「要」中關涉「體」的三「要」，又格外重視《大學》八條目中「格物」、「致知」、「誠意」、「正心」與「修身」五條目的價值。他認定君主只需掌握關涉「體」的三「要」與五條目，便能達成「用」的一「要」與一條目。他遂利用書中關涉「誠意正心之要」的〈崇敬畏〉與〈戒逸欲〉七卷，關涉「修身之要」的〈謹言行〉（原註：慎思修己之戒）、〈正威儀〉（原註：端躬肅容之則）一卷與關涉「格物致知之要」〈明道術〉的〈天性人心之善〉一卷，相互配合、互相呼應，著力強調君主重視個人身、心修養的重要。他繼而在關涉「格物致知之要」的〈明道術〉特設〈天理人倫之正〉四卷，逐一分析關涉君臣、父子、夫婦與朋友等「四倫」的長幼之敘、夫婦之別、君使臣之禮、臣事君之忠與朋友之交等關係；並在同是關涉「格物致知之要」的〈辨人材〉十卷設立〈聖賢觀人之法〉、〈帝王知人之事〉、〈姦雄竊國之術〉與〈憸邪罔上之情〉五項為君主提供可足取法的審量與取捨人材原則。他進而揭示歷代篡臣、姦臣、讒臣、佞幸之臣與聚斂之臣的種種禍國行徑，藉以供後世引為鑑戒。他深信君主若能洞悉「體」的重要，則「齊家之要」的〈重妃匹〉、〈嚴內治〉、〈定國本〉與〈教戚屬〉八卷便能就后妃冊廢、女主垂簾、外戚干政、儲位建廢與宦官預事等本屬君主家庭私事，卻不時影響治亂興衰的事宜，提供古為今用的借鑑事例。如此，君主便可以先行充分掌握關涉「用」的「齊家之要」，再在清理出完善政治的本源後，才進一步從容「治國」與「平天下」。真德秀的安排，充分突顯全書「大旨在於正君心、肅宮闈、抑權倖」[30]的特色。他格外偏重關涉「體」的三「要」、五條目，正在於「先去其有妨於治平者以為治平之基」[31]。由於真德秀用心良苦，難怪論者認為是書「無一言而非人君為治之法，無一句而

---

[30] 紀昀（1724～1805）等編：《四庫全書總目提要》（臺北市：臺灣商務印書館據武英殿《四庫全書》本影印，1986年）卷92，〈子部・儒家類・二〉，頁41上。

[31] 同上書卷92，〈子部・儒家類・二〉，頁41下。

非人臣責難之忠」[32]。

三　真德秀《大學衍義》的「齊家」思想

《大學衍義》是真德秀在端平元年九月奏呈宋理宗的帝王學教材。他在同年十月十四日主講經筵、進讀朱熹的《大學章句》後，便蒙宋理宗詔令立即進讀該書。他在端平元年十月撰寫的〈中書門下省時政房申狀〉敘述個中情況，稱：

> 九月十三日，蒙恩內引奏事，乞將所撰《大學衍義》一書投進，面奉玉音賜允，繼準省劄，備奉聖旨「疾速投進」，遂於十月初二日具表於通政司進入。次日，後殿聚講，恭被聖諭：「卿所進《大學衍義》一書，有補治道，朕朝夕觀覽。」德秀下殿拜謝而退。又於今月（十月）十四日輪當進讀《大學章句》。既畢，忽蒙聖訓：「卿所進《衍義》一書，便合就今日進讀。」德秀私謂前所進本，已納禁中，必須令講筵所別寫，然後可以進讀，遂以未辦為對。聖訓云：「已在此矣。」即見內侍捧元進第一、第二帙在前。德秀云：「臣所纂輯之書，出於愚陋之見，豈足以上稗聖學；兼臣初志，正欲備燕間之暇。今乃誤蒙睿恩，令其進讀，臣不勝感懼之至。」再拜祗謝訖，因將《衍義》序文進讀。畢，奏云：「臣之此序，成於紹定二年（1229）。所謂俟時而獻者，蓋待陛下親政而後獻也。若權臣尚在，陛下未親大政，臣雖欲進獻，何由徹乙夜之覽。乃今何幸，獲被進讀，蒙天顏欣然嘉納！」[33]

32《大學衍義》，楊廉〈大學衍義節略題辭〉，頁7上。

33 同上書，真德秀〈中書門下省時政房申狀〉，頁4上～5上。真德秀於同年十月十四日撰的〈講筵進讀《大學章句》手記〉有相類的記錄，稱：「十月十四日，進讀《大學章句》經文至『明明德，新民』，……。既畢，忽蒙聖訓：『卿所進《大學衍義》一書，便合就今日進讀。』某謂前所進已納禁中，今須再令講筵所寫別本，然後可以儘管他一再重申此書只供宋理宗燕閒時翻閱[34]，他在該年十月至次年正月間進讀朱熹的《大學章句》時，卻不忘多番援用引申。《西山文集》保留了此期間他在講筵進讀《大學》的相關記載：

進讀日期	進讀內容	進讀記錄
端平元年 十月十四日		〈講筵進讀《大學章句》手記〉[35]
十月十九日	〈進讀《大學》卷子〉[36]	〈講筵進讀手記〉[37]
十月二十六日		〈講筵進讀手記〉[38]
十一月初八日	〈講筵卷子〉[39]	〈講筵進讀手記〉[40]
十一月十三日	〈講筵卷子〉[41]	
十一月十六日	〈講筵卷子〉[42]	〈講筵進讀手記〉[43]

進讀，即以未辦為對。上曰：『已在此矣。』即見內侍捧前所進第一、第二帙在前，某即前奏曰：『臣所纂輯之書，出於愚陋之見，奚足上裨聖學？兼初志止欲備燕閒之覽，今乃仰蒙睿旨令臣進讀，此千載一時之榮遇。』再拜祇謝畢，展卷進讀。讀畢，奏曰：『臣之此序成於紹定二年，所謂.時而獻者，蓋待陛下親政而後獻者。若權臣尚在，陛下未親大政，雖欲進獻，必無由徹乙夜之覽。乃今何幸，得備進讀！』」(《全宋文》，上海市：上海辭書出版社，2006年，卷7186，〈真德秀．五二〉，第314冊，頁4～6）兩者相異處，在〈講筵進讀《大學章句》手記〉未嘗點明此首次進讀只是展讀他的〈大學衍義序〉。

34 參看真德秀於端平元年十一月初八日撰寫的〈講筵進讀手記〉(同上書卷7186，〈真德秀．五二〉，第314冊，頁11)。

35 同上書卷7186，〈真德秀．五二〉，第314冊，頁4～7。

36 同上書卷7177，〈真德秀．四三〉，第313冊，頁280～283。

37 同上書卷7186，〈真德秀．五二〉，第314冊，頁8。

38 同上書卷7186，〈真德秀．五二〉，第314冊，頁8～10。

39 同上書卷7177，〈真德秀．四三〉，第313冊，頁284～286。

40 同上書卷7186，〈真德秀．五二〉，第314冊，頁10～11。

41 同上書卷7177，〈真德秀．四三〉，第313冊，頁286～287。

42 同上書卷7177，〈真德秀．四三〉，第313冊，頁287～289。

43 同上書卷7186，〈真德秀．五二〉，第314冊，頁11～13。

進讀日期	進讀內容	進讀記錄
十一月十八日	〈講筵卷子〉[44]	〈講筵進讀手記〉[45]
十一月二十七日	〈講筵卷子〉[46]	〈講筵進讀手記〉[47]
十二月十二日	〈講筵卷子〉[48]	
十二月十三日		〈講筵進讀手記〉[49]
十二月二十七日	〈講筵卷子〉[50]	
端平二年 正月二十二日		〈講筵進讀手記〉[51]

他曾於端平元年十月十九日撰寫的〈進讀《大學》卷子〉[52]、十一月初八日撰寫的〈講筵卷子〉[53]、十一月十六日撰寫的〈講筵進讀手記〉[54]、十一月十八日撰寫的〈講筵卷子〉與〈講筵進讀手記〉[55]、十一月二十七日撰寫的〈講筵卷子〉[56]與端平二年（1235）正月二十二日撰寫的〈講筵進讀手記〉[57]相繼提及自己奏進的《大學衍義》。這證明他已盡可能將此書納入講筵進讀的教程。他雖只曾擔任侍讀四個月便因病辭世，論者卻早已認定此

[44] 同上書卷7177，〈真德秀・四三〉，第313冊，頁289～291。
[45] 同上書卷7186，〈真德秀・五二〉，第314冊，頁13～14。
[46] 同上書卷7177，〈真德秀・四三〉，第313冊，頁292～293。
[47] 同上書卷7186，〈真德秀・五二〉，第314冊，頁15。
[48] 同上書卷7177，〈真德秀・四三〉，第313冊，頁293～294。
[49] 同上書卷7186，〈真德秀・五二〉，第314冊，頁15～17。
[50] 同上書卷7177，〈真德秀・四三〉，第313冊，頁294～296。
[51] 同上書卷7186，〈真德秀・五二〉，第314冊，頁17～18。
[52] 同上書卷7177，〈真德秀・四三〉，第313冊，頁282。
[53] 同上書卷7177，〈真德秀・四三〉，第313冊，頁286。
[54] 同上書卷7186，〈真德秀・五二〉，第314冊，頁13。
[55] 同上書卷7177，〈真德秀・四三〉，第313冊，頁290～291；卷7186，〈真德秀・五二〉，第314冊，頁14。
[56] 同上書卷7177，〈真德秀・四三〉，第313冊，頁293。
[57] 同上書卷7186，〈真德秀・五二〉，第314冊，頁17。

書是他針對史彌遠擅權與楊太后（1158～1228）預政等當朝要事[58]，而為剛親政的宋理宗「陰切時事以立言」[59]的講筵教材。[60]真德秀對《大學》一書的重視固已不待贅言，而他在《大學》「格物」、「致知」、「誠意」、「正心」、「修身」、「齊家」、「治國」與「平天下」八條目中更獨重「齊家」一條目，並把它列為《大學衍義》全書唯一詳加闡釋的「用」與「要」（齊家之要）。他在〈大學衍義序〉便清楚指出「重妃匹、嚴內治、定國本、教戚屬者，齊家之要也」[61]，而「四者之道得，則治國、平天下在其中矣」[62]。他在端平元年十一月十六日的〈講筵卷子〉特就《大學》「齊家在修其身」章詳作闡釋，稱：

> 父子、兄弟、夫婦之間，一汩於私情，則於所親愛而偏焉，於所哀矜而偏焉，則慈憫之意勝而不知其惡矣；於所賤惡而偏焉，於所敖惰而偏焉，則憎疾之意勝而不知其善矣。若子弟之畏敬，父兄固所當然，若但知畏敬而不能諭於道而爭其過，是亦偏也。閨門之內，五者之失，往往有之，而父母之於子，夫之於婦為尤甚。有子如舜，所當愛也，瞽瞍不之愛而愛傲象；有子如鄭莊公（姬寤生，前757～710，前806～771在位），亦所宜愛也，姜氏不之愛而愛不弟之叔段，非偏

58 參看 Richard L. Davis（戴仁柱）:“*Evolution of an historical stereotype for the Southern Sung-the case against Shih Mi～yuan* `”, in Kinugawa Tsuyoshi（衣川強）ed.: Ryū Shiken hakushi shōju kinen: Sō-shi kenkyū ronshū 劉子健博士頌壽紀念：宋史研究論集（Kyoto: Dōhōsha, 1989）, pp.357～386；胡昭曦、蔡東洲：《宋理宗．宋度宗》（長春市：吉林文史出版社，1996年），頁1～14；張金嶺：《宋理宗研究》（北京市：人民出版社，2008年），頁1～48；Denis Twitchett and Paul J. Smith（eds.）: The Cambridge history of China, ，Vol. 5, part 1, *The Sung Dynasty and its precursors*, 907～1279（Cambridge: Cambridge University Press, 2009）, pp. 833～844

59《四庫全書總目提要》卷92，〈子部．儒家類．二〉，頁41下。

60 參看朱鴻：〈真德秀及其對時政的認識〉，頁49～51；朱鴻林：〈理論型的經世之學——真德秀大學衍義之用意及其著作背景〉，頁6～14。

61《大學衍義》，真德秀：〈大學衍義序〉，頁6上。

62 同上書，真德秀：〈大學衍義序〉，頁6下。

> 乎？有夫人如莊姜，宜愛也，衛莊公（姬揚，前757～735在位）不之愛而惟嬖人之愛，卒召州吁（前719在位）之變。有后如王氏（？～724），宜愛也，唐玄宗（李隆基，685～762，712～756在位）不之愛而惟惠妃（武惠妃，699～738）之愛，旋致開元（713～741）之禍，非偏乎？愛惡一偏，善惡易位，其患有不可勝言者，故曰身不修不可以齊其家。[63]

他在同月十八日的〈講筵卷子〉更就《大學》所稱「治國必齊其家」作闡釋，認為：

> 漢高帝（漢高祖，劉邦，前256或前247～195，前202～195在位）賢君也，以戚姬之寵而疏呂后（呂雉，前241～180），以致後日人彘之禍。然則處夫婦之間，其可不盡其道乎？唐太宗（李世民，599～649，626～649在位）英主也，然於事親友兄弟一有慚德，三百年之家法遂不復正。然則處父子兄弟之間，其可不盡其道乎？觀漢、唐之事，然後知《大學》之垂訓，真不可不佩服也。[64]

他對「家」的重視與「齊家」思想的強調，在《大學衍義》的〈帝王為治之序〉已先聲奪人，清楚指明：

> 夫治家之難，所以甚於治國者，門內尚恩，易於揜義，世之人固有勉於治外者矣。至其處家，則或狃於妻妾之私，或牽於骨肉之愛，鮮克以正自檢者，而人君尤甚焉。漢高帝能誅秦、滅項（項籍，前232～202），而不能割戚姬、（劉）如意（？～前194）之寵；唐太宗能取孤隋，攘群盜，而閨門慙德，顧不免焉。蓋疏則公道易行，親則私情易溺，此其所以難也。不先其難，未有能其易者。漢、唐之君，立本作則既已如此，何怪其治天下不及三代哉！夫女子陰柔之性，鮮不妒

---

[63]《全宋文》卷7177，〈真德秀．四三〉，第313冊，頁288～289。

[64] 同上書卷7177，〈真德秀．四三〉，第313冊，頁290。

> 忌而險詖者；故二女同居，則猜間易生。堯欲試舜，必降以二女者，能處二女，則能處天下矣。舜之身正而刑家如此，故堯禪以天下而不疑也。身之所以正者，由其心之誠；誠者無他，不善之萌動於中，則亟反之而已。誠者，天理之真；妄者，人為之偽妄，去則誠存矣！誠存則身正，身正則家治。推之天下，猶運之掌也。[65]

儘管書的「齊家之要」八卷順序析述「重妃匹」、「嚴內治」、「定國本」、「教戚屬」四項，他的「齊家」思想主要仍是以宋代士大夫強調男、女間「內」、「外」嚴分的觀念為基礎，依循北宋以來學者對《周易》一書〈家人〉「女正位乎內，男正位乎外。男女正，天地之大義也」[66]與《禮記》一書〈內則〉「男不言內，女不言外」[67]詳作演繹的成果，就「女正——家道正——天下正」與「正女——正家道——正天下」的共識[68]，提出「《易》言其理，而《禮》述其法，蓋相表裏云」[69]的見解。他更進而重申〈曲禮〉「外言不入於梱，內言不出於梱」[70]的規範，認為「嚴中外，杜請謁之法也。自士大夫之家猶然，況帝室乎」[71]。但一直被論者視為「家道正而人倫明」[72]，自祖宗以來「天下無女寵、無宦官、無外戚、無權臣、無奸臣」[73]，政權不

---

[65]《大學衍義》卷1，頁15上～16上。

[66] 王弼（226～249）、韓康伯注，孔穎達（574～648）等正義《周易正義》（臺北市：藝文印書館據清嘉慶二十年〔1815〕南昌府學刻本影印，1965年）卷4，〈家人〉，頁16上。

[67] 鄭玄（127～200）注，孔穎達等正義：《禮記正義》（臺北市：藝文印書館據清嘉慶二十年南昌府學刻本影印，1965年）卷27，〈內則〉，頁8上。

[68] 參看鄧小南：〈「內外」之際與「秩序」格局：兼談宋代士大夫對於《周易．家人》的闡發〉，載鄧小南主編：《唐宋女性與社會》（上海市：上海辭書出版社，2003年8月），頁103～109。

[69]《大學衍義》卷38，〈齊家之要．二．嚴內治．宮闈內外之分〉，頁1下。

[70]《禮記正義》卷2，〈曲禮〉，頁13上。

[71]《大學衍義》卷38，〈齊家之要．二．嚴內治．宮闈內外之分〉，頁2上。

[72] 范祖禹（1041～1098）：《唐鑑》（上海市：上海古籍出版社據上海圖書館藏宋刻本影印，1984年）卷12，〈昭宣帝〉，頁13上。

[73] 葉適（1150～1223）撰，劉公純等點校：《葉適集》（北京市：中華書局，1983年），〈治勢．中〉，頁640。

受皇親國戚間爭權篡位影響而被目為「無內亂」[74]的宋皇朝，實際自宋太祖（趙匡胤，927～976，960～976在位）立國後，已有母親杜太后（杜太后，902～961）因「聰明有智度，嘗與上參決大政」[75]，進而確定宋太祖日後傳位弟弟宋太宗（趙炅，939～997，976～997在位）的「金匱之盟」[76]。論者便嘗指出：

> 宋代后妃干政者只是較少，並非沒有。后妃本身就是一種政治身分，要她們完全不干預外朝政事，根本不可能。何況杜太后在宋代便首開

---

74 參看張邦煒：〈論宋代「無內亂」〉，載氏撰：《宋代婚姻家族史論》（北京市：人民出版社，2003年），頁376～390。

75 李燾撰，上海師範大學古籍整理研究所、華東師範大學古籍研究所點校：《續資治通鑑長編》（北京市：中華書局，1979年～1995年，以下簡稱《長編》）卷2，頁46。

76 有關「金匱之盟」一事的記載，主要參看司馬光撰，鄧廣銘、張希清點校：《涑水記聞》（北京市：中華書局，1989年）卷1，〈金匱之盟〉，頁9～10；《長編》卷2，頁46，建隆二年（961）六月甲午（初二日）條。有關「金匱之盟」一事的研究，可參看祿夢庵（1912～1977）〈宋初「金匱之盟」與「燭影斧聲」之說考辨〉，載《中國世紀》第143期（1969年9月），頁14～15（收入氏著：《宋代人物與風氣》，臺北市：臺灣商務印書館，1970年，頁17～23）；王曾瑜：〈燭影斧聲和金匱之盟——宋太祖死因之謎〉，載《歷史月刊》第15期（1989年4月），頁43～44；唐兆梅：〈評《杜太后與「金匱之盟」》〉，載《學術月刊》1991年第7期（總第266期，1991年7月），頁70～75；王育濟：「金匱之盟」真偽考——對一樁學術定案的重新甄別〉，載《山東大學學報（哲社版）》1993年第1期（1993年3月），頁68～79、87；何冠環：〈「金匱之盟」真偽新考〉，載《暨南學報（哲學社會科學版）》，第15卷第3期（總第56期，1993年7月），頁83～89；孔學：〈「金匱之盟」真偽辨〉，載《史學月刊》1994年第3期（總第209期，1994年5月），頁21～27；劉安志：〈近年來「燭影斧聲」與「金匱之盟」研究述評〉，載《史學月刊》1995第1期（總第213期，1995年1月），頁25～28；詹開遜編著：《天問——中國歷史疑案》（南昌市：江西高校出版社，1999年），〈「燭影斧聲」和「金匱之盟」〉，頁245～260；范學輝：〈金匱中，那一紙盟約——「金匱之盟」之謎〉，載劉德增主編：《歷史疑案的最新線索》（濟南市：山東人民出版社，2000年），頁99～130；葉帆：〈「金匱之盟」再考辨〉，載《歷史教學問題》2000年第4期（2000年4月），頁45～47；許振興：〈「燭影斧聲」與「金匱之盟」——宋太祖兄弟皇位授受事件發覆〉，載單周堯主編：《香港大學中文學院八十周年紀念學術論文集》（上海市：上海古籍出版社，2009年），頁473～500。

后妃干政之先例。[77]

杜太后的舉措，無疑為重視「祖法」的宋朝君臣與后妃樹立了仿效的榜樣[78]。此後，相繼垂簾聽政的皇太后與太皇太后大不乏人。真德秀耳聞目睹的七位計為：宋真宗（趙恆，968～1022，997～1022在位）的劉皇后（969～1033）、宋仁宗（趙禎，1010～1063，1022～1063在位）的曹皇后（1016～1079）、宋英宗（趙曙，1032～1067，1063～1067在位）的高皇后（1032～1093）、宋神宗（趙頊，1048～1085，1067～1085在位）的向皇后（1046～1101）、宋哲宗（趙煦，1077～1100，1085～1100在位）的孟皇后（1077～1135）、宋高宗（趙構，1107～1187，1127～1162在位）的吳皇后（1115～1197）與宋寧宗（趙擴，1168～1224，1194～1224在位）的楊皇后。她們或因嗣君沖齡繼位、或因人主臥病多時、或因朝中無主，先後垂簾一天至十一年多不等[79]。這已清楚顯示后妃是君主身邊最親近的人。她們不僅是君主的「女人」，更可能是君主的母親、母儀天下的「國母」。如此，后妃垂簾便成了「家天下」統治模式下皇后、皇太后與太皇太后順理成章的責任[80]。由於她們對朝政與國運具有無可估量的影響力，真德秀「齊家」的思想便首先標示后妃的「謹選立之道」，認為「族姓」、「女德」、「隆禮」、「博議」四項是君主選納皇后的要則[81]。后妃如「能知古者賢妃正女警戒其

---

77 張邦煒：《宋代皇親與政治》（成都市：四川人民出版社，1993年），頁150。

78 有關宋朝統治與「祖法」的關係，主要參看鄧小南：《祖宗之法——北宋前期政治述略》（北京市：三聯書店，2006年）一書。

79 參看《宋代皇親與政治》，頁143～145；趙冬梅：〈先帝皇后與今上生母——試論皇太后在北宋政治文化中的含義〉，載張希清等主編：《10～13世紀中國文化的碰撞與融合》（上海市：上海人民出版社，2006年），頁406～407；朱子彥：《多維視角下的皇權政治》（上海市：上海人民出版社，2007年），頁261～266。

80 參看《多維視角下的皇權政治》，頁275～280。

81 參看《大學衍義》卷36，〈齊家之要・一・重妃匹・謹選立之道〉，頁13下～19上。真德秀此論採自元祐五年（1090）十一月給事中兼侍講范祖禹就宋哲宗納后事向垂簾的高太皇太后提出的建議。事詳《長編》卷451，頁10823～10828。

君之道」[82]，「不以狡媚蕩其君心」[83]，能「明嫡媵之辨」[84]，知尊卑有序，而尤慎「禍淫之監」[85]，時刻以唐高宗（李治，628～688年，649～683在位）皇后武則天（624～705，690～705在位）傾王皇后（？～655）為警，則可「懲廢奪之失」[86]。

其實，真德秀重視后妃的素質，強調慎選立的重要，目的正著眼於后妃日後潛在的垂簾機會與干政危機。他列舉漢高祖的呂皇后掌政、助成后戚諸呂擅權；漢元帝（劉奭，前75～33，前49～33在位）的王皇后（王政君，前71～13）臨朝、造就后姪王莽（前45～23，8～23在位）篡漢；漢章帝（劉炟，57～88，75～88在位）的竇皇后（？～97）稱制，縱容竇氏兄弟橫行；唐高宗的武皇后得勢，甚至篡唐建周等事例，一再申析「宮闈預政之戒」[87]。由於宮闈預政每得力於外戚的幫忙，他毫不猶豫地將「教戚屬」列為君主「齊家」的要項。他先後列舉漢文帝（劉恆，前202～157，前180～157在位）時竇長君、竇廣國（？～前151）兄弟，漢元帝時史丹（？～前14），漢哀帝（劉欣，前26～1，前7～1在位）時傅喜（？～9），漢光武帝（劉秀，前6～57，25～57在位）時樊宏（？～51）、樊鯈（？～67）父子與陰興（9～47）、陰識（？～59）兄弟，唐肅宗（李亨，711～762，756～761在位）時吳溆（？～783），唐穆宗（李恆，795～824，820～824在位）時郭釗（？～831）等或不以富貴驕人、或知足謹密、或忠貞守節、或謙柔畏慎、或清靜自持、或極言正議、或以死徇國的事蹟，論證君主「外家謙謹之福」[88]。但他的闡釋重點卻在不厭其煩臚列外戚干政的史事，以供

---

[82]《大學衍義》卷37，〈齊家之要・一・重妃匹・賴規警之益〉，頁4上。

[83] 同上註。

[84] 參看同上書卷37，〈齊家之要・一・重妃匹・明嫡媵之辨〉，頁4上～5下。

[85] 同上書卷37，〈齊家之要・一・重妃匹・懲廢奪之失〉，頁12下。

[86] 參看同上書卷37，〈齊家之要・一・重妃匹・懲廢奪之失〉，頁11上～12下。有關武則天與王皇后爭寵傾軋的情況，可參看胡戟：《武則天本傳》（西安市：三秦出版社，1986年），頁17～22。

[87] 參看《大學衍義》卷38，〈齊家之要・二・嚴內治・宮闈預政之戒〉，頁2上～13上。

[88] 參看同上書卷43，〈齊家之要・四・教戚屬・外家謙謹之福〉，頁1上～9下。

人主借鑑。他以〈齊家之要〉的〈外家驕恣之禍〉最末的評論作為全書的結語，語重心長地指稱：

> 臣按西漢之戚屬，其以權寵致敗者十有六家，而臣所著者唯呂氏、王氏（原註：呂氏事見〈臨朝篇〉）。後漢至唐，戚里之不克終者甚眾，而臣於東都獨著梁、竇氏，於晉獨著楊、賈氏，於唐則著武、韋氏。蓋其尤章章焉者也。人主能鑒觀於斯，必思所以全外族；外族而能戒懼於斯，必思所以自全者，固不待盡述往事而後足以垂永鑑也。[89]

他在書中雖對漢高祖呂皇后諸兄弟（呂祿〔？～前180〕等）[90]、漢元帝王皇后諸兄弟子侄（王鳳〔？～前22〕等）[91]、漢章帝竇皇后諸兄弟（竇憲等）[92]、漢順帝（劉保，115～144，125～144在位）梁皇后（106～150）諸兄弟（梁冀〔？～159〕等）[93]、晉武帝（司馬炎，236～290，266～290在位）楊皇后（楊芷，259～292）父與弟（楊駿〔？～291〕、楊珧〔？～291〕、楊濟〔？～291〕）[94]、晉惠帝（司馬衷，259～306，290～306在位）賈皇后（257～300）侄（賈謐〔？～300〕）[95]、唐高宗武皇后諸侄（武三思，？～707；武承嗣，？～698）[96]痛加斥責；可是批評的重點卻明顯聚焦於漢元帝王皇后諸兄弟子侄——特別是被他列為「篡臣」、刻意標榜藉外戚身分「竊國」的王莽[97]。這無疑跟他在〈格物致知之要〉的持論相互呼應。

真德秀在〈格物致知之要〉闢立的〈辨人材〉一項，就歷代「姦雄竊國

89 同上書卷43，〈齊家之要・四・教戚屬・外家驕恣之禍〉，頁58下。
90 參看同上書卷38，〈齊家之要・二・嚴內治・宮闈預政之戒〉，頁2下～8上。
91 參看同上書卷43，〈齊家之要・四・教戚屬・外家驕恣之禍〉，頁9下～23上。
92 參看同上書卷43，〈齊家之要・四・教戚屬・外家驕恣之禍〉，頁23下～32上。
93 參看同上書卷43，〈齊家之要・四・教戚屬・外家驕恣之禍〉，頁32上～44下。
94 參看同上書卷43，〈齊家之要・四・教戚屬・外家驕恣之禍〉，頁44下～47下。
95 參看同上書卷43，〈齊家之要・四・教戚屬・外家驕恣之禍〉，頁47下～52下。
96 參看同上書卷43，〈齊家之要・四・教戚屬・外家驕恣之禍〉，頁52下～58上。
97 參看同上書卷17，〈格物致知之要・二・辨人材・姦雄竊國之術〉，頁6下～11下。

之術」列舉夏代時的后羿[98]、春秋時齊國的田乞（？～前485）[99]、戰國時秦國的呂不韋（？～前235）[100]與漢哀帝時的王莽[101]作為向君主闡釋姦雄竊國方式的樣本：

1. 他援后羿的事例，指出「自古姦臣欲盜其君之國，非挾宮闈之助，合左右之交則不能獨為」[102]，只有「行媚於內而施賂於外，內外盤結，無一發其姦者，然後得以愚弄上下而恣其所欲為」[103]，而「後世猶有湛於酒色而舉國授人，如漢成帝（劉驁，前52～7，前33～7在位）者」[104]。

2. 他以田乞為例，指出權臣「颛國之久，則其權不可收，其勢不可制，必至於危也。故田乞之後有田常，遂以代齊」[105]。此後「（王）鳳、（王）莽、（曹）操（155～220）、（曹）丕（魏文帝，187～226，220～226在位）之於漢，（司馬）懿（179～251）、（司馬）師（208～255）、（司馬）昭（211～265）、（司馬）炎之於魏，皆以其漸取之。推原本末，由其不早辨故爾」[106]。因此，他進而慨歎「人主其可一日失其操柄也哉」[107]。

3. 他舉呂不韋事，指出「呂不韋非直大賈，蓋大盜也。方其見子楚（秦莊襄王，？～前247，前249～247在位），曰『奇貨可居』，固料己之能使子楚得國，又能移子楚之國為己之國矣。其捐千金也，非輕利也，謂其利有百乎此也。其獻姬也，非能割己之欲也，謂其所欲有萬乎此也」[108]。他認為「秦自孝公（嬴渠梁，前381～338，前361～338在位）以至昭王（嬴稷，

---

98 參看同上書卷17，〈格物致知之要．二．辨人材．姦雄竊國之術〉，頁1上～1下。
99 參看同上書卷17，〈格物致知之要．二．辨人材．姦雄竊國之術〉，頁2上～3上。
100 參看同上書卷17，〈格物致知之要．二．辨人材．姦雄竊國之術〉，頁4下～5下。
101 參看同上書卷17，〈格物致知之要．二．辨人材．姦雄竊國之術〉，頁6下～11下。
102 同上書卷17，〈格物致知之要．二．辨人材．姦雄竊國之術〉，頁1下。
103 同上註。
104 同上書卷17，〈格物致知之要．二．辨人材．姦雄竊國之術〉，頁2上。
105 同上書卷17，〈格物致知之要．二．辨人材．姦雄竊國之術〉，頁4上。
106 同上書卷17，〈格物致知之要．二．辨人材．姦雄竊國之術〉，頁4上～4下。
107 同上書卷17，〈格物致知之要．二．辨人材．姦雄竊國之術〉，頁4下。
108 同上書卷17，〈格物致知之要．二．辨人材．姦雄竊國之術〉，頁5下。

前324～251，前306～251在位），國勢日益雄張，嘗合五國之師、百萬之眾，攻之而不能克；而不韋以一女子，從容談笑，奪其國於衽席間，故曰『不韋非獨大賈，蓋大盜也』」[109]。他希望藉此「欲人君知姦臣用智之可畏，謹毋以色而傾其國也」[110]。

4. 他臚列王莽篡漢的史實，指出「凡姦臣之欲奪國，必先顓國。顓則惟吾之所欲為，雖奪人之國，莫與爭者矣」[111]。自漢平帝（劉衎，前9～6，前1～6在位）繼位後，即獲臨朝稱制的太后委任執政的王莽，「既顓國柄，又求為后父」[112]，使女兒得立為后[113]，「自是身為宰衡，女配宸極，朝廷宮省之權一出於己」[114]，從而為日後的篡臣樹立榜樣。「其後曹操將篡漢，亦殺伏后（伏壽，？～214）而立其女（曹節，？～260）；隋文帝（楊堅，541～604，581～604在位）以后父而取後周之天下，大抵類此」[115]。他認為王莽的篡位固然是蓄謀日久的結果，「然使成帝不任外戚以政，而元后不私外家以權，則莽雖挾材任數方，陳力奔走之不暇，何惡之能為！故莽之至此者，成帝、元后之罪也」[116]。他特別申明王莽的所作所為「雖然豈獨莽哉！前而田常，後而操、懿，姦則姦矣。使人主能慎履霜之戒，而不失馭臣之柄，則皆當時之能臣也」[117]。因此，他感慨「有天下者其可不防其漸」[118]。

真德秀精選此四人作為「篡臣」的鏢靶，原因在於：

> 古今篡臣多矣，而獨載此四人者，以其姦謀詭計最巧且密故也。若曹操之篡漢，則因討賊而顓兵柄；司馬懿之篡魏，則因受遺而盜國柄。

---

109 同上書卷17，〈格物致知之要・二・辨人材・姦雄竊國之術〉，頁6上～6下。

110 同上書卷17，〈格物致知之要・二・辨人材・姦雄竊國之術〉，頁6下。

111 同上書卷17，〈格物致知之要・二・辨人材・姦雄竊國之術〉，頁9上。

112 同上書卷17，〈格物致知之要・二・辨人材・姦雄竊國之術〉，頁10上。

113 參看同上書卷17，〈格物致知之要・二・辨人材・姦雄竊國之術〉，頁9下～10上。

114 同上書卷17，〈格物致知之要・二・辨人材・姦雄竊國之術〉，頁10上。

115 同上註。

116 同上書卷17，〈格物致知之要・二・辨人材・姦雄竊國之術〉，頁12上。

117 同上註。

118 同上註。

> 其後劉裕（宋武帝，363～422，420～422在位）簒晉也，似操；楊堅之簒周也，似懿。是數人者，皆以虎豹之暴劫取神器，其情狀為易知；而此四人者，其狡如兔，其媚如狐，其陰中人如鬼蜮，其居膏肓之間如二豎子，能使人主陰授以國而不知，其情狀為難察。臣故略其易知者，而著其難察者，欲有天下者開卷瞭然，如見九鼎而識魑魅罔兩之形，圖之於未然，杜之於未兆，庶乎竊國之姦不得而逞矣。[119]

王莽既是他標示的四位簒臣中唯一生活在君主時代，又是唯一能藉口輔政、成功簒位的外戚。這使他特別重視王莽的示例作用與鑑戒價值。他在〈齊家之要〉的〈教戚屬〉一項，詳細交代漢成帝於竟寧元年（前33）六月即皇帝位後，委元舅王鳳任大司馬大將軍、領尚書事為「王氏用事之始」[120]；而諸舅王崇（？～前28）、王譚（？～前17）、王商（？～元延元年十二月辛亥〔未知是否前11〕）、王立（？～3）、王根（？～前2）、王逢時（？～前10）縱然相繼無功，亦獲封侯，是「王氏之權雖寖盛而權未專」[121]；至建始四年（前29），漢成帝委政王鳳始，「王氏之權浸專，故已有陰自附託如谷永者」[122]；而河平二年（前27）六月王譚、王商、王立、王根、王逢同日封

---

119 同上書卷17，〈格物致知之要・二・辨人材・姦雄竊國之術〉，頁12上～12下。此本缺「兆，庶乎竊國之姦不得而逞矣」十二字，今據《四庫全書》本《大學衍義》卷17（臺北市：臺灣商務印書館據文淵閣《四庫全書》本影印，1986年，〈格物致知之要・二・辨人材・姦雄竊國之術〉，頁15上）補足。

120 同上書卷43，〈齊家之要・四・教戚屬・外家驕恣之禍〉，頁10上。真德秀認為王鳳所「領尚書事，今之宰相職也」（同上）。有關王鳳用事的背景，真德秀的敘述可參看同上書卷43，〈齊家之要・四・教戚屬・外家驕恣之禍〉，頁9下～10上。

121 同上書卷43，〈齊家之要・四・教戚屬・外家驕恣之禍〉，頁10下。有關王氏諸舅封侯事，真德秀的敘述可參看同上書卷43，〈齊家之要・四・教戚屬・外家驕恣之禍〉，頁10上～10下。

122 同上書卷43，〈齊家之要・四・教戚屬・外家驕恣之禍〉，頁11上。有關谷永附託事，真德秀的敘述可參看同上書卷43，〈齊家之要・四・教戚屬・外家驕恣之禍〉，頁10下～11上。

侯，使「王氏權位至此益盛」[123]，「雖欲奪之，有不能矣」[124]。當時「政事大小，皆自（王）鳳出，天子曾不壹舉手」[125]，時人王章（？～前24）雖曾上疏奏劾，王鳳仍能得到漢成帝的迴護[126]。劉向（約前77～6）便嘗針對相關的情況，上封事極諫，稱：

> 今王氏一姓，乘朱輪華轂者二十三人，青紫貂蟬，充盈幄內，魚鱗左右。大將軍秉事用權，五侯驕奢僭盛，並作威福，擊斷自恣。行污而寄治，身私而託公，依東宮之尊，假甥舅之親，以為威重。尚書、九卿、州牧、郡守，皆出其門；筦執樞機，朋黨比周。稱譽者登進，忤恨者誅傷。遊談者助之說，執政者為之言。排擯宗室，孤弱公族。其有智能者，尤非毀而不進，遠絕宗室之任，不令得給事朝省，恐其與己分權。數稱燕王蓋主，以疑上心，避諱呂（不韋）、霍（光〔？～前68〕），而弗肯稱。內有管（管叔）、蔡（蔡叔）之萌，外假周公之論，兄弟據重，宗族盤互，歷上古至秦、漢，外戚僭貴，未有如王氏者！[127]

劉向的進諫實際只是略盡宗室舊臣的責任，事前早已預知不會得到任何結果。王莽便得以理直氣壯繼王鳳、王音（？～前15）、王商、王根後，藉王根的推薦，於綏和元年（前8）十月成為大司馬輔政。元壽二年（前2）六月漢哀帝崩，太皇太后「私其所親，付莽以政，迎立幼君。莽於是專秉國柄，百官總己以聽之。越一年，封安漢公。二年，以女配帝。四年，加號宰衡。五年，策命以九錫。明年，而居攝，又為假皇帝。又明年，而即真矣」[128]。真德秀目睹史彌遠如何與宋寧宗的楊皇后合作操控皇位的繼承、干

---

123 同上書卷43，〈齊家之要．四．教戚屬．外家驕恣之禍〉，頁11下。
124 同上書卷43，〈齊家之要．四．教戚屬．外家驕恣之禍〉，頁12上。
125 同上書卷43，〈齊家之要．四．教戚屬．外家驕恣之禍〉，頁13下。
126 參看同上書卷43，〈齊家之要．四．教戚屬．外家驕恣之禍〉，頁13上～15上。
127 同上書卷43，〈齊家之要．四．教戚屬．外家驕恣之禍〉，頁15下～16上。
128 同上書卷43，〈齊家之要．四．教戚屬．外家驕恣之禍〉，頁22下～23上。

涉朝政的運作、培植個人的勢力，自然對王莽篡漢的經過感觸尤深。

真德秀大力指責竇憲「兄弟專權，帝（漢和帝劉肇，79～106，88～106在位）與內外臣僚莫由親接，所與居者閹宦而已。帝以朝臣上下莫不附憲，獨中常侍鉤盾令鄭眾（？～114）謹敏有心機，不事豪黨，遂與定議誅憲」[129]，致「憲雖就僇，而閹寺之權遂由此起，其禍有甚於外戚者」[130]。這直接促使他在書中闡釋「齊家之要」的「嚴內治」時，特別闢設兩卷篇幅詳析「內臣忠謹之福」與「內臣預政之禍」[131]。但是他深知宋朝立國以來，宦官確曾在不少事務上擔當重要角色，卻始終缺乏操控朝政、甚或弒主立主的力量[132]。況且，宋朝的皇儲制度一向健全[133]，兼以嗣君多非年幼，是以只要繼位有人、女主不加干涉，則本書闡釋「齊家之要」的「定國本」時，特設兩卷篇幅，詳加闡釋的「建立之計宜蚤」、「諭教之法宜豫」、「嫡庶之分宜辨」與「廢奪之失宜監」[134]，基本上只是一番政治套語。但他在論析「廢

---

129 同上書卷43，〈齊家之要・四・教戚屬・外家驕恣之禍〉，頁30下。

130 同上書卷43，〈齊家之要・四・教戚屬・外家驕恣之禍〉，頁31下～32上。

131 參看同上書卷39，〈齊家之要・二・嚴內治・內臣忠謹之福〉，頁1上～8下；同上書卷39，〈齊家之要・二・嚴內治・內臣預政之禍〉，頁8下～24下；同上書卷40，〈齊家之要・二・嚴內治・內臣預政之禍〉，頁1上～30上。

132 參看張邦煒：〈南宋宦官權勢的削弱〉，載《中州學刊》1992年第3期（1992年6月），頁117～121；張邦煒：〈北宋宦官問題辨析〉，載《四川師範大學學報（社會科學版）》第20卷第2期（1993年4月），頁89～96；裴海燕：〈北宋歷史條件下的宦官權力分析〉，載《中州學刊》1998年第3期（1998年6月），頁121～125；游彪、劉春悅：〈宋代宦官養子及蔭補制度〉，載《中國史研究》2001年第2期（2001年5月），頁107～118。

133 參看趙英華：《宋代皇儲制度研究》（河北大學歷史學碩士論文，2000年）；趙英華：〈略論宋代皇儲的教育與培養〉，載《蘭州學刊》2007年第7期（2007年7月），頁186～189。

134 參看《大學衍義》卷41，〈齊家之要・三・定國本・建立之計宜蚤〉，頁1上～6上；同上書卷41，〈齊家之要・三・定國本・諭教之法宜豫〉，頁6下～16上；同上書卷42，〈齊家之要・三・定國本・嫡庶之分宜辨〉，頁1上～9上；同上書卷42，〈齊家之要・三・定國本・廢奪之失宜監〉，頁9上～26下。

奪之失宜監」的結語，直指「自古輕廢儲貳，未有不由宰相之非人也」[135]，則明顯有意針對史彌遠傳遺詔立宋理宗，而出皇子竑為濟陽郡王一事[136]。然而，他深知史彌遠背後的真正首肯者正是楊太后。因此，種種要求君主慎定國本的解說，最終還得依靠皇太后與太皇太后等先帝的后妃付諸實踐。

四　結語

真德秀《大學衍義》一書卷帙浩繁，然於闡釋《大學》的「八條目」時，在「齊家」一目後戛然而止。過往不少論者對此安排都感到若有所失。但真德秀闡釋《大學衍義》的「齊家」思想時，清楚指出「嚴內治」、「定國本」與「教戚屬」諸項的成功執行，實不時繫於掌政的后妃一念間的決定。君主的「重妃匹」除關涉后妃的素質外，更直接關涉日後皇太后與太皇太后的素質。此等皇太后與太皇太后一旦有需要或有機會掌理國政，便可充分利用宋朝官制官、職、差遣分離的特點，盡情委任可以倚靠的官員[137]。儘管論者每以為宋代君權高張而相權低落[138]，宋代君主的權力日益走向象徵化

---

135 同上書卷42，〈齊家之要・三・定國本・廢奪之失宜監〉，頁26下。

136《宋史》卷40〈寧宗紀・四〉載：「（嘉定十七年，1224，閏八月）丁酉，皇帝崩於福寧殿，年五十七。史彌遠傳遺詔，立姪貴誠為皇子，更名昀，即皇帝位。尊皇后為皇太后，垂簾聽政。進封皇子竑為濟陽郡王，出居湖州。」（頁781）

137 參看鄧小南：《宋代文官選任制度諸層面》（石家莊市：河北教育出版社，1993年），頁1～29；孫國棟：〈宋代官制紊亂在唐制的根源──宋史職官志所述宋代亂制源流辨〉，載氏撰：《唐宋史論叢》（增訂版）（香港：香港商務印書館，2000年），頁197～210。

138 參看錢穆：〈論宋代相權〉，《金陵、齊魯、華西三大學中國文化研究彙刊》第2卷（1942年9月），頁145～150；王瑞來：〈論宋代相權〉，《歷史研究》1985年第2期（1985年4月），頁106～120；王瑞來：〈論宋代皇權〉，《歷史研究》1989年第1期（1989年2月），頁144～160；張邦煒：〈論宋代的皇權和相權〉，《四川師範大學學報（社會科學版）》第21卷第2期（總第95期，1994年4月），頁60～68。

已是鐵一般的事實[139]。史彌遠在宋寧宗朝以獨相身分兼領樞密使成為定制後[140]，宰相權力日大使君主在日常政務上只能擔負凡事確認的角色。因此，真德秀高調指出君主若能「齊家」有道，藉「重妃匹」保證日後一旦皇太后或太皇太后當政時，能擇人善任，則外戚、宦官等可能危害政權的因素將被有效制約，國祚便可延續。真德秀針對南宋政治實況提出的建議，自非活在明太祖（朱元璋，1328～1398，1368～1398在位）廢相[141]後，君主必須親領百官處理政務的氛圍下，熱切關注政事的丘濬（1421～1495）所能瞭解。這難怪丘濬甘於竭力為《大學衍義》補上真德秀刻意略去的「治國」與「平天下」二目，撰成《大學衍義補》一百六十卷，在成化十三年（1487）十一月明孝宗（朱祐樘，1470～1505，1487～1505在位）甫即位，便迫不及待奏進，以供御覽[142]。丘濬對《大學衍義》一書刻意略去闡釋「治國」與「平天下」二目的安排，顯得異常著緊，正好充分體現了真德秀「齊家」思想的實用價值。

---

139 參看王瑞來：〈走向象徵化的皇權〉，載朱瑞熙等主編：《宋史研究論文集》（上海市：上海人民出版社，2008年），頁208～231。另可參看王瑞來：《宰相故事：士大夫政治下的權力場》（北京市：中華書局，2010年）一書。

140 參看何忠禮：《宋代政治史》（杭州市：浙江大學出版社，2007年），頁474。

141 有關明太祖罷相到廢相的歷程，參看許振興：〈明太祖廢相新考〉，載《明清史集刊》第7卷（2004年11月），頁1～34。

142 有關丘濬與《大學衍義補》的相關研究，主要參看 Chu Hung～lam（朱鴻林）: Ch'iu Chun（1421～1495）and the "Ta～Hsueh Yen～I Pu": statecraft thought in fifteenth～century China, Ph. D.thesis, Princeton University, 1984；Lee Cheuk～yin（李焯然）: Ch'iu Chun（1421～1495）and his viewson government and history, Ph. D. Thesis, Australian National University, 1984；李焯然：《丘濬評傳》（南京市：南京大學出版社，2005年）；朱鴻林：〈丘濬《大學衍義補》及其在十六七世紀的影響〉，載氏撰：《中國近世儒學實質的思辨與習學》，頁162～184。

朱子《中庸》詮釋中的實理觀：「理之實」與「實乎此理之實」

牟堅*

以往對朱子哲學的研究，在其中的「理」、「天理」方面有甚深的積累，本文則旨在對過往鮮為人注意的，與「理」、「天理」密切相關且位置同等重要的朱子之「實理」作專門的研究。

陳榮捷先生在其《朱熹》一書中有一處簡單提到「實理」：「朱子每言『實理』、『常理』。理非虛之物，必有實現，所謂實理也。釋《中庸》首章云：『中和云者，所以狀此實理之體用也。天地位，萬物育，所以極此實理之功效也。』」[1]唐君毅先生也談到了「實理」，認為「朱子所謂理先氣後，唯是謂理之真實性之肯定，先於氣之真實性之肯定，氣之真實性，根據於理之真實性。故朱子於理，常名之曰實理，真實不虛之理，曰天下無實於理者」[2]。馮耀明先生〈「致知」概念之分析——試論朱熹、王陽明致知論之要旨〉一文談到了「實理」。文中提出：「朱子為什麼要重視即物而窮其分殊的理相，而不直接去探究那萬理一原的實理呢？原因是朱子強調此理為實理，不是空理。必須在一個『理一分殊』的概念架構之下來瞭解此一實理，才能表示儒家與佛老之異。」[3]馮先生又指出：「就其本體言之，心所具者只是

---

* 中國社科院歷史所。

1 陳榮捷：《朱熹》（臺北市：東大圖書公司，1990年），頁54。

2 唐君毅：《中國哲學原論·原道篇卷3》（北京市：中國社會科學出版社，2005年），頁1419。

3 馮耀明：《「致知」概念之分析——試論朱熹、王陽明致知論之要旨》（新加坡：Institute of East Asian Philosophies, 1986年），頁17。

此一實理；就其發用言之，心所妙運者乃是分殊的眾理。正因心能妙眾理而宰萬物，其所內具以為性者才不是空理，而是實理。此即朱子的心性論與存有論為有機地相連貫之理論特色。」[4]

據筆者淺見，雖然有唐君毅、陳榮捷、馮耀明等前輩在研究中非常敏銳地提到了「實理」，但還沒有出現專門以實理為中心的論述。雖有日本學者岡田武彥提出宋明的實學，宋儒以實理、實性來批佛、老的空理、空性[5]；葛榮晉也提出朱子之學是「實學」的概念，認為朱子的「實學思想在本體論上表現為實理論，在人性論上表現為實性論，在道德修養上表現為實功論和實踐論」[6]，這些與筆者的觀點接近，所不同的一是研究的方法不同，更重要的是研究的指歸不同。「實學」式的思路旨在為中國實學史理出一條發展的線索，以無所不包的「實學」的眼光，在歷史上搜尋符合標準的實學人物，將不同的思想體系、學術流派的人物網羅並比，如此將消融被研究者的主體性、問題意識以及內在於觀念及其使用的歷史脈絡，而本研究正是在細緻把握「實理」這一概念的哲學意涵基礎上，而凸顯朱子提出「實理」這一概念背後的問題意識以及概念所關聯著的朱子當時面對怎樣的思想狀況；此外，「實學」式的思路只是為了說明「實學」而提到了「實理」，其論述的核心在於實學，而本研究是以「實理」為統攝性的研究架構，在此架構下重新審視理與禮的關係。

本研究提出的問題是：有了「理」、「天理」，為何需要「實理」，這一問題關聯著朱子面對當時怎樣的思想狀況？實理與理、天理是什麼關係？較之「理」、「天理」，「實理」本身的意義是什麼？其所提供的新的內容是什麼？接著要問的問題是，由於「實理」的出現，對於朱子的整體的思想架構會帶來哪些重要的、相關的思想要素？筆者發現「禮」即是這一重要要素——由「理」到「實理」是一個充實、具體化的義理的精微推進，在此實

---

4 同上，頁18。

5 岡田武彥：《宋明哲學の本質》（東京都：木耳社，1984年），頁95。

6 葛榮晉：〈朱熹的實學思想〉，見鍾彩鈞編：《國際朱子學會議論文集》（臺北市：中央研究院中國文哲研究所籌備處，1993年），頁373。

理觀下，實理又更具體化為「禮」。這就涉及「理」與「禮」的關係問題[7]。

本文第一部分處理朱子之實理與實理之使用，朱子之提出「實理」，是在歷史的深處關聯著當時的思想狀況。「理」、「天理」的提出本是為了面對佛、老「高妙」理論的衝擊，但在當時的思想狀況下，單純「理」這一概念已變得很難區分於佛、老，而需要對於「理」這一外延太大的概念作更具體確定的規定，朱子在「理」之前加「實」字而成「實理」、「理之實」，則是在本體層面上較之於「理」，更明確地針對著佛的「空」、「虛理」與老子的「無」、「無為」，朱子以「實理」作為儒與佛、老之異的標準。第二部分梳理「實理」一詞的來源。第三部分則是研究朱子《中庸》詮釋中的「實理」觀。本文在研究進路上是將實理觀這一觀念的研究放置於《四書》學的經典詮釋的脈絡下，這是觀念的研究與經典詮釋的結合。一方面契合朱子通過經典詮釋來開展他的哲學思想的特質，同時也力圖克服以往經典詮釋偏於經學的研究，對於哲學觀念重視不夠之缺失。本文對於朱子《四書》學研究不同於以往的特點在於不只是注意到《四書章句集注》，而是將之前的《論孟精義》、《四書或問》、《朱子語類》、《四書章句集注》放置在一起考察。以往研究多僅重視《四書章句集注》，但《四書章句集注》由於注經的特點所決定而言簡，朱子所說「某釋經，每下一字，直是稱等輕重，方敢寫出」[8]。對於後人，更勿論對於今天的研究者來說，一則無法追蹤、還原朱子整個解經的過程，二則因為沒有充分展開他的解經過程，則無法理解其經解的更具體的、實質性的思想內容以及所針對的問題。而筆者所採用的將朱子《四書》學的幾個文本結合在一起比較辨析的方法，將對朱子哲學作動態的展開，包括他個人的困惑，對時代思想狀況的反省等，則可能有一個較縱深而不是平面的揭示。所以本文對於以上所提出的問題的討論，將放置於《論孟精義》、《四書或問》、《朱子語類》、《四書章句集注》這幾個詮釋不斷深化

---

7 筆者另文〈朱子對「克己復禮」的詮釋與辨析——論朱子對「以理易禮」說的批評〉專門處理此問題，見《中國哲學史》2009年第1期。

8 朱熹：《朱子語類》卷105，《朱子全書》（上海市：上海古籍出版社；合肥市：安徽教育出版社，2002年），第17冊，頁3446。

的文本的脈絡下。一方面看到朱子對他之前宋代理學各家（尤其是程子及其門人）之說的辨析、取捨，朱子認為程子門人有「倍其師說，而淫於老、佛者」；與此同時，也分析朱子在辨析各家之說時自身的困惑、問題及其解決。討論朱子的經典詮釋，要探究的是朱子的問題意識，即朱子經典詮釋、辨析何以然背後的原因，朱子所說的「某釋經，每下一字，直是稱等輕重，方敢寫出」，我們需要精微地理解「一字」背後有多少的辨析、取捨，又在深處關涉著怎樣的思想狀況、問題意識與歷史動力。

一　實理與實理之使用

翻檢朱子著作，朱子對於「實理」並沒有下過專門的、嚴格的定義。但是，朱子雖然甚少說到「實理是什麼」，卻常常說到「某某是實理」，透過朱子的這類說法則可以大體把握朱子「實理」之意義。

「實理」之謂「實理」，就最顯見的意義而言，乃「理之實」，「理是實的」。朱子講實理分天與人兩方面說。就天的方面而言，朱子謂萬理皆實，天理、理是實、實理，而實理為「自然」。朱子曰：

> 天理至實而無妄。[9]
>
> 蓋天道、聖人之所以不息，皆實理之自然。[10]
>
> 吾儒萬理皆實，釋氏萬理皆空。[11]
>
> 佛氏偏處只是虛其理。理是實理，他卻虛了，故於大本不立也。[12]
>
> 天地之理，至實而無一息之妄。故自古及今，無一物之不實，而一物之中自始至終皆實理之所為也。[13]

---

[9]《朱子語類》卷64，《朱子全書》，第16冊，頁2108。

[10] 同上，頁599。

[11]《朱子語類》卷124，《朱子全書》，第18冊，頁3885。

[12]《朱子語類》卷126，《朱子全書》，第18冊，頁3947。

[13] 朱熹：《中庸或問》下，《朱子全書》，第6冊，頁598。

> 蓋有是實理，則有是天。有是實理，則有是地。如無是實理，沒這地，凡物都是如此。[14]

其次就人的方面而言，性是實理，仁義禮智是實理，物則民彝即君臣、父子、夫婦、昆弟、朋友之間皆流行是實理，此實理為「當然」、「合當決定是如此」。朱子曰：

> 性是實理，仁義禮智皆具。[15]
>
> 吾之所謂道者，君臣、父子、夫婦、昆弟、朋友當然之實理也。彼（指佛家）之所謂道，則以此為幻，為妄，而絕滅之，以求其所謂清淨寂滅者也。人事當然之實理，乃人之所以為人，而不可以不聞者，故朝聞之而夕死，亦可以無憾。若彼之所謂清淨寂滅者，則初無所效於人生之日用。其急於聞之者，特懼夫死之將至，而欲倚是以敵之耳。[16]
>
> 天之生是人也，實理自然。[17]
>
> 物則民彝，自然之實理，而豈人之所能為哉。若釋氏之言，則但能識此運水搬柴之物則，雖倒行逆施，亦無所適而不可矣。[18]
>
> 性中所有道理，只是仁義禮智，便是實理，吾儒以性為實，釋氏以性為空。[19]
>
> 反之於吾身，於君臣必盡其義，於父子必盡其親，於兄弟必盡其愛，於夫婦必盡其別，莫不各盡其當然之實理，而無一毫之不盡。[20]
>
> 君君、臣臣、父父、子子、夫夫、婦婦，皆是實理流行。[21]

---

[14]《朱子語類》卷64，《朱子全書》，第16冊，頁2122。

[15]《朱子語類》卷5，《朱子全書》，第16冊，頁216。

[16] 朱熹：《論語或問》卷4，《朱子全書》，第6冊，頁684。

[17] 朱熹：《論語或問》卷6，《朱子全書》，第6冊，頁927。

[18]《孟子或問》卷12，《朱子全書》，第6冊，頁990。

[19]《朱子語類》卷4，《朱子全書》，第14冊，頁192。

[20]《朱子語類》卷60，《朱子全書》，第16冊，頁1951。

[21]《朱子語類》卷63，《朱子全書》，第16冊，頁2075。

實理者，合當決定是如此，為子必孝，為臣必忠，決定是如此了。[22]

實理的意思可以理解為「天理」、「理」的核心內涵加上「實」字。如此，欲明「實理」，要先明「理」與「天理」。「理」在朱子哲學中具有核心原理的位置。余敦康先生認為，二程把天理確立為宇宙本體和價值本體的最高範疇，為儒教的名教思想提供了一個超越的形而上依據[23]，理的實質性的內涵就不是脫離社會人倫日用的抽象思辨的邏輯結構，而是天道與性命的貫通，宇宙本體與價值本體的合一，也即是天人一體關係[24]。陳來先生認為「理」的兩個最主要的意義是指事物的規律和道德的原則，二者本質上是統一的，即道德原則實質上是宇宙普遍法則在人類社會的特殊表現[25]。他也如余先生一樣指出，二程把「理」或「天理」提升為本體，這是使理學得以區別於魏晉玄學、漢唐儒學的重要根據，把天理確立為最高範疇，使之貫通天人，統攝自然世界與人文世界，為儒家的價值理想提供了形上的依據，這才是理學之所以為新儒學的根本。從總體上說，二程用「理」這一範疇，作為最高的本體，以「理」來規定人性的本質，以理為萬物的所以然，以窮「理」為知識論的主要方法[26]。朱子之天理論承繼程子，所以對於程子之「理」的解釋也適用於朱子之「理」。溝口雄三對於天理的定義則加入了政治的層面，他認為

22《朱子語類》卷64，《朱子全書》，第16冊，頁2123。

23 余敦康：《內聖外王之道的貫通——北宋易學的現代闡釋》（北京市：學林出版社，1996年），頁390。

24 同上，頁390～391。

25 陳來：《宋明理學》，頁126。馮耀明先生指出，朱子不只以理為實然法則（Is），且為應然原則（Ought），而且以理或道為天地萬物生化之本源。換言之，理或道既是原則（principle or reason），也是實體（reality），既是形而上學的本體（substance），也是宇宙發生論的本根，既是天地萬物的本體，也是構成人物的本質。就陸象山心即理的主張言，由於人有心而物無心（良知），故可以「理」規定人性之本質。但朱子以心為氣之靈，心可不離而即於理，但心不即是理，而物物亦皆有理，故朱子難以「理」來規定人性之本質。

26 陳來主編：《早期道學話語的形成與演變》（合肥市：安徽教育出版社，2007年），〈前言〉頁3。

所謂天理是自然法則的條理，同時又是政治應該依據的天下之正理，而且也是人的內在道德的本質[27]。綜合這幾家之說，理、天理的實質性內涵是天道與性命的貫通，宇宙本體與價值本體的合一，它包含天道、萬物之理與人之性理，所以「理」規定了人性之本質。

理、天理的這些規定其實也是實理的規定。上面所引朱子之種種說法歸納而言是「理是實的」，其中又包含天理之實與性之實。實理之「自然」表明的是天道與形上的依據，實理之「當然」表明人道、應然的價值。「實理者，合當決定是如此，為子必孝，為臣必忠，決定是如此了」，這句話是朱子唯一一處正面說到「實理是什麼」，「實理」可定義為人之為人應然的價值，也就是儒家的仁義禮智之性與五倫。實理涵括天道、形上的依據與人道、應然的價值兩方面，人道合於天道。朱子曰：

> 如寒暑晝夜，闔辟往來，天地之間陰陽交錯，而實理流行，蓋與道為體也。寒暑晝夜，闔辟往來，而實理於是流行其間，非此則實理無所頓放，猶君臣、父子、夫婦、長幼、朋友，有此五者而實理寓焉。[28]

唐君毅先生有一段文字討論程伊川所說「此理為實理」、「天下無實於理者」，至為精闢，對於理解「實理」幫助甚大，所以筆者將此段文字全文引錄：

> 伊川謂「此理為實理」，又謂「天下無實於理者」。此「實」又不是現實存在之「實」。從現實存在上看，除非我是聖人，此理恆只是對我顯為一當然之理，而對我之存心與行為有所命，為我之行為存心之一內在趨向。此理是在逐漸實現之歷程中，而未完全實現者。故此理本身，總是有超現實之意義者，亦總是形而上者。此「實」，是說它雖未實現或未完全實現，但它是不當不實現者。我只要見到它，亦是不容已於要去實現它者。我之要去實現它，即只是把它本有之當實能

---

[27] 溝口雄三：《中國的思想》（北京市：中國社會科學出版社，1995年），頁15。

[28]《朱子語類》卷95，《朱子全書》，第17冊，頁3187。

實之涵義顯出，亦即它之自顯其本有之當實能實之涵義於我。此之謂形而上而又徹於形而下，超現實而又能現實化之實理。此理之為實，離開吾人自己之感其當實能實，而要去實現他之存心與行為，則無論從名理上講，從物理上講，文理或空理上講，即皆不能加以指正。故讀者如於此有疑，除切實勘驗一下自己在感當仁當義，而又真想行仁行義時，自己心境是何狀態，此仁義之理在自己心內發生如何作用，對我有何改變；則於宋明理學家所謂天理性理之為實理，亦永不能相契入也。[29]

唐先生對於實理的詮釋的層次非常明晰：（1）實並不是現實存在之「實」，除非聖人，對於普通人來說，「實理」意味著的是「當然之理」，對人之存心與行為有所命。（2）此理是「在逐漸實現之歷程中，而未完全實現者」，所以是「有超現實之意義者，亦總是形而上者」。（3）「實理」之謂「實」之意蘊，是說它「雖未實現或未完全實現」，但它是「不當不實現者」，而人見到它亦是不容已要去實現，也就是「知」即「行」，人之要去實現它，只是把它「本有之當實能實」之涵義顯出。唐先生歸納說「此之謂形而上而又徹於形而下，超現實而又能現實化之實理」，形而上、超現實即是「當然」、「當實」，形而下、能現實化則是「能實」，「當實」、「能實」都是人所本有的。（4）「實理」之此「當實能實」之理之「實」，是需要人自己去切實踐行的，如此方能契入「天理、性理之為實理」，這裏道出「天理」之為「實理」與「性理」之為「實理」，此與上面分析朱子有關實理的言說之後得出實理含天理為實、性為實理的結論是完全一致的。但唐先生不完全是通過分析相關材料而得出其對實理的看法，更多出自其極強的思辨力。

朱子之實理源出於程子，唐先生對於程子實理之詮釋可謂孤明先發，幾乎道破了朱子實理觀的全部意蘊，本文下面對於實理的討論的展開將證明此點。簡單歸納唐先生之說，「實理」之涵義包含了唐先生所說「當實能實」

---

[29] 唐君毅：《中國哲學原論．導論篇》（北京市：中國社會科學出版社，2005年），頁35。

之理，實並不是現實存在之「實」，除非聖人，對於普通人而言，實理為「當實」之「當然之理」，實理是「形而上而又徹於形而下，超現實而又能現實化」。此為實理的正面、建設性意義。

如此看來「實理」的實質性內涵實在也就是「理」、「天理」本身的內涵，而「實」字更強調突出了「實理」所表示的儒家對天道及人性本質的價值規定。那為何還要在「理」、「天理」上多加一「實」字，這不是疊床架屋嗎？——這就涉及朱子對於「實理」的使用問題。所以要更具體地把握朱子「實理」的意思同時離不開他對於這一詞使用的意圖。

朱子之提出「實理」，是在歷史的深處關聯著當時的思想狀況。「理」、「天理」的提出本是為了面對佛、老「高妙」理論的衝擊，但在當時的思想狀況下，單純「理」這一概念已變得很難區分於佛、老，而需要對於「理」這一外延太大的概念作更具體確定的規定，朱子在「理」之前加「實」字而成「實理」、「理之實」，則是在本體層面上較之於「理」，更明確地針對著佛的「空」、「虛理」與老子的「無」、「無為」，朱子以「實理」作為儒與佛、老之異的標準，朱子曰：「佛氏偏處只是虛其理。理是實理，他卻虛了，故於大本不立也。」[30]「吾儒以性為實，釋氏以性為空。」[31]「孔、孟見實理，把作合做底看，他（老子）不見實理，把做無，故不肯為。」[32]所以實理的意思是「天理」、「理」的核心內涵加上「實」字，重點強調「天理」、「理」是「實」的，是有具體的彝倫的價值規定的，而非「虛」、「無」，以此來區別佛、老。所以朱子之「實理」既是從正面肯定儒家的彝倫之「實」，同時又是以「實」來區分儒家與佛、老。以朱子對於「實理」的應用來理解「實理」之意，倒暗合當代歷史語義學的研究進路。

朱子給皇帝上書之中，專門以「實理」來區分儒學與老、佛。朱子曰：

> 彼老子、浮屠之說，固有疑於聖賢者矣，然其實不同者，則此以性命

---

[30]《朱子語類》卷126，《朱子全書》，第18冊，頁3947。

[31]《朱子語類》卷4，《朱子全書》，第14冊，頁192。

[32]《朱子語類》卷60，《朱子全書》，第16冊，頁1962。

為真實，而彼以性命為空虛也。此以為實，故所謂「寂然不動」者，萬理粲然於其中，而民彝物則無一之不具，所謂「感而遂通天下之故」，則必順其事，必循其法，而無一事之或差。彼以為空，則徒知寂滅為樂，而不知其為實理之原。徒知應物見形，而不知其有真妄之別也。是以自吾之說而修之，則「體用一源，顯微無間」，而治心、修身、齊家、治國無一事之非理。由彼之說，則其本末橫分，中外斷絕，雖有所謂朗澈靈通虛靜明妙者，而無所救於滅理亂倫之罪、顛倒運用之失也。故自古為其學者，其初無不似有可喜，考其終則詖淫邪遁之見，鮮有不作而害於政事者。是以程顥常辟之曰：「自謂窮神知化，而不足以開物成務。言為無不周徧，而實外於倫理。窮深極微，而不可以入堯、舜之道。天下之學，自非淺陋固滯，則必入於此。」是謂正路之榛蕪，聖門之蔽塞，辟之而後可與入道。[33]

朱子認為儒者以性命為真實，由此說法出發而做工夫則「體用一源，顯微無間」，具民彝物則，「無一事之或差」。老、佛以性命為空虛，不知其為實理之原，由此說則「本末橫分，中外斷絕」，帶來滅理亂倫之罪。學說影響於政事，所以朱子上書皇帝要求辟「蔽塞聖門」之老、佛之學。

答弟子問儒釋之差別時，朱子以「從劈初頭」的「天命之謂性」來作區分的依據，儒見實理，而佛氏「做空虛說」。朱子曰：

問：佛氏所以差。曰：從劈初頭便錯了。如「天命之謂性」，他把做空虛說了。吾儒見得都是實，若見得到自家底從頭到尾小事大事都是實。他底從頭到尾都是空，恁地見得破，如何解說不通。又如「實際理地不受一塵，萬行叢中不舍一法」等語，這是他後來桀黠底，又撰出這一話來倚傍吾儒道理，正所謂遁辭知其所窮。且如人生一世間，須且理會切實處。論至切至實處，不過是一個心，不過一個身。若不自會做主，更理會甚麼然。求所以識那切實處，則莫切於聖人之書。

33 朱熹：〈戊申封事〉，《晦庵集》卷11，《朱子全書》，第20冊，頁611。

聖人之書，便是個引導人底物事。若舍此而它求，則亦別無門路矣。[34]

曹問：何以分別儒釋差處。曰：只如說「天命之謂性」，釋氏便不識了，便遽說是空。覺吾儒說底是實理，看他便錯了。他云「不染一塵，不舍一法」。既「不染一塵」，卻如何「不舍一法」？到了是說那空處，又無歸著。且如人心須是其中自有父子、君臣、兄弟、夫婦、朋友，他做得徹到底，便與父子、君臣、兄弟、夫婦、朋友都不相親。吾儒做得到底，便父子有親，君臣有義，兄弟有序，夫婦有別，朋友有信。吾儒只認得一個誠實底道理，「誠」便是萬善骨子。[35]

朱子認為「吾儒說底是實理」，「吾儒只認得一個誠實底道理，『誠』便是萬善骨子」，而朱子後學元代胡炳文（1250～1333）也充分認識到朱子以「真實無妄」說「誠」的貢獻，《中庸章句大全》載：

雲峰胡氏曰：「誠者《中庸》一書之樞紐，而首於此章（第二十章）見之，漢儒皆不識『誠』字。宋李邦直始謂『不欺之謂誠』，徐仲車謂『不息之謂誠』，至子程子始曰『無妄之謂誠』，子朱子又加以『真實』二字，『誠』之說盡矣。」[36]

朱子更以「天命之謂性」為「實」之說來成功地引導學佛者轉向儒門。《語類》載：

李伯聞者名宗思舊嘗學佛，自以為有所見，論辨累年，不肯少屈。近嘗來訪，復理前語。熹因問之：「『天命之謂性』，公以此句為空無一法耶？為萬理畢具耶？若空，則浮屠勝。果實，則儒者是。此亦不待兩言而決矣。」渠雖以為實，而猶戀著前見，則請因前所謂空者，

---

[34]《朱子語類》，卷126，《朱子全書》，第18冊，頁3935～3936。

[35]《朱子語類》，卷126，《朱子全書》，第18冊，頁3935。

[36]《中庸章句大全》上，《四庫全書》（上海市：上海古籍出版社，1987年），第205冊，頁903。

而講學以實之。熹又告之曰：「此實理也，而以為空，則前日之見悞矣。今欲真窮實理，亦何藉於前日已悞之空見，而為此二三耶。」渠遂脫然肯捐舊習而從事於此。[37]

伯諫前日過此，季通亦來會，相與劇論儒、佛之異。因問伯 ：「『天命之謂性』，此句為實邪，為空邪？」渠以為實。熹云：「如此則作空見者誤矣。且今欲窮實理，亦何賴於前日之空見哉？」又為季通指近事譬喻，渠遂釋然，似肯放下舊學。若自此不為異議所移，則吾道又得此人，其資稟志尚過人數等，真有望矣。[38]

所以朱子提出「實理」，是以「實」來再次重點強調「天理」、「理」原本所具有、但後來又再一次被虛化的具體的彝倫的價值規定，「理」必得是「實」的，「實理」較之單純的「理」能更明確地闢佛、老之「虛理」。「實理」之「實」是相對於理的「虛」、「空」、「無」，除此以外，「實理」的核心內涵應該與「理」、「天理」是一樣的，但是「實」這一方面的強調確實至關重要的，不然則會再一次陷於佛、老之中。

將開頭所辨析的朱子的「實理」的意義、唐君毅先生所說的實理的正面意義與以實理來區分儒佛之批判意義兩相結合，則可完整地確定「實理」的意涵。即實理為天理與性之實，此意義又離不開對「實理」的使用，實理是以「實」來再次重點強調「天理」、「理」原本所具有、但後來又再一次被虛化的具體的人倫價值規定，較之單純的「理」能更明確地作為儒與佛、老的區分標準。

實理除了是儒與佛、老之辨的標準，實理的提出也是為了應對道學內部因為高妙而無下學，又重新陷於佛、老之中而不自知的弊病。朱子批評程子諸門人「上蔡有上蔡之病，龜山有龜山之病，和靖有和靖之病，無有無病

[37] 朱熹：〈答張敬夫〉，《晦庵集》卷31，《朱子全書》，第21冊，頁1331。

[38] 朱熹：〈答范伯崇〉，《晦庵集》卷39，《朱子全書》，第22冊，頁1785。

者」[39]，他更集中於批評程子諸門人雖親見二程，卻對於儒、釋之異看不破，以為二者差別極微，從而流於禪去。《語類》載：

一日，論伊川門人，云：「多流入釋氏。」文蔚曰：「只是游定夫如此，恐龜山輩不如此。」曰：「只〈論語序〉便可見。」[40]

游、楊、謝三君子，初皆學禪，後來餘習猶在。故學之者多流於禪，游先生大是禪學。[41]

程門諸子在當時親見二程。至於釋氏，卻多看不破，是不可曉。觀〈中庸說〉中可見，如龜山云：「吾儒與釋氏，其差只在杪忽之間。」某謂何止杪忽，直是從源頭便不同。[42]

程子諸門人不僅在學問上流於佛，同時在行為上也嗜佛、禮佛。朱子批評道：

游定夫學無人傳，無語錄。他晚年嗜佛，在江湖居，多有尼出入其門。他眼前分曉信得及底盡踐履得到。其變化出入處看不出，便從釋去，亦是不透。和靖在虎丘，每旦起頂禮佛。[43]

所以朱子說：「以某觀之，二先生衣缽似無傳之者。」[44]

朱子尤其提到他所身處的時代「學問流而為禪」，實乃謝上蔡有以啟之：

如「仁」之一字，上蔡只說知仁。孔子便說為仁，是要做工夫去，為仁豈可道知得便休？今學問流而為禪，上蔡為之首。[45]

39《朱子語類》卷93，《朱子全書》，第17冊，頁3103。
40《朱子語類》卷101，《朱子全書》，第17冊，頁3359。
41《朱子語類》卷101，《朱子全書》，第17冊，頁3358。
42《朱子語類》卷101，《朱子全書》，第17冊，頁3361。
43《朱子語類》卷101，《朱子全書》，第17冊，頁3359～3940。
44《朱子語類》卷101，《朱子全書》，第17冊，頁3359。
45《朱子語類》卷5，《朱子全書》，第14冊，頁228。

聖門只說為仁，不說知仁。上蔡一變，而為張子韶，上蔡所不敢衝突者，張子韶出來盡衝突了。近年陸子靜又衝突，出張子韶之上。[46]

朱子批評謝上蔡流於佛的同時則是強調「工夫」的重要。朱子分析程子諸門人「下梢皆入禪學」的原因在於程子（指程顥）當時說得「高」，所以他們只見上一截，而少下面的「著實工夫」，所以會有如此的流弊。《語類》載：

看道理不可不仔細。程門高弟，如謝上蔡、游定夫、楊龜山輩，下梢皆入禪學去。必是程先生當初說得高了，他們只睥見一截，少下面著實工夫，故流弊至此。[47]

朱子分析，人須自向內裏去理會，理會到深處，由此卻容易產生因為與禪相似而入於禪的危險，所以需要理會到更深的深處，而不與禪相似。這可謂是思考的三個階段。朱子曰：

人須是自向裏入深去理會。此個道理，才理會到深處，又易得似禪。須是理會到深處，又卻不與禪相似，方是。今之不為禪學者，只是未曾到那深處；才到那深處，定走入禪去也。譬如人在淮河上立，不知不覺走入金界去定也。只如程門高弟游氏，則分明是投番了。雖上蔡、龜山也只在淮河上游游漾漾，終看他未破；時時去他那下探頭探腦，心下也須疑它那下有個好處。[48]

思考的第三階段「又卻不與禪相似」可謂就是「實理」，高妙之理返回到「實」上。朱子之解經、窮理、說理正是要克服玄妙之弊，而認為解經本是要回到經文本身的平實，說得實才是好的。不過此「實」已是入裏之後新的「實」；此「實」自然不僅是解經之實，更重要的是與此相關聯的下學工夫之「實」。朱子曰：

---

[46]《朱子語類》卷20，《朱子全書》，第14冊，頁707。
[47]《朱子語類》卷101，《朱子全書》，第17冊，頁3358。
[48]《朱子語類》卷18，《朱子全書》，第14冊，頁626～627。

古之聖賢未嘗說無形影話。近世方有此等議論，蓋見異端好說玄說妙，思有以勝之，故亦去玄妙上尋。不知此正是他病處。如孟子說「反身而誠」，本是平實。伊川亦說得分明。到後來人說時，便如空中打個筋斗。然方其記錄伊川語，元不錯。及至說出來，便如此。必是聞伊川說時，實不得其意耳。[49]

大意只要說得實，便好。如伊川說物便到「四凶」上，及呂與叔《中庸》，皆說實話也[50]。

二 「實理」一詞的來源

「實理」一詞的來源，以筆者目前所掌握的文獻來看，最早來自魏晉六朝時期的玄學和佛教典籍《弘明集》，也有「實理」一詞作為一般的用法。以下作一梳理。

《三國志．魏志》載：

又司馬朗早有聲名，其族兄芝，眾未之知，惟俊言曰：「芝雖夙望不及朗，實理但有優耳。」[51]

在此，「夙望」之聲名與「實理」之實對舉。

《世說新語》載：

簡文：劉尹茗柯有實理。[52]

余嘉錫對於這句的解釋是劉尹「精神雖似惛懵，而發言卻有實理」[53]。茗柯

49《朱子語類》卷101，《朱子全書》，第17冊，頁3362～3363。

50《朱子語類》卷101，《朱子全書》，第17冊，頁3363。

51《三國志．魏書》（北京市：中華書局，1981年）卷23，頁663。

52 餘嘉錫：《世說新語箋疏》（上海市：上海古籍出版社，1993年）卷中之下〈賞譽第八〉，頁488。

53 同上。

（惛懵）與「實理」也與上條材料一樣是對舉，從對舉可以看出兩則材料中的「實理」的含義是著實之理。

查南朝梁僧佑所編《弘明集》有九處用到「實理」一詞，其中宋宗炳〈明佛論〉一文有四處，其另一文〈答何衡陽書〉還有一處。這裏先對〈明佛論〉中「實理」的用法作一分析。〈明佛論〉曰：

> 夫道之至妙，固風化宜尊，而世多誕佛。咸以我躬不閱，遑恤於後。萬里之事，百年以外，皆不以為然，況須彌之大，佛國之偉。精神不滅，人可成佛，心作萬有，諸法皆空，宿緣綿邈，億劫乃報乎？此皆英奇超洞，理信事實，黃蓍之聽，豈納雲門之調哉？世人又貴周、孔、《書》、〈典〉，自堯至漢，九州華夏，曾所弗暨，殊域何感，漢明何德，而獨昭靈彩？凡若此情，又皆牽附先習，不能曠以玄覽，故至理匪遐，而疑以自沒。悲夫，中國君子明於禮義而闇於知人心，寧知佛心乎。……彼佛經也，包五典之德，深加 大之實。含老、莊之虛，而重增皆空之盡。高言實理，肅焉感神，其映如日，其清如風，非聖誰說乎。謹推世之所見，而會佛之理，為明。[54]
>
> 佛經云：一切諸法從意生形，又云：心為法本，心作天堂，心作地獄，義由此也。是以清心潔情必妙生於英麗之境，濁情滓行永悖於三塗之域。何斯唱之迢遰，微明有實理，而直疏魂沐，想飛誠悚志者哉……致使今日在信妄疑耳，豈可以為實理之感哉！[55]

〈明佛論〉一名〈神不滅論〉，是針對范縝〈神滅論〉而作。此段文字主要是針對世人因為佛教所言「萬里之事，百年以外」、「須彌之大，佛國之偉」、「精神不滅，人可成佛，心作萬有，諸法皆空，宿緣綿邈，億劫乃報」超出人的日常經驗之外，所以人「皆不以為然」，「世多誕佛」，作者為佛教辯

---

[54] 宗炳：〈明佛論〉，見僧佑編：《弘明集》卷2，《四庫全書》，第1048冊，頁20下～21上。

[55] 同上，頁24上～26上。

護，認為所言這些都是「實理」，是真實存在，而非虛妄。所以「實理」一詞具有為佛教辯護的性質。

宗炳認為儒家不如佛教在「實理」上之深，曰：

> 子路問死，子曰：未知生，安知死。問事鬼神，則曰：未知事人，焉知事鬼。豈不以由也盡於好勇，篤於事君，固宜應以一生之內至於生死鬼神之本，雖曰有問，非其實理之感，故性與天道不可得聞。[56]
>
> 十二子雖復升堂入室，年五十者曾無數人，顏夭，冉疾，由醢，予族，賜滅其須，匡陳之苦豈可勝言。忍饑弘道，諸國亂流，竟何所救。以佛法觀之，唯見其哀，豈非世物宿緣所萃邪。若所被之實理，於斯猶未為深。[57]

《弘明集》其他各處所用「實理」，意思也大體不出宗炳之所用，所引如下：

> 又稱其不登仙，死則為鬼，或召補天曹，隨其本福，雖大乖老、莊立言本理，然猶可無違世教，損欲趣善，乘化任往，忘生生存存之旨，實理歸於妄，而未為亂常也。[58]
>
> 辱告惠示，至尊答臣下神滅論，伏覽未周，煙雲再廓，竊惟蠕動有知，草木無識，神滅瞽論，欲以有知同此無識，乃謂種智，亦與形骸俱盡，此實理之可悲。[59]
>
> 夫神道設教，誠難以言辨意，以為大設靈奇，示以報應，此最影響之實理，佛教之根要。今若謂三世為虛誕，罪福為畏懼，則釋迦之所明，殆將無寄矣。[60]
>
> 又云周、孔之化，救其甚弊，故盡於一生，而不開萬劫之塗。夫以神

---

[56] 同上，頁34上～下。

[57] 宗炳：〈答何衡陽書〉，《弘明集》卷3，《四庫全書》，第1048冊，頁44下。

[58] 明僧紹：〈正二教論〉，《弘明集》卷6，《四庫全書》，第1048冊，頁87上～下。

[59] 庾詠：〈敕答臣下神滅論〉，《弘明集》卷6，《四庫全書》，第1048冊，頁143上。

[60] 王謐：〈答桓太尉〉，《弘明集》卷12，《四庫全書》，第1048冊，頁185上～下。

為化，則其教易行，異於督以仁義，盡於人事也。是以黃巾妖惑之徒皆赴者如云。若此為實理，行之又易，聖人何緣舍所易之實道，而為難行之末事哉？[61]

「實理」一詞作為字面的「真實的道理」之意，可能是當時的一般用法，梁沈約《宋書》中則提供一例：

尚書王准之議：「昔為山陰令，士人在伍，謂之押符。同伍有愆，得不及坐，士人有罪，符伍糾之。此非士庶殊制，實使即刑當罪耳。夫束修之胄，與小人隔絕，防檢無方，宜及不逞之士，事接群細，既同符伍，故使糾之。於時行此，非唯一處。左丞議奴客與鄰伍相關，可得檢察，符中有犯，使及刑坐。即事而求，有乖實理。有奴客者，類多使役，東西分散，住家者少。其有停者，左右驅馳，動止所須，出門甚寡，典計者在家十無其一。奴客坐伍，濫刑必眾，恐非立法當罪本旨。右丞議士人犯偷，不及大辟者，宥補兵。雖欲弘士，懼無以懲邪。乘理則君子，違之則小人。制嚴於上，猶冒犯之，以其宥科，犯者或眾。使畏法革心，乃所以大宥也。且士庶異制，意所不同。」[62]

文中「即事而求，有乖實理」、「乘理則君子，違之則小人」中的「實理」則是普通的真情實理之意。當然也有另一種可能是玄學、佛學變為一般的用法，如同宋明理學的「天理」成為百姓日常生活用語。不過就目前的文獻還不能下此斷語，更多的可能還是前者，筆者的理由是「實理」一詞並沒有成為玄學、佛學核心的概念而大規模地使用。唐房玄齡撰《晉書》中的一例，唐朝對於「實理」的用法與《宋書》中梁朝時的「實理」的意思一樣：

曰：或問魏武帝功蓋中夏，文帝受禪於漢，而吾子謂漢終有晉，豈實

---

[61] 桓玄：〈難王中令〉，《弘明集》卷12，《四庫全書》，第1048冊，頁186下。

[62] 沈約：《宋書》（北京市：中華書局，1981）卷42，頁1318～1319。

理乎？[63]

從魏晉六朝到唐，雖然玄學、佛教都有用到「實理」一詞，但並沒有成為其核心性的概念，而更多只是表示「真實之理」。這要到程伊川及其門人謝上蔡才將「實理」變為道學的語言，程伊川曰：

> 嘗問先生：其有知之，原當俱稟得。先生謂：不曾稟得，何處交割得來。又語及太虛，曰：亦無太虛。遂指虛曰：皆是理，安得謂之虛？天下無實於理者。[64]
>
> 志道懇切，固是誠意，若迫切不中理，則反為不誠。蓋實理中自有緩急，不容如是之迫。觀天地之化乃可知。[65]
>
> 忠信者以人言之，要之則實理也。[66]
>
> 人苟有「朝聞道，夕死可矣」之志，則不肯一日安於所不安也。何止一日，須臾不能，如曾子易簀，須要如此乃安。朱子曰：道者，事物當然之理。苟得聞之，則生順死安，無復遺恨矣。人不能若此者，只為不見實理。實理者實見得是，實見得非。朱子曰：實理與實見不同，恐記錄漏字。愚謂本以人心見處而言，唯實見是非之理，然後為實理。蓋理無不實，但見有未實耳。凡實理得之於心自別。若耳聞口道者，心實不見。若見得，必不肯安於所不安。人之一身，盡有所不肯為。及至他事，又不然。若士者，雖殺之，使為穿窬必不為。其他事未必然。至如執卷者莫不知說禮義，又如王公大人皆能言軒冕外物，及其臨利害則不知就義理，卻就富貴。如此者只是說得，不實見。及其蹈水火，則人皆避之，是實見得。須是有見不善如探湯之心，則自然別。昔曾經傷於虎者，他人語虎，則雖三尺之童，皆知虎

63 房玄齡等：《晉書》（北京市：中華書局，1981年）卷82，頁2155。

64 程頤、程顥：《二程遺書》卷3，《二程集》（北京市：中華書局，1981年），第1冊，頁66。

65 程頤、程顥：《二程遺書》卷2，《二程集》，第1冊，頁13。

66 程頤、程顥：《二程遺書》卷11，《二程集》，第1冊，頁121。

之可畏，終不似曾經傷者神色懾懼，至誠畏之，是實見得也。此一節反復推明實見之理，最為親切。學者要亦察理之明，立志之剛，知行並進，豁然有悟，然後所見為實見。充其所見，死生利害皆不足以移之矣。得之於心，是謂有德。不待勉強。然學者則須勉強。古人有捐軀隕命者，若不實見得，則烏能如此。須是實見得生不重於義，生不安於死也。故有殺身成仁，只是成就一個是而已。心有實見而後謂之有德，此則不待勉強。學者實見有所未盡，則亦勉而行之可也。[67]

上面第三段文字中，是朱子將《二程遺書》中的文字編入《近思錄》，並在某些緊要地方，朱子作專門的解釋（以小號字示出）。

謝良佐將《中庸》的「誠」解釋為「實理」，而不是尋常人解釋為「專一」，謝上蔡曰：

誠是實理，不是專一。尋常人謂至誠止是謂專一，如惡惡臭、好好色，不是安排來。[68]

朱子將此條輯入《中庸輯略》，並稍有改動：

謝曰：誠是實理，不是專一。尋常人謂至誠止是專一，實理則如惡惡臭，如好好色，不是安排來。[69]

主要是在「如惡惡臭、好好色」之前多添了「實理」一詞，以對「實理」加以強調突出。朱子在為謝良佐所撰〈德安府應城縣上蔡謝先生祠記〉中專門表彰他「以實理論誠」之精當，曰：

所著《論語說》及門人所記《遺語》皆行於世，如以生意論仁，以實理論誠，以常惺論敬，以求是論窮理，其命理皆精當，而直指窮理居

---

[67] 程頤、程顥：《二程遺書》卷15，《二程集》，第1冊，頁147；朱熹、呂祖謙：《近思錄》卷7，《四庫全書》，第699冊，頁78下～頁79上。

[68] 謝良佐：《上蔡語錄》卷2，《四庫全書》，第698冊，頁584。

[69] 石𡼖編、朱熹刪定：《中庸輯略》卷下，《四庫全書》，第198冊，頁601。

> 敬為入德之門，則於夫子教人之法，又最為得其綱領。[70]

呂大臨亦明確說到實理，曰：

> 至於實理之極，則吾生之所固有者，不越乎是。吾生所有既一於理，則理之所有皆吾性也。[71]
>
> 呂曰：實理不貳，則其體無雜。其體不雜，則其行無間，故至誠無息。非使之也，機自動耳，乃乾坤之所以闔辟，萬物之所以生育，亙萬古而無窮者也。如使之，則非實，非實則有時而息矣。[72]

與朱子同時的張栻、陸象山也在其文中用到「實理」一詞。張栻曰：

> 來書雖援引之多，愈覺氾濫，大抵是舍實理而駕虛說，忽下學而驟言上達，掃去形而下者而自以為在形器之表。此病恐不細，正某所謂雖辟釋氏，而不知正墮在其中者也。故無復窮理之工，無復持敬之妙，皆由是耳。某近來反復思之，不可不為盡言。惟天資慤茂，必能受朋友之實攻。若忽而置之曰：吾所得自高妙矣，則僕亦不敢進說於前也。然某之見亦豈敢以為便是哉，願更講之耳。[73]
>
> 若異端之談無欲，則是批根拔本，泯棄彝倫，淪實理於虛空之地。此何翅天壤之異哉！不可不察也。[74]

張栻用到「實理」，是將之與「虛說」、「虛空」、佛教相對，這與朱子之用意相通。陸象山象山用「實理」一詞，則更多在於強調實行。象山曰：

---

70 朱熹：〈德安府應城縣上蔡謝先生祠記〉，《晦庵集》卷80，《朱子全書》，第24冊，頁3793。

71 石𡼖編、朱熹刪定：《中庸輯略》卷下，《四庫全書》，第198冊，頁603上。

72 同上，頁607下。又見呂大臨：《中庸解》，陳俊民輯校：《藍田呂氏遺著輯校》（北京市：中華書局，1993年），頁488。

73 張栻：〈答彪德美〉，《南軒集》卷25，見楊世文、王蓉貴校點：《張栻全集》（長春市：長春出版社，1999年）下，頁897。

74 張栻：〈答羅孟弼〉，《南軒集》卷26，《張栻全集》下，頁913。

> 古人自得之，故有其實。言理則是實理，言事則是實事，德則實德，行則實行。吾與晦翁書，所謂古人質實，不尚智巧。言論未詳，事實先著，知之為知之，不知為不知。[75]
>
> 吾所明之理，乃天下之正理、實理、常理、公理。[76]
>
> 宇宙間自有實理。所貴乎學者，為能明此理耳。此理苟明，則自有實行，有實事，實行之人，所謂不言而信。[77]
>
> 非明實理，有實事實行之人，往往乾沒於文義間。[78]
>
> 古人皆是明實理，做實事。[79]

從以上對於朱子之前以及同時期人對於「實理」的使用的梳理，可以大致看出，「實理」一語源於玄學、佛學、理學（程子道學、陸象山心學），從這一個詞也可以看出理學、玄學、佛學之間的複雜關係。但各自使用中的含義，以及「實理」在各自學說中所居位置，卻是不一樣的。所以對於一個詞源流式的梳理，並不等於找到了其意義，因為對於一個詞意義的理解，離不開其具體脈絡下的使用與對使用者意圖的把握。朱子的特點是集大成，在「實理」上也不例外，朱子將程伊川、謝上蔡「實理」之說放置在他的體系裏，對於「實理」作著重的強調，使之成為「理」、「天理」之外的重要概念，並擔負著單純「理」、「天理」所不能完全擔任的功能。

接下來，本文將進入對於《四書》中的「實理」觀的討論，主要討論《中庸》這一最為偏重「心性」的文本，而強調與「心性」同樣重要的「實理」的面向。

---

75 陸九淵：〈與曾宅之〉，鐘哲點校：《陸九淵集》（北京市：中華書局，1980年）卷1，頁5。

76 陸九淵：〈與陶贊仲（二）〉，見《陸九淵集》卷15，頁194。

77 陸九淵：〈與包詳道〉，見《陸九淵集》卷14，頁182。

78 陸九淵：〈與胥必先〉，見《陸九淵集》卷14，頁186。

79 陸九淵：〈語錄〉上，見《陸九淵集》卷34，頁396。

三　朱子《中庸》詮釋中的「實理」觀

1.「實理」下的《中庸章句》結構

以往心性論視野下的朱子哲學研究都會注意到朱子在《中庸章句》一開始解題時所說的「此篇乃孔門傳授心法」[80]這一說法，這確實也道出了朱子《中庸章句》的性質。《中庸》成為道學的最重要文本，正是因為其中的「心法」可以與佛教的高妙對抗，所以以往研究對於《中庸》「心法」的重視確實是有道理的。但以往研究也相對忽略了接下來的另外一句話：「其書始言一理，中散為萬事，末復合為一理，『放之則彌六合，卷之則退藏於密』，其味無窮，皆實學也。」[81]「實學」與「心法」一樣，是朱子《中庸》性質的另一方面，二者合在一起，或者說在二者的張力展開之中，才能更完整地把握朱子的《中庸》。確實，朱子《中庸章句》這一文本，我們最容易看到的就是其「心法」的層面，而《中庸》一書何以是「實學」這一層面，在《中庸章句》中實在不容易看到。注經言簡意賅的朱子在《中庸章句》裏，並沒有對「實學」作進一步的，更不要說詳盡的交代了，這需要研究者對於《中庸章句》作更為細密的解讀，才能找到其中的關竅。《中庸章句》第二十章總結處的「所謂誠者，實此篇之樞紐也」[82]這句話正是關鍵所在，但受到注經篇幅的限制，朱子在此句話之下並沒有對何以誠為此篇之樞紐做進一步的交代，朱子並非秘而不宣，讓讀者「自得」，而是在《或問》有詳盡的解釋。

在這必須先提到《中庸章句》的讀法問題。朱子著《中庸章句》之前有《中庸輯略》，還有以答問形式而對各家之說「同異得失」作取捨、辨析的

---

[80] 朱熹：《中庸章句》，《朱子全書》，第6冊，頁32。

[81] 同上。

[82] 同上，頁49。

《中庸或問》，朱子在《中庸章句序》中明確說明：

> 熹自蚤歲即嘗受讀而竊疑之，沈潛反復，蓋亦有年，一旦怳然似有以得其要領者，然後乃敢會眾說而折其衷，既為定著《章句》一篇，以俟後之君子。而一二同志復取石氏書，刪其繁亂，名以《輯略》，且記所嘗論辯取捨之意，別為《或問》，以附其後，然後此書之旨，支分節解、脈絡貫通、詳略相因、巨細畢舉，而凡諸說之同異得失，亦得以曲暢旁通，而各極其趣。[83]

由序文這一方面還可以看出《中庸章句》的成書過程：朱子年輕時對《中庸》不能完全理解，帶著疑問沉潛反覆多年，終有一日領會貫通，然後匯聚有關《中庸》的各家之說，揀擇裁成而有《中庸章句》。《中庸章句》之前朱子所做的工作是輯各家之說的《中庸輯略》以及對之作辨析的《中庸或問》。《中庸輯略》是在石𡼖《中庸集解》的基礎上增削，變動較大。朱子曾為《中庸集解》作序，但今書已失傳，只有〈中庸集解序〉存留，收在《中庸輯略》中，以〈中庸輯略序〉冠之於書前。另一方面，朱子時的《中庸章句》版本是附錄了《輯略》、《或問》的。但後來版本則《輯略》不附於《章句》之後，《四庫全書》所收《中庸輯略》為明朝重刻的宋朝版本，序為唐順之（1507～1560）所作，其曰：

> 《中庸輯略》凡二卷，初宋儒新昌石𡼖子重採兩程先生語與其高第弟子游、楊、謝、侯諸家之說《中庸》者為《集解》，凡幾卷，朱子因而芟之為《輯略》。其後朱子既自採兩程先生語入《章句》中，其於諸家則又著為《或問》以辨之。自《章句》、《或問》行，而《輯略》、《集解》兩書因以不著於世。[84]

到後來《中庸章句》的版本更是連《或問》也不附錄於後。

---

[83] 同上，頁31。

[84]《中庸輯略．原序》，《四庫全書》，頁558。

朱子最初的《中庸章句》之後是附錄《中庸輯略》、《或問》的，這幾部不斷深化的著作實際上是形成了一種層層推進的對話關係。朱子的《四書章句集注》的特點是集大成，書名本身正道出這一特點。《中庸章句》是對各家作取捨的基礎上形成自已的經解，後來去掉了《中庸輯略》、《或問》的刊刻本，使得朱子原本的讀法被捨棄了，幾個文本詳略取捨不同而形成的對話關係不復存在，由此造成理解的種種矛盾、困惑，研究應該回到朱子本人最初的讀法。讀法並非只是讀法，而同時牽涉到義理，尤其是動態的義理的展開。

在明確了朱子《中庸》詮釋的幾個文本的關係以及對於朱子《中庸》的讀法的問題之後，我們接下來則可以重新回到《章句》「所謂誠者，實此篇之樞紐也」這一問題上來。《或問》對此有詳盡的解釋：

> 曰：何以言誠為此篇之樞紐也？曰：誠者，實而已矣。天命云者，實理之原也。性其在物之實體，道其當然之實用，而教也者，又因其體用之實而品節之也。不可離者，此理之實也。隱之見，微之顯，實之存亡而不可揜者也。戒謹恐懼而慎其獨焉，所以實乎此理之實也。中和云者，所以狀此實理之體用也。天地位，萬物育，則所以極此實理之功效也。中庸云者，實理之適可而平常者也。過與不及，不見實理而妄行者也。費而隱者，言實理之用廣而體微也。鳶飛魚躍，流動充滿，夫豈無實而有是哉！道不遠人以下，至於大舜、文、武、周公之事，孔子之言，皆實理應用之當然。而鬼神之不可揜，則又其發見之所以然也。聖人於此，固以其無一毫之不實，而至於如此之盛，其示人也，亦欲其必以其實而無一毫之偽也。蓋自然而實者，天也，必期於實者，人而天也。誠明以下累章之意，皆所以反復乎此，而語其所以。至於正大經而立大本，參天地而贊化育，則亦真實無妄之極功也。卒章尚絅之云，又本其務實之初心而言也。內省者，謹獨克己之功；不愧屋漏者，戒謹恐懼而無己可克之事，皆所以實乎此之序也。時靡有爭，變也；百辟刑之，化也；無聲無臭，又極乎天命之性、實

理之原而言也。蓋此篇大指，專以發明實理之本然，欲人之實此理而無妄，故其言雖多，而其樞紐不越乎誠之一言也，嗚呼深哉！[85]

「誠」是全篇的樞紐，朱子對於「誠」的解釋是「實」，「實」這一日常化的用詞還不足以成為理學的語言，將「實」加以義理化，成為理學的語言則為「實理」，朱子在別處明確地把「誠」解釋為「誠者，實理之謂也」[86]。通讀這段對全篇作解釋的話，我們可以發現「誠」被置換成了「實」、「實理」，這樣就可以看出僅僅在《章句》解題裏出現了一次的「實學」原來是落腳於此，「實學」的具體規定其實是「實理」。

初步理清了《中庸》一書的性質何以是「心法」的同時又是「實學」，若要進一步地理解，則要進入到對全篇的結構的解析。陳榮開先生的研究點出發掘「隱藏於《中庸》篇內的細密結構」對於「窺通篇義理」的重要性。陳先生說：「朱子之所以標榜章句，固然因為這是他超越前人的一項成就，也與他在章段節次的分析上曾經耗費莫大心力的一段切身經歷有關。然而，最為主要的還在於他完全相信章句的離析乃係窺通篇義理的必經之路，並且認為隱藏於《中庸》篇內的細密結構若不表而出之，亦非一般學子所能察識。故而鄭重其事，特以《章句》命編。」[87]

對《中庸》結構的理解上，朱子早年讀《中庸》也曾「心煩」而「理會不得」，後來「只管讀來讀去，方見得許多章段分明」[88]。朱子對其結構的評價是：「《中庸》一書，枝枝相對，葉葉相當，不知怎生做得一個文字齊整！」[89]朱子把它分為三十三章，而總的概括是「皆實學也」。此三十三章「始言一理，中散為萬事，末複合為一理」，朱子分為四個大的段落。朱子認為第一章為「一篇之體要」[90]，為第一大段；其下十章都是「子思引夫子之

---

85 朱熹：《中庸或問》下，《朱子全書》，第6冊，頁594～595。

86 朱熹：〈答林德久〉，《晦庵集》卷61，《朱子全書》，第23冊，頁2946。

87 陳榮開：〈從章句的分析到義理的通貫——朱子《中庸章句》的研究〉。

88《朱子語類》卷64，《朱子全書》，第16冊，頁2140。

89《朱子語類》卷62，《朱子全書》，第16冊，頁2003。

90 朱熹：《中庸章句》，《朱子全書》，第6冊，頁34。

言以終此章之義」[91]，為第二大段；第十二章是子思「申明首章道不可離之意也，其下八章，雜引孔子之言以明之」[92]，為第三大段；第二十一章為「子思承上章夫子天道、人道之意而立言也。自此以下十二章，皆子思之言，以反復推明此章之意」[93]，為第四大段。但最後的第三十三章，朱子認為又是子思「舉一篇之要而約言之」[94]，以「反復叮寧」[95]。由此可見，《中庸》第一章所言便為「始言」之「一理」，以下三個大的段落、三十二個小的章節便是「中散為萬事」，其中第三十三章又是「末」之「復合」之「一理」。這些可以說是明顯的結構[96]。而更精微的結構則離不開對於上面所引《或問》中的一段話，正是這段話將《中庸》的結構道破無遺。將此段話與《章句》全篇合在一起看，可以發現，朱子是以「實理」來對全篇結構作解釋。將這段文字依序拆分成一句句話，竟完全與全書的結構對應，絲絲入扣，沒有半句多餘。

陳榮開先生指出《章句》對舊注章句分法的改動非常之大：「朱子的《中庸章句》對《中庸》原書雖然沒有作出一如《大學章句》『分別經傳，顛倒其舊次，補綴其闕文』的創舉，卻也對其三千五百六十字的經文重分章節，給舊有的鄭注孔疏之本作了幅度相當大的改動。按統計，以章而論，《章句》分成三十六章，數目與舊注相同，但內容全同的章僅得百分之三十六，而所涉字數更只有百分之二十六。就節而論，《章句》共分一百三十節，與舊注的一百二十八節數目有較大差異。然而，撇開節次之不相同不論，內容全同的節僅得百分之五十三，而所涉字數則僅占百分之五十五。這都可見《章句》對舊注章節分法的改動之大。」[97]

---

91 同上，頁34。

92 同上，頁38。

93 同上，頁50。

94 同上，頁59。

95 同上。

96 陳榮開先生通過細讀《中庸章句》的文句，而對《章句》結構有五段的劃分，見氏著〈從章句的分析到義理的通貫——朱子《中庸章句》的研究〉。筆者下面的分析也是將《中庸》分成五大段，每段所涵章數，都與陳先生的劃分一致。

97 陳榮開：〈從章句的分析到義理的通貫——朱子《中庸章句》的研究〉。

大槻信良則指出，「朱子之注《中庸》，縱或沒有像注《大學》般的指稱篇中存有錯簡甚或有補改經文之舉，他將《中庸》分為三十三章，又按費與隱、體與用、天道與人道等成對的概念，將全篇分析成整然而合理的體系，其主觀與大膽的程度，與《大學章句》中之所見，實不遑多讓」，「朱子之注《中庸》，和他注《大學》一樣，其態度已由注《論語》、《孟子》二書所顯現的『客觀的解經』一變而為『斷然主觀的解經』。在《論孟集注》之中，朱子表現出的是個忠實地」『學古』的學徒乃至謙虛地遵循傳統的祖述家的一種態度。相反地，標誌著朱子個人學術體系與治學方向的《學庸章句》，作為他的『新哲學』的據點之所在，所表現的自以『革新的主觀的』解經態度為突出」[98]。

筆者以下對於《中庸》以「實理」為結構的分析，正可以證明兩位先生之說為精當。朱子之以「實理」來貫通《中庸》全篇之舉，其性質也正如陳先生所分析的朱子「對其三千五百六十字的經文重分章節，給舊有的鄭注孔疏之本作了幅度相當大的改動」[99]，如此朱子也才有可能以「實理」來貫通全篇的結構，這可以說完全是朱子「斷然主觀的解經」，也是朱子經解的「革新」性所在[100]。「實理」按大槻的分類，屬於朱注典據中的「朱子新義」或「混合之典」[101]。

接下來的工作是將以上引文與《章句》的各個分段對照起來看，梳理朱子如何以「實理」結構《中庸》全篇，同時也對「實理」加以解釋。為直觀起見，筆者也會將相關文字製成表格，使之一一對應。

(1)《章句》第一大段

「曰：何以言誠為此篇之樞紐也？曰：誠者，實而已矣」[102]，緊接著概括

---

98 見陳榮開先生所做的關於大槻信良著作的評論〈從章句的分析到義理的通貫——朱子〈中庸章句〉的研究〉，見《注釋、詮釋與建構——朱子四書學國際學術會議論文集》。

99 同上。

100 同上。

101 同上。

102 朱熹：《中庸或問》下，《朱子全書》，第6冊，頁594。

全篇的這句話之後的一句話是：

> 天命云者，實理之原也。性其在物之實體，道其當然之實用，而教也者，又因其體用之實而品節之也。不可離者，此理之實也。隱之見，微之顯，實之存亡而不可揜者也。戒謹恐懼而慎其獨焉，所以實乎此理之實也。中和云者，所以狀此實理之體用也。天地位，萬物育，則所以極此實理之功效也。[103]

此句對應《章句》首章，現將此句如何以「實理」貫通，製成表，並與《中庸》首章經文放在一起做對照：

> 天命之謂性，率性之謂道，修道之謂教。道也者，不可須臾離也，可離非道也。是故君子戒慎乎其所不睹，恐懼乎其所不聞。莫見乎隱，莫顯乎微，故君子慎其獨也。喜怒哀樂之未發，謂之中；發而皆中節，謂之和。中也者，天下之大本也；和也者，天下之達道也。致中和，天地位焉，萬物育焉。[104]

表一　第一大段：首章

《中庸章句》章數	《中庸章句》原文	《中庸或問》對於《中庸》內容的縮略	《中庸或問》以「實理」所作的詮釋
首章	天命之謂性。	天命	實理之原
首章	天命之謂性。	性	在物之實體
首章	率性之謂道。	道	當然之實用
首章	修道之謂教。	教	因其體用之實而品節之
首章	道也者，不可須臾離也，可離非道也。	不可離者	理之實

103 同上。

104 朱熹：《中庸章句》，《朱子全書》，第6冊，頁32～33。

《中庸章句》章數	《中庸章句》原文	《中庸或問》對於《中庸》內容的縮略	《中庸或問》以「實理」所作的詮釋
首章	莫見乎隱，莫顯乎微。	隱之見，微之顯	實之存亡而不可揜者也
首章	是故君子戒慎乎其所不睹，恐懼乎其所不聞。故君子慎其獨也。	戒謹恐懼而慎其獨	實乎此理之實
首章	喜怒哀樂之未發，謂之中；發而皆中節，謂之和。中也者，天下之大本也；和也者，天下之達道也。	狀此實理之體用	
首章	致中和，天地位焉，萬物育焉。	天地位，萬物育	極此實理之功效

《或問》對首章共九句話的每一句都以「實理」釋之，《或問》中說得至為明白，不過在此還是有必要作分析。首先當然是《或問》將首章中原本看來多為「心法」的都以「實理」釋之，可以看出「心法」與「實理」之間的內在張力。朱子解釋「天命」為「實理之原」，「天命之謂性」之「性」為「物之實體」，「率性之謂道」之「道」為「當然之實用」，「修道之謂教」之「教」為「因其體用之實而品節之也」。在此值得注意的是，朱子在「體」、「用」之前加一「實」字成為「實體」、「實用」。《章句》對首章的概括也出現「實體」一語，《章句》曰：「子思述所傳之意以立言：首明道之本原出於天而不可易，其實體備於己而不可離，次言存養省察之要，終言聖神功化之極。」[105] 此「實體」即指《或問》所言「性其在物之實體」。朱子在在強調突出一個「實」字，此中是有意味的，是有意要區分於佛教之「體」。朱子說佛教有體無用，但此中強調「實體」、「實用」亦可以說儒與佛體用之別乃在於有無「實」而言。余敦康先生指出儒學的體用觀與佛學的根本區別，

[105] 同上，頁33。

關鍵不在純粹的思辨，而在於價值取向與實質性的內涵。因為儒學之體，是為儒家的名教理想作論證的宇宙本體與價值本體，完全不同於佛學的那種掏空了一切社會歷史內容的真空絕相之體，儒學之用乃經世外王之用[106]。余先生所說儒家之體用即是這裏的「實體」、「實用」。

不可離之道為「理之實」，「隱之見，微之顯」表明「實之存亡而不可揜者也」，《或問》進一步解釋道：「（戒謹恐懼與慎獨）二者相須，皆反躬為己，遏人欲、存天理之實事。」[107]「戒謹恐懼而慎其獨」表示「實乎此理之實」之工夫。「喜怒哀樂之未發」之「中」是「狀此實理之體」，「發而皆中節」之「和」則是「狀此實理之用 」，最表明「心法」的「中和」被朱子解釋為「狀此實理之體用」。「天地位，萬物育」則為「極此實理之功效」。

（2）《章句》第二大段

《章句》以第二章以下十章，即到十二章為第二大段。朱子在《章句》第一章後曰：「其下十章，蓋子思引夫子之言以終此章之義。」[108]在第二章曰：「此下十章皆論中庸以釋首章之義。」[109]前所引《或問》中解釋完首章之後的文字，正好概括了第二章—第十二章，即：

> 中庸云者，實理之適可而平常者也。過與不及，不見實理而妄行者也。費而隱者，言實理之用廣而體微也。鳶飛魚躍，流動充滿，夫豈無實而有是哉！[110]

列表如下：

---

106 余敦康：《內聖外王之道的貫通》，頁375。

107《四書或問》，《朱子全書》，第6冊，頁555。

108 朱熹：《中庸章句》，《朱子全書》，第6冊，頁34。

109 同上。

110 朱熹：《中庸或問》下，《朱子全書》，第6冊，頁594～595。

表二　第二大段：第二～第十二章

《中庸章句》章數	《中庸章句》原文	《中庸或問》對於《中庸》內容的縮略	《中庸或問》以「實理」所作的詮釋
第二章	仲尼曰：「君子中庸，小人反中庸。君子之中庸也，君子而時中；小人之中庸也，小人而無忌憚也。」	中庸	實理之適可而平常者也
第四章	子曰：「道之不行也，我知之矣：知者過之，愚者不及也。道之不明也，我知之矣：賢者過之，不肖者不及也。人莫不飲食也鮮能知味也。」	過與不及	不見實理而妄行者也
第十二章	君子之道費而隱。夫婦之愚，可以與知焉；及其至也，雖聖人亦有所不知焉。夫婦之不肖，可以能行焉；及其至也，雖聖人亦有所不能焉。天地之大也，人猶有所憾。故君子語大，天下莫能載焉；語小，天下莫能破焉費。	費而隱	實理之用廣而體微
第十二章	《詩》云：「鳶飛戾天，魚躍於淵。」言其上下察也。	鳶飛魚躍，流動充滿	豈無實而有是哉

「中庸云者，實理之適可而平常者也」對應第二章；「過與不及，不見實理而妄行者也」對應第四章；「費而隱者，言實理之用廣而體微也。鳶飛魚躍，流動充滿，夫豈無實而有是哉」對應第十二章。《章句》解題中釋「中庸」為「中者，不偏不倚、無過不及之名。庸，平常也」[111]。此釋「中庸」為「實理之適可而平常者也」，「庸」也是「平常」，中則為「實理」，故此

111　朱熹：《中庸章句》，《朱子全書》，第6冊，頁32。

釋「過與不及」為「不見實理而妄行者也」。第十二章起首之「君子之道費而隱」，《章句》釋為「費，用之廣。隱，體之微也」[112]，但從下面「君子之道，近自夫婦居室之閑，遠而至於聖人天地之所不能盡，其大無外，其小無內，可謂費矣。然其理之所以然，則隱而莫之見也」[113]一句，以及另一句釋「鳶飛魚躍」為「子思引此詩以明化育流行，上下昭著，莫非此理之用，所謂費也。然其所以然者，則非見聞所及，所謂隱也」[114]來看，「費，用之廣。隱，體之微也」是指「費，理之用之廣。隱，理之體之微也」，在《或問》則加上了「實理」一詞成為「實理之用廣而體微」。至於容易被理學說得高妙的「鳶飛魚躍」，朱子則突出強調「豈無實而有是哉」，故將「高妙」而言「實」，是朱子在在之用心。

（3）《章句》第三大段

第十二章之下八章，即至第二十章，為第三大段，《章句》曰：「右第十二章。子思之言，蓋以申明首章道不可離之意也。其下八章，雜引孔子之言以明之。」[115]《或問》關於這一大段則曰：

> 「道不遠人」以下，至於大舜、文、武、周公之事，孔子之言，皆實理應用之當然。而鬼神之不可揜，則又其發見之所以然也。聖人於此，固以其無一毫之不實，而至於如此之盛，其示人也，亦欲其必以其實而無一毫之偽也。蓋自然而實者，天也，必期於實者，人而天也。[116]

---

[112] 同上，頁38。

[113] 同上。

[114] 同上。

[115] 同上。

[116] 朱熹：《中庸或問》下，《朱子全書》，第6冊，頁594。

表三　第三大段：第十二～第二十章

《中庸章句》章數	《中庸章句》原文	《中庸或問》對於《中庸》內容的縮略	《中庸或問》以「實理」所作的詮釋
第十三章	子曰：「道不 人。人之為道而 人，不可以為道。……」（十三章全章）	道不遠人以下，至於大舜、文、武、周公之事，孔子之言	實理應用之當然
第十七章	子曰：「 舜其大孝也。……」（十七章全章）		
第十八章	子曰：「無憂者，其惟文王乎。……」（十八章全章）		
第十九章	子曰：「武王、周公其達孝矣乎。……」（十九章全章）		
第二十章	哀公問政。子曰：「文武之政，布在方策。其人存，則其政舉；其人亡，則其政息。……」子曰：「好學近乎知，力行近乎仁，知恥近乎勇。……」（二十章全章）		
第十六章	子曰：「鬼神之為德，其盛矣乎。視之而弗見，聽之而弗聞，體物而不可遺。使天下之人齊明盛服，以承祭祀。洋洋乎如在其上，如在其左右。《詩》曰：『神之格思，不可度思，矧可射思。』夫微之顯，誠之不可揜如此夫。」	鬼神之不可揜，則又其發見之所以然也。聖人於此	無一毫之不實

《中庸章句》章數	《中庸章句》原文	《中庸或問》對於《中庸》內容的縮略	《中庸或問》以「實理」所作的詮釋
第十六章	同上	至於如此之盛，其示人也	實而無一毫之偽
第二十章	誠者天之道也	天	自然而實者
第二十章	誠之者人之道也	人而天	必期於實者

「道不遠人」指第十三章；「大舜、文、武、周公之事」指第十七、十八、十九章；「孔子之言」指第二十章；「鬼神之不可揜，則又其發見之所以然也。聖人於此，固以其無一毫之不實，而至於如此之盛，其示人也，亦欲其必以其實而無一毫之偽也」指第十六章之「鬼神之為德其盛矣乎」與「夫微之顯，誠之不可揜如此夫」[117]；「蓋自然而實者，天也，必期於實者，人而天也」則為第二十章之「誠者，天之道也；誠之者，人之道也」[118]，朱子在此提出了在本體層面的「自然」之「實」與工夫層面的「必期於實者」之「實」。

朱子在《章句》第二十章後點出：「章內語誠始詳，而所謂誠者，實此篇之樞紐也。」[119]在此對第二十章作一簡要的分析。朱子在《中庸章句》中將「知、仁、勇三者，天下之達德也，所以行之者一也」之「一」解釋為「一則誠而已矣」[120]，並引程子之語：「所謂誠者，止是誠實此三者，三者之外，更別無誠。」[121]這段話中並沒有出現「誠」字，但是朱子把「一」釋為了「誠」。接下來的「凡為天下國家有九經，所以行之者一也」，朱子也將「一」釋為「誠」，曰：「一者，誠也。一有不誠，則是九者皆為虛文矣。此九經之實也。」[122]接下來的「反諸身不誠，不順乎親矣。誠身有道：不明乎

117 朱熹：《中庸章句》，《朱子全書》，第6冊，頁41。
118 同上，頁48。
119 同上，頁49。
120 同上，頁45。
121 同上。
122 同上，頁47。

善，不誠乎身矣」[123]，則是二十章首次出現「誠」字，朱子的解釋是：「反諸身不誠，謂反求諸身而所存所發，未能真實而無妄也。不明乎善，謂未能察於人心天命之本然，而真知至善之所在也。」[124]再下來的「誠者，天之道也；誠之者，人之道也。誠者不勉而中，不思而得，從容中道，聖人也。誠之者，擇善而固執之者也」[125]，朱子《中庸章句》解釋道：

> 誠者，真實無妄之謂，天理之本然也。誠之者，未能真實無妄而欲其真實無妄之謂，人事之當然也。聖人之德，渾然天理，真實無妄，不待思勉而從容中道，則亦天之道也。未至於聖，則不能無人欲之私，而其為德不能皆實。故未能不思而得，則必擇善，然後可以明善；未能不勉而中，則必固執，然後可以誠身。此則所謂人之道也。不思而得，生知也。不勉而中，安行也。擇善，學知以下之事，固執，利行以下之事也。[126]

值得注意的是，這裏提出了「德之實」的說法。朱子《中庸章句》在釋第十六章「夫微之顯，誠之不可掩如此夫」[127]之「誠」處，再次訓「誠」為「真實無妄」。朱子將「誠者」與「誠之者」對舉：一為「天之道」之「天理之本然」，一為「人之道」之「人事之當然」，《或問》對應「誠」與「誠之」的解釋是「蓋自然而實者，天也，必期於實者，人而天也」。「誠」是聖人之德，渾然天理，真實無妄，凡人為德不能皆實，所以要「誠之」。接下來的「博學之、審問之、慎思之、明辨之、篤行之」，朱子則解釋為「此誠之之目也」[128]。按朱子所說此章「語誠始詳」，朱子是用「誠」、「實」貫穿對於此章的解釋。

---

[123] 同上，頁48。
[124] 同上。
[125] 同上。
[126] 同上。
[127] 同上，頁41。
[128] 同上，頁48。

（4）《章句》第四大段

朱子在《中庸章句》第二十一章之後曰：「右二十一章。子思承上章夫子天道、人道之意而立言也。自此以下十二章，皆子思之言，以反復推明此章之意。」[129]第二十一章以下至第三十二章為第四大段。《或問》曰：「誠明以下累章之意，皆所以反復乎此，而語其所以。至於正大經而立大本，參天地而贊化育，則亦真實無妄之極功也。」[130]

表四　第四大段：第二十一～第三十二章

《中庸章句》章數	《中庸章句》原文	《中庸或問》對於《中庸》內容的縮略	《中庸或問》以「實理」所作的詮釋
第二十一章	自誠明，謂之性；自明誠，謂之教。誠則明矣，明則誠矣。	誠明以下累章之意	皆所以反復乎此，而語其所以。（即：「蓋自然而實者，天也，必期於實者，人而天也。」）
第二十二章	唯天下至誠，為能盡其性；能盡其性，則能盡人之性；能盡人之性，則能盡物之性；能盡物之性，則可以贊天地之化育；可以贊天地之化育，則可以與天地參矣。（朱子於《中庸章句》歸納道：「右第二十二章，言天道也。」）		

129　同上，頁50。

130　朱熹：《中庸或問》下，《朱子全書》，第6冊，頁594。

《中庸章句》章數	《中庸章句》原文	《中庸或問》對於《中庸》內容的縮略	《中庸或問》以「實理」所作的詮釋
第二十三章	其次致曲。曲能有誠，誠則形，形則著，著則明，明則動，動則變，變則化。唯天下至誠為能化。（朱子於《中庸章句》歸納道：「右第二十三章，言人道也。」）		
第二十四章	至誠之道，可以前知。國家將興，必有禎祥。國家將亡，必有妖孽。見乎蓍龜，動乎四體。禍福將至，善，必先知之；不善，必先知之。故至誠如神。（朱子於《中庸章句》歸納道：「右第二十四章，言天道也。」）		
第二十五章	誠者自成也，而道自道也。誠者物之終始，不誠無物。是故君子誠之為貴。誠者非自成已而已也，所以成物也。成已，仁也；成物，知也。性之德也，合外內之道也，故時措之宜也。（朱子於《中庸章句》歸納道：「右第二十五章，言人道也。」）		

《中庸章句》章數	《中庸章句》原文	《中庸或問》對於《中庸》內容的縮略	《中庸或問》以「實理」所作的詮釋
第二十六章	故至誠無息。不息則久，久則征。征則悠遠，悠遠則博厚，博厚則高明。……（朱子於《中庸章句》歸納道：「右第二十六章，言天道也。」）		
第二十七章	大哉聖人之道。洋洋乎發育萬物，峻極於天。優優大哉。禮儀三百，威儀三千，待其人而後行。……（朱子於《中庸章句》歸納道：「右第二十七章，言天道也。」）		
第二十八章	子曰：「愚而好自用，賤而好自專，生乎今之世，反古之道。如此者，烖及其身者也。」（朱子於《中庸章句》歸納道：「右第二十八章，承上章『為下不倍』而言，亦人道也。」）		
第二十九章	王天下有三重焉，其寡過矣乎。……（朱子於《中庸章句》歸納道：「右第二十九章，承上章『居上不驕』而言，亦人道也。」）		
第三十章	仲尼祖述堯、舜，憲章文、武；上律天時，下襲水土。（朱子於《中庸章句》歸納道：「右第三十章，言天道也。」）		

《中庸章句》章數	《中庸章句》原文	《中庸或問》對於《中庸》內容的縮略	《中庸或問》以「實理」所作的詮釋
第三十一章	唯天下至聖，為能聰明睿知，足以有臨也。（朱子於《中庸章句》歸納道：「右第三十一章，承上章而言小德之川流，亦天道也。」）		
第三十二章	唯天下至誠，為能經綸天下之大經，立天下之大本，知天地之化育。夫焉有所倚？肫肫其仁，淵淵其淵，浩浩其天。苟不固聰明聖知達天德者，其孰能知之？	正大經而立大本，參天地而贊化育	真實無妄之極功

第二十一章至第三十二章是反覆說明「蓋自然而實者，天也，必期於實者，人而天也」[131]的道理，所以朱子在《章句》第二十二至第三十二章，每章總結處都會強調，該章乃「言天道」或「言人道」。

第二十一章的「自誠明，謂之性；自明誠，謂之教。誠則明矣，明則誠矣」[132]，與第二十章的「誠者，天之道也；誠之者，人之道也」[133]有著順承關係，是對「誠」的進一步解釋。《章句》對此解釋道：

> 自，由也。德無不實而明無不照者，聖人之德。所性而有者也，天道也。先明乎善而後能實其善者，賢人之學。由教而入者也，人道也。誠則無不明矣，明則可以至於誠矣。[134]

《語類》載：

---

[131] 同上。

[132] 朱熹：《中庸章句》，《朱子全書》，第6冊，頁49。

[133] 同上，頁48。

[134] 同上，頁49。

「『自誠明，謂之性。』誠，實然之理，此堯、舜以上事。學者則『自明誠，謂之教』，明此性而求實然之理。經禮三百，曲禮三千，無非使人明此理。此心當提撕喚起，常自念性如何善？因甚不善？人皆可為堯、舜，我因甚做不得？立得此後，觀書亦見理，靜坐亦見理，森然於耳目之前！」[135]

「自誠明」為「實然之理」、「德無不實」，屬「聖人之德」、「堯、舜以上事」;「自誠明」則是明此性而「求實然之理」、「實其善」，為常人所當為。第二十一章統攝了《中庸》後半部分，即二十二章至第三十二章的問題，諸如：至誠「盡性」[136]、「致曲」[137]、「誠者自成」[138]、「誠者物之始終，不誠無物」[139]、「至誠無息」[140]等。

第二十二章：「唯天下至誠為能盡其性，能盡其性則能盡人之性，能盡人之性則能盡物之性，能盡物之性則可以贊天地之化育，可以贊天地之化育，則可以與天地參矣。」[141]朱子的解釋是：

天下至誠，謂聖人之德之實，天下莫能加也。盡其性者德無不實，故無人欲之私，而天命之在我者，察之由之，巨細精粗，無毫髮之不盡也。人物之性，亦我之性，但以所賦形氣不同而有異耳。能盡之者，謂知之無不明而處之無不當也。贊，猶助也。與天地參，謂與天地並立為三也。此自誠而明者之事也。[142]

「至誠」為「德之實」，而「盡性」是要「巨細精粗，無毫髮之不盡」，朱子

135《朱子語類》卷64，《朱子全書》，第16冊，頁2111。

136 朱熹：《中庸章句》，《朱子全書》，第6冊，頁50。

137 同上。

138 同上，頁51。

139 同上。

140 同上。

141 同上，頁50。

142 同上。

強調「盡」是不能止於一端、一時，「盡」是要層層推擴到天下才為「盡」的，《語類》載：

> 問「『唯天下至誠為能盡其性』一段。且如性中有這仁，便真個盡得仁底道理；性中有這義，便真個盡得義底道理」云云。曰：如此說「盡」說不著。且如人能盡父子之仁，推而至於宗族，亦無有不盡；又推而至於鄉黨，亦無不盡；又推而至於一國，至於天下，亦無有不盡。若只於父子上盡其仁，不能推之於宗族，便是不能盡其仁；能推之於宗族，而不能推之於鄉黨，亦是不能盡其仁；能推之於鄉黨，而不能推之於一國天下，亦是不能盡其仁。能推於己，而不能推於彼，能盡於甲而不能盡於乙，亦是不能盡。且如十件事，能盡得五件，而五件不能盡，亦是不能盡。如兩件事，盡得一件，而一件不能盡，亦是不能盡。只這一事上能盡其初，而不能盡其終，亦是不能盡；能盡於蚤，而不能盡於暮，亦是不能盡。就仁上推來是如此，義禮智莫不然。[143]

第二十三章：「其次致曲，曲能有誠，誠則形，形則著，著則明，明則動，動則變，變則化，唯天下至誠為能化。」[144]朱子的解釋是：

> 其次，通大賢以下凡誠有未至者而言也。致，推致也。曲，一偏也。形者，積中而發外。著，則又加顯矣。明，則又有光輝發越之盛也。動者，誠能動物。變者，物從而變。化，則有不知其所以然者。蓋人之性無不同，而氣則有異，故惟聖人能舉其性之全體而盡之。其次則必自其善端發見之偏，而悉推致之，以各造其極也。曲無不致，則德無不實，而形、著、動、變之功自不能已。積而至於能化，則其至誠之妙，亦不異於聖人矣。[145]

143《朱子語類》卷64，《朱子全書》，第16冊，頁2112～2113。

144 朱熹：《中庸章句》，《朱子全書》，第6冊，頁50。

145 同上。

朱子強調致曲才是「德無不實」，這與對「盡性」的意思也是一致的。朱子認為常人從一偏而推致出去，亦可達到「誠」的境界。此章揭示了變化的微妙過程。如此巨大的變化，一步、一步，由微而顯：誠，實也，實有於中，積中而外發而成形，從而著、動、變、化而達到無不實的境地，其中最微妙的則在於「積」：實有於中之後，「積中而發外」，「積而至於能化」。朱子為什麼不說「形而至於能化」，從開始變化之處說，也不說「誠而至於能化」，從更早的變化的源頭處說，而說「積而至於能化」？而且值得注意的是，「積」字為原文所無，屬於添字解意，那麼，朱子所增添的這一「積」字，便是認為：誠，實有於中，還不足以外發顯形，必積多，才顯。這意味著，朱子認為並非一有誠就一下子能起變化，而是有一個積累的過程，因此需要有積累的時間，是一個需要時間的緩慢的變化；同時，也並非一有誠就一定能起變化，而是要有積累之功作為助力，有此助力，才由隱而顯、由小而大、由內而外地逐漸變將去。此助力，不僅作用於「誠而形」之中，也隨著「誠」的貫穿始終，貫穿於形、著、變、化的各個環節[146]。朱子曰：

> 「曲能有誠」一句，猶言若曲處能盡其誠，則「誠則形，形則著」云云也。蓋曲處若不能有其誠，則其善端之發見者，或存或亡，終不能實有諸己。故須就此一偏發見處，便推致之，使有誠則不失也。[147]

由此可知，「曲能有誠」，能「盡其誠」才會「誠則形，形則著」，因此，此「積」累之功是為達到「盡」，使各個環節圓滿、充實，從而步入下一個環節。這也就是整個變化過程的推動的力量，也就是「致曲」的「致」字。「致，推致也。」可見，這個推致是靠著積累之功去充滿、充實，從而不斷擴大。

致「曲」，不是從伊川所說的「一偏」處，不是從其「所長」處，而

---

146 朱子曾說：「曲無不致，則德無不實，而明著動變積而至於能化，亦與聖人至誠無異矣。」（《朱子語類》卷64，《朱子全書》，第16冊，頁2119），意即：積「明、著、動、變」，而至於能「化」，從而完成變化的一個整個的過程。

147《朱子語類》卷64，《朱子全書》，第16冊，頁2119。

是「就事上事事推致」，「隨其善端發見」之處，「逐事上著力」，「件件致去」，而且要「推致其極」。朱子曰：

> 蓋上章言「盡性」，則統體都是誠了。所謂「誠」字，連那「盡性」都包在裏面，合下便就那根頭一盡都盡，更無纖毫欠闕處。「其次致曲」則未能如此，須是事事上推致其誠，逐旋做將去，以至於盡性也。[148]

《章句》對第二十五章「誠者自成也，而道自道也」的解釋是：「言誠者物之所以自成，而道者人之所當自行也。誠以心言，本也；道以理言，用也。」[149]「誠」、「道」相對，「誠」為心、為本，「道」為理、為用。對接下來的一句話「誠者物之終始，不誠無物。是故君子誠之為貴」的解釋是：「天下之物皆實理之所為，故必得是理，然後有是物，所得之理既盡，則是物亦盡而無有矣。故人之心一有不實，則雖有所為，亦如無有。而君子必以誠為貴也。蓋人之心能無不實，乃為有以自成，而道之在我者亦無不行矣。」[150]這裏提出了心之「實」的問題。對於這句話的詳細討論留待後面。

第二十六章起始一句「故至誠無息」[151]，《或問》釋曰：「蓋天道聖人之所以不息，皆實理之自然，雖欲已之而不可得。」[152]朱子將「至誠」釋為實理之自然。

《或問》中「正大經而立大本，參天地而贊化育」則指第三十二章。《中庸》釋「經綸天下之大經」為「於人倫各盡其當然之實」，這與「真實無妄之極功」一樣，也是說「實之」的工夫。

（5）《中庸》第五大段

朱子《章句》認為最後的第三十三章又是子思「舉一篇之要而約言

---

148 同上。

149 朱熹：《中庸章句》，《朱子全書》，第6冊，頁51。

150 同上。

151 同上。

152 朱熹：《中庸或問》下，《朱子全書》，第6冊，頁599。

之」，以「反復甯寧」[153]。《或問》曰：

> 卒章尚絅之云，又本其務實之初心而言也。內省者，謹獨克己之功；不愧屋漏者，戒謹恐懼而無己可克之事，皆所以實乎此之序也。時靡有爭，變也；百辟刑之，化也；無聲無臭，又極乎天命之性、實理之原而言也。[154]

表五　第五大段：卒章

《中庸章句》章數	《中庸章句》原文	《中庸或問》對於《中庸》內容的縮略	《中庸或問》以「實理」所作的詮釋
卒章	《詩》曰「衣錦尚絅」，惡其文之著也。故君子之道，闇然而日章；小人之道，的然而日亡。君子之道，淡而不厭，簡而文，溫而理，知 之近，知風之自，知微之顯，可與入德矣。	尚絅	本其務實之初心
卒章	《詩》云：「潛雖伏矣，亦孔之昭。」故君子內省不疚，無惡於志。君子之所不可及者，其唯人之所不見乎。《詩》云：「相在爾室，尚不愧於屋漏。」故君子不動而敬，不言而信。	內省者，謹獨克己之功；不愧屋漏者，戒謹恐懼而無己可克之事	所以實乎此之序
卒章	《詩》曰「德輶如毛」，毛猶有倫；「上天之載，無聲無臭」，至矣。	無聲無臭	極乎天命之性、實理之原而言

值得注意的是，朱子在此提出「務實之初心」與「實乎此之序」。「務實之初心」這一提法結合了《中庸章句》解題中「實理」與「心法」。「實乎此

---

153 朱熹：《中庸章句》，《朱子全書》，第6冊，頁59。

154 朱熹：《中庸或問》下，《朱子全書》，第6冊，頁594～595。

之序」是「實之」，強調的是下學上達之序，在《章句》中則曰「下學為己謹獨之事」。

《中庸章句》分五個大段落。《或問》釋卒章「無聲無臭，又極乎天命之性、實理之原而言也」則是回到了首章的「天命云者，實理之原也」。

首章所言便為「始言」之「一理」，以下四個大的段落、三十二個小的章節便是「中散為萬事」，第三十三章又是「末」之「復合」之「一理」。首章、卒章之「理一」處處落實，體現著「實理」，至於「中散為萬事」，朱子則說：「所謂『中散為萬事』，便是中庸。」[155]又說：

> 所謂「中散為萬事」便是《中庸》中所說許多事，如智仁勇許多為學底道理，與「為天下國家有九經」，與祭祀鬼神許多事。聖人經書所以好看，中間無些子罅隙，句句是實理，無些子空缺處。[156]

故首、尾與中間全篇貫通實理。《或問》最後總結道：

> 蓋此篇大指，專以發明實理之本然，欲人之實此理而無妄，故其言雖多，而其樞紐不越乎誠之一言也，嗚呼深哉！[157]

全篇為「實學」之成立乃在於作為一篇樞紐的「誠」，而朱子將「誠」解釋為「實理」，「實理」貫通全篇的結構，這裏又有兩層意思：「實理之本然」與「實此理」。下面將討論「實理」的這兩個層次。

2. 實理與實乎其理

上面所引《或問》釋「所謂誠者，實此篇之樞紐也」大段文字中包含「此理之實」、「實乎此理之實」，這與此段文字中解釋二十章處的「自然而

155《朱子語類》卷64，《朱子全書》，第16冊，頁2015。

156 同上，頁2015～2016。

157 朱熹：《中庸或問》下，《朱子全書》，第6冊，頁595。

實者」、「必期於實者」，以及歸納全篇大指為發明「實理之本然」、「實此理」完全是一樣的。「此理之實」、「自然而實者」、「實理之本然」之「自然」、「本然」表明的是天道、本體的本然與形上的依據，「實乎此理之實」、「必期於實者」、「實此理」則表明踐履人道、應然的價值。二者是一體而不是兩分的。「實理」本身就包含了名詞的「理之實」與動詞的「實此實理」兩個方面。實理貫通天人，人道的應然出於天道之本然，而天道、本體也要落實為人道、工夫，「天人合一」的實質乃在於此。

接下來重點討論朱子對《章句》二十五章「誠者物之終始，不誠無物，是故君子誠之為貴」的解釋，將「實理」放置於當時的思想狀況下，以更深入地理解朱子為何要提出「實理」，實理所針對，以及「實理」的實質性內涵。朱子在《章句》中解釋道：

> 天下之物，皆實理之所為，故必得是理，然後有是物。所得之理既盡，則是物亦盡而無有矣。故人之心一有不實，則雖有所為亦如無有，而君子必以誠為貴也。蓋人之心能無不實，乃為有以自成，而道之在我者亦無不行矣。[158]

這裏一則提出「天下之物，皆實理之所為」，再則是提出人心之「實」。《或問》對這兩點的解釋與對「所謂誠者，實此篇之樞紐也」的辨析一樣，同樣有大段的詳細辨析的文字。《中庸或問》曰：

> 蓋誠之為言，實而已矣。然此篇之言，有以理之實而言者，如曰「誠不可揜」之類是也；有以心之實而言者，如曰「反身不誠」之類是也。讀者各隨其文意之所指而尋之，則其義各得矣。所謂「誠者物之終始，不誠無物」者以理言之，則天地之理，至實而無一息之妄，故自古至今，無一物之不實，而一物之中，自始至終，皆實理之所為也；以心言之，則聖人之心，亦至實而無一息之妄，故從生至死，無一事之不實，而一事之中，自始至終，皆實心之所為也。此所謂「誠

[158] 朱熹：《中庸章句》，《朱子全書》，第6冊，頁51。

> 者物之終始」者然也。苟未至於聖人，而其本心之實者，猶未免於間斷，則自其實有是心之初，以至未有間斷之前，所為無不實者；及其間斷，則自其間斷之後，以至未相接續之前，凡所云為，皆無實之可言，雖有其事，亦無以異於無有矣。如曰「三月不違」，則三月之間，所為皆實，而三月之後，未免於無實，蓋不違之終始，即其事之終始也。日月至焉，則至此之時，所為皆實，而去此之後，未免於無實，蓋至焉之終始，即其物之終始也。是則所謂「不誠無物」者然也。以是言之，則在天者本無不實之理，故凡物之生於理者，必有是理，方有是物，未有無其理而徒有不實之物者也。在人者本無不實之心，故凡物之出於心者，必有是心之實，乃有是物之實，未有無其心之實而能有其物之實者也。程子所謂徹頭徹尾者蓋如此。其餘諸說大抵皆知誠之在天為實理，而不知其在人為實心，是以為說太高，而往往至於交互差錯，以失經文之本意。[159]

朱子將「誠」釋為「實」，並認為《中庸》全篇之「實」區分為理之實與心之實，轉化為理學的語言則是「實理」、「實心」。「實理」是對應於「天」而言，「實心」則是對應於「人」而言。朱子釋「誠者物之終始，不誠無物者」為「以理言之」，而天下之理，至實，朱子將天下之物歸為皆「實理之所為」；而「以心言之」，則聖人之心，至實，無一事之不實，聖人事事皆「實心之所為」。

「實心」之說涉及不間斷的工夫問題。理學以成聖為理想，聖人之心始終無不實，沒有間斷，但未至於聖人，則本心之實難免於間斷。朱子說到實有是心之初，到未有間斷之前，所為無不實。但一有間斷則無實。從這裏可以看出朱子「實心」說的特質及其所針對。「實理」是對應於「天」而言，「實心」則是對應於「人」而言。朱子認為人之心本是實的，而有「心之實」才有「物之實」。朱子認為「誠者物之終始，不誠無物」之義，只有「程子之言為至當」，但「其言太略，故讀者或不能曉」，所以朱子作了以上大段

[159] 朱熹：《中庸或問》下，《朱子全書》，第6冊，頁598～599。

的詳細解釋，朱子在這段文字的最後批評程子之外的「其餘諸說」，即程伊川門人之說：「大抵皆知誠之在天為實理，而不知其在人為實心，是以為說太高，而往往至於交互差錯，以失經文之本意。」[160]何以「知誠之在天為實理，而不知其在人為實心」就「為說太高」？結合《語類》的記錄，有助於理解此問題。《語類》載：

> 誠者，「物之終始」，指實理而言；「君子誠之為貴」，指實心而言。[161]

> 問：天地設位，而易行乎其中，只是敬，敬則無間斷，不知易何以言敬？曰：伊川門說得闊，使人難曉。曰：下面云誠敬而已矣，恐是說天地間一個實理如此。曰：就天地之間言之是實理，就人身上言之惟敬。然後見得心之實處，流行不息。敬才間斷，便不誠，不誠便無物，是息也。[162]

> 問：「誠者，物之終始」，恐是就理之實而言。「不誠無物」，恐是就人心之實此理而言。曰：非也。如兩句通理之實、人之實而言。有是理，則有是物。天下之物，皆實理之所為。徹頭徹尾，皆是此理所為，未有無此理而有此物也。無是理，則雖有是物，若無是物矣。蓋「物之終始」，皆實理之所為也。下文言「君子誠之為貴」，方說人當實乎此理而言。大意若曰，實理為「物之終始」，無是理，則無是物，故君子必當實乎此理也。[163]

「實心」原來說的也是「實之」，「實理」除非聖人，否則只能是說「天地」、理之實，在人身上則要講「人之實」、「心之實」，「實心」也就是「實乎此實理」，所以從朱子對於《中庸》的經典詮釋可以看出朱子言「心」與「理」之關係，就此看來，朱子之「心」與「理」是扣合一體的。朱子之論

---

160 朱熹：《中庸或問》下，《朱子全書》，第6冊，頁599。
161《朱子語類》卷64，《朱子全書》，第16冊，頁2128。
162《朱子語類》卷96，《朱子全書》，第17冊，頁3239。
163《朱子語類》卷64，《朱子全書》，第16冊，頁2126。

「理」與「心」，其他人相對的差別處，不僅在於他講「實理」，而在於他也將「心」講作「實心」，而一字的差別帶來完全不同的效果，一般的講「心」很容易落於玄虛、內在，而朱子之言「實心」與「實乎實理」是一致的，所以是合內外、精粗於一的實行的工夫。僅僅是理已變得難以區分老、佛，朱子需要在「理」之前加一「實」字而成「實理」，以闢老、佛之虛理，進而言之，朱子也必得講「實心」，有「實理」之「體」還得有「工夫」，這是朱子要面對程門後學等道學內部高明，有本體而無下學功夫的問題。朱子在〈中庸章句序〉專門說到伊川門人之說與伊川本身之說的距離。朱子曰：

> 異端之說日新月盛，以至於老、佛之徒出，則彌近理而大亂真矣。然而尚幸此書之不泯，故程夫子兄弟者出，得有所考，以續夫千載不傳之緒；得有所據，以斥夫二家似是之非。蓋子思之功於是為大，而微程夫子，則亦莫能因其語而得其心也。惜乎！其所以為說者不傳，而凡石氏之所輯錄，僅出於其門人之所記，是以大義雖明而微言未析。至其門人所自為說，則雖頗詳盡而多所發明，然倍其師說，而淫於老佛者亦有之矣。熹自蚤歲即嘗受讀而竊疑之，沈潛反復蓋亦有年，一旦恍然似有以得其要領者，然後乃敢會眾說而折其衷。既為定著《章句》一篇，以俟後之君子。[164]

朱子一方面要面對佛、老的「彌近理而大亂真」，同時要面對道學內部，尤其是程伊川門人的過高而無實之說。朱子之說乃是繼承程子而來，但同時也作出自己的解釋，對之有所修正。認為程子門人所記伊川《中庸》說「大義雖明而微言未析」，朱子所以要對程子之說加以辨析，是要揭示其中的「微言」，同時朱子又認為程子門人所自為說「倍其師說，而淫於老、佛者亦有之」，這兩點都是朱子在《或問》中對各家之說詳加辨析的所在，以見其取捨之意，在取捨中以明朱子自己的立場。這在下一章中將會詳細加以展開。

同理，朱子在「體」、「用」之前加一「實」字，成為「實體」、「實

---

164 朱熹：〈中庸章句序〉，《朱子全書》，第6冊，頁30～31。

用」，也是同樣的用心。朱子甚至在「心」、「德」、「事」前加「實」字成為「實心」、「實德」、「實事」。

朱子「實心」的實質是強調實之以實理的不間斷的下學工夫。朱子說「《中庸》功夫密，規模大」[165]。所以《中庸》卒章經文本身本沒有明顯地說到下學，朱子在《章句》中卻強調「下學為己」，朱子門人黃榦以及元代胡炳文更明白地表達出朱子的心跡。《中庸章句大全》曰：

> 黄氏曰：……先師曰：「《中庸》說下學處少，說上達處多。」然說下學處雖少，而甚切。如二十章「明善、誠身、擇善、固執」一段，與二十七章「尊德性、道問學」一段，無非提綱挈領、切要之言也。說上達處雖多，亦豈渙散無統、玄妙不可究詰之論哉？學者果能字字審察，句句精研，章章融會，由下學而上達焉。則程子所謂「始言一理，中散為萬事，末復合為一理」者，見其理皆實理，而為事之體，非高虛也。事皆實事，而為理之用，非粗淺也。所謂其味無窮，皆實學者，的非虛言矣！童而習之，今猶有白首紛如之歎籲，豈易言哉！[166]
>
> 雲峰胡氏曰：右須看「極致馴致」四字。「極致」者，上達之事也；馴致者，下學而上達之事也。天理不離乎人事，下學人事，即所以上達天理。雖其妙至於無聲無臭，然其本皆實學也。朱子教人之深意備見於篇首，所採子程子之語，及此篇末之語，學者當合始終而參玩之，以求無負於朱子之教云。[167]

「實理」與「實心」正好對應《章句》解題的「實學」、「心法」，只不過「實心」將「心法」實化，所以值得注意的是朱子對於「心法」加以「實」之的思路。與此相一致的是，朱子也在「德」字之前加「實」字成為「實

165《朱子語類》卷14，《朱子全書》，第14冊，頁419。

166《中庸章句大全》下，《四庫全書》，第205冊，頁946。

167 同上，頁946～947。

德」。朱子曰：

> 或問卒章之說。曰：承上三章，既言聖人之德而極其盛矣，子思懼夫學者求之於高遠玄妙之域，輕自大而反失之也，故反於其至近者而言之，以示入德之方，欲學者先知用心於內，不求人知，然後可以慎獨誠身，而馴致乎其極也。君子篤恭而天下平，而其所以平者，無聲臭之可尋，此至誠盛德自然之效，而中庸之極功也，故以是而終篇焉。蓋以一篇而論之，則天命之性，率性之道，修道之教，與夫天地之所以位，萬物之所以育者，於此可見其實德。以此章論之，則所謂「淡而不厭，簡而文，溫而理，知遠之近，知風之自，知微之顯」者，於此可見其成功，皆非空言也。然其所以入乎此者，則無他焉，亦曰反身以慎獨而已矣。故首章已發其意，此章又申明而極言之，其旨深哉！[168]
>
> 曰：然則常人未免於私欲，而無以實其德者，奈何？曰：聖人固已言之，亦曰擇善而固執之耳。夫於天下之事，皆有以知其如是為善而不能不為，知其如是為惡而不能不去，則其為善去惡之心，固已篤矣。於是而又加以固執之功，雖其不睹不聞之間，亦必戒謹恐懼而不敢懈，則凡所謂私欲者，出而無所施於外，入而無所藏於中，自將消磨泯滅，不得以為吾之病，而吾之德，又何患於不實哉！是則所謂誠之者也。[169]

實德也就是「誠之」、「實之」。朱子更將「實」的思路擴展到事、念、言、行等各個方面。《或問》載：

> 曰：誠之為義，其詳可得而聞乎？曰：難言也。姑以其名義言之，則真實無妄之云也。若事理之得此名，則亦隨其所指之大小，而皆有取乎真實無妄之意耳。蓋以自然之理言之，則天地之間惟天理為至實而

[168] 朱熹：《中庸或問》，《朱子全書》，第6冊，頁604。

[169] 朱熹：《中庸或問》，《朱子全書》，第6冊，頁592～593。

> 無妄，故天理得誠之名，若所謂天之道、鬼神之德是也。以德言之，則有生之類，惟聖人之心為至實而無妄，故聖人得誠之名，若所謂不勉而中、不思而得者是也。至於隨事而言，則一念之實亦誠也，一言之實亦誠也，一行之實亦誠也，是其大小雖有不同，然其義之所歸，則未始不在於實也。[170]

在此，可以看出朱子在「實」方面的一些言說與用法。「天命之性，無一理之不具，天下之物，未有實於此者」[171]，在本體的層面上說明「天命之性」之最「實」，「天理流行之實」[172]則說明實理「用」之實。「凡觀書者於此等處，正當反求諸已，而驗之踐履之間，惟愈近而愈卑，則其體之愈實。若但廣求證佐，推致高 ，則恐其無益於為已之實，而徒為口耳之資也」[173]，是說實是要反求諸已，驗之踐履，愈近而體之愈實。朱子批評「過高而無實」[174]，朱子曰：「看道理，須是見得實，方是有功效處。若於上面添些元妙奇特，便是見他實理未透。」[175]「踐履之實」[176]、「踐履事為之實」[177]、「驗諸行事之實」[178]、「力行體道之實」[179]則說明，「實」是要踐履、行事中才體現。「下學而上達，下學方是實」[180]、「只是實去做工夫」[181]是說下學工夫才是實。

朱子比較古今學問之異：「今之學者，直與古異，今人只是強探向上

---

170 同上，頁591。

171 朱熹：《孟子或問》，《朱子全書》，第6冊，頁1005。

172 同上，頁1009。

173 朱熹：《論語或問》，《朱子全書》，第6冊，頁707。

174 同上，頁747。

175《朱子語類》卷9，《朱子全書》，第4冊，頁311。

176 朱熹：《論語或問》，《朱子全書》，第6冊，頁615。

177 同上，頁885。

178 同上，頁683。

179 同上，頁619。

180《朱子語類》卷27，《朱子全書》，第15冊，頁984。

181《朱子語類》卷8，《朱子全書》，第14冊，頁288。

去，古人則逐步步實做將去。」[182]除卻在「理」字前加「實」字為實理，朱子在「體」、「用」之前加一「實」字，成為「實體」、「實用」，甚至在「心」、「德」、「事」前加「實」字成為「實心」、「實德」、「實事」，都在在說明朱子對於道學工夫的關心，此也是真正區分佛、老的實質性所在。由實理之體，到實心、實之實理之工夫則有實理之流行、及物即實理之用、實理之功效，「君子之道費而隱」之「費」是「實理之用廣」，《中庸》中大舜、文、武、周公之事都是「實理應用」，「天地位，萬物育」則是實理之極功。

最後專門對朱子《中庸》詮釋中的「禮」作一討論，《中庸》原本屬於《禮記》，是為禮書作傳，討論具體禮文背後的意義。《中庸》與《大學》被從《禮記》中抽離出來，與《論語》、《孟子》合稱《四書》，但朱子對於《中庸》中的禮還是非常重視的，就《中庸》二十七章的「大哉聖人之道！洋洋乎，發育萬物，峻極於天！優優大哉！禮儀三百，威儀三千。待其人而後行」[183]，朱子解釋道：

> 聖人將那廣大底收拾向實處來，教人從實處做將去。老、佛之學則說向高遠處去，故都無工夫了。聖人雖說本體如此，及做時須事事著實。如禮樂刑政文為制度，觸處都是。體用動靜，互換無端，都無少許空闕處。若於此有一毫之差，則便於本體有虧欠處也。「洋洋乎禮儀三百，威儀三千。」洋洋，是流動充滿之意。[184]
>
> 纔說一個「禮」字，便有許多節文。所以前面云「禮儀三百，威儀三千」，皆是禮之節文。「大哉聖人之道！洋洋乎，發育萬物，峻極於天！」卻是上面事。下學上達，雖是從下學始，要之只是一貫。[185]
>
> 「自誠明，謂之性。」誠，實然之理，此堯、舜以上事。學者則「自明誠，謂之教」，明此性而求實然之理。經禮三百，曲禮三千，無非

---

[182] 同上。

[183]《中庸章句》，《朱子全書》，第6冊，頁53。

[184]《朱子語類》卷64，《朱子全書》，第16冊，頁2132。

[185] 同上，頁2136。

使人明此理。此心當提撕喚起，常自念性如何善？因甚不善？人皆可為堯、舜，我因甚做不得？立得此後，觀書亦見理，靜坐亦見理，森然於耳目之前！[186]

老、佛之學「高遠」而無工夫，儒學有本體，還要有下學工夫，從實處做將去，事事著實，「禮儀三百，威儀三千」之禮則是著實、下學工夫處。所以朱子之「實」是離不開「禮」的。

四　結論

本文首先分析了「實理」的涵義為「天理」、「理」的核心內涵加上「實」字，即「理是實的」，其中又包含天理之實與性之實。實理之「自然」表明的是天道與形上的依據，實理之「當然」表明人道、應然的價值。也可以說，實理為儒家的仁義禮智之性、五倫之理。實理即涵括天道、形上的依據與人道、應然的價值兩方面，人道合於天道。

但進一步的分析則可發現，「實理」的實質性內涵實在也就是「理」、「天理」本身的內涵，而「實」字更強調突出了「實理」所表示的儒家對人性本質的價值規定。那為何還要在「理」、「天理」上疊床架屋地多加一「實」字？這就涉及朱子對於「實理」的使用問題。所以要更具體地把握朱子「實理」的意思，同時離不開他對於這一詞使用的意圖。朱子之提出「實理」，是在歷史深處關聯著當時的思想狀況。「理」、「天理」的提出本是為了面對佛、老「高妙」的衝擊，但在當時的思想狀況下，單純「理」這一概念已變得很難區分於佛、老，而需要對於「理」這一外延太大的概念作更具體確定的規定，朱子在「理」之前加「實」字而成「實理」，則是在本體層面上較之於「理」，更明確地針對著佛的「空」、「虛理」與老子的「無」、「無為」，朱子以「實理」作為儒與佛、老之異的標準，朱子曰：「佛氏偏處

[186] 同上，頁2111。

只是虛其理。理是實理，他卻虛了，故於大本不立也。」[187]「吾儒以性為實，釋氏以性為空。」[188]「孔、孟見實理，把作合做底看，他（老子）不見實理，把做無，故不肯為。」[189]朱子提出「實理」，是以「實」來再次重點強調「天理」、「理」原本所具有，但後來又再一次被虛化的具體的彝倫的價值規定，「理」必得是「實」的，「實理」較之單純的「理」能更明確地辟佛、老「實理」。「實理」之「實」是相對於虛、空、無，除了這點外，「實理」的核心內涵應該與「理」、「天理」是一樣的，但這「實」這一面的強調確實至關重要的，不然則會再一次陷於佛、老中。所以朱子之「實理」既是從正面肯定儒家的彝倫之「實」，同時又是以「實」來區分儒家與佛、老。

實理除了是儒與佛、老之辨的標準，實理的提出也是為了應對道學內部因為高妙而無下學，又重新陷於佛、老中而不自知之弊病。朱子集中批評了程子諸門人「下梢皆入禪學」，其中緣由在於程子當時說得「高」，所以他們只見上一截，而少下面的「著實工夫」，所以會有如此的流弊。朱子分析人需自向裏去理會理之深處，由此卻容易產生因為與禪相似而入於禪的危險，所以需要理會到更深處，「又卻不與禪相似，方是」，這可謂是思考之三階段，思考之第三階段「又卻不與禪相似」可謂就是「實理」，高妙之理返回到「實」上，朱子之解經、窮理、說理正是要克服玄妙之弊，而認為解經本是要回到經文本身的平實，說得實才是好的。不過此「實」已是入裏之後新的「實」；此「實」自然不僅是解經之實，更重要的與此相關聯的下學工夫之「實」。

接下來則梳理了「實理」這一詞主要來源於玄學、佛學（包括玄學、佛學變為一般的用法）以及道學。但對於一個詞源流式的梳理並不等於就找到了其實質性意義，因為對於一個詞意義的理解，離不開對該詞在具體脈絡下的使用，以及對作者意圖的理解，即前面所說的朱子對於佛、老以及道學內

---

[187]《朱子語類》卷126，《朱子全書》，第18冊，頁3947。

[188]《朱子語類》卷4，《朱子全書》，第14冊，頁192。

[189]《朱子語類》卷60，《朱子全書》，第16冊，頁1962。

部的批評。

接下來，是討論《四書》中的《中庸》這一最為偏重「心性」的文本中的「實理」觀，而強調與「心性」同樣重要的「實理」的面向。以往心性論視野下的朱子哲學研究都會注意到朱子在《中庸章句》一開始解題時所說的「此篇乃孔門傳授心法」這一說法，這確實也道出了朱子《中庸章句》的性質。《中庸》成為道學最重要的文本，正是因為其中的「心法」可以與佛教的高妙對抗，所以以往研究對於《中庸》「心法」的重視確實是有道理的。但以往研究也相對忽略了接下來的另外一句話：「其書始言一理，中散為萬事，末復合為一理，『放之則彌六合，卷之則退藏於密』，其味無窮，皆實學也。」「實學」與「心法」一樣，是朱子《中庸》性質的另一方面，二者合在一起，或者說在二者的張力展開之中，才能更完整地把握朱子的《中庸》。朱子在《中庸章句》裏並沒有對「實學」作進一步交代，《中庸章句》第二十章總結處的「所謂誠者，實此篇之樞紐也」這句話是關鍵所在。本文緊緊抓住《或問》中對於此章加以詳盡解釋的一大段話，在這裏，朱子把「誠」解釋為「誠者，實理之謂也」，「誠」被置換成了「實理」。在《章句》解題裏僅出現了一次的「實學」原來是落腳於此，「實學」的具體規定其實是「實理」。

朱子將「實理」貫穿於《中庸》全篇的結構，而揭明《中庸》全篇的結構為理解全篇義理之必由之路。朱子對《中庸》結構的評價是：「《中庸》一書，枝枝相對，葉葉相當，不知怎生做得一個文字齊整！」正是《或問》對於二十章解釋的這大段話將《中庸》的結構道破無遺。將此段話與《章句》全篇合在一起看，可以發現，這段話其實是以「實理」來對全篇結構作解釋。將這段文字依序拆分成一句句話，竟完全與全書的結構對應，絲絲入扣，沒有半句多餘。從朱子以「實理」來貫通全篇的結構這一點來看，朱子之「解經」確為日本學者大槻信良所言「斷然主觀的解經」，「實理」也是朱子經解的「革新」性所在。

全篇為「實學」之成立乃在於作為一篇樞紐的「誠」，而朱子將「誠」解釋為「實理」，「實理」貫通全篇的結構，這裏又有兩層意思：「實理之本然」、「此理之實」與「實此理」。「此理之實」表明的是天道、本體的本然與形上的依據，「實乎此理之實」則表明踐履人道、應然的價值。二者是一體而不是兩分的。「實理」本身就包含了名詞的理之實與動詞的實此實理。實理貫通天人，人道的應然出於天道之本然，而天道、本體也要落實為人道、工夫，「天人合一」的實質乃在於此。

朱子將「誠」釋為「實」，並認為《中庸》全篇之「實」可區分為理之實與心之實，轉化為理學的語言則是「實理」、「實心」。「實理」是對應於「天」而言，「實心」則是對應於「人」而言。朱子批評程伊川門人之說「大抵皆知誠之在天為實理，而不知其在人為實心，是以為說太高」。其中的原因在於「實心」原來說的也是「實之」，「實理」除非聖人，否則只能是說「天地」、理之實，在人身上則要講「人之實」、「心之實」，「實心」也就是「實乎此實理」，所以從朱子對於《中庸》的經典詮釋可以看出朱子言「心」與「理」之關係，就此看來，朱子之「心」與「理」是扣合一體的。朱子之論「理」與「心」，與其他人相對的差別處，不僅在於他講「實理」，而在於他也將「心」講作「實心」，而一字的差別帶來完全不同的效果，一般的講「心」很容易落於玄虛、內在，而朱子之言「實心」與「實乎實理」是一致的，所以是合內外、精粗於一的實行的工夫。僅僅是理已變得難以區分老、佛，朱子需要在「理」之前加一「實」字而成「實理」以闢老、佛之虛理，進而言之，朱子也必得講「實心」，有「實理」之「體」還得有「工夫」，這是朱子要面對程門後學等道學內部「高明」、有本體而無下學功夫的問題。

接下來則是討論與「實心」、「實德」、「實之」的工夫相關的「盡性」、「致曲」的問題。由實理之體，到實心、實之實理、盡性、致曲之工夫則有實理之流行、及物即實理之用、實理之功效，「君子之道費而隱」之「費」是「實理之用廣」，《中庸》中大舜、文、武、周公之事都是「實理應用」，「天地位，萬物育」則是實理之極功。

在對於《中庸》的討論的最後，也專門對朱子《中庸》詮釋中的「禮」作一討論，《中庸》原本屬於《禮記》，《禮記》是為禮書作傳，討論具體禮文背後的意義。《中庸》與《大學》被從《禮記》中抽離出來，與《論語》、《孟子》合稱《四書》，但朱子對於《中庸》中的禮還是非常重視的。《中庸》中的「禮儀三百，威儀三千」之禮則是著實、下學工夫處。所以朱子之「實」是離不開「禮」的。

總之，朱子的實理之意涵包含天理之實與性之實，即實理涵括天道、形上的依據與人道、應然的價值兩方面。實理也就是儒家之仁義禮智信與五倫。實理之意義又離不開對「實理」的使用，朱子之提出「實理」，是在歷史的深處關聯著當時的思想狀況。「理」、「天理」的提出本是為了面對佛老「高妙」理論的衝擊，但在當時的思想狀況下，單純「理」這一概念已變得很難區分於佛老，而需要對於「理」這一外延太大的概念作更具體確定的規定，實理是以「實」來再次重點強調「天理」、「理」原本所具有、但後來又再一次被虛化的具體的人倫價值規定，實理較之單純的「理」能更明確地作為儒與佛、老的區分標準。實理除了是儒與佛、老之辨的標準，實理的提出也是為了應對道學內部因為高妙而無下學，又重新陷於佛、老之中而不自知的弊病。朱子「實理」觀的展開則包含本體之「實」與工夫之「實之」兩部分。

邢昺《孝經注疏》雜考

舒大剛*

北宋沿襲漢唐《孝經》學研究方法而取得成果的，當以邢昺《孝經注疏》影響最大。邢昺（932～1010）是北宋經學家，在今傳《十三經注疏》中，《論語正義》二十卷、《爾雅義疏》十卷及《孝經正義》三卷，均掛其名。邢昺其人，在歷史上別無顯蹟名言可述，卻有三種著作保存於經學權威叢書《十三經注疏》之中，單從種數上看，僅次孔穎達。原其所以，蓋亦因緣際會、鈔襲舊文而成，經學人考察，諸書並無過人之處。前人因其保存古書舊籍，資料難得，故各類叢書仍予收錄，高下優劣則不在考察之列。清代「四庫館臣」於《孝經注疏》就持這一態度[1]，意謂《邢疏》是《元疏》之繼承，新說、舊說無考，它的優劣只有隨《元疏》而定其高下了，元書優則邢書不劣矣！不過，我們通過仔細辨析《孝經注疏》中「元書」、「邢書」的痕跡，還是不難辨別出二者之優劣的。

一　邢疏緣起

邢昺字叔明，曹州濟陰（今山東曹縣西北）人。太平興國舉「五經」科，廷試之日，召陞殿講《周易》之〈師〉、〈比〉二卦，又問以群經發題。太宗嘉其精博，將他超等拔級，擢「九經」及第，授大理評事、知泰州

* 四川大學古籍所。

[1] 紀昀等：《四庫全書總目》（《文淵閣四庫全書》本）卷32：「宋咸平中邢昺所修之《疏》，即據行沖書為藍本，然孰為舊文、孰為新說，今已不可辨別矣。」

鹽城監，還賜錢二十萬。後累官國子監丞，專講學之任；遷尚書、博士，出知儀州，就轉國子博士，歷國子祭酒，至禮部尚書。

從邢昺的出身和仕履看來，他應當是位很有學養的官員，可是所撰諸書前人卻評價不高。《孝經注疏》已如前述，《論語注疏》、《爾雅注疏》亦復如是。「館臣」引《中興書目》說：「其書於章句訓詁名物之際詳矣！」但又引晁公武《讀書志》：「因皇侃所採諸儒之說刊定而成。」並進而指出：「咸平二年，詔昺改定舊疏，頒列學官……今觀其書，大抵翦皇氏之枝蔓，而稍傅以義理，漢學、宋學，茲其轉關。是疏出而《皇疏》微，迨伊洛之說出而是疏又微。」（卷三五）可見《論語注疏》在名物訓詁方面雖有可取，卻係翦裁皇侃舊疏而成；只因其以政府力量頒行，成為了漢學、宋學的分界線。

「館臣」又指出《爾雅注疏》對古注古訓「亦多能引證」，如所引《尸子·廣澤篇》、〈仁意篇〉所訓，「皆非今人所及 」，具有保存古籍的功能。但是像「犍為文學、樊光、李巡之註，見於陸氏《釋文》者」，這些《爾雅》古注知名一時，作為纂集新疏的邢昺，在《注疏》中卻「多所遺漏」，未能完全。特別是在行文上，前後冗遝、了無新意：「既列註文，而疏中時復述其文，但曰『郭註』云云，不異一字，亦更不別下一語，殆不可解！」（同前卷四〇）可見《爾雅注疏》連鈔錄舊書都還不甚得法，更無論有所創新了。

關於邢氏所撰《孝經正義》，近時也有學人議及，但多從肯定著眼[2]，且將《元疏》當成《邢疏》來表揚，殊屬未當。現特就《孝經注疏》緣起、與《元疏》關係及其優劣作一淺探。

北宋初年，由於歷經五代戰亂，前代舊籍，喪失殆盡，《孝經》文獻亦復如此。據唐玄宗說，漢以來《孝經》舊注：「跡相祖述，殆且百家；業擅

---

2 如柯金木：〈邢昺《孝經正義》研究〉，《孔孟學報》第79期；陳一風：《孝經注疏研究》（成都市：四川大學出版社）等。

專門，猶將十室。」[3]可是經過唐末、五代，這些「百家」、「十室」都已喪失殆盡，至北宋仁宗朝，司馬光檢「秘閣所藏」時，就「止有鄭氏、明皇及古文三家而已」，而且「古文有經無傳」，只有白文而沒有注疏資料[4]，連隋唐時期盛行一時的《孔傳》（或劉炫《述議》）等都已失傳。不久，《鄭注》亦亡，於是整個宋代《孝經》研究，實際上就是圍繞玄宗《孝經注》和《古文孝經》（白文）來展開的。如，本於《御注》者，則有邢昺等人《疏》；本於「古文」者，有司馬光《指解》、范祖禹《說》、季信州《詳說》等；本於「古文」而又疑之改之者，則有朱熹《刊誤》、吳澄《定本》等等。

自唐玄宗厭於「今文」、「古文」之爭，《鄭注》、《孔傳》之歧，乃「獨運神襟，躬垂筆削」，撰成《孝經御注》一書。《御注》號稱「練康成、安國之言；銓王肅、韋昭之訓」，以及「近賢新注，咸入討論」[5]，集中了古今最佳的解釋意見，具有懸諸日月而同光、施諸後世而無窮的價值。注成之後，即頒行天下，「令家藏一本」；又八分御劄，刻經石臺，昭示後人。於是《御注》行天下，百家皆委靡。自中唐以後，以迄北宋，傳授《孝經》者皆用《御注》為本。而這一時期，研究《孝經》的，也皆祖述依本於《御注》。

有關《御注》的疏解，在唐代和宋初除了元行沖《疏》而外，還有多種。《崇文總目》載：「初，世傳行沖《疏》外，餘家尚多。」[6]危素〈王勉孝經序〉甚至說：「唐玄宗遂注今文，刻石長安，仍詔元行沖撰《疏》，自是以來，祖述者幾百人。」[7]可見《御注》疏書之眾、從者之多。不過這眾多疏本，今天絕大多數都已失傳，其體制和內容俱已無考，其流傳下來者只有邢昺這部《孝經注疏》。

---

[3] 唐玄宗：〈御制孝經序〉，《孝經注疏》（阮元校刻《十三經注疏》本），卷首。

[4] 司馬光：〈古文孝經指解序〉，《古文孝經指解》（《文淵閣四庫全書》本），首卷。

[5] 元行沖：〈御注孝經序〉，《覆卷子本開元御注孝經》（《古佚叢書》影印日本藏本），卷首。

[6] 《崇文總目》，見《文獻通考》（北京市：中華書局，1984年，影印《萬有文庫》「十通」本），卷185引。

[7] 危素：〈王勉孝經序〉，《經義考》（《文淵閣四庫全書》本），卷227引。

該疏撰成於真宗咸平（998～1003）年間。《崇文總目》說，因諸家注疏「皆猥俗褊陋，不足行遠。咸平中，詔（邢）昺及杜鎬等，集諸儒之說而增損焉」[8]。又據《宋史·李至傳》，此事蓋起於淳化（990～994）年間李至向太宗建議校正「七經疏書」：

> 淳化五年（994），兼判國子監。（李）至上言：「《五經》書疏已板行，惟二傳（〈公羊〉、〈穀梁〉）、二禮（〈儀禮〉、〈周禮〉）、《孝經》、《論語》、《爾雅》七經疏未備，豈副仁君垂訓之意？今直講崔頤正、孫奭、崔偓佺，皆勵精強學，博通經義。望令重加讎校，以備刊刻。」從之。後又引吳淑、舒雅、杜鎬檢正訛謬。（李）至與李沆總領而裁處之。（卷二六六）

可見校定《五經正義》首議倡於太宗朝，所校刻皆唐孔穎達領修《五經正義》。其他「七經」初時只準備「讎校」唐代已有注疏，如《穀梁》徐彥疏，《公羊》楊士勳疏，《周禮》、《儀禮》賈公彥疏，《孝經》元行沖疏，《論語》梁皇侃疏等等。而且校讎初始人員中，並無邢昺其人。

及真宗及位，邢昺才加入其中，並逐漸取得領導地位。《宋史·邢昺傳》：「咸平初（998），改國子祭酒。二年，始置翰林侍講學士，以昺為之。受詔與杜鎬、舒雅、孫奭、李慕清、崔偓佺等，校定《周禮》、《儀禮》、《公羊》、《穀梁春秋傳》、《孝經》、《論語》、《爾雅》義疏。及成，並加階勳。」[9]

據李至、邢昺二人傳，當時對於諸疏只是「校定」，可是後來流傳下來的諸經注疏，《孝經》、《論語》、《爾雅》卻署名「邢昺撰」（相傳還有孫奭撰《孟子正義》），後皆保留於《十三經注疏》中，名列元、明、清以後所稱的「古注疏」之林。對此，後人不能無疑，清人阮福就堅持說，邢昺對《孝經注疏》只有校勘之功，並無撰修之力，所以在他《孝經義疏補》中仍

---

8 《崇文總目》，《文獻通考》卷185引。

9 脫脫：《宋史》（北京市：中華書局，1977年）卷431。

然堅稱《邢疏》為「唐疏宋校」，說：

> 《唐書・元行沖傳》是明言「奉詔為疏」，《宋史・邢昺傳》是明言「奉詔校定」，又言「據傳疏敷引」[10]，據此，更可見邢實為校定，並未為疏。[11]

據正史而言，邢昺對於《孝經》諸書確為校勘，不過這只是淳化時期的初衷，後來的情形有所改變。對此，《宋會要》記載更為具體：

> 至道二年（996），判監李至請命李沆、杜鎬等纂《孝經正義》，從之。咸平三年三月，命祭酒邢昺代領其事，杜鎬、舒雅、李維、孫奭、李慕清、王渙、崔偓佺、劉士元預其事。取元行沖《疏》，約而修之。四年九月以獻，賜宴國子監，進秩有差。十月，命杭州刻板。[12]

至道是宋太宗最後一個年號，二年當西元九九六年。因淳化五年李至建議校「七經」疏書，諸經已經相次校成上進，唯有《孝經》未成，故李至再有是請。不過，比較李至前後二請，前者只是「重加讎校，以備刊刻」，明確在校讎；後者則要求「纂《孝經正義》」，「纂」之云者，編撰之謂也，雖然需要繼承，需要綜合，但是重在別撰一書。所以在人手上，才要「邢昺代領其事」作組織工作；又要「杜鎬、舒雅、李維、孫奭、李慕清、王渙、崔偓佺、劉士元預其事」，作具體的修撰工作。否則，如果只對一部不足十萬字的書進行校勘，何需如此興師動眾。其工作方案是「取元行沖《疏》，約而修之」，即對《元疏》有「取」，有「約」，有「修」，即有繼承、有照錄、也有修改和補充。邢氏序也明確說：「翦截《元疏》，旁引諸書，分義錯

---

10 按：「據傳疏敷引」，係指《宋史・邢昺傳》載：「昺在東宮及內庭侍上，講《孝經》、《禮記》、《論語》、《書》、《易》、《詩》、《左氏傳》，據傳疏敷引之外，多引時事為喻，深被嘉獎。」蓋指昺在東宮和經筵時事，非校書事。

11 阮福：《孝經義疏補》（《續修四庫全書》，第152冊，影印清道光九年刻本）「孝經注疏序」補疏。

12 徐松：《宋會要輯稿》（北京市：中華書局，1957年影印清抄本）「崇儒」。

經，會合歸趣。」因此書成題名「邢昺撰」，不是沒有依據的。阮福對《會要》文字既未之詳審，必欲改《孝經注疏》題名為「唐元行沖《疏》、宋邢昺校」，亦屬多事。

元行沖撰疏的目的在於申說玄宗《御注》，天寶重注本《孝經・序》明確說：「是以一章之中凡有數句，一句之內意有兼明，具載則文繁，略之又義闕，今存於疏，用廣發揮。」元行沖開元〈孝經注序〉也說，開元本《孝經注》成，源乾耀、張嘉貞並向玄宗建議：「其序及疏，並委行沖修撰。」（日本藏《覆卷子本開元御注孝經》）《新唐書・元行沖傳》也說：「玄宗自注《孝經》，詔行沖為《疏》。」

玄宗對自己這部「神襟獨運」鎔鑄前人近賢成果的《孝經注》，必然也是很自負、很得意的，如何在眾說紛紜中「躬垂筆削」以顯聖裁，如何在諸家舛誤間下己見以「發明幽遠」。這些理由和過程，都無法在「義取其深，文取其簡」的注文中表達出來，所以他也想讓臣下撰《疏》來予以「發覆」。可見，元行沖作《疏》的目的即在於將《御注》未盡之意或兩可之說，予以闡明。

《唐會要》卷七七又載天寶五載詔：「……又《孝經》書疏，雖粗發明，幽賾無遺，未能該備。今更敷暢，以廣闕文。」此詔在天寶二年重修之後。可見唐玄宗當時就發現，開元本疏在質量上存在問題：「未能該備。」需要更加「敷暢」，「以廣闕文」。可是當天寶新注本修成之時，元行沖已經去世，新疏不知何人修成？這是另一個需要考察的問題，這裏暫且不表。我們將開元本與天寶本兩相比較，發現新疏對天寶修改處並無貼切對應疏文，推知天寶新疏也是因仍舊貫，其質量並沒有實質性提高。所以宋人才有重加修訂的必要。

而且前人之疏多是後人「疏」前注，雖然也受「疏不破注」教條束縛，倒也沒有必要處處謹守、步步慎遵；可是《元疏》係今人「疏」今注，而且是臣下「疏」君上之「御注」，其亦步亦趨，奴顏媚骨之態，自所難免，觀其滿篇「今上」、「聖上」之言可知矣。作為已經改朝換代的宋人來說，就有些不合口味了，於是更有加以改張更弦之必要了。

邢昺《疏》體例在卷首序中有所交代：

> 今特翦截《元疏》，旁引諸書，分義錯經，會合歸趣，一依講說，次第解釋，號之為《講義》也。[13]

可見邢昺等人對《孝經注疏》作了三項工作：

一是「翦截《元疏》」，即以元行沖的《御注孝經疏》為基礎，加以翦裁。

二是「旁引諸書」，即增加了《元疏》以外的諸儒之說，以為補充。

三是「分義錯經」，即將原來經、注、疏分別的格式，改從以疏附注，以注附經，以便講說。

書成之後，當時只叫《孝經講義》（或《孝經御注講義》），後來改稱《注疏》，可能是為了與諸經注疏配套的需要。

二　邢疏識真

前人每每嘆惜經邢昺「翦截」過的《元疏》，「孰為舊文，孰為新說，今已不可辨別」（《四庫提要》）。其實稍稍用心，還是可以考見一些的。

開卷篇首「御制序並注」下講《孝經》的作者，就可以明確分辨出元行沖《疏》、劉炫《述議》、《元疏》、邢昺《疏》的次序：

開篇《正義》曰「《孝經》者，孔子為曾參陳孝道也」至「何為重其志而親筆削，輕其行而假他人者乎」，為《元疏》。

接下「按劉炫《述義》，其略云：『炫謂孔子自作《孝經》」至「經教發極，夫子所撰也」，為劉炫《述義》之文。

接著「而《漢書．藝文志》云：『《孝經》者，孔子為曾子陳孝道也。』」

[13]〈孝經注疏序〉，署名：「翰林侍講學士、朝請大夫、守國子祭酒、上柱國、賜紫金魚袋臣邢昺等奉勑校定注疏，成都府學主鄉貢傅注奉右撰。」大概因「校定注疏」是邢昺領銜，而此序文卻是傅注所撰。

至「審察經言，詳稽炫釋，豈藏理于古而獨得之於今者與？」又為《元疏》。

因緊接著是「元氏雖同炫說，恐未盡善也，今以〈藝文志〉及鄭氏所說為得」至「則《孝經》之作在《春秋》後也」，明顯是邢昺駁《元疏》語，其非《邢疏》而何？

由此可見，關於孔子作《孝經》這一話題，就明顯可以分成《元疏》、《劉議》、《元疏》、《邢疏》四個層次。

如果我們沿著這個路子來分辨《邢疏》與《元疏》，還可找到一些。只是，區別之下，我們發現，原來《邢疏》（也就是邢昺新添的）部分存在許多紕繆，有時甚至非常荒謬。如：

《邢疏》「御制」之「制」：「以此〈序〉唐玄宗所撰，故云『御制』也。玄宗，唐第六帝也，諱隆基，睿宗之子。以延和元年即位，時年三十三。在位四十五年，年七十八登遐，謚曰明孝皇帝，廟號玄宗。開元十年，制〈經序〉並注。」元行沖卒於開元十七年（729），這裏直稱「玄宗」，並序其「年七十八登遐」，當然就不是元行沖所能看到的，這顯為《邢疏》無疑。

還有，這裏說玄宗「開元十年制〈經序〉並注」，也是極大的謬誤。如前所述，玄宗開元注本是元行沖作的〈序〉（有日本回傳之《覆卷子本開元御注孝經．序》為證）；而現在流傳下來的序（也就是邢昺作疏的）〈御制序〉）則是玄宗為天寶二年重注本所作，根本不是開元十年的作品。這一段文字如果出自元行沖，他豈有不知之理，故只能是邢昺修新疏時鬧的笑話。此其謬一。

「御制序並注」《正義》後半段疏明「並注」：「並注者，並，兼也，注，著也。」云云。隨之又涉及《孝經鄭注》作者問題，開口就說「案今俗所行《孝經》題曰鄭氏注，近古皆謂康成」云云，歷數「十二驗」，迄於「必謂行孔廢鄭，於義為允」，一似邢昺自家之言。可是，其下緊接著卻是「國子博士司馬貞議曰」至「今議者欲取近儒詭說，而廢鄭注，理實未可，請准令式《孝經》《鄭注》與《孔傳》依舊俱行」，好像司馬貞是在與邢昺辯論一般，豈不是張飛殺岳飛、關公戰秦瓊嘛？

核以《唐會要》卷七七，這大段文字實是開元七年玄宗下令討論《孝經》孔、鄭二注時唐人之語，所謂以「十二驗」駁鄭、請「行孔廢鄭」者，乃是劉子玄（知幾）之議。《邢疏》在「案今俗所行《孝經》」前，刪掉了「開元七年，劉子玄上《孝經注議》」數字，遂使此奏議無主，突兀難曉，上下文沒有照應。特別是使後文「排子玄」、「非子玄」云云者，都沒有著落了。此《邢疏》之誤刪《元疏》者也。此其謬二。

「御制序並注」《正義》末段，於「詔《鄭注》仍舊行用，《孔傳》亦存」後加：「是時蘇、宋文吏，拘於流俗，不能發明古義，奏議排子玄，令諸儒對定，司馬貞與學生郗常等十人盡非子玄，卒從諸儒之說。至十年，上自注《孝經》，頒於天下，卒以十八章為定。」

據《唐會要》，玄宗詔令《鄭注》「依舊行用」，《孔傳》「宜存」，並無是此非彼的問題。同時玄宗在詔書中批評：「間者諸儒所傳，頗乖通議。敦孔學者，冀鄭門之滅；尚今文者，指古傳為誣偽。豈朝廷並列書府，以廣儒術之心乎！」無論是行鄭廢孔，或是行孔廢鄭，都不是玄宗下令討論的初衷，所以不存在蘇、宋二相「拘於流俗」的問題。

據考，劉知幾關於鄭偽孔真的證據十分不足，又如何能夠征服「諸儒」和「流俗」呢？當時親歷其事的元行沖，必不為是說。即使當時有此情節，元行沖也不會在疏中點明的，因為那樣既非事實，也不是玄宗的本意。其為此說者，實起於晚唐梁肅：「開元初，左庶子劉子玄奏議請廢鄭注《孝經》，依孔注……子玄爭論，頗有條貫。會蘇（頲）、宋（璟）文吏，拘於流俗，不能發明古義，竟排斥之。深為識者所歎。」[14]《新唐書・劉知幾傳》也因襲其說：「宰相宋璟等不然其論，奏與諸儒質辨。博士司馬貞等阿意，共黜其言，請二家兼行。」可見，這段文字，是邢昺取自梁肅等人之說，這也許是他「旁引諸書」之「業績」。此其謬三。

末段有「至十年，上自注《孝經》，頒於天下，卒以十八章為定」，這本是《元疏》，稱「上自注」乃唐臣語；單舉「十年」，因前有「開元七年」

---

14 梁肅：《大唐新語》（北京市：中華書局，1984年標點本），卷9引。

劉知幾等議，與此正好呼應。《邢疏》既妄刪前文「開元七年」等字樣，此處突然舉此「十年」，前無所承，後無著落，沒有年號，不知為何家「十年」。這正是《邢疏》妄刪妄補造成的。此其謬四。

玄宗〈孝經序〉乃天寶二年所寫，其時元行沖已卒多年，無緣作疏。本序疏文，看來只有邢昺自己操刀了。恰恰就是在這篇短序的《正義》中，《邢疏》處處露出了醜來。由此看來，《邢疏》確實在《元疏》基礎上有所添加，可總是是添加出了不少錯誤。

至於《注疏》正文部分，前人時賢每每以其保留古訓為貴。然而這個功勞卻非邢昺所有，而是《元疏》舊文。根據唐玄宗〈御制序〉曰：

> 是以一章之中凡有數句，一句之內意有兼明，具載則文繁，略之又義闕，今存於疏，用廣發揮。

據元行沖〈御注孝經序〉，還在「開元注本」修成之時，源乾耀等人就建議元行沖為《孝經注》作疏。《新唐書》卷二〇〇亦載：「玄宗自注《孝經》，詔行沖為疏，立於學官。」元行沖《疏》緊接玄宗注後，目的就在於闡述注文無法申明的理由，特別是指出注文翦裁舊文的出處。清人鄭珍已指出：「《御注》所用舊說，《疏》必云『依某注』，非者則否。」如〈天子章〉疏云：「一人，天子也。依《孔傳》。」又〈聖治章〉注「立德行義，不違道正，故可尊也」三句，《疏》云：「此依《孔傳》。」又注「容止，威儀也，必合規矩，則可觀也」四句，又注「上正身以率下」一句，《疏》皆云「依《孔傳》」。《疏》凡注明「此依《孔傳》」者十四事。其他於《御注》所引《鄭注》、《韋注》、《魏注》處，亦皆一一指出。如注「此依《鄭注》」者三十二項。「此依《魏注》」者十六事，「此依《王注》」者十四事，「此依《韋注》」者二事等等。

以上這些工作都不是邢昺所為，也不是邢昺之時所能為的。據前引司馬光〈古文孝經指解自序〉，北宋秘閣所藏《孝經》文獻唯有《御注》、《鄭注》、《古文》（蝌蚪文，無傳）三家而已。對於上引諸家的注明，邢昺作《正義》時唯一有可能只有《鄭注》，其他諸家若韋昭《注》、魏真已

《注》、王肅《注》、《孔傳》等，當時其書不存，邢氏無由核對，《御注》即使引之，邢昺也無由得而知之。能夠周知《御注》所引，只有在諸家注解尚存的唐代，亦即在玄宗「練康成、安國之言，銓王肅、韋昭之訓，近賢新注，咸入討論」時，才有可能，這當然只有《元疏》具備這個條件。

也就是說，《邢疏》尚存的此等文字，都是《元疏》舊文，邢昺於此沒有任何關係。清儒每歎：「今行沖《疏》已不傳，而世所傳《注疏》本，篇首題『宋邢昺奉敕校定注疏』，則似即仍《元疏》之舊，而未嘗有所損益者。但《元疏》已逸，無從驗也。」[15]阮福也說：「今本《元疏》、《邢校》合而為一，原難分剖。」[16]蓋未之深考也。

三　邢疏辯訛

除上述常識性錯誤外，《邢疏》在擅自增加內容時，又造成了許多嚴重的學術性錯誤。

玄宗〈孝經序〉說：

> 韋昭、王肅，先儒之領袖；虞翻、劉邵，抑又次焉。劉炫明安國之本，陸澄譏康成之注，在理或當，何必求人。今故特舉六家之異同，會五經之旨趣，約文敷暢，義則昭然，分注錯經，理亦條貫。

對這段序文，看似講《御注》引用前人諸家的問題，所以《邢疏》在未核實注文的情況下，望文生訓地說：「六家，即韋昭、王肅、虞翻、劉邵、劉炫、陸澄也。言舉此六，而又會合諸經之旨趣耳。」考其實際，這是大有問題的。

邢昺〈孝經注疏序〉自己即明確說明：「自西漢及魏，歷晉、宋、齊、梁，注解之者，迨及百家。至有唐之初，雖備存秘府，而簡編多有殘闕，傳

---

15 沈廷芳：《十三經注疏正字》（《文淵閣四庫全書》本），卷75。

16 阮福：《孝經義疏補》，卷首〈孝經注疏序〉補疏。

行者惟孔安國、鄭康成兩家之注，並有梁博士皇侃《義疏》，播於國序。」

既然當時並行於國序（國家庠序）的《孝經》注本主要是《鄭注》、《孔傳》和《皇疏》，三家並行，那麼唐玄宗欲「搜章摘句，究本尋源」，商略百氏，以成新注，就不能不對當時流行最廣的《鄭注》、《孔傳》無所採獲。故《崇文總目》謂：「唐明皇《孝經注》一卷。取王肅、劉劭、虞翻、韋昭、劉炫、陸澄六家之說，參仿孔、鄭舊義。」這樣一來《御注》所引就有八家了。而「八家」之數，又肯定與御制序「特舉六家」相牴牾。

考之《御注》實際所引，又與「六家」、「八家」之說尤其矛盾。清儒馬國翰《玉函山房輯遺書》輯魏真己《孝經注》已經指出：「細檢《注疏》，無『依虞注』、『依劉注』之文；而依用魏注，復出『六家』之外，此又未知何故？」可見《御注》亦無引用虞翻、劉邵之注的跡象。

陳鐵凡先生也指出：

> 今按《御注》所引，實以孔、鄭為多，並無劉炫、陸澄片語。據邢氏《正義》所注，經粗略統計，《御注》徵引諸家，計：《孔傳》，十二條（當為十四條—引者）；《鄭注》，二十九條（實為三十二條）；《王注》，九條（當為十四條—引者）；《韋注》，二條；《魏注》，二條（當為十六條）——而不在「六家」之內。

由上可知，《御注》不僅沒有引用劉炫、陸澄、劉邵、虞翻片語，而且所謂虞翻、陸澄二家的《孝經》學著作，也從來不見於著錄。朱彝尊《經義考》搜羅經解之書唯求其多，仍著錄「虞氏翻《孝經義》」、「陸氏澄《孝經義》」二書，是受〈孝經序〉誤導。王應麟已經指出：「〈孝經序〉『六家異同』，今考《經典．序錄》，有孔、鄭、王、劉、韋五家，而無虞翻。」這樣一來，《御制．序》所說內容，就有四大疑問：

一是《御注》主要大量引述的《鄭注》、《孔傳》，怎麼不在「特舉」之列；

二是序文特別標舉的「六家」，只有韋昭、王肅二家有引，其他劉炫、陸澄、劉邵、虞翻四家，注中竟未引一言；

三是在注文中明明引用了魏氏，卻不在「六家」之內；

四是序文所舉陸澄、虞翻二家，竟連《孝經》學著作也沒有，不知《御注》從何引起？

近時學人又特別指出其不合情理之處：「玄宗〈序〉文於歷代注家首稱韋昭，以為『先儒之領袖』，乃《御注》引用其說僅有二事；而《御注》依用魏克己說凡十六事，僅次於《鄭注》，乃魏氏反不在所稱六家之列。凡此，在在顯示出〈序〉《注》名實悖離。」同時又指出：「比核玄宗前、後二注，天寶重注本大體沿仍開元舊注，少有更張，……然則天寶重注本亦未有依用虞翻、劉邵二家之說者。」關於這些矛盾扞格之處，前人也力圖作出種種解釋，但都不滿意。

如王應麟於「而無虞翻」自注：「有虞槃佑，東晉處士也。」意即御制〈序〉所舉虞翻，殆即虞槃佑之《孝經注》。宮夢仁又說：「六家」，「一有孔安國、鄭康成，無劉炫、陸澄」。馬國翰又解釋《御注》之所以不引虞、劉而引魏氏，乃「意魏氏《訓注》，或本仲翔（虞翻字）、孔才（劉邵字）以立說歟」？日本學人林秀一又獨出新解，以為玄宗作注時，其於虞翻、劉邵二注僅作為參考資料，並未直接引用。以上這些解釋，皆旨在彌合，只有猜測，沒有鐵證，故不能成為定論。

陳鴻森先生敏銳指出：「玄宗此序，實由近臣抄綴成之！」他據林秀一《孝經述議復に關する研究》之劉炫〈序〉，有曰：

> 肇自許洛，訖於魏齊，各騁胸臆，競操刀斧。瑣言雜議，殆且百家；專門命氏，猶將十室。王肅、韋昭，差為佼佼；劉邵、虞翻，抑又其次。俗稱鄭氏，穢累尤多；譬彼四族，誣碎更甚。此諸家者，雖道有升降，勢或盛衰，俱得藏諸秘府，行於世俗。安國之傳，蔑爾無聞，以迄於今，莫遵其學。

指出：玄宗〈序〉「跡相祖述，殆且百家；業擅專門，猶將十室」四句，與劉炫〈序〉「瑣言雜議，殆且百家；專門命氏，猶將十室」文意正相仿。玄宗〈序〉「韋昭、王肅，先儒之領袖；虞翻、劉邵，抑又次焉」之文，正本劉〈序〉「王肅、韋昭，差為佼佼；劉邵、虞翻，抑又其次」。並且認為玄宗〈序〉「傳以通經為義，久以必當為主，至當歸一，精義無二，安得不剪其繁蕪，而撮其樞要也」，正是襲自范寧《春秋穀梁傳・序》:「凡傳以通經為主，經以必當為理。夫至當無二，而三傳殊說，庸得不棄其所滯，擇善而從乎。」[17]可謂鑿破鴻蒙，發人所未發！

此外，我們還可以找到「舉六家之異同，會五經之旨趣」的出處，其實也是抄自當時習語。「六家」實指諸子百家（司馬談〈論六家要旨〉)，並非如《邢疏》指為《孝經》六家注。李嶠〈神農曆序〉:「九源百氏之說，盡入胸襟；六家三統之書，咸歸掌握。」(《文苑英華》卷七三六)「九源」與「六家」對舉。白居易〈對黜子書〉:「六家之異同，馬遷論之備矣；九流之得失，班固敘之詳矣。」又曰：「弘四術之正義，崇九經之格言。故正義著明，則六家之異見不除而自退矣；格言具舉，則九流之偏說不禁而自隱矣。」(《白氏長慶集》卷六五)「六家」與「九流」對舉、「四術」與「九經」對舉，與玄宗〈序〉「六家」與「五經」對舉，用意和方式正同，所指應當都是諸子。近臣率爾抄來，以概《孝經》諸家注，自然是張冠李戴、文不對題了。

由上可見，《邢疏》不知御制《孝經・序》乃一篇抄舊襲故之作，對其強作疏證，所注「六家」與《御注》實際所引風馬牛不相及。如果邢昺諸人真正有一番疏證注文的功夫，何致犯此低級錯誤？可惜他們只知抄錄《元疏》，而不顧序文與注文是否對應，強作解人，誤人誤己而不自知。

又如《邢疏》於「開宗明義章第一」疏云：「劉向校經籍，比量二本（今文、古文），除其煩惑，以十八章為定，而不列名。又有荀昶集其錄及諸家疏，並無章名。而《援神契》自〈天子〉至〈庶人〉五章，唯皇侃標其目而冠於章首。今《鄭注》見章名，豈先有改除，後人追遠而為之也？《御

---

[17] 陳鴻森：〈《續修四庫全書總目提要》孝經類辨證〉，《歷史語言研究所集刊》第69本第2分（1989年)；〈《經義考》孝經類別錄上〉，《書目季刊》第34卷第1期（2000年6月)。

注》依古今集詳議，儒官連狀題其章名，重加商量，遂依所請。」

邢說《孝經》本無章名，是玄宗依從「儒官連狀」才商定的。此實誤說，絕非躬逢其事的元行沖所言。可茲說一出，便誤導後來許多人，直接威脅《孝經》文本的完整性。明歸有光〈孝經敘錄自序〉就說：「獨其章名乃梁博士皇（甫之）偘所標，非漢時之所傳，故悉去之。」清鄭珍也說：「《孝經》漢止分章，晉荀昶撰集諸說，仍無章名。至皇侃《義疏》始標目，各冠章首。明皇《御注》因之。然則標章非古也。」在他們眼中，《孝經》章題可有可無，應當予以刪除。

但是，經我們考察，《邢疏》這一說法完全是錯誤的。就現在傳世文獻而言，玄宗之前，第一個完整標列《孝經》章題的，是陸德明《經典釋文》。陸氏作《孝經音義》的底本據〈序錄〉說「今隨俗用鄭氏」，即用《鄭注》本。《釋文》於《孝經》十八章，都一一標有章名。《邢疏》卻說後人「追改為之」，其實不是。

陸氏〈紀孝行章〉題下注曰：「行：下孟反。」又〈感應章〉題下注：「本今作〈應感章〉。」可見陸氏在鄭氏〈感應章〉章名外，又看到一作〈應感章〉者。當時《孝經》不僅有章名，而且還有異稱。陸氏作《釋文》，在其「承乏上庠」於陳朝時，遠在玄宗之前一百二十多年。故丁晏《孝經徵文》說：「陸氏《釋文》用《鄭注》十八章本，俱標章名，疑篇題始於漢末也。」

敦煌遺書《孝經》抄本三十餘種，有白文、有注疏，都毫無例外地有章題。特別是伯三三八二《孝經注》卷，存〈〔三才章第七〕〉至〈聖治章第九〉七十四行，可考章題有〈孝治章第八〉、〈聖治章第九〉，文中避李世民諱，「民」字例缺末筆，但又不避唐高宗「治」字、唐玄宗「基」字，可見其本抄於唐太宗之時。此卷章章有題，並未受到玄宗注的影響。敦煌《孝經》十之八九採用《鄭注》本，證明《鄭注》自有章題，並非後人「改除」、「追遠為之」。

邢疏〈天子章第二〉「〈甫刑〉云『一人有慶，兆民賴之』」引《鄭注》：「以《書》錄王事，故證〈天子〉之章。」說明《鄭注》原文中就有

「〈天子〉之章」稱法。如果說《鄭注》經文的章題有可能是後人追改，其注文「追改」的可能性就微乎其微了。

如果更追尋早一點，在南北朝及以前文獻中，也可以考見《孝經》章題。

《邢疏》引劉炫《孝經述義》「（孔子）故假言乘閑曾子侍坐也，與之論孝，開宗明義，上陳天子，下陳庶人」云云。所謂「開宗明義」、「天子」、「庶人」等等，也是依據《孝經》章題、章次而言的，其時尚在隋朝。此其證一。

《陳書．岑之敬傳》：「敕中書舍人朱异執《孝經》，唱〈士孝章〉，武帝親自論難。」〈士孝章〉即〈士章〉（或作〈士人章〉），因該章末有「蓋士之孝也」語，故以「士之孝」為本章題。此其證二。

《邢疏》稱〈天子〉至〈庶人〉五章，皇侃已「標其目而冠於章首」。皇侃是南朝梁人，在陸德明前，當時《孝經》已有章題無疑。《援神契》是《孝經》緯書，緯既有題，經豈無有？五章既有，他章豈無？古今固並無這一著書體例。此其證三。

《南齊書．王儉傳》：「上使陸澄誦《孝經》，起自『仲尼居』。儉曰：『澄所謂博而寡要，臣請誦之。』乃誦『君子之事上』章，上曰『善』。」王儉所誦見〈事君章〉，是當時本章可能又有「君子之事上」的章名。此其證四。

同書〈顧歡傳〉：「可取〈仲尼居〉置病人枕邊恭敬之，自差（瘥）也。」「仲尼居」是《孝經》首句，今〈開宗明義章〉，可能當時又有〈仲尼居〉之名。此其證五。

《抱朴子．仁明篇》：「唐堯以『欽明』冠〈典〉，仲尼以『明義』首篇。」（吳承仕《經典釋文序錄疏證》已有發現）「欽明」是《尚書．堯典》首章「欽明文思安安」句首二字，居於〈堯典〉之首，故曰「冠〈典〉」。「明義」卻不是《孝經》首句所有，甚至也不是首章中所有的文句，只見於第一章〈開宗明義章〉章題之中。如果說上引〈仲尼居〉的章題，還有可能是「用首句以便稱說」的話，那麼「明義」一詞則非於首章〈開宗明義〉的章題中尋找不可。因此，吳承仕說「晉時已有章名」，「不待皇侃作之」。此其證六。

《三國志・吳書・張昭傳》:「（孫）權嘗問衛尉嚴畯：『寧念小時所念書不？』畯因誦《孝經・仲尼居》。昭曰：『嚴畯鄙生，臣請為陛下誦之。』乃誦〈君子之事上〉。咸以為昭為知所誦。」這段文字與《南齊書》如出一轍，定是《三國志》影響王儉。此其證七。

《漢書・匡衡傳》載衡上書：「〈大雅〉曰：『無念爾祖，聿修厥德。』孔子著之《孝經》首章，蓋至德之本也。」「首章」即〈開宗明義章〉，說明《孝經》分章自漢已然。此其證八。

《漢書・藝文志》注引劉向《別略》說，古文將「〈庶人章〉分為二，〈曾子敢問〉章（即今〈聖治章〉）為三」，已分別提到〈庶人章〉、〈曾子敢問章〉之名，已透露出西漢《孝經》有章題的信息。此其證九。

以上九證，都表明《孝經》分章是漢以來的舊慣，《孝經》有章題也是漢以來的傳統。只是當時未經統一，章題稱法互有不同。如〈開宗明義章〉有稱「仲尼居」的；〈聖治章〉有稱「曾子敢問章」的；〈感應章〉有稱「應感章」的；〈事君章〉有稱「君子之事上章」的等等，不一而足。當然，也還有不題章名的，如敦煌發現北魏和平二年（461）抄本《孝經》，殘存後三章（即〈感應章〉、〈事君章〉、〈喪親章〉），都無章題。

說明在玄宗以前，《孝經》有無章名並不統一，章題的稱法也不一致，也許唐玄宗曾根據「儒臣連狀」，統一了章名。但並不是始於玄宗，《鄭注》的章名也不是「後人追為」。在《邢疏》「本無章題」之說影響下，遂啟後人欲盡去《孝經》章題的作法，真是流毒無窮。

所有這些糾葛，都是《邢疏》無知妄加的結果。因感慨玄宗《御注》自開元、天寶下令「家置一本」以來，國家懸為功令已垂二百六十年[18]，歷時滋久，《孝經御注》應當家喻戶曉；《孝經》文字淺顯，士人應當倒背如流。

[18] 天寶三年（744）下詔「家藏一本」，至咸平三年（1000）昺領校《孝經》等注疏，正250餘年。

何以作為朝廷任命校書的「九經及第」的邢昺，對這些《孝經》學基本問題還如此昏昏，如此冬烘，到了令人啼笑皆非的程度！

四　邢疏對天寶注文的無作為

陳鐵凡論《邢疏》之價值說：「玄宗《御注》行，而隋唐以前諸家《孝經》俱亡；邢昺《正義》行，而元行沖《疏》又佚。然而前代諸儒之說，又轉藉《御注》捃摭以殘存；諸說之主名及其內涵，亦因邢氏疏述而詳明。清儒採輯漢魏佚文固多取資，《邢疏》之能影響後世深且久者，殆亦有由矣。」[19]這個評估基本準確，但若要論其「詳明」、「保存」功勞，反倒是他的「無勞之功」，是他原文抄錄《元疏》的結果。因為通過考察，他在《元疏》之外，幾乎無所作為。

前面我們揭露了邢昺為〈御制序〉所作疏文的荒謬程度，現在再來看看他在《孝經》正經疏文中，又有哪些表現呢？誠如前賢所言，因原本元行沖所撰《御注孝經疏》業已不存，在現存《孝經注疏》中何為「元疏」，何為「邢疏」，確實已難詳辨。但是，我們我們從元行沖來不及為《孝經注》作疏的部分（也就是天寶重修之處）入手，還是可以考見「邢疏」的真實面目的。

我們前面已經交代，唐玄宗注《孝經》曾經有開元、天寶兩次。開元注本，是由元行沖作的疏，這部分疏文已經融化在邢昺《孝經注疏》中了，不易分辨。至於天寶重注本，當時元行沖已卒，這部分的疏文元行沖已不可能再作；如果有新作的疏文，只能是元行沖以後的人，或許是邢昺所為。只要我們分析一下天寶重修部分疏文的優劣，即可大致判斷邢昺其人的水準或態度。

不幸的是，當我們將日本所藏「開元舊注」（即「覆卷子本開元御注孝經」）與現行的「天寶新注」加以比較時，發現一些注文，二本之間確有區

[19] 陳鐵凡：《孝經學源流》（臺北市：國立編譯館，1986年），頁212。

別；但是疏文卻並無二致。因為在天寶注本上修成的邢昺《孝經注疏》的疏文（即《邢疏》），有的文字並不是針對天寶新注，而仍然是針對開元舊注的。這可以肯定是「天寶新疏」對元行沖「開元舊疏」的繼承，同時又可以斷定是《邢疏》對《元疏》的抄襲。現舉數例如下：

〈聖治章〉「聖人因嚴以孝敬，因親以教愛」：天寶新注為：「親，猶愛也；膝下，謂孩幼之時也。言親愛之心，生於孩幼，比及年長，漸識義方，則日加尊嚴，能致敬於父母也。」

《正義》：「又〈曲禮〉云：『幼子常視無誑，立必正方，不傾聽，與之提攜，則兩手奉長者之手，負劍辟咡，詔之則掩口而對。』注約彼文為說，故曰日加尊嚴。」

這條《正義》與現行天寶注文根本文不對題，顯然不是對天寶新注而言。開元舊注：「言子咳幼養於父母膝下，即須教之，使為則為，止則止，視無誑，聽不傾，提則捧手，對則掩口，故曰漸加嚴敬也。」《正義》正是對此注的疏通證明。

「聖人之教不肅而成，其政不嚴而治」：天寶新注：「聖人因其親嚴之心，敦以愛敬之教，故出以就傅，趨而過庭，以教敬也。抑搔癢痛，懸衾篋枕，以教愛。」

《正義》：「父子之道，簡易則慈孝不接，狎則怠慢生焉，故聖人因其親嚴之心，敦以愛敬之教也。云『出以就傅』者云云。」

這也與天寶新注風馬牛不相及。開元舊注是：「父子之道，簡則慈孝不接，狎則怠慢生焉，故出以就傅」云云。《正義》所言，實為其疏證。

「父子之道天性也」：天寶新注：「父子之道，天性之常。」

《正義》：「父子之道，自然孝慈，本乎天性，則生愛敬之心，是常道也。」

《正義》所言實與天寶新注無關，而是對舊注「父子之道，自然慈孝，本乎天性，則生敬愛之心」的復述。

〈應感章〉「長幼順故上下治」：天寶新注：「君能尊諸父、先諸兄，則長幼之道順，君人之化理。」

《正義》曰：「此言明王能順長幼之道，則臣下化之而自理也，謂放效於君。《書》曰：『違上所命，從厥攸好。』是效之也。」

這也不是對天寶注的疏通，而是對開元舊注「君能順於長幼，則下皆效於上，無不理也」的證明。

〈紀孝行章〉「在醜而爭則兵」：開元舊注：「將為兵刃所及也。」天寶新注：「謂以兵刃相加。」（舊注說將被他人以兵刃傷害，是被動的。新注說互相以兵刃相向，是主動的。）

《正義》曰：「此依常義。案《左傳》云：『晉范鞅用劍以帥卒。』杜預曰：『用短兵接敵。』此則刃劍之屬謂之兵也。必有刃，堪害於人。則《左傳》『齊莊公請自刃於廟』是也。言處儕眾之中，而每事好爭競，或有以刃相仇害也。」（也是強調被動受害。說明此疏是舊注的疏。）

〈事君章〉「退思補過」：開元舊注：「退居私室，則思補其身過。」天寶新注：「君有過失，則思補益。」

《正義》：「按舊注：韋昭云：『退居私室，則思補其身過。』以《禮記·少儀》曰：『朝廷曰退，燕遊曰歸。』《左傳》引《詩》曰：『退食自公。』杜預注：『臣自公門而退入私門，無不順禮。』室，猶家也。謂謂退朝理公事畢，而還家之時，則當思慮以補身之過。故《國語》曰：『士朝而受業，晝而講貫，夕而習復，夜而計過，無憾而後即安。』言若有憾，則不能安，是思自補也。按《左傳》晉荀林父為楚所敗，歸請死于晉侯，晉侯許之。士渥濁諫曰：『林父之事君也，進思盡忠，退思補過。』晉侯赦之，使復其位。是其義也。文意正與此同，故注依此傳文而釋之。

今云『君有過，則思補益』，出《制旨》。義取《詩·大雅·烝民》云『袞職有闕，惟仲山甫補之』，《毛傳》云：『有袞冕者，君之上服也。仲山甫補之，善補過也。』鄭《箋》云；『袞職者，不敢斥王言也。王之職有闕，輒能補之者，仲山甫也。』此理為勝，故易舊也。」

按：自「以《禮記·少儀》」迄「傳文而釋之」為舊注之疏，自「今云君有過」至「故易舊也」為新疏，界線非常明顯。《邢疏》據新疏撰成，其舊疏為《元疏》無疑。

〈喪親章〉「喪不過三年，示民有終也」：天寶注：「三年之喪，天下達禮，使不肖企及，賢者俯從。夫孝子有終身之憂，聖人以三年為制者，使人知有終竟之限也。」

開元舊注後一句作：「雖以三年為文，其實二十五月。」

《正義》：「云『夫孝子有終身之憂，聖人以三年為制』者，聖人雖以三年為文，其實二十五月而畢。故〈三年問〉云『將由夫修飾之君子與，則三年之喪，二十五月而畢，若駟之過隙。然而遂之，則是無窮也。故先王焉為之立中制節，壹使足以成文理則釋之矣』是也。」《正義》雖然提及新注，但仍然只疏通舊注，因有《元疏》為據，卻沒有對新注作出任何解 。

以上只疏舊注，而不解新注的現象， 明正是元氏舊疏的面貌，是我們今天仍然可考的元氏舊疏的片言隻語。雖然不能說明什麼太多問題，但是至少可以看出：玄宗注雖經兩修，御注疏亦曾兩纂。可是，天寶疏本，並沒有在開元疏之外另撰新篇，而是因循舊疏，沿襲舊文。作為宋人的邢昺新修《孝經注疏》時，理應作出補充，卻仍然只是據唐人舊疏抄錄一過，一仍其舊，以致造成「疏不契注」的現象。益加彰顯其修疏的「不作為」！不過反倒我們保留了元氏舊疏的真實內容。

邢氏之撰《孝經注疏》，在為天寶注本新序作疏時，既犯了種種常識性錯誤，以貽害後學；又只知一味抄錄元氏舊文，對天寶重修注文并未作出新疏，造成種種文不對題現象。豈唯如此，更可見管理不善的政府功令、國家立項，除了空耗公帑外，對於學術事業來說真是無功而有害！因想起曾慥《類說》所記太學官葉生的一則笑話：「有錢塘葉生為太學官，無學識，有舉子假作葉策題云：『《孝經》一序，義亦難明。且如「韋昭王」何代之主？「先儒領」是何處之山？孔子之志，四時常有也，何以獨言「吾志在春」；孔子之孝，四時常行也，何以獨言「秋行在孝」？既曰「夫子沒而」，又何以有「鯉趨而過庭」』？」[20]驗之邢昺等輩，其情形不亦絕相類似乎？

---

[20] 曾慥：《類說》卷49「策題」。所識蓋誤讀〈御制序〉，皆標點之誤。「韋昭王」、「先儒領」是「韋昭、王肅，先儒領袖」的誤斷；「吾志在春」、「秋行在孝」是孔子曰「吾

宋代統治者崇尚文治、提倡儒學，北宋時期曾經召集大批儒生從事文獻整理和新修工作，從天文地理、儒家經典、古今正史，下逮小說方書，都廣有業績，蔚為一時大觀。其成功者，則有《太平御覽》、《太平寰宇記》、《太平廣記》、校勘「十七史」、校訂《九經正義》等等，都堪稱傳世之作。唯有宋人補撰之《論語正義》、《孝經正義》、《爾雅正義》以及《孟子正義》，較之唐人《九經正義》，質量不及遠甚。其中《孝經正義》還被學人認為是差強人意者，夷考其事又不盡然。好在《孝經》文從字順，辭淺義顯，即使蒙童婦孺讀之，亦能頗通其辭，暗通其意。否則，如果仰賴《邢疏》之類官家注解而後能，其貽誤他人子弟亦已深矣！而趙宋之「以孝治天下」者，豈不重落空筌乎？

志在《春秋》，行在《孝經》」的誤斷。「夫子沒而」，是《史記》「夫子沒而微言絕」的誤斷，「鯉趨而過庭」見《論語》。

讀王引之《經義述聞．爾雅》札記三則

郭鵬飛*

《爾雅》歷來被視為通經津渡，亦為我國重要之訓詁典籍，研究是書者多若星辰。王念孫（1744～1832）、王引之（1766～1834）父子為清代樸學大家，其《經義述聞》更是經學研究的名作。然智者千慮，容或有失。今就書中《爾雅》部分，檢其可議之處，提出淺見，而就正於方家。

一　〈釋詁上〉：林、烝、天、帝、皇、王、后、辟、公、侯，君也

王引之曰：

郭曰：「《詩》曰：『有壬有林。』又曰：『文王烝哉。』」引之謹案：君字有二義，一為君上之君，天、帝、皇、王、后、辟、公、侯是也；一為群聚之群，林、烝是也。古者君與群同聲，故《韓詩外傳》曰：「君者，群也。」故古群臣字通作君臣。《管子．大匡篇》：「桓公使鮑叔識君臣之有善者。」〈問篇〉：「君臣有位而未有田者幾何人。」皆群臣之假者也。〈國蓄篇〉：「男女諸君吾子，無不服籍。」君亦群之假借，謂大男大女及諸群吾子也。諸群，猶諸眾也。《呂氏春秋．謹聽篇》云：「諸眾齊民。」《呂氏春秋．召類篇》曰：「群者，眾也。」《白虎通義》曰：「林者，眾也。」此篇下文曰：「烝，眾也。」林、烝、群同為眾多之義，故曰：「林、烝，群也。」林、烝二字連文，而不與下文相錯，亦可以

* 香港城市大學中文、翻譯及語言學系。

知其別為一類矣。不然，君上至尊，豈得以林、烝稱之乎？自毛公釋《詩》之「有壬有林」、「文王烝哉」，始誤以林、烝為君上之君。而《漢書·律曆志》之說「林鍾」、《楚辭·天問·注》之說「伯林」、〈表記·注〉之說「武王烝哉」，竝仍其誤。案〈小雅·賓之初筵〉云：「百禮既至，有壬有林。」上曰百禮，下曰有林，則有林正取眾盛之義，不得訓為國君，使文義參差也。《傳》云：「壬，大也。林，君也。」君與大義已不順，而壬字之解猶不誤。《箋》又以壬為卿大夫，其失彌甚矣。《毛鄭詩考正》曰：「《詩》中如『有蕡有鶯』之類，竝形容之辭。此以形容百禮既至，壬壬然盛大，林林然眾多。」此說是也。林鍾之義，〈周語〉以為「和展百事，俾莫不任肅純恪」，韋《注》曰：「林，眾也。言萬物眾盛也。」則林字正取眾盛之義，故訓之曰百事。故《淮南·時則篇》謂林鍾為百鍾，不得如《漢志》君主種物之說也。〈天問〉之「伯林雉經」，不知何指。王叔師見〈晉語〉有大子申生雉經之事，遂以伯林為申生而訓為長君，實無明據也。至〈大雅·文王有聲〉之「文王烝哉」，則《韓詩》訓烝為美，其說確不可易，《詩》、《書》多以烝為美大之詞。說見前「不顯不承」下。不得如《毛傳》訓為君上之君也。下文有「王后烝哉」、「皇王烝哉」，若訓烝為君，則與王后、皇王字義相複矣。徧考經傳之文，未有謂君為林、烝者，則林、烝之本訓為群明矣。天、帝、皇、王、后、辟、公、戾為君上之君，林、烝為群聚之群，而得合而釋之者，古人訓詁之指，本於聲音，六書之用，廣於假借，故二義不嫌同條也。[1]

案：王引之認為本條之「君」有二義，一為「君上」，另一為「群」。「林」、「烝」為「群」義，「天」、「帝」以下則為「君」，此王氏所謂「二義不嫌同條」。「君」與「群」同聲通假，自無問題，然「林」、「烝」與「君」義之問題，則需探討。觀乎王氏所引《韓詩外傳》曰「君者，群也」，

[1] 王引之：《經義述聞》（南京市：江蘇古籍出版社，2000年，影印道光七年〔1827〕刻本），頁611下～612上。

似又著眼於二者之意義關係。這種看法，所持者甚眾，邢昺（932～1010）[2]、姜兆錫（1666～1745）[3]、邵晉涵（1743～1796）[4]、郝懿行（1757～1825）[5]、王闓運（1833～1916）[6]、聞一多（1899～1946）[7]等皆是。郝懿行云：

> 《逸周書・謚法篇》云：「賞慶刑威曰君，從之成群曰君。」《白虎通》云：「君，群也，群下之所歸心也。」然則君之言群，凡群眾所歸皆謂之君矣。林、烝者，眾也。又訓君者，眾之所歸，斯謂之君，與君、群義同也。[8]

郝氏之言，為「君者，群也」提供更多文獻證據，亦最可反映他們認為「君」者能「群」而二者意義相通的釋義立場。然而，在先秦典籍中，未見「君」字用作「群」義的實例，《逸周書》、《白虎通》所言「君」、「群」的關係，是就人君應具備的條件立說，指出為君者應當做到百姓歸心。這種關係是政治性的，而非語言性的，並不表示「君」字具備「群」義。此外，我們可從《逸周書・謚法篇》「賞慶刑威曰君，從之成群曰君」一語得到反證：如「君」有「群」義，則「君」亦有「賞慶刑威」之義。倘若這種說法可以成立，則《春秋繁露・深察名號》所言：

---

2 《十三經注疏》，《爾雅注疏》（北京市：中華書局，1980年），頁2568中。

3 姜兆錫：《爾雅註疏參議》，《續修四庫全書》（上海市：上海古籍出版社，1995年，影印華東師範大學圖書館藏雍正十年〔1732〕寅清樓刻《九經補注》本），第185冊，頁484上。

4 邵晉涵：《爾雅正義》，《續修四庫全書》（影印南京圖書館藏乾隆五十三年〔1788〕邵氏面水層軒刻本），第187冊，頁44上。

5 郝懿行：《爾雅義疏》，郝懿行、王念孫、錢繹（1770～1855）、王先謙（1842～1917）等著：《爾雅 廣雅 方言 釋名清疏四種合刊（附索引）》（以下簡稱《合刊》本）（上海市：上海古籍出版社，1989年），頁3。

6 王闓運：《爾雅集解》（光緒二十九年〔1903〕刊本，出版地不詳），頁2。

7 《聞一多全集》《古典新義・爾雅新義》（北京市：生活・讀書・新知三聯書店，1982年），第2冊，頁211。

8 郝懿行：《爾雅義疏》，頁3。

君者，元也；君者，原也；君者，權也；君者，溫也；君者，群也。[9]

在語意解釋的層面上，亦應成立。但這不足為訓，否則，便無不可成「君」義了。這種聲訓式的說解，旨在申明為君之道，並試圖尋求語源上的依據，卻非表示「君」字在語義上兼有「元」、「原」、「權」、「溫」、「群」等意義。此外，《荀子．君道》的一記載更可清楚認識上述論點，其文曰：

道者，何也？曰：君之所道也。君者，何也？曰：能群也。能群也者，何也？曰：善生養人者也，善班治人者也，善顯設人者也，善藩飾人者也。[10]

荀子明言「君」為「能群也」，表示「君」當以「能群」為其施政之方，並藉之顯示其能力。可見「君」之為「群」者，乃就人君之道立說，而不可指「君」有「群」義。王引之、郝懿行等學者之誤，是錯將《逸周書》、《韓詩外傳》等書中一些關於政治性的詮釋當成語言的事實。張師以仁（1930～2009）在〈聲訓的發展與儒家的關係〉一文指出「君者，群也」只是儒家借聲訓來宣傳其思想的一種手段，可說一語中的[11]。

「君」既無「群」義，那麼，「林」、「烝」二字在《爾雅》這一條內便不能解作「群」了。「林、烝，君也」者，乃就「君主」或「統治」義立說，以下將逐一分析。

「林」於先秦文獻中，未見有作「君」義者，〈小雅．賓之初筵〉、《毛傳》及《楚辭．天問》王逸《注》釋「林」作「君」，不足為信。「林，君也」的「林」很可能是一個通假的用法，朱駿聲（1788～1858）《說文通訓定聲》便有這樣的看法，他說：

---

9 董仲舒（前179～104）撰，蘇輿（？～1914）注，鍾哲點校：《春秋繁露義證》（北京市：中華書局，1992年），頁290。

10 王先謙：《荀子集解》，《諸子集成》（香港：香港中華書局，1978年），第2冊，頁156。

11 張師以仁：《中國語文論集》（臺北市：東昇出版事業公司，1981年），頁69～71。

> 林，[叚借]為臨，《爾雅・釋詁》：「林，君也」……左定八《傳》林楚，《公羊》作臨南。[12]

清陸錦燧《讀爾雅日記》云：

> ……竊疑林乃臨之假借字。左氏定八年《傳》「林楚御桓子」，《公羊傳》作「臨南」，是林、臨二字通假之證。《說文》臥部云：「臨，監臨也。」此臨之本義。君者，在上臨下，故臨得為君上之稱。《詩・皇矣》「臨下有赫」，《疏》：「臨者，在上臨下之名。」《穀梁》哀公七年《傳》：「《春秋》有臨天下之言焉。」《注》：「臨者，撫有之也。」左氏昭公六年《傳》「臨之以敬」，《疏》：「臨，謂位居其上，俯臨其下。」《國語》：「臨長晉國。」《國策》：「君臨函谷。」此皆臨有君義之證。[13]

黃侃（1886～1935）亦云：

> 林字本作臨（《左傳》林楚、《公羊》作臨南），《詩・皇矣・疏》：「臨者，以上臨下之名」，皇侃《論語・疏》曰：「臨，謂以高視下也。」[14]

三說之中，以陸說最為詳盡[15]，但「林」、「臨」通假之例甚少，三家亦只能

---

[12] 朱駿聲：《說文通訓定聲》（武漢市：武漢古籍書店，1983年，影印臨嘯閣藏版），頁96上。

[13] 諸可寶（1845～1903）編：《學古堂日記》（臺北市：華文書局，1970年，影印光緒二十二年〔1896〕刻本）第3冊，頁1273～1274。

[14] 黃侃：《爾雅音訓》（上海市：上海古籍出版社，1983年），頁8。

[15] 陸說雖詳，然所舉例證，頗有可商之處。《詩經・皇矣》「臨下有赫」的「臨」應作「監臨」解，其上下文云：「皇矣上帝，臨下有赫。監觀四方，求民之莫。」（見《十三經注疏》，《詩經注疏》，頁519上。）人民敬畏上帝，是基於信仰，而非受其實質統治，因此，「臨下」不能解作統治義的「君」；下文曰「監觀四方」，緊接上文，伸展「臨下」以後的「行為」，亦可以作為「臨」為「監臨」的佐證。穀梁哀公七年《傳》的「臨」字，亦不可作「君」解。此《傳》文云：「《春秋》有臨天下之言

舉出「林楚」、「臨南」異文互見一例。今考馬王堆帛書《周易》，〈臨卦〉的「臨」寫作「林」[16]，為三家之說增一堅強證據。〈臨卦〉的卦象有這樣的解釋：

象曰：「澤上有地，臨；君子以教思無窮，容保民無疆。」[17]

〈象傳〉君子教民保民作〈臨卦〉的意義，表示「臨」字含有「統治」之意。「臨」作「統治」解，古籍不乏其例，如《論語．雍也》云：

子曰：「雍也，可使南面。」仲弓問子桑伯子，子曰：「可也，簡。」仲弓曰：「居敬而行簡，以臨其民，不亦可乎？居簡而行簡，無乃大簡乎？」子曰：「雍之言然。」[18]

《左傳》襄公十三年：

秋，楚共王卒。子囊謀謚。大夫曰：「君有命矣。」子囊曰：「君命以共，若之何毀之？赫赫楚國，而君臨之，撫有蠻蠻夷，奄征南海，以屬諸夏，而知其過，可不謂共乎？請謚之『共』。」大夫從之。[19]

《管子．八觀》云：

焉，有臨一家之言焉，其言來者，有外魯之辭焉。」（見《十三經注疏》，《穀梁傳注疏》，頁2450上。）「臨」於此處明顯為「面對」，而非「君」義。《左傳》昭公六年「臨之以敬」的「臨」字，亦不可作「君」解。原文云：「昔先王議事，以制，不為刑辟，懼民之有爭心也……故誨之以忠，聳之以行，教之以務，使之以和，臨之以敬，涖之以彊，斷之以剛。」（見《十三經注疏》，《左傳注疏》，頁2043中～下。）《孔疏》云：「臨、涖，一也。」（同前註）「涖」無「君」義，而「臨」於此亦不應解作「君」，釋為「加臨」則較為合適。

16 馬王堆漢墓帛書整理小組整理：〈馬王堆帛書《六十四卦》釋文〉，《文物》1984年第3期，頁5。

17《十三經注疏》，《周易注疏》，頁36上。

18《十三經注疏》，《論語注疏》，頁2477下。

19《十三經注疏》，《左傳注疏》，頁1954下～1955上。

置法出令，臨眾用民，計其威嚴寬惠，行於其民……。[20]

這都是「臨」作「統治」義的例證。《爾雅》以「君」釋「臨」，是以「君」作動詞，取其「統治」之意。從「君」的「君主」義引申為「統治」，理路自然，古籍亦有大量例證，如《荀子・富國》云：

若夫重色而衣之，重味而食之，重財物而制之，合天下而君之，非特以為淫泰也，固以為王天下，治萬變，材萬物，養萬民，兼利天下者，為莫若仁之善也夫合天下而君之。[21]

《荀子・王霸》云：

國危則無樂，國安則無憂民。亂則國危，治則國安。今君人者急逐樂而緩治國，豈不過甚矣哉？[22]

《韓非子・五蠹》云：

魯哀公，下主也，南面君國，境內之民莫敢不臣。[23]

《管子・權修》云：

君國不能壹民，而求宗廟社稷之無危，不可得也。[24]

這裏的「君」是「統治」之意。「臨」、「君」二字在這個層面看可說是同義了。

至於「烝」字，王引之因〈釋詁〉有「烝，眾也」一解，便以此釋「烝」有眾多之義，並以烝眾為美之說佐之。然「烝」之群眾義既有下文點

---

[20] 戴望（1837～1873）：《管子校正》，《諸子集成》，第5冊，頁76。

[21] 王先謙：《荀子集解》，頁116～117。

[22] 王先謙：《荀子集解》，頁137。

[23] 陳奇猷：《韓非子新校注》（上海市：上海古籍出版社，2000年），下冊，頁1097。

[24] 戴望：《管子校正》，頁8。

出，是否需要在這一條中另解「君」為「群」，再以此釋「烝」？這是令人疑惑的。而尋諸先秦文籍，「烝」作「君主」的用例甚少，注家多舉《詩經．大雅．文王有聲》「文王烝哉」《毛傳》的說解為證，其文曰：

文王有聲，遹駿有聲，遹求厥寧，遹觀厥成。文王烝哉！

《毛傳》：

烝，君也。

鄭《箋》：

「君哉」者，言其誠得人君之道。[25]

朱熹（1130～1220）《詩經集註》亦云：

烝，君也。[26]

鄭玄（127～200）注《禮記．表記》「武王烝哉」一語時，亦指「烝」為「君」[27]。「烝」有「君」義，頗為人所接受。然陸德明（556～627）解釋此詩時，除引《毛傳》外，又曰：

《韓詩》云：「美也。」[28]

---

[25]《十三經注疏》，《詩經注疏》，頁526中。王引之認為此詩「下文有『王后烝哉』、『皇王烝哉』，若訓烝為君，則與王后、皇王字義相複矣。」案：「君哉」為美辭，不與「王后」、「皇王」意義相複。

[26] 朱熹：《詩經集註》，《四庫全書》（臺北市：臺灣商務印書館，1983年，影印文淵閣本）第72冊，頁867下。

[27]〈表記〉原文為：《詩》云：「豐水有芑，武王豈不仕，詒厥孫謀，以燕翼子，武王烝哉！」《鄭注》云：「燕，安也。烝，君也。言武王豈不念天下之事乎？如豐水之有芑。乃遺其後世之子孫以善謀，以安翼其子也。君哉武王，美之也。」見《十三經注疏》，《禮記注疏》，頁1639下。

[28] 陸德明著、盧文弨（1717～1795）校：《經典釋文．毛詩音義》（臺北市：漢京文化事業有限公司，1980年，影印抱經堂本），頁94上。

《韓詩》之說，過於簡略，無從判其是非，若從《禮記·表記·鄭注》著眼，我們可另有體會。鄭玄謂「君哉武王，美之也」，可知「君哉」為嘉美之辭，表示武王「得人君之道」，而非「君」字有「美」義。這種用法先秦典籍不乏其例，如《左傳》昭公元年：

> 叔孫穆子曰：「楚公子美矣，君哉！」[29]

《孟子·滕文公上》：

> 孔子曰：「大哉堯之為君！惟天為大，惟堯則之，蕩蕩乎民無能名焉！君哉舜也！巍巍乎有天下而不與焉！」[30]

這些地方的「君」字都不能作「美」解，只是「君」字由名詞轉化為形容詞而已。

「烝」作「君」義的用例亦甚為罕有，除了上述〈文王有聲〉、〈表記〉二例外，先秦典藉再不多見，然《楚辭·九懷·危俊》云：

> 林不容兮鳴蜩，余何留兮中州？陶嘉月兮總駕，搴玉英兮自脩。結榮茝兮逶逝，將去烝兮遠遊。

王逸《注》：

> 違離於君，之四裔也。《爾雅》曰：「林、烝，君也。」[31]

〈九懷〉出現時代雖然稍晚，但「烝」作「君」義則十分確實，可作《爾雅》「烝，君也」的旁證。

「烝」用為動詞，作「君臨」、「統治」義者，亦見其例，〈大盂鼎〉：

---

[29]《十三經注疏》，《左傳注疏》，頁2020上。

[30]《十三經注疏》，《孟子注疏》，頁2706上。

[31] 洪興祖（1090～1155）撰，白化文等點校：《楚辭補注》（北京市：中華書局，1983年），頁271。

敏諫罰訟，夙夕召我一人耋四方。[32]

「耋」，〈大師虘豆〉作「[illegible]」[33]，與甲文同。趙誠說：

[illegible]异。象雙手捧豆（盛物之器）進祭之形，或寫作「[illegible]」、「[illegible]」、「[illegible]」、「[illegible]」，象豆內盛各種物品之形，與异字構形之意同……典籍均寫作烝，間或寫作蒸。[34]

張日昇認為「龔」當為豆器之屬，經典以「烝」為「龔」，當為同音通叚[35]。周法高（1915～1995）亦贊成張說[36]。《大盂鼎》這條資料，吳大澂（1935～1902）早已點出[37]，唐蘭解釋《大盂鼎》鼎文時，亦引〈釋詁〉「烝，君也」為證[38]。「（烝）四方」即君臨天下，「耋」的內涵意義傾向於「統治」。

根據以上分析，我們可以察知「君」無「群」義，而「林（臨）」、「烝」二字並具「君主」、「君臨」或「統治」之義。因此，「林、烝、天、帝、皇、王、后、辟、公、侯」等被釋字，均可用「君主」義解釋，其間的意義關係相當一致，並非如王引之所說的「二義不嫌同條」。

二 〈釋詁上〉：基，謀也

王引之曰：

---

32 見馬承源（1927～2004）：《商周青銅器銘文選》（北京市：文物出版社，1990年），第3冊，頁38。

33 見容庚（1894～1983）編著，張振林、馬國權（1931～2002）摹補：《金文編》（北京市：中華書局，1985年），頁330。

34 趙誠：《甲骨文簡明詞典《卜辭分類讀本》（北京市：中華書局，1988年），頁247。

35 見周法高主編，張日昇、徐芷儀、林潔明等合編：《金文詁林》（香港：香港中文大學出版社，1975年）卷5上，第6冊，頁3085～3086。

36 同前註，頁3086。

37 同前註，頁3079。

38 唐蘭：《西周青銅器銘文分代史徵》（北京市：中華書局，1986年），頁178。

〈康誥〉曰：「周公初基作新大邑於東國雒。」十二字連讀。鄭《注》以基為謀。見〈康誥・正義〉。某氏《傳》以初基為初造基，於基上加造字以釋之，非是。〈孔子閒居〉引《詩》「夙夜其命宥密」，鄭《注》曰：「《詩》讀其為基。基，謀也。密，靜也。言君夙夜謀為政教以安民。」鄭訓基為謀，與《毛傳》異，《毛傳》：「基，始也。」蓋亦本三家也，故郭亦云見《詩》。基，或通作惎。定四年《左傳》「管、蔡啟商，惎閒王室」，謂謀閒王室也。說見《左傳》。邵引〈盤庚〉「人惟求舊」、〈周語〉「后稷始基靖民」，皆失之。「人惟求舊」，與「器非求舊」對文，則惟為語詞，猶〈呂刑〉言：「非訖于威，惟訖于富也。」〈周語〉曰：「后稷始基靖民。」又曰：「基福十五，基禍十五。」三基字文義相承，則基非謀也。[39]

案：王氏舉〈康誥〉與〈孔子閒居〉二例，以作「基」「為「謀」之證，今逐一檢討。「周公初基作新大邑於東國雒」，出於《尚書・康誥》，原文曰：

惟三月，哉生魄，周公初基作新大邑於東國洛，四方民大和會。侯、甸、男邦、采、衛，百工播民，和見士於周。[40]

偽《孔傳》：

初造基，建作王城大都邑於東國洛汭，居天下之中，四方之民大和悅而集會。[41]

孔穎達（574～648）採偽《孔》而非鄭，曰：

初基者，謂初始營建基址，作此新邑，此史揔序言之。鄭以為此時未作新邑，而以基為謀，大不辭矣。[42]

---

[39] 王引之：《經義述聞》，頁614上。

[40]《十三經注疏》，《尚書注疏》，頁202下。

[41] 同前註。

[42] 同前註，頁203上。

鄭《注》以「基」為「謀」，頗為人所接受，除王引之外，江聲（1721～1799）[43]、孫星衍（1753～1818）[44]、劉逢祿（1776～1829）[45]等均用鄭說。然于省吾（1896～1984）另有新解，云：

> 偽《傳》訓初基為初造基，鄭康成訓基為謀，並非。按：基、其古通，〈立政〉「丕丕基」，漢《石經》基作其[46]。《禮記．孔子閒居》「夙夜其命宥密」，《詩》其作基。初其猶金文之言啟其、肇其，乃周人語例。〈匽侯旨鼎〉「匽侯旨初見事于宗周」，〈逐鼎〉「逐啟諆作廟叔寶尊彝」，諆即其。〈白㦰毁〉「白㦰肇其作西宮寶」，「周公初基作新大邑於東國洛」者，周公始其新大邑於東國洛也。[47]

于說甚有見地，瑞典高本漢（Klas Bernhard Johannes Karlgren, 1889～1978）《書經注釋》、臧克和《尚書文字校詁》亦錄其說[48]。案：〈盠方彝〉：「天子丕遐丕其」[49]，「其」即「基」，于說「基、其古通」，是也。又〈叀攸諆父甲尊〉「叀攸諆為禦作父甲旅尊彝」[50]、〈犀父己尊〉：「犀肇其作父己寶尊彝」[51]，皆可

---

43 江聲：《尚書集注音疏》，《續修四庫全書》（影印乾隆五十八年〔1793〕近市居刻本），第44冊，頁520下。

44 孫星衍：《尚書今古文注疏》，《續修四庫全書》（影印嘉慶二十年〔1815〕孫氏冶城山館刻《平津館叢書》本），第46冊，頁642上。

45 劉逢祿：《尚書今古文集解》，《續經解尚書類彙編》（臺北市：藝文印書館，1986年），第1冊，頁365上。

46 此說亦見李富孫（1764～1843）：《詩經異文釋》，《續經解毛詩類彙編》，第1冊，頁576上。

47 于省吾：《雙劍誃群經新證．尚書新證》（上海市：上海書店出版社，1999年），頁83下。

48 高本漢著，陳舜政譯：《高本漢書經注釋》*Glosses on the Book of Documents*（臺北市：國立編譯館中華叢書編輯委員會，1970年），下冊，頁611。臧文見《尚書文字校詁》（上海市：上海教育出版社，1999年），頁305～306。

49 中國社會科學院考古研究所編：《殷周金文集成釋文》（香港：香港中文大學中國文化研究所，2001年）第6卷，頁24，器號9899.2～6。

50 中國社會科學院考古研究所編：《殷周金文集成釋文》卷4，頁252，器號5952～6。

51 同前註，器號5953～8。

證于氏言之不謬。

至於《禮記・孔子閒居》一例，其文原作：「『夙夜其命宥密』，無聲之樂也。」鄭《注》曰：

> 《詩》讀其為基，聲之誤也。基，謀也。密，靜也。言君夙夜謀為政教以安民，則民樂之。此非有鐘鼓之聲也。[52]

「夙夜其命宥密」，出自《詩經・周頌・昊天有成命》，原文為：

> 昊天有成命，二后受之。成王不敢康，夙夜基命宥密。於緝熙，單厥心，肆其靖之。[53]

《毛傳》：

> 二后，文、武也。基，始；命，信；宥，寬；密，寧也。[54]

鄭《箋》：

> 昊天，天大號也。有成命者，言周自后稷之生而已有王命也。文王、武王受其業，施行道德，成此王功，不敢自安逸，早夜始順天命，不敢解倦，行寬仁安靜之政，以定天下。[55]

鄭玄注《禮記》此詩的「基」字作「謀」[56]，注《詩經》則作「始」，與《毛傳》同[57]。其注《詩經》「命」作「天命」，注《禮記》則沒有言明。「早夜始順天命，不敢解倦」，義頗迂迴，而「言君夙夜謀為政教以安民」，亦於

---

[52]《十三經注疏》，《禮記注疏》，頁1617上。

[53]《十三經注疏》，《詩經注疏》，頁587下～588上。

[54] 同前註，頁587下。

[55] 同前註。

[56] 王先謙云：「齊『基』一作『其』。」見氏著：《詩三家義集疏》（北京市：中華書局，1987年），下冊，頁1008。

[57] 案：王引之引〈孔子閒居〉此詩鄭《注》，云：「鄭訓基為謀，與毛傳異。」卻不言《毛傳》與鄭《箋》同，未知何故。

「基命」之「命」無解。《國語．周語下》記叔向曾引此詩，並加解釋，云：

> 夙夜，恭也。基，始也。命，信也。宥，寬也。密，寧也。緝，明也。熙，廣也。亶，厚也。肆，固也。靖，龢也……恭儉信寬，帥歸於寧。[58]

叔向先釋詩句單字，而結之為「恭儉信寬，帥歸於寧」，「儉」字橫空而出，「基」義則隱沒不見，而文意亦復難通。朱熹云：

> 基，積累於下以承藉乎上者也……言天祚周以天下，既有定命，而文、武受之矣。成王繼之，又能不敢康寧，而其夙夜積德以承藉天命者，又宏深而靜密，是能繼續光明文、武之業而盡其心，故今能安靜天下而保其所受之命也。[59]

朱說頗為圓融。參諸《禮記．孔子閒居》：

> 孔子曰：「無聲之樂，無體之禮，無服之喪，此之謂三無。」子夏曰：「三無既得略而聞之矣，敢問何詩近之？」孔子曰：「『夙夜其命宥密』，無聲之樂也。『威儀逮逮，不可選也』，無體之禮也。『凡民有喪，匍匐救之』，無服之喪也。」[60]

孫希旦（1736～？）曰：

---

58 上海師範大學古籍整理研究所點校：《國語》（上海市：上海古籍出版社，1988年），上冊，頁116。

59 朱熹：《詩經集傳》，頁891下～892上。

60《十三經注疏》，《禮記注疏》，頁1617上。案：上博簡〈民之父母〉文字與〈孔子閒居〉雷同，亦有「夙夜詧命又密」之語。此篇整理者濮茅左先生曰：「『詧』，同『諅』。《說文．言部》：『諅，忌也。从言，其聲。〈周書〉曰：上不諅於凶德。』……《禮記．孔子閒居》作『其』，《孔子家語．論禮》作『基』。『諅』、『基』、『其』聲可通。」濮說是也。見馬承源主編：《上海博物館藏戰國楚竹書》（二）（上海市：上海古籍出版社，2002年），頁166。

> 無聲之樂，謂心之和而無待於聲也。無體之禮，謂心之敬而無待於事也。無服之喪，謂心之至誠惻怛而無待於服也。三者存乎心，由是而之焉則為志，發焉則為詩，行之則為禮、為樂、為哀，而無所不至。蓋五至者，禮樂之實；而三無者，禮樂之原也。宥，宏深也。密，靜謐也[61]。其，《詩》作基。基者積累於下，以承藉乎上者也。此詩《周頌·昊天有成命》之篇，言成王夙夜積德以承藉乎天命者甚宏深而靜謐，無聲之樂之意也。[62]

由此可知，「基」實有「承藉」之意。

從上所論，王引之所舉《書》、《禮》二例之「基」均不作「謀」解。此外，邵晉涵引〈周語〉「后稷始基靖民」，而證「基」為「謀」[63]，王氏非議，謂此「基」與下文「基福十五，基禍十五」之「基」，文義相承，「基」不可作「謀」解。案：〈周語〉原文曰：

> 自后稷之始基靖民，十五王而文始平之，十八王而康克安之，其難也如是。厲始革典，十四王矣。基德十五而始平，基禍十五其不濟乎！[64]

據文意，「自后稷之始基靖民」之「基」為「謀」，後二「基」為「基礎」、「累積」之意。邵說不誤。又或「基」為「其」，即「自后稷之始其靖民」，亦通。

王氏又舉定四年《左傳》「管、蔡啟商，惎間王室」作證，謂「基」或通作「惎」，釋為「謀」。案：杜《注》：

> 惎，毒也。周公攝政，管叔、蔡叔開道紂子祿父以毒亂王室。[65]

61《魯詩》「密」作「謐」。見王先謙：《詩三家義集疏》，下冊，1008。

62 孫希旦：《禮記集解》（北京市：中華書局，1989年），下冊，頁1276。

63 邵晉涵：《爾雅正義》，頁48下。

64 上海師範大學古籍整理研究所點校：《國語》，上冊，頁110。

65《十三經注疏》，《左傳注疏》，頁2135中。

《說文》訓「惎」為「毒」[66]，段《注》與《義證》俱引此《傳》文為例[67]。「惎」字既通，則不必言通假。

「基」為「謀」者，〈周語〉之外，《尚書》亦見其例，〈洛誥〉云：

王如弗敢及天基命定命，予乃胤保，大相東土，其基作民明辟。[68]

江聲曰：

東土，洛邑也。基，謀也。大相度洛邑，其為王謀作民明君之治。[69]

陳遠止贊成江說[70]，屈萬里（1907～1979）亦云：

基，《爾雅．釋詁》：「謀也。」作，謂作成之。言謀使成王成為民之明君也。[71]

此亦「基」為「謀」之證。

三 〈釋詁上〉：績、宣，事也

王引之曰：

家大人曰「……〈月令〉曰：『季冬之月，天子乃與公卿大夫共飭國典，論時令，以待來歲之宜。』宜者，事也。來歲之事，必依國典，

---

66 許慎著，徐鉉（916～991）校定：《說文解字》（北京市：中華書局，1963年），頁223下。

67 段玉裁（1735～1815）：《說文解字注》（上海市：上海古籍出版社，1988年，影印嘉慶二十年〔1815〕經韵樓刻本），頁515上。桂馥（1736～1805）：《說文解字義證》，《續修四庫全書》（影印道光三十年至咸豐二年〔1850～1852〕刻《連筠簃叢書》本），第210冊，頁290上。

68《十三經注疏》，《尚書注疏》，頁214上～中。

69 江聲：《尚書集注音疏》，頁549下。

70 陳遠止：《〈書經〉高本漢注釋斠正》（臺北市：文史哲出版社，1996年），頁233。

71 屈萬里：《尚書集釋》（臺北市：聯經出版事業公司，1983年），頁180。

> 順時令而行之，故歲終則飭國典，論時令，以待來歲之事也。《淮南・本經篇》曰：『包裹風俗，斟酌萬殊，旁薄眾宜。』眾宜，謂眾事也。高《注》『眾物宜適也』，失之。邢引〈大雅・鳧〉篇『公尸來燕來宜』、邵引〈士冠禮〉『宜之於假』，皆失之。『公尸來燕來宜』，《毛傳》：『宜，宜其事也。』則宜非事也。『宜之於假』，承上『髦士攸宜』而言，則宜亦非事也。」引之謹案：〈釋天〉曰：「起大事，動大眾，必先有事乎社而後出，謂之宜。」郭曰：「《周官》所謂『宜乎社』。」〈大祝〉。然則「宜乎社」，即有事乎社。故曰：「宜，事也。」[72]

王念孫舉《禮記》「以待來歲之宜」與《淮南子》「旁薄眾宜」以明《爾雅》此訓，可堪商榷。〈月令〉之例，王訓「宜」為事情之「事」。孫希旦曰：

> 馬氏晞孟曰：「先王之時，歲終，令百官府各正其治，受其會，聽其致事。於是飭國典之未宜者改之，以經邦治；論時令之未協者正之，以授民事；至正月始和布焉，所謂：待來歲之宜也。」吳氏澄曰：「國典，經國之常典；時令，隨時之政令。國典有定，故飭正其舊而已；時令無常，故須商度所宜而行。來歲所宜，謂時令也。論時令必先飭國典者，時之所宜雖不同，要無不出於國典也。」[73]

案：「來歲所宜」雖非必謂時令，亦不能專釋為「事」。按文意，飭國典、論時令，為的是使來年施政運用得宜，故「宜」應為「合宜」之意。又王氏舉《淮南・本經篇》「旁薄眾宜」為例，以證「宜」為「事」義，亦不無可議之處。考「眾宜」一詞，《莊子》兩見，一見於〈天地〉，曰：

> 方且四顧而物應，方且應眾宜，方且與物化而未始有恆。

郭慶藩（1844～1896）曰：

---

[72] 王引之：《經義述聞》，頁618上，

[73] 孫希旦：《禮記集解》，中冊，頁503～504。

用一己之知應眾物之宜。[74]

王先謙注：「事事求合。」[75]錢穆（1895～1990）《莊子纂箋》同[76]，王師叔岷（1914～2008）說：「宣穎云：『事事求宜。』」[77]另一見於〈外物〉，云：

官事果乎眾宜。

郭象（約252～312）《注》：

眾之所宜者不一，故官事立也。[78]

兩處「眾宜」均應釋為「眾之所宜」，則《淮南》高誘《注》並非無據。考諸〈本經訓〉原文，其曰：

距日冬至四十六日，天含和而未降，地懷氣而未揚，陰陽儲與，呼吸浸潭，包裹風俗，斟酌萬殊，旁薄眾宜，以相嘔咐醞釀，而成育群生。

高誘《注》：

旁，並。薄，近也，眾物宜適也。[79]

萬殊既有所斟酌，眾事亦應選取合宜者，這正合乎陰陽二氣絪縕化醇之旨。高《注》更勝王念孫說。今考《呂氏春秋．有始覽第一．有始》：

天地有始。天微以成，地塞以形。天地合和，生之大經也。以寒暑日

74 郭慶藩：《莊子集釋》，《諸子集成》，第3冊，頁187。
75 王先謙：《莊子集解》，《諸子集成》，第3冊，頁71。
76 錢穆：《莊子纂箋》（香港：東南印務出版社，1957年），頁92。
77 王師叔岷：《莊子校詮》，《中央研究院歷史語言研究所專刊之八十八》（臺北市：中央研究院歷史語言研究所，1994年），頁429。
78 郭慶藩：《莊子集釋》，頁406。
79 張雙棣：《淮南子校釋》（北京市：北京大學出版社，1997年），上冊，頁819。

月晝夜知之，以殊形殊能異宜說之。[80]

《說文》釋「事」為「職」[81]，則「宜」之為「事」，有「職分」之意，「異宜」，猶「不同職分」也。《呂氏春秋．季春紀第三．圜道》云：

萬物殊類殊形，皆有分職，不能相為，故曰道方。[82]

此可與〈有始〉篇互參。異物異事各有其宜，總言之，即合宜之事，故不能以一般觀念事情之「事」以釋「宜」。

此外，王引之增《爾雅．釋天》與《周禮．大祝》二例以證「宜」之為「事」。案：〈釋天〉謂「起大事，動大眾，必先有事乎社而後出，謂之宜」者，「宜」為宜祭[83]，《周禮．春官宗伯．大祝》曰：

大師，宜於社，造於祖，設軍社，類上帝，國將有事于四望，及軍歸獻於社，則前祝。

賈公彥《疏》：

軍將出，宜祭於社。[84]

---

80 陳奇猷：《呂氏春秋新校釋》（上海市：上海古籍出版社，2002年），上冊，頁662。

81 許慎著，徐鉉校定：《說文解字》，頁65上。

82 陳奇猷：《呂氏春秋新校釋》，頁174。陳氏注〈有始〉篇時，曾點出這條資料，但以「各異其用」釋「異宜」，似有間隔。見同書，頁665～666。

83 邢昺《疏》曰：「其祭之名，謂之為宜。」見《十三經注疏》，《爾雅注疏》，頁2610中。

84《十三經注疏》，《周禮注疏》，頁811中。孫詒讓（1848～1908）曰：〈王制〉云：「『天子將出征，類乎上帝，宜乎社，造乎禰。』……宜者，祭於大社，《爾雅．釋天》云：『起大事，動大眾，必先有事乎社而後出，謂之宜。』〈王制．孔疏〉引孫炎云：『求使宜也。』左閔二年《傳》云：『帥師者，受命于廟，受脤于社。』則宜社用蜃矣。《孔叢子．問軍禮篇》云：『告大社，冢宰執蜃宜于社。』《詩．大雅．緜．孔疏》云：『以兵凶戰危，慮有負敗，祭之以求其福宜，故謂之宜。』」（孫詒讓：《周禮正義》〔北京市：中華書局，1987年〕，第8冊，頁2027。）

按〈釋天〉語境，是解釋宜祭的內涵，指陳「有事乎社」是舉行宜祭，「宜」與「事」並非語義上的解釋，否則所有祭名如「造」、「類」等皆可釋為「事」，此便失諸籠統[85]。王引之將〈大祝〉「宜於社」與〈釋天〉「有事乎社」等同，然後釋「宜」為「事」，但用〈釋天〉的定義方式，改作：「起大事，動大眾，必先宜於社而後出，謂之事」，則為不辭。此外，衡諸〈釋詁〉本條「績、緒、采、業、服、宜、貫、公，事也」，被釋詞意或功業、或遺業、或事業、或舊事、或服事，可見釋詞之「事」應指「事情」或「事業」，而非特指宜祭[86]。

本論文為「王引之《經義述聞》斠正」研究計畫階段性成果，計畫得到香港政府研究資助局優配研究金資助（編號：143808），謹此致謝。

---

[85] 郭璞（276～324）《注》原作：「有事，祭也。《周官》所謂『宜乎社。』」見《十三經注疏》，《爾雅注疏》，頁2610中。郭璞明言「有事，祭也」，即祭於社。此處之「祭」為宜祭，但不能說凡「祭」就等如宜祭。王引之不引此語而逕以「有事乎社」與〈大祝〉「宜於社」相牽連，而得出「宜，事也」的結論，頗可斟酌。

[86]《左傳》成公十三年云：「國之大事，在祀與戎。」（《十三經注疏》，《左傳注疏》，頁1911中），「事」須在特定語境中始能指涉祭祀活動，它更非具備某種祭名的意義內涵。

兩晉南北朝經學與讖緯學

呂宗力*

一　問題的提出：這個題目值得討論嗎

學術史界一般認為，讖緯學在經學界乃至整個學術界、意識形態領域之地位，東漢臻於鼎盛，至隋而衰。那麼漢末至隋之間讖緯學的地位和影響又如何呢？

治哲學史之學者，在討論魏晉南北朝哲學時，多半只論玄學、佛學、道家，或當時的唯物論、無神論之爭論，罕及經學，遑論緯學[1]。

思想史學者關注的範圍可能更廣一些。如侯外廬等著的《中國思想通史》（第三卷）在討論魏晉南北朝思想時，雖以玄學清談、內仙外儒的道教思想、無神論、佛學與玄學的合流等論題為關注重點，但在討論何晏、王弼的玄學思想時，亦會涉及其經學。不過，《中國思想通史》對經學的討論相當簡單，在指出漢代經學形式以《春秋》為中心，魏晉經學退《春秋》而進《論語》與《周易》，以簡馭繁之外，不及其餘[2]。姜廣輝主編的《中國經學思

* 香港科技大學人文學部。

[1] 如馮友蘭：《中國哲學史新編》（北京市：人民出版社，1983年），第4冊、任繼愈主編：《中國哲學史》（北京市：人民出版社，1979年），第2冊，都有專章討論魏晉南北朝哲學思想，但不涉及經學。孫開泰等：《中國哲學史》第3編（臺北市：文津出版社，1995年）亦認為三國魏晉是經學的衰微和玄學的興起時期。

[2] 北京市：人民出版社，1957年，頁95～96。李澤厚：《中國古代思想史論》（臺北市：風雲時代出版公司，1991年）是一本論文集，並未系統討論歷代思想的發展。在其〈秦漢思想簡議〉一文中，他談到陰陽五行宇宙論圖式的歷史影響：「最直接的惡劣影響便是產生了西漢末年大流行、東漢正式官方化、並的確搞得烏煙瘴氣、被哲學史家們歸罪於董仲舒開其端的所謂讖緯神學。說是『神學』，有點抬高了，因為它只

想史》第二卷專論漢唐經學[3]，其漢代經學之討論設有〈緯書對經書的解釋〉專章；但討論魏晉南北朝時期虞翻、杜預、何晏、王弼、皇侃等的《易》學、《春秋》學、《論語》學時，主要關注的也是玄學與佛學對經學思想的影響。

何啟民著《魏晉思想與談風》[4]及羅宗強著《玄學與魏晉士人心態》[5]，打正旗號研究魏晉清談和玄學，不涉經學和緯書，情有可原。辛旗著《中國歷代思想史》（魏晉南北朝卷），以一專卷討論魏晉南北朝思想，篇幅不可謂小，然筆觸所及，仍是「玄學、道教、佛教、反佛教」思潮。對於經、緯之學，他的看法是：「魏晉思想的主流是從漢末今文經學對社會腐敗政治的批判以及古文經學對讖緯儒學的批判開始勃興的。」[6]

是一種非常簡單幼稚的迷信觀念，主要是用作一時的政治宣傳和神秘信仰，很難夠得上什麼學說理論。在日常社會生活中，實際上也並不佔有什麼重要位置，東漢以後就逐漸銷歇。」（頁193）

[3] 北京市：中國社會科學出版社，2003年。

[4] 臺北市：臺灣學生書局，1990年。

[5] 臺北市：文史哲出版社，1992年。

[6] 臺北市：文津出版社，1993年，頁1。許抗生：《魏晉思想史》（臺北市：桂冠圖書股份有限公司，1992年）對那一時期學術思潮的概括是：「自漢末官方儒學衰頹之後，從三國至兩晉時期，在學術界裏，首先興起的學說是漢末魏初的名法之學，然後是魏晉時期的老莊玄學。從西晉末至東晉時代，在玄學思潮的影響下，又出現了佛教玄學與道教哲學。除此之外，也還有佛學、墨學、縱橫學、兵學等。但影響較大的還是玄學與佛、道兩教的思想。」（緒言vii）「至於三國兩晉時期的其他學說，例如儒學在這一時期裏，本來就是不景氣的。雖說孔子名義上還是被推崇為最高的聖人，但整個儒家學說並沒有得到大的發展。所以清人皮錫瑞稱這一時期經學為中衰時期，並不是沒有道理的。玄學實際上取代了儒學在思想界的統治地位。」（緒言ix）所以《魏晉思想史》其實是一部玄學、佛教思想、道教思想史。至於經學，「既然漢代經學與讖緯迷信合流，它的沒落衰頹也就是必然的了」（頁11）。

趙輝：《六朝社會文化心態》（臺北市：文津出版社，1996年）對漢末六朝經緯學的評價也類似：「東漢時期對於讖緯大加討伐的思想家不乏其人。」「於是，讖緯之學很快衰落。而讖緯一衰落，以讖緯去啟動經學的意圖也勢必全部化為泡影。」（頁9）

萬繩楠：《魏晉南北朝文化史》（臺北縣：雲龍出版社，1995年），也是對經學和緯學幾乎不置一詞。他在〈序言〉中開宗明義：「儒術從漢代的獨尊地位上跌落下來，玄孫述圻《六朝思想史》第九章討論三教異同，專列六朝儒學的發展一節，指出「實際上六朝玄學家並沒有完全摒棄儒教，而常常以會通儒道為己任」。「至今流傳的許多最重要的儒家經典的傳疏，正是六朝學者所留下的成果」。「儒家作為『四學』之一，依舊受到重視」[7]。但他也完全未提及讖緯學在六朝的影響與作用。

葛兆光著《七世紀前中國的知識、思想與信仰世界——中國思想史》（第一卷），有鑒於「精英和經典的思想未必真的在生活世界中起著最重要的作用，尤其是支持著對實際事物與現象的理解、解釋與處理的知識與思想，常常並不是這個時代最精英的人寫的最經典的著作」，試圖寫一部「一般思想史」。即使在這樣一部將觀察重點放在「一般思想」的著作中，對兩晉南北朝思想的描述仍然著眼在玄、佛、道三家，不談經學，不談緯學，甚至也不談圖讖[8]。

盧云《漢晉文化地理》注意到，在三國西晉時期，雖然在文化最為發達的洛陽、南陽及兗豫一帶，學術學風與教育形式都出現很大變革，玄學清談流行；但青徐濱海地區儒學傳統濃厚，形成了經學與玄學並重的局面；在吳地、蜀地、河東、關中、河西等廣大地區，都仍保持著兩漢以來的經學傳統和教育形式。但若談到讖緯學，則「自三國以後，讖緯神學就結束了它繁榮的歷史，逐漸走了下坡路」。「在三國西晉時期，讖緯學主要保存在周邊的廣大地區中」。他認為，當時讖緯神學保存的主要有四個地區：隴右河西、燕代遼東、巴蜀和吳越[9]。

如果在兩晉南北朝時期，讖緯學在地域、文化、學術史意義上確實如上述論著所言，已被高度邊緣化，在當時的政治、社會、文化生活中不再具有

學、佛教、道教興起。」正因為對魏晉南北朝社會和學界的經、緯學未加注意，他對當時流行思想中天人關係、天命觀、皇權合法性論證的觀察和描述，在筆者看來頗多可爭議之處，以後將專文討論。

7 南京市：南京出版社，1992年，頁262～263。

8 上海市：復旦大學出版社，1998年，頁11、12。

9 西安市：陝西人民教育出版社，1991年，頁124、126、129、216～223。

重要影響，本文論題當然就毫無學術意義。但據筆者的考察，兩晉南北朝時期，讖緯學在政治生活中，特別是在皇權合法性的論證方面，仍然有其獨特作用，在社會生活和文化生活中也繼續發揮其影響力。有關讖緯學在當時政治生活、社會生活及文學中的影響，筆者另有專著和專文討論[10]。本文僅就讖緯學在兩晉南北朝經學界的影響略加探索。

二　經學界之讖緯學統緒綿延不絕

一般的印象，兩晉南北朝的學者知識份子摒斥讖緯之學。這種印象不能說毫無根據。在當時，知識份子中最流行的是玄學，即《易》學和《老》、《莊》。一些經學史家於是以漢末魏晉為經學中衰時代，南北朝為經學分立時代[11]。經學既已不昌，又何來緯學？

對此逯耀東先生卻有不同的看法。他對魏晉時代的經學成就，給予相當正面的評價：「自漢武帝設五經博士，經書被認為是國家御用的學問，至唐代初年撰定《五經正義》，其間凡八百年。但在這段期間中的魏晉時代，卻是中國經學發展中的重要關鍵時期，因為中國經書的注（如王弼《易》注，韓康伯《尚書孔氏傳》注，鄭玄《毛詩》箋、《禮記》注，杜預《春秋左氏傳》注……等），就是在這個時代形成的。《隋書．經籍志》所著錄的各種

[10]〈兩晉南北朝より隋に至る圖讖を禁絕する歷史の真相〉，載《中村璋八博士古稀紀念東洋學論集》（東京都：汲古書院，1996年），頁243～301；*Power of the Words: Chen Prophecy in Chinese Politics, AD* 265～518. Oxford, Bern, Berlin, New York: Peter Lang AG, 2003;〈魏晉南北朝至隋禁毀讖緯始末〉，載《高敏先生八十華誕紀念文集》（北京市：線裝書局，2006年），頁235～252；〈讖緯與魏晉南朝文學〉，載《漢魏六朝文學與宗教》（上海市：上海古籍出版社，2005年），頁136～194；〈讖緯與十六國北朝的政治與社會〉，載《1至6世紀中國北方社會、民族與邊疆國際學術研討會論文集》（北京市：科學出版社，2008年），頁253～298；〈讖緯與兩晉南朝的政治與社會〉，《中華國學研究》第1期（2008年），頁67～77。

[11]〔清〕皮錫瑞：《經學歷史》（北京市：中華書局，1959年）：「鄭學出而漢學衰，王肅出而鄭學亦衰。」（頁155）

經書的傳、注，形成的時代自兩漢至東晉為止。」[12]近年來的一些經學史和儒學史著作，有不少亦持類似看法[13]。這些看法，均得到文獻史料的支持。

但兩晉南北朝時期治經學者，不少尊王辟鄭，崇尚古學，批評讖緯不假辭色的大有人在。再加上統治者曾多次頒佈嚴厲禁絕讖緯的詔令。所以林登順在其《魏晉南北朝儒學流變之省察》中，一再視讖緯為經學發展的對立面，並認為在魏晉南北朝時期，「為人詬病、失勢的，也只是以天人感應為目的之神學化經學」[14]，而「儒學[15]仍是當時廣大的學子所孜孜不倦的學習典範，或行為準則」[16]。簡博賢《今存三國兩晉經學遺籍考》自序稱「魏晉之代，學風丕變」，「經義返正，古學倡明；此魏晉儒排讖斥緯之功也」[17]。

然而文化現象是複雜的。原有之學術傳統既不會因統治者的一紙禁令而一夜間銷聲匿跡，也不會為社會潮流學術風氣的改變而蕩然無存。據本文作者的考察，兩晉南北朝時期經學界學術界的通緯風尚未曾稍減，師生傳授數

---

[12]《魏晉史學及其它》（臺北市：東大圖書公司，1998年），頁21。其實皮錫瑞也有類似說法：「世傳《十三經》注，除《孝經》為唐明皇御注外，漢人與魏、晉人各居其半。鄭君箋《毛詩》，注《周禮》、《禮儀》、《禮記》；何休注《公羊傳》；趙岐注《孟子》；凡六經，皆漢人注。孔安國《尚書傳》，王肅偽作；王弼《易注》；何晏《論語集解》；凡三經，皆魏人注。杜預《左傳集解》；范寧《穀梁集解》；郭璞《爾雅注》；凡三經，皆晉人注。」但他認為「魏、晉人注卒不能及漢者」（《經學歷史》，頁163）。

[13] 李威熊：《中國經學發展史》（臺北市：文史哲出版社，1988年）：「魏晉南北朝則為學術融合的轉變期。在經學研究成果上，雖比不上兩漢，但仍有不少著作，是不容忽視的。」（頁200）林登順：《魏晉南北朝儒學流變之省察》（臺北市：文津出版社，1996年）：「長期以來，在一般的論著中，大多注意於玄學、佛教，認為，在魏晉南北朝時期，它們是占主導地位的思想，儒家的影響已經衰微，失去了宗主地位，甚至到了墮落中斷的程度，這種看法或印象，我認為根據可能不足。從事實上看，儒學在這時期的宗主地位並未喪失。」（頁1）劉振東也認為，雖然在魏晉南北朝時期儒學觀念在政治領域的影響相對削弱，但在政治實踐中儒學仍然存在一定的影響。（《中國儒學史．魏晉南北朝卷》，廣州市：廣東教育出版社，1998年，頁138）

[14] 意指讖緯學。

[15] 意指經學。

[16] 林登順：《魏晉南北朝儒學流變之省察》，頁162、175、198。

[17] 臺北市：三民書局，1986年，頁2。

百年來綿延不絕，在廟堂上引述讖緯以討論朝政禮制經學，也是完全公開，未受禁令之限制。

（一）兩晉

張華（232～300），字茂先，范陽方城人。西晉著名文學家、博物學家、政治家。晉武帝、惠帝時歷任中書令、侍中、中書監、司空等要職。又以「強記默識，四海之內，若指諸掌」，「名重一世，眾所推服，晉史及儀禮憲章並屬於華，多所損益，當時詔誥皆所草定」[18]。張華少孤貧，以文史才華顯於當世，著述有《東方朔〈神異經〉注》二卷、《張公雜記》五卷、《博物志》十卷、《列異傳》一卷、集十卷、錄一卷等[19]。其經學師承，史未詳載。但本傳中屢言張華通《儀禮》，擅以天文星象占卜吉凶，又稱「華學業優博，辭藻溫麗，朗瞻多通，圖緯方伎之書莫不詳覽」[20]，是張華亦兼通經緯之學。王嘉《拾遺記》說張華「好觀祕異圖緯之部，捃採天下遺逸，自書契之始，考驗神怪，及世間閭里所說，造《博物志》四百卷，奏於武帝。帝詔詰問：『卿才綜萬代，博識無倫，遠冠羲皇，近次夫子，然記事採言，亦多浮妄，宜更刪翦，無以冗長成文！昔仲尼刪《詩》、《書》，不及鬼神幽昧之事，以言怪力亂神；今卿《博物志》，驚所未聞，異所未見，將恐惑亂於後生，繁蕪於耳目，可更芟截浮疑，分為十卷！』」[21]《拾遺記》固小說家言，然張華之好神怪異說、圖緯方伎，毋庸置疑[22]。

索靖，字幼安，敦煌人。累世官族。赴京師太學，與傅玄、張華相交。

---

[18]〔唐〕房玄齡等：《晉書》（北京市：中華書局，1974年）卷36〈張華傳〉，頁1070。

[19] 劉汝霖：《漢晉學術編年》（上海市：上海書店重印，1992年），頁205。

[20]《晉書．張華傳》，頁1068、1075。

[21]〔晉〕王嘉：《拾遺記》（北京市：中華書局，1981年）卷9，頁210～211。

[22] 晉武帝於泰始三年十二月（268）詔「禁星氣讖緯之學」。（《晉書》卷3〈武帝紀〉，頁56）而劉汝霖《漢晉學術編年》繫張華奏進四百卷《博物志》於是年（頁70），是《拾遺記》所敘武帝責令張華刪翦《博物志》浮妄之言，與禁讖詔令正相呼應。

草書與衛瓘齊名。史稱其「該博經史，兼通內緯」[23]。

何隨（約220～約289），字季業，蜀郡郫人，漢司空何武之後。「治《韓詩》、《歐陽尚書》，研精文緯，通星曆。」晉太康（280～289）中曾任江陽太守[24]。

文立（？～279），字廣休，巴郡臨江人。入晉歷任濟陰太守、太子中庶子、散騎常侍等。「少遊蜀太學，治《毛詩》、《三禮》，兼通群書」[25]，「師事譙周，門人以立為顏回，陳壽、李虔為游、夏，羅憲為子貢」[26]。譙周是漢末三國巴蜀經緯學大師，門人無數[27]。其預言能力幾成蜀漢傳奇。他的這幾位得意門徒，很可能已得其緯學真傳。所謂「兼通群書」，當合經緯而言。

李密（224～287）[28]，又作宓，名虔，字令伯，犍為武陽人。仕蜀為郎。西晉初詔徵為太子洗馬，密以祖母年高，無人奉養，上〈陳情表〉固辭，文情並茂，稱於後世。其實他也是譙周的得意門生，經學上的學術地位與文立比肩。本傳稱其「有暇則講學忘疲，而師事譙周，周門人方之游、夏」[29]。《華陽國志》稱其「治《春秋左傳》，博覽《五經》，多所通涉」。所謂「多所通涉」，與「兼通群書」同義[30]。

陳壽（233～297），字承祚，巴西郡安漢人，蜀漢亡國後仕於西晉，以

---

[23]《晉書》卷60〈索靖傳〉，頁1648。至十六國時，索靖有一位後輩族人索紞，字叔徹，「少游京師，受業太學，博綜經籍，遂為通儒。明陰陽天文，善術數占候」（《晉書》卷95〈藝術．索紞傳〉，頁2494）。一位傳奇性的預占家，博綜經籍之通儒，又善天文數術占候，很可能兼通經緯之學。

[24]〔晉〕常璩撰，任乃強校注：《華陽國志校補圖志》（上海市：上海古籍出版社，1987年）卷11〈後賢志〉，頁630。

[25] 常璩撰，任乃強校注：《華陽國志校補圖志》卷11，〈後賢志〉，頁623。

[26]《晉書》卷91〈儒林．文立傳〉，頁2347。

[27] 盧雲指出「巴西大儒譙周曾任總州之學者的典學從事」（《漢晉文化地理》，頁111）。

[28] 密或作宓。任乃強校注指出，宋以前人皆作密，故裴松之《三國志》註、《晉書》、《資治通鑑》、元豐本《華陽國志》都作密。《晉書》云「一名虔」，虔蓋處者，即古寫宓字也。（常璩撰，任乃強校注：《華陽國志校補圖志》，頁639，註1）

[29]《晉書》卷88〈孝友．李密傳〉，頁2274。

[30] 常璩，任乃強校注：《華陽國志校補圖志》卷11〈後賢志〉，頁637。

史才著稱於世。陳壽少受學於譙周，「治《尚書》、《三傳》，銳精《史》、《漢》」，善辭章[31]。觀其所撰《三國志》，於魏、蜀、吳稱帝之際頗徵引圖讖，對蜀地杜瓊、譙周等讖緯學大師也很為推崇，應當也是兼通經緯之學者。

杜夷（258～323），字行齊，廬江灊人。「世以儒學稱，為郡著姓」。初在鄉里教授，生徒千人。渡江後除為國子祭酒。皇太子曾三至其第，執經問義。「博覽經籍百家之書，算曆圖緯靡不畢究」[32]。

干寶（？～336），字令升，新蔡人。以史才、博學著稱，亦精經學。於《晉紀》、《搜神記》等名著外，還撰有《周易爻義》、《周易問難》、《周易玄品》、《周易宗塗》、《毛詩音隱》、《周官禮注》、《周禮音》、《後養議》、《春秋序論》、《春秋左氏函傳義》等多種經學著作[33]。「性好陰陽術數」，常預言休咎。其《易》學宗京氏及小夏侯[34]。李威熊將其《周易注》十卷列為三國兩晉經學的重要著述之一，言「其注《易》常取周的史實，以徵諸卦爻之義。又因《易》理體變無常，應化無方，所以其《易》學，旨在把它實際應用於占術上」[35]。干寶說《易》，常引用讖緯論述。

虞喜（281～356），字仲寧，會稽餘姚人。著名天文學者，亦擅經學。本傳謂：「喜專心經傳，兼覽讖緯。」曾撰《安天論》以論渾天、蓋天之說，又注釋《毛詩》、《孝經》等，數十萬言行於世[36]。

范宣，字宣子，陳留人。博覽群書，尤善《三禮》。不言《老》、《莊》。東晉穆帝永和中徙居豫章，常以講經為業，撰有《周易論》、《周易說》、《禮論難》、《禮記音》等[37]。「沛國戴逵等皆聞風宗仰，自遠而至，諷誦

---

[31] 同上註，頁634。

[32]《晉書》卷91〈儒林・杜夷傳〉，頁2353。

[33] 劉汝霖：《東晉南北朝學術編年》（上海市：上海書店重印，1992年），頁21。《春秋左氏函傳義》，《晉書・干寶傳》作《春秋左氏義外傳》。

[34]《晉書》，卷82〈干寶傳〉，頁2149～2150。

[35] 李威熊：《中國經學發展史》，頁208。

[36]《晉書》卷91〈儒林・虞喜傳〉，頁2349。

[37] 劉汝霖：《東晉南北朝學術編年》，頁38、39。

之聲，有若齊魯」[38]。《晉書．儒林傳》將之與東晉經學名家范寧並舉，稱：「太元（376～395）中，順陽范寧為豫章太守，寧亦儒博通綜，在郡立鄉校，教授恆數百人。由是江州人士並好經學，化二范之風也。」[39]本傳未言范宣通讖緯之學。但其《禮難論》明顯受到讖緯影響。（詳見後）

王衍期，河東猗氏人。出身經學、史學世家。其父王接（267～305），字祖游，《晉書》有傳。接博通經學，尤精《禮》學及《春秋》諸傳。曾因不滿何休所注《公羊》，「乃更注《公羊春秋》，多有新義」[40]。又撰《列女後傳》，及論議、詩賦、碑頌、駁難十餘萬言，喪亂盡失。長子衍期，「流寓江南，緣本父意，更注《公羊》。又集《列女後傳》云」。其說當本王接。其《公羊王門子注》釋《公羊傳》「王者孰謂，謂文王也」，注「以為《春秋》制文王，指孔子耳，非周昌也」。此乃採用緯書之說。（見後）

（二）十六國

臺產，字國俊，上洛人，「少傳《京氏易》，善圖讖、秘緯、天文《洛書》風角、星算，六日七分之學，尤善望氣、占候、推步之術。隱居商洛南山。兼善經學，泛情教授，不交當世」[41]。以司空劉均之舉，前趙主劉曜（318～329在位）親訪以政事。產具陳災變之禍，政化之闕。劉曜禮之，拜為博士祭酒，諫議大夫，領太史令。其後所言皆驗，曜彌重之，位至太子少師，爵關中侯[42]。

宋纖，字令艾，敦煌效穀人。「沈靖不與世交，隱居於酒泉南山。明究經緯，弟子受業三千餘人。」[43]張祚（354在位）強任為太子太傅。不久不食

---

[38]《晉書》卷91〈儒林傳〉，頁2360。
[39]《晉書》卷91〈儒林傳〉，頁2360。
[40]《晉書》卷51〈王接傳〉，頁1436。
[41]《晉書》卷95〈藝術．臺產傳〉，頁2503。
[42]〔清〕湯球：《十六國春秋輯補．趙前錄》（北京市：商務印書館，1958年），頁59。
[43]《晉書》卷94〈隱逸．宋纖傳〉，頁2453。

而死。

郭瑀，字元瑜，敦煌人。「東游張掖，師事郭荷，盡傳其業．精通經義」，弟子著錄千餘人。曾「作《春秋墨說》、《孝經錯緯》」[44]。既云「錯緯」，或亦通緯。

（三）南朝宋

周續之（377～423），字道祖，原籍雁門廣武。其先人渡過江後居豫章建昌縣。年十二，詣豫章太守范寧受業。「居學數年，通《五經》並緯候，名冠同門，號曰『顏子』。」後又讀《老》、《易》，入廬山事釋慧遠。時與劉遺民、陶淵明並稱尋陽三隱，劉宋武帝尊禮之[45]。

有趣的是，周續之的授業老師即東晉名儒范寧（339～401），字武子。其父范汪（301～365），博學多通，善談名理，為東晉名臣[46]，著述有《祭典》、《雜府州郡儀》、《范氏世傳》、《尚書大事》、《荊州記》、《圍棋九品序》、《范東陽方》等[47]。范寧本人精經古文學，以崇儒抑俗稱於世，不信卜占。歷任郡縣長官，所以興辦教育，宣導儒學。在豫章太守任上，大力興學，招收學生千餘人，費用皆出於他私人俸祿及郡中自籌。「自中興以來，崇學敦教，未有如寧者」[48]。他撰有《尚書注》、《古文尚書舜典注》、《禮論

44《晉書》卷94〈隱逸．郭瑀傳〉，頁2454。林登順對郭瑀及其弟子在經學的傳授方面有很大成績，評價很高。例如，他認為西涼民間私人講學的風氣很盛，而以隱居酒泉的大儒劉昞（字延明）為首。劉14歲即師從郭，他自已後來亦有弟子500餘人。（《魏晉南北朝儒學流變之省察》，頁82、142）

45〔梁〕沈約：《宋書》（北京市：中華書局，1974年）卷93〈隱逸．周續之傳〉，頁2280。「通《五經》並緯候」，《南史．隱逸．周續之傳》作「通《五經》、《五緯》，號曰《十經》。」（[唐]李延壽：《南史》卷75，頁1865）

46《晉書》卷75〈范汪傳〉，頁1982～1984。

47 劉汝霖：《東晉南北朝學術編年》，頁65。

48《晉書》卷75〈范寧傳〉，頁1984～1989。

答問》、《禮雜問》、《論語注》等[49]。而其經學之代表性成就，是《春秋穀梁傳集解》和《春秋穀梁傳例》。皮錫瑞的評價是：「范寧《穀梁集解》，雖存《穀梁》舊說，而不專主一家。序於三傳皆加詆譏，宋人謂其最公。此與寧之門徑合耳；若漢時，三傳各守顓門，未有兼採三傳者也。」[50]本田成之認為：「總之范寧對於漢儒是企圖在經學上的一大革命者。後來隋之王通，唐之啖助、趙匡、陸淳，宋之孫復、劉敞、孫覺、程子、葉夢得、胡安國、陳傅良、張洽，元之黃澤、趙汸等，都是受其感化而興起者」[51]。

范寧之經學，宗馬融、鄭玄。《晉書》本傳雖無一言言及其通緯之事，周續之以一學童，就學於豫章郡學，數年間經、緯並通，則范寧本人及學校老師的緯學造詣可知。而數百成千曾受業於范寧的弟子，是否也有不少如周續之，兼通經緯呢？

庾蔚之，字季隨，潁川人。《宋書》、《南史》無傳。據《宋書．隱逸傳》，宋文帝元嘉十五年（438），徵召南朝大儒雷次宗至京師，開館於雞籠山，聚徒教授，置生百餘人。庾蔚之與會稽朱膺之亦「並以儒學，監綜諸生」[52]，乃南朝宋之重要經學家。蔚之撰《禮記略解》十卷，今僅存佚文，而孔穎達《禮記正義》頗引之[53]。李威熊曰：「今考其佚文，雖宗鄭注，但也不完全株守鄭說，能勘正俗本鄭注的謬誤。」[54]其注〈王制〉，以讖緯五德說釋「上帝」。

（四）南齊

劉瓛（434～489），字子珪，沛國相人。博通《五經》，尤精《禮》、

49 劉汝霖：《東晉南北朝學術編年》，頁97。

50《經學歷史》，頁16。

51 本田成之著，孫俍之譯：《中國經學史》（上海市：中華書局，1935年），頁202。

52《宋書》卷93，頁2293。

53 焦桂美：〈庾蔚之《禮記略解》評述〉，《船山學刊》2009年第1期，頁130。

54《中國經學發展史》，頁229。

《易》。「儒學冠於當時，京師士子貴游莫不下席受業」[55]。撰有《周易乾坤義》、《周易繫辭義》、《周易四德例》、《毛詩序義疏》、《毛詩篇次義》、《喪服經傳義疏》等。弟子著名者有何胤、嚴植之、范縝、司馬筠等[56]。在宋、齊之際的經學界影響甚深[57]。劉孝標〈辨命論〉譽之為；「關西孔子，通涉六經，循循善誘，服膺儒行。」[58]《南齊書》本傳史臣曰：「劉瓛承馬、鄭之後，一時學徒以為師範。」[59]《南史》本傳稱其「儒業冠於當時，都下士子貴游，莫不下席受業，當世推其大儒，以比古之曹、鄭」[60]。其說《易》宗鄭，或引讖緯之說。

王儉（452～489），字仲寶，出身於琅琊王氏世家。母為宋公主。數歲即襲爵為豫寧侯。尚宋陽羨公主。自幼好學，有文采，博覽群書，撰有《七志》、《元徽四部書目》。後支持蕭道成禪代。在南齊歷任尚書僕射、尚書令，領選官之職，先後輔佐高帝蕭道成、武帝蕭賾，威望極隆。好《禮》、《春秋》，長於《禮》學，熟悉朝儀。每博議，旁徵博引，尚書官員，無能異者[61]。曾主持校秘書，仿《七略》做《七志》，其五曰〈陰陽志〉，紀陰陽圖書。撰定《元徽四部書目》。著述還有《尚書音義》、《喪服古今集記》、《喪服圖》、《禮論要鈔》、《禮答問》、《禮儀答問》、《吉書儀》、《春秋公羊音》等[62]。在當時政界和學界都有相當大的影響力[63]。高帝初即位之建元元年

55〔梁〕蕭子顯：《南齊書》（北京市：中華書局，1972年）卷39，頁677。

56 劉汝霖：《東晉南北朝學術編年》，頁263、282。

57 成林：〈劉瓛與南朝宋齊之際儒學復興〉，《江西社會科學》2008年第12期，頁68～70。

58〔梁〕蕭統編，〔唐〕李善注：《文選》（北京市：中華書局，1977年）卷54，頁749。

59《南齊書》卷39，頁687。

60《南史》卷50，頁1237。

61《南齊書》卷23〈王儉傳〉，頁433～436。

62 劉汝霖：《東晉南北朝學術編年》，頁154、280。

63 本田成之《中國經學史》：「南齊高帝建元四年，立國子學，置學生二百人，以中書令張緒為國子祭酒，旋廢。武帝永明三年復立，以王儉為祭酒，詔在王儉宅開學士館，以四部書充之。這是《四庫全書》之祖。儉好《禮》、《春秋》，言論必以經典為則，影響及於當世。」（頁207）

（479），尚書與博士合議郊祭明堂之禮。王儉時任尚書右僕射，引禮緯《稽命徵》「三年一祫，五年一禘 」以補充《禮記》之說，又以為《禮》及《孝經援神契》並云：「明堂有五室，天子每月於其室聽朔布教，祭五帝之神，配以有功德之君。」詔可。武帝永明二年（484），再議郊祭明堂，王儉時為尚書令，引《春秋感精符》「王者父天母地」以論證北郊之祀應在明堂之先[64]。由此可見王儉對緯書的熟悉程度以及當時以緯證經、釋經的學術風氣。

（五）梁

蕭衍（464～549），字叔達，南蘭陵人。博學多通，與沈約、謝朓、任昉齊名[65]，曾是南齊竟陵王蕭子良的西邸學士之一。後以軍功起家，勳業既就，舊友沈約急切勸進，引證：「讖云『行中水，作天子』，此又歷然在記」[66]。蕭衍納其議，決行禪代之事。是為梁武帝。

梁武帝以多才多藝、篤信佛法聞名後世。其實他「少而篤學，洞達儒玄」[67]，經學造詣頗深。其經學著述有《周易大義》、《周易講疏》、《周易繫辭義疏》、《尚書大義》、《毛詩大義》、《禮記大義》、《中庸講疏》、《樂社大義》、《樂論》、《樂義》、《鍾律緯》、《春秋答問》、《孝經義疏》、《孔子正言》等[68]。與此同時，「陰陽緯候，卜筮占決，並悉稱善」[69]。

64《南齊書》卷9〈禮志〉，頁118、119、125。

65 沈約、謝朓、任昉，皆通讖緯。以編《文選》著稱的昭明太子蕭統，亦被稱譽為「思探幾賾，馳神圖緯」。因其主要成就在文學和史學，筆者另文討論他們通緯的情形。

66〔唐〕姚思廉：《梁書》（北京市：中華書局，1973年）卷13〈沈約傳〉，頁234。

67《梁書》卷3〈武帝紀下〉，頁96。

68 劉汝霖：《東晉南北朝學術編年》，頁428～429。

69《梁書》卷3〈武帝紀下〉，頁96。李威熊《中國經學發展史》：「南朝政權更迭頻繁，又佛教盛行，玄談之風更過於魏晉。」「但南朝帝王，能真正重視學術的並不多。」（頁225）梁武帝卻是例外。他著《周易大義》，「其注今已亡佚。今考其佚文，大抵與馬鄭義相通」。林登順亦以南朝梁武帝、北魏孝文帝、北周武帝為南北朝帝王振興儒學最得力者。（《魏晉南北朝儒學流變之省察》，頁100）

何胤（446～531），字子季，廬江人。出身南齊貴戚之家，累遷尚書、中書令。然興趣在儒學，精通《周易》、《禮記》、《毛詩》，皆有專著，注《百法論》、《十二門論》、《周易》，撰《毛詩總集》、《毛詩隱義》、《禮記隱義》、《禮答問》。李威熊的評價是：「從《毛詩隱義》佚文觀之，是精於鄭《箋》之義者。而《禮記隱義》，主要亦在疏釋鄭玄之說，其釋文詞意通達明暢，且引證甚廣。」[70]入梁，退隱講學。梁武帝遣何子朗、孔壽等至何胤隱居之東山受學[71]。孔僉少師事何胤，通《五經》，亦收生徒數百人[72]。史書未載其通緯，但由其所撰《禮記隱義》佚文，可知或引《春秋緯》及符瑞以為說。何胤曾從南朝大儒劉瓛受《易》、《禮記》、《毛詩》之學。劉瓛說《易》，亦引讖緯之說。何胤之緯學，或即傳自劉瓛。

崔靈恩，清河東武城人。初仕於北魏，梁武帝天監十三年（514）歸梁，為國子博士。通《五經》，尤精《三禮》、《三傳》。聚徒講授，聽者常有數百人。曾集注《毛詩》、《周禮》，又撰《三禮義宗》、《左氏經傳義》、《左氏條例》、《公羊穀梁文句義》[73]。兼通經今古文學，而以古學為主。皮錫瑞論南北朝經學曰：「歷南北朝之大亂，異端雖熾，聖教不絕也。而南北諸儒抱殘守缺，其功亦未可沒焉。夫漢學重在明經，唐學重在疏注；當漢學已往，唐學未來，絕續之交，諸儒倡為義疏之學，有功於後世甚大。」而崔靈恩就是他所推重的南朝諸儒之一[74]。《梁書》、《南史》未言崔靈恩通緯。但其

---

70 李威熊：《中國經學發展史》，頁229。

71《梁書》卷51〈處士傳〉，頁735～739。

72 劉振東：《中國儒學史．魏晉南北朝卷》，頁359～361。

73《梁書》卷48〈儒林．崔靈恩傳〉，頁676～677。

74《經學歷史》，頁186。他所推重的南朝諸儒還包括沈文阿、皇侃、戚袞、張譏、顧越、王元規；北朝諸儒則有劉獻之、徐遵明、李炫、沈重、熊安生。其他經學史家的評論，如本田成之《中國經學史》：「靈恩聚徒講學，聽者數百人。性樸拙，風采雖無，而解釋經理甚有條致。都下舊儒皆重之。靈恩始習服氏底《左傳解》，因南方不行，所以為杜氏所改。然常申服難杜。」靈恩撰有《集注毛詩》二十二卷，《集注周禮》四十卷，《三禮義宗》三十卷，《左氏經傳義》二十二卷，《左氏條例》十卷，《公羊穀梁文句》十卷。（頁210）李威熊《中國經學發展史》：「其集注《毛詩》，雖稱為《集注》，但除《傳》、《箋》之外，並沒有參考他家說法，旨在宗毛申《傳》。

治經以鄭注為宗，「好引緯書及陰陽五行說解經」，帶有較為明顯的北學傾向[75]。

庾詵，字彥寶，南陽新野人。出身東晉世族，少與梁武帝蕭衍善，而隱居不出仕。史稱「幼聰警篤學，經史百家無不該綜」，「所撰《帝曆》二十卷、《易林》二十卷、續伍端休《江陵記》一卷、《晉朝雜事》五卷、《總抄》八十卷，行於世」。晚年崇佛。而其「緯候書射，棋鼇機巧，並一時之絕」[76]。

顧越，字允南，吳郡鹽官人。歷事梁、陳。家傳儒學，並專門教授。越弱冠學都下，通儒碩學，也造門質疑。也是皮錫瑞推重的南朝諸儒之一[77]。林登順稱其以儒學聞名於世，具帝師身分，而對於講授儒學，孜孜不倦，當時見重[78]。顧越深明《毛詩》，兼善《老》、《莊》，「至於微言玄旨，九章七曜，音律圖緯，咸盡其精微」[79]，實一通人。

王神念（451～525），太原祁人。「少好儒術，尤明內典」。內典即緯書。亦善騎射。後歷任軍政長官，不復治學[80]。

許懋（464～532），字昭哲，高陽新城人。「十四入太學，受《毛詩》，旦領師說，晚而覆講，座下聽者常數十百人，因撰《風雅比興義》十五卷，盛行於世。尤曉故事，稱為儀注之學」，時號「經史笥」。梁天監初，有人請在會稽、國山行封禪儀，梁武帝「因集儒學之士，草封禪儀，將欲行

另外《三禮義宗》，王應麟《玉海》認為本書是總匯諸儒禮說而加工以評述之，主要在闡明天地以下之歲祭，以及《周禮》、《儀禮》、《禮記》興廢之義。」（頁229）

75 焦桂美：〈崔靈恩的經學成就及其經學史意義〉，《管子學刊》2007年第4期，頁119。

76《梁書》卷51〈處士・庾詵傳〉，頁735～739；《南史》卷76〈隱逸傳下〉，頁1904。庾氏世代精擅經緯之學及《易》學、星占。詵子曼倩，撰《喪服儀》、《文字體例》、《莊老義疏》，注《算經》及《七曜曆術》。孫季才，亦擅讖緯、星占，宇文氏攻陷江陵後，入西魏。詳見後。

77《經學歷史》，頁186。

78 同上，頁107、110。

79《南史》卷71〈儒林・顧越傳〉，頁1752。

80《梁書》卷39〈王神念傳〉，頁556。

焉」。懋以為不可，上書批評鄭玄說：「臣案舜幸岱宗，是為巡狩，而鄭引《孝經鉤命決》云『封於泰山，考績柴燎，禪乎梁甫，刻石紀號』。此緯書之曲說，非正經之通義也。」「夫封禪者，不出正經」，「鄭玄有參、柴之風，不能推尋正經，專信緯候之說，斯為謬矣」。梁武帝納之[81]。當時「儒學之士」應梁武帝之命集合，依鄭玄和緯書關於封禪的理論，草封禪之儀；許懋則批評之。爭辯雙方對讖緯之說，顯然都不陌生。

（六）陳

周弘正（496～57），汝南安城人，東晉名臣周顗九世孫。祖父周顒，「音辭辯麗，出言不窮，宮商朱紫，發口成句。泛涉百家，長於佛理。撰《三宗論》」。兼善《老》、《易》，習清談[82]。周弘正幼承家學，儒玄兼修，十歲「通《老子》、《周易》」，十五歲「於國學講《周易》，諸生傳習其義」。「特善玄言，兼明釋典，雖碩學名僧，莫不請質疑滯」[83]，「為梁末玄宗之冠」[84]。撰有《周易講疏》、《論語疏》、《莊子疏》、《老子疏》、《孝經疏》等。弘正博學當世，「博物知玄象，善占候」，梁武帝大同（535～546）末，曾預言後景之亂。最擅講《易》，間用讖緯之說。

沈文阿（503～563），字國衛，吳興武康人。出身儒學世家。父年峻，以儒學聞於梁世。文阿少習父業，其祖舅太史叔明、舅王慧興並通經術。文阿博採眾家，自為義疏。專精《三禮》、《三傳》。先後任梁、陳國子博士，主持修訂禮儀制度[85]。亦皮錫瑞所推重南朝諸儒之一[86]。《陳書》、《南史》未言

---

[81]《梁書》卷40〈許懋傳〉，頁575～577。

[82]《南齊書》卷41〈周顒傳〉，頁731。

[83]〔唐〕姚思廉：《陳書》（北京市：中華書局，1973年）卷24〈周弘正傳〉，頁309。

[84]《南史》卷34〈周朗傳附周弘正傳〉，頁899。

[85]《陳書》卷33〈儒林．沈文阿傳〉，頁434。

[86]《經學歷史》，頁186。李威熊認為，杜氏《春秋左氏》學之羽翼者，南朝有兩家。沈文阿《春秋左氏經傳義略》二十五卷，「考其遺文，主要在引申杜注」（《中國經學發展史》，頁231）。

通緯，但其《春秋左氏經傳義略》多引讖緯之說。

（七）北魏

燕鳳（？～428），字子章，代郡人，「好學，博綜經史」。許謙（334～396），字元遜，亦代郡人，「少有文才」。北魏的前身是代國，鮮卑族拓跋部始建於三一五年，至三七六年為前秦所滅。代王什翼犍是拓跋部前期有為之主，曾為質子於後趙歷十年之久，羨慕中原文化和典章制度，即位後設置百官司，始制法律[87]。重用漢人學者燕鳳為左長史，許謙為郎中令，掌文書機要，參決政事，兼授其子（拓跋寔，道武帝拓跋珪之父，北魏建立後追尊為獻明帝）儒學經典。燕鳳歷事道武、明元、太武諸帝，許謙後事道武，作為先朝老臣和帝師，頗受禮重。燕、許二人，皆通經學，而燕鳳「明習陰陽讖緯」，許謙「善天文圖讖之學」。

常爽，字仕明，河內溫縣人。祖輩因世亂定居涼州，累世貴宦。「篤志好學，博聞強識，明習緯候，五經百家，多所研綜。」「是時戎車屢駕，征伐為事，貴遊子弟未遑學術，爽置館溫水之右，教授門徒七百餘人，京師學業，翕然復興。」教學嚴格，其門下弟子，有尚書左僕射元贊、平原太守司馬真安等。名臣崔浩、高允等，並嘆服之。「不事王侯，獨守閒靜，講肄經典二十餘年，時人號為『儒林先生』。」撰有《六經略注》[88]。

劉芳（453～513），字伯文，彭城人。先世為漢宗室[89]。「才思深敏，特精經義，博聞強記，兼覽《蒼》、《雅》，尤長音訓，辨析無疑。」[90]學兼經今古文，人稱「劉石經」，為當世儒宗，受北魏孝文帝賞識。歷任國子祭酒、

---

87 林旅芝：《鮮卑史》（香港：中華文化事業公司，1967年），頁154。

88〔北齊〕魏收：《魏書》（北京市：中華書局，1974年）卷84〈儒林．常爽傳〉，頁1848～1849。

89〔唐〕李延壽：《北史》（北京市：中華書局，1974年）卷42〈劉芳傳〉稱其為楚元王交之後。（頁1541）

90《魏書》卷55〈劉芳傳〉，頁1220。

中書令、太常卿。朝廷禮儀悉委其修正[91]。主持正始修律。撰有《鄭玄所著〈周官〉音》、《鄭玄所著〈儀禮〉音》、《干寶所著〈周官〉音》、《王肅所著〈尚書〉音》、《何休所著〈公羊〉音》、《范寧所著〈穀梁〉音》、《韋昭所注〈國語〉音》、《范曄〈後漢書〉音》、《辨類》、《徐州人地錄》、《〈急就篇〉續注音義證》、《〈毛詩箋〉音義證》、《〈禮記〉義證》、《〈周官〉義證》、《〈儀禮〉義證》等[92]。《魏書》、《北史》未言通緯。曾因當時郊祀制度於禮有違，上疏辨正，廣引今古文大師經說，兼及《禮含文嘉》宋注[93]。宣武帝永平四年（511），朝廷討論孫服祖母喪之制，劉芳引《禮稽命徵》「天子之元士二廟，諸侯之上士亦二廟，中、下士一廟」，與諸博士意見相左，往復辯論。詔書同意博士之議[94]。

房景先（476～518），字光胄，清河繹幕人。幼孤貧，無資從師，其母自授《毛詩》、〈曲禮〉。初除太學博士，當世儒宗太常劉芳、侍中崔光歎其精博。撰有《五經疑問》百餘篇。《魏書》本傳略舉其要，其中頗多讖緯影響（詳見後）[95]。

刁沖，字文朗，勃海饒安人。家世貴達。先祖刁協，曾與尚書僕射荀崧共定東晉禮儀制度。曾祖刁雍、外曾祖高允，皆北魏初期名臣。沖外出從師，「學通諸經，偏修鄭說，陰陽圖緯、算數、天文、風氣之書，莫不關綜，當世服其精博」。四方學徒就其受業者每年有數百人[96]。

封偉伯（492～527），字君良，勃海蓚人。父軌，「沉謹好學，博通經

---

91 本田成之《中國經學史》：「孝文帝殊好學問，雖在乘輿，書物不離。劉芳、李彪以經書，崔光、邢巒以文史榮達，有學藝的皆升進。北魏底學問，自是鬱然興起。」（頁208）李威熊：《中國經學發展史》：「其《毛詩箋音義證》十卷，主要在辯證前說，下意十分精當。另有，《禮記義證》十卷，今可見佚文有六條，全不從鄭學。」（頁233）

92 劉汝霖：《漢晉學術編年》，頁352。

93《魏書》卷55〈劉芳傳〉，頁1224。

94《魏書》卷108〈禮志四〉，頁2793。

95《魏書》卷43〈房法壽傳附房景先傳〉，頁978。

96《魏書》卷84〈儒林・刁沖傳〉，頁1858；《北史》卷26〈刁雍傳附刁沖傳〉，頁948。

傳」，曾參議明堂之制[97]。偉伯博學多才，弱冠為太學博士，參議朝廷大議。「太尉、清河王懌辟參軍事，懌親為《孝經解詁》，命偉伯為《難例》九條，皆發起隱漏。偉伯又討論《禮》、《傳》、《詩》、《易》疑事數十條，儒者咸稱之。」時廣集儒者，討論明堂制度，經久未決，「偉伯乃搜檢經緯，上《明堂圖說》六卷」[98]。

賈思伯（？～525），字士休，齊郡益都人。本儒者，後為孝文帝所知，歷任州郡長官、廷尉卿、衛尉卿。曾獲太保崔光之薦，授孝明帝《杜氏春秋》。朝議明堂制度意見不一，思伯上議，力主五室說，於引《周禮》、《禮記》、《詩經》、《孟子》之外，又援《孝經援神契》、《五經要義》、《禮圖》，以證五室之說。「學者善其議」[99]。

陸旭，代人。東平王陸俟曾孫。「好《易》、緯候之學，撰《五星要決》及《兩儀真圖》，頗得其指要。太和中，徵拜中書博士，稍遷散騎常侍。知天下將亂，遂隱於太行山，屢徵不起[100]。

高謙之，字道讓，渤海蓨人。孝明帝時名臣，「專意經史」，「留意《老》、《易》」，而「天文、算曆、圖緯之書，多所該涉」。後被冤屈，賜死獄中[101]。

王延業（？～528），太原人。宣武帝時為太學博士，孝明末遷著作佐郎監典校書，除三公郎。嘗依《周禮》、《禮記》，參議禮制。神龜（518～519）初，靈太后臨朝聽政，追贈其父太上秦公，葬以殊禮。又欲為之立五廟，以其父為太祖。延業上議反對，於引鄭玄說外，又證以緯書：「又《禮緯》云：『夏四廟，至子孫五。殷五廟，至子孫六。』注云：『言至子孫，則初時未備也。此又顯在緯籍，區別若斯者也。』」另有博士盧觀支持立五廟，亦引《禮緯》為據，於以上引文外又加「周六廟，至子孫七」一句。

---

[97]《魏書》卷32〈封懿傳附封軌傳〉，頁764。

[98]《魏書》卷32〈封懿傳附封偉伯傳〉，頁766。

[99]《魏書》卷72〈賈思伯傳〉，頁1612～1615。

[100]《北史》卷28〈陸俟傳附陸旭傳〉，頁1012。

[101]《魏書》卷77〈高崇傳附高謙之傳〉，頁1708。

及「《禮緯》又云：『諸侯五廟，親四，始祖一。』」最後清河王元懌以「遠稽《禮緯》諸儒所說，近循晉公之廟故事」為由，支持王延業之說，始成定議[102]。

李業興（484～549），上黨長子人。祖、父並以儒學舉孝廉。師事徐遵明於趙、魏之間，後又博涉百家，圖緯、風角、天文、占候，無不詳練，尤以算術曆法著稱。撰有《甲子元曆》、《七曜曆疏》、《七曜義疏》、《後魏甲子曆》等[103]。諸儒服其淵博[104]。北魏分裂為東、西，興業歸東魏。孝靜帝天平四年（537），奉命出使南朝梁。

當時南朝郊祀制度用王肅說，北朝採鄭玄說，業興遂與梁散騎常侍朱异辯論禮制。業興指斥梁之明堂四柱方屋，不合上圓下方之說。朱异質疑：「圓方之說，經典無文，何怪於方？」業興說，你所錄梁主（指蕭衍）《孝經義》就說上圓下方，你豈非自相矛盾？朱异問：「若然，圓方竟出何經？」業興答出《孝經援神契》。朱异說：「緯候之言，何用信也？」業興答：「卿若不信，《靈威仰》、《叶光紀》之類，經典亦無出者，卿復信不？」朱异不能答。《靈威仰》、《叶光紀》，是緯書所記五天帝中之二。魏晉南北朝遵行五德行序，歷朝皇室外皆祭相應之德之天帝，以為皇室之始祖乃由該應運天帝感生，即文獻所謂感生帝。南北歷朝無一例外。無怪朱异無言以對。梁帝蕭衍本人博通經學，親自考問業興《易》、《書》、《禮》之義。當問及：「《尚書》正月上日受終文祖，此是何正？」業興回答：「此是夏正月。」蕭衍問何以得知，業興說：「案《尚書中候．運行篇》（《北史》作〈運衡

102《魏書》卷108〈禮志二〉，頁2767～2771。

103《隋書》卷34〈經籍志三〉，頁1023～1024；《新唐書》卷59〈藝文志三〉，頁1546。

104 李業興之師徐遵明為北朝儒宗。（林登順：《魏晉南北朝儒學流變之省察》，頁141）北朝所傳鄭玄《易》學，鄭注《尚書》、《三禮》、《春秋》，皆經遵明傳授。由北魏後期至隋，名儒宗師如李業興、盧景裕、李炫、張買奴、熊安生、劉炫、劉焯等多為其弟子或再傳弟子，而其中又有不少人通緯。徐遵明及徐門弟子與讖緯學的關係，值得進一步探究。

篇〉[105]）云『日月營始』，故知夏正。」[106]業興通篇辯論，多次引緯書為據，而梁君臣終不能屈之。

（八）北齊

李公緒，字穆叔，趙郡柏人。魏末曾任冀州司馬。然無意仕進。「博通經傳」，「雅好著書，撰《典言》十卷，又撰《質疑》五卷，《喪服章句》一卷，《古今略記》二十卷，《玄子》五卷，《趙語》十三卷」。「尤善陰陽圖緯之學。嘗語人曰：『吾每觀齊之分野，福德不多，國家世祚，終於四七。』」北齊之享國，實為二十八年。「有秘記，傳之子孫而不好焉，臨終取以投火。」[107]

（九）北周

沈重（500～583），字德厚，吳興武康人。博覽群書，為當世儒宗[108]。原任梁五經博士、都官尚書。北周武帝宇文邕，特別徵聘，「詔令討論《五經》，並校定鍾律。天和中，復於紫極殿講三教義。朝士、儒生、桑門、道士至者二千餘人。重辭義優洽，樞機明辯，凡所解釋，咸為諸儒所推」。後

105《北史》卷81《儒林傳上・李業興傳》，頁2724。

106《魏書》卷84〈儒林・李業興傳〉，頁1861～1865。

107《北史》卷33〈李靈傳附李公續傳〉，頁1211；《北齊書》卷29〈李渾傳附李公續傳〉，頁396。

108 皮錫瑞所推重的北朝諸儒之一（《經學歷史》，頁186）。諸家經學史皆有論及。本田成之《中國經學史》：「當時又有沈重，博學通敏，尤明《詩》、《左氏春秋》，為梁武帝所重，在紫極殿講三教義之時，有道俗二千餘人的聽眾，為諸儒所推服云。重涉獵陰陽圖緯、道經、釋典。」有多種著作（頁214）。李威熊：《中國經學發展史》：「他的《毛詩義疏》，特別精於音釋，今存許多佚文，很值得參考。」所撰《禮記義疏》，觀其佚文，也是釋音多過釋義，大抵上仍以鄭學為宗。至於《周官禮義疏》，也大多從鄭玄之說，唐賈公彥作《周禮疏》，則以沈重之書為本。（頁232）

授驃騎大將軍、開府儀同三司、露門博士，為皇太子講經。晚年回南方。重精通《毛詩》、《三禮》、《左傳》，撰有《周禮義》、《儀禮義》、《禮記義》、《毛詩義》、《喪服經義》、《周禮音》、《儀禮音》、《禮記音》、《毛詩音》、《樂律義》等[109]；「至於陰陽圖緯道經釋典，靡不畢綜」[110]。《周書》編者贊曰：「史臣每聞故老，稱沈重所學，非止《六經》而已。至於天官、律曆、陰陽、緯候，流略所載，釋老之典，靡不博綜，窮其幽賾。故能馳聲海內，為一代儒宗。雖前世徐廣、何承天之儔，不足過也。」[111]

熊安生（約499～578），字植之，長樂阜城人。一代儒宗。先後師從陳達、房虯、徐遵明、李寶鼎。博通《五經》，然專教《三禮》。弟子自遠方來者千餘人，「乃討論圖緯，招捃摭異聞，先儒所未悟者，皆發明之」。時值東魏。入北齊，任國子博士。北周平齊，拜為露門學博士。其弟子後來成名者，有馬榮伯、張黑奴、竇士榮、孔籠、劉焯、劉炫等。撰有《周禮義疏》、《禮記義疏》、《孝經義疏》等[112]。

---

109 劉汝霖：《漢晉學術編年》，頁488。

110《周書》卷45〈儒林·沈重傳〉，頁810。

111《周書》卷45〈儒林傳贊〉，頁819。

112《周書》卷45〈儒林·熊安生傳〉，頁812～813。皮錫瑞所推重的北朝諸儒之一：「《北史》又云：『南人約簡，得其英華；北學深蕪，窮其枝葉。』蓋唐初人重南輕北，故定從南學；而其實不然。」「《禮記疏》本皇、熊二家；熊安生北學，皇侃南學。」（《經學歷史》，頁176、186）本田成之《中國經學史》：「熊安生學於徐遵明，博通五經，專以《三禮》教授。弟子從遠方而至者千餘人。討論圖緯，發明先儒所未悟之處不少。後周武帝聞而欽重之，旅行幸安世之第，詔免其拜，親執其手，引與同座。」「安世儒宗，人望高，其弟子亦由師名而有名。劉焯、劉炫，即其門人。」（頁212）

李威熊《中國經學發展史》：「北朝的儒宗。」許多大儒都是出自他門下。「其說禮以遵鄭義為主，但難免也有與鄭不同者。孔穎達修《禮記正義》，即以皇侃之《禮記義疏》為本，熊氏之書為輔。」（頁232）

三　經學義疏中所見讖緯影響

雖然被皮錫瑞界定為經學的中衰和分立時代，魏晉南北朝的名儒經師其實不少，所撰諸經集解義疏也頗有可觀者。簡博賢謂：「史志著錄魏晉儒九經典籍，無慮百數。其有存本而今可考者，僅魏王弼《周易注》(《易略例》附)、晉杜預《春秋左氏經傳集解》、范寧《春秋穀梁傳集解》三種，餘皆亡佚不傳。」[113]此就九經而論。若以十三經論之，有存本而今可考者，尚有何晏《論語集解》、郭璞《爾雅註》，皇侃《論語集解義疏》則佚而復存。但《隋書・經籍志》著錄魏晉南北朝經學著述已達七百三十餘種，說兩晉南北朝經學著述多已散佚，並不過分。目前所能見到的佚文，多由清儒自類書、注疏等輯錄綴集，遠非原貌，更非全貌。但於此吉光片羽，仍可窺見當時經學著述中讖緯的影響。

（一）易學

1.〔東晉〕干寶《周易干氏注》

卷上《周易上經》：

〈屯〉：天造草昧。宜建侯而不寧。

（注：）水運將終，木德將始，殷、周際也。百姓盈盈，匪君子不寧。天下既遭屯險之難，後王宜蕩之以雷雨之政，故封諸侯以寧之也。[114]

113《今存三國兩晉經學遺籍考》，頁2。

114《周易干氏注》今佚。本節引文由馬國翰輯自〔唐〕李鼎祚《周易集解》。見《玉函山房輯佚書・經編易類》，《續修四庫全書・子部・雜家類》(上海市：上海古籍出版社，1990年)，頁662～674。

〈比〉：六三。比之匪人。象曰：「比之匪人，不亦傷乎？」

（注：）六三乙卯，〈坤〉之鬼吏，在〈比〉之家，有土之君也。周為木德，卯為木辰，同姓之國也。[115]

卷中《周易下經》：

〈益〉：六二。或益之十朋之龜，弗克違。永貞吉。王用享於帝，吉。

（注：）聖王先成其名，而後致力於神，故「王用享于帝」。在〈巽〉之宮，處〈震〉之象，是則蒼精之帝，同始祖矣。[116]

〈井〉：改邑不改井，无喪无得，往來井井。汔至，亦未繘井，羸其瓶凶。

（注：）水，殷德也。木，周德也。夫井，地之德也，所以養民性命，而清潔之主者也。[117]

〈革〉：九四。悔亡。有孚改命，吉。象曰：「改命之吉，信志也。」

（注：）爻入上象，喻紂之郊也。以逆取而四海順之，動凶器而前歌後舞，故曰「悔亡」也。中流而白魚入舟，天命信矣，故曰「有孚」。甲子夜陣雨甚至，水德賓服之祥也，故曰「改命之吉，信志也」。

〈震〉：震驚百里，驚遠而懼邇也。出可以守宗廟社稷，以為祭主也。

（注：）周，木德震之正象也，為殷諸侯。殷諸侯之制，其地百里，是以文王「小心翼翼，昭事上帝，聿懷多福，厥德不回，以受方國」，故以百里而臣諸侯也。

---

115 同上。
116 同上。
117 同上。

〈豐〉：勿憂，宜日中。

（注：）〈豐〉，〈坎〉宮陰，世在五，以其宜中而憂其側也。〈坎〉為夜，〈離〉為晝，以〈離〉變〈坎〉，至於天位，日中之象也。殷水德，〈坎〉象。晝敗而離居之，周伐殷，居王位之象也。[118]

卷下《周易雜卦》：

〈夬〉：決也，剛決柔也。君子道長，小人道消也。

（注：）凡《易》既分為六十四卦以為〈上〉、〈下經〉，天人之事，各有始終。夫子又為〈序卦〉，以明其相承受之義。然則文王、周公所遭遇之運，武王、成王所先後之政，蒼精受命短長之期，備於此矣。[119]

李威熊《中國經學發展史》將《周易干氏注》列為三國兩晉經學的重要著述之一，稱「其注《易》常取周的史實，以徵諸卦爻之義。又因《易》理體變無常，應化無方，所以其《易》學，旨在把它實際應用於占術上」[120]。其實干寶注《易》所採史觀和「史實」，基本上參照讖緯的五德相生論述。

2.〔南齊〕劉瓛《周易劉氏義疏》[121]

《周易上經》：

〈周易乾坤義〉：

易者，謂生生之德，有簡易之義。不易者，言天地定位，不可相易。變易者，謂生生之道，變而相續，皆以緯稱，不煩不擾，澹泊不失。

---

118 同上。

119 同上。

120 頁208。

121《周易劉氏義疏》今佚。本則佚文引自〔清〕馬國翰：《玉函山房輯佚書‧經編易類》，《續修四庫全書‧子部‧雜家類》（上海市：上海古籍出版社，1990年），頁4～5。

此明是易簡之義，無窮之道。[122]

「易者，謂生生之德」，本《易・繫辭上》「生生之謂易」[123]。「易簡之義」，本《易・繫辭上》「乾以易知，坤以簡能」之義[124]。但劉瓛、崔覲以簡易（易簡）、不易、變易三義釋「易」，出自鄭玄〈易三義說〉，而鄭氏之說，卻又源自《易緯乾鑿度》、《易緯乾坤鑿度》[125]。

3.〔陳〕周弘正《周氏易注》

《上下經》：

> 易者，易也，不易也，變易也。易者，易代之名。凡有無相代，彼此相易，皆是易義。不易者，常體之名。有常有體，無常無體，是不易之義。變易者，相變改之名，兩有相變，此為變易。[126]

〈乾〉：元、亨、利、貞。

> 元，始也。於時配春，言萬物始生，得其元始之序，發育長養。亨，通也。於時配夏，夏以通暢，合其嘉美之道。利者，義也。於時配秋，秋以成實，得其利物之宜。貞者，正也。於時配冬，冬以物之終，納幹正之道。若以五行言之，元、木也，亨、火也，利、金也，貞、水也。土則資運四事，故不言之。若以人事，則元為仁，亨為

---

122 《周易劉氏義疏》今佚。本則佚文引自〔唐〕孔穎達《周易正義序》引崔覲、劉貞簡說，阮元校刻：《十三經注疏》（北京市：中華書局，1980年），頁7。劉貞簡即劉瓛。崔覲事蹟，南北朝史籍不載，《隋書．經籍志》繫為南朝齊、梁間人，撰有《周易注》十三卷、《周易統例》十卷。孔穎達於此並引崔、劉兩家之說，說明崔覲注與劉瓛義疏對「易」三義的解釋是相同的。

123 孔穎達：《周易正義》，阮元校刻：《十三經注疏》，頁78。

124 同上，頁76。

125 參見林忠軍：〈鄭玄易學思想的特色〉，姜廣輝主編：《中國經學思想史》第二卷，頁524～537。

126 周弘正《易注》今佚。本則佚文引自孔穎達：《周易正義序．第一論易之三名》，阮元：《十三經注疏》，頁7。

禮，利為義，貞為信。不言智者，謂此四事因智而用，故《乾鑿度》云「水土二行，兼智兼信」，是也。[127]

第一段釋易名三義，本諸《易緯》，說見前。第二段以四時、五行、四事釋「元、亨、利、貞」。四事即仁、禮、義、信，而「此四事因智而用」，特引《易緯乾鑿度》文以為證。

（二）禮學

1.〔東晉〕范宣《禮論難》

舜有拂卵，無磔雞，及魏明帝大修禳祭儀雞特禳釁之事。磔雞宜起於魏。卵本漢制，所以輔卯金，又宜魏所除也。[128]

「拂卵」之儀，典籍罕有論及。《史記‧龜策列傳》：

（卜禁曰）常以月旦祓龜，先以清水澡之，以卵祓之，乃持龜而遂之，若常以為祖。人若已卜不中，皆祓之以卵，東向立，灼以荊若剛木，土卵指之者三，持龜以卵周環之，祝曰：「今日吉，謹以梁卵娣黃祓去玉靈之不祥。」玉靈必信以誠，知萬事之情，辯兆皆可占。不信不誠，則燒玉靈，揚其灰，以徵後龜。其卜必北向，龜甲必尺二寸。[129]

唐司馬貞《索隱》釋「常以月旦祓龜」：「（祓）上音廢，又音拂。拂洗之以

---

[127] 本則佚文輯自〔唐〕史徵：《周易口訣義》，《叢書集成初編》收孫星衍校《聚珍版叢書》本（北京市：中華書局，1985年），頁1～2。孔穎達：《周易正義》作：「元則仁也，亨則禮也，利則義也，貞則信也。不論智者，行此四事，並須資於知。且《乾鑿度》云：『水土二行，兼信與知也。』」（阮元：《十三經注疏》，頁15）

[128] 馬國翰：《玉函山房輯佚書‧補編》，頁566。

[129]〔漢〕司馬遷：《史記》（北京市：中華書局，1959年）卷128，頁3239。

水，雞卵摩之而呪。」唐張守節《正義》釋「先以清水澡之，以卵祓之」：「以常月朝清水洗之，以雞卵摩而祝之。」釋「謹以粱卵焍黃」：「焍音題。焍，焦也。言以粱米雞卵祓去龜之不祥，令灼之不焦不黃。若色焦及黃，卜之不中也。」[130]是「拂卵」乃漢代（或更早）一種禳祭儀式。漢代又有用桃印（桃卯，剛卯）驅邪禳惡之儀式。

《晉書·禮志上》：

> 歲旦常設葦茭桃梗，磔雞於宮及百寺之門，以禳惡氣。案漢儀則仲夏設之，有桃印，無磔雞。及魏明帝大修禳禮，故何晏禳祭議雞特牲供禳釁之事。磔雞宜起於魏，桃印本漢制，所以輔卯金，又宜魏所除也。[131]

范宣稱「卯本漢制，所以輔卯金」，《晉志》稱「桃印本漢制，所以輔卯金」。所謂「輔卯金」，即漢魏圖讖中常見之「卯金刀」，代指劉漢。范宣和《晉志》，都是以讖緯意象，解釋曹魏禳禮改採磔雞儀式的原因。

2.〔南朝宋〕任預《禮論條牒》[132]

> 《周禮·春官·大司樂》：以樂舞教國子舞雲門、大卷、大咸、大韶、大夏、大濩、大武。
>
> （論：）班固作《漢書》高帝四年，作武德之樂。又云：高帝廟中奏武德、文始。《注》云：舜之韶舞名，秦始皇二十六年改名。五行舞，《注》云：五行本周舞，高帝六年改名文始、五行之舞。案：此知有改樂之法也。案《孝經緯》云：伏犧之樂曰立基，神農之樂曰下謀，祝融之樂曰屬續。又《樂緯》云：顓頊之樂曰五莖，帝嚳之樂曰

---

130 同上，頁3239～3240。

131《晉書》卷19，頁600。

132《宋書》、《南史》無傳，生平不詳。據《隋書》卷32〈經籍志〉，曾任宋太尉參軍。撰《禮論條牒》、《禮論帖》、《答問雜儀》等。（頁923、924）

> 六英。注曰：能為五行之道，立根莖也。六英者，六合之英。皇甫謐曰：少昊之樂曰九淵。則伏犧已下皆有樂，今此惟存黃帝、堯、舜、禹、湯者，案《易．繫辭》云：黃帝、堯、舜垂衣裳。鄭《注》云：金天高陽、高辛遵黃帝之道，無所改作，故不述焉。則此所不述者，義亦然也。然鄭惟據五帝之中而言，則三皇之樂不存者，以質故也。[133]

漢魏以來經籍所載黃帝、堯、舜、夏、殷、周樂名，多據《樂緯》及《春秋元命苞》。《禮論條牒》亦一例也。

3.〔南朝宋〕庾蔚之《禮記略解》

> 〈王制〉：天子將出，類乎上帝。
>
> 庾蔚云：謂大微五帝，應於五行，五行各有德，故謂五德之帝。木神仁，金神義，火神禮，水神知，土神信，是五德也。[134]

庾氏依據讖緯五德說立論，解釋〈王制〉之「上帝」。焦桂美認為庾氏因宗鄭，有時不免彌縫鄭說。鄭玄注〈王制〉「上帝」為「五德之帝」，而〈月令〉「祈穀於上帝」之「上帝」為「大微之帝」。庾氏為彌縫兩注之異，將「五德之帝」與「大微之帝」牽合於此注中[135]。

133《禮論條牒》今佚。本則佚文引自《周禮．春官．大司樂》賈公彥疏，阮元：《十三經注疏》，頁788。「此知有改樂之法也」，馬國翰亦輯自賈公彥疏，則作「此不知有改樂之法也」。（《玉函山房輯佚書》，頁180）

134《禮記略解》今佚。本則佚文引自孔穎達《禮記正義》，阮元：《十三經注疏》，頁1332。

135 焦桂美：〈庾蔚之《禮記略解》評述〉，《船山學刊》2009年第1期，頁130～131。

4.〔南朝梁〕何胤《禮記隱義》

〈月令〉：其帝炎帝。

（隱義：）《春秋說》云：炎帝號大庭氏，下為地皇，作耒耜，播百穀，曰神農也。[136]

大庭氏，見《左傳・昭公十八年》：「宋、衛、陳、鄭皆火。梓慎登大庭氏之庫以望之。」杜預注：「大庭氏，古國名，在魯城內，魯於其處作庫，高顯，故登以望氣。」楊伯峻注：「《莊子・篋胠（胠篋）篇》謂『昔者容成氏、大庭氏』云云，則大庭氏為相傳古帝之名，或後以為國也。」[137]而鄭玄注則取《春秋緯》之說，以大庭氏為炎帝神農氏之別號。何胤從之。《春秋說》者，《春秋緯》也。

5.〔南朝梁〕崔靈恩《三禮義宗》

〈曲禮下〉：復，曰天子復矣。

（義宗：）復，所以呼天子者。凡王者皆感五精之帝而生，是天之子。今天王崩，是其精氣還復於上。呼稱天子，望更生之義。[138]

「凡王者皆感五精之帝而生」，本讖緯感生帝說，即「太微宮有五帝星座」[139]，王者之先祖「皆感太微五帝之精以生」[140]，「天子皆五帝精寶，各有題序，以

136《禮記隱義》今佚。本則佚文引自孔穎達《禮記正義》，阮元：《十三經注疏》，頁1364。

137 楊伯峻編著：《春秋左傳注》（北京市：中華書局，1981年），頁1395。

138《三禮義宗》今佚。本則佚文引自孔穎達《禮記正義》，阮元：《十三經注疏》，頁1260。「呼稱天子，望更生之義」，《玉函山房輯佚書・經編通禮類》作「呼稱天子復，更生之義」。（頁201）

139《春秋文耀鉤》，安居香山、中村璋八輯：《緯書集成》（石家莊市：河北人民出版社，1994年），卷中，頁662。

140 引自《禮記・大傳》鄭玄注，阮元：《十三經注疏》，頁1506。

次運相據起」[141]，於是「上帝五帝，在太微之中，迭生子孫，更王天下」[142]。

> 《禮記·檀弓上》：夏后氏尚黑，大事斂用昏，戎事乘驪，牲用玄。殷人尚白，大事斂用日中，戎事乘翰，牲用白。周人尚赤，大事斂用日出，戎事乘騵，牲用騂。[143]
>
> （義宗：）三微三正也，言十一月陽氣始施，萬物動於黃泉之下，微而未著，其色皆赤。赤者，陽氣，故周以天正為歲，色尚赤，夜半為朔。十二月萬物始牙，色白。白者，陰氣，故殷以地正為歲，色尚白，雞鳴為朔。十三月萬物始達，其色皆黑，人得加工以展其業，夏以人正為歲，色尚黑，平且為朔。故曰三微王者，奉而成之各法，其一以改正朔也。《易乾鑿度》曰：三微而成著，三著而體成。當此之時，天地交，萬物通也。[144]

> （義宗：）若以《書傳》、《中候》文，依《三正記》推之，則三皇五帝之所尚，可得而知也。以周人代殷用天正而尚赤，殷人代夏用地正而尚白，夏以人正代舜而尚黑，則知虞氏之王當用天正而尚赤，陶唐氏當用地正而尚白，高辛氏當用人正而尚黑，（炎帝）【高陽氏】當用天正而尚赤，少皞氏當用地正而尚白，黃帝當用人正而尚黑，炎帝當用天正而尚赤，共工氏當用地正而尚白，太皞當用人正而尚黑也。[145]

崔氏對三微三正的解說，不僅引述《易緯》，亦依據《禮緯》和《尚書大傳》。見《後漢書·章帝紀》李賢注：

141《春秋演孔圖》，安居香山、中村璋八輯：《緯書集成》卷中，頁581。

142 引自《春秋公羊傳·宣公三年》何休注，阮元：《十三經注疏》，頁2278。

143《玉函山房輯佚書·經編通禮類》繫以下兩則佚文於《禮記·檀弓上》「夏后氏尚黑」條。（頁202）

144〔南朝宋〕范曄：《後漢書》卷46〈陳寵傳〉〔唐〕李賢注引。（頁1552）

145〔唐〕杜佑：《通典》（杭州市：浙江古籍出版社，1988年）卷55，頁316引。

三正謂天、地、人之正．所以有三者，由有三微之月，王者所當奉而成之。《禮緯》曰：「正朔三而改，文質再而復。三微者，三正之始，萬物皆微，物色不同，故王者取法焉。十一月，時陽氣始施於黃泉之下，色皆赤。赤者陽氣，故周為天正，色尚赤。十二月，萬物始牙而色白。白者陰氣，故殷為地正，色尚白。十三月，萬物莩甲而出，其色皆黑，人得加功展業，故夏為人正，色尚黑。」《尚書大傳》曰：「夏十三月為正，平旦為朔。殷以十二月為正，雞鳴為朔。周以十一月為正，夜半為朔。」必以三微之月為正者，當爾之時，物皆尚微，王者受命，當扶微理弱，奉成之義也。[146]

焦桂美指出：「鄭玄擅長以緯書解經，崔氏既以宗鄭為主，也就同時繼承了鄭氏用緯書解經的特點。」[147]從上引兩則佚文來看，崔靈恩確實常以緯書解經。

6.〔北周〕熊安生《禮記熊氏義疏》

〈曲禮上〉：大上貴德，其次務施報。

（義疏：）三皇稱皇者，皆行合天皇之星。故《詩緯含神務》宋均注云：「北極天皇大帝，其精生人。然則稱皇者，皆得天皇之氣也。」鄭玄意則以伏犧、女媧、神農為三皇。故注《中候．敕省圖》，引《運斗樞》「伏犧、女媧、神農為三皇也」。然宋均注《援神契》，引《甄耀度》，數燧人、伏犧、神農為三皇。譙周《古史考》亦然。《白虎通》取伏羲、神農、祝融為三皇，孔安國則以伏犧、神農、黃帝為三皇，並與鄭不同。此皆無所據，其言非也。鄭數伏羲、女媧、神農，非謂其人身自相接，其間代之王多矣。《六藝論》云燧人至伏犧一百八十七代。宋均注《文耀鉤》，云女媧以下至神農七十二姓。譙

146 卷3，頁153。

147 焦桂美：〈崔靈恩的經學成就及其經學史意義〉，《管子學刊》2007年第4期，頁120。

周以為伏犧以次有三姓始至女媧，女媧之後五十姓至神農，神農至炎帝一百三十三姓，是不當身相接。譙周以神農、炎帝為別人，又以神農為木德，女媧為水德，皆非鄭義也。其五帝者，鄭注《中候·敕省圖》云「德合五帝坐星者稱帝」，則黃帝、金天氏、高陽氏、高辛氏、陶唐氏、有虞氏是也。實六人而稱五者，以其俱合五帝坐星也。五帝所以稱帝者，《坤靈圖》云：「德配天地，在正不在私，稱之曰帝。」三王稱王者，莊三年《穀梁傳》曰：「其曰王者，人所歸往也。」散而言之，則三皇亦稱帝。則〈月令〉云其帝太昊是也。五帝亦稱皇，則〈呂刑〉云「皇帝清問下民」是也。至三王德劣，不得上同於天，唯稱王而已。此云「大上貴德」，鄭云帝皇之世，則帝皇以上皆行德也。所以《中候·握河紀》云「皇道帝德，非朕所專」，是三皇行道，五帝行德，不同者但德由道。生道為其本，故道優於德。散而言之，德亦是道，故總云貴德。既三皇行道，五帝行德，以次推之，則三王行仁，五霸行義。雖行德亦能有仁，故《大學》云「堯、舜率天下以仁」是也。案《老子》云：道無常名。《河上公》云：能生天地人，則當大易之氣也。《道德經》云：上德不德，其德稍劣於常道。則三皇之世，法大易之道行之也。然則可行之道，則伏犧畫八卦之屬是也。三皇所行者也，下德不失德。《河上公》云：下德謂號謚之君，則五帝所行者也。但三皇則道多德少，五帝則道少德多。[148]

〈曲禮上〉：五十曰艾，服官政。

（義疏：）案《中候·運衡》云：「年耆既艾。」《注》云：「七十曰艾。言七十者，以時堯年七十，故以七十言之。」又《中候·準讖哲》云：「仲父年艾，誰將逮政。」《注》云：「七十曰艾者，云誰逮

---

[148] 《禮記熊氏義疏》今佚。本則佚文引自孔穎達：《禮記正義》，阮元：《十三經注疏》，頁149。

政，是告老致政。致政當七十之時，故以七十曰艾。」[149]

〈曲禮下〉：去國三世，爵祿無列於朝，出入無詔於國。唯興之日，從新國之法。

（義疏：）案《鉤命決》云：「上為制法之主，黑綠不伐蒼黃。」聖人特為制法，不與常禮同也。[150]

〈曲禮下〉：大夫無故不徹縣，士無故不徹琴瑟。

（義疏：）案《春秋・說題辭》：「樂無大夫、士制。」鄭玄《箴膏肓》從《題辭》之義，大夫、士無樂。〈小胥〉「大夫判縣，士特縣」者，〈小胥〉所云娛身之樂及治人之樂，則有之也。故〈鄉飲酒〉有工歌之樂是也。《說題辭》云無樂者，謂無祭祀之樂。故特牲少牢無樂。[151]

〈禮運〉：麟以為畜，故獸不狘。

（熊氏申鄭義云：）若人臣官脩，則脩母致子之應，左氏之說是也。若人君脩其方，則當方來應。孔子脩《春秋》，為素王法以立言，故西方毛蟲來應。[152]

〈樂記〉：大章，章之也；咸池，備矣。

（熊氏又云：）案《五行・鉤命決》云：「伏犧樂為立基，神農樂為下謀，祝融樂為祝續。」案《樂緯》云：「黃帝曰咸池，帝嚳曰六英，顓頊曰五莖，堯作大章，舜曰簫韶，禹曰大夏，商曰大濩，周曰大武象。」〈禮樂志〉云「顓頊作六莖，帝嚳作五英」，與《樂緯》不同，其餘無異名。曰六英者，宋均注云，為六合之英華。五龍為五莖者，

---

149 同上，頁1232。

150 同上，頁1257。

151 同上，頁1259。

152 同上，頁1425。

能為五行之道立根莖也。[153]

熊氏講經，連篇累牘徵引讖緯，或稱頌孔子為素王法，於此可見。

（三）春秋學

1.〔東晉〕王衍期《公羊王門子注》

《公羊傳．隱元年》：王者孰謂？謂文王也。

（注：）《春秋》制文王，指孔子耳，非周昌也。〈文王世子〉稱武王對文王云：「西方有九國焉，君王其終撫諸。」呼文王為王，是後人追為之辭。[154]

皮錫瑞批評說：「王衍期注《公羊》以為《春秋》制文王指孔子，見《書．泰誓．疏》引；兩漢人無此說，亦未可據。」[155]王謨《玉函山房輯佚書續編．經編春秋類》引臧氏庸：「《（經典）釋文．序錄》：《公羊》有王衍期注十二卷。字門子，河東人，東晉散騎常侍，辰陽伯。《春秋》制文王指孔子者，門子用緯說，言《春秋》之法，以孔子為文王。《禮記正義．曲禮下》曰：『《鉤命決》云：丘為制法之王，黑綠不代蒼黃。』是孔子為文王之事，又或稱素王。」[156]

---

153 同上，頁1534。

154《公羊王門子注》今佚。本則佚文引自孔穎達《尚書正義．泰誓上》，阮元：《十三經注疏》，頁180。

155《經學歷史》，頁173。

156〔清〕王仁俊：《玉函山房輯佚書續編》，《續修四庫全書》（上海市：上海古籍出版社，2002年），冊1206，〈公羊王門子注〉，頁49。

2.〔南朝陳〕沈文阿《春秋左氏經傳義略》

《左傳・隱公五年》：夫舞，所以節八音而行八風。

（義略：）案《樂緯》云：坎主冬至，樂用管；艮主立春，樂用塤；震主春分，樂用鼓；巽主立夏，樂用笙；離主夏至，樂用絃；坤主立秋，樂用磬；兑主秋分，樂用鍾；乾主立冬，樂用柷敔。此八方之音。[157]

任預《禮論條牒》論及上古樂名，亦引《樂緯》及《孝經緯》。見前。

（四）孝經學

〔南朝梁〕梁武帝蕭衍《孝經義疏》

〈聖治章〉：宗祀文王於明堂，以配上帝。

（義疏：）明堂准《大戴禮》，九室、八牖、三十六戶，以茅蓋屋，上圓下方。鄭玄據《援神契》，亦云上圓下方，又云八窗四達。明堂之義，本是祭五帝神，九室之數，未見其理。若五堂而言，雖當五帝之數，向南則背叶光紀，向北則背赤熛怒，東向西向，又亦如此，於事殊未可安。且明堂之祭五帝，則是總義，在郊之祀五帝，則是別義。宗祀所配，復應有室。若專配一室，則是義非配五，若皆配五，則便成五位。以理而言，明堂本無有室。朱异以《月令》天子居明堂左右个，聽朔既在明堂，今若無室，則於義成闕。制曰：若如鄭玄之義，聽朔必在明堂，於此則人神混淆，莊敬之道有廢。《春秋》云：介居二大國之間。此言明堂左右个者，謂所祀五帝堂之南又有小室，亦號明堂，分為三處。聽朔既三處，則有左右之義，在營域之內，明堂之

---

[157]《春秋左氏經傳義略》今佚。本則佚文引自孔穎達《春秋左傳正義》，阮元：《十三經注疏》，頁1728。

外，則有个名，故曰明堂左右个也。以此而言，聽朔之處自在五帝堂之外，人神有別，差無相干。[158]

（五）論語學

〔北魏〕房景先《五經疑問》

問:《論語》，河不出圖，泣麟自傷。曰：聖人稟靈天地，資識未形，齊生死於一同，等榮辱於彼我。孔子自生不辰，從心告齒，樂正既修，素王斯著。方興吾已之歎，結反袂之悲，進涉無上之心，退深負杖之懼。聖達之理，無乃缺如？[159]

「素王」一詞，始見於《莊子外篇・天道》，是對有道而無爵之人的泛指。把孔子與素王連在一起，是西漢今文學的發明。董仲舒以《春秋》為「素王之文」[160]，因為它闡述了後世君主所應遵循的制度、治道。但讖緯中的「素王」不僅僅是指空有王者之德而無機會施展政治抱負的現實生活中的孔子。在讖緯神學看來，孔子是生來就具有神性的，他具備成為受命帝王的主要條件。但由於他是黑帝之精裔，卻生在周漢之際，「黑不代倉」，按五行次運，不能成為帝王。「孔子自生不辰」，反映的就是這種觀念。

（六）五經總論

〔北魏〕房景先《五經疑問》

問：王者受命，木火相生。曰：五精代感，稟靈者興。金德方隆，禎

158《孝經義疏》已佚。本則佚文由馬國翰輯自《梁武帝集》。見《玉函山房輯佚書・經編孝經類》，頁598。

159《魏書》卷43〈房法壽傳附房景先傳〉，頁982。

160《漢書》卷56〈董仲舒傳〉，頁2509。

> 發華渚；水運告昌，瑤光啟祚。人道承天，天理應實，受謝既彰，玄命若契。相生之義，有允不違。至如湯、武革命，殺伐是用，水火為次，遵而不改。既事乖代終，而數同納麓。逆順且殊，禎運宜異，而兆徵不差，有疑符應。[161]

這一節言簡意賅地闡述了讖緯的五德終始歷史觀。

四　結論

綜上所述，我們可以歸納出當時緯學流行的特點。

其一，持續不絕，無朝無代無之。按《隋書・經籍志》的說法，南朝宋、梁或始禁圖讖，或重其之制；北魏和隋都曾頒發不止一次禁令，而且動輒以大辟相脅。然而這幾朝的通緯風氣，未曾稍減。師生傳授，綿延不絕。

其二，朝廷議曆議禮，皇帝朝臣之間，引緯為依據也好，斥為緯無稽之談也好，並無政治性的禁忌。民間學習傳授，也是公開的。

其三，精通讖緯在當時被視為博學智慧，通緯者受到尊敬。所以通緯者中，顯宦貴族名儒大有人在。南北方的政治、文化精英中，無論華夏族或非華夏族，習緯是普遍風氣，通緯是淵博的標誌之一。在那一時期編撰的史學著作，如《三國志》、諸家《晉書》、《帝王世紀》、《後漢書》、《宋書》、《南齊書》、《水經注》、《華陽國志》等名著中，都載錄不少有關讖緯的資料，也對通緯的學者文人讚譽有加。當時不少著名學者和文人，號稱精研讖緯。如昭明太子蕭統，「馳神圖緯，研精爻畫」[162]。涼王段業，「博涉史傳，有尺牘之才」，「尤信卜筮、讖記、巫覡、徵祥」[163]。左思、成公綏、陸機、潘岳、郭璞、干寶、王嘉、范曄、顏延之、王儉、王融、沈約、任昉等，史傳雖未明言其通緯，但從其著作以及政治和學術活動，都可窺知他們對讖緯

161《魏書》卷43〈房法壽傳附房景先傳〉，頁978。

162《梁書》卷8〈昭明太子傳〉，頁170。

163《晉書》卷129〈沮渠蒙遜載記〉，頁3192。

文本的熟悉和重視程度。

其四，經學宗師們對待讖緯是嚴肅的，視為經學必要的構成部分。

其五，學緯習緯的風尚非常普遍，無分南北東西[164]，無分朝野，無分官立儒學或私家傳授。這些通緯之人又各有師承、弟子，弟子多者可至數千。完全有理由推測，當時實際通緯人數，遠超過今存史傳、佚文所載、本文所列。如：

北魏孝明帝正光四年（523）〈魏故假節督洛州諸軍事龍驤將軍洛州刺史河南元（秀）使君之墓誌銘〉：「幼播令譽，好讀書，愛文義，學該圖緯，博觀簡牒，既精書易，尤善禮傳，棲遲道藝之圃，遊息儒術之藪。」[165]

北魏孝莊帝永安元年（528）〈大魏故侍中特進驃騎大將軍尚書左僕射司州牧司空公鉅平縣開國侯元（欽）君之神銘〉：「惟公誕載，實資妙氣，精褒五像，神融七緯。識洞玄文，學窮秘記。」[166]

北齊廢帝乾明元年（560）〈王諱湝（高湝）墓誌〉：「韻致江海，才驚廊廟。篤茲文雅，顧斯武節，書盡經緯，劍窮論說。」[167]

元秀、元欽、高湝都是元魏、高齊宗室嫡裔。史籍未曾言及通緯，但墓誌撰作者形容他們文雅好學、洞識玄秘，都要提到「學該圖緯」、「書盡經緯」。

研究魏晉南北朝文化思想學術歷史的學者對讖緯學一般所持的忽視態度，不為無因。學術界普遍認為，讖緯學在南北朝時期遭到歷代統治者的嚴厲禁絕，緯書大量散失，當時知識界的學術思想風氣又發生明顯的變遷，緯學難以傳承。這種共識得到《隋書・經籍志》一段描述的支持：「至宋大明（457～464）中，始禁圖讖，梁天監（502～519）以後，又重其制。及高祖受禪，禁之逾切。煬帝即位，乃發使四出，搜天下書籍與讖緯相涉者，皆焚

---

164 由上舉通緯學者的原籍和定居地的分佈來看，盧雲所假設的三國以後緯學的地域限制（隴右河西，燕代遼東，巴蜀，吳越）未必成立。

165 趙超：《漢魏南北朝墓誌彙編》（天津市：天津古籍出版社，1992年），頁131。

166 趙超：《漢魏南北朝墓誌彙編》，頁250～251。

167 趙超：《漢魏南北朝墓誌彙編》，頁409。

之，為吏所糾者至死。自是無復其學，秘府之內，亦多散亡。」[168]

《隋書》的編纂者們親歷隋代，去南北朝亦未遠。他們的話，似應有根據。但《經籍志》只是說煬帝即位後，「無復其學，秘府之內，亦多散亡」[169]，未言兩晉南北朝期間緯書散亡已盡。此外〈經籍志〉對這一期間禁絕讖緯情形的描述，也不夠完整。

陳登原和Jack Dull曾指出，緯書之禁始於東漢末年[170]，即魚豢《魏略》所云「科禁內學兵書」[171]。而據筆者的考察，在此之後，自西晉至隋，禁讖詔書載於正史的有六次，未見詔書，但《隋書・經籍志》明確記載曾有禁令的有三次，諸史未明言而實有禁讖之蛛絲馬跡的有一次。歷次禁絕始末，背景及屢禁而不絕的史實，筆者已有專文詳細探討，不贅。在此僅將與本文論題相關的結論略做介紹。

第一，晉至隋之禁毀讖緯，以郡國私家民間收藏為限，皇家收藏不在禁毀之列。自西晉至隋，不分東西南北，任何一個新政權初建，以太史令為代表的政府官員就會引述大量讖緯以論證新政權的合法性。太史令即皇家星占師。他們的資料來源，除家傳之外，主要依靠皇家圖書館，尤其是讖緯天文一類書籍。《南齊書・祥瑞志》「靈篇秘圖，固以蘊金匱而充石室，炳《契決》，陳緯候者，方策未書」[172]，此之謂也。北魏兩次禁讖，而且法令嚴厲，

168《隋書》卷32〈經籍志〉，頁941。此說影響很大，在西方漢學家中也非常流行。曾珠森（Tjan Tjoe Som）即認為自宋大明以來，經統治者連續嚴禁，讖緯書因而散失（*Po Hu T'ung: The Comprehensive Discussions in the White Tiger Hall*, Leiden: E. J. Brill, 1949, pp.105～107、154）。Anna Seidei則說，除了《易緯》兩種，其他緯書自漢末以來均已遭禁止摒斥和焚毀。（"Imperial Treasures and Taoist Sacraments-Taoist Roots in the Apocrypha," in *Tantric and Taoist Studies*, edited by Michel Strickmann, Melanges Chinois et Bouddhiques 21 (1983), p. 295）

169 此說其實不確。參見上舉拙論。

170《國史舊聞》第一分冊（北京市：三聯書店，1958年），頁428；"A Historical Introduction to the Apocrypal (ch'an-wei) Texts of the Han Dynasty." Unpublished Ph. D. dissertation, University of Washington, 1966, p. 404。

171《三國志》卷23，頁660。

172 卷18，頁349。

焚書殺頭。然而道武帝時徵集天下書籍，包括天文秘緯；明元帝流覽緯書而改上先帝謚號；宣武帝時孫惠蔚建議擴充皇家藏書，包括圖書秘笈。隋初牛弘上表請開獻書之路，也特別提到要收集陰陽河洛之篇。

第二，禁止讖緯之學，是以防止擴散而為「妖邪所憑」為目標，王公、貴族、武臣、師巫、愚民，是其重點；在通儒飽學之士，皇家星占官員中，讖緯學統緒仍存。

兩晉南北朝大多數禁讖詔書，除不許挾藏，還會強調禁星氣讖緯之「學」，不得「私學」。這裏的「學」在筆者看來，主要是指教學之學而非指學科學術之學。兩晉南北朝至隋之禁絕讖緯，主要是政治性而非學術學理性的。雖然兩晉南北朝士大夫崇尚《老》、《莊》、《易》學，經學流行古學，仍有不少通儒飽學之士，把讖緯當學術學問來做，用以探討古史、禮制、音樂、曆法。這對專制政權不僅無害，而且有益。當然，讖緯之學與一般經學不同，在於它本身帶有強烈的政治色彩。但在學者手中，其政治功能主要用在兩個方面：論證現行政權的正當性，以及保證制度政策的連續性、規範性。凡有政治頭腦的君主，都會認識到這兩種功能的價值。但如果讖緯被廣泛教授，那就難免「為妖邪所憑」，它對現行秩序破壞性的一面，就會迅速表現出來。所以雖禁讖緯學之擴散，卻並不禁止專家的研究傳習。問題是專家身兼經師者，都會有成百上千弟子，阻止師弟之間的學問授受，似乎也很難做到。當時的儒者官員在宮廷政府公開引述讖緯，討論禮制學術，甚至批評施政，經師們則繼續傳授讖緯的情形。這樣的讖緯之「學」，看來皇家並不嚴厲干預。當然學者中也有對利用讖緯謀私利有特殊興趣者，當他們逾越一定界限，就會被皇家視為妖邪謀逆，予以打擊。

還有一點值得注意：禁毀重點，似乎在讖而不在緯。東漢時讖緯有別，許多學者曾經指出。讖緯無別，也有許多學者論及。如果討論漢代讖緯學，這兩種說法其實並無實質衝突。說讖緯有別，是因為東漢三國緯書中，有一部分內容主要與古史、神話、在古代經典有關，與今文經學淵源較深，名之為緯；另一部分與天文、占卜、巫術及政治預言有關，名之為讖。後世學者，以為緯雖不經，尚可補經，不應與「荒謬無稽」之讖言混為一談，故應

「讖自讖，緯自緯」。但緯書中雖有少數幾部以「讖」為名，然細究其實，標題為緯者含緯也含讖，與標題為讖者並無實質區別。圖讖、緯候、讖緯、圖緯、緯讖、內經、秘經，所有這些辭彙約定俗成，指的是同類的書籍。這一傳統為兩晉南北朝學者所繼承。所以禁令中讖緯通常並提。然而既然禁令主要出於現實政治的動機，而非學理上的論爭，著重辨析經義的緯，應該不是君主最忌諱的東西。如果這一猜測屬實，兩晉南北朝學者仍可公開研究討論緯學的歷史現象就可得到合理的解釋。我們尚未找到直接的法律證據。據《唐律疏議》，唐代法律所禁的圖書、讖書，不包括五經緯、《尚書中候》、《論語讖》在內[173]。《唐律》以隋《開皇律》為樣板，《開皇律》則吸收了魏晉南朝及北齊的律條內容。我們雖不敢就此斷言兩晉南北朝法律中有同樣的律條，但今後值得就這一問題做更深入的探討。

第三，由於種種歷史原因，雖然屢經禁毀，兩晉南北朝民間仍收藏相當數量之讖緯書籍。

既然通儒飽學之士仍可研討讖緯，而且常常引用讖緯，他們必然有其來源。皇家藏書對其中一部分學者會做一定程度的開放，但許多人應當會有自已的私人收藏。南朝梁的著名目錄學者、圖書收藏家阮孝緒所編撰的書目《七錄》中，緯讖部列有三十二種，四十七帙，二百五十四卷[174]。與讖緯極盛的東漢三國相比，這個數目大概不值一提。但如考慮到南朝士人飽經戰亂兵火播遷，以及讖緯作為宮廷秘笈的傳統，則他所過目的種類已算相當可觀。不幸的是他的藏書被付之一炬[175]。幸運的是，他並不是當時惟一的讖緯收藏

---

173 劉俊文：《唐律疏議箋解》（北京市：中華書局，1996年），頁763。劉氏解析指出，此律條所針對罪行之要件為「私有」。

174 王仁俊：《玉函山房輯佚書續編》（京都市：中文出版社，1990年），頁142。

175 關於阮孝緒之收藏及焚毀讖緯書籍，史書記載了一段有趣的故事。梁武帝天監（502～519）後重禁緯之制，見諸《隋書》。據《南史》卷76〈隱逸傳下〉：「武帝禁畜讖緯，孝緒兼有其書，或勸藏之。答曰：『昔劉德重淮南秘要，適為更生之禍，杜瓊所謂不如不知，此言美矣。』客有求之，答：『已所不欲，豈可嫁禍於人。』乃焚之。」（頁1895）由此可知：一、武帝禁讖緯之舉，重在禁止民間收藏；二、讖緯屢經晉、宋禁止，至梁而民間仍未絕跡；三、雖然梁武「重其制」，民間似乎並不太當回事。

者。這可以從當時社會中習緯之人甚多這一事實得到間接證明。

第四，東漢至三國，讖緯作為官方宣導的意識形態，既享有崇高的正統地位，其文本內容也受到官方嚴格控制。換句話說，社會上流行的是欽定之版本。光武帝之「宣佈圖讖於天下」就是向社會宣佈定本。兩晉以降，讖緯失去官定正統地位，政府同時也就失去了對讖緯文本的控制和指導。兩晉至隋，在傳統的緯書文本之外，又出現不少新結集的讖言，如《古符傳賈錄》、《孔子閉房記》，及《金雌詩》、《金雄記》、《王子年歌》、《老子河洛讖》、《劉向讖》等。所以有系統的緯書確實大量散失，以致今日之人難窺全豹，隨機性強的讖書卻如「野火燒不盡，春風吹又生」的野草，隨禁隨生。唐宋以來的《推背圖》、《燒餅歌》，秘密宗教的許多經典寶卷，就是這麼發展起來的。

中國的讖緯信仰是一個複雜的文化現象。讖言緯書看似粗糙，非理性，語言含混，卻影響中國政治和士大夫及庶民思想近兩千年，背後實有深刻的社會和文化背景。兩晉南北朝至隋圖讖禁而不絕，經學界通緯風尚綿延不止之歷史原因，從上述社會背景也許可以得到一定的解釋。

本文據拙作〈兩晉南北朝之緯學——經學界的通緯風尚〉（原載《揖芬集——張政烺先生九十華誕紀念文集》，北京市：社會科學文獻出版社，2002年，頁655～669）修改增補，以就教於方家。

有的人勸孝緒繼續收藏，有的人則願代為收藏，看不出他們有罪惡感、危機感。

中日韓經學國際學術研討會
會議日程表

主辦單位：香港浸會大學中國語言文學系、中央研究院中國文哲研究所
日期：二〇一〇年五月二十七日（星期四）至二十八日（星期五）
地點：香港浸會大學 逸夫校園 逸夫行政樓國際會議中心五樓

五月二十七日（星期四）上午
開幕禮暨專題演講

時間	程序	地點
07:30－08:30	早餐	吳多泰博士國際中心 桃源閣
08:30－09:00	學者報到	逸夫行政樓五樓
09:00－09:30	開幕禮 主禮嘉賓： 1. 香港特別行政區民政事務局局長曾德成先生太平紳士 致辭 2. 香港浸會大學校長吳清輝教授 致辭 3. 香港浸會大學文學院院長鍾玲教授 致辭 4. 會議主辦單位代表 致辭 香港浸會大學中國語言文學系系主任 周國正教授 香港浸會大學中國傳統文化中心主任 劉楚華教授 中央研究院中國文哲研究所研究員 林慶彰教授	接待處

時間	程序	地點
09:30－09:45	合照	逸夫行政樓五樓
09:45－10:00	茶敘	逸夫行政樓五樓 SWT 501
10:00－10:40	專題演講	
	專題演講（一） 講者：林慶彰教授 講題：安井小太郎編纂經學入門書目的意義	
10:40－11:20	專題演講（二） 講者：夏含夷教授 講題：興與象——簡論占卜和詩歌的關係	
11:20－12:30	專題演講（三） 講者：野間文史教授（金培懿教授翻譯） 講題：《春秋左氏傳》之構成與基軸	
12:30－14:00	午膳	逸夫校園聯福樓

五月二十七日（星期四）下午

分組討論

第一場分組討論

時間 \ 地點	第一組 逸夫行政樓五樓 SWT 504 室	第二組 逸夫行政樓五樓 SWT 505 室
14:00 － 14:20	主持：單周堯教授	主持：何志華教授
	何廣棪教授 陳振孫《書》學之研究	張壽安教授 清儒「說經」的基礎知識

地點 時間	第一組 逸夫行政樓五樓 SWT 504 室	第二組 逸夫行政樓五樓 SWT 505 室
14:20 － 14:40	趙生群教授 《左傳》校讀札記	田浩教授 郝經論五經（Hao Jing's Discussions of the Five Classics）
14:40 － 15:00	張曉生教授 傅遜《春秋左傳註解辨誤》述評	末永高康教授 《孔子三朝記》中之名
15:00 － 15:20	劉寧教授 中唐《春秋》義例學的特點	盧鳴東教授 朝鮮禮圖的編製方法和標準── 金長生《家禮輯覽》婚圖研究
15:20 － 15:40	綜合討論	
15:40 － 16:00	茶敘	

第二場分組討論

地點 時間	第一組 逸夫行政樓五樓 SWT 504 室	第二組 逸夫行政樓五樓 SWT 505 室
	主持：張宏生教授	主持：陳致教授
16:00 － 16:20	蔡根祥教授 江永與戴震學術關係研究── 以《詩經》學說為討論範圍	單周堯教授 竹添光鴻《左氏會箋》論五情說管窺

時間＼地點	第一組 逸夫行政樓五樓 SWT 504 室	第二組 逸夫行政樓五樓 SWT 505 室
16:20 － 16:40	車行健教授 現代學術獎勵機制觀照下的羅倬漢之經學成就——以《詩樂論》為核心之探討	何志華教授 《史記》詮釋《論語》考
16:40 － 17:00	鄧國光教授 《春秋》與「素王」——漢代「經學義理」旨釋	傅熊教授 Huang Kan's Lunyu yishu and Qing scholarship
17:00 － 17:20	呂宗力教授（張玉龍先生代讀） 兩晉南北朝的經學與緯學	金培懿教授 作為道德／語文教育教材的《論語》——以近代日本中學校教科書／漢文學參考書所作的考察
17:20 － 17:40	綜合討論	
18:00 － 21:00	歡迎晚宴（畔溪酒家）	

五月二十八日（星期五）上午

分組討論

第三場分組討論

時間＼地點	第一組 逸夫行政樓五樓 SWT 504 室	第二組 逸夫行政樓五樓 SWT 505 室
	主持：汪學群教授	主持：蔣秋華教授
09:00 － 09:20	蔡長林教授 義理《易》與今文學——皮錫瑞《易學通論》的經學立場及其意義	郜積意教授 《召誥日名考》的曆學背景及相關問題
09:20 － 09:40	賴貴三教授 佐藤一齋《易》學初探——以《言志四錄》與《九卦廣義》為核心	范麗梅教授 郭店〈成之聞之〉若干引《書》的詮釋問題
09:40 － 10:00	蘇費翔教授 《周易》卦名的語義學特徵	牟堅教授 朱子的實理觀與《中庸》詮釋
10:00 － 10:20	吳家怡先生 《漢書・敘傳》述《易》考	宗靜航教授 從詞彙角度淺議〈湯誥〉與〈仲虺之誥〉的成書年代
10:20 － 10:40	綜合討論	
10:40 － 11:00	茶敘	

第四場分組討論

地點 時間	第一組 逸夫行政樓五樓 SWT 504 室	第二組 逸夫行政樓五樓 SWT 505 室
	主持：張壽安教授	主持：蔡長林教授
11:00 － 11:20	舒大剛教授 邢昺《孝經注疏》雜考	李雄溪教授 〈小雅・都人士〉「綢直如髮」解
11:20 － 11:40	丁亞傑教授 生命禮儀中的兩性位置：方苞禮學中的女性	方向東教授 古代尊師禮淺論
11:40 － 12:00	許子濱教授 《左傳》「公喪之如稅服終身」解	黃梓勇先生 論章太炎的今古文經學觀
12:00 － 12:20	綜合討論	
12:20 － 14:00	午膳（聯福樓）	

第五場分組討論

地點／時間	第一組 逸夫行政樓五樓 SWT 504 室	第二組 逸夫行政樓五樓 SWT 505 室
14:00 － 14:20	主持：李雄溪教授	主持：車行健教授
	許振興教授 真德秀《大學衍義》的「齊家」思想	郭鵬飛教授 讀王引之《經義述聞・爾雅》札記
14:20 － 14:40	馮曉庭教授 從《兼明書》看唐末五代說經方向的轉折	孔炳奭教授 《禮記》喪服制度的人文意識
14:40 － 15:00	黃冠雲教授 重構子思學說的兩個定點	鄭時烈教授 退溪《論語釋義》的解釋學的特徵
15:00 － 15:20	綜合討論	
15:20 － 15:40	茶敘	

第六場討論暨閉幕禮

地點／時間	逸夫行政樓五樓 SWT 501 室
15:40 － 16:00	主持：劉楚華教授
	金時晃教授（孔炳奭教授代讀） 孔子從時俗行夏之時正解
16:00 － 16:20	汪學群教授 費密經學思想試探——以《弘道書》為例
16:20 － 16:40	蔣秋華教授 試論吳汝綸《尚書故》的訓詁

地點 時間	逸夫行政樓五樓 SWT 501室
16:40 － 17:00	綜合討論
17:00 － 17:10	閉幕禮 主持：林慶彰教授、劉楚華教授
17:45 － 19:15	晚膳（聯福樓）

古琴演奏晚會

時間	程序	地點
19:30 － 21:30	「高山流水會知音」，由中、港古琴名家演奏： 林友仁教授、劉楚華教授、蘇思棣先生、林晨女士	逸夫校園 大學宿舍 冒季美牧師紀念堂

經學研究叢書·臺灣高等經學研討論集叢刊 0502006

中日韓經學國際學術研討會論文集

主　　編　林慶彰、盧鳴東
編　　輯　蔣秋華

發 行 人　陳滿銘
總 經 理　梁錦興
總 編 輯　陳滿銘
副總編輯　張晏瑞
編 輯 所　萬卷樓圖書股份有限公司
排　　版　浩瀚電腦排版股份有限公司
印　　刷　百通科技股份有限公司
封面設計　斐類設計工作室

發　　行　萬卷樓圖書股份有限公司
臺北市羅斯福路二段 41 號 6 樓之 3
電話 (02)23216565
傳真 (02)23218698
電郵 SERVICE@WANJUAN.COM.TW
大陸經銷　廈門外圖臺灣書店有限公司
電郵 JKB188@188.COM

ISBN 978-957-739-754-6
2015 年 4 月初版

定價：新臺幣 1400 元

如何購買本書：
1. 劃撥購書，請透過以下郵政劃撥帳號：
帳號：15624015
戶名：萬卷樓圖書股份有限公司
2. 轉帳購書，請透過以下帳戶
合作金庫銀行 古亭分行
戶名：萬卷樓圖書股份有限公司
帳號：0877717092596
3. 網路購書，請透過萬卷樓網站
網址 WWW.WANJUAN.COM.TW
大量購書，請直接聯繫我們，將有專人為您服務。客服：(02)23216565 分機 10
如有缺頁、破損或裝訂錯誤，請寄回更換

國家圖書館出版品預行編目資料
中日韓經學國際學術研討會論文集 /林慶彰、盧鳴東主編.
-- 初版. -- 臺北市 : 萬卷樓, 2015.04
面 ;　公分. -- (經學研究叢書)
ISBN 978-957-739-754-6(平裝)
1.經學 2.文集
090.7　　101007425